ATHENS TO BEIJING

从雅典到北京

奥运会和国际奥委会的历史

1894–2008

[英] 戴维·米勒 著

王承教等 译

哈尔滨出版社

HARBIN PUBLISHING HOUSE

黑版贸审字 08－2004－023号
图书在版编目（CIP）数据
从雅典到北京：奥运会和国际奥委会的历史 / [英]米勒著；王承教等译. －哈尔滨：哈尔滨出版社，2008.4
ISBN 978－7－80753－014－5

Ⅰ. 从... Ⅱ. ①米...②王... Ⅲ. ①奥运会－历史－②国际奥委会－历史 Ⅳ. G811.219 G811.111

中国版本图书馆CIP数据核字（2007）第103107号

责任编辑：陈春林
　　　　　关　力
特约编辑：王忠波
封面设计：古　月

从雅典到北京
——奥运会和国际奥委会的历史
[英]戴维·米勒 著 王承教等 译

哈尔滨出版社出版发行
哈尔滨市香坊区泰山路82－9号
邮政编码：150090 营销电话：0451-87900345
E－mail:hrbcbs@yeah.net
网址：www.hrbcbs.com
全国新华书店经销
北京盛兰兄弟印刷装订有限公司印刷

开本889×1194毫米 1/16 印张29.5 字数775千字
2008年4月第1版 2008年4月第1次印刷
ISBN 978－7－80753－014－5
定价：118.00元

序言

中国奥委会名誉主席

距离2008年北京奥运会开幕只有两百余天了，介绍奥运会知识的书籍也越来越多，但是，能够兼及国际奥委会发展史的书则很少，而能纵论奥运会百年历程与国际奥委会历史轨迹的书更不多见。哈尔滨出版社出版的《从雅典到北京》一书弥补了这一缺憾，其中文版的面世，更是为北京奥运会准备的一份特别礼物。因此，我愿意为它写几句话。

北京奥运会提出的口号是：“同一个世界，同一个梦想。”它让我们从一个参与者的视角看待奥运会。然而，作为观众注意的往往是体育健儿在赛场上的英姿，是他们胸前耀眼闪光的金牌，而英姿与金牌背后蕴含的感人故事却被忽视；注意的往往是激动人心的开幕式与闭幕式，而历届奥运会组委会以及国际奥委会众多成员，为了奥运会的发展付出的心血也被忽视。奥运会绝不仅仅是简单的体育比赛，人们追求的也不仅仅是金牌，运动场上也绝不仅仅充满了竞争，人们之所以关注它、参与它，是因为它体现了人类共同的理想和追求，体现了崇高的奥林匹克精神——更快、更高、更强。令全国人民热情期盼的北京奥运会即将开幕，很多人都想了解奥运会的发展历史，详尽了解国际奥委会的发展轨迹，这本书则为人们提供了一个了解奥运会和奥委会的窗口。

这本书的作者戴维•米勒亲历了18届冬、夏季奥运会，对历届奥运会与国际奥委会的历史颇有研究，透过书中的文字，我们看到了奥运会从诞生到发展再到繁盛的清晰脉络。经过一百多年的风雨磨难，从第一届奥运会仅有14个国家241名男运动员参赛，项目设置不齐全，运动员及国际奥委会成员个人出资参赛，到21世纪的科技奥运、人文奥运，奥运会已经发生了翻天覆地的变化，它不仅仅是一个体育运动的盛会，更是一个发展商业、繁荣经济的国际舞台，对当代政治、经济、文化、哲学、艺术、传媒、教育、科技等诸多领域产生了重大影响。

这本书内容翔实，资料全面，很多第一手材料十分珍贵，对于普通读者或体育爱好者来说，是集知识性、趣味性于一身的好书；对专业运动员或体育工作者来说，是系统全面权威的工具书。

2008年北京奥运即将到来，相信这本书能在传播奥运知识和理念方面起到积极作用。

2008年1月9日

中文版序言

戴维·米勒

2001年，在莫斯科，北京被选为第29届夏季奥运会主办地。从各方面来说，北京都是举办这次奥运会的理想城市。

21世纪的东方，尤其是中国，经济和社会力量都在不断增强，全世界的目光都被该区域的快速发展所吸引。在这种情况下，国际奥委会对这个拥有世界最多人口的国家的认可自然无可厚非。然而，对国际奥委会的这一选择存在不同的意见，批评的理由也五花八门，但合乎道德逻辑的不外乎：中华人民共和国是不是奥林匹克运动接受、认可并受人欢迎的参与者，其国家奥委会是否介入到了奥运会的各个方面，以至于有必要考虑使该国成为奥运会的举办地。大家都在期待，在中国政府的支持下，北京能够为现场以及电视机前的观众奉献一场奥运盛宴。正如德•顾拜旦男爵在1896年复兴古代奥运会时所意识到的那样，体育运动乃所有民族之间共同的东西，政治、民族、社会、地理、经济和文化等因素都不是裂土封疆的理由。2008年，北京和中华民族将继承并进一步发展顾拜旦的思想遗产。

1952年，在赫尔辛基奥运会上，中国派出了一支由38名男运动员和2名女运动员组成的代表队——这是与奥运世界隔离多年以后中国首次返回奥运舞台。此后，由于种种原因， 中华人民共和国与奥运会暂时别离了30多年。1984年在洛杉矶，中华人民共和国重返奥运会。正是在这届奥运会上，许海峰率先在手枪射击项目上获得了金牌，这也是中国的第一块奥运奖牌。

在洛杉矶奥运会上，中国获得了32枚奖牌（15金8银9铜），位居美国、罗马尼亚和西德之后，排名第四。自此以后，中国的奥林匹克成绩渐入佳境：1992年在巴塞罗纳，中国获得了54枚奖牌；1996年在亚特兰大，获得50枚奖牌；2000年在悉尼，获得59枚奖牌；2004年在雅典，获得63枚奖牌（以32枚金牌的成绩超过俄罗斯，居美国之后名列第二）。毫无疑问， 2008年在主场观众面前，中国运动员将取得更好的成绩。我们也真诚地希望，中国奥委会的承诺——对兴奋剂服用情况进行严格的监督和赛外检查，以保证比赛的公正性——可以落到实处。

北京和中国有资格成为奥运会的举办者还有更重要的原因：自古以来，这个国家的人民一直都是各种体育运动的积极参与者。各种古代雕刻、绘画作品及饰物，还有壁画等都能充分地反映出中国古代广泛的体育运动，其运动项目包括赛跑、游泳、拳击、摔跤、射箭、划船、马球、各种冰上运动等，甚至还包括足球——据说它是由黄帝发明的，其目的在于训练和检验武士们的作战能力。

19世纪以来，中国一直处在西方世界的阴影下，而今，这个已逐渐发展起来的国度将拥有更多向奥运世界展现出来的东西。正如世界纪录保持者刘翔所能做到的那样，他们的运动员将在北京奥运会期间和以后的岁月里，为体育运动提供更高的标准。

2007年11月28日

序

国际奥委会主席　雅克•罗格（Jacques Rogge）

奥运会并不仅仅是一系列赛事。尽管从法律上讲，它们隶属于国际奥委会（国际奥委会于1894年由皮埃尔•德•顾拜旦男爵建立，是古希腊奥运会的复兴），但同时，它更是国际奥委会、200个国家和地区的奥委会、运动员、国际体育组织以及奥运会主办城市之间的友爱和协作的体育精神的综合产物。国际奥委会宪章规定，奥运会每两年举行一次，夏季运动会和冬季运动会交替进行。在雅典举办的第28届夏季奥运会代表了我们向奥运会的首办城市、现代化的家园的历史性回归。在文化传统方面，本届奥运会得天独厚。它也是参与各方——不但包括各项目的运动员、在长达110年中辛勤奉献并发扬光大这些传统的奥委会，当然也包括兴奋自豪的希腊人民的一次欢聚。

然而，这条路并非一帆风顺。其间出现了很多争端和危机，有的甚至威胁到奥运会的生死存亡，也危害到国际奥委会自身的权威。各种纷争绵延不绝：关于业余与专业以及适任资格定义的争执；关于项目内容、政治矛盾、收入分配、兴奋剂问题的争议；关于国际奥委会自身结构的讨论……

有关国际奥委会和奥运会的书籍已经很多，但截至目前，很少有这样一本历史性的书籍来分析这二者的关系、它们的职责以及预测它们的未来走向。我相信，戴维•米勒一定能不负众望。

前言

1997年，当时的国际奥委会主席胡安•安东尼奥•萨马兰奇（Juan Antonio Samaranch）建议我写一部关于奥运会的管理组织——国际奥委会历史的书，我当时就想：这应该是一本普通读者都能阅读，而不是只有专家学者才能问津的作品。因为从过去到现在，一直以来，人们对国际奥委会及其作用都有一些误解。但是，我认为，把奥运会的管理人员及参赛运动员两者的发展历程联系起来更有价值。独立地写作这样一本复杂的资料书实在是一项非同小可的任务，尤其是在此之前已经有了《1894—1994，国际奥委会百年历程》这部巨著。这部书共三册，1100页，汇聚了众多博学的历史学家的真知灼见，整个编纂过程是在瑞士籍国际奥委会成员雷蒙德•加夫纳（Raymond Gafner）的指导下完成的。我在写作过程中不断地参考这本书以及其他同类的书籍，比如英国的伊恩•布坎南（Ian Buchanan）和斯坦•格林伯格（Stan Greenberg），美国的艾伦•戈特曼（Allen Guttmann）、约翰•卢卡斯（John Lucas）、比尔•马琳（Bill Mallon），瑞典的戴维•沃勒琴斯基（David Wallechinsky）、沃尔夫•莱伯格（Wolf Lyberg）和意大利的诺伯特•昆森坦尼（Roberto Quercentani）等人的著作。

年少时，成为奥运选手是我的最大梦想。然而50年来，我却只能作为一名职业记者兼作家，成为奥运会的旁观者。如今，我们要想观看奥运会已经太简单了，科技的进步使得任何人足不出户就能看到所有的画面、听到所有的赛后评论、读到有关的介绍与传记，国际奥委会给每位记者提供15000美元的补助，使其能获得这些资料。在部分记者大肆批评国际奥委会的商业行径时，他们可曾考虑过这个数目？如今，记者们再也不必像30年前那样：一切稿件都靠电报，以及只能在夜间才能操作的电话，无论报道什么事件，都需亲赴现场。

最初，我打算在悉尼奥运会前出书的，但当时正逢“盐湖城事件”，出版之事一拖再拖，最后直到2004年。然而，我的任务却完成得更加全面了，这本书也圆满地以萨马兰奇誉满离职和奥运会回归其发祥地而结束。新的国际奥委会主席雅克•罗格博士和奥委会新闻部主席凯文•高斯帕（Kevan Gosper）对本书给予了极大的支持。

非常感谢那些热情阅读本书底稿，并及时指出错误和疏漏的人，他们是：希腊康斯坦丁国王

（其祖父康斯坦丁乃现代奥运会的奠基人之一）；奥运会游泳运动员、蒙特利尔质量监控师和国际奥委会委员理查德•庞德（Richard Pound）；瑞士律师、刚从总干事的位子上退休的弗郎索瓦•卡拉尔（Maitre Francois Carrard）；瑞典国家奥委会前秘书长沃尔夫•利伯格（Wolf Lyberg）；统计学家史坦•格林伯格（Stan Greenberg）；国际奥委会法律事务主管霍华德•斯托普（Howard Stupp）和市场部主管迈克•佩恩（Michael Payne）；以及刚刚退休的秘书长兹瓦费尔夫人（Francoise Zweifel）。

动笔之初，我就决定在每一章里直接引用一些以第一人称叙述的文字，以便使文章更显真实。我必须搜集大量详实的评论，包括20位已不在人世的奥运冠军和国际奥委会的领导人物的有关评论，当然，最重要的还是50位生者的倾力奉献，这些文字在文章中都以星号标出。文章中另有73篇介绍性文字。我必须要感谢国际奥委会诸多成员以及洛杉矶业余运动基金会的成员为我提供了大量的信息，洛桑总部的工作人员也给予了我很大帮助。还要感谢奥运会图片博物馆孜孜不倦的研究员们、我的打字员和出版社的编辑，没有他们，同样不会有这一切。

目录

复兴

凯茜·弗里曼（*Cathy Freeman*）

澳大利亚土著人，奥运会400米冠军

1993年的蒙特卡洛，萨马兰奇先生在奥运会主办城市竞选大会上宣布：“2000年，悉尼！”我立刻告诉自己应该有个目标，不能再三心二意了。从那时起，我确立了自己的目标：一定要在悉尼奥运会上胜出。

我虽然在进步，但期望终究太高。一年又一年始终朝着一个方向努力，在取得世界排名第二的成绩后，我才真正找到了动力。

我很怕自己太情绪化，把奥运会看得过重。在1995年戈森堡世锦赛上，我就想，自己已经在两年前的斯图加特赛场上进入了半决赛，这次肯定会拿冠军，结果却拿了第4名。戈森堡世锦赛让我认识到，不能太看重结果，而应该把重点放在提高自控力上。

尽管我在家乡没有评上本世纪最佳女运动员，但我想“没关系，在悉尼奥运会上，我一定会赢得金牌”。当时有消息说玛丽•琼斯（Marie-Jose）将不参加悉尼奥运会，我不知道这对于我意味着什么，无论她是否参加，我都希望她在我们国家能得到善待。

悉尼奥运会400米决赛时，我一点儿也不担心，也没人担心。赛前八个月时间里，我有过三四次莫名的恐慌，当时我想“我做不到”，不过很快就恢复正常了。“赢”这个词从来没出现过，我知道做我该做的，我知道自己需要什么：从容不迫、技术、经验，以及人们的支持和宽广的胸襟。

我赢得冠军后，感觉自己好像是待在玻璃鱼缸里，很想逃离。我丈夫说我总是远离人们，说我是个犹徐，但我带给他们欣喜这到底是件好

事。想到这一点真令人高兴！

我举着两面旗帜——它们分别代表澳大利亚人和澳洲土著人，绕场一周，这是我15年的奥林匹克梦，在维多利亚（1994年，英联邦大赛）体育场，那是我首次赢得这项殊荣。这荣誉从英联邦大赛到世锦赛，再延续到奥林匹克运动会：它表明这是澳大利亚的庆典，尤其是澳洲土著人的庆典。

人们谈论最多的是由我点燃了圣火，但对我而言，比赛更加重要。我知道点燃圣火很光荣，

但我更期待比赛，哪怕让我赤身裸体、穿粉色的高跟鞋、戴黄色假发去点火，我也不会在意。

然而到了2003年夏天，我意识到自己再也做不到这些了，再也不会像以前那样疯狂，我明白是该退役了。希望所有支持我的人都认识到这一点，那就是：我在意了，我尽力了，我已经做到了最好。

（Getty Images/Fordter供图。）

在经历了一个不祥的开头之后，奥运会成为20世纪最令人瞩目的运动赛事。在持续不断的危机中，奥运会还能再坚持一百年或五十年吗？关于其命运的征兆中，既有令人乐观的，也有让人备感沮丧的。事实上，在它诞生的第一个百年中不断受到各种各样的威胁，有来自行政上的无能，有来自传统的业余观念和不断增强且不可阻挡的专业主义之间的长期冲突，有来自两次世界大战，有来自包括从1976年到1984年连续爆发的三次政治抵制在内的政治操纵，有来自兴奋剂事件，有来自虽然必要但同时又有害的商业化行为，有来自运动项目和竞赛者日益激增的趋势，也有来自于竞标主办权过程中发生的腐败行为。

成立于1894年的国际奥委会（IOC）在其宪章中写道："奥林匹克运动是永恒的，也是世界性的。当这一伟大的体育盛会将世界各地的运动员聚在一起的时候，它就达到了自身的顶峰。"在2000年的悉尼奥运会上，伦敦《泰晤士报》说："请你们想一想，在人类历史的和平时期，还有比奥运会更成功的事件吗？"从1997年到2000年，国际奥委会和悉尼奥组委从悉尼奥运会所做的市场活动获得30亿美元的收益。门票总价值670万美元，其中接近90%用于发售。经过授权的国际媒体派出了2万多人进行报道。在某些时段，超过37亿人通过电视观看奥运会，也就是说在地球上能看到电视的人中，9/10的人在同时收看奥运会。自1988年汉城奥运会以来的12年中，收看现场直播和集中报道的电视观众数量分别上升了112%和117%；而收看冬季奥运会的观众数量也有所增长——从1988年的卡尔加里冬奥会到2002年的盐湖城冬奥会，电视观众数量增加了150%。没有什么像奥运会这样相互矛盾却又引人瞩目的了。

奥运会引人瞩目是多方面的，但其中最重要的是从一个个英雄身上抽象出来的精神（凯茜•弗里曼就是英雄之一），这种精神与奥运会古老的起源（神话的和现实的）结合到一起。再者，奥运会每四年举办一次，同时包含20多项比赛项目，通过奥运会人类精神中最高贵的部分被人格化了。当像弗里曼这样的个人额外地承担起道德的重负时——经历了200年白人殖民统治之后的种族解放——对于他们的关注将被放大很多倍，更不用说是同情了。

团结和友谊的象征。凯茜•弗里曼点燃了悉尼奥运会开幕式的火炬。

凯茜•弗里曼不仅成了为整个国家的象征，也成为了整个世界的象征。奥运会的历史上也曾有过这样的先例，比如1912年参赛的美国土著人吉姆•索普（Jim Thorpe）和奴隶的后裔杰西•欧文斯（Jesse Owens）；还有柏林奥运会上的韩国人孙基祯（Kee-Chung Sohn），当时他的祖国已被日本占领；1960年的威尔马•鲁道夫(Wilma Rudolph)是非裔美国人；1996年的图格瓦内(Josiah Thugwane)是刚刚获得解放的南非人。一周之内，来自英国的史蒂夫•雷德格雷夫（Steve Redgrave）在划船比赛中接连赢得了5枚金牌；

来自美国的迈克尔•约翰逊（Michael Johnson），在男子400米赛跑中蝉联冠军；来自英国的乔纳森•爱德华兹（Jonathan Edwards）在三级跳远中最终证明了自己的实力；来自埃塞俄比亚的海勒•格布雷希拉希耶（Haile Gebrselassie）赢得了史诗般的10 000米赛跑金牌。而在所有人中，弗里曼是最具有发言权的——这并不会令人感到奇怪。

备受批评的、通过自我选举组成的国际奥委会是在皮埃尔•德•顾拜旦（Pierre de Coubertin）男爵的提议下成立的。作为一个并不显赫的法国贵族，怀着复兴古希腊奥运会这一愿望，发起成立了国际奥委会。刚开始，他只有少数的追随者，两年后在希腊王储康斯坦丁（Constantine）的大力支持下，顾拜旦的这一愿望终于在雅典得以实现。

在一个动荡世纪中，奥林匹克运动会沿着一条曲折的道路前进。在过去的30年中，支持者不断增加，到2000年悉尼奥运会时，参赛运动员已经达到了10651人。25年前，国际奥委会几近破产，后来通过商业化运作，尤其是通过电视转播权转让合同获益的数百万美元以及数量可观的项目赞助，已经成为举办吸引数十亿观众目光的盛事的组织。保持支持者的兴趣以获得成功，关键就在于一种理念，不管这一说法是否准确，它都将奥运会与古老的希腊联系在一起。同时，这一理念也是一种超越种族、超越体育赛事而将整个人类团结在一起的意愿。

正如顾拜旦所设计的那样，国际奥委会的成员是从内部选举出来的，他们在其所在国代表奥运会的利益，而不是相反——这一原则在今天已受到了挑战。对于奥运会的保护和管理是根据自任的宪章——一个关于协议、仪式和代表权的宪法性文件来实现的，这一文件在得不到多数票同意的情况下是不能更改的。国际奥委会成员数已从初创时期的15个发展到目前为止的120个，颇显臃肿。国际奥委会包括一位经选举产生的名誉主席和一个15人的执行委员会，后来，执行委员会开始吸纳运动员、国际运动管理机构前代表官员以及各国国家奥委会委员等。

1995年，盐湖城成功获得2002年冬奥会举办权，其中的贿选事件，直到1998年末才浮出水面，在纠缠了18个月后终告平息（参见第68章）。人们希望悉尼奥运会能够重振奥林匹克的名声。2000年的奥运会确实将奥林匹克盛事从自我毁灭的边缘拉了回来，并且值得感激的是，它的许多魅力明显地被保存了下来。正如印度前国家奥委会委员、前克什米尔边界安全指挥官穆斯塔法•拉尔法（Ashwini Kumar）所说："一枚奥运金牌能保证一国的奥委会存在20年。"

国际奥委会是一个自利型的国际联盟，掌控着28项夏季赛事和7项冬季赛事，以及200多个国家奥委会，它始终在奥林匹克运动的三大力量——公平、激情与商业——之间寻找某种动态的平衡。然而，奥运匹克的光彩不是贿选丑闻可以遮蔽的。亚特兰大奥运会期间，一位读者给《纽约时报》写信问道：

> 关于运动员们的故事在哪里？尤其是那些没有闪耀的明星光环、克服了巨大的障碍只是为了参加比赛以实现自己毕生梦想的运动员们的故事在哪里？与其他数以百计的人一样，我一直等到凌晨两点，只

奥林匹克精神杰西•欧文斯（Jesse Owens）和他的德国对手卢茨•朗（Lutz Long）在跳远比赛期间友好交谈。

是为了看火炬从我们社区经过。一位80岁的邻居说，自从二战以来，她再也没有见过比这更激动人心、使大家都怀有共同的美好愿望的时刻了……奥运会不是混乱的交通堵塞，也不是建筑艺术，它是一种献身精神、一种荣誉感，最重要的，它是人类精神的胜利。

《洛杉矶时报》一位受人尊敬的评论员兰迪•哈维在2002年盐湖城冬奥会期间写道："在追求一个更加完美文明的过程中，我们尚未通过奥运会前进到那一步，但是重要的是我们有了能够不断前进的工具。"他继续说道，追求一个尚未达到，甚至永远也不可能达到的理想常常使他回首过去：他想起南非白人选手爱兰纳•迈尔（Elana Mayer），想起获得1992年女子10 000米冠军，并在悉尼奥运会上成功卫冕的埃塞俄比亚黑人选手德拉尔图•图卢(Derartu Tulu)；想起1966年，克尔•斯爪格（Kerri Strug）在脚踝严重扭伤的情况下仍坚持完成平衡木比赛——因为她的美国队需要她；还想起1998年，奥地利人

美国运动员克尔•斯爪格（Kerri Strug）由于脚踝受伤，在获得平衡木冠军后被教练抱上台领奖。

奥地利选手赫尔曼•梅尔（Hermann Maier）在长野滑降赛中摔倒，3天后他赢得了阿尔卑斯山超级大回转比赛。

赫尔曼•梅尔（Hermann Maier）在长野滑降赛中摔倒，但3天后依然赢得阿尔卑斯山超级大回转（super-G）比赛的事迹。

还有许多这样的例子，我现就给出另外5个：瑞士马拉松选手加百利•安徒生•斯盖斯（Gabriele Andersen-Scheiss）在半清半醒状态下在洛杉矶坚持跑完了比赛；关岛的第一位奥林匹克运动员贾德•班科特（Judd Bankert）在看不见的情况下在卡尔加里完成了10公里的双项竞赛，而这一切发生在他的房子被抵押之后；东帝汶举重选手马蒂浩•德•阿拉乌若（Martinho de Araujo）为参加悉尼奥运会，把装满水泥的水桶绑在木杆的两端进行训练；尼日利亚选手格罗里娅•阿洛齐（Glory Alozie）在悉尼奥运会上获得100米跨栏银牌——她参赛的目的是缅怀三周前在车祸中丧生的未婚夫；美国跆拳道选手以斯•凯姆（Esther Kim），将自己在悉尼奥运会上获得的荣誉献给了她的朋友兼对手凯•波伊（Kay Poe），后者在预赛阶段受了伤。

"人们都渴望达到自己的目标，实现自己的价值。为了满足所有人的渴望，我们必须相互尊重。年轻人是新时代的先锋，面临着太多太多的诱惑，但是要想知道什么是最好的却并不容易。"这些话并不是写给奥林匹克的，而是一个智者——丹•乔治（Dan George）在其《我的精神在升华》一书中提到的。这种智慧源于我们对赖以生存的森林和平原、山脉和湖泊以及阳光

和雨露的欣赏。他是受到威胁的种族文化的一部分，他的南阿尔波塔人民成功地保护了这种文化，并将其置于卡尔加里冬奥会之中。他的思想和雅典大学的哲学教授尼克劳斯•尼斯奥蒂斯的思想有密切的关系，后者后来成为设在奥林匹亚的国际奥林匹克学院的校长。1979年，他将奥运会的成功归于各国国家奥委会的共同努力，他说：

> 他们满足了：人们阶段性相聚的需要，不受种族、国籍、宗教和政治的隔离；
>
> 他们看到了：越来越多的国家参与进来，尤其是非洲新独立的国家作为独立而自由的民族加入进来；
>
> 他们推动着：体育运动在过去50年的发展，使其发展到几乎超越了人类极限的水平，它既赋予了它们无可争辩的庄严性，也使奥林匹克的精神得以流传；
>
> 他们利用了：大众信息传播的技术进步，使数以百万计的人有如身临其境一样感受这项运动的乐趣。

为什么在所有世界性的冠军争夺赛中，许多胜利者都说，他们最大的目标就是去获得奥运金牌？是萦绕着奥运金牌的神秘性。当然，将奥运会的权威性提高，使其高于所有其他比赛，可能会激起沙文主义。回想一下美国在1984年为获得174枚奖牌而举行的无休止的庆祝活动以及为期五天的全国巡回展，乔•格干（Joe Gurgan）在《洛杉矶时报》上评论道："这是一个对我们的孩子进行错误教育的一周，这不仅是有关奥运会的本质的，也是关于体育运动本质的。"在我们的视野里，奥运会所带来的恶与善的差距相当微小。开幕式和闭幕式或索然无味或极尽奢华，取决于个人观点或是主办国。与悉尼嬉皮士的、自我解嘲的流行文化相比，8年前的巴塞罗那奥运会和12年前的汉城奥运会上的严肃而颇具视听感的诗篇更能打动我。在一片漆黑之中，大照明灯突然洒向巴塞罗那广场，以展示那面6 000平方米的奥林匹克旗帜。这面旗帜在12 000名运动员和官员的头顶上铺展开来，它向全球各个角落传递着我们团结在一起的讯息。对于数以万计的孩子们来说，奥林匹克运动的激励力量就这样在他们的心中生根了。

《泰晤士报》和《每日电讯报》在悉尼奥运会前就暗示，"奥林匹克主义"是一种欺骗，或者换句话说，国际奥委会宪章的大部分内容都是浪费时间的陈词滥调，与当下的体育运动毫无关系。奥运会的箴言是"重要的不在于比赛的胜利，而在于参与，生命的意义不是征服，而是很好地战斗"，《泰晤士报》却认为它与正在竞技场上发生的事情毫不相干。竞技场上，一切都与名利、金钱以及万众瞩目的盛大场面相联系。《每日电讯报》说："奥林匹克运动是可以接受的，而奥林匹克主义则不行。"它认为国际奥委会宪章的基本原则是高尚的，但与目前的潮流相悖。事实上，1894年奥运会初创者的理想很少涉及体育运动本身，而更关注通过努力获得快乐、年轻人的崇拜之情以及兄弟之爱。奥林匹克主义是"一片无花果的叶子，总是很虚假，毫无价值"。试想一下，把这些告诉肯尼亚田径英雄基普•凯诺（Kip Keino）会如何？凯诺靠着他在奥运会上获得的声誉，支持着东非大裂谷的一家孤儿院及其中的100多个孩子。

兴奋剂事件和国际奥委会成员在盐湖城丑闻中恣肆的腐败行为，为我们敲响了警钟，尽管这些丑闻严重程度不一。前国际奥委会主席基拉宁勋爵（Lord Killanin）在其自传《我的奥运生涯》中写道："在我成为奥委会主席之后，接收礼物成了一个新问题。情况往往是这样：我带着9到10个箱子去旅行，回来之后却是13个箱子。我妻子要跑更多的路，把我们的礼物打包并安全地运回都柏林或是洛桑。"以记者和电影导演迈克尔•莫里斯（Michael Morris）的身份而闻名的基拉宁是绝对不会腐败的，事实上他是一个典型的有教养的人，具有传统的"牛剑"做派。如果说他因身为国际奥委会主席而不断收到礼物，那更普通一些的人又将如何呢？没人认为基拉宁是腐败分子，那些与基拉宁愉快地坐在吧台前的记者们，对1980年至2001年在任的国际奥委会主席安东尼奥•萨马兰奇（Antonio Samaranch）表达了相似的敬意。至于那些礼物，都被无私地送到奥林匹克博物馆了。10年前，萨马兰奇的传记《奥林匹克的革命》一书的作者描述了萨马兰奇在任的头12年奥运会所发生的变革，其中大部分是朝好的方向发展的。具有讽刺意味的是，前一次变革往往间接地或部分地成为第二次变革的原因。突如其来的丑闻使国际奥委会几乎要从人们的视线中彻底消失。1972年慕尼黑奥运会开始获得电视转播权的收入以及赞助费，1984年洛杉矶奥运会又确定了通过赞助商获取资金的形式，奥运会开始滋生出奢华的情绪，在竞标主办权的城市里，情况尤其如此。这就形成一个勾结的网络：15%的国际奥委会成员滥用职权。面对这种危机，在请辞被拒和全体成员一致要求其留任的情况下，萨马兰奇开始了第二次革命，对国际奥委会的制度和道德规范进行了全面整顿。改革遏制了批判的洪流，并赋予了奥林匹克运动重新振兴的机会。我们还需要若干年来证明这些变革的有效性，尽管如此，但它的确是一次革命。

正是萨马兰奇对电视转播权的利用，在不经意间导致了丑闻的发生。1986年，在投票选出奥运百年的主办城市前的例会上，他的讲话洋溢着欢欣的情绪，有13个城市参与竞选冬夏两届奥运会的主办权。然而，当候选城市为宣传而花掉5000万美元之巨的时候，相关批评也开始出现。电视上的公开竞争驱动了这种狂热，在电视播放竞选宣言时，狂热则达到了顶峰。奥运会突然变得流行起来，但是使它流行起来的原因却并不全是正确的。萨马兰奇进一步强化了商业"做秀"的作用，这种"做秀"也有可能被误用并最终成为滥用职权的工具。截止到1991年，为了确保竞标1998年冬奥会主办权的成功，日本的长野花费了6600万美元。

1956年奥运会银牌得主、国际奥委会副主席高斯帕（Kevan Gosper）说：

> 奥运会在20世纪80年代扩大了规模，为各国竞标举办权树立了信心，但是对于正在发生的变化，我们的反应是迟钝的。我们既不是一个军事机构也不是一个官僚体系，而是自愿者组成的荣誉实体。我们没有相关的章程可以侦查滥用职权。我们必须意识到，我们缺乏使自己不受自身欲念及投标城市侵害的机制。许多信号表明我们还没有准备好。我们必须信任萨马兰奇，他进行了改革，要是换别人，只怕要花好多年后才能开始。想想还有其他组织能在15%的成员被扫地出门后还可以成功地生存下来的吗？不管是开除、辞职还是暂缓执行都将如此。

尽管第七届国际奥委会主席萨马兰奇为奥林匹克世界的平衡奋斗了20多年，但还是遭到了批评。他经常得到联合国内部人士、国际奥委会办公室主任基达尼（Fekrou Kidane）的帮助。

某些美国观察家认为，体育记者向来喜欢辛普森（O.J. Simpson）审判以及克林顿总统因与莫尼卡•莱温斯基（Monica Lewinsky）有染而遭到弹劾这样的新闻，他们也乐于抓住奥运会的丑闻不放。萨马兰奇说："他们不把我搅得头昏脑涨是绝不会善罢甘休的。"然而，负责改革事宜的"委员会2000"得到了任命，改革建议也立即得到批准，革新的速度之快使那些最严厉的批评者也乱了阵脚。

对国际奥委会的批评通常针对它的"不民主"

国际奥委会副主席高斯帕在悉尼机场迎接来自非主权国家东帝汶的运动员，表达了国际奥委会对广泛性的追求。

及其特殊的独立结构这种批评是站不住脚的。50年前，前奥运赛跑项目银牌得主、诺贝尔和平奖得主菲利普•诺埃尔•贝克（Philip Noel-Baker）谴责那些责备顾拜旦及其原则的人，认为他们破坏了人类团结的理想，谴责报纸经营者为了扩大发行量而大肆宣扬有争议的行为，谴责那些从没流过汗的体育新闻记者，以及那些厌恶体力劳动的知识分子。1999年，在批评的洪流不加区别地涌向国际奥委会全体成员的时候，大多数成员只是咬紧牙关寻求一条摆脱骚乱的出路。瑞典籍成员、瑞典国家奥委会委员杰尼拉•林德伯格（Gunilla Lindberg）说："我们必须记住90%的成员是辛勤工作的体育界领袖，他们有能力为奥林匹克运动服务，他们不是腐败分子，而是奥运会所需要的人才。"俄罗斯人维塔利•斯米尔诺夫（Vitaly Smirnov）在斯大林时代的体育运动中崛起，自1971年起即为国际奥委会成员。他说："国际奥委会别无选择。问题根源于全球社会政治形势的变化，以及和奥运相关的一切的流行和普及，我们必须进行全面而彻底的分析。重建一个替代性的组织，哪怕是一个在财政上比国际奥委会更强有力的组织，也都只会导致对奥林匹克运动和运动员们的损害。"

中国台北人吴经国是一位建筑大师，作为奥委会普通成员，曾参与设计英国米尔顿的凯恩斯新城。他回应说："在基拉宁时代，国际奥委会、联合会、各国国家奥委会是三驾马车。而现在，国际奥委会自身就成了'三派分立'的委员会。"

为了通过扩大俱乐部寻求更大的团结，萨马兰奇无意中破坏了它原有的一致性。他被历史的前进所引导，认为一个排外的、并逐渐被孤立的国际奥委会必须现代化，必须统御奥运会的各行政部门——国际体育联合会和各国奥委会。他成功了，但也为此付出了代价：牺牲国际奥委会自创办以来的理想，即把任何持久的私人团体融为一体的那种道德认同的精髓。不过，在如此公开的领域内又怎么可能存在这种"私人性质"的俱乐部呢？

顾拜旦的初衷是传播国际体育运动的团结自律和公平竞争原则，它最初在19世纪下半叶先进的工业国家如英国、美国、法国、德国和瑞典等国家起步，主要建立在有组织的田径运动、自行车、划艇、游泳以及网球等比赛平台上；在任何一个项目中，英国都是最先出现的。但现代奥林匹克运动的基石并不在顾拜旦的祖国，因为在奥运会名声鹊起之前，法国人一直都对它不感兴趣；它也不在希腊，尽管古希腊为我们提供了神话传说的基础。奥运会的基石在英国、美国、德国和瑞典，是这些国家为现代奥运会奠定了纪律性的根基。祖鲁族首领曼戈苏图•布特莱齐

面向未来。中国的吕圣荣、瑞典的杰尼拉•林德伯格、丹麦的尼尔斯•霍尔茨•索伦森（Niels Holst-Sorensen），以及美国的安妮塔•德弗朗兹(Anita DeFrantz)一起探讨国际奥委会的重组问题。

体育运动告诉我们：只有在规则之内，竞争才有可能。——祖鲁族领袖曼戈苏图•布特莱齐在南非重回奥运会的大会上如是说。

（Mangosuthu Buthelezi）在1991年关于南非重返奥运会的谈判中说："体育运动告诉人们，在民主社会中，控制和调和是有效的，因为人们希望这样，它可以引导人们积极向上。体育运动教导我们：只有在规则之内，竞争才有可能。"

没有人会想到，在奥运会重建后的一个世纪里，英国人一直把持着道德的标尺。后来，他们对国际体育运动的影响逐渐被意大利人、西班牙人、拉美人和亚洲人所超过。第一次世界大战以来，英美两国的年长官员们所维护的国际奥委会传统的业余主义精神越来越显得不合时宜，在很大程度上已被其他国家或地区的体育界所忽视。

20世纪70年代，英国仍在固守传统，而其他国家已经开始采用商业化的运作模式了。来自美国的国际奥委会主席埃弗里•布伦戴奇（Avery Brundage）采取了强硬的态度，国际奥委会有关业余性质的问题一直拖到了1972年。讽刺性的是，他的这一态度得失参半。布伦戴奇得到了不少英国人的支持，他宣称："公平竞争的道德和精神价值，比如诚实、公平、公正以及尊严等对于建立一个更加美好的世界都是十分必要的。如果这些品质能在友善的比赛中得到发展，那么它们也将毫无疑问地在其他的场合表现出来。"与此同时，他还谴责将体育政治化，他说："体育里没有政治命令……它是世界上为数极少的能够完全不受政治、种族或是宗教歧视影响的事业——你是为了获得乐趣才参与进来的，而工作则相反，你不得不工作，并且是为了获得报酬而工作。"较为现实一些的基拉宁勋爵看到了世界正在发生变化，体育必须不断随之调整，但直到萨马兰奇，国际奥委会才作出彻底的调整。这种转变是如此深远而迅速，以至于国际奥委会最终栽了个跟头。在当时，即使温和派人士，如已过世的瑞士人雷蒙德•加夫纳（Raymond Gafner）也被萨马兰奇说服了：

> 我常说，我不能接受国际奥委会教唆年轻人伪善是体育的第一要义这种说法，也就是说，只要没被抓住就不算犯罪。随后的兴奋剂事件与此如出一辙。当然，有些运动员的薪酬过高，但如果运动员们将全部的时间都花在体育上，我觉得这也没什么……没有钱，国际奥委会就不可能生存。有没有钱并不是问题所在，问题在于是为体育事业服务还是利用体育赚钱。

国际奥委会的管理经常面临问题，现在它在许多方面都更加专业化了。萨马兰奇引入了部门管理负责制，雅克•罗格博士2001年继任后又进行了调整，奥运会的专业化程度比以往任何时候都要好。1966年，伦敦《泰晤士报》登载了一封由英国26位奥运金牌得主签名的请求信，请求在即将到来的1968年墨西哥城奥运会上，将耐力性赛事转移至与海平面持平的地点进行。国际奥委会副主席埃克塞特伯爵（Lord Exeter）说，环境适应性因素并没有被列入待讨论问题的名单，可能将来也不会被考虑。奥运会的矛盾在于，尽管它归属于国际奥委会，但是在比赛开始以后，它就取决于负责每项赛事的国际体育联合会和提供器械的各国奥委会了。因此，可有可无的机构反而是国际奥委会。萨马兰奇说："理论上，国际奥委会是十分脆弱的。我们只是奥林匹克运动的一部分，这就是为什么必须取得三个机构之间的团结。"萨马兰奇所取得的团结——20世纪末这三者自愿统一在金钱的基础上，并不是靠理想凝聚在一起——极其脆弱。面对这种脆弱，现任主席罗格博士也没有找到比前任更有效的处理办法。一方面，国际奥委会是一种父权式的寡头机构，它负责分配大量的收入，而国家奥委会联合会（ANOC）以及夏季运动项目和冬季运动项目两个集合体——夏季奥运会项目联合会(ASOIF)和冬季奥运会项目联合会(AIOWF)——都是没有行政实权的民主机构，除非他们的成员能够当选国际奥委会成员。“委员会2000”引入的重组行动已经表现出内在的反常。“委员会2000”是为了修复国际奥委会在盐湖城丑闻之后的形象而被提议成立的临时机构，正如罗格博士在2002年12月所发现的那样（见本书第71章），作为稳定三大实权机构间的平衡工具，它将陷入一个没有尽头的困境。任何严重的失衡都将打开行贿受贿的大门，就像1999年出现的那样。执委会中国成员何振梁说：“在这方面，‘委员会2000’已经提出了许多积极的建议。”奥委会成员、英国奥委会主席克雷格•里迪（Craig Reedie）说：“我相信现在国际奥委会的成员已经认识到，他们不可能不受到改革进程的影响。关于国际奥委会作用的建议可能较容易被接受，它们使国际奥委会的活动更加现代化。”曾因为在选举中对国际奥委会成员有明显的贿赂行为而备受批评的2001年主席候选人金云龙博士不断强调自己的建议的合理性，并认为国际奥委会成员应当在严格的监督下参加对竞选城市的参观考察。他说：“如果不亲自去那儿看看，你怎么能够知道范库弗峰和萨尔茨堡之间的区别呢？”

新时代的来临。胡安•安东尼奥•萨马兰奇将奥委会改革的接力棒交给了雅克•罗格博士。

在一个包括基辛格和加利等局外显赫人物在内的委员会的建议下，“委员会2000”改革方案在1999年12月国际奥委会特别会议上获得一致通过。然而8个月后，在国际奥委会到达悉尼市的时候，他们仍然紧张得像小学生，因为在换衣间发生了偷窃行为而取消了一切自由活动时间。《澳大利亚人》还吹毛求疵地报道：“我们举办的奥运会使国际奥委会像个无能而奢华的骗子。”虽然这可能是无原则的夸大，但是它确实符合持有怀疑态度的公众的观点。

一方面，澳大利亚人组织起来的壮观、友好而近乎某种慈善意义的奥运会在很大程度上修复了国际奥委会的价值观；另一方面，公众的一致认可却被不断披露出来的兴奋剂事件抵消。不管悉尼奥运会多么成功，事实上奥运会正面临失去吸引力的危险。正如加拿大体育伦理教育中心主席安德鲁•派普（Andrew Pipe）所说：“父母正在阻止孩子们从事体育事业，因为他们认为兴奋剂是一个难题。”

这种危险现在不能、将来也不可能被忽略。几年来，时不时从萨马兰奇主席那里得到一些消息，笔者据此认为，兴奋剂事件引出了一个比业余性和专业性问题严重得多的威胁，甚至可以说，正是专业化直接导致了兴奋剂问题的出现。在悉尼奥运会上，华丽的场面因为欺骗行为的曝光，更因为对其他可能未被曝光的欺骗行为的怀疑而黯然失色。在当前的流行气候中，此种趋势不可避免，对公平性的危害也不容忽视。这将是耗费新任主席大部分精力的难题。一方面，凯茜•弗里曼被视做是“清白的”，是世界范围内备受赞赏的体育明星；而另一方面，为自己设定了夺取五枚田径金牌这一特殊目标的美国赛跑名将马里恩•琼斯（Marion Jones）则被视做可能是有罪的，因为她当时的丈夫、世界铅球冠军同时也是她的辅助教练C.J.亨特，突然被曝光在比赛即将开始前服用了禁药类固醇。琼斯的药品检测结果虽然不足以构成对她的谴责，然而，怀疑这对夫妇享用了同样的早餐不也是很有道理吗？

嘲讽的观点蔓延到众多运动员身上（参见本书第69章）。作为一名女性，琼斯显得过于强壮，但是，在没有反证的情况下，谁不愿相信和同样笼罩着灿烂光环的卡尔•刘易斯（Carl Lewis）一样，她只是一个超级优秀的运动员呢？在这次比赛开始前，曾在1984—1996年四届奥运会上共赢得9枚金牌的美国人刘易斯曾经拒绝参加在加利福尼亚为过去的冠军们举办的一次晚宴，他指控美国当局在1996年的亚特兰大奥运会上隐瞒了4起美国运动员兴奋剂检测的阳性结果。“现在的体育界没有什么道德可言，”刘易斯说，“作假的问题正在被忽视，有时甚至得到支持。我再也不想靠近体育了。”对于琼斯来说，与当年的刘易斯一样，她也遭受着与违规相关的综合征的折磨。

琼斯和刘易斯都对自己的无辜作了辩解，公众却依然疑云重重，这些怀疑很快被2003年发生的更严重的事件冲淡了。已经与亨特离婚的琼斯开始与100米世界纪录保持者美国人蒙哥马利（Tim Montgomery）交往，他们一起在弗朗西斯（Charlie Francis）的指导下进行训练，而弗朗西斯曾是本•约翰逊（Ben Johnson）的教练。本•约翰逊曾在汉城奥运会上因为兴奋剂检测的阳性结果而被取消了参赛权，弗朗西斯因此被取消了教练资格。坐立不安的国际田联（IAAF）被公众要求对此作出解释，其赞助商耐克公司取消了与她的合作关系。因为怀孕，琼斯将错过2003年的世界冠军赛，但是她声称将在雅典奥运会上卫冕奥运冠军。

令刘易斯大吃一惊，事实上也令美国奥委会（USOC）、国际田联和国际奥委会大吃一惊的炸弹在2003年4月爆炸了，它打破了包括笔者在内的很多人的想法。我们都曾经相信，刘易斯持久的卓越表现是他作为一个杰出的天才运动员的标志，丝毫没有注意到他的伪善和毫无吸引力的作为。当美国奥委会药品控制机构的前负责人沃德•埃克萨姆（Wade Exum）医生与其前雇主爆发冲突时，我们的信仰被打翻了。这次争吵所泄露的文件证实，刘易斯和其他几名运动员在汉城奥运会前，在美国进行的测试中药检结果都呈现阳性，但为了争夺冠军，这些测试结果被搁置起来，刘易斯、乔•德洛奇（Joe DeLoach）和安德列•菲利普斯（Andre Phillips）被允许参加比赛，而后两者分别是200米和400米栏的冠军。汉城奥运会上，刘易斯排在约翰逊之后，位列第二，但具有讽刺意味的是，正是由于约翰逊的类固醇药检呈阳性，刘易斯才获得了金牌。应当注意到，刘易斯所服用的药中，麻黄碱的含量低于国际奥委会医学委员会后来修订的标准，因而不足以构成检测结果呈阳性（参见本书第五十五章、五十八章、六十一章以及六十五章）。

对田径比赛的另一个打击来自于这样一条新闻，即悉尼奥运会的七项全能冠军、英国人丹尼斯•刘易斯曾与艾卡特•阿尔伯特（Ekkart Arbeit）合作过。而阿尔伯特医生是前东德的教练，卷入受政府监督为体育选手进行的药品项目长达20余年，该项目在澳大利亚和南非已经被禁止。1968年奥运会冠军、英国体育管理机构——英国田联的前主席赫默里（David Hemery）认为，“从丹尼斯的角度来说，这是一个令人震惊的选择”。国际奥委会主席罗格公开说，他认为刘易斯的行为是“不明智的”。问题的关键不在于刘易斯是否可能服用了兴奋剂，而在于由于她与阿尔伯特职业上的关系，英国田径组织理事会接受了阿尔伯特的注册。而与阿尔伯特合作的一位女运动员、欧洲铅球冠军海蒂•克丽格（Heidi Krieger）正是由于服用了类固醇而引起荷尔蒙紊乱，不得已在1997年接受了变性手术。

打击作弊行为。理查德•庞德承担着确保世界反兴奋剂机构（WADA）有效运转的压力。

悉尼奥运会是一个体育盛会还是一个药品大会呢？亨特违规的证据是以一种奇特的方式出

现的。他在7月份一次运动会上药检呈阳性，国际田联要求美国田径协会从亨特那儿得到解释，但没有结果。有鉴于此，国际田联要求美国田径协会禁止亨特加入奥运代表队，然而亨特却仍然名列其中。比赛开始前几天他却退出了，借口是受伤了。国际体联医学委员会主席、瑞典的阿尔内•永奎斯特（Arne Ljungqvist）教授说："美国人享有特权，他们在不通知我们的情况下使自己的运动员得到豁免。这是一个大问题。"据称，美国田径协会在1999年隐瞒了17起药检阳性事件，他们的解释是，在肇事者的名字被披露以前，必须履行法律程序。在亨特案中，没能回应国际体联的测试是很荒谬的：分析表明，他曾经多次违规。矛盾的是，美国田径协会的主席克雷格•马斯巴克（Craig Masback）在写给世界反兴奋剂组织（WADA）主席理查德•庞德（Richard Pound）的信中声称，美国的反兴奋剂程序是十分有效的，但是他也同意，如果由WADA掌管美国的药检程序，情况会有所好转。美国之隐瞒真相是对世界反兴奋剂机构的警示。正如庞德所说："当你指控别人谋杀时，你没有进行谎言测试的余地，只能最终宣布结果。"

国际反兴奋剂组织成立于1999年2月，是国际奥委会创立的一个独立的药检机构，最初拥有2500万美元的运作资金。随后与各国政府合作，在他们的支持下开展工作。成立该机构的重要性已被盐湖城的贿选丑闻所淹没。作为国际反兴奋剂机构主席，庞德的雄心是创建一个与运动员们的理想一致的组织，建立起"奥运会是对人格的考验而不是对药品的检验"这样一个信念。当美国奥委会1983—1989年的医务官罗伯特•沃伊对美国地区法院起誓，证明使用兴奋剂在美国奥运会参赛者中很普遍时，美国的违规行为被进一步地暴露出来。

服用禁药的行为也并非正误立判。怎么看待那些导致不公平的优势呢？举例来说，为什么从海拔较低地区来的赛跑选手不能采用血液兴奋剂的技术，使自己达到与出生在海拔较高的肯尼亚或埃塞俄比亚的运动员相接近的水平呢？

在明显的犯罪和相对的无辜之间，悉尼奥运会发生了一些令人心碎的故事。世界女子链球纪录保持者、罗马尼亚的梅林特(Mihaela Melinte)因赛前一个月药检呈阳性，在悉尼奥运会开始前被禁赛。她16岁的同胞拉杜坎(Andreea Raducan)在布洛芬检测呈阳性后，也遭到了同样的命运，与体操金牌失之交臂。队医为了解决她的呼吸道疾病，在她不知情的情况下给她服用了布洛芬。出于一种严苛的要求，独立体育仲裁法庭（CAS）驳回了拉杜坎的上诉：尽管她在道德上是无辜的，但在事实上却构成了违规。悉尼奥运会上也出现了兴奋剂滥用的情况，34名选手的药检呈阳性，这暴露了过去30多年的问题。从1968年开始，单独组队参赛的民主德国，在这届奥运会上被揭露国家鼓励使用兴奋剂。他们在仅参加过的五届夏季奥运会上就取得了409枚奖牌，其中到底有多少是干净的呢？

违禁药品交易就像买卖汉堡包一样普遍。1998—1999年间，澳大利亚海关缴获的类固醇大幅增加。一位高级官员在报告中称，悉尼可能是"有史以来最肮脏的一届奥运会"。世界反兴奋剂组织担心，在基因工程兴起后，可能出现药检对某些兴奋剂不适用的情况。

但值得高兴的是，不仅弗里曼，其他女选手在悉尼的表现也很突出。顾拜旦曾说，"女性就是给男运动员鼓掌的"，但悉尼奥运会却属于母亲、姐妹和女儿们。新设立的女子项目有23项，包括像举重、撑杆跳这些传统的男子赛事，这是一个巨大的进步。四年以前，女选手还只出现在足球、垒球、篮球等团体项目中，而今天，在悉尼奥运会的10651名选手中有42%是女性，高于30年前慕尼黑奥运会的28%和巴塞罗那奥运会的36%。据说自1977年发明运动内衣以来，女子项目的发展速度很快。女性能够更广泛地参与体育项目是人们期待已久的，但在中东及一些亚非国家，由于宗教和社会地位的缘故，女性还是不能参加体育比赛。在《赶上男性》（Catching Up the Man）一书中，K.F.戴亚博士谈到了爱尔兰的性别歧视，谈到了麦克奎德大主教。这位宗教领袖曾说，一大群男性观众聚集在场边盯着穿着暴露的女运动员，这简直是一种罪恶。爱尔兰的体育官员们决定遵从而不是对抗罗马天主教廷的这一意见，从而严重阻碍了该国女子体育的发展。而在悉尼，日本女选手高桥尚子（Naoko Takahashi）取得了三项全能和马拉松比赛的冠军，激烈而精彩的比赛通过电视信号传遍全球，最终将有助于推动女性的解放。

公元前750年至公元前450年间，古希腊人曾经对体育高唱赞歌，尽管欧里庇得斯也曾认为体育是没有价值的，尽管柏拉图和亚里士多德也曾谴责体育及其职业化“制造了暴力与不和谐”。当希腊文明被罗马的暴政所取代、而后者又被新教取代以后，狄奥多修斯于公元393年取消了奥运会，随奥林匹克消亡的还有竞技体育古老的道德规范。顾拜旦使奥林匹克得以复兴，而在一百年后，曼德拉（Nelson Mandela）宣称：“体育的影响比任何政治事件都要广泛，而且比任何有为的政治家都更能促进各国的团结。”

当然，奥运会从来就不是完美的。1983年，《豪威尔赞助调查》（Howell Inquiry Into Sponsorship）在英国出版。英国奥委会主席丹尼斯•弗卢斯（Denis Follows）爵士说：“是奥林匹克的道德内容使它能够产生史无前例的影响。如果没有道德规范，在现代商业化的过程中，奥运会将变得和其他固定赛事差不多。”令人奇怪的是，霍斯特•戴斯勒（Horst Dassler）竟然对此也有共鸣。这位精力充沛的阿迪达斯帝国的领导人曾因促使体育运动商业化而名声大坏，他的公司曾赞助过足球比赛和奥运会，也为许多国家提供了体育器材方面的赞助。他在国际奥委会会刊《奥林匹克评论》中写道，精英体育失去了传统的道德价值，在这一点上，它“亏欠了奥运精神”，但它具有政治和经济宣传的作用，能够带来可观的商业利益，而且也能促进大众体育的发展。弗卢斯、戴斯勒等人对体育道德的沦丧的担心自然无可非议。然而，20世纪后期，由金钱驱动的奥运会事实上已经越来越接近它的古希腊原形，而顾拜旦正是在此基础上复兴奥运会的。这就是顾拜旦的矛盾所在：一方面，他是英国绅士教育体系的倡导者；另一方面，他又是流行于欧洲中产阶层的社会达尔文主义的追随者，认为强者的发展是以牺牲弱者为代价的。第二个方面更接近德国的纪律严格的大众体操运动，而不是伊顿公学的运动场。但他热忱的门徒布伦戴奇将会有力地甚至是盲目地推动后者的精神。

随着形势的发展，越来越有必要重新规范体育道德，这看起来或许有些奇怪。在盐湖城事件中，道德规范滑落到了最低点。前法国司法部长罗伯•本丹特(Robert Badinter)被任命为新成立的“1999道德委员会”主席——以与“委员会2000”相辅相成。他被迫说出了一些明显却被忽视了的事实：

> 忠诚，公平竞赛，尊重对手及其尊严，拒绝种族、性别以及国别歧视，这些都是奥运精神的基础，它们向年轻人宣传了全球适用的道德准则，而近来对国际奥委会相关机构的过多批评也丝毫没有贬低其主要任务的意思。奥林匹克运动的道德尺度一定要被明确地说明、坚决地捍卫和认真地遵守。

与此同时，阿姆斯特丹大学的社会学家斯托克菲斯（Ruud Stokvis）在NRC（荷兰的日报）上写道：

> 没有其他任何机构能够像国际奥委会那样和全世界的人民建立如此广泛和稳固的联系，也没有哪个机构能像它一样经久不衰……世界上大部分人认为，奥运会比联合国大会更重要……国际奥委会存在的历史比联合国还长。国联也只维持了20年。国际奥委会的经久不衰一定程度上得益于其委员产生的方式，即由成员国来指派代表。毫无疑问这不是民主机制，但民主机制至今都没有被证明它对所有组织都是最好的。比如，企业就从来没有真正贯彻过民主机制，一些大学曾经很不情愿地采取过民主方式、但后来也放弃了。通过不断吸收新成员，国际奥委会成功了，对于这些新成员，奥运会的发展是最重要的，甚至比他们自己国家、阶级、种族、

意识形态或是宗教等方面的利益更重要。虽然还有很多不尽如人意的地方，但毕竟奥运会每四年就会举办一次。如果采取民主选举的方式，国际奥委会可能早就不存在了。

亨利•基辛格支持“委员会2000”修改章程。

国际奥委会几次岌岌可危。在第二届巴黎奥运会和第四届伦敦奥运会间，对顾拜旦的批评在美国盛行。这些批评是由第三届圣路易斯奥运会的组织者詹姆斯•沙利文（James Sullivan）发起的，也得到了国际奥委会成员、战地记者和探险家惠特尼（Caspar Whitney）的大力支持：“由顾拜旦任主席的国际奥委会一点也不了解奥运会原有的重要意义，他们的关注比人们期望的要少得多。”

沙利文和惠特尼都想创立一个新的国际机构，他们认为，美国的影响力将在这个新的奥林匹克运动中扩大。在第四届伦敦奥运会后，惠特尼说：“沙利文先生一回来，我就去跟他谈重组国际奥委会的问题，它……再也不是顾拜旦的个人玩具了，他在采取行动前从不和任何人商量。”英国一位国际奥委会成员西奥多•库克先生（Theodore Cook）在他的《阳光灿烂的时刻——一份关于体育与生活的纪录》中写道：“国际奥委会是一个不称职的机构，它的领导者之所以失败，就在于他不能够接受比较实际的建议。国际奥委会的无能到了让人感到荒谬的地步。”尽管受到库克的贬损，由于伦敦奥运会和斯德哥尔摩奥运会的成功举办，以及英国的罗伯特•德•科西-拉凡（Robert de Courcy-Laffan）和瑞典的古斯塔夫•巴尔克（Viktor Gustan Balck）的领导有方，国际奥委会还是团结在一起。这也多亏了美国人威廉•史隆（William Sloane）博士关键时刻与沙利文和惠特尼分道扬镳，以及德国的威利巴尔德•格布哈特（Willibald Gebhardt）的耿耿忠心。

巴尔克是顾拜旦的支柱，顾拜旦越来越倚靠他，他们的联系也很紧密。在这次危机之前，巴尔克已经表现出他的敏感——早在1897年勒阿弗尔的国际奥委会大会上，他便提出，国际奥委会的成员应当包括国际体育联盟的代表，奥运会的程序也应当经常受到评审并表决通过，与国际奥委会年度会议相对应，国际奥委会大会应该每隔几年才举行一次，还应该吸纳奥林匹克运动各方面的力量。1905年，29个国家的奥委会派出了120位代表参加在布鲁塞尔举行的大会。正是这种不断加深的集体利益帮助了国际奥委会，使它在1904年圣路易斯奥运会的混乱中生存下来。

瑞典人古斯塔夫•巴尔克（Viktor Gustan Balck），独立的国家奥委会得以产生的重要人物。

因其令人难解的结构，国际奥委会在决策问题上既有某种不可预测性，极其灵活，又是谨慎和刻板的，刚性十足，在决策程序上尤其如此。但在过去的20多年内，决策程序却变得越来越不可掌控——其主要原因部分地在于人们期待已久的女性赛事的加入,成为目前正被重新调整的部分。而这一责任主要地落在程序委员会主席、意大利人弗朗格•卡里翁（Franco Carraro）以及来自蒙特利尔的理查德•庞德（Richard Pound）肩上。卡里翁的委员会负责使体育运动和赛事合理化，有些项目将被排除到奥运会之外（对于赛事而言，可能包括某些游泳和赛马项目，参见本书第七十二章）。庞德受罗格委派，来平衡奥运会的支出，以确保比赛项目不会超出28个大项、272个小项，参赛者不超过10,500人，裁减奥运会的在聘人员(1992年还只有9000人，悉尼奥运会时则已经达到了180,000人之多)和削减一部分正逐步升级的后勤工作。如果不能迅速地对那些不合理的审查体系进行改革，有危险的竞争项目甚至也会被吸纳进来。花样滑冰虽然会带来最高的收视率，却也经常导致最糟糕的道德方面的差错。

庞德的审查委员会是结构重组中最重要的部分，他虽然在2001年的主席选举中败给罗格，但他维护了国际奥委会内部的和平，仍然是智囊团中最得力的一员，对于奥运会的未来而言，这是令人欢欣鼓舞的。他的才智使他异于常人。在雅典奥运会中，好几项运动都将受到详细审查，尤其是那些涉及主观判断的项目，比如体操和拳击，以及现代五项全能、棒球和垒球等。另一个亮红灯的项目是举重，它是类固醇检测中阳性纪录最多的一个项目。还有一个难题：哪些新的项目将会被引入呢？3项小球类运动——羽毛球、网球和乒乓球已经进入奥运会，随着人们不断地申请，壁球会成为第4项小球类运动么？跆拳道和3项全能最近都被允许进入了，为什么壁球就不能呢？找到解决这些问题的办法并不那么容易，但如果有人愿意去做，那个人很有可能就是庞德。当然，这些工作都要在新主席的支持下完成，而新主席知道，国际奥委会的行动必须尽可能的完美无误。

雅克•罗格需要完整地展示出他的特点。在某些方面，他与基拉宁相似：温和而内敛，都来自较小的国家，没有沉重的政治或财政负担，都愿意寻求妥协，（盐湖城双人滑冰赛上，罗格颁发了额外金牌，引起广泛的争议）虽然他的妥协反过来也一直困扰着他。然而，在他彬彬有礼的外表下，这位外科整形医生的意志坚定不移，他敏感地意识到，国际奥委会在平衡力上还有所欠缺。作为悉尼奥运会和雅典奥运会的协调委员会主席，他非常了解实情。“从悉尼奥运会中可以学到很多东西，”他说，“首先，没有政府的大力支持你就别指望能成功地举办奥运会。其次，组织者必须保持谦逊，而不能肆意改变规则——你必须听从那些专家和有经验的人，比如说国际体联、各国国家奥委会，以及国际奥委会自身提出的建议。第三，最关键的问题是检验、检验再检验。”罗格在自己周围建立了一个密切程度不同的团队：利勒哈默尔冬奥会的组织者、挪威人杰哈德•海博格（Gerhard Heiberg）负责市场运作；奥斯瓦尔德（Denis Oswald）、维尔布鲁根（Hein Verbruggen）和基利（Jean-Claude Killy）分别曾是国际划艇和自行车赛的负责人，以及1992年阿尔贝维尔冬奥会的组织者，现在他们分别是2004年雅典奥运会、2008年北京奥运会和2006年都灵冬奥会的协调员；墨西哥媒体大亨马里奥•巴斯克斯•拉涅亚（Mario Vazquez Rana）成为慈善性质的奥林匹克团结基金会的负责人。这个机构在2001年到2004年将为全球的奥运事业捐助2亿9百万美元。

刚刚退休的弗郎索瓦•卡拉尔（Francois Carrard），一位敏锐的奥林匹克观察家，评论说：“总结罗格对奥运会的态度就是尊重二字：尊重你自己、尊重你的对手、尊重比赛规则、尊重社会的解释。他认为体育必须是今天的，是当今时代的，奥运会不能够停滞不前。他在本质上是务实的，可能比萨马兰奇更具有反思精神。”奥运会在许多方面正在发生变化。1980年800米田径冠军史蒂夫•奥维特（Steve Ovett）认为，竞争者们现在变得非常谨慎，以至于将来在奥运会上几乎不可能有中程赛跑的新世界纪录：在许多职业性的体育比赛中，冒险的乐趣已经不复存在。然而罗格仍然是公认的乐观主义者：

> 正是人们的热切渴望而创办了奥运会，因此奥运会是安全的。国际奥委会只需要恰当的管理。只要我们赋予参赛者追求梦想的可能，他们和奥运会就会存在下去。国际奥委会有许多乐于奉献且诚实的人，但是其他人却妒嫉我们，并攻击我们的弱点。公众因为我们外在的生活方式而相信了这些谎言。我们必须调整这一切，奥运会的基石是安全的。

这样最好不过了，但只有在国际奥委会，尤其是世界反兴奋剂组织不断提高警惕、国际体联采取快速改革的情况下才能出现这样理想的状况。在2003年8月巴黎世界冠军赛期间发生的新的丑闻以及对某些事件的进一步曝光都加大了公众的怀疑：不仅是对运动员服用兴奋剂等欺骗行为的怀疑，也是对某些官员是否有能力、甚至是否愿意对体育赛事进行恰当的控制表示怀疑。不管比赛当天的组织工作多么成功，雅典奥组委（ATHOC）还是受到了极大的压力，尽管奥组委主席扬娜•安耶洛波洛斯-扎斯卡拉基（Gianna Angelopoulos-Daskalaki）一再自信地向人们做出保证，却仍然因为缺乏能力而受到了来自国内外的指责。如果2004年奥运会期间，冠军们服用兴奋剂的消息仍然高居报纸头条，他们的努力将分文不值，奥运会的名誉将再次遭到破坏。

在巴黎，又有一件令人遗憾的丑闻被公之于众了。在悉尼奥运会上获得400米赛跑冠军，并获得接力赛金牌的杰罗姆•杨(Jerome Young)，曾在1999年类固醇诺龙药检中呈阳性。这是由美国《洛杉矶时报》揭露的：又是一起因美国田径协会官员以“保密”为借口而受到保护并得以参加奥运会，在事后才被揭露的丑闻。随后，这些官员的行为却得到了体育仲裁法庭的支持，这让很多人都感到十分遗憾。后来又有至少12位运动员被披露出来，他们也得到了美国田径协会的默许，而后者却始终推托责任。

人们对美国田协的这种纵容行径早就产生了怀疑，继上述丑闻之后，在巴黎获得两项奥运会短跑冠军的美国运动员怀特（Kelli White）也被查出药检呈阳性，她涉嫌使用了抗睡眠药物莫达非（Modafinil）。在本书写作时，国际田联正在国际奥委会医学委员会主席、瑞典人永奎斯特教授的协助下调查此事。

来自塞内加尔的前跳远世界冠军、国际田联主席迪亚克（Lamine Diack）需要迅速而果决地做出反应，以维护田径运动及国际奥委会的名誉。他受到了观众、学者、以及那些很有潜力的年轻选手的父母们的一致谴责。此时，一位正直的人接受了挑战，成为世界体坛的巅峰人物，他就是罗格。他意识到，自己有责任与国际田联和美国田协达成一致，否则，顾拜旦的奥运理念虽然还会有很多人接受，却已经受到了严重的威胁，甚至会因此而走向灭亡。

第1章 初创

法国的皮埃尔·德·顾拜旦男爵

国际奥委会第二任主席,1896年—1925年在任

1894年的巴黎，曾被比喻为世界神经中枢，全世界都和她一起分享了我们的欢乐与焦虑。这一年，全世界运动员的代表齐聚巴黎，为重现2000年前的那个体育理念而投票表决。即使是在2000年之后，作为人类最生机勃勃和最高尚的理念，她仍然像过去那样令人心潮澎湃。在科学会堂里，我们亲耳聆听了由几代考古学家持续的努力所揭示出来的2000年前的乐章。消失了十几个世纪的古希腊奥林匹克运动会将重返世界的消息在当天晚上通过电波传遍了世界的每一个角落。

希腊的遗产是多么丰富啊！现代世界的人们策划着把体育锻炼与希腊合法地联系起来。然而，有些人却认为体育锻炼不过是为了保卫家国，也有人认为是为了通过身心平衡以寻求身体的健康美，而另外有些人却认为，与其进行这种强烈的身体锻炼，还不如喝烈酒促进血液循环对身体更有益呢！

关于奥运会的不利言论可真不少，但还有一个没人敢说出来的事实：自从中世纪以来，就存在着对体力的不信任，并把它和脑力分离开来的观念。

这是一种极其错误的观念，它给科学界和社会生活带来的后果是无法估量的。事实上，一个人毕竟不仅只有身体和心智两部分，实际上由身体、心智和性格三部分组成。性格也不是由心智形塑而成的，最重要的形塑力量正是来自身体。古代人对此早已明了，而我们现在却要艰难地重新体认。

守旧的人看到我们在巴黎举行会议很不舒服，他们认为我们是造反者，认为我们将最终推倒他们那些陈旧的哲学大厦。的确如此，我们就是造反者，正是因为这个原因，我们才得到了倾向于支持进步变革的新闻界的理解和支持。

奥运的理念像一束强烈的阳光，穿越时间的重重迷雾，欣欣然地返回地球，照亮了20世纪的开端。为此，让我们举杯欢庆！（选自1894年在巴黎召开的首届会议上的致辞）

皮埃尔•德•顾拜旦身材不高，只有1.62米,但他的胡子却相当引人注目。与其说他是一位运动员、政治家或者教师，还不如说他是一位教育家、业余社会学者和哲学家。首要的是，顾拜旦是一位品德高尚的领导者和自由主义者，他对历史的敏锐洞察力和对未来的极强预见力超出了那个时代，并在法国引起了许多争议。青年时期和成年早期，顾拜旦一直非常关注1870年普法战争

失败后法国的精神和道德状况，他曾阅读过托马斯•休斯（Thomas Hughes）的《汤姆求学记》，该书描述了托马斯•阿诺德（Thomas Arnold）医生的强身派基督教观点，法国当代哲学家多有引述。1828年，阿诺德成为拉格比公学的校长，相比于学术活力，他更关心下一代人的品质、勇气和自信的养成。顾拜旦为阿诺德的观点所折服，开始引进已经在英国有效实行的学校体育运动、学生自制和毕业生运动协会等体制，希望它们有助于巩固法国的民主社会，和重振法国兵源的道德准则。

6岁时的皮埃尔•德•顾拜旦。

顾拜旦并不擅长体育运动，他只对具有娱乐性质的自行车赛、击剑和赛艇感兴趣。1883年，20岁的顾拜旦第一次去英格兰旅行，访问了一些学校：包括伊顿中学、哈罗公学、惠灵顿中学、温彻斯特学校、拉格比公学和马尔堡中学，还有一些比较重要的耶稣会神学院，也造访了牛津大学和剑桥大学。这次访问让顾拜旦确信了他的目标。5年后，他发表了有关英国教育体制的研究结果，这些研究结果完全印证了阿诺德的教育观。19世纪80年代，姗姗来迟的学校运动会终于在巴黎出现。学校里开始举行足球赛，法国体育竞赛俱乐部也成立了。然而，此时顾拜旦的思想已经超越了一国的界限：一个宏伟的国际范围的运动会才能激起人们的想象力，他开始准备恢复奥运会。

顾拜旦的哲学灵感源于古希腊的传统，确切地说是公元前13世纪在希腊众神的居所——奥林匹亚举行的宗教仪式和运动会。这个时期的一些神话，像宙斯与他的父亲克罗诺斯之间的决斗、阿波罗击败赫尔墨斯以及赫拉克勒斯定的名为奥林匹克的运动会等，都通过荷马流传开来，并载入了《伊利亚特》和《奥德塞》中。3000年后，这些诗篇被翻译成了很多种语言。这些神话表明，在古代的节日庆典中，已经出现了体育竞赛。荷马的故事虽然在这些事件过去500年之后才得以形诸笔墨，但它们仍然可以表明，运动员们为了荣誉，面对众多的观众，在约定的规则下进行比赛，而且竞赛的获胜者将被授予丰厚的物质奖励。

"神圣休战协议"的签订促生了奥运会。据说该协议是为了结束源于公元前884年爆发的一场战争。"神圣休战协议"规定：在奥运会期间，停止任何涉及到希腊各邦国的战争；为比赛者提供免费旅行的便利。这些条款被镌刻在一块铜盘上，并一直被遵守到公元2世纪。然而，自公元2世纪以后的2850年里，它便一直湮没无闻了，直到芬兰人埃瑞克•冯•弗伦克尔（Eric von Frenckell）倡导重新签订此停战协议才再次为人们所知。而萨马兰奇在波西尼亚战争期间，成为继弗伦克尔之后的另一个倡导者。

在埃特伊俄斯（伊利斯的第一代国王，即宙斯的儿子）治下，奥运盛典继续举行，据说"运动员（athlete）"这个词就与埃特伊俄斯（Aethlius）的名字有关。奥林匹亚位于伯罗奔尼撒半岛的西北部，归伊利斯管辖。古亚该亚人和希腊人先后在那里建立了他们的圣殿。尽管考古学家已经证明，在奥林匹亚，很久以前就已经出现了含有体育运动的宗教活动，在此举行体育运动的最早记录却只能追溯到公元前776年，因为奥林匹克运动会获胜者的名字是从那一年才开始被记录下来的。那年春天，伊利斯的科洛布斯成为“Stade（赛跑）”的第一位获胜者。现在使用的“体育场（stadium）”一词正是源于“Stade”一词，而“Stade”最初指的是跑道的长度——赫拉克勒斯一口气能跑完的距离，差不多相当于200米远。两届奥运会之间间隔四年，这四年被称为一个奥林匹亚德。除了200米跑 (stade)、400米跑 (diaulus)、 4.5公里跑(dolichus) 之外，到公元前708年，奥运会还逐步包括了摔跤和五项全能赛（由跑步、铅球、跳远、标枪和摔跤组成）；公元前688年，先后增加了拳击和马车赛；公元前648年又增加了由摔跤和拳击合并的全能赛。

公元前510—450年，也就是在希波战争期间，奥林匹亚和希腊赢得了巨大的声誉。从奥林匹亚向外产生巨大影响的不仅有奥运会，还有希腊的古典艺术。柏拉图（公元前427年—347年）在70岁时，第一次访问了奥林匹亚，从此，它开始成为每位受过教育的人士一生中必须游历的地方。公元前4世纪，马其顿国王菲利浦据传正准备入侵希腊，因此古希腊人民便在奥运会上向他喝倒彩。公元前324年，第114届奥运会期间，亚历山大大帝在奥林匹亚宣布：所有希腊人民将在他的领导下，团结一致。

大部分时期，运动员都裸体参赛，他们不穿衣服显然是为了在比赛时让四肢更加自由。获胜者除了能得到一支野橄榄枝外，还能得到更有价值的礼物，确切地说是一大笔钱。因为不确定的原因，女性是不允许参加比赛的，甚至作为观看者，也只能在非比赛时段前去参观一下奥林匹亚这块神圣的土地。远古时代的那些奥运冠军们声誉卓著，即使有大批的媒介来推波助澜，现代奥运冠军们所能达到的声誉也不能与之比肩。这是因为古代的奥运冠军的荣誉不仅表示胜利，它还代表着美好、至善、品德高尚和思想纯洁的荣光。获得奥运冠军就意味着已经达到了令人叹为观止的最高成就。来自罗德斯岛的莱奥尼戴斯（Leonidas）就是让20世纪的众多奥运冠军黯然失色的人物之一，他于公元前164—152年相继在4届奥运会中包揽了全部12座冠军奖杯中的3座,其成就甚至超过了曾9次荣获奥运金牌的当代运动员卡尔•刘易斯(Carl Lewis)。如同现在一样，来自意大利、埃及、利比亚、爱奥尼亚和高加索等地的大批观众都会蜂拥而至，共享这一盛宴。

然而，希腊的辉煌并没有永远持续下去。当体育运动被学术的美德最终取代时，奥运会开始没落了，苏格拉底因此受到了批评。后来，罗马帝国的铁蹄开始践踏希腊文化，体育场变成了角斗士的舞台，兽性得到赞扬，竞争对手不再获得尊重。对古希腊体育运动的另一个打击是基督教的禁欲主义，他们把禁食和贫穷当做光荣。公元393年，拥有320届运动会历史的奥林匹克被罗马皇帝西奥多修斯所终结。接着，奥林匹亚遭到了暴徒的劫掠，宙斯的雕像被土耳其人劫走，他的圣殿被哥特人一把火夷为平地，哥罗底亚斯河水淹没了那块谷地，从此，古希腊的辉煌消失得无影无踪。

中世纪的禁欲主义衰亡后，古希腊体育文化的种子在16世纪重新生根发芽。英国律师、运动员和反清教徒罗伯特•多弗(Robert Dover, 1575-1652)组织了一届克兹沃兹运动会(Cotswolds Games)。波兰曾经举办过一场名为“奥林匹克竞赛”的运动会。伦德大学教授古斯塔夫•斯卡图（Gustav Schartau）在瑞典的朗罗沙也举办了类似的活动。1844年，一些来自魁北克的热心人组织了一次含有28个比赛项目的“蒙特利尔奥运会”。1856年，威廉•布鲁克斯博士（Dr William Brookes）创办了马奇温洛克奥林匹亚协会，这就是马奇温洛克运动会的前身。该协会是一个体育和文艺的联合体，它倡导贵族阶级和工人阶级之间的和谐相处。在希腊，诗人帕那吉奥提斯•扫索斯（Panagiotis Soutsos）也建议恢复奥运会，并得到爱国商人伊凡基洛斯•扎帕斯（Evangelos Zappas）的支持。于是，1859年，希腊举办了一届“奥运会”。

法国全能运动员乔治•德•圣克莱尔（George de Saint-Clair）——《汤姆求学记》的法文译者，1804年成为法国竞技俱乐部秘书长，向俱乐部灌输了一些英国俱乐部的原则。1887年，该俱

英国人威廉•布鲁克斯博士是1850年马奇温洛克奥林匹亚协会的创办者。该协会是马奇温洛克运动会的前身，而马奇温洛克运动会正是顾拜旦创办现代奥运会的思想来源之一。

乐部与法国网球俱乐部（Stade Francais）、法国赛跑俱乐部联合会(the Union des Societes Francais de Course a Pied/Union of France Running Clubs)合作，法国体育运动由此展开，为顾拜旦的雄心壮志提供了一个平台。

顾拜旦是一位坚持不懈的知识分子，他的朋友不多，但他也和普通人一样，需要亲密伙伴帮助他实现自己的计划。在这些朋友中，朱尔斯•西蒙（Jules Simon）和亨利•迪东（Henri Didon）在帮助他创办学校体育教育委员会的过程中起到了非常关键的作用。

西蒙属于改良派，他和顾拜旦一样有很强的自信心，并且都是坚定的自由民主主义者。那时，西蒙已经74岁了，而顾拜旦才25岁，顾拜旦非常仰慕他，把他当做自己的精神导师。而亨利•迪东神父却成了顾拜旦的信徒之一。神父认为骑士精神是体育必不可少的素质之一，体育应该被纳入到教育体制中去。如果说顾拜旦为迪东提供了社会发展的新途径，那么迪东也为顾拜旦提供了精神上的有力支持。

体育训练宣传委员会于1888年正式创办，有5个成员，顾拜旦是其中的主要人物。该委员会成立之初缺乏社会支持，经顾拜旦在报纸杂志上发表一些随笔后，委员会才逐渐引起了公众的注意。

三年后，即1891年，委员会组织了一次冠军赛。名誉主席迪东向会员们宣布，其宣传口号是“Citius,Altius,Fortius”，即“更快，更高，更强”。这也是体育运动的基本原则，并成为现代奥运会这一伟大创举的座右铭。同年，顾拜旦应政府要求，召开了一次体育教育工作会议。布鲁克斯博士被邀请出席这次会议，以表彰他为英国的体育事业所作出的贡献。

顾拜旦开始认识到，要实现其体育的国际化理念，必须获得国外同仁的支持和帮助。威廉•米利根•史隆（William Milligan Sloane）是其中较突出的一个。史隆是苏格兰长老会牧师的儿子，1850年出生于俄亥俄的里士满，毕业于纽约哥伦比亚大学，随后到匹兹堡纽维尔学院教授古典文学，后来又到柏林研究古代历史，并在莱比锡获得古阿拉伯诗歌的博士学位。他还做过美国驻德国大使乔治•班克罗夫特（George Bancroft）的秘

多米尼加人迪东神父，顾拜旦的朋友兼导师，他们一起创办了体育训练宣传委员会。

书。正是在乔治•班克罗夫特的影响下，他开始对体育产生兴趣。他先后在普林斯顿和哥伦比亚大学任教，成为常春藤大学体育协会教职工委员会主席。顾拜旦为了争取史隆的支持，于1889年访问了美国。1892年，史隆前去巴黎观看有法国队、美国队和英国队参加的赛艇和足球比赛。在此期间，顾拜旦向史隆阐述了自己的计划，史隆开始试图说服那些持怀疑主义的、心胸比较狭隘的美国人。1893年，为了促进次年在法国召开的有关体育运动的国际会议的计划，顾拜旦第二次造访美国，却遭到了冷遇，结果只有史隆教授一人愿意参加。

查尔斯•赫伯特（Charles Herbert），1846年出生于印度。他的家人都丧生于1857年的坎普尔大屠杀（一场印度人反对英国统治的起义）。幸免于难的赫伯特返回英格兰，1883年成为业余运动协会的名誉秘书。他与顾拜旦相识后，顾拜旦

自由主义教育家、奠基人顾拜旦(左三)在蒙日学校，1887—1888年。

随即任命赫伯特为“英国及其殖民地地区代表”，为召开委员会大会效力。尽管赫伯特对顾拜旦的计划疑虑重重，但正是在他的努力下，英国队才成功地参加了1896年的首届奥运会。赫伯特本人却由于付不起到巴黎的路费而未能出席。

以“瑞典体育运动之父”闻名于世的维克托•古斯塔夫•巴尔克（Viktor Gustan Balck），出生于1844年的商人家庭，1859年成为皇家海军士兵，随后进入卡尔斯拜尔军事学院，在这里对运动产生浓厚的兴趣。1891年，成为斯德哥尔摩体操学校的一名职员，并先后获得陆军少校和上校军衔。1907年，他成为体操学校校长。在他的努力下，现在所能见到的传统体育项目在瑞典都得到了较大的发展。1875年，他创办了斯德哥尔摩体操协会，其影响力与赛艇和滑冰等协会并驾齐驱。巴尔克还推进了体操协会与英国体育界的关系，尽管他被选为新奥委会的第一届委员，却没能出席在巴黎举行的奥委会会议，但他保证一定要让弗雷德里克•贝赫（Frederic Bergh）代表瑞典参加奥运会——他只能说服一名运动员参加雅典奥运会。另外，他对国际滑冰联合会的创办也作出了重要贡献。

顾拜旦是一位民主改革派自由主义者，对当时的社会偏见很敏感。他意识到，那些拥有贵族头衔的人加入到委员会里，将会提高委员会的声誉和地位，就如同今天慈善机构的做法一样。安普希尔男爵二世亚瑟•奥利弗•威利尔斯•卢瑟尔（Arthur Oliver Villiers Russel）于1869年在罗马出生，他父亲是驻当地的英国大使，他祖父克兰顿伯爵是当时的外交大臣。卢瑟尔先后在伊顿公学和牛津大学获得声誉，并成为牛津联合会（一个政治性的组织）和赛艇俱乐部的主席。顾拜旦访问伊顿公学时与他结识，并立刻任命这位年轻人为第一届国际奥委会委员。尽管安普希尔家族很少直接参与顾拜旦的活动，但卢瑟尔的加入对奥运事业无疑是非常有益的。

卡尔•奥古斯特•威利巴尔德•格布哈特（Karl August Willibald Gebhardt）是柏林大学的化学家，后来移居美国，1890年至1893年间从事生理化学的研究。学生时代他曾是一名击剑运动员，为嘈杂拥挤的都市生活对居民身体健康的影响深感忧虑，倡导健康的运动应该作为普通人的一项基本权利，他自然而然地成为顾拜旦的忠实信徒之一。他认为，德国在传统体操项目上的成就具有太强烈的国家色彩，因此他参与了1895年在柏林举行的“运动、比赛与体操展”。为了支持德国参加首届雅典奥运会，他还专门组织了一个委

国际奥委会成员：后排立者（从右到左）：威利巴尔德•格布哈特（Willibald Gebhardt，德国），杰里•古斯-雅可夫斯基（Jiri Guth-Jarkovski，捷克），弗兰茨•凯梅尼（Ferenc Kemeny，匈牙利），维克托•巴尔克（Viktor Balck，瑞典）。前排坐者：皮埃尔•德•顾拜旦（Pierre de Coubertin，法国），德米特里厄斯•维凯拉斯（Demetrius Vikelas，希腊），蒂米维科•布托维斯基将军（Alexei Dimitrievic Butovski，俄国）。

员会。他后来成为第一个德国籍的国际奥委会委员，对促使德国参加全新的体育历险活动起到了不可忽视的作用。

杰里•古斯•雅可夫斯基（Jiri Guth-Jarkovski）是波希米亚捷克人，布拉格一所大学的哲学教授。1891年，他与顾拜旦相识于巴黎，借助他与外省奥地利贵族的关系，对顾拜旦的事业起了很大作用。然而到1894年时，他却因贫困而没能参加奥委会会议。尽管如此，他对顾拜旦在欧洲中部的活动起到了关键性的作用。

来自俄国西部乌克兰的亚历克斯•蒂米维科•布托维斯基将军（Alexei Dimitrievic Butovski）在圣彼得堡的军事学院工作，后来转向军事教育，负责俄国的学校体育教育。直到19世纪80年代，俄国才广泛地接受了体育运动。布托维斯基对欧洲其他地方的体育教育作过一次考察，他渊博的知识和丰富的经验为顾拜旦解决了不少难题。

担任法国体操协会主席的厄内斯特•卡洛（Ernest Callot）成为顾拜旦的“体育宣传”委员会成员，后来被任命为国际奥委会会计，成为顾拜旦的左膀右臂。卡洛是国际奥委会成员中的第二个法国人。

为了使奥林匹克观念更加具有国际化品质，顾拜旦任命来自新西兰的基督教徒莱昂纳德•阿尔伯特•卡夫（Leonard Albert cuff）为国际奥委会的荣誉委员。卡夫是新西兰业余运动联合会的创办者，在访问欧洲时，他和赫伯特一起出席了由法国竞赛俱乐部组织的运动项目。尽管他也没能出席1894年奥委会大会，但他的加入使南太平洋体育运动被纳入到顾拜旦的计划中来。

只有在国际环境中才可能成功复兴奥运会，对此顾拜旦从未怀疑过。当美国运动员1891年来巴黎参加比赛时，他更加坚信这一点。为了推进奥运会的复兴，他在报纸上、小册子里和演讲中都提到，他撰文指出，如果德国考古学家能发掘出奥林匹亚的遗址，法国人就可以复原奥林匹克的原貌。1892年，在巴黎的一次报告中，他进一步详细地提出了该建议。

为了扩大交往，1894年1月，顾拜旦给许多外国俱乐部写信，结果却让人大失所望。尽管顾拜旦描述了复兴奥运会的主要目标，但一些俱乐部还是怀疑这种合作会降低某一具体项目的影响。直到5月份，顾拜旦才在巴黎邬蒂诺大街20号他的宅第（后来成为奥委会办公室）收到一些回信。第二轮请求也只收到了十几封海外回复。国际奥委会名誉委员康斯坦丁国王二世虽然相信他的祖父康斯坦丁王储当时非正式地出席了会

业余赛艇运动创建者。

议，但这次奥委会大会其实沦为了法国人的事务，而非想象的那种国际事务。

1894年6月，国际奥委会大会在巴黎拉开帷幕，开幕式以在德尔斐发现并经西奥多•莱纳赫和盖布莉埃•福尔重新编撰的《献给阿波罗的圣歌》开始。开幕式没有宣布来自12个国家的79名代表和体育运动协会的名录，与会人士的争论在顾拜旦致辞时达到了高潮。

会议最终提出以下几项决议：一、复兴奥运会；二、创办“国际奥林匹克委员会”；三、给“业余性质”一个明确的界定。包括一些未能出席会议的共14人当选国际奥委会委员，任命希腊人德米特里厄斯•维凯拉斯（Demetrius Vikelas）为国际奥委会主席，同时决定第一届奥运会在雅典举行。维凯拉斯的出现和雅典的入选在某种程度上可以说是一个谜（详见第二章）。会议还规定奥委会的主席应该来自东道主国家，从上届奥运会结束到本届奥运会结束的4年时间为其任期。迪东神父的格言也被正式接受。会议还提出了两项任务：一、由竞赛俱乐部的米歇尔•贡迪内（Michel Gondinet）负责为“业余性质”定义；二、由维凯拉斯负责筹划首届奥运会。

奥委会非正式执行会议紧随其后，在巴黎巴比伦大街4号维凯拉斯的公寓里举行，史隆博士、卡洛和顾拜旦参加了会议。他们四人决定了前三个奥运会主办城市：1896年在雅典、1900年

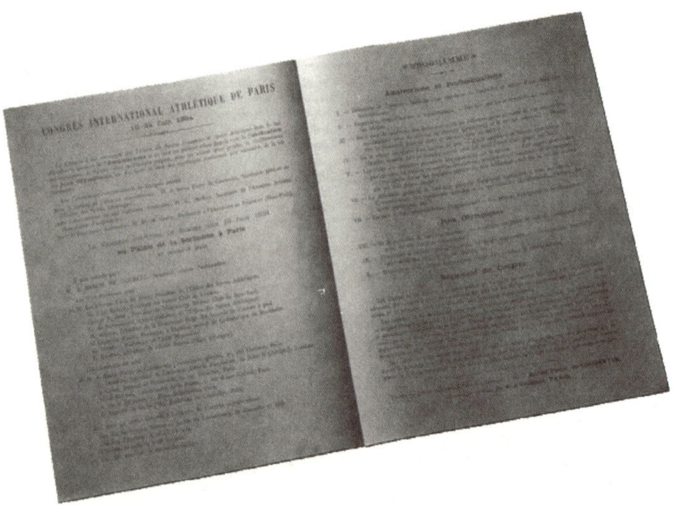

巴黎国际运动大会章程。

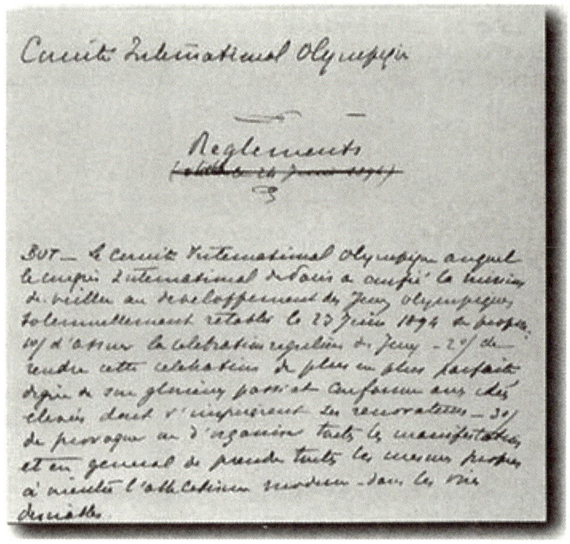

Comité International Olympique

Reglements

奥委会的地位与作用——顾拜旦手稿。

在巴黎、1904年在美国城市举行。顾拜旦和史隆分别被任命为第二和第三任主席，顾拜旦同时兼任秘书长。顾拜旦在他的回忆录里写到：

> “反对我的观点？冷嘲热讽？或是毫不在乎？不，绝对不是这样。观众们热烈鼓掌，他们赞同我的观点，他们祝我好运。然而说实在的，也许没人理解我，在座的观众可能一点儿都不理解我的话。委员会是一个自足的机构，有着和亨利皇家赛艇委员会一样的管理组织。但它已经囊括了三个同心的圈：认真而努力的成员中心；一个自愿组成的养成所，其成员随时都可以接受训练；还有一个得力人士组成的团体，这些人的出面表达了一种国家性，同时也提高了整个委员会的声誉。”

最后提到的这个团体大概由公爵、伯爵和将军组成，经过半个多世纪的演变，作为一个寡头群体而毁誉参半。

对于当时那些无私的创建者来说，这一切并没有表现出来。顾拜旦希望所有的成员都笃信奥林匹克信念，实际上他们也做到了。按照顾拜旦的选举原则，奥委会成员应该是奥委会派至国家的代表，而不是其所在国家在奥委会的代表，他们能否被选为奥委会委员取决于他们对体育运动

的了解程度和在本国的地位。

1894年7月，奥委会的第一份《公告》出版。《公告》是获取奥运信息的主要来源，在不同时期，它还以各种不同的面目出现，现在已更名为《奥林匹克评论》，被誉为"体育界国际地位的推进者"。

奥林匹克运动委员会举行了三次会议，都对《公告》表示了赞同。在关于业余性质方面争论非常激烈，业余委员会反对英国业余划船组织的规章，因为它禁止体力劳动者参与此组织。当时的记录曾批评他们的建议，认为是"对民主政治的挑战"。后来，顾拜旦不知疲倦地专门撰文表达他对专业性质的看法。

顾拜旦在巴黎取得了成功，现在他要说服希腊政府承办首届奥运会。因为担心可能遭到政府的拒绝，顾拜旦亲赴雅典。他发现政府大部分成员都持反对意见，他们认为在这个毫无意义的工程上花钱得不偿失。面对重重困难，顾拜旦使尽浑身解数，自己出钱进行成本估算，并印了一本宣传小册子。希腊奥委会最终决定承办，并对成功寄予厚望，甚至企图把功劳归为己有。遭遇这样多舛的命运，除了顾拜旦，更有几人？

现代女祭司来到古代奥运会举办地奥林匹亚的赫拉圣殿，点燃奥运圣火。

第2章 来自希腊的导师

希腊人德米特里厄斯 · 维凯拉斯

国际奥委会第一任主席，1894—1896年在任

高瞻远瞩是取得进步的不二法门，也是降低风险的必经之道。要取得更大的进步，千万不要急于求成、好高骛远，一定要稳步前进，一定要量力而行。

受当代体育运动这个大环境影响，我的朋友皮埃尔•德•顾拜旦利用他超常的想象力，怀着复兴古希腊奥运会的希望，于去年建立了国际奥林匹克委员会。通过他，我收到了来自泛希腊体育俱乐部的邀请，让我代表他们参加巴黎国际奥委会会议，这真是难以想象。我准时出席了这次会议，并被提名为委员会主席，我感到异常惊喜。我认为，唯有希腊人有重建希腊体育运动制度的权力。维克托•雨果曾说，当今的整个文明起源于希腊，这也是为什么我要求奥运会要在希腊这片土地上举行。必须申明的是，这次盛事得到了康斯坦丁王储的大力支持。

一个不争的事实是，雅典此时还很贫穷。所以我认为举办这次奥运会不能太奢侈，但尽可能隆重点儿。如果能有什么盈余的话，我们希腊人应该为未来的运动着想：要好好对待我们的运动员，要为学生建造新的体育馆。顾拜旦考察英格兰体育运动时就坚信，体育锻炼不仅能增强体质，还可以陶冶情操，体育在整个教育过程中起着举足轻重的作用。我们的历史也足以证明这一点。因此，毫无疑问，这个新的节日将吸引更多的外国游客到希腊来。这将给我们带来经济文化上的双丰收，而且也会因此扩大希腊同其他民族的交往。（选自《在希腊学生协会上的致辞》，1895年4月）

1835年，德米特里厄斯•维凯拉斯出生在锡罗斯岛上，并在那儿及康斯坦丁堡（现在的伊斯坦布尔）度过了童年。他的家人在希腊独立战争中流亡在外，他16岁起就在两个叔叔创办的“梅拉斯兄弟”谷物贸易公司工作，并因此得到了经济上的保障。后来他到伦敦大学上学，并很快通晓了英语、德语、意大利语和法语。他还研究植物学和建筑设计，发表诗集，并用英语和希

腊语撰写有关两国教育的论文。在伦敦，他创立了希腊语言学校，并开始翻译莎士比亚的剧本，比如《麦克白》和《哈姆雷特》等。19世纪70年代，他一直住在雅典，30岁时，娶了一位希腊的有钱人并且各处游历，随后居住在巴黎和伦敦。他写的一部关于希腊独立战争的小说《鲁克斯拉里斯》（《Loukis Laris》）被翻译成11种语言，也因这部小说，他在文学界赢得了声望。后来的一部短篇小说《从尼克玻利斯到奥林匹亚》（《From Nikopolis to Olympia》）是关于希腊旅行的，他在书中歌颂了希腊旅游业。1879年，他正式成为"鼓励学习希腊语社团"的董事会成员。1894年他妻子因患精神病离开人世。在这之前的很长一段时间里，他们都住在巴黎，这也为他参加巴黎会议提供了机会。和顾拜旦一样，他也是一位热爱祖国、崇尚体育的杰出人物。

关于国际奥委会成立之初的所有疑问都与维凯拉斯有关：没有体育背景，他怎么会成为奥委会的首任主席呢？雅典又怎么会被选为第一届奥运会的举办城市？维凯拉斯出身于商人家庭，他的知识最为渊博，对祖国希腊的了解也最多，其文学创作为他在欧洲赢得了广泛的声誉。正因为如此，他成了国际奥委会主席的首选人物。

但雅典作为第一届奥运会的举办地，到底是维凯拉斯的功劳还是顾拜旦的努力，至今尚不得而知。有关这个问题的资料都是互相矛盾的。我们不能确定，在说服极不情愿的希腊政府同意承办奥运会这一问题上，维凯拉斯和顾拜旦两人谁更有这个能力。

一个没有揭开的秘密是：历史学家大卫•C•扬（Dvid C.Young）在研究历史文献中发现，从1894年巴黎会议上提出创办国际奥委会到第一届奥运会举行这段时间里，维凯拉斯才是更重要的人物。维凯拉斯和顾拜旦两人的笔记和回忆录，以及奥委会会议的有关记录都是相互矛盾的。这不能不使我们怀疑顾拜旦作为现代奥运会历史的标志人物、奠基者和设计师的声誉。

这个秘密是从希腊国王乔治一世于1894年6月21日发给顾拜旦的一封电报中发现的（该电报发出两天前，第一届奥运会的举办权被授予希腊的雅典）。电报上讲："得悉顾拜旦男爵礼貌的陈情书，我感触颇深。怀着对奥运会复兴的深切愿望，我对他及所有奥委会成员深表感谢。——乔治。"但一个历史性的问题是：这封电报是在6月19日的奥委会会议（顾拜旦正是在这次会议上提议在雅典举行第一届奥运会）和6月23日的奥委会会议（据维凯拉斯讲，他在这次会议上提议第一届奥运会应在雅典而不是在伦敦和巴黎举行）期间到达的。

国王的电报带来这样几个问题：通过与康斯坦丁王储的秘密接触，雅典作为举办地是否已被预先敲定？维凯拉斯参与其中不到三个月，旋即被推上国际奥委会主席的位置，这是否是一项秘密计划，以便利用他的威望说服雅典当局接受这一责任？或者说，维凯拉斯只是顾拜旦为了复兴古希腊运动而精心设计的马前卒？维凯拉斯的私人笔记中透露，后来有人告诉他，6月19日奥委会会议后、乔治国王电报到来之前，顾拜旦曾将一

国际奥委会和雅典奥组委成员：（从左到右）前排坐者：吉尔吉奥斯王子（Prince Georgios），康斯坦丁王储（Crown Prince Constantine），尼古拉奥斯王子（Prince Nikolaos）。后排立者：吉尔吉奥斯•斯特雷特（Georgios Streit），柯吉德斯上校（Col. Kokides），杰里•古斯-雅可夫斯基（Jiri Guth-Jarkovski），德米特里厄斯•维凯拉斯（Demetrius Vikelas），亚历克斯•蒂米维科•布托维斯基将军（Alexei Dimitrievic Butovski），威利巴尔德•格布哈特博士（Karl August Willibald Gebhardt），维克托•古斯塔夫•巴尔克（Viktor Gustan Balck）。

封"电报发往雅典"。该电报的内容已无从知晓。那么，顾拜旦是否和康斯坦丁王储串通一气呢？

关于雅典的提名也是一个谜。在6月23日的全体会议上，维凯拉斯声明他赞成在雅典举行首届奥运会。大卫•扬（David Young）也认为当时是通过全体表决的。然而他对维凯拉斯的记忆表示怀疑，因为在6月19日的会议上，维凯拉斯还拒绝把雅典作为主办城市。大多数人的意见是选择伦敦，而顾拜旦提议雅典，最后大家遵从了顾拜旦的意见。所以，直到6月22日才决定奥运会在雅典举行。"英国业余体育爱好者协会"的代表查尔斯•赫伯特（Charles Herbert）的缺席最终导致了伦敦提议的搁浅。但会议记录明确显示，当时大多数人的意见是在伦敦举行首届奥运会，1900年在巴黎举行第二届。1894年，一份德国的出版物也赞成首先在伦敦。但已经过去了110多年，很多事实都没有办法考证了。

抛开这些相互矛盾的记录不谈，单就维凯拉斯不合时宜的当选来讲，就颇有点中情局的风格。顾拜旦早就开始同精英和权威人物建立联系，以便使他的目标获得知识与道义上的支持，因此，这种可能并非不存在。但令人疑惑的是，如果这是一个预先安排好的计划，那维凯拉斯为什么不知情呢？顾拜旦发往希腊的电报将理清这一问题：顾拜旦最初的意愿是1900年在巴黎举行首届奥运会，但后来他意识到，从提出奥运会这个想法到它的实施，六年时间过于漫长了。而对奥运会充满期盼的康斯坦丁王储显然曾与顾拜旦有过秘密协商：1973年被免职的康斯坦丁二世（康斯坦丁王储的孙子）就曾认为：不知内情的维凯拉斯被顾拜旦选中是极有可能的。他说："我怀疑顾拜旦、王储和乔治国王经过秘密策划，已经私下达成协议，同意雅典作为主办城市。因此，在顾拜旦通知巴黎会议的决定后，国王就回了前文中提到的那封电报。同时，顾拜旦和我爷爷策划了维凯拉斯的入选，以发挥他的能力去取得希腊政府的支持。

希腊政府要在1896年前完成所有的准备工作可不是件容易的事。先是维凯拉斯妻子的去世，顾拜旦又忙着他的婚礼，站在反对派一边的希腊首相加里劳斯•特里库皮斯（Charilaos Tricoupis）声明：在土耳其和塞浦路斯发生的地震和洪灾带来了经济危机，政府不能确保基础设施的建设，不可能在此时举办奥运会。因此，维凯拉斯10月份到达雅典时面临着被拒绝的尴尬局面，法国甚至有报道说他已经失败了。维凯拉斯和顾拜旦的主要任务是在康斯坦丁王储的协助下，克服雅典人的抵制心理，还要认真考虑一个替补城市，以防万一。

顾拜旦和维凯拉斯开始努力证明举办奥运会的价值，以期说服希腊人。但大卫•扬坚决认为，维凯拉斯担当了更多的责任。因为顾拜旦此时正忙着他的婚礼，并对奥运理想产生了某种幻灭感，以至于他在1895年1月向国际奥委会递交了辞呈，但维凯拉斯没有接受。

康斯坦丁王储的影响是非常重要的，他是泛希腊体育俱乐部的资助人，他的两个兄弟都是该俱乐部的荣誉成员。正是在这个关键时刻，一个组委会在他的直接领导下成立了，慢慢地在幕后推动着雅典奥运会的各项准备工作。顾拜旦开始策划开幕式和闭幕式。

第一届奥运会将在泛雅典体育场举行，它始建于公元前300年左右。但是，举办奥运会的资金从何而来呢？组委会派出了一个代表团去亚历山大港，向希腊商人乔治•阿维罗夫（George Averoff）寻求援助，他们得到了将近100万德克玛的第一笔捐款。通过各种方式和渠道的募集，雅典有了足够的资金建造射击场和自行车赛场，他们甚至还在比雷埃夫斯海湾修建了一道堤坝，以供观众观看游泳比赛。根据官方记载，这些资金主要来源于：各界捐款33.2756万德克玛，阿维罗夫捐赠92万德克玛，邮票销售40万德克玛，门票及纪念章收入20万德克玛，政府补贴40万德克玛。为了感谢乔治•阿维罗夫的慷慨捐助，雕塑家用白色大理石为他制作了一尊雕像，立在体育场门口，并于运动会开幕前夜揭幕。出于谦逊和礼让，乔治•阿维罗夫没有出席运动会。

泛雅典体育场建成500年后的公元200年，第一次得到修缮。此后一任风吹雨打，直到1870年第二次修缮后才逐渐改观。白色大理石翻修的

泛雅典体育场入口处：第一个奥运会资助者乔治•阿维罗夫（George Averoff）的雕像。在他的资助下，泛雅典体育场得以修缮。

看台可容纳7万人，长333米的带急拐弯的沙地跑道，由于弯道角度太小，必须以很慢的速度才能通过，200米跑比赛也因此被取消，当时的比赛还是顺时针跑的。当时还没有游泳池，比赛只能在未开发的海滩举行。因为是春天，海水温度很低，只有13摄氏度。由于风暴来袭，赛艇和帆船项目都被取消了。网球比赛被匆忙地安排在宙斯圣殿举行。

如果没有必要的后勤工作（包括成员国体育代表队的派出），光凭意志，奥运会不可能持续下去。1896年的第一届奥运会，由于缺乏对具体运动项目的管理，造成了很多矛盾。顾拜旦依靠德国人威利巴尔德•格布哈特、国际奥委会副主席瑞典人维克托•巴尔克、匈牙利人弗兰茨•凯梅尼（Ferenc Kemeny）及美国人史隆去激发运动员们的热情。遗憾的是，他们在英国和法国只得到了很少人的支持。

为了能让外来游客在运动会开始前顺利到达雅典，顾拜旦提议与托马斯库克旅游代理机构合作。在国际奥委会创建之前，并没有什么正式的体育代表队，大部分代表队都是随机聚集起来的。史隆将来自普林斯顿、哈佛和波士顿体育协会的13名参赛者组成了美国队，著名的纽约体育俱乐部却无意参加比赛。

本届奥运会共有14个国家的245名男运动员参赛，其中只有81名外国人，其余的全部来自希腊。法国和德国分别派出了19名参赛者，美国13名，英国8名，其余的国家没有超过4名的。这些参赛者大多是自费来雅典的，共参加了9个运动项目的43项赛事。比赛只有冠、亚军两个名次，冠军可获得一枚银质奖牌、橄榄枝花冠和第一名获奖证书，而亚军可以获得一枚铜质奖牌、桂冠和第二名获奖证书。奖牌是法国雕塑家儒勒•夏普伦（Jules Chaplain）设计的，由国王乔治一世在比赛的最后一天颁发。

为纪念发生在公元前490年雅典人击溃波斯入侵者的马拉松战役，顾拜旦的朋友、法国古典派学者米歇尔•布雷亚尔（Michel Bréal）教授建议举行一个有纪念意义的马拉松比赛。开幕式这一天也是雅典从土耳其治下获得独立的75周年纪念日，共有4000人参加了这一仪式，在周围山上观礼的人数更多。参赛者被集合起来，国王和王后前来表示慰问。康斯坦丁王储致开幕词，当时还没有扬声器，大部分人都听不到他的讲话。最后，国王站起来说：“我宣布，第一届奥运会现在开始在雅典举行！”在由知名诗人科斯塔斯•帕

奥委会创立者在实用体育学校与维埃纳先生交流击剑技术。

拉玛斯（Costas Palamas）作词、斯皮罗斯•隆姆拉斯（Spyros Samaras）作曲的奥林匹克颂歌声中鸣放礼炮，放飞和平鸽。

在维凯拉斯任职后期，他与顾拜旦在对运动会的未来设计方面出现了新的分歧。第一届雅典奥运会是成功的，希腊人希望占有这一荣耀，期望未来的运动会都在雅典举行。顾拜旦则认为运动会必须是全球化的，应该在世界各国巡回举行。维凯拉斯也同意这一观点，但他的爱国主义热情却让他倾向于希腊才是奥运会永久的故乡。作为一种妥协，维凯拉斯建议运动会暂时都在雅典举行，这一提议遭到了顾拜旦的反对。下届奥运会计划在巴黎举行，因此奥委会主席一职该由顾拜旦担任了——在此之前，顾拜旦是国际奥委会秘书长。原则上说来，奥委会主席应该来自下一个承办国，但维凯拉斯还是单方面地要求召开委员会会议讨论此事。最终，顾拜旦获得了支持，维凯拉斯向他移交了权力，不久就挂冠而去了。

1908年7月，慈善家、文学工作者和激情的爱国主义者维凯拉斯与世长辞，他在奥运历史中的地位和他所作出的贡献，比我们现在所能认识到的要大得多。

第3章　雅典

第一届奥运会 1896

希腊人史匹登·路易斯（*Spyridon Louis*）

首届马拉松冠军

比赛前一天，一辆马车载着我们从家乡马陆斯出发，用了将近五个小时才到达马拉松赛的出发点。当时，天正下着雨，晚上甚至下起了冰雹，我们冻得浑身发抖。善良的当地人把衣服借给我们穿，市长还不断为我们提供食物，并问我们："你们还需要别的东西吗？"我们一起高呼："要！请再给我们送些酒来！"从某种意义上说，从来没有运动员像我们那样，在赛前、在那个下着雨的星期四庆祝狂欢。

第二天上午，当外国参赛者接受服务人员按摩时，我对同伴们说："让我绕着这个广场跑两圈，暖和暖和身体。"于是，我穿着家乡人买的新鞋跑了起来。那鞋子价格昂贵，每双大约需要25德克玛，这笔钱在当时能买很多双别样的鞋子。

每个运动员都喝了些牛奶，吃了两个鸡蛋。2点时，我们来到街道上准备比赛。跑了一段后，我未来的岳父大人站在路边递给我一大杯酒和一个复活节鸡蛋，我接过酒喝下去，感觉力气大增。很快，我追上了同伴克里斯托沃洛斯（Christovoulous），这时观众们高呼："加油！路易斯！加油！"这更加鼓舞了我。一位喊着"你前面只有外国人"的警察为赶上我不得不骑着一匹马。一位美国人在我前面100多米，我想："我才是最好的！"于是我加快了速度，不一会儿就超过了他。这时，我对瓦西拉科斯（Vasilakos）说："让我们一起跑！"但瓦西拉科斯已筋疲力尽，坚持不下来了。于是我甩开他，又赶上了一

位法国人，他也在尽最大力气往前跑。突然，他倒下了，他也筋疲力尽了，我又超过了他。只有一位澳大利亚人在我前面了。当时人们都在吼叫："赶上他，路易斯，你一定能战胜他，加油！加油！"我突然被一种顽强的意志所打动，加快了速度。虽然这位澳大利亚人是一位坚强不

屈、顽强拼搏的男子汉，但我还是离他越来越近了。当我超过他到达终点时，警官向空中开了一枪，顿时，所有的人都欢呼起来。事实上我和这位澳大利亚小伙子肩并肩跑了500米远，当时我一直用余光看着他，我不能让他比我领先一步。最后，他终于因呼吸急促而落得越来越远了。（1936年的柏林奥运会采访）

第一届奥运会是朴素的，除了因为时间限制，主要是因为基础设施的短缺以及外国运动员的突然介入。不过他们都是自费的，就像是一次旅行。尽管有34个国家对复兴奥运会作出了努力，却只有14个国家选派运动员代表参加。邀请函在奥运会召开前不久才发送出去，因此，准备工作很仓促。以大学生为主的美国队共有13名运动员，他们虽然看起来是最强壮的，但没有几个人是国家级冠军，比如100米短跑纪录保持者卢瑟•卡里（Luther Cary）就没有参加。除了东道主有230名运动员参赛外，法国队是最强大的队，共有19名运动员参赛，但他们只在自行车和击剑项目中取得了胜利。德国队也有19名运动员参赛，但其中有16人是参加体操比赛的，该项目是德国队的优势所在。

第一届奥运会颁奖仪式——雅典。

据报道，这次奥运会总共约有2万名外国观众。来自牛津大学的乔治•罗伯逊（George Robertson）却很怀疑这个数字："外国观众和参赛者总共可能不到1000人。我认为部分原因在于旅行社在膳宿方面要价太高。比如我和我的朋友E.H.弗拉克（E.H.Flack）（澳大利亚人，伦敦体育俱乐部成员，800米和1500米赛跑冠军）租住了一间带家具的公寓，两个星期就花了4法郎。"不过，被鲜花、旗帜和彩灯装饰过的雅典城，到处都洋溢着欢乐的气氛。夜间灯火通明，几千名雅典人纵情歌舞，通宵达旦。据说，广场天天都挤满了人，警察不得不对非法销售门票进行调查。

如果单就体育精神而言，第一届奥运会达到了后来的运动会难以企及的高度。在自行车100公里比赛开赛150圈后，法国人莱昂•弗拉芒（Le`on Flameng）的对手们在落后一圈时都自动放弃了。同样落后许多的希腊律师乔吉奥斯•科列蒂斯（Georgior Kolettis）的自行车突然出了点儿机械故障，弗拉芒却主动停下来，等着这位希腊人换了一辆新自行车，才开始继续比赛。最后，弗拉芒以超过科列蒂斯6圈的成绩赢得了比赛。

在87公里男子公路赛（往返于雅典到马拉松之间）中，希腊选手康斯坦丁尼迪斯（Aristidis Konstantinidis）在回程途中不幸从自行车上摔下来。包扎好伤口后，他向人借了一辆自行车继续参加比赛。在雅典近郊，为了避开一位观众，他又一次撞到墙上，满身污迹和血迹的康斯坦丁尼迪斯又借了辆自行车，并最后取得了胜利。他的成绩是3小时22分31秒。

来自匈牙利的9名游泳运动员中，除了18岁的阿尔弗雷德•哈约什（Alfréd Hajós）荣获冠军外，其余的人都名落孙山。多年以后，人们才发现，阿尔弗雷德•哈约什真名叫古特曼（Guttman），由于当时的记录搞混了，他只好把自己的名字改成了哈约什。后来，他还在1924年巴黎奥运会的艺术比赛项目中获得建筑方面的银牌。哈约什因此成为第二个体育和文化方面的双料奥林匹克奖牌得主。此前，具有盎格鲁血统的美国人瓦尔特•维南斯（Walter Winans）已获得了这一殊荣：1912年获得文化奖，并在手枪射击赛中获第九名。顾拜旦试图在举办奥运会的同时进行文艺方面的大奖赛，但观众对体育的过度关注很快就使文化大奖赛默默无闻了。虽然如此，文化大奖赛的传统仍然延续到现在。比如，2004年春天就将在雅典举行以“体育和艺术”为主题的展览活动，并设置了“雕刻和绘画艺术奖”。哈约什在取得雅典奥运会100米自由泳的胜利后，全身涂满润滑剂，准备参加1200米的比赛。三艘小汽艇将所有运动员运到海上：运动员们将从那里出发，游向岸边的终点线。因为风高浪急，部分运动员险些被淹死。不过，泳技过人的哈约什（年幼时，父亲死于多瑙河，他因此开始练习游泳）还是取得了胜利。他在回忆这次比赛时说：我求生的意志甚至战胜了获奖的意识。言外之意是，当时已经顾不上争取获奖了，只是希望能活着上岸就好。

匈牙利人阿尔弗雷德•哈约什（Alfréd Hajós），自由泳冠军：“我求生的意志甚至战胜了获奖的意识。”

但在过去的这个世纪内，体育道德已经彻底改变了！

詹姆斯•伯纳德（James Bernard）没有得到哈佛大学的许可，因此，他不得不结束自己的大学生涯，和其他队员一起远赴欧陆参加奥运会。在三级跳远中，伯纳德以13.71米的成绩名列第一，成为现代奥运会的第一个冠军。因为不能及时报出运动员的成绩，伯纳德只好向裁判员询问自己是否获胜，得到的回答是：他比第二名多出整整一米！伯纳德后来成为记者和作家，并谢绝了哈佛大学授予他的荣誉博士学位。

除了马拉松、800米和1500米跑，美国队在本次奥运会的其他赛事中都取得了一定的胜利。弗朗西斯•莱恩（Francis Lane）、托马斯•伯克（Thomas Burke）和托马斯•柯蒂斯（Thomas Curtis）在100米短跑预赛中分别在各自的小组取得了胜利，每个小组的前两名有资格参加4天后的决赛。而柯蒂斯在决赛前选择了放弃，以节省体力全力应付下一项赛事——110米跨栏赛。莱恩在第一轮比赛中暂时领先，但唯一一名采用蹲踞式起跑的伯克跑得更快，在后两轮中均以12.0秒的成绩荣获冠军，领先第二名两米。而柯蒂斯果然赢得了110米跨栏比赛的冠军，赛前洋洋自得、不可一世的英国人格兰特利•古尔丁（Grantley Goulding，预先为自己准备好冠军奖牌，并把它扣在马甲上招摇过市）只拿到了铜牌。澳大利亚的会计师艾德温•弗拉克（Edwin Flack）请了一个月假，前来参加奥运会，并赢得了800米和1500米两个项目的冠军奖牌。

前来雅典拜访朋友的爱尔兰律师约翰•博兰德（John Boland）是一名网球爱好者，他也决定碰碰运气。令人惊喜的是他在单打中击败了希腊的卡斯达格利斯（Kasdaglis）赢得冠军。不仅如此，他和德国人弗雷兹•特劳恩（Fritz Traun）的双打组合还打败了弗拉克和罗伯逊的特别组合，赢得了双打的冠军。在此之前，博兰德从来没想过会成为一名奥运会冠军！

掷铁饼本来是希腊人的传统项目，没想到冠军会被一名来自美国普林斯顿大学的学生罗伯特•加勒特（Robert Garret）轻松摘得，令希腊人大失所望。而且，这名美国小伙子在比赛前仅仅训练了两个星期，训练用的还是一个自制的并不规则的铁饼——希腊人也认可了，但他在现场却发现官方的铁饼既轻又方便。最后，加勒特以20厘米的优势击败了帕拉斯克沃普洛斯（Panoyotis

Paraskevopoulos）。在这次奥运会上，美国一开始就捷报频传，成为最大的赢家。

许多参赛者都取得了多项胜利：法国人波尔•马松（Poul Masson）赢得了自行车赛三项赛事的冠军，德国人赫尔曼•魏因加特纳（Hermann Weingartner）取得了体操比赛4个项目的胜利，卡尔•舒曼（Carl Schuhmann）在体操和柔道两项赛事中取胜，美国人约翰•佩恩（John Paine）和萨默•佩恩（Summer Paine）两兄弟获得手枪射击的胜利，成为赢得奥林匹克奖牌的第一对兄弟。

美国代表团在国旗下合影。

充满历史荣耀的马拉松比赛让希腊人兴奋不已，参加比赛的17名运动员中只有4名外国人，其余都是希腊人。希腊人为马拉松进行了两次选拔赛，史匹登•路易斯（Spyridon Louis）在第二次选拔赛中名列榜首。年仅23岁的路易斯是希腊独立战争参战者的后代，服兵役期间，他曾经担当市长的侍从。有一次，市长要参加一次群众游行，却把佩剑忘在了家里，路易斯用两个小时跑了20公里路程，帮他取来了佩剑，市长对路易斯说："你比我的马跑得还快！"当马拉松被宣布成为奥运会比赛项目时，路易斯毫不犹豫地报了名。

参加马拉松比赛的4名外国人分别是1500米长跑中的三位获胜者澳大利亚人弗拉克、美国人布莱克和法国人莱米西奥，以及匈牙利人克尔涅尔。莱米西奥在比赛进行到一半时领先一大段距离，后来由于肌肉痉挛退出了比赛。弗拉克多跑了5公里后也犯了同样的毛病，被一辆马车送往雅典。而布莱克却产生了幻觉，倒在一个渠沟里，只有克尔涅尔坚持下来。在这次比赛中，医生、维持秩序的军官和记时员们乘坐的马车扬起了太多的灰尘，以致赛跑者呼吸困难。由于观众太多，连维持秩序的骑兵也招架不住。路易斯在第32公里处开始领先，最终以4公里的优势获得冠军。

体育场里的人们最初被告知外国人领先时颇感沮丧，不久有消息说希腊人已经领先了。当路易斯到达体育场时，聚集着7万多人的体育场一片混乱：妇女们摘掉首饰扔到路易斯脚前；一个乐队骑着马跟随他来到体育场；康斯坦丁王储和乔治王子陪伴他一起跑到终点。顾拜旦回忆说："几乎所有的希腊人都陪他跑到了体育场，在我的记忆里，这是最壮观的一幕。"

据说，本次奥运会的捐赠者乔治•阿维罗夫曾许诺要把掌上明珠嫁给这位胜利者，但路易斯已和家乡一位叫海伦的女孩订了婚。匈牙利人克尔涅尔指称第三名迪米特里•威拉科斯曾经在中途搭乘马车，这名希腊人最终承认确有此事，于

马拉松冠军、国家英雄史匹登•路易斯（Spyridon Louis）在闭幕式上率领众获奖者游行。

是，他的荣誉被取消，克尔涅尔获得第三名。

第二天早上，国王举行了宴会，和运动员一起玩“跳背”和棒球模仿游戏，此前，王室成员可从来没有如此无形。默默无闻的乡村男孩儿路易斯从此崭露头角，为以后的奥运会树立了榜样。当国王问他有什么要求时，他仅仅要了一匹马和一辆运水桶的马车。

斯洛文尼亚人利昂·什图克利（Leon Stukelj），是1896年首届奥运会体操比赛冠军德国人阿尔弗雷德·弗拉托夫（Alfred Flatow）、赫尔曼·魏因加特纳（Hermann Weingartner）和卡尔·舒曼（Carl Schuhmann）的承继者，顾拜旦“身心健康”的道德哲学观的体现者，百岁高龄而逝。

第4章 远见者

法国人皮埃尔·德·顾拜旦

国际奥委会第二任主席，*1896—1925*年在任

就目前的情况看，举办第二届运动会与第一届会有所不同。这次我们必须把比赛地点和比赛时间都分散开来。把运动会和节日庆祝绑在一起，"两周奥运赛事"的想法看起来毫无意义。我们真的没考虑到1900年举办的奥运会会出现这么多问题。

按照惯例，我承担广告、电报、通信等方面的工作。在与某些协会——我们寻求帮助的对象交涉时，我们说："即使你们每年都组织一次大型赛事，到1900年，你们能使这项赛事更隆重并且具有国际意义吗？而且，我们还会免去你们提供奖项的义务，这就可以给你们节省一大笔钱……"然而问题却产生了，法国体育运动联合会（USFSA）的人成功地说服了竞技俱乐部和法国网球俱乐部，拒绝接受我们的计划，他们声称仅支持由巴黎市或法国政府建立的此类组织。原因在于法国体育运动联合会当时正在寻求政府资助。其中一名成员甚至用挑衅的语气写信给我："你的不足之处在于你没有勋章可以颁发！"天哪，我忘记勋章了！在法国我简直快要疯了，组委会主席查尔斯•德•拉•罗什福科（Charles de la Rochefoucauld）在1899年初辞职了，这对我们是一个很大的打击。人们为了传播代表"团结，反对分裂"的法国体育精神，在"爱国主义"的名义下不断地攻击和骚扰我。我不想争辩什么了，我错了……

很显然，体育的概念渐渐在整个世界范围内传播开了，尤其在青少年中间，它渐渐取代了那些不健康的娱乐方式和不道德的享乐。……事实上，在1900年，体育精神已经在体育爱好者之间存在了，但普通大众对此却一无所知。正如史隆所言，人们认为这届奥运会是由"巴黎一大帮不求上进的人组织的"，四处都是怀疑与流言。

时间一天天地过去，而我们所获甚微。没有钱，没有运动场，没有场地……大多数当代的政治家们都认为奥林匹亚完全是一个多余的、古怪的词语，甚至在六年后的一次宴会上，部长们仍然对这个词嗤之以鼻。

1900年的奥运会上，运动员们都尽力了，

也取得了优异的成绩，但这些成绩无关奥林匹克精神。国际奥委会的一位同事说："我们的理念虽已被应用，但在实践过程中却变成了一盘散沙。"这说明，我们不应该把奥运会看成是博览会的附庸，它应该是一场独立的运动会，否则，其哲学及教育意义都将功亏一篑。不幸的是，奥运会与博览会的联姻比我们想象得更牢固、更持久。由于预算的原因，1904和1908年，我们都没能中断它与博览会的联系。直到1912年在瑞典，我们才彻底地切断了这种关系。（选自搜集的资料）

如果说1900年根本没有举办奥运会，这也是符合事实：从5月一直到10月都没有举行任何正式的开幕式和闭幕式；非职业选手和职业选手们都参加了比赛，将整个奥运会弄得乱七八糟，以至于好几年后，许多选手甚至还不知道自己是奥运会冠军；顾拜旦也变得默默无闻，仅在布洛涅森林举行的田径赛中很高调地露过一次面。作为世界博览会的一部分，这次奥运会似乎不过是一场小型的巴黎杂耍，在巴黎的宣传中将它描述为一个"国际体育健身运动会"，仅有19个国家的选手参与了竞技。顾拜旦的奥运理念即便没有被抛到九霄云外，也被忘得差不多了。

雅致的会徽——在这次缺乏组织的奥运会闭幕后，它才被设计和制作出来。

因为创办了世界上最受人欢迎的体育赛事，顾拜旦在今天得到了世人一致的赞扬。但从1896年到1900年，确切地说还包括后来的大约八年时间，顾拜旦一直受人诟病，霉运连连，差点被人们的口水淹死。然而，他对教育和体育的无私奉献精神却一如既往。他对一位朋友说："在我们已把工作搞得如此糟糕的情况下，奥林匹克运动还能幸存下来真是一个奇迹。"与其说是运气，不如说是坚强的信念在支持着他的追梦之旅，激励着他勇敢地面对别人的质疑，继续在甚至充满着敌意的环境中踽踽独行。

1863年1月1日，顾拜旦男爵出生于巴黎市伍狄诺大街20号一个古老的意大利家族，这个家族在法国已经生活了近500年，一位祖先曾经是路易十一的内务大臣，"德•顾拜旦"这个封爵及其家徽是路易十一在1477年赐予的。顾拜旦的祖父在路易十八统治时期被赐封为世袭男爵，并在诺曼底定居下来。他母亲是"征服者威廉"一个助手的后裔。按当时的惯例，年轻的皮埃尔•顾拜旦度过了一段军旅生涯。

顾拜旦早年主修文学、历史学和社会学。他进入体育界也并非是以一种专业的态度，而只是对悠然自得地划船、击剑和拳击较感兴趣。顾拜旦早期的导师曾引导他研究当代哲学家弗雷德里克•雷普勒(Frederic LePlay，他关注阶级分化对法国社会的威胁)的社会理论。在19世纪的经典自由主义（个体发展的自由）理论的意义上，顾拜旦认为一个进步的社会就应该是自由的。与此同时，他也深信，国籍是个人身份的基础。然而，当他全力操办的奥运会逐渐成型时，国际奥委会却开始出现矛盾：具有严格的国家代表性的个体之间存在着对立与竞争。紧接着的一个世纪里，奥运会声名鹊起，达到如日中天的地步，而由这个矛盾所引起的种种责难始终没有消失：国家的奖牌榜盖过了个体的成绩。这对创办者来讲或许是一种讽刺？

作为国际奥委会的主席，他和继任者埃弗里•布伦戴奇（Avery Brundage）一起，经过精心策划，提出了作为宗教形式的“奥林匹克主义”—— 一种纯洁但并不简单的哲学，他们相信它会超越不同国家的政治及宗教差异。尽管接下来的一个世纪里，奥运会不仅完成了顾拜旦的夙愿，而且比他想象的还要好:它熄灭了宗教斗争的火苗，把来自政治上对立的国家或地区（如共产主义国家和资本主义国家，东方国家和西方国家，中国大陆和台湾，朝鲜和韩国，伊朗和伊拉克等）的运动员们集中到一起。此外，他的个人主义也有瑕疵：对阶级差异的过于迟钝或是天真的理解使他片面地将英国的体育运动界定为业余主义的，并以此作为体育教育的绝佳案例。尽管顾拜旦也曾坚定地宣称：“我将用体育运动中的冒险与超越精神重塑年轻人（无论出身、社会地位、经济地位和职业差异）的身体与性格，让他们变得坚强，心胸宽广。”但在很大程度上，他对世纪交替之际的妇女权益及解放运动仍然视而不见，并无任何支持。无论如何，带有贵族气质的顾拜旦对女士们在众目睽睽下香汗淋漓的形象还是心存芥蒂。

顾拜旦男爵和他的妻子在婚礼上。

随着电话、广播、火车和汽车等现代科学技术的发明，这个世界开始以一种前所未有的速度发展起来。即使在这样的社会环境下，顾拜旦和他的国际奥委会同事们试图组织起国际性的运动会，并以此为平台推动世界友谊的理念还是超出了他们的时代。甚至于每四年召集一次的运动会也不为公众所理解，在某种程度上，甚至被人认为是荒谬的。

尽管顾拜旦本人对国际奥委会的成立以及首届奥运会的举办感到满意，但他自己却被一些批评家和妒忌者认为是一个与社会格格不入的令人讨厌的势利小人。雅典奥运会相当成功（希腊政府最初对此却多有讥讽），但一些满怀恶意的报刊却指控他是一名小偷，约翰•J.马卡农(John J.MacAloon)曾在他的历史著作《伟大的象征》（this Great Symbol）一书中这样描述：“（顾拜旦在）设法窃走希腊的历史宝藏。”希腊人，包括和蔼可亲的国王乔治，都希望重新获得这一盛事的举办权。而赞成继续在雅典举办奥运会的《纽约时报》和《泰晤士报》也给予希腊人民很大的支持。可是顾拜旦却宣称，希腊人之所以希望奥运会能一直在希腊举行，是因为受到经济利益的诱惑，这使他在希腊更加不受欢迎。

当希腊人努力使雅典奥运会制度化时，希腊政府在国王的鼓舞下也大力鼓吹这一点。国王建议顾拜旦承认“雅典是奥运会永久的家”，但顾拜旦却装作不理解，并礼貌地给国王回了一封信，说下一届奥运会将在巴黎举行。康斯坦丁王储认识到奥运会的经济价值，也开始极力劝说他父亲否认顾拜旦的意见。雅典奥运会闭幕后，维凯拉斯组织国际奥委会委员（顾拜旦未出席）召开委员会会议，讨论制定每隔两年在雅典举行奥运会的原则。希腊人认为对奥运会来说顾拜旦是一个多余的人物，他的出现令希腊人想起现代奥运会其实是外国人的发明。顾拜旦对此保持着一种高贵的沉默。然而，面对目标，他仍然十分坚定，在接任维凯拉斯主席一职后，他给国王发去一封信，其中写道：

首先，我希望向尊敬的国王陛下致以诚挚的谢意。两年前，在巴黎召开的会上，陛下您屈尊发了一封鼓励我的电报。现在我冒昧地回复陛下，我复兴奥运会的愿望已经实现了。在复兴奥运会的过程中，我和我的同事们希望能继续得到您善意的支持。

顾拜旦在雅典奥运会闭幕式的宴会上宣布，1900年的奥运会将在巴黎举行。在这位固执的思想家看来，欣逢新世纪的开端，法国似乎是最完美的东道主国家了。1896年11月，顾拜旦在为《世纪》杂志撰写的一篇有关奥运会的报道中签名，称自己为“雅典奥运会创始人：皮埃尔•德•顾拜旦男爵”。

顾拜旦意识到，如果奥运会举办得太频繁，难免会削弱它的重要性。其实，如今奥运会的成功秘诀也正在于此，对奥运会忠诚的支持来自于对它的渴望。1897年的国际奥委会会议在位于勒阿弗尔的顾拜旦的夏日居所召开（之所以选择勒阿弗尔这个平静的海港作为会址，是因为这里没有什么政治干预）。因为希腊与土耳其爆发了一场战争，所以希腊没有派代表出席本次会议。在这次会议上，虽然有人支持继续在雅典举行奥运会，但顾拜旦说服了国际奥委会的同事及出席会议的其他人员：1900年的奥运会将在巴黎举行；作为一个流动的节日，顾拜旦希望1904年的奥运会在一个美国城市，比如纽约举行。参加这次会议的代表共有59名，其中仅有12位国外代表，而1894年在巴黎召开的奥委会会议中，共有78位代表出席，其中包括20名国外代表。看来，他们起初关于世界博览会和新建的埃菲尔铁塔将为本次大会增色不少的想法是大错特错了。

如果说勒阿弗尔会议就巴黎问题的讨论还算顺利的话，那么不久，有关于此的问题就越来越棘手了。当法国体育运动联合会宣布反对组织独立性质的运动会时，顾拜旦还寄希望于该协会，希望他们能将陷入泥潭的工作重新组织起来。另外，那些对博览会有所贡献的美国人又强烈要求为美国运动员建造一个专门的运动场。当奥运会日渐成为博览会的一部分，变成其组织者阿尔弗雷德•皮卡尔（Alfred Picard）的职责时，所有有关奥运会这一盛大节日的想法都开始消解掉了：皮卡尔很厌恶组织这个运动会，并对顾拜旦怀有一种敌意。1899年2月，他提名国家射击联合会（隶属于法国体育运动联合会）主席丹尼尔•梅瑞伦（Daniel Merillon）出任运动会总监。

1899年4月，顾拜旦辞去了法国体育运动联合会的秘书长职务，他曾在这个位置上竹篮打水般的鼓吹民族团结。罗什福科子爵也辞去了组委会主席的职务，连组委会本身也在运动会开幕式前12个月解散。为了得到国外的支持，顾拜旦在欧洲作了一次旅行，当他回来时却发现原定的各运动项目的比赛场地在一周内几乎全部更换了。梅瑞伦提出的规划真够奇怪的：赛艇被归入“救生”一类，滑冰和击剑被指派为“刃具制造业”，而田径被划归“远见的社团”一类。顾拜旦的长子

由于巴黎奥运会准备工作的缺陷，顾拜旦的忠实拥护者威廉•史隆（William Sloane）扬言，美国队会因此退出比赛。

雅克由于上一年中暑而导致智障，顾拜旦为此焦急万分。因此，他对奥运会这些变故都采取了妥协退让的态度。

随着职业赛事的出现，顾拜旦的理念越来越被人们所曲解。此外，其他方面的问题也接踵而至：法国外交部长反对德国参加比赛；而来自美国的国际奥委会成员史隆尽管不认同美国为自己建设专用体育场的要求，但也扬言，如果不提供更多的后勤保障，美国队将退出比赛。

不过，也正是因为顾拜旦未能全面掌控巴黎奥运会，女子选手才得以参与到这一体育盛事中来。这次奥运会仅为女子设置了高尔夫球和网球两个项目，只有5个国家（波希米亚[即后来的捷克]、法国、英国、瑞士和美国）派来女选手参加比赛。谁是第一个女子奥运冠军？大家都莫衷一是。来自英国的夏洛蒂•库珀（Charlotte Cooper）在网球单打比赛中以6:4和6:2的成绩击败了法国的海伦•普雷沃斯特（Hélène Prévost），且在当天的混双中与雷金纳德•多贺提（Reginald Doherty）合作击败了普雷沃斯特及其搭档哈罗德•马洪尼（Harold Mahoney），她被认为是第一枚金牌获得者。但德国历史学家瓦尔特•图滕贝格（Walter Teutenberg）却发现在赛艇比赛中，瑞士赛艇“Lerina”号上的女船员德•珀托勒斯（de Pourtales）伯爵夫人获胜在先。美国的玛格丽特•阿博特（Margaret Abbott）也差不多同时获得女子高尔夫球赛的胜利。但高尔夫球、板球、足球、橄榄球以及马球等还不是正规的比赛项目。

当时的奥运会既没有国家队，也没有什么奥运村，运动员们都在旅店里歇脚。

第一位女子奥运冠军英国人夏洛蒂•库珀(Charlotte Cooper)，在网球女单和混双（与雷金纳德•多贺提搭档）比赛中取得胜利。

第5章 巴黎

第二届奥运会 1900

英国人E．伦 · 普尔（*E.Lon Pool*）

马拉松运动员

那是一场极其失败的马拉松比赛，用一个词来形容就是：荒谬！比赛组织者对外发布消息的工作非常迟缓，后勤工作也非常糟糕，运动员在比赛当天得不到必要的补给，而且没有任何保证公平比赛的措施。不仅如此，法国民众竟然连对观看运动都没有兴趣，外国运动员遇到了各种各样的困难。这场比赛更像是一场障碍赛，需要绕过和躲避众多的车辆。然而对一场障碍赛来说，25英里也太长了，不过这仅仅是一个小麻烦而已。上一年从伦敦到布赖顿的比赛中的前3名连4英里都没跑完就放弃了。曾打破美国长跑纪录的著名马拉松运动员亚瑟•牛顿（Arthur Newton）坚持跑完了全程，结果比步行花的时间还要长。看来，一切都大错特错了。（选自《南伦敦越野赛杂志》的一次采访）

在赛前准备阶段，国外就已经产生了担忧，但这和各代表队抵达巴黎后遇到的困难不能相比，尤其是和美国队遇到的问题相比，更算不了什么了。参赛者们很快就发现，他们来参加的这届运动会仅仅是一次客串表演，在巴黎真正的主角是长达五个月的世界博览会。整个巴黎都看不到“奥林匹克”的标志，与奥运会有关的只有“巴黎锦标赛”和“伟大的1900年博览会”。而比这更糟的是组织者决定在星期日开始进行比赛，由国际奥委会委员卡斯帕尔•惠特尼（Caspar Whitney）领导的美国普林斯顿大学和宾夕法尼亚大学代表队竟威胁道：他们将抵制在安息日举行比赛。卡斯帕尔•惠特尼声称：“没有哪个一流的美国俱乐部或运动代表队会在星期天举行运动会。”但法国已经别无选择，因为7月14日（星期六）是攻陷巴士底狱纪念日，比赛只能推迟到星期日举行。美国方面的敌对情绪蔓延着，美国官方虽然对在星期天进行比赛表示愤慨，但却没有权力限制业余选手参赛。尽管上一届铁饼冠军罗伯特•加勒特和其他的队友都拒绝在星期天比赛，但在整个美国代表团内部却很难达成一致。宾夕法尼亚大学的队员们同意在星期天比赛，立即遭到了同胞们的嘲讽，惠特尼指责他们是“没有一点儿道德原则的笨蛋”，并将这些人的名单发回美国。

小说家迦马•伯伊森（Hjalmar Boyesen）曾写道：雅典奥运会后，体格上占优势的美国人赢得了自信。美国人已经把奥运会看作一场宗教运动：一种将运动的力量融入到文化、宗教和政治原则中的尝试，就像英国的强身派基督教徒一样。可是在巴黎奥运会上，一些美国运动员却提出了相反的原则，即胜利者将被视为世界上最勇敢和最强壮的人。所以，13名参赛者中有5人决定为荣誉而战，他们中4个人取得了胜利。欧文•巴克斯特（Irving Baxter）取得跳高和撑杆跳高两项冠军，瓦尔特•图克斯伯里（Walter Tewksbury）和代表美国队参赛的加拿大人乔治•奥顿（George Orton）分获400米栏和2500米障碍赛的冠军，而阿尔文•克伦茨莱因（Alvin Kraenzlein）一人连夺60米跑、110米栏、200米栏以及跳远4个项目的金牌。

美国选手阿尔文•克伦茨莱因，第一个全明星冠军，一举夺得4枚金牌，并因此处于宗教争议的旋涡中心。

克伦茨莱因成为第一个在一届奥运会的田径比赛中获4枚金牌的运动员，而且这四项成绩都创造了奥运会纪录。他在体育和宗教两方面都成了名人——因为安息日争议而声名狼藉。他在跳远比赛中的主要对手是世界纪录保持者、锡拉丘兹人迈耶•普林斯坦（Myer Prinstein）。资格赛在星期六、决赛却是在星期天进行，而普林斯坦已经宣布不参加星期天的决赛（虽然他是犹太人，但为了宗教的团结，他仍然决定不参加安息日的比赛）。在星期六的资格赛中，他以7.17米的成绩领先，根据当时的规则，这一成绩可以带到第二天的比赛。没想到克伦茨莱因参加了星期天的比赛，并最终以1厘米的优势夺魁。当得知克伦茨莱因获胜后，普林斯坦向这位宾州明星发出了挑战，却遭到了克伦茨莱因的拒绝。

克伦茨莱因最终成为第一个现代奥林匹克意义上的人物，尽管短跑比赛是在博伊斯布拉格里加太罗尼亚公园不平坦的草地跑道上进行的（法国人拒绝用煤渣玷污他们心爱的公园），他还是创造了7秒钟的60米世界纪录、15.4秒和25.4秒的两项跨栏纪录、以及7.18米的跳远纪录。更重要的是，他率先使用两腿先后过栏而不是双腿同时跨栏的方法，引发了跨栏技术的革命。在取得骄人的成绩后，克伦茨莱因宣布退役，投身于“更重要的事业”。后来，他成了巡回赛教练，并前往德国，帮助德国队为1916年柏林奥运会做准备。由于第一次世界大战爆发，柏林奥运会被取消，他后来去了古巴。

克伦茨莱因最强劲的对手是美国立定跳远名将雷•尤里（Ray Ewry）。现代田径运动员不了解、也没有尝试过这一项目，但他的成绩就算放到今天仍然引人注目。他一直保持着该项目的世界纪录，在1900年至1908年间共赢得10枚金牌（包括1906年在雅典举办的非正式的奥运会）。在巴黎奥运会上，他分别以1.65米、3.21米和10.58米的成绩轻而易举地获得立定跳高、跳远和三级跳远的冠军。

阿尔文•克伦茨莱因，第一个运用两腿先后过栏技术的跨栏运动员。

尤里完美地表达了顾拜旦的理念，即运动和健康是相关联的。尤里小时候曾患有风湿病，后来通过跑步和跳高才恢复了健康。他的病史使他的表现与众不同，他不用像其他人那样起跑，而是全靠肌肉的弹性完成每个动作。7月16日一天内就赢得了三枚金牌。

法国奥组委准备工作的糟糕程度在马拉松比赛中达到了登峰造极的地步。几乎没有什么新闻报道，奖牌获得者的名字及国籍竟然被弄混，造成了持续好几年的麻烦。马拉松冠军米歇尔•泰阿托(Micheal Theato)出生在卢森堡，在纪录册中国籍却是法国。最有希望获胜的美国选手亚瑟•牛顿（Arthur Newton）一直处于领先位置，然而他到达终点时却发现已经有三个法国人和一个瑞典人率先到达了。由于比赛路线的错误及管理上的极度混乱，沿途缺乏必要的引导标志，运动员在好几处地点都遇到了麻烦，甚至运动员是否按照规定路线跑完全程也无人知晓。泰阿托是一家面包店的送货员，他比出租车司机更熟知巴黎大大小小的街道，许多人认为他肯定抄了近路。在华氏90度（摄氏32度）的高温下，泰阿托怎么可能比众望所归的牛顿提前一个多小时跑完全程呢？另外一名法国人是埃米尔•尚皮翁(Emile Chanpion),估计他也知道捷径所在，因为他仅落后泰阿托4分30秒。位居第六的美国选手迪克•格兰特（Dick Grant）对国际奥委会提出了申诉，声称当他正要超过泰阿托时，被一个骑自行车的人撞倒。更有讽刺意味的是，泰阿托在赛后的几年内，都浑然不知自己已经成为奥运冠军。

尽管参加比赛的英国人不多，但值得一提的是，阿尔弗雷德•泰索（Alfred Tysoe）和查尔斯•贝内特（Charles Bennett）分别在800米和1500米比赛中成功夺冠。查尔斯•贝内特创造了4分6.2秒的世界纪录，领先法国选手亨利•德洛热（Henri Deloge）两三步的距离。美国队在23项田径比赛中取得了17枚金牌。普林斯顿的弗兰克•贾维斯（Frank Jarvis）在100米预赛中，以10.8秒的成绩成为奥运会历史上第一个在11秒内跑完100米的运动员，这是美国选手第一次在草地上进行的比赛。在半决赛中与贾维斯纪录相持平的图克斯伯里（Tewksbury）在决赛中以11秒的成绩获得亚军。最有希望夺魁的乔治敦大学的亚瑟•杜飞（Arthur Duffey）在决赛中因为肌腱拉伤而退出比赛，不过两年后他以9.6秒的成绩在100码比赛中创造了新的世界纪录，并保持了24年。

观看比赛的观众非常少，尤其是铁饼比赛的观众更是少的可怜。由于组织混乱，以至于包括卫冕冠军加勒特在内的选手们几次都将铁饼掷到了稀稀拉拉的观众群内。匈牙利选手鲁道夫•包埃尔(Rudolf Bauer)最终获得了金牌。链球比赛竟然被安排在林荫道上进行，以至于链球经常挂到树枝上，美国队最终包揽了前三名。

最有代表性的混乱局面出现在撑杆跳比赛中：为了能让美国队参赛，比赛日期从星期天改到了星期一，后来又改回到星期天。不过这枚金牌还是被美国人巴克斯特收入囊中。由于不绝于耳的抗议声，比赛不得不在星期一重新来过。这一次，前一天去教堂礼拜的美国人丹•霍顿（Dan Horton）取得了胜利，成为新的奥运冠军。然而几天后，法国人又变卦了，宣布恢复巴克斯特的冠军地位，霍顿则收到一把雨伞作为补偿。

导致更为严重的混乱局面的是，法国人竟然举办了由职业选手参加的比赛，并颁发给获胜者250法郎奖金。最令人奇怪的事发生在双人划艇决赛中：荷兰队预赛时的舵手赫曼纽斯•布鲁克曼（Hermanus Brockmann）由于太重，在决赛中被一个不知名的至多10岁的法国男孩儿顶替，结果荷兰队取得了决赛的胜利，这个小男孩儿也成为奥运会有史以来最年轻的运动员。瑞典人在健美操比赛中大获全胜。持续5周的击剑比赛组织得更加糟糕，参赛选手甚至连比赛地点等信息都不知道，以至于当他们到达赛场后，竟然发现没有对手。这届奥运会没有拳击、摔跤和举重比赛。虽然法国方面声称有四百万人参加了巴黎奥运会，然而据估算，在任何一场奥运比赛中的现场观众从没超过1000人。

无论从哪方面看，顾拜旦的理想在这届奥运会上都遭到了沉重的打击。但重要的是，美国人通过比赛胜利获得了优越感，尽管这和顾拜旦对奥林匹克的理解——即奥林匹克追求的是比赛的精神而不是结果相矛盾。

法国人埃米尔•尚皮翁，一场极其混乱的马拉松比赛的亚军，据说他知道一条到达终点的捷径。

第6章 美国闹剧

詹姆士·E.沙利文（*James E.Sullivan*）

美国业余运动联合会秘书长

美国应该得到可以成功举办奥运会的绝对信任。以后的奥运会要想达到同样的成功，除非它再次在美国举办，因为本次奥运会所设立的标杆是其他国家难以企及的。国际奥委会通报美国体育文化部：要将路易斯安那世博会赞助下的各项赛事冠以“奥林匹克”的名称。美国政府各部门都认为，奥运会能够给业已组织起来的各项业余体育运动带来极大的好处，于是他们愉快地与国际奥委会合作，力争办出一届伟大的奥运会。

得益于美国的较好条件，尤其是体育运动方面的条件，我们已经站在了一个比较领先的阶段，这些比赛可以使许多阶层参与进来……在奥林匹克的旗帜下，我们将在圣路易斯举办残疾人运动会、学生运动会、特纳大众体育比赛、棒球、健美操、曲棍网兜球、游泳、篮球、划艇、美式短柄槌球、击剑、网球、高尔夫球、射箭、摔跤、拳击等比赛以及自行车、田径世界锦标赛，而且还特别抽出一周的时间举行奥林匹克基督教青年会锦标赛。

原来已经有4000人向体育文化部报名参加奥运会，在增加了团体项目和大众体育项目后，这一数字上升到了接近9000人。8月29日到9月3日的奥运会（实际上只是田径比赛）将全世界最伟大的运动员都吸引到了赛场，这在美国以及世界

上其他任何国家都从来没有过。当人们查阅获奖者和参赛选手名单时会发现，其中只有两人至今没能赢得奥运奖牌。这届奥运会的结果应了我们以前常说的一句话：美国的大学会为将来的奥运会源源不断地输送冠军。（选自《斯伯丁官方体育年鉴》）

詹姆士•沙利文（James Sullivan）本应该成为好莱坞的一个广告代理人。在支离破碎的巴黎奥运会后，德•顾拜旦长期面临着理想和现实的冲突。在1900年奥运会的众多失误中，最大的错误是将奥运会纳入到商业博览会中，这给奥运会带来了灾难性的后果，也让德•顾拜旦遭遇了前所未有的卑鄙中伤和妒忌。在充分肯定了美国企业及其成就的情况下，德•顾拜旦支持美国作为

奥运会第三个东道国的主张遭到了反对，这对他来说简直太残酷了。是他超乎常人的坚持不懈以及他在英国、瑞典、德国和捷克斯洛伐克的少数信徒的鼎力支持，才使奥运会这份遗产得以延续下来。

早在第一届国际奥委会在索邦神学院成立之际，德•顾拜旦就有了在美国举办奥运会的想法。1893年他再次来到美国，在芝加哥以法国教育部官员的身份参加了哥伦比亚博览会。之后他访问了旧金山和新奥尔良，又在普林斯顿大学待了3个星期。史隆教授在纽约举行了一个晚会，召集美国体育官员来了解德•顾拜旦的理论和目标。

作为美国体育文化部部长的沙利文，巴黎世界博览会期间曾在美国展览馆工作，当时他萌生了在1901年布法罗博览会上独立举办一届“奥运会”的想法。他是一位很有能力的官员，在处理公共关系时反应敏捷，巴黎奥运会的不成功给了他动力。1900年年底，他发动了一场批判德•顾拜旦的运动，得到了国际体育联合会中一部分人以及德•顾拜旦在法国的对手的支持。没有贵族头衔的沙利文公开向德•顾拜旦男爵发起攻击：“男爵和他的同事们将不再拥有决定奥运会或其他国际体育赛事举办地的权力。”

以自我为中心的第三届奥运会组委会主席沙利文（右起第二位）及组委会成员。

1900年11月，《纽约太阳报》提前向读者通报了1904年奥运会将在美国芝加哥举行的消息。第二年5月发表在《芝加哥论坛》上的另一

这届商业化的奥运会的好处之一是：为裁判员提供了现代交通工具。坐在车后座的是休•麦克格拉斯（Hugh MacGrath）和乔治•亨奇（George Hench），前面是A. E.詹森（A. E. Johnson）和察尔斯•卢卡斯（Charles Lucas）。

篇文章进一步吸引了这座快速发展的中西部城市人们的兴趣，以至于芝加哥大学校长威廉•哈珀（William Harper）成立了一个由律师亨利•弗伯为主席的委员会，研究申请举办奥运会的问题。然而，美国政府却计划将在圣路易斯举办1903—1904年路易斯安那博览会，这座城市因此成为了芝加哥的潜在对手。

国际奥委会很高兴看到有两个潜在东道主。1901年5月在巴黎召开的第四届国际奥委会会议上，在德•顾拜旦的鼓动下，全体委员一致投票给了芝加哥。按照规定，史隆本可以成为新一届国际奥委会主席，但为了巩固还很脆弱的奥林匹克运动，他在投票之前就已经劝说德•顾拜旦将主席任期延续10年。

这一时期，美国的经济发展和财富积累都异乎寻常地迅速，许多城市都迫切希望举办奥运会，尽管它们与顾拜旦对奥运会的理解大相径庭。南北战争结束后35年以来，美国已成为强大的工业国，有8000辆汽车在美国的大街上驰骋，现在看来，这个数字也许不算什么，但在内燃机刚刚兴起的年代，这是一个了不起的数字。此外，在这样一个移民甚至多是流亡人士组成的

国家里，所有人都为能过上好一点儿的生活而努力奋斗着，这种意志力使美国人坚信，他们绝对有权力做任何想做的事。在没有任何正当理由的情况下，20世纪初的美国人就认为举办奥运会是他们的权利，可以为他们业已取得的成就锦上添花。拥有100多万人口的芝加哥在某种程度上是美国的心脏，这一看法在申奥过程中得到了西奥多•罗斯福总统的支持。尽管有很多政治事务应该优先考虑，但这位总统此时竟然全神贯注于体育了。

美国中西部地区靠南边的民众也有强烈的自豪感（指圣路易斯人）。这片200万平方公里的土地，是1803年，托马斯•杰弗逊总统以1500万美元的折扣价从拿破仑一世手里买来的。尽管受到南北战争的影响，它还是成为美国南方一颗璀璨的明珠。虽然美国“棉都”没有派代表到巴黎参加国际奥委会会议，但他们仍然意识到，举办奥运会将增加博览会的吸引力，如果芝加哥不放弃东道主的位子，圣路易斯会举办自己的运动会与之抗衡。

圣路易斯属于密苏里州，位于密西西比河流域的低洼地带，那时是美国第四大城市，和芝加哥处于冲突之中。德•顾拜旦曾坚定不移地反对奥运会再次成为商业博览会的附庸，而且芝加哥又承诺，当地企业会捐出一笔20万美元的赞助费，这一史无前例的大手笔也使芝加哥更具吸引力。1902年8月，一封来自罗斯福总统的支持信似乎衬托出了国际奥委会这一决定的明智。而此时，芝加哥“奥运会协会”主席弗伯才刚刚意识到自己要承担的任务的艰巨性，沙利文也开始意识到，站在圣路易斯一边可以为自己赢得提升的机会。1902年10月，圣路易斯官员要求弗伯去参加一个会议，在这个会议上，他们宣布将在芝加哥奥运会之前举办他们的运动会。国际奥委会此时进退两难：圣路易斯举办和他们对立的非官方运动会是不能被接受的，而此时的芝加哥也有可能出现财务危机；同时，国际奥委会又不希望奥运会成为路易斯安那博览会的陪衬。此时，圣路易斯却承诺为优胜者提供更丰厚的奖金，罗斯福总统开始转而支持他们了。最坏的局面是芝加哥可能在最后一刻宣布放弃举办权，这样的话，奥运会就会流产。1902年12月，国际奥委会在巴黎召开了一次非正式会议，此时德•顾拜旦已经意识到，在这两个均不太理想的选择之间，圣路易斯可能相对好一些。投票结果是14票赞成、2票反对、5票弃权，于是，奥运会改在圣路易斯举行。

向德•顾拜旦报告圣路易斯奥运会情况的弗兰茨•凯梅尼（Ferenc Kemeny，中间立者）与匈牙利奥委会委员在一起，坐在前面的是运动员盖查•基什（Geza Kiss）和佐尔丹•哈尔迈（Zoltan Halmay）。

也许这是能取得的最好结果了，德•顾拜旦为这件事备感羞辱，以至于决定不参加由他重新拯救起来的奥运会。起初，在1903年3月他还宣布，将参加在11月份举行的闭幕式，正等着取船票和一些文件。但他最终没有出席，而是和家人一起到拜罗伊特度假去了。在圣路易斯没有召开奥委会会议，代表奥委会前往的只有匈牙利的凯梅尼和德国的格布哈特，而他们对德•顾拜旦缺席的原因也没有给出合理的解释。当然，肯定不是因为旅行的缘故，尽管旅行是他的习惯。路途遥远可能会成为很多欧洲人不能前来的原因，他们中的一些人当时还把圣路易斯所在的地区称为“野蛮的西部”。在本次奥运会上，没有多少运动员是以国家队成员的名义参赛的，俱乐部的荣誉甚至高于国家，这种情况在美国尤为明显。参赛的687名运动员仅代表了13个国家，其中有432名是美国人。虽然与国际奥委会的原则有所背离，但沙利文的组委会的运作倒是卓有成效。他一共组织了40多个运动项目的比赛，其中包括一些非奥运项目。

1904年的奥运会同样留有遗憾。其中最该受到谴责的是被称做“人类学之日”的比赛，该项目专门为“原始人”设计，包括北美的印第安人、墨西哥的科科巴斯人、日本的艾那斯人、非洲的匹格米人、菲律宾摩洛人、以及土耳其人和巴塔哥尼亚人。这个荒唐的原住民展览大大败坏了美国的形象，而沙利文却说它科学地展示了原始人的能力。凯梅尼向顾拜旦报告情况后，他十分震惊，以鲜有的先见之明察觉到：“当黑种人、红种人和黄种人学会跑、跳和投掷，并超过白种人时，这个可耻的闹剧将会完全失去吸引力。”

由于在圣路易斯没有召开国际奥委会会议，第6届奥委会会议于6月份在伦敦大厦宴会厅召开。这次会议是应伦敦市长的邀请、在英王爱德华七世的关心下举行的。会上柏林选择了退出，于是，罗马被选为1908年奥运会的主办城市，奥运会又将发生重大的转变。

第7章　圣路易斯

第三届奥运会 1904

美国人埃米尔·布赖特克罗伊茨(Emil Breitkreutz)

奥运会800米比赛的铜牌获得者

尽管“相约在圣路易斯”像号角一样呼唤着世界各地的运动员，但1904年奥运会根本没有达到预期效果。欧洲与圣路易斯相距遥远，大部分代表队的运动员屈指可数。希腊为了重新夺回他们的同胞史匹登•路易斯（Spyridon Louis）在1896年的胜利，派了一个由10名有实力的运动员组成的代表团，参加了马拉松比赛。还有两名非洲人也参加了马拉松比赛，他们原本在路易斯安那世博会的一家特许店工作。奥运会实际上仅仅是世博会的一部分，与1900年巴黎奥运会的情况相同的是，体育和商业并没有实现理想的合作，奥运会仍旧只是世博会的陪衬。比赛在世博会的地盘上进行，我当时已经能够想象到随后可能发生的利益冲突。其实大多运动员都非常希望参加世界博览会，因为他们从来没有参加过。以我为例，作为工程系的学生，我是多么希望看一场工程世博会，这远远超过了我对奥运会比赛的兴趣。

和密尔沃基AC队一起到达圣路易斯不久，我就开始闹肚子，体重骤降了4英镑。在800米比赛前夕，我明显地感到浑身无力，我觉得我不能跑了。可到第二天下午，我却恢复过来了，并和其他十几位选手一起站到了起跑线上。绕跑道三圈是一英里。我用的仍然是我喜欢的蹲伏式起跑，以避免和其他人挤到一起，在第一个弯道处，我已经冲到了最前面。仅用53秒我就跑完了400米——以我当时的身体状况这实在是太快了！在转过最后一圈的最后一个弯道时我还在第一位，而后我听到了为莱特博迪（Lightbody）欢呼的声音，这是在我晕倒前记得的最后一句话。随后我被抬出场，苏醒过来以后，得知莱特博迪以1分56秒的成绩夺得冠军，尽管这是第一个在2分钟以内跑完800米的奥运会成绩，但我却没有一点儿心情去在意。接下来的几个小时里，我一直头晕脑胀，直到晚上8点，我才从更衣室里跌跌撞撞地走出来。这项比赛的计时工作出了问题，弄不清第二名和第三名是谁。由于我在快到终点线时就失去了知觉，所以确实不知道自己是怎样跑完剩下的路程的。但据一张照片显示，来自纽约AC队的霍华德•瓦伦丁（Howard Valentine）落后莱特博迪大约5码的距离，而我又落后他1码。类似这样糟糕的工作使人们对奥运会的兴趣大减。事实上，这届奥运会根本没有体现出国际赛事的形象。（选自查尔斯 J. P. 卢卡斯的《1904年的奥运会》）

第3届现代奥运会几近一场灾难，如果不是仅有的几位冠军表现出色，它的名声早就毁了。其他国家根本就不关心这届奥运会。据报道，总共687名运动员中，其中525名是美国人，41名是加拿大人，美国人获得了99枚金牌中的80枚和279枚奖牌中的242枚。外国人中只有加拿大、匈牙利、澳大利亚、英国、希腊、瑞士、法国和古巴获得了奖牌。田径团体赛冠军之争是在纽约AC队和芝加哥AA队之间展开的，也可以说，这届奥运会其实是一场大学或俱乐部之间的比赛。所有美国选手都穿着自己俱乐部的比赛服，而不是国家队的队服，而美国东部一些州的著名选手甚至不屑于参加比赛。

比赛的纪律非常松散，400米比赛连预赛都没有，13名运动员一起参加了决赛。田径赛场的跑道一圈是1/3英里，田径比赛美国队仅在两个项目中失利，分别是第一届十项全能比赛和现已不举行的掷壶铃赛，爱尔兰人托马斯•凯利（Tom Kiely）和加拿大人艾蒂安•德斯马托（Etienne Desmarteau）分别取得这两个项目的冠军。在本届奥运会上，选手们竟然发现在划船比赛中还要转弯，而游泳比赛的距离要采用英制单位。

这届奥运会真正体现水准的是带有苏格兰血统、来自芝加哥年仅18岁的莱特博迪（James Davies Lightbody），这位短跑选手主宰了中长跑比赛，在8月29日举行的2590米障碍赛中，他以7分39秒的成绩取得了胜利；在9月1日的800米比赛中以1分56秒的成绩夺冠；在9月3日的1500米跑中，以4分零5秒的成绩获得金牌并创下了新的世界纪录。

比赛前，人们都认为莱特博迪将成为障碍赛冠军，事实上，他从来没参加过两英里以上的比赛。来自堪萨斯的伯纳德•加拉格尔（Bernard Gallagher）曾获得校际两英里比赛冠军，来自纽约的马拉松选手亚瑟•牛顿（Arthur Newton）以及来自爱尔兰的约翰•戴利（John Daly）似乎比莱特博迪更有希望夺冠。比赛中，戴利以10码的优势在第一圈领先，而莱特博迪则是最后一名，落后将近20码。在第2圈，戴利将领先优势扩大到40码，莱特博迪还在跳水坑。在第4圈和第5圈中，戴利的优势渐弱，而莱特博迪却以轻松的大步最终超过了牛顿，领先30码取得胜利。

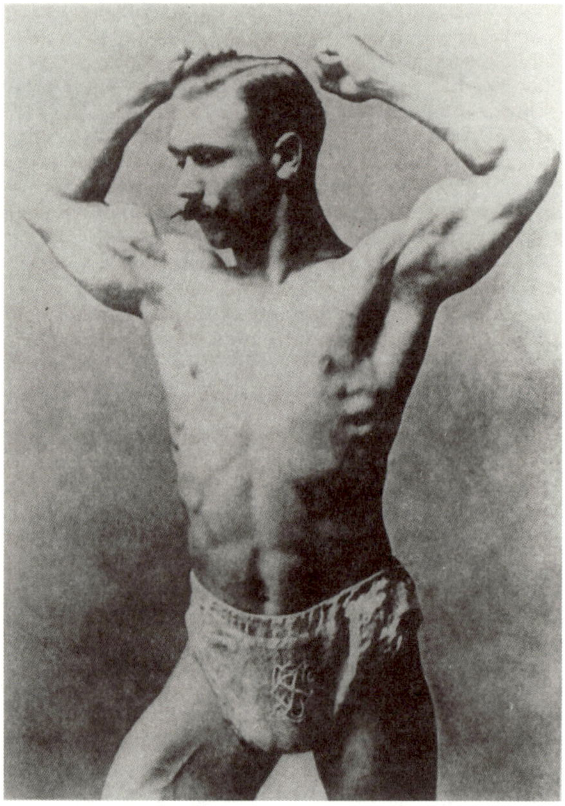

圣路易斯奥运会的比赛标准非常松散。获得健美操团体和全能冠军的澳大利亚人朱利叶斯•伦哈特（Julius Lenhart）比其他运动员更健美吗？

在有13名选手参赛的800米比赛中，跑道和天气的状况都非常理想，德国人约翰尼斯•龙格（Johannes Runge），美国冠军霍华德•瓦伦丁

（Howard Valentine）和加拿大籍印第安人彼得•迪尔（Peter Deer）普遍被人们看好，这一次他们都没对莱特博迪手下留情。一开始，纽约AC队的哈维•科恩（Harvey Cohn）跑在最前面，紧随其后的是布赖特克罗伊茨和龙格，而莱特博迪落在最后，似乎他要跑的不是800米。科恩继续保持着原来的速度往前冲，威廉•弗纳（William Verner）逐渐接近了他。到中途记分点时，他们俩被布赖特克罗伊茨和龙格超过。直到剩下200米时，莱特博迪才开始加速，他的大步跑和其他选手的小步跑形成了鲜明对比。在最后30码中，他以一步的优势夺得冠军，并以1分56秒的成绩创下新的奥运会纪录。

在1500米比赛选手中，很多人都参加过800米跑，莱特博迪以他招牌式的手法再一次漂亮地赢得了比赛，并最终打破世界纪录，他的两位芝加哥队友弗纳和赫恩（Lacey Hearn）都没有想到。

圣路易斯奥运会组织者对获胜者、奖牌和时间的记录极其混乱，其中一个主要的遗漏发生在来自爱尔兰的十项全能比赛冠军汤姆• 凯利（Tom Kiely）身上。他虽然被授予了金牌，而且金牌一直被放在家中，他的名字却没有被正式列入奥林匹克纪录册中。直到1954年，才由匈牙利人梅佐（Ference Mezo）将这个严重的错误纠正过来。

还有3个也在这一届奥运会中获得了金牌，他们都是美国人。密尔沃基的哈恩（Archie Hahn）分别以7.0秒和11.0秒的成绩获得60米和100米短跑的冠军，并在200米中以21.6秒的成绩创下奥运会纪录。在跑道线残缺不全的400米决赛中，哈里•希尔曼（Harry Hillman）以49.2秒的成绩创下奥运会纪录，后来他又分别以24.6秒和53.0秒的成绩夺得200米低栏和400米栏的冠军。他的400米栏世界纪录后来被取消，因为查出跨栏的高度低于正常标准。在400米比赛中仅获第6名的乔治•波格（George Poage）在跨栏赛中获得第3名，成为获得奥运奖牌的第一位黑人。

马拉松比赛一片混乱，给人们留下了深刻的印象。一共有31 名选手参加比赛，包括上届奥运会马拉松比赛的获胜者约翰•劳顿（John Lordon）、米歇尔•斯普林格（Michael Spring）和托马斯•希克斯（Thomas Hicks）。托马斯•希克斯最终成为获胜者。

由于比赛时天气异常炎热，本地选手威廉•加西亚（William Garcia）突发脑溢血，倒在路边，差点死去。赛程管理严重缺位，一些选手竟遭到野狗的追赶。供水工作也很不到位，直到离终点线12英里时，选手们才终于喝到了水。比赛路线迂回曲折，有的运动员还边跑边玩儿，有的还停下来与观众说话，裁判员和运动员的朋友们坐在刚发明不久的汽车上，选手们几乎被汽车扬起的尘土和酷热击溃。美国运动员弗莱德•劳兹（Fred Lorz）跑了10英里左右竟然搭上一辆卡车，直到卡车出现故障才下车继续跑，他第一个到达体育场，还受到罗斯福总统的赞扬和祝贺。当英国人希克斯跌跌撞撞抵达体育场的时候，颁奖仪式已经开始了。在离终点还有7英里时，希克斯就已筋疲力尽，只能跟在山姆•米洛（Sam Mellor）和亚瑟•牛顿后面慢慢走。他在喝了点儿法国白兰地、服用了士的宁（刺激中枢神经系统的兴奋剂）、吃了鸡蛋后很快振作起来，最终以3小时28分53秒的成绩跑完全程。后来，劳兹的恶劣行为被揭发，被判终身禁赛。然而在官僚的纵容下，一年后他得以重返赛场，并在次年取得了波士顿马拉松比赛的胜利。

在那场有争议的比赛过去4年以后，美国选手普林斯坦（Myer Prinstein）在本届奥运会跳远比赛中终于如愿以偿。

在巴黎奥运会比赛4年后，普林斯坦（Myer Prinstein）终于取得了跳远和三级跳的冠军，虽然世界纪录保持者爱尔兰人彼得•奥康诺没有参赛，但普林斯坦对这场迟来的胜利还是颇为满意，他还在60米和400米比赛中获得第5名。在巴黎获得3枚金牌的雷•尤里（Ray Ewry）成功卫冕了立定跳远的冠军。在这届奥运会中获得5枚金牌的是美国体操运动员安东•海达（Anton Heida），此外他还获得一枚银牌。体操比赛中最引人注目的是乔治•埃赛尔（George Eyser），他有一条腿被截肢，他凭借嘭嘭作响的木头腿仍然赢得了7枚奖牌。

这次比赛的游泳池是博览会使用过的既不对称也没有泳道的湖，起跑标志只是一个时不时会下沉的木筏子。但与其他运动项目相比，这个项目还算是国际性的。主要选手包括匈牙利的哈尔迈（Zóltán Halmay）和德国的劳施（Emil Rausch），他们各获得2枚金牌，劳施还夺得一枚铜牌。

同时获得3项冠军、年仅18岁的美国选手莱特博迪为圣路易斯奥运会增添了一道亮丽的风景，他获得冠军的分别是800米、创下世界纪录的1500米以及首次参加的障碍赛。

第8章 返回雅典，再到伦敦

英国人罗伯特·S·德 ·科西-拉凡（*Robert de Courcy-Laffan*）

国际奥委会委员，*1897—1927*年在任

我们在筹备和组织奥运会时，必然会出现很多错误，这是无法避免的。就.像我们常常满足不了所有人的要求一样，正所谓“众口难调”……如果不是国外同仁们·宽宏大量，富有包容之心，这工作也许根本无法完成。在整个组织过程中，正是因为他们无私的帮助我们才能成功。因此，我要对这些外国同仁们说，当轮到你们举办奥运会的时候，我们也一定会这样谦恭和善，就像你们对我们一样。

我们不要忘记：奥运会的第一次复兴是在1896年的雅典，而伦敦奥运会只是整个伟大运动中的一个片段。在奥运会12年的生涯里，它要实现怎样的理想？关于一个完美的纯粹体能化的运动？关于新的人文体育精神在全球的普及，由此以和平与友好为纽带，把世界人民团结到一起？不要奢望这样的目标能在一年或几年甚至一个世纪里能实现，因为奥运会刚刚开始，你们只看到了它的开端，但还没有人能预见到它的最后结果。

其实我已意识到，这个伟大的理想会遭到人们的嘲笑。12年前，我自己也会嘲笑它。当初来到奥运会的赛场时我还抱着嘲讽的态度，但现在却对它充满了敬意，我希望能继续工作下去……但我必须向将要筹办奥运会的人们发出警告：一定要做好屡败屡战、绝不气馁的准备。（选自1908年伦敦奥运会的总结发言）

顾拜旦一生的使命——策划和举办现代化的奥运会，是一场以坚强毅力克服重重艰难的永无休止的战斗。如果把1906年在雅典举行的临时奥运会也包括在内的话（官方奥运会历史上没有记载），前六届奥运会就像英格兰国王亨利八世的6个妻子的命运一样，分别是离婚、处死、夭亡、离婚、处死、存活。对顾拜旦而言，这六届奥运会可以被分别记录为：被篡改（1896年）、分裂（1900年）、诋毁（1904年）、准许（1906年）、分裂（1908年）、再生（1912年）。

当希腊人意识到，“他们的”奥运会渐渐从手边溜走时，便立即通过了一项法律，规定每四年

组织一届临时奥运会。然而，和土耳其之间的战争搅乱了希腊人的计划，不过在康斯坦丁王储的支持下，1905年在布鲁塞尔的一次会议又决定在次年举办奥运会。

顾拜旦陷入了进退两难的境地。虽然他也意识到，奥运会是希腊的历史遗产，但他仍然坚持，奥运会应该走出去，在不同国家举办。其实，早在4年前的巴黎年会上，虽然极不情愿，但他已经开始对雅典的计划表示出些许同情了。而现在，希腊人的支持者正在积聚力量。在科西•拉凡（Robert de Courcy-Laffan）的指导下，英国奥运协会的创办使国际奥委会的未来更加光明，顾拜旦对此很有信心；德国提出的不同结论也令人满意。于是，面对希腊人的希冀，他作出了让步。国际奥委会同意，1906年奥运会被冠名为“雅典国际奥运会”。

1896年,顾拜旦受到了希腊人的侮慢，因此他决定不参加1906年的奥运会。这个决定并不出人意料。虽然他对希腊投了赞成票，却没有参加这次盛会，而是参加了在巴黎举行的“奥林匹克艺术展”。国际奥委会的另一些成员参加了雅典奥运会，有谣传说他们要把顾拜旦踢出局，并建议授予康斯坦丁国际奥委会名誉主席的职位。然而令康斯坦丁王储尴尬的是，顾拜旦对此立即否定，并声明随后发生的所有与1906年奥运会有关的事，都是“非官方的”。

1906年的奥运会相对来说是成功的，它不但吸引了很多观众，而且在许多方面也体现出了国际特征，顾拜旦在他的个人记录中也这样认为。

从4月22日到5月2日的临时奥运会，吸引了来自20个国家的826名参赛者，其中包括6位女性。美国在本次奥运会上第一次派出正式的国家队（与当初杂乱无章的大学队大不相同）参赛。事实上，美国早在两年前就已经成立了国家奥委会。同样，芬兰也第一次派出了国家队，运动员弗纳•耶尔维宁（Verner Jarvinen）在希腊式的掷铁饼比赛中，为祖国赢得了第一枚金牌，也为以后更多的金牌开了先河。在圣路易斯奥运会上取胜的纽约AC接力队队员之一、美国人保罗•皮尔格里姆（Paul Pilgrim），成为杰出的双料冠军选手，他在本次奥运会上赢得了400米和800米的第一名，此后70年间，唯有蒙特利尔奥运会上的阿尔伯托•胡安托雷纳（Alberto Juantorena）可以和他相提并论。东道主国家在这届奥运会上取得了很大的成功，奖牌总数排名第三，仅次于法国和美国，之后是英国和爱尔兰。尽管这些成绩未被正式载入纪录史册中，但这届奥运会大大提升了水准，并加强了国际奥委会的生命力，因此远远超过1896年的首届奥运会，这是顾拜旦的一些同事私下认同的事实。

尽管1906年的临时奥运会不为国际奥委会所承认，它却产生了一些著名的冠军，不仅有立定跳高冠军美国人雷•尤里(Ray Ewry)，还有来自巴黎和圣路易斯的许多冠军。

无论1906年的奥运会有何深远的意义，意大利却必须接受这样一个事实：罗马不可能承办1908年奥运会了。因为维苏威火山的爆发，罗马经济一度下滑。而英国凭借其新创办的国家奥林匹克委员会，得偿所愿，尽管只有两年的准备时间，但德斯巴勒（Desborough）公爵还是代表英国奥林匹克委员会接受了主办1908年奥运会的任务。1908年奥运会将第三次与一个以贸易为主的博览会相结合，但它与早期几近灾难性的巴黎奥运会和圣路易斯奥运会不同的是，法国-英国博览会的组织者是奥林匹克的拥护者，他们力量强大，并努力使奥运会成为文化展览的核心部分。

1908年奥运会经济上的成功并不缘于这个城市本身。实际上，英国奥委会反对来自英国政府或伦敦市政府的协助。20世纪以来，英国就以它在主要运动项目上的良好组织而备感自豪，这些项目包括德比马赛、亨利皇家划艇比赛、足总杯决赛和温布尔登网球锦标赛。此外，英国还收到了一份额外的礼物：博览会赠予它一个新的体育场，这个体育场建在牧羊人树丛（Shepherd's Bush），也就是后来的白城体育场（White City Stadium），能容纳6.8万观众。

这届奥运会的准备工作是让人畏惧的。奥运会总共包括21个独立的比赛项目，除了工程准备外，还要把这些比赛项目的规则都翻译成法语和德语，各项赛事都要安排妥当，关于各运动项目的业余性与专业性的区分也要搞清楚。对英国来说，另外一项工作就是要把测量单位从英制换算成公制。尽管如此，到1907年5月于海牙召开国际奥委会会议之际，奥运会的准备工作已取得了令人满意的进展。在这次会议上，国际奥委会规定将授予每位奥运冠军一枚金牌。会议还决定，裁判工作将在英国的全权管理下进行，如有必要，英国有权指任外籍人士辅助工作。最后一点引起了一些争议。

会上当选为国际奥委会主席并任期10年的顾拜旦对此表示支持。但事实上，英国远未达到他们自认的公正无私，顾拜旦逐渐为这个决定感到尴尬。现在（距首届奥运会举行才刚刚11年）面临着这样一个事实：个体的体育联盟打着使比赛规则和评分标准化的口号，要求创办一个联合的国际委员会。顾拜旦已察觉到了形势的危险性，他说："运动联盟已从功利主义和作为辅助性的角色发展到具有支配权和掌权地位的程度，这些联盟的目的不是为了鼓励大家参加比赛，而是企图控制整个奥运会，希望使他们自己具有最重的决定权。"

伦敦奥运会的组织主席德斯巴勒公爵（右），威尔士王子埃尔伯特及其老师汉塞尔先生。

在决定女子参加比赛方面也受到顾拜旦的影响。1905年的布鲁塞尔例会本来决定把"女子参加比赛"提上日程，但顾拜旦却以"寻找一个更合适的机会"为由把它推迟了。后来的海牙例会上仍存有争论，最后花样滑冰被列入伦敦奥运会的比赛项目。1909年的柏林例会上，巴尔克提议为未来的奥运会作出一个标准的规划方案，对女子参赛的问题却只字未提。直到一年之后，国际奥委会才同意，女子体操、网球和游泳将在1912年的斯德哥尔摩奥运会上成为正式比赛项目。

负责组织这届奥运会的德斯巴勒公爵是爱德华七世之后的和平时代的象征。从1901年维多利亚女王去世到令人惊怖的第一次世界大战爆发的前几年，是英国的黄金时代，是和平、富裕、没有战争硝烟的时代，在新首相、自由党党员赫

亨利市区全境，英国体育运动的标志地点。

伯特•阿斯奎斯的领导下，整个国家处于舒适和安宁之中。新国王一改维多利亚女王远离伦敦隐居的作派，重新回到白金汉宫，履行他在君主立宪制中的角色，这使英国人民欢欣鼓舞。总而言之，不管从哪方面看，伦敦这时都是一个可以让21个国家放心参加比赛的城市。

虽然有一个雅适富足的社会背景作基础，可本届奥运会还是遇到了重重困难。马拉松比赛那天天气酷热，其他时候，天气也一直让人痛苦不堪。在温布尔登举行的网球比赛全部是英国人的天下，因为天气原因，比赛不得不转移到室内举行。奥运会的门票价格过高，而观看比赛的经常是一些穷人，他们强烈要求降低主体育场的门票价格；开幕式上，民族主义的阴云密布；而英国裁判员的严重不公在东道主和美国人之间制造的分歧，在很长时间内都没有缓和。

开幕式结束后，国王多待了两个小时，满怀兴致地观看了一些比赛。在各国代表队入场仪式中，美国铅球比赛选手暨旗手拉尔夫•罗斯（Ralph Rose）看到美国的星条旗没有在体育场上空升起，向国王提出了抗议。瑞典的国旗也没有出现，一些瑞典人决定罢赛。俄国大使要求芬兰使用沙皇的旗帜（在四年后的斯德哥尔摩奥运会上，芬兰人决定不服从这一规定，他们进入体育场时尽量把步子放小，以使他们与俄国队员的距离拉得很大）。在第一个礼拜日，圣保罗大教堂的一次礼拜中，宾夕法尼亚的大主教布道时讲了一句话，“在奥运会中最重要的不是输赢，而是参与”，后来这句话成了奥运会的象征。这或多或少与顾拜旦的说法相一致，他在参加自由党接待会的发言中讲道：“人的一生中最重要的不是获胜了，而是战斗了；结果赢了并不重要，关键是你是否尽力拼搏了。”在这条奥运会的基本伦理标准的鼓舞下，成千上万的人、而不仅仅是少数冠军都参与进来，尽管他们遭到了那些把胜利看成一切的人们（最初只是美国人，到20世纪末，越来越多的人都加入到这一行列之中了）的嘲笑。

来自王室的热情支持者。亚历山德拉王后为被取消马拉松比赛成绩的道兰多•皮埃特利颁发一个安慰奖。

第9章 伦敦

第四届夏季奥运会 1908

爱尔兰人道兰多·皮埃特利（*Dorando Pietri*）

被取消奥林匹克马拉松比赛资格的英雄

我知道有一些强有力的竞争对手，但我决不能让他们打败。我一直都在为比赛做准备，从没考虑过其他人的战术，只依靠自己强大的爆发力。我敢向你们保证：特别是当接触一些费力的事情时，我好像有四个肺而不是两个。然而我失败了，其实我已料到这个结局，因为一些报刊杂志和发生在美国人身边的事都向我证实了这一点。但我要证明我自己，我不能让那些推选我参加奥运会的人们感到遗憾。

比赛进行了16公里后，两个英国人普赖斯和罗德开始领先，我和南非的查尔斯•赫夫龙（Charles Hefferon）落后他们50米。不过，32公里后，赫夫龙和我跑到了最前面。但40公里后，当我超过赫夫龙快接近终点线时，他面色悲伤地看了看我，然后放弃了。现在我是第一名。本来我可以减速的，突然一股怒气冲上心头，我跑得更快了。尽管没有人为我加油，但我看到前面一片光明，我已刹不住自己的速度。因为愤怒，我没有看其他赛跑者，但我可以听到，他们正穿过路两旁的观众。我径直往前看，但由于拐弯太多了，我什么也没看到。忽然，我的心猛地一跳，我看到灰色的人群，还有城堡和插满旗子的桥梁——那就是体育场。

从来没有一位选手在马拉松比赛中像我跑得那么快，比我年轻6个月的美国人海斯（Hayes）比我慢了半分钟。最后只有27位赛跑者——还不到参赛者的一半，跑到了终点线。对比赛满怀兴趣的亚历山德拉王后，比赛第二天向我颁发了一个银杯，并题词：纪念从温泽市到体育场的马拉松比赛，1908年7月24日——亚历山德拉王后。（选自爱尔兰国家奥委会提供的报纸评论）

1908年奥运会在确定马拉松路线时，又出现与前几届比赛类似的古怪做法。应亚历山德拉王

倒霉的马拉松赛获胜者，意大利选手道兰多•皮埃特利（Dorando Pietri）信心十足地跑在途中。

后的要求，比赛从温泽城堡皇家托儿所的窗户下开始，最后再加上体育场跑道的一圈，比赛的实际路程是42.195公里。16年后，国际运动联盟（简称IAAF）正式规定这个距离为马拉松比赛的总路程。

聚集在伦敦街头的观众人山人海，赛道两旁有25万人之多，据估算，设计容量为6万多人的体育场，当天挤进了9万多人。比赛当天的天气很反常，闷热而潮湿。来自意大利的22岁运动员道兰多•皮埃特利（Dorando Pietri）和南非的查尔斯•赫夫龙（Charles Heferon）在中点后大约一英里时，已跑到队伍的最前面，显然，他们胜出并夺得奖牌是毫无疑问的。发誓要在家乡人面前稳拿冠军的英国代表团早已压不住内心的怒火。剩下最后8英里时，赫夫龙领先皮埃特利3分多钟，最后2英里时，领先优势扩大到4分多钟。这时，赫夫龙喝了一些饮料，然后肌肉开始痉挛，皮埃特利趁此机会加快了步伐。

皮埃特利在距体育场一英里时超过了赫夫龙，但他在进入体育场时已筋疲力尽，晕头转向，绕着跑道胡乱转。当工作人员前去引导的时候，他倒了下去。现场许多观众包括王后不断呼吁为他提供帮助，却完全忽略了这样会使他丧失比赛资格。这时，另一名运动员海斯，而非赫夫龙，冲到了终点。此时的道兰多•皮埃特利正摇摇晃晃地冲向终点，他不断地倒下爬起，再倒下再爬起。人们不由得想起了那个把波斯人胜利的消息告诉雅典人的战士，他因为体力衰竭，突然倒地死亡。为防止悲剧重演，现场的官员——一位布尔格的医生一手拿着扩音器，一手搀扶着道兰多走出了跑道。当被大家忽略的海斯小跑着独自越过终点线时，意大利国旗已经升起来了。而道兰多本人则躺在担架上被抬出了体育场。美国人对他所受到的帮助提出了抗议，得到了知名运动员德斯巴勒公爵的支持。因此，尽管奥委会官员认为马拉松的第一名应该是道兰多，但冠军奖杯还是被颁发给了海斯。不过，道兰多在比赛后第二天，健康地返回了体育场，并得到了王后颁发的表示补偿的银杯，这样他和海斯——当时还是布卢明代尔商店的售货员，后来成了职业运动员，共享了这一盛誉。

境况不佳的皮埃特利在不合法的帮助下向白城的终点线走去。

遇到纷争时，人类的本性趋向于争吵。在这届奥运会上，英国人和美国人也不可避免地发生了一些口角，这些争吵借助报纸杂志传到了全球的各个角落，也给报纸杂志带来了意外的收益。在这些争吵中，最丑陋的一幕发生在400米决赛中。参加这项比赛的是3个美国人和一个参加过波尔战争的26岁的英国人霍尔斯韦尔（Wyndnam Halswelle）。霍尔斯韦尔在半决赛中曾以48.4秒的成绩创下奥运会纪录，很明显，他是最有希望拿到奥林匹克冠军的。然而在没有跑道、自由参加的混赛中，英国官员对美国所采用的团队战术表示了极大的关注。威廉•罗宾斯（William Robbins）在比赛进行了200米后领先其他选手10米，接近终点时，却被霍尔斯韦尔和约翰•卡彭特（John Carpenter）超过。但是当霍尔斯韦尔试图从外侧加速超过卡彭特时，这位美国人向右转阻挡了他。英国官员立刻在跑道旁力阻卡彭特，并大喊着：混蛋! 还有人把录音带扔向卡彭特。来自宾夕法尼亚大学的约翰•泰勒（John Taylor）甚至被拉下了跑道。业余运动联合会剥夺了卡彭特的参赛资格，做出这个决定前，他们征求了裁判官和霍尔斯韦尔的意见，却没有询问任何一位美国官员或是赛跑者。因此，这一决议遭到美国人的激烈反对，争吵持续了半个多小时，现场陷入僵局。对卡彭特参赛资格的取消仍然得以维持下来，但同时决定两天后重赛。重赛前，人们用细绳子围成了跑道。但泰勒和罗宾斯拒绝参加比赛。只有霍尔斯韦尔一人安静地在50秒内跑完了全程，跑道两侧都是愤怒的美国人。这是奥运会史上最轻松的一次获胜。

另外一个与美国有关的闹剧发生在星期天举行的项目中。在110米高栏比赛中，福瑞斯特•史密森（Forrest Smithson）以15.0秒的成绩创下世界纪录，领先此前克伦茨莱因创下的世界纪录五分之一秒。

除了霍尔斯韦尔，径赛中另一颗耀眼的明星是谢泼德（Mel Sheppord），他获得了800米和1500米的冠军。在1500米比赛中，普遍被看好的是世界纪录保持者哈罗德•威尔逊（Harold Wilson）,他创下的纪录是 3分59.8秒。在最后的直道冲刺中，谢泼德以4分3.4秒的成绩超过了他，并创造了奥运纪录。在800米比赛中，英国人伊安•费尔贝恩-克劳福德（Ian Fairbairn-

第一起著名的裁判争端。约翰•卡彭特（左）即400米冠军，被愤怒的主场官员取消比赛资格。他的同胞因此拒绝重赛，使得英国运动员霍尔斯韦尔在重赛中独自一人跑完全程，并赢得冠军。

Crawford）提前加速，企图拖垮谢泼德，好为本国一号选手西奥多•加斯特（Theodore Just）夺冠创造机会。可惜谢泼德并没有上当，他以自己的速度领先500米，并在公正的裁判之下，以1分52.8秒的成绩刷新了世界纪录，将第二名选手——意大利的隆吉（Lunghi）远远甩在身后。西奥多•加斯特排名第五，而费尔贝恩 • 克劳福德却没能坚持下来。

在这届奥运会上没受到国际关注的一位冠军是匈牙利的游泳健将佐尔丹•哈尔迈（Zoltan Halmay）。从某种程度上说，他也是一位全能运动员。他参加过冰球赛，还曾荣获速滑冠军，但他最喜欢的运动却是游泳。参加这届奥运会时他已27岁了，身为匈牙利队的领队，限制了他为保持世界纪录做准备的时间。在这届奥运会中他共取得9枚奖牌，并被大家公认为奥林匹克运动史上第一位游泳明星。

这届奥运会上最独特的赛事无疑是于夏季举行的花样滑冰比赛。这项比赛原定在骑士桥的伯爵滑冰场，后来贝德夫德夫人却把时间推到

所向无敌——共获得8项奥运冠军的美国人雷•尤里（Ray Ewry）仍然在立定跳中没有敌手。

了10月，并规定在一个16米宽、62米长的滑冰场上举行。她之所以这样做是因为当时的冷却设备根本对付不了夏季的高温天气。俄国队第一次参加这个项目，尽管只有7名参赛者，但尼古拉•帕宁（Nikolai Panin）一上来就打败了两名英国选手，为祖国赢得了第一枚金牌。

女子冠军被迈•赛耶斯（Madge Syers）拿下，其实她早在6年前就充满自信地说，自己一定能成为世界上首位女冠军，然而她只获得第2名，落后于乌尔里奇•萨尔霍夫（Ulrich Salchow），导致官方禁止女子再参加国际比赛。即使如此，赛耶斯还是于1903年和1904年参加了比赛，并为英国赢得了冠军的荣誉。1908年，她得到了评委的一致认可，排在德国的埃尔莎•伦德施密特（Elsa Rendschmidt）之前成为世界上第一位女冠军。

对于雷•尤里（Ray Ewry）来说，这届奥运会是以出人意料的结局闭幕的。在前3届奥运会上，他在立定跳远中所向无敌。这回再次获得跳高和跳远的胜利，加上从1900年到1904年的三级跳（1908年他没有参加）比赛，他一共取得8项奥运冠军。

意大利的阿尔伯托•布拉利亚（Alberto Braglia）在十项全能运动的健美操中赢得第一名。以"稳打"出名的板球运动员道格拉斯（J.W.H.T Douglas）在中量级拳击赛中打败澳大利亚的贝克（R.L. Baker），成为唯一赢得奥林匹克金牌的击球手。从1911年到1925年，道格拉斯还代表英格兰队参加了23个项目的比赛。

尽管美国队在田径赛的27个项目中拿到了15个冠军，其中包括3个世界纪录，但奖牌总数

中量级拳击冠军约翰•道格拉斯（John Douglas）为英国填补了在拳击、划船和赛艇方面的空白。

却只有45个，所以这届奥运会的胜利还是属于英国。他们共获得145枚奖牌，并且在拳击、划船、赛艇和网球中都拿到了金牌。美国队返回家乡后，对“英国对待美国的抗议态度”进行声讨，英国人受到极大的创伤，出版了《对奥运会批判的回应》白皮书。美国代表团长詹姆斯•沙利文则宣称：“英国人的做法缺少运动员精神，是不公平的，他们的主要目的是想打败美国人。”这种极端化和情绪化持续了好多年。这是第一次以国家而不是以个人名义参赛的奥运会，因此大大强化了民族主义情绪，也是导致下个世纪不断的国际争议的原因。

20岁的英国人弗罗伦斯•迈•赛耶斯（Florence ‘Madge’ Seyers）于1908年参加奥运会首届女子花样滑冰比赛赢得首枚金牌，她还和兄弟爱德华（Edward）一起取得了双人花样滑冰的胜利。

第10章 佳境

瑞典人维克托·古斯塔夫·巴尔克（*Viktor Gustav Balck*）

国际奥委会首届委员

在整个1912年里，“奥运会如何如何”这句话随处可闻，盼望和喜悦激起了瑞典人的爱国之情。这一年是瑞典的荣耀之年。

我们需要这样的年份，不仅是为了得到其他国家的尊重，也是为了教育我们的国民：为了国家的利益，艰苦的、甚至是让人疲备不堪的劳作也是必要的，更重要的是，我们可以藉此认识到自己的最高能力，并因此而充满自信。事实上，许多瑞典人却认为，冒着巨大的投资风险在斯德哥尔摩举办奥运会是不明智的。但是，如果你不愿进入战场，又怎么能取得胜利呢？令人吃惊的是，瑞典人赢得了一个让人难以忘怀的伟大胜利！

现在说来，奥运会只是记忆中的一个事件。但这是一个美丽的回忆：阳光照耀下的首都，壮观的新体育场里，聚集着成千上万观众，等着目睹来自世界各地的运动员激烈比赛。在那些天里，整个文明世界的人们都在关注着我们。外国来访者对我们抱有很大的期望，希望能有所得，这对我们来说是一项非常艰巨的任务，但也是对我们的信任和赞誉，因为在前几届奥运会中，我们已经取得了很好的成绩。

瑞典人在这届奥运会中尽职尽责，因而在世界上赢得了好名声。之所以能如此，一个重要的因素就是在赛场之外，瑞典人前所未有地团结一致。此前，我们何曾见过如此热情的人们？体育的功能如此，倒是我没有料到的，那些怀疑论者开始认识到体育能加强国际联系。（选自维克托•巴尔克的个人纪录）

德米特里厄斯•维凯拉斯于1908年7月7日去世，虽然他在奥运舞台上仅仅工作了4年，却劳苦功高。在同年9月的《奥运会回顾》一书中，顾拜旦肯定了第一届国际奥委会主席维凯拉斯的贡献，称他是泛希腊人中最高贵者，作为一个伟大的作家和文化人，和其他欧洲人一样，“是教育大众化的倡导者”。

次年，在柏林年会上，瑞典被推举为第5届奥运会东道国。这要归功于维克托•巴尔克上校出席了会议，并随即被推举为瑞典奥组委主席。因为德国柏林不再参选，斯德哥尔摩便毫无悬念地当选为主办城市。事实上，斯德哥尔摩一直被非正式地作为1916年奥运会主办城市之一。顾拜旦提议从伦敦奥运会的参赛项目中减掉20项赛事，包括壁球、橄榄球以及3项女子赛事——网球、射箭和滑冰，瑞典国家奥委会与顾拜旦的意见一致，并把比赛时间从12天减少到8天。斯德哥尔摩因此而大受青睐。

1910年的卢森堡年会对奥运会进行了一系列的重要改革。这些改革包括：个人登记参赛必须通过正式的奥林匹克组织，并需运动员签名；接受健美操、网球和游泳作为女子项目。该决议意味着参赛的女运动员数目从1908年的36名增加到55名。但也有人反对这项决议，比如詹姆斯•沙利文就一直坚定不移地反对美国女子运动项目的增加。在卢森堡年会上，对能否在斯德哥尔摩奥运会期间举行冬季运动会产生了争议，有些疑虑被提出来：一些国际联盟会随便地将形形色色的赛事与“奥运会”联系起来，某些迹象已经出现。

斯德哥尔摩于1912年组织了到当时为止最紧凑的一届奥运会。早期国际奥委会的奠基者维克托•巴尔克和后来成为国际奥委会主席的J.西格弗里德•埃德斯特朗（J.Sigfrid Edstrom）分别是左数第二位和第四位坐者。

从各方面看来，斯德哥尔摩奥运会都是成功的。在巴尔克和他的秘书长J.S.赫尔斯特朗（J.S.Hellstrom）管理下的这个组织是没有缺陷的，并且还引起了皇太子的兴趣。

斯德哥尔摩奥运会的后勤保障是在国家奥委会主席J•西格弗里德•埃德斯特朗的管理下组织起来的。除了常规的田径项目，包括游泳、击剑、健美操和摔跤以外，奥运会还新增了足球、马术、射击、划船、赛艇、草地网球，以及顾拜旦提出的现代五项全能运动——他认为五项全能运动是培养军官必需的训练科目。马术比赛在赛前没有达成一致：瑞典人希望每位参赛者都带着自己的马来参赛，一些人确实这样做了，但却被迫将马匹交出来公用，最后每个运动员使用的几乎都不是自己的马。瑞典伯爵克拉伦斯•冯•罗森（Clarence von Rosen）是这个项目的裁判。最后，有10个国家的运动员分别进入该项目的团体赛和个人赛，瑞典人击败了德国人与美国人，最终包揽了团体赛和个人赛的冠军。拳击项目在本届奥运会上被取消了，因为当时的瑞典禁止拳击比赛。

参加斯德哥尔摩奥运会的国家从22个增加到28个，参赛者从2000名增加到2437名。与伦敦奥运会相比，奥运匹克的动力正在逐步增加。托尔本•格鲁特为本届奥运会设计了一个雄伟的带有拱顶、拱门和塔台、能容纳2.2万多人的新体育场，跑道最初是由英国人佩里（Charles Perry）设计的（他还设计了1896年和1908年奥运会的跑道）。在未来的一个世纪里，这个体育场将铭记这些斯堪的纳维亚宁静而完美的夏夜，因为刷新世界纪录的好戏屡屡上演。

与前几届相比，本届奥运会有了很大变化。例如，使用了半自动的电子记时器、一部并不正式的终点摄影机（它的使用在1500米比赛结果的判定中遭到非议）；使用了测量跳高和撑杆跳高度的仪器；用白线画出清晰的跑道；为裁判员建造了特殊的看台；用3种语言报出比赛结果；为缓解交流障碍，为外国运动队配备随员；按国家字母顺序出席开幕式。瑞典政府想尽办法从奥运会中获得最大的经济效益，为了得到给未来冠军拍照并出版的权利，一个明信片公司给予了赞助。

斯德哥尔摩奥运会后，顾拜旦和国际奥委会的名声如日中天，而沙利文只能在美国亦步亦趋。雅典临时奥运会因为资金原因渐趋衰落，先前有诸多限制的划艇和自行车赛也变得平易近人了。尽管如此，面对瑞典国会成员（皇太子是国会主席），顾拜旦在奥运会的开幕词中说，很多年以来，奥委会一直面临着“不正当的恶意的反

未来的国际奥委会领导者埃弗里•布伦戴奇（Avery Brundge），他在十项全能赛（斯德哥尔摩奥运会后被取消）中获得第6名。

对”，他对此深恶痛绝。他又说道，即使在斯德哥尔摩，他也发觉姗姗来迟的敌人正在进行分裂活动。菲迪兰德•高茨（Ferdinand Goetz）领导下的德国健美操联盟，因反对政府资助下的德国奥林匹克协会（DRAFOS）而拒绝参加本届奥运会，于是，德国奥林匹克协会另行选派了一队学员和一些即将成为体操教练的人来参赛，这是当时唯一明显的不和谐的杂音。

瑞典人完全接受了顾拜旦的理念，在举办奥运盛会的同时，文化项目的展示也在进行。比如，斯坎森博物馆开门迎宾，由知名科学家用母语为前去参观的人讲解。本届奥运会文化表演的高潮出现在7月14日，当天，连主体育场都变成了博物馆。由3 000名瑞典男子组成的合唱团表演完毕之后，斯德哥尔摩全城焰火绽放，让人们惊喜不已。从各方面看，本届奥运会都是成功的，美梦成真，奥运理想已然成形。由于当时还没有奥运村，美国队只能在横跨大西洋的邮轮上落脚。在所有比赛地，运动员之间都能友好往来，交往甚至不局限于某一项比赛。此时，不同国家、不同运动项目的官员之间相互比照借鉴的网络也已形成。斯德哥尔摩不仅向全世界展示了它非凡的魅力，也树立了奥运会未来的架构，成为奥运会历史上一个意义重大的里程碑。瑞典作为中立国，他们的裁判工作令人愉快，非常公正。8年后赢得1500米跑银牌的英国人菲利浦•诺尔-贝克（Philip Noel-Baker）回忆这届奥运会时说：

> 我们虽然年轻，但感觉很惬意，从来没有让领队忧心的怨辞。走出旅店那一刻，我们发现，斯德哥尔摩具有一种独特的魅力：到处都是绿草、鲜花。在漂亮的码头区，我们几乎每天都沐浴在灿烂的阳光下。美丽的皇家宫殿，绕城的斯坎森国家公园……我们代表英国来到斯德哥尔摩，带着新的识见回到了家乡。

巴尔克、冯•罗森（Von Rosen）和埃德斯特朗应该为此感到自豪。顾拜旦在闭幕词中说：

> 一个伟大的民族（德意志民族）已经从你们（瑞典人）手中接过奥运火炬，他们会保存，甚或可能让奥运之火燃得更旺……愿第六届奥运会像前几届杰出的奥运会一样，为人类共同的福祉、人类的良善作出贡献。在这个和平的时期里，愿他们的准备工作卓有成效。

亲聆这番话的人们在未来的岁月里，必会懂得珍惜这金玉良言。

如果说这一年奥运会也有瑕疵的话，那就是：国际奥委会对女子参赛权问题仍未给予足够的重视。尽管顾拜旦学养深厚，拥有极富审美的敏感性，但是，他仍然反对将女子赛事吸纳进奥运会中。在《奥林匹克评论》中，他这样写道：

德•顾拜旦、国际业余体育联合会主席J.西格弗里德•埃德斯特朗及其女儿。对顾拜旦来说，斯德哥尔摩奥运会实现了他的梦想。

允许女子参加奥运会的问题现在没有解决。这并不仅仅因为古时没有解决而意味着现在也不能得到解决，也不能因为在1908和1912年奥运会上，游泳和网球赛中已经允许女子运动员参赛，就可以顺理成章地加以解决。关于这个问题的讨论是开放的，我们不会仓促地作出决定。在两年之后的国际奥委会巴黎大会上，问题会自然地得出结论，大会将会给出一个最终的规定。结果是肯定还是否定的呢？我们尚无法预测，但我们并不害怕给出反对意见。我们认为奥运会只应该属于男性运动员，有人能确保女性可以参与所有奥林匹克运动吗？没有人可以保证这一点……那为什么仅允许她们参与一部分赛事，却禁止她们参与其他赛事呢？我们不仅有女子网球运动员和游泳运动员，也可以有女子击剑运动员和马术运动员，在美国还有女子划艇运动员。也许，明天还会出现女子赛跑运动员，甚至女子足球运动员。如果这些运动项目都允许女性参赛的话，面对那些被奥林匹克运动吸引而来的观众，她们能否表现出适当的景象呢？我们认为，没有人可以声称必然如此。

与此同时，J.西格弗里德•埃德斯特朗首次建立起国际业余田径联合会（IAAF），该组织对妇女参赛也持有一种偏见。

第11章 斯德哥尔摩

第五届奥运会 1912

美国人吉姆·索普（*Jim Thorpe*）

奥运会十项全能冠军，
20世纪运动史上最伟大和最有争议的全能运动员，
在美式足球、棒球以及田径等方面都很有天赋

1912年，在西点的比赛中，我们赢了这个赛季所有的比赛，只有一次比分是0:0。跟军方比赛我们真的很紧张，他们也期待与我们的比赛。他们在全国排名第二，现在出来跟我们叫阵了。从一开始，这就是场严酷的战斗。我们的后卫和军队的人发生了冲突，结果在比赛的第一节就被罚下了场，那时我就生气了。我们转移到他们的球门线附近，然后球传到了我这儿。军队的三个人一个接一个冲过来撞我，甚至当我好不容易触地得分后，他们还缠着我。

这次得分也让他们多多少少慢下来了。我们重新得到了球，我把球传给了我们的中卫，又一次触地得分。本来以为对方防卫会很严，结果看样子他们也防不住我们。他们的中卫，德怀特•艾森豪威尔（Dwight Eisenhower）很难脱身，只是试图在你攻球的时候加以阻拦。第三个半时赛是我运动生涯中最激动人心的一幕。他们的队长，德沃尔（Devore）被派上场以展开回击。过了一小会儿，我就下来了，因为左肩很难受，甚至足足有一分钟不能动。但很快我就重新上场了，军队的人给了我当头棒喝，真正的较量这时才开始。我们在发球线上排成一排。我得到了球，向后场跑去。人们向我冲过来，我用最快的速度跑着，被撞着、挤着。突然，我过线了，人群随之沸腾。

卡莱尔大学的教练波普•沃纳经常说，我可以把足球踢得比他所见到的其他人都好。但他也总说我很懒惰。可能他说对了，从我还是个孩子的时候起，我就是踢着玩的。等我哪天开始用心踢球了，我会告诉你。

可惜我们的一个队员越位了。于是，我们重新站在发球线上，重演了刚才的一幕。95码！这是最令我激动的一次。我们以27：6获胜，我自己就得了22分!(选自esquire的《运动史上的伟大人物和伟大时刻》)

吉姆•索普（Jim Thorpe）是一种现象，特别是当我们回首往事时，更可以得出这样的结论。但在当时，在斯德哥尔摩最出风头的人是来自邻国芬兰的汉内斯•科勒赫迈宁(Hannes Kolehmaininen)，作为芬兰的长跑冠军，70年内无人可以与之比肩。他先后在5 000米、10 000米以及全国越野赛中夺冠，并且在芬兰团体赛中，创下了3 000米8分36.9秒的世界纪录。出色的运动才能和得体的举止使他广受赞誉，而他的祖国芬兰也因此而为世人铭记。他和法国人吉恩•布安（Jean Bouin）的5 000米决赛，成为一战前最值得记忆的一场比赛。

科勒赫迈宁是一位砖瓦匠，出身于一个有运动天赋的家庭。在这次比赛的前两天，他刚刚赢得一场10 000米长跑的冠军，而这已经是他那几天参加的第4场比赛了。从一开始，这场比赛就变成了两个人的角逐：他和布安轮流领先，却没有一个可以完全打开局面。标志最后一圈的铃声响起来的时候，现场的观众都踮起了脚尖。在最后一个弯道，布安抢先，但在几乎是最后的20米时，科勒赫迈宁冲到了前面，把世界纪录刷新为14分36.6秒。而紧随其后的布安，以及落后半分钟的英国运动员乔治•赫特森（George Hutson）分别获得亚军和季军。令人惋惜的是，布安和赫特森两年以后都在战争中丧命。

吉姆•索普在20世纪运动史上的显赫声名，与其说源于他全面的运动天赋，不如说源自他所遭遇的奥运会官方丑闻。在他和托马斯•科里森合著的《奥运会的历史》一书的第16章中，他这样说道：

> 人类总是会对第一位违反规则的人严加惩罚。人们从来不会像他们所制定的规则那样坚不可摧。在执行规则的时候，他总是遵循自己过去说过的信条。一旦形诸笔墨，规则就成了世界上最难以从书本上消失的东西。规则就像压路机，它们除了把挡在路上的东西压平之外，别无选择。

在雅典，在1912年那个辉煌的夏天，索普赢得了五项全能的冠军，保住了这块金牌——尽管在完成五项比赛的前四项之后，他曾经在1500米跑中跌倒。他还赢得了另一个独一无二的胜利——十项全能的冠军。他以微弱的优势，领先瑞典运动员雨果•维斯兰德（Hugo Wieslander）598分，并且在其后的跳高和跳远中分别夺得第四和第七。国王为他颁发了一尊自己的铜质半身像，并致辞说："先生，你是世界上最伟大的运动员。"完全没有防人之心、也不拘小节的索普据说在当时是这样说的："谢谢您，国王陛下。"但是6个月之后，他的金牌就被夺走，自己也背上了黑锅。

汉内斯•科勒赫迈宁，芬兰的第一位中长跑冠军，在5 000米比赛中击败了法国的吉恩•布安。

马萨诸塞州的《伍斯特电报》披露，索普曾在 1909—1910年间北卡罗莱纳州的半职业棒球赛中接受过零星的报酬。索普没有否认，他很坦白地说："我不是为了钱而比赛的，……完全是因为我喜欢打球。我不懂其中的规矩——不知道这样我就算是职业运动员了……我很抱歉，我可能犯错了……但愿业余运动委员会在对我做出裁决的时候不要太严厉了。"

然而，对他的惩罚实在是过于严厉了。业余运动委员会为纵容索普参加了比赛向国际奥委

吉姆·索普，美国人，兼有爱尔兰和法国血统，20世纪最伟大的全能运动员、足球和棒球运动员。

比赛中一幅精彩的画面：斯德哥尔摩的计时员。

会“道歉”，并且取消了他所有的比赛纪录；国际奥委会把他的金牌发给了维斯兰德和五项全能的挪威运动员费迪南德•比（Ferdinand Bie）。古斯塔夫五世国王的半身像以及沙皇尼古拉斯的圣餐杯，也都被送归国际奥委会。维斯兰德和费迪南德•比不情愿地接受了金牌。索普后来成为美国足球界首屈一指的球员和棒球队的主力，但是到了1932年，他已经穷得连一张到洛杉矶的车票都买不起了。1953年，他在加利福尼亚的一个公园的敞篷车里凄惨地死去，身无分文。

14位选手参加了决赛，包括卫冕冠军谢泼德（Melvin Sheppard），世界纪录保持者、美国运动员亚伯•基维特（Abel Kiviat），还有长跑世界纪录保持者约翰•琼斯（John Jones），以及英国出色的运动员菲利普•诺埃尔•贝克（Philip Noel Baker）。杰克森拥有超凡的中长跑天赋和天生的运动品质。他很有策略，注意观察跑在最前面的人并一直紧随其后。在比赛的最后一圈中，基维特领先，琼斯和泰伯（Taber）紧随其后，接下来是杰克森和谢泼德，美国人获得前三名的局势似乎已经不可逆转。但是在最后30米，杰克森从侧面大步超越了基维特，创下了3分56.6秒的奥运纪录。其间的差别靠摄像机才分辨出来，这是第一次用这这种方式作出裁决。基维特以微弱优势战胜对手泰伯，赢得亚军。

索普赢得了十项全能冠军，在其中的五项获得第一名。在他赢得的五项全能赛中，其中便有四项是第一。国王说：“你是世界上最伟大的运动员。”

阳光肆意洒落，给斯德哥尔摩增添了欢乐和胜利的气氛，但马拉松选手中有一半人不得不在到达终点前放弃比赛。葡萄牙选手弗朗西斯科•拉札罗（Francisco lazaro）砰然倒下，第二天在医院死去。中途倒下的还有最初的领跑者塔图•科勒赫迈宁（Tatu kolehmainen）。来自南非的克里斯蒂安•吉茨哈姆（Christian Gitsham）和肯尼思•麦克阿瑟（Kenneth Mcarthur）在最后阶段一直领先，在离看台2公里的休息处，吉茨哈姆停下来喝水，他天真地以为麦克阿瑟会停下来等他，没想到麦克阿瑟稳步冲向了胜利。

游泳第一次在奥运会中露面，逐渐形成各种花色的比赛项目。来自火奴鲁鲁的杜克•卡哈纳莫库(Duke Paoa Kahanamoku)创下100米自由泳世

奥斯卡•斯万（Oscar Swahn），一位杰出的瑞典射击世家的成员。

界纪录，并在4年后的安特卫普成功卫冕。

一共有来自13个国家的313名竞技者参赛。女选手第一次露面，被准予参加一个单人项目和一个接力项目。澳大利亚选手芬妮•德瑞克（Fanny Durack）赢得100米自由泳冠军，她穿着一件长长的、带裙子的羊毛泳衣，戴着一顶像护士帽一样的帽子。德瑞克的成绩是1分22.2秒，赶上了16年前男子职业赛的冠军阿尔弗雷德•哈约斯（Alfred Hajos）。人们蜂拥而至，来观看妇女的赛事。

由德•顾拜旦开创的新项目——现代五项全能终于冲破阻挠登上奥运舞台。这五项包括射击、游泳、击剑、越野马术和越野跑，比赛分散在5天内进行，代表着人们假定的军官应有的必要素质。心理承受力和体力一样，也是比赛的重要因素，以击剑为例，选手需要在面对对手时保持必要的镇定。瑞典人在这场比赛中异常引人注目，前7名中他们占据了6位，只有第6名不是瑞典人，是后来在二战中扬名于世的乔治•帕隆（George Pathon）。

足球比赛也第一次大放异彩，参赛的11支球队全部来自欧洲。其中丹麦队和英国队明显比其他队实力要强，最后在2.5万多名观众面前角逐胜负，英国队以4：2战胜丹麦队。这些业余运动员们都有自己的职业，英国队队长维维安•伍德沃（Vivian Woodward）成为传奇式人物，他和托登汉•热刺（Tottenham Hotspur）以及切尔西斯在锋线先后搭档，其射门动作成为整场比赛的标志。

在灿烂的阳光下，体操比赛在露天体育场大厅持续了5天，使这个项目的地位得到很大提升。斯堪的纳维亚妇女身穿彩色服装，展示了北方民族国家的民主精神，成为半个世纪以后体操精神的前奏。

妇女的冲击。令人印象深刻的体操比赛开创了女子奥运的先河（瑞典队参加了比赛），与此同时还有女子游泳。100米自由泳选手（左起）：冠军芬妮•德瑞克（受公众赞助）、亚军敏娜•怀利（Wilhelmina Wylie，由朋友赞助）和季军詹妮•弗莱彻（Jennie Fletcher，英国人，每周在一家公司工作70小时）。

第12章 战火奥运

比利时人亨利·德·巴耶-拉图尔（*Comte Henri de Baillet-latour*）

国际奥委会第3任主席，*1925—1942*年在任

我亲爱的朋友，我已经知道布鲁塞尔和阿姆斯特丹之间的战时路况了。非常不幸，异常糟糕。尽管我很想跟你们会面，但是我还是没有上路。我们可以通过依旧畅通的电话交谈。9号和10号这两天我在家，你们可以给我打电话，或者告诉我时间，到时让我来联系你们。

我期待着迪姆（德国人，即将举行的1940年冬奥会组织者）快点完成加米施的工作。除了射击、举重和划艇项目外，其他比赛项目都将正常进行。到目前为止，大家一致支持的赫尔辛基奥运会项目仍将继续进行，但是骑马和划船比赛除外，因为运输马匹和船只有很大的困难。自行车和剑术比赛的进行与否也还不能确定。

一些同事就比赛内容谈了自己的看法，但是太早了。因为我10月份才能发出确定结果的函件。但无论如何，我非常高兴地告诉你们，布伦戴奇在信中写道：如果赫尔辛基被迫放弃承办奥运会的话，美国将乐于接手承办。我担心这将是最后几届运动会，所以我真诚地希望，芬兰的战况在未来一段时间内处于稳定状态。总体说来我很悲观。当前的战争是不同寻常的，如果像现在这样一直继续下去，每个国家都将被战争所毁灭，即使中立国也不能幸免于难。每个国家的绝大部分人民都是反对战争的，但是这些国家又都被一小撮狂人统治着，他们幻想德国和英国能被从地图上抹去。这意味着毁灭——耗尽世界上的每一种可能的资源，使世界重新回到野蛮状态去。（给副主席西格弗里德•埃德斯特朗[J.Sigfrid Edstrom]的信，1939年11月）

奥运会是建立在全球合作基础上的，它能在两次世界大战的灾难中延续下去，简直就是奇迹。德•巴耶-拉图尔领导下的国际奥委会负责任地把两次战争中一度停顿的赛事衔接起来，但在一战期间举办奥运会的经验对他筹备二战期间的奥运会帮助甚小。虽然注意到了德国日益增长的军国主义苗头，但是在1909年，顾拜旦还是天真地认为，如果柏林被授予1916年奥运会的承办权，战争将被阻止。尽管威廉姆大帝（Kaiser Wilhelm）以崇尚武力而著称，但他仍然憎恶战争。

德国和古老的奥林匹克精神有着很长的历史渊源。在1871年德国统一之前，曾计划派一个考古队去奥林匹亚挖掘古老的体育场遗址。1875年，这个计划实现了，宙斯和赫拉神庙的遗址被发掘出来。在德国国民议会的财政支持下，古老的奥林匹克遗址得以重见天日，并且，这次发掘有助于推动德·巴耶-拉图尔的思想观念发生改

变。在20世纪初，当国际奥委会的分量开始日益加重时，来自德国的国际奥委会成员威利巴尔德•格布哈特（Willibald Gebhardt），陈述了主办奥运会的计划，为进一步开展工作，成立了“德意志帝国奥委会”，以筹集资金和寻找场址。1908年，德国的竞标被忽视，但在第二年，柏林声明了它申办1912年奥运会的要求。正是由于他们的不懈努力，德国终于成为1916年奥运会的东道主。

在1913年洛桑会议期间，柏林的一系列准备工作震惊了国际奥委会。在某种程度上，国际奥委会仅仅考虑到了即将到来的战争所带来的恐惧。与他们在前线的“完美”表现一致，德国奥林匹克筹备队伍的素质在1912年也有了很大的提高。一个由4人组成的勘查小组被派往美国研习训练方法。对大学和军事研究机构的观摩结束后，他们雇了前任奥运会冠军阿尔文•克伦茨莱因（Alvin Kraenzlein）负责德国田径赛事方面的筹备事宜。同时，此次奥运会将举行风靡一时的阅兵式。国际奥委会和顾拜旦心中怀着难以言状的恐惧，直到看见顾拜旦设计的新五环奥林匹克旗时，大家才鼓起了勇气。这面旗帜采用特尔斐祭坛上的五环来象征五大洲的联合，彼此相连的环有蓝、黑、红、黄、绿5种颜色。其中，红环在最上边，黄环和绿环在最下边。之所以选择这5种颜色，是因为它们中至少有一种是成员国旗帜的颜色所有的。这些环象征着人类的和谐统一，而白色的背景则象征着和平。

不管欧洲大陆有什么不祥的征兆，奥林匹克旗还是很快地在各地飘扬起来：在1914年举行泛埃及运动会的亚历山大上空；第2年在旧金山上空——在这里举行了一次主题为奥运奉献的展览活动；第3年在美国南部。这些都归功于顾拜旦不知疲倦的努力。从那时起，奥林匹克会旗一直飘扬着，流动着，没有止息。

1914年，在巴黎召开了庆祝国际奥委会成立20周年大会，此时距离德国取消举行奥运会的决定还很遥远。在这次大会上，1916年奥运会的程序被敲定，奥林匹克旗帜第一次飘扬在欧洲大陆的上空。但是，大会进行期间，即7月28日，在波斯尼亚首都萨拉热窝，一个塞尔维亚人刺杀了奥匈帝国王储弗朗茨•斐迪南大公。不到一个月，奥匈帝国向塞尔维亚宣战。随后，德国通过向俄国和法国宣战而和奥匈帝国联合起来。德国入侵中立国比利时后，英国立即和比利时、法国组成了一个三国军事同盟。欧洲的局势顿时紧张起来，但顾拜旦仍然拒绝取消柏林奥运会，同时决定即使某届奥运会没有举行，也要像古代奥运会一样保留它的届数。

在顾拜旦不肯做出让步的情况下，来自英国奥委会的西奥多•库克（Theodore Cook）要求驱逐来自德国的国际奥委会成员。当这个要求被拒绝时，库克辞职以示抗议。1914年11月，也就是在玛恩战役之后的两个月，国际奥委会举行了一次非正式会议。会议在来自法国的国际奥委会成员德•百利来（de Polignac）位于里昂的香槟工厂里举行，德国成员没有参加，会议没有采纳关于转移奥运会地点的建议。大会决定，业余性质

因第一次世界大战而离开国际奥委会职位，穿上军装的皮埃尔•顾拜旦（Pierre de Coubertin）。

1928年，圣莫里茨，布洛奈（Baron Godefroy de Blonay）和他的妻子在一起。作为瑞士国家奥委会的第一任主席，由于顾拜旦的战时缺席，布洛奈出任国际奥委会的代理主席。作为可能的继任者，很意外的，后来他被人们遗忘了。

题将由各国际联合会根据自己针对每项运动的明确规定来区分。挪威提出了把滑雪列入奥林匹克项目的建议，从而挑起了德国、奥地利、瑞士、加拿大四国关于开创冬奥会的争论。

关于战争时期国际奥委会机构所在地的问题，顾拜旦不得不做出让步，最后决定国际奥委会注册地每四年迁移一次，到举办下届奥运会的国家。由于害怕德国人履行上述规定，把奥委会机构迁移到柏林，1915年，顾拜旦单方面决定，国际奥委会的总部所在地要固定在世界纷争之外的国家，即瑞士的洛桑。4月10号，互换签字仪式在洛桑的市政大厅举行，小城里建立了国际奥委会的管理机构和档案处。战争开始时，顾拜旦已经51岁，他依然应征入伍。作为军人，他认为自己不适合担任奥委会主席一职，他要求布洛奈担任奥委会临时主席。与此同时，德国帝国奥林匹克委员会仍在继续他们的准备工作。美国人则对在德国继续举办奥运会的可行性深表怀疑，并建议改到美国的芝加哥、克利夫兰、纽约、费城或者是洛杉矶等地举办。

最终，1916年的柏林奥运会由于德国不能履行职责而被迫取消了。1915年，战争已经陷入了可怕的僵局。到第二年的夏天，露天体育场被荒废，所有关于这次赛会的想法都被抛弃，更不用说筹委会已经选拔出来的那些被认为能给这个国家带来荣耀的参赛运动员了。

顾拜旦认为德国人具有对运动会的巨大的潜在的忠诚，因此为奥运会的被取消而感到伤心。当枪声停下来后，他立即召集手下的成员，于1919年抵达洛桑，准备为1920年的奥运会确立新的主办国。爱德华•德•拉夫莱男爵（Baron Edouard de Laveley），比利时国家奥委会主席，在1911年布达佩斯的一次会议上，已经为安特卫普运动会作了初步的尝试。最初的意愿是要在首府布鲁塞尔筹划举办运动会，但是到1914年，在为1920年运动会选择举办城市的时候，他们发现安特卫普更受欢迎，只不过这个决议被战事的爆发所延迟。1918年停战协定后不久，顾拜旦试探比利时政府，看他们是否可以在1920年或1924年举办奥运会。尽管安特卫普早已被（战争）破坏，许多公路和铁路网也被损毁并在重建中，但当一个安特卫普临时委员会许诺财政支持时，选择下一年4月开办奥运会就直截了当地被提上了议事日程。

与斯德哥尔摩相比，标准不可避免地要降低一些。为了纪念在战争中英勇牺牲的人们，比利时国王阿尔伯特、伊丽莎白女王和红衣主教一同出席了在安特卫普大教堂举行的安魂纪念弥撒。

皮埃尔•德•顾拜旦和比利时国王阿尔伯特、德•巴耶-拉图尔伯爵在安特卫普运动会上。

敌国——德国、奥匈帝国和土耳其没有被邀请，尽管有许多困难，这次奥运会还是创造了新的纪录，共有29个国家的2607人参赛。那些中断了的友谊依然令人伤感，前马拉松冠军科勒赫迈宁，这次被帕亚沃•努尔米（Paavo Nurmi）所败，而他以前的5000米跑对手——法国的吉恩•布安和英国的乔治•赫特森,都在战争中丧生。

能够存活下来已是幸运，欧洲运动员已不再抱怨斯巴达式的简朴生活了，有食物吃，教室经过改造，有洗浴设备，硬板儿床和干草填充的枕头，这就是他们居住的条件。赛艇的比赛场地在北海岸线的奥斯坦德。射击地点在军队的营地贝沃鲁以东大约60公里远处。《巴黎之声》报道说，"甚至在凡尔登，来福枪的射击声依然能听到"。

观众的数量很少，但对于每个人来说，无论竞赛或是观看，看到新的奥林匹克会旗在运动场上第一次升起来的时候，那都是一种象征，象征着新的希望。运动员宣誓第一次被引进开幕式，击剑选手、比利时人维克托•柏英(Victor Boin)——后来的体育新闻记者和国际体育联合新闻社的创立者，代表运动员宣誓。1908年和1912年，柏英曾在水球项目中赢得奖牌，在本次奥运会上，他赢得了击剑团体比赛的银牌。

比利时人柏英（Victor Boin）代表运动员宣誓。

此前一年，为了统一国际奥委会的各项事业，顾拜旦曾经委派捷克斯洛伐克的国际奥委会成员杰里•古斯•雅可夫斯基担任总秘书，希望能在另一个范围内拥有忠诚而不可动摇的助手。

卡哈纳莫库公爵(Duke Paoa Kahanamoku),来自夏威夷的有传奇色彩的游泳选手。他引入了自由泳，在安特卫普奥运会上，他成功卫冕100米自由泳冠军，在1924年又获银牌。

第13章 安特卫普

第七届奥运会 1920

法国的奥运网球冠军苏珊·朗格朗（*Suzanne Lenglen*）

最具戏剧色彩、也可能是最杰出的女运动员

对于勇气、力量和斗志来说，酒真是个好东西。适当喝点儿酒可以把身体状态调整得刚刚好。人不能总是紧张，总还需要一些活力吧……

当我被提问时，总是尽可能给出一个坦率的回答。如果我知道我将会赢得比赛，说出来能有什么坏处吗？如果我输了，除了我自己，没有人会难受。在我的生命中，关于比赛能否取胜还从来没有预测失误过。也说不定错过，但肯定只是和父母说起过……

我身边有许多人，他们中有些人爱我，有些人和我友好竞争，但是大多数人是被名人身上的光辉吸引来的。他们喜欢光芒，即使这光芒不是直接照耀在他们身上。我像女王一样，无私而公正地撒播着我的微笑和关注，而这正是人们所期盼的……

赢得比赛的意愿是种良好的心态，而打好网球正需要它。我从来不允许自己有哪怕是片刻的疑惧。但自信不是自负。如果你的思想开始动摇，那么你的肌肉运动也就不再听使唤了。当你信心动摇的时候，神经也就不能准确无误地向肌肉传达信息。这时候，你不再注意其他事物，只有球落地的那个点是清晰的……没有了不容置疑的取胜的意愿，你不能寄希望于成为常胜将军。

我的发球并不算好，我的正手击球不如海伦•维尔（Helen Will）有力，但是，我总能够使球落到我想要的位置上。（选自拉瑞的《女神和美国女孩》，牛津大学出版社）

在安特卫普奥运会上，人们心目中最顽强的竞争对手大概多半是日本队。这个15个人的队伍筹集了刚好够用的钱，环绕了大半个世界到达比利时，花光了返程的旅费。他们得到三菱和三井公司的赞助，才顺利回到家。

美国队的旅程也困难重重。他们乘坐的是“马蒂奥卡王子”号轮船，一只号称“死亡之船”的古老货船。这艘船曾在一战期间运送大量美国伤员回国。运动员们对船上烂糟糟的环境不断地提出抗议，几乎闹翻了天，而在到达了比利时港口时，却得知还将继续住在船上。丹•艾亨（Dan Ahearn）——著名的三级跳世界纪录保持者，忍不住大发脾气，美国队的团队精神大受影响。但这并没有影响美国雄踞金牌榜首的地位，他们认为自己表现一般，可是其他国家都把能在一个项目中击败美国人当做一种胜利。

1917年，芬兰第一次以主权国家的身份参加比赛，与美国同台竞技，并且在田径赛上赢得了多枚金牌。这个仅仅60人的代表团最后出人意料地拿到了34枚奖牌。其中一场令人称奇的比赛是：帕亚沃•努尔米赢了科勒赫迈宁——1912年马拉松比赛的金牌得主。尽管努尔米在他的奥运生涯史上的第一场决赛中败给了法国老兵约瑟夫•吉耶莫（Joseph Guillemot）,接下来，在从安特卫普到赫尔辛基这段运动生涯中，努尔米一共获得9枚金牌及3枚银牌。他还把自己的光辉带到了1952年的奥运会场，囊括了从1500米到20公里的29个世界纪录。努尔米是一个木匠的儿子，他早年丧父，性格内向，少言寡语，甚至待人冷淡。直到他制定出严格但却效果显著的训练标准时，他丰富多彩的一面才为人所知。

诡异的是，在第一场决赛中努尔米判断失误，而法国人却借此机会，一雪8年前布安被科勒赫迈宁击败之耻：第三圈后仍遥遥领先的努尔米看起来胜利在望，直到法国人吉耶莫（Guillemot）突然以4秒领先冲过终点线，14分55.6秒的成绩刚好打破了科勒赫迈宁的世界纪录。

3天以后，努尔米决心为自己洗雪耻辱。这对于那些熟知他罕见能力的人来说毫不奇怪。在以前的军旅生涯中，他曾经全副武装地跑过20千米。在安特卫普10 000米的长跑中，他表现得非常保守，甚至到仅剩最后两圈的时候，都一直让苏格兰选手詹姆士•威尔逊（James Wilson）领先。吉耶莫也暂时赶到他的前面。努尔米最后开始加速，取得了最终的胜利。

马拉松比赛的状况非常残酷，尽管路程比以往要长一些，但运动员的速度比以往更快。有些人期待当时已经定居美国的科勒赫迈宁能拿下这场比赛。赛程过了三分之一后，他赶上了排在第二位的斯德哥尔摩奥运会亚军克里斯蒂安•吉茨哈姆（Christian Gitsham）。他们同时到达比赛的半程。后来，科勒赫迈宁赶到前面获胜，领先爱沙尼亚选手尤里•洛斯曼（Juri Lossman）70码。

英国选手艾伯特•希尔（Albert Hill）,曾经在法国部队服役3年，参加比赛时年届35岁。他赢得了800米和1500米的冠军。他的胜利尤其值得喝彩，因为左腿的外胫肌肉扭伤，直到比赛前一周他还没有被确定能否参加比赛。但艾伯特•希尔最终说服了挑选者，并且没有让他们失望。希尔认为他在800米中的胜利是他职业生涯中最好的表现。

1500米的决赛是在倾盆大雨中进行的，跑道也泥泞不堪。本来预想的主要威胁将是来自美国的乔伊•雷（Joie Ray），结果这一威胁并没有成为事实。一定程度上来讲，1500米决赛成了一场团队比赛，菲利普•诺埃尔-贝克（Philip Noel-Baker）一直紧跟在希尔之后，抵挡着来自其他国家的挑战。希尔以4—5码的优势轻松胜过诺埃尔-贝克夺冠。诺埃尔•贝克后来成为国会议员，致力于裁军，并因此获得了1959年的诺贝尔和平奖。

有了这样的跑道，短距离赛跑的战况自然不会太好。发令员用法语发令给起跑造成了混乱。查理•帕多克（Charley Paddock）的起跑比较有特点，他总是把手放在起跑线前面，然后再慢慢收回到正确的位置上。这次他因此受到发令员助手的警告。当发令员说预备的时候，勒伦•莫茨森（Loren Murchison）还认为要重新发令呢。等到发令枪响后，他发现自己已经落后了大概10码的距离。美国人杰克逊•斯考兹（Jackson Scholz）和莫里斯•柯克西（Morris Kirksey）一度领先，但是帕多克后来居上，领先1/10秒夺得冠军。他跨越终点的凌空一跃对于摄像师来说是一个大噱头，技术人员捕捉到了他在空中飞跃撞线的镜头。而莫茨森不幸成为比赛的最后一名。

游泳比赛见证了第一个女子多枚奥运奖牌得主的诞生。曾在幼年患小儿麻痹症的艾瑟尔达•

美国运动员艾瑟尔达•布莱布特雷（Ethelda Bleibtrey，左一），第一位女性多枚奥运奖牌得主，游泳健将。上图是她与新西兰、瑞典、美国以及英国选手的合影。

布莱布特雷（Ethelda Bleibtrey），以世界纪录的成绩赢得了100米自由泳、800米自由泳和接力泳3枚金牌。在那个仍充满着虚伪的维多利亚时代道德观的岁月里，她曾经因为在公共海滨把长筒袜脱下“裸泳”而被拘捕。但是，詹姆斯•沙利文（James Sullivan）的逝世为美国女子参加奥运会扫除了障碍。

来自夏威夷的选手普阿•基洛哈（Pua Kealoha）和沃伦•基洛哈（Warren Kealoha）成为有史以来第一对在同一个比赛项目中获得金牌的兄弟。美国选手艾琳•里京（Ailleen Riggin）在她14岁零119天时成为最年轻的奥运冠军，而这个最年轻冠军的称号差点被小她3个月的尼尔斯•斯科格伦德(Nils Skoglund)夺得，他仅以半分之差在男子高台跳水比赛中与金牌失之交臂。

赛艇冠军是杰克•凯利（Jack Kelly），费城的一名砖瓦匠。一开始，他想加入英国的钻石双桨划艇队，但被拒绝了，理由是他所在的维斯帕（Vespa）划艇俱乐部被投诉是专业性质的。但是公正还是降临了，凯利在单人划艇赛中击败了钻石划艇队的强者杰克•贝雷斯福德（Jack Beresford）夺得冠军。凯利与保罗搭档的双人赛艇以绝对优势战胜了意大利队，凯利的儿子小约翰36年后在墨尔本获得铜牌，而他的女儿则嫁给了摩纳哥的王子兰尼埃。

意大利选手内•纳迪（Nedo Nadi）在击剑比赛中出人意料地夺得5枚金牌。在射击比赛中，1908年和1912年的团体冠军，瑞典选手奥斯卡•斯万（Oscar Swahn）,以他72岁零280天的高龄角逐比赛，并获得银牌，这是他得到的第6块奥运会奖牌，这个纪录一直保持到今天。意大利选手弗里杰里奥（Ugo Frigerio）赢得了3000米和10,000米竞走比赛冠军。

法国的网球选手苏珊•朗格朗后来被认为是所有时代中最优秀的女运动员，即使是与玛蒂娜•纳芙拉蒂洛娃(Martina Navratilova)、斯黛菲•格拉芙（Steffi Graf）及威廉姆斯姐妹相比，也毫不逊色。在与英国选手桃乐茜•霍尔曼（Dorothy Holman）的决赛中，10局只丢掉9分，获得女子网球单打冠军。在双打比赛中，她与马克斯•德库吉斯（Max Decugis）搭档击败了英国的基蒂•麦卡恩（Kitty Mckane）和马克思•伍斯南（max woosnam）获得冠军。在参赛的77名女选手中，她无疑是最耀眼的明星，同时也是最古怪的一个，作为法国人，她认同顾拜旦对女人的看法。

法国著名运动员苏珊•朗格朗总共只丢了9分，赢得女子网球单打冠军。

第14章 奥运的扩张

美国人安妮塔·德弗朗兹（*Anita Defrantz*）

奥运会赛艇铜牌获得者，

国际奥委会第一位女性副主席，*1996—2000*年在任

对于女性在体育运动中所扮演的角色，通常的描述都是消极和负面的。人们的关注集中在她们被体育运动拒之门外这一点上，却忽视了女性对体育运动的分享和参与。历史告诉我们，女性一直都和体育运动有着密切联系，在不同的文化中扮演着不同的角色。不可否认的是，女性在体育运动发展过程中的作用至关重要。

女性没有参加在1896年举行的首届现代奥林匹克运动会，不是因为她们缺少对体育运动的热情，而是现代奥运会未能摆脱思想的历史局限。在1900年的巴黎奥运会上，有11名女选手参加了比赛，从而冲破了不许女性参加奥运会的禁锢。尽管这些女运动员人数不多，但她们的出现反映了女性在体育运动以及社会中所扮演的角色越来越重要。在奥运会发展初期，这些参加跳水、击剑、网球以及赛艇比赛的女选手需要极大的勇气和信心，令人肃然起敬。

法国女运动员艾丽斯•米莉艾特（Alice Milliat）创办的国际妇女体育联合会是一个历史转折点。它在1922年到1934年期间组织了一系列女性比赛，这些所谓的“女子奥林匹克”赛事的成功举办使得国际奥委会在1928年的奥运会上，首次将女子田径和女子体操列为比赛项目。

2000年悉尼举办千年奥运会的时候，除了摔跤和拳击这两个项目，其他比赛项目都对女性开放了。因为未能让女性参加棒球比赛，组委会还专门开设了女子垒球赛作为补偿。2002年的盐湖城冬奥会召开的时候，女性就已经可以参加每一项赛事了，尽管因为参赛资格要求女子与男子达到同样的标准，跳台滑雪这一项仅为男子独有。2004年在雅典举办的奥运会已经计划将女子摔跤增设为比赛项目。

奥运史上的女选手前所未有地增多了。如果没有苏妮雅•海妮（Sonja Henie）、米尔德里德•萨哈蕾亚斯（Mildred ‘Babe’ Zaharias，原名迪德里克森）、范妮•布莱克斯-科恩（Fany Blankers-Koen）、威尔马•鲁道夫（Wilma Rudolph）、卡塔琳娜•维特（Katarina Witt）、德拉图•图卢(Deratu Tulu)、纳瓦尔•埃尔•穆塔瓦基尔(Nawal El Moutawakel)、卢德米拉•图里谢娃（Ludmila Turischeva）以及伏明霞的身影，简直让人难以

想象，奥运会将是怎样一番情景。21世纪初期的25年让我们意识到，那些女子体育运动的杰出代表将会极大地丰富比赛。

1981年，安东尼奥•萨马兰奇实现了他将女性带进国际奥委会管理层的承诺，两名女性当选了国际奥委会委员。到世纪之交时，人数将增加到13名。1994年的百年大会提出了诸条建议，其中一款就是要使女子体育得到全面的发展；1996年，国际奥委会决定截止到2000年底，在奥林匹克的发展过程中，女性进入国际奥委会管理层的比例不能低于10%。这一目标最终得以实现，据有效数据显示，130个国家的奥组委至少有一名女性成员，其中31个国家超过20%的组委会委员是女性。2/3的奥林匹克国际联盟的成员中，至少有一名女性在管理层任职。

21世纪体育运动的进一步发展需要更多的女性积极参与其中，当然在奥林匹克的百年历程中这对我们来说已经是一段不寻常的旅程了。有一种说法叫"女性撑起了半边天"，然而在体育运动中，她们的比例还不到1/4。奥林匹克运动与"体育运动是属于所有人的"这种思想是相一致的，随着参与人数的日渐增多，总有一天我们将会撑起那半边天。

安特卫普奥运会与1924年巴黎奥运会之间的4年，是国际奥委会发展迅速的4年，其间发生了许多意义重大的事件。执行委员会以及国际体育联盟（国际单项体育联合会总会的前身）等一系列组织得以创建；在艾丽斯•米莉艾特（Alice Milliat）所倡导的运动影响下，女子体育运动有了长足的发展；以及冬季奥运会的正式创立。所有这些因素之间的关联都表现出，到现代奥运会之父皮埃尔•德•顾拜旦先生将要荣休之年，奥林匹克运动已经深深扎根于大多数国家和社会中了。

在瑞士洛桑会议召开之前，有9个城市表示了想要举办1924年奥运会（美国的4个城市、欧洲的5个城市）。让奥运会回归巴黎，以比过去24年更为动人的姿态呈现在世人面前，这正是顾拜旦先生的理想。另外，由于经济状况持续低迷，再加上战争的影响，欧洲代表队跨越大西洋去美国参赛变得十分困难。同时，各单项体育运动的世界锦标赛在欧洲各国正如火如荼地发展。因此，经过秘密协商，顾拜旦先生倾向于：如果在巴黎举办1924年奥运会，那么1928年奥运会将被保证在巴黎的竞争者之一——阿姆斯特丹举行。因为巴黎得到了美国和荷兰的强有力支持，再加上当时的法国总理阿里斯蒂德•白里安承诺将为奥运会提供充足的财政支持，顾拜旦的这一计划得到了实现。如此一来，在奥运发展史上，首次同时产生了两个主办城市。

德国、奥地利、匈牙利以及诞生不久的前苏联将不被邀请参加这两届奥运会，同时国际奥委会还决定，不取消德国籍的国际奥委会委员的资格。顾拜旦先生仍努力争取让德国参加巴黎的比赛，但他无法说服那些对德国充满怨恨的同事。

同时确立的规则还包括：在巴黎奥运会上，各个单项国际体育联盟要监管自己治下的赛事，以减轻东道主组委会的负担。届时，单项国际体育联盟的成员将会切实感受到自己的权利与协调争论的必要，他们还需要建立起自己的代理机构。

虽然顾拜旦仍然是领导者，但奥委会的各种事务已日渐由普通官员来处理。巴黎奥运会的参赛国达到了44个，参与人数也增加到了3072人（尽管比赛项目由19项减少到了17项），田径比赛共创造了6项世界纪录和15项奥运会纪录，游泳比赛更是捷报频传。

回溯到1900年，在国际奥委会的发起人之一——瑞典人维克托•巴尔克的帮助下，北欧运动会诞生了。次年，在斯德哥尔摩，瑞典、挪威、丹麦联合举办了首届北欧运动会。1897年，巴尔克向顾拜旦提出了一个非正式的建议，否决了单独举办冬季奥运会的想法。从那时起，北欧运动会每隔4年举行一次，尽管很多欧洲国家参与，但它仍然只是区域性的。

第一次世界大战以后，随着瑞士、奥地利、意大利和法国对阿尔卑斯山冰雪运动喜好的升温，举办冬季奥林匹克运动会的势头变得锐不可当。相形之下，那些北欧国家的专门运动会以及他们对顾拜旦提出的反对意见变得不再重要了。安特卫普夏季奥运会已经增设了冰球和花样滑冰这两个比赛项目。在1921年召开的大会以及同时的例会上，代表们就这一问题进行了激烈的讨论。法国、瑞士和加拿大（后者的冰球联赛已经持续了34年）支持顾拜旦关于举办单独的冬季奥运会的提议，而北欧国家则持反对意见。在他们看来，这样做将分散对北欧运动会的吸引力。瑞典人埃德斯特朗是国际奥委会的杰出委员，后来当选了国际奥委会主席。他在这一事件中的处境十分尴尬，但最终他还是倾向于支持成立单独的冬季奥运会的提议。国际奥委会因此事一度处于分裂的危险中，法国人德•百利来（de Polignac）侯爵提出了一个折中的方法："大会向国际奥委会建议，在所有曾经举办过奥运会的国家里，都有可能举办冬季运动会，但这些比赛应该在国际奥委会的支持和保护下举办，并且赛程的安排要符合单项国际体育联盟的相关规则"。随着埃德斯特朗被动地认可，国际奥委会同意由法国负责筹办一个"冬季运动周"的活动。北欧国家虽然对它们不是这个运动周的主办者而倍感讶异，但事已至此，也只好作罢。1926年，在法国夏蒙尼举行的这一赛事后来被追认为"冬季奥林匹克运动会"。

就像前面提到的那样，顾拜旦关于女子参加体育运动的态度是自相矛盾的。最初，他公开反对女子参加比赛，在安特卫普奥运会的报告中，他也仅仅在提及女子游泳比赛的时候承认，"她们已经超越、刷新了以往的成绩"。一方面，顾拜旦一直提倡实施男女平等的教育计划，谴责某些行业排斥女性的事实；另一方面，在他去世前夕所写的回忆录中，却又对网球、高尔夫、射箭、滑冰、击剑以及游泳等这些他谨慎地认为是"适宜的"比赛项目中的女性优胜者只字不提。巴黎作为争取妇女权益的先锋城市，顾拜旦这种模棱两可的态度显得颇有些怪异。然而，在1917年，首届女子田径锦标赛中，铅球选手维奥莱特•高洛德-莫里斯（Violette Gouraud-Morris）的行为令人震惊——为了提高比赛成绩，她不惜自我伤害，切除了自己的乳房。

此类锦标赛促成了1919年首个国际妇女体育联合会的创立，由艾丽斯•米莉艾特担任主席（她是位寡妇，没有子女，运动项目是赛艇）。安特卫普奥运会禁止女子参加任何比赛项目，这位活动家一怒之下，创办了国际妇女体育联合会,目的是要筹办4年一次的"妇女奥运会"。1922年，巴黎举办了第一届"妇女奥运会",来自5个国家（英国、法国、德国、瑞士和美国）的65名选手参与了11项比赛的角逐，最终创造了18项世界纪录，观众达2万余人。对"奥林匹克"这一名词的挪用激怒了国际奥委会，在1923年罗马召开的例会上，国际奥委会谴责了艾丽斯•米莉艾特的这种不适当的首创精神。

一次尴尬的协商。艾丽斯•米莉艾特为了使女子运动项目被纳入奥运会不得不成为一个挑衅者，同坐的还有国际业余田径联合会的主席西格弗里德•埃德斯特朗（右二），1928年阿姆斯特丹奥运会上，他曾在田径比赛的裁判委员会中工作。

顾拜旦的保守态度——认为女性在公共场合抛头露面是不雅的，更不用说激烈的体育运动对分娩有害了，只能激起公众对顾拜旦发表于1920年的《婚姻的危机和美国的新女性》之类的文章的激烈抨击。埃德斯特朗更为实际些，要打败这些日益富有战斗精神的女性似乎不太可能，"如果你不能打败他们，那么加入他们"，在这句古老谚语的指引下，埃德斯特朗迈出了重要的一步——在国际业余田径联合会内部设立女子田径项目。在某种意义上，艾丽斯•米莉艾特在胜利的同时也是失败的，她所从事的运动项目（赛艇）到现在还被认为完全是男子独有的运动领域。

由于经济亏空、长年奔走不休、身体的衰弱和年岁老去等多种原因，在洛桑召开的国际奥委会大会上，顾拜旦出人意料地提议建立一个执行委员会。他的同事完全没有意识到，这位58岁的理想主义者一直以来把自己的全部家财投入到国际奥委会的日常开销中。事实上，他已经濒临破产。顾拜旦对此毫无怨言，他说："我们一直是在资源有限的情况下运作，现在越来越有必要去宣传我们的事业了，建立一个'奥林匹克发展基金'是个很好的主意。"建立执行委员会的倡议得到了委员们的一致赞同。顾拜旦称自己打算到国外旅行，在此期间，国际奥委会的事务仍需有效管理。于是大会又一次毫无异议地直接选举产生了以下人员：执行委员会主席戈德弗鲁瓦•德•布洛奈 (Godefroy de Blonay，瑞士)；秘书长杰里•古斯-雅可夫斯基（Jiri Guth-Jarkovski，捷克）；成员埃德斯特朗、德•百利来（法国）、巴耶-拉图尔(比利时)。他们要直接履行自己的职责，一年至少碰面两次。正是执行委员会首先提议，"让女子参加她们力所能及的奥运会比赛项目"，而后又提倡各个国际联盟成员应该将女子体育运动的发展视为自己职责的一部分。

从它诞生的那一刻起，执行委员会就在主持国际奥委会的日常工作方面发挥着日益重要的作用：为出席国际奥委会大会的成员提供政策方面的建议、处理来往信件以及各种争论纠纷、管理档案文件、贯彻国际奥委会的规则以及负责安排国际奥委会例会的会议日程。随着执行委员会的直接影响日益加大，布洛奈与顾拜旦之间的长久友谊渐渐出现了裂痕。

顾拜旦没有将自己纳入执行委员会，这也许不是明智之举，他后来为此而感到遗憾。在写给布洛奈的一封信中，顾拜旦痛苦地说道："在我外出期间，执行委员会要继续管理国际奥委会的日常事务，而不是去改革它。"这可以看做是布洛奈的影响力日渐增强的迹象。尽管布洛奈未曾

杰里•古斯-雅可夫斯基（Jiri Guth-Jarkovski），来自当时的流浪者之都——布拉格，他是顾拜旦的忠实信徒，也是首届执行委员会的秘书长。

出席1921年首次召开的执委会会议，但1922年，在巴黎召开的国际奥委会例会上，他还是被任命为国际奥委会的副主席——他是当时唯一获此殊荣的人。

相对而言，国际奥委会是一个享有特权的世界，布尔什维克的革命明显对它形成了一种潜在的威胁。不公正的现象遍及全球，美国也不例外。1908年以前，非洲裔美国人被禁止参加职业拳击赛，而且在20世纪40年代之前，他们也同样被美国足球赛及棒球赛拒之门外。大学田径比赛中，很少有非裔美国人的身影。国际奥委会的伦理定位是要促进所有人的团结，希望在所有人中间建立起一种同志般的友好关系，但奥委会对比赛的业余性质仍持教条主义的态度，对职业选手严加限制。

1921年，巴黎被毁的铁路已经基本修复，国内赤字疯长，但失业率几近于零，经济复苏的迹象已经呈现。尽管如此，在夏蒙尼筹办冬季奥运会还是有一定困难。一个仅有3000人口的山区度

假地却要接待2000来宾，现在看来，这一数字很可能要超过10倍。夏蒙尼酒店的走廊、舞厅以及台球厅都增设了床位，当局还要求居民敞开家门迎接来宾。这还远远不够，日常运行的观光火车也被调到阿尔卑斯山的小镇附近，来容纳膨胀的人流。16个国家参加了这次冬季奥运会。女子只被允许参加花样滑冰一项赛事。

恶劣的天气使得那届冬季奥运会颇费周折。1924年圣诞节的前两天，夏蒙尼还没有一片雪花飘落。次日清晨，积雪竟然有一米多深，溜冰场上有上千立方米的积雪要清除，当时还没有高效率的扫雪机，扫雪工作艰巨困难。开幕式的前一天，1月25日，一场暴雨几乎把体育场变成一片汪洋。幸好头天晚上的冰冻使得开幕式顺利举行。首次参加冬季奥运会的16个国家共参加了14个比赛项目的角逐。挪威和芬兰分别获得4枚金牌，奥地利获得2枚，加拿大、瑞士、瑞典和美国分享了余下的4枚金牌。尽管开销高达几百万法郎，但几乎每个比赛日的观众人数都超过了3000人，还有上千人凭赠票入场，即使是北欧人也不得不承认，首届冬季奥运会是成功的。

毋庸置疑，巴黎的夏季奥运会是个可以慰藉顾拜旦30年来的不懈努力的纪念碑。正如斯坦所评论的："巴黎是20世纪的所在。"无论是艺术、戏剧、音乐还是体育运动，巴黎都是世界的领导者。许多名人都选择居住在这座名城：柯莱特(Colette)、让•科克多(Jean Cocteau)、海明威、F•斯科特•费兹杰拉德、艾兹拉•庞德、詹姆士•乔伊斯、斯特拉文斯基、萨特、毕加索以及米罗等。世界上还有其他地方能令所有人如此向往吗？

然而，对某些参赛选手来说却不然。过多的来宾、对住宿诸多的要求使得夏蒙尼无法做到最好。尽管组委会专门成立了一个事务处，在宾馆和私人住宅中以适当的价格解决住宿问题，保加利亚的马术选手弗拉基米尔•斯托伊切夫（Vladimir Stoytchev）和克鲁姆•莱卡斯基（Kroum Lekarski）还是带着自己的马，从首都索非亚出发，然后不得不自己去寻找住宿的地方和马厩。法国人建造了首个奥运村，但条件简陋，也没有要求必须入住。许多代表队都选择了更为舒适的旅馆。通往各个赛场的道路十分冗长，很不方便。为奥运村提供膳食的饭店离村子的距离也不近。翻新后的主体育场位于科伦坡，离城市非常遥远，这使得此次奥运会的成绩相对受到影响。体育场的翻新工作在计划内完成，共设置了2万个观众席位，还有可以另外容纳4万人的站立的空间。在比赛开始前，电子钟声将参赛选手从热身区召集到赛场。

无论有多少瑕疵，这届奥运会还是成功地吸引了超过50万的付费观众，30个国家参加了奖牌榜的角逐，这也是创纪录的。在来宾中有威尔士王子，随后到来的是英国还未加冕的国王爱德华八世、美国第8届划船比赛的冠军本杰明•斯波克(Benjamin Spock）。此外，阿比西尼亚（即后来的埃塞俄比亚）的法定继承人、所罗门王和示巴女王的后裔海尔•塞拉西（原名塔法里•马康南）也来观看盛会，在此之前，从没有国王或是法定继承人离开过自己的国家。

第15章 夏蒙尼

第一届冬奥会 1924

芬兰人阿诺德·克莱斯·图恩伯格（*Arnold Clas Thunberg*）

冬奥会速滑冠军

比赛之前我状态良好、精神振奋。因为那时候还没有室内运动场，整个冬天我都在赫尔辛基进行户外训练，非常艰苦。12月我坐船到波兰的什切青，然后乘火车到了柏林，在那儿我可以在一个大厅里训练。1月初，我又到了达沃斯继续训练。宾馆费用昂贵，而芬兰奥委会又没有这方面的预算，我只好住到挪威当地人的家里。我们甚至没有自己的管理人员和训练服装。所谓的管理人员都是滑雪队那边的。没有人会说德语或者英语，食物也不可口，而滑雪队则自己带着食物。

奥运会前一周的训练赛中，我获得了500米和1 500米的第一名，5 000米和10 000米的第二名。3天后，我们到了夏蒙尼，却发现这个地方既没有冰也没有雪，训练一下子变得不可能了。

我的训练主要是长距离的，在开幕式的500米决赛中我排第三。第二天状况比较好，尽管挪威的罗尔德•拉尔森（Roald Larsen）在第一圈中对我形成了极大的挑战，但我还是赢得了1500米的冠军。在接下来的5000米比赛中，我轻松地超过了我的对手朱利斯•斯库特纳布（Julius skutnabb）。在去参加万米赛的路上，斯库特纳布问我可否让他取胜。我当时心情很好，答应了他。大约20圈后，我俩滑到一起。他喊起来：“别忘了你的承诺！”斯库特纳布赢得了比赛，我也很兴奋。

颁奖仪式是在一个非常豪华、因而也非常昂贵的宾馆里进行的。我们得穿上晚礼服。但是队里只让我们在那里过一个晚上。我们下楼的时候，美国和加拿大队员闪出一条小路表示对我们的敬意，我被邀请参加下一届比赛。回到家的时候，1万多人在火车站热烈迎接我们。人们戏称我为“冰上努尔米”，我不喜欢。他叫努尔米,而我却是图恩伯格。当然他启发了我，比如说在滑冰时加入舞蹈成分。我过去常常每天在一个软垫上练习一个小时的舞蹈。（选自他和朋友英格玛•比约克曼的谈话）

早在20世纪初，旅行社经理人阿诺德•伦恩和另一位“疯狂”的英国人就把在阿尔卑斯山滑雪作为一项体育运动。萨斯费的当地牧民看到他们穿着滑雪橇冲下山坡，会向他们扔石块。高山滑雪项目直到二战后才被纳入奥运会。一战以前，伦恩（他还发明了障碍滑雪赛）也曾在奥地利的蒂罗尔州和瑞士的克莱恩-蒙塔纳等地组织过比赛，但奥运早期滑雪项目仅限于北欧人。

因此，完全可以预想，在滑雪项目上挪威是没有竞争对手的。29岁的瑟利夫•豪格（Thorleif Haug）赢得了18千米、50千米以及北欧两项的冠军。挪威人还包揽了50千米赛的前4名，以及3天以后18千米比赛的前5名中的4名，其中只有第3名是芬兰选手蒂潘尼•尼库（Timpani Niku）。事实上，该项赛事中共有11个冠军都是斯堪的纳维亚人。

继豪格勇夺冠军之后，挪威人还获得了高山混合项目（包括跳台滑雪以及15千米滑雪比赛，1952年改为18千米）的前4名。1964年，跳台滑雪被分成两项赛事，70米和90米。在夏蒙尼，跳台滑雪被安排在一个很高的山上进行，豪格获得个人比赛的铜牌。但是，50年后（那时豪格已经去世多年），他的同胞、奥运会的银牌获得者托拉尔夫•斯特伦斯塔德（Thoralf Stromstad）与历史学家雅可布•瓦亚格（Jacob Vaage）一起，发现了豪格的比赛成绩中，小数点后的计算出现了错误，结果应该是美国的安德斯•豪根（Anders Haugen）获得这一奖项。于是，在奥斯陆一个特殊的仪式上，奖牌由豪格的女儿颁发给了这位挪威籍美国人豪根，而豪根此时已经83岁高龄了。

在花样滑冰比赛中，基尼斯•格拉夫斯特隆（Gillis Grafstrom）——这位出色的瑞典选手继续保持了他在安特卫普奥运会上的金牌霸主地位。在女子项目中，一名11岁选手的出现让人眼前一亮：苏妮雅•海妮（Sonja Henie）本来已经错过了最初的报名，但挪威的花样滑冰选手在最后一刻没有上场，她适时地挤进了比赛。后来，格拉夫斯特隆做了这名新星的教练，借此大大提高了自己的知名度。但是小海妮在夏蒙尼仅获得第8名，也就是最后一名。比赛开始前，奥地利选手赫尔玛•普朗克—绍博（Herma Planck-Szabo）——女子冬奥会的第一位冠军不无鄙夷地说：我不喜欢和小孩子比赛。事实确实如此，与她的成熟相比，海妮显然还太小。

速滑选手朱利斯•斯库特纳布（Julius Skutnabb，左）和他的芬兰籍同事阿诺德•克莱斯•图恩伯格（Arnold Clas Thunberg）——在10 000米决赛中“送”他金牌的人。

在男子赛事中，格拉夫斯特隆显然是当之无愧的赢家，但是他遭遇了奥运史上非常明显的一次误判。捷克裁判判定捷克选手为优胜者，而奥地利裁判则判定两位奥地利选手获胜。剩下的4位虽然都不是瑞典人，但他们还是一致判定格拉夫斯特隆是冠军。

图恩伯格获得了3枚金牌、一枚银牌和一枚铜牌，取得了比豪格更加辉煌的胜利。但是，首届冬奥会首枚金牌的殊荣却落在了美国选手查尔斯•朱特劳（Charles Jewtraw）身上。他的成功证明，出身不好并不总是缺陷。他来自普莱西德湖，他的父亲在那里经营一家速滑旱冰场。他

500米的成绩是44.0秒,比当时的世界纪录多了3/5秒，却比挪威人奥斯卡•奥尔森（Oskar Olsen）快了1/5秒，并因此夺冠。他回家以后，因为正处于大萧条时期，只能找到了一份扫地的工作。

对于加拿大来说，由于东西海岸的两个球队都是职业性质的，要找到一支强大的业余冰球队非常困难。在安特卫普的赛事中，温尼伯湖猎鹰队轻松取胜，赢得冠军。这次，多伦多花岗岩俱乐部则获得了这一殊荣，战果甚至比4年前更加“一边倒”：他们5场比赛的总比分为110:3；悬殊最小的一次是与美国的决赛成绩，6:1。这项比赛的观众人数也是本届奥运会上最多的：人们甚至挤到房顶及附近房子的烟囱上来观战。夏蒙尼冬季奥运会上，最后一件有着重大意义的盛事便是国际滑雪联盟的成立。

年仅11岁的芬兰选手苏妮雅•海妮在花样滑冰中初次登场，虽然只得到了第8名也就是最后一名，但这样的出场方式足以把她带到好莱坞的舞台上。

第16章 巴黎

第八届夏季奥运会 1924

芬兰名将帕沃·努尔米（*Paavo Nurmi*）

多次成为奥运会田径赛冠军

1924年,芬兰代表队在德国汉堡稍作休息，准备乘车去巴黎。在此期间,我们接受的训练极其严格,几乎到了军事化的程度。队长曾是军队的上校，他甚至会把队员们锁在宾馆的花园中，并且随身携带钥匙。我们决定偷偷溜出去开心一下，去享受圣保利的夜生活。结果回来时被上校发现了，他就把我们锁在各自的房间里，并且不再给我们发放零用钱。此后一直到里托拉（Ville Ritola）和我赢得了金牌，上校才决定恢复我们的日常开销。

如果我能早些知道现在的训练方法，我会跑得更快，特别是在1920年第6届奥运会上。当时我还只是个年轻人，完全没有所谓正确训练的概念，不过其他人也是如此。塔图•科勒赫迈宁和汉内斯•科勒赫迈宁两个人例外，他们有个叫威廉的兄弟从美国邮寄训练计划。1920年以前，我的训练大多数是没什么意义的，一直到服役之后，我的训练才开始正规化，并且开始有所进步。

上学期间，我的速度和耐力就已经很出色了，这也许要归因于我的天赋。由于家境贫寒，年纪很小时，我已经不得不只身出外谋生，在图尔库的崎岖街道上推车，当搬运工。但繁重的劳动也增强了我的腿部力量。汉内斯•科勒赫迈宁在1912年取得的骄人成绩，极大地鼓舞了我。15岁那年，我给自己买了第一双跑鞋，在接下来的两年里，我就利用业余时间从事田径训练。在最初的几年里，我的速度出奇的慢，而且时常担心在最后冲刺的时候自己会摔倒。但我下定决心要改变这种状况，经过几年的刻苦训练，我觉得自己已经不惧怕任何人了。作为一名长跑运动员，从站在起跑线上的那一刻开始，你就必须摆脱一切恐惧。不具备冲刺时的速度，你就不会有安全感。在5 000米或者10 000米的比赛中，你必须能够急速奔跑至少一整圈。

我在1924年所取得的成功不是偶然的，而是有出色的体能做基础。早在6个月之前，我就已经决定要参加从1 500米到10 000米之间的所有奥运会田径项目。队长担心我会体力不支，告诫我别再惦记10 000米的比赛了，尽管我认为自己的体力还是不错的，可以赢得那场比赛。对长跑运动员来说，在他不断发展的过程中，要想不断突破，达到巅峰状态，他就必须要有壮志雄心和钢铁般的意志。造就运动员的不是金钱，而是他内心深处的渴望。（节选自《努尔米去世的前两年》，一位记者朋友尼米拉在1971年对努尔米的采访）

在历次大赛中，如果说曾有过一场比赛令威名赫赫的努尔米失意的话，那便是发生在800米比赛中的那场失利。正是在那场比赛中，他遇到了可以与自己匹敌的对手，这一点在跑过800米之后尤为明显。那场比赛的赢家是道格拉斯•洛（Douglas Lowe）——来自剑桥大学的一位体育爱好者，他一周参加的训练不会超过两次，在冬季更是基本不参加任何训练。只能用天赋超常来形容他了。亨利•斯托拉德（Henry Stallard）最擅长800米的比赛，是英格兰第一流的选手，但是由于起跑太快，再加上脚部的老伤，他的精力在前600米就几乎耗尽了。有着极强爆发力的道格拉斯•洛在冲刺时以1码的优势超过了瑞士名将保罗•马丁（Paul Martin），赢得冠军。

努尔米是一个有紧迫感的人，从他17岁参加运动俱乐部起，"运动"就是他的自我诠释。他用自己设计的方案独自进行训练，这份方案无论在内容上还是在时间的安排上都是一流的：包括间歇性训练、将耐力与速度糅合于耐力跑中等方法。这种训练方式使得努尔米受益匪浅，在此后的半个世纪仍然十分流行。努尔米有个独特的习惯，常常随身携带一块秒表，即使在比赛时也是如此，当最后一圈铃声响后，他就将秒表往地上一扔，全速跑完最后一圈，只有按时完成比赛他才会满意。在巴黎奥运会上，努尔米达到了他的巅峰状态，在短短6天之内完成了7项比赛，并且一举囊获5枚金牌，在此之前的安特卫普奥运会上已经拿到3枚奥运金牌。1921年至1931年，努尔米总共创造了22项世界纪录。

在奥运会开始之前的4月份，努尔米在一次越野跑中不小心摔倒，膝盖受伤，使得他整整两个月未能参加训练，但是这非但没能阻止努尔米参赛，反而使他求胜的欲望变得更加强烈。当芬兰挑选运动员参加10 000米的比赛时，考虑到里托拉比他更有名，因而没有让努尔米参赛，这也使他对成功的渴望变得更加热切。为了证明自己

障碍赛和10 000米双料冠军、芬兰选手里托拉在5 000米的角逐中被他的同胞——传奇人物努尔米超越。

的实力，努尔米参加了一次非官方组织的10 000米的预赛，他以刷新世界纪录的成绩完成了比赛，只可惜此成绩无法被认可，只能够留给自己慢慢回味。而另一方面里托拉为了备战巴黎奥运会，从美国回到赫尔辛基。在奥运会刚刚开始的第一个星期，里托拉便获得了3 000米障碍赛冠军，并且在10 000米的比赛中以提前12秒的成绩打破了他自己创造的世界纪录，但这一新纪录比努尔米那次非正规赛的成绩慢了17秒。

接下来的几天不仅是努尔米田径生涯的黄金时期，同样也是奥运史上的灿烂诗篇。为了限制努尔米的绝对优势，国际田联调整了1 500米和5 000米的决赛时间，两个项目间隔不到半小时；在芬兰代表团的强烈抗议之下，国际田联才将间隔时间放宽至55分钟。早在3周前，努尔米在备战奥运会的时候，已经在家里的一次聚会上彩排了夺冠登台的那一幕，其信心十足可见一斑。

发令枪一响，努尔米便如离弦之箭般冲了出去，势不可挡。距终点还有30多米时，他扔掉秒表，但他并没有冲刺，而是惯性般地顺势跑完最后一圈，目的是为1小时之后的另一场比赛保持体力。毫无悬念，努尔米以3分53.6秒的成绩

刷新了世界纪录。在这场比赛中，努尔米前500米的速度快得惊人，甚至超过了赫布•埃利奥特（Herb Elliott）和吉米•赖恩（Jim Ryun）在1960年和1967年分别创造的世界纪录。

随后进行的是5000米决赛，维尔•里托拉及瑞典名将艾德温•威德（Edvin Wide），企图利用努尔米疲劳的刹那超越他，但他们始终没有找到机会，顽强的里托拉紧紧跟在努尔米身后。最后一圈儿时，努尔米开始加速，里托拉试图在接近终点的直道上超过他，然而努尔米竟然再次加速，最终以领先1步的优势赢得冠军，并且以14分31.2秒的成绩再次创造了世界纪录。

如果说这两场表演气势恢宏的话，接下来的一天则上演了震撼人心的“神话”。那天，巴黎笼罩在滚滚热浪之中，只是下了些许雷阵雨。当10 000米越野赛开始时，气温高达摄氏35度（即华氏95度）。38名参赛选手中只有15名完成了比赛，其余的选手都出现了紧急情况，一位西班牙选手和4名瑞典选手体力不支，被火速送往医院。一些选手踉踉跄跄，被人从跑道上抬下来，还有一些选手甚至跑错了方向。努尔米到达体育场时，冷静沉着，气定神闲，相比之下，热浪中的观众反倒显得心慌意乱。1分39秒之后，维尔•里托拉步履蹒跚地进入体育场，美国选手艾尔•约翰逊（Earle Johnson）在1分钟后也进入了体育场。另外一名芬兰选手利马泰宁（Heikii Liimatainen）在接近终点时有些神志不清，离终点还有30米时竟停下来，然后向错误的方向跑去，最后在观众的呼喊声中才走到了终点。一位来自伦敦的记者在电报中这样写道：“这是天命，努尔米奔跑着，他是恩宠的化身。”努尔米在3000米团体赛中再创佳绩，以领先第2名里托拉8秒的优势勇夺第5枚金牌。

如果说努尔米是个谜的话，那么百米冠军英国选手哈罗德•亚伯拉罕就得用“怪物”来形容了。他生活守旧，有着和努尔米一样的敬业精神，甚至雇了一位阿拉伯裔的法国人做他的私人教练。亚伯拉罕出身于立陶宛一个犹太家庭，是6个孩子中最小的一个，常常受到同龄人和剑桥大学读书时的学长们的奚落和嘲弄。同努尔米一样，亚

在酷暑难当的天气下，努尔米在越野赛场上披荆斩棘，领先于艾德温•威德（瑞典）和里托拉（芬兰）。

伯拉罕也是个有着紧迫感的人，在他的一生中，他从不曾为外界评论所动，对憎怒怨恨置之不理，只想竭尽全力争取个人荣誉和民族尊严，为同胞争光。亚伯拉罕清醒地以这种方式来对抗那些对自己带有阶级和种族歧视色彩的非难。

亚伯拉罕视金牌为自己的生命，但苏格兰田径名将埃立克•利德尔（Eric Liddell）的行事态度则完全与他相反。亚伯拉罕应该感到庆幸，他的对手因为宗教信仰的原因放弃了这场比赛，否则，他在巴黎取得的荣誉很有可能被利德尔摘走。《烈火战车》这部著名的影片描绘了这些赛事。与剧本相反，利德尔是爱丁堡大学神学院学生，他决定提前6个月前往巴黎，而不是像影片里说的提前一周乘船穿过海峡。利德尔放弃了100米决赛，因为比赛被安排在星期天举行，而这正是天主教徒做礼拜的日子。在艰难的抉择之下，精神的信仰最终战胜了尘世的荣耀，于是他放弃了决赛去做礼拜。此后，他集中精力参加了200米和400米的比赛。利德尔战绩辉煌，他曾在1923年以9.7秒的成绩在英国100码比赛中创造了新的世界纪录，并保持35年之久。

亚伯拉罕曾经3次以10.6秒的成绩追平世界纪录。第一次是在第2轮比赛中，第二次是在半决赛中，尽管起跑不利，他仍击败了两名美国选手——上一届金牌得主查理•帕多克（Charlie Paddock）以及切斯特•鲍曼（Chester Bowman）。4个小时后，决赛开始。参加决赛

传教士埃立克•利德尔（英国）曾拒绝参加星期天举行的百米决赛，在400米赛中胜过霍拉迪奥•菲奇（Hortio Fitch，美国）和盖伊•巴特勒（Guy Butler，英国）摘取桂冠。

的有：帕多克、斯考兹和莫茨森（美国），亚伯拉罕，鲍曼（美国），波瑞特（新西兰）。亚伯拉罕发挥得很好，但在50米处斯考兹追上了他。两人几乎并驾齐驱朝终点冲刺，亚伯拉罕胸部朝前、双手后扬的姿势为他赢得了宝贵的1/5秒，最终以微弱的优势赢得了冠军。波瑞特（后来曾担任新西兰的总督）获得了铜牌。

亚伯拉罕是欧洲获得这一冠军头衔的第一人，他也参加了跳远比赛，并且以7.38米的成绩创造了英国纪录，这项纪录直到1956年才被刷新。在200米的角逐中，亚伯拉罕落后于斯考兹、帕多克和利德尔。在半决赛和决赛开始的前一天，帕多克因信心不足而倍感苦恼，与道格拉斯•范朋克（Douglas Fairbanks）、玛丽•毕克馥（Mary Pickford）以及马里斯•西瓦勒（Maurice Chevalier）一起享用了一顿晚餐后，情况才有所缓解。决赛时，他一路领先，却在最后阶段被斯考兹赶上，斯考兹以21.6秒的成绩平了奥运会纪录。如果说有一场比赛可以令人终生荣耀的话，那就是属于亚伯拉罕的那场百米赛。

当亚伯拉罕在星期天赢得那场比赛的时候，利德尔正在巴黎的一所教堂做礼拜。和道格拉斯•洛一样，利德尔也属于那种有着某种天赋的体育爱好者，他曾代表苏格兰参加橄榄球比赛。双臂不动、膝盖高抬、摇动着脑袋——他跑动时的样子实在有些异于常人。从理论上看这是受约束的姿势，就像亚伯拉罕精确测量步幅一样不可思议，然而他在400米决赛中的表现确实激动人心。从来没有人能在49秒内跑完400米，而利德尔在半决赛中就以48.2秒的佳绩轻松胜出。出人意料的是，他似乎在自己并不十分擅长的项目上也有获胜的机会。由于对手们的盲目自信，位于外侧跑道的利德尔以闪电般的速度起跑，仅用22.2秒就跑完了前200米,这一速度仅比他在200米决赛时的速度慢0.3秒。让人难以置信的是，利德尔在后半场比赛中竟依然能够保持领先的优势，轻松击败了美国选手菲奇，以47.6秒的成绩勇夺桂冠，并且创下了一项新的奥运会纪录。瑞士选手恩巴赫和美国选手约翰•泰勒（John Taylor）被利德尔远远甩在了后面。一年之后，在爱丁堡受到英雄般礼遇的利德尔返回他的出生地中国，和父亲一起做了传教士。利德尔在1945年日军侵华期间死于脑瘤。他在巴黎得到了恒久的荣誉和赞美。

跳远的世界纪录被打破了，不过不是在跳远比赛中。当获知威廉•哈伯德被美国代表团选中，打算在最后上场的五项全能运动中击败他时，罗伯特•莱根德雷（Robert LeGendre）满腔怒火。但是，哈伯德不仅以7.76米的成绩证明了自己的实力，而且摘取了五项全能的铜牌，芬兰选手艾洛•莱赫托宁（Eero Lehtonen）获得了银牌。其间,哈伯德还以7.44米的成绩成为首位荣获个人金牌的黑人田径选手。由于得到了商人巴林杰的资助，哈伯德的运动生涯十分顺利，巴林杰甚至安排他到密歇根大学学习。哈伯德在巴黎取得的胜利绝不亚于爵士乐时代以歌手或是舞者约瑟芬•贝克和西德尼•贝彻为代表的黑人文化在巴黎的重要地位。

美国代表队并没有住在奥运会组织者所安排的看似村落的集中休息地，而是选择住在了城郊，据说那里的烹饪风格绝对不是巴黎的风味。如果这对当时最为著名的游泳选手之一的约翰尼•魏斯穆勒（Johnny Weissmuller）来说有什么不同的话，那就是到运动场的距离要远了许多。从15岁起，魏斯穆勒就在伊利诺斯运动俱乐部的威廉•巴克拉克的指导下接受训练。他要求魏斯穆勒在训练时应该注意的是姿态而不是速度，这样才有可能游出最佳成绩。这种训练方式的结果是，魏斯穆勒在50米到800米的不同赛段上一共

约翰•魏斯穆勒(美国，居中者)战胜了阿恩•博格（右一）和安德鲁•查尔顿，夺得400米自由泳金牌。

创造了67项世界纪录。由于他在巴黎的出色表现，以及4年后在阿姆斯特丹所取得的佳绩，使得游泳成为奥运会的主要项目之一。魏斯穆勒的100米自由泳仅用了59秒，是世界上第一个打破1分钟大关的运动员，领先于卫冕冠军杜克•卡哈纳莫库（Duke Kahanamoku）,打破了他三连冠的梦想(虽然这一成绩低于魏斯穆勒自己在2月份所创造的57.4秒的世界纪录，而且约有10年的时间，没有人能接近那个成绩)。在同一天，魏斯穆勒还赢得了4×200米的金牌，他还帮助美国水球队取得了一枚铜牌。而两天之前他刚刚荣获400米泳的冠军。

他在与瑞典选手阿恩•博格（Arne Borg）以及澳大利亚选手安德鲁•查尔顿（Andrew Charlton）争夺400米金牌时，以1米的优势打破了纪录，赢得冠军。

在这届奥运会之后，奥运会网球比赛中断了64年。美国人文森特•理查兹（Vincent Richards）和海伦•威尔斯（Helen Wills）在同当地最受欢迎的选手科歇（Henri Cochet ）和朱莉•弗拉斯托（Julie Vlasto）的比赛中分别获胜。12年前泰坦尼克号沉船事件中的幸存者诺里斯•威廉姆斯（Norris Williams）与黑兹尔•怀特曼（Hazel Wightman，怀特曼杯比赛的名称即来源于此）搭档，获得了混双比赛的冠军。

1924年的奥运会形成了现代竞技体操的基本项目。体操比赛分为个人赛和团体赛，其中既包括单独的杠上项目也包括综合项目。自由体操的形式也已经出现，但仅设男子项目。自从脱离奥地利获得独立之后，南斯拉夫首次以独立主权国家身份参加比赛，力昂•什图克利（Leon Stukelj）凭着斯洛文尼亚人特有的沉着冷静，摘取了全能赛的桂冠。

首个参赛的南美国家——乌拉圭赢得了足球比赛的胜利。这个小国作为足球强国的实力在这届奥运会上初露锋芒。美国以45枚金牌的成绩雄踞金牌榜榜首，芬兰以14枚金牌位居第2，法国以13枚金牌名列奖牌榜第3。只有300万人口的小国芬兰能与美国这一亿万人口泱泱大国相抗衡，足足显示了这个北欧小国超常的身体素质和体育实力。

乌拉圭代表队，是首支荣获4届奥运会和世界杯冠军的球队。

体操冠军力昂•什图克利，第一个在吊环上做反十字交叉的人。

第17章 递交权力的接力棒

皮埃尔·德·顾拜旦男爵，第二任国际奥委会主席

1896—1925年在任

……最让我忧虑的是，其他人开始有这样一种想法："体育运动现在已经成了我们社会习惯的一部分，它再也没有被人们抛弃的危险了。"这种想法极其错误。体育作为一种身体的锻炼，却被对不必要的成绩的狂热追求所引导，它并非源于自然而然的喜好，人们总是倾向于对体育表现出些微的抗拒。就目前而言，体育运动的发展得益于一时的风尚，这种风尚的力量虽不可抗拒，但它很快就会消失。它给了我们推动体育运动发展的杠杆，我和我的朋友在40年前引导了这一风尚，这种愚蠢的失误我们已经犯了不少，它也必将被根除。过多地追逐成绩必将使其走向反面。若果如此，还会剩下些什么呢？作为个体的人还会觉得有进行体育锻炼的必要吗？绝对不会！由冠军的称号所带来的热热闹闹无助于产生这种需要。只有当那些冠军们不再在意观众是否对他们青睐有加时，这种对体育运动的需求才能发挥作用。

我们的工作将朝向这样的目标：减少广告活动，裁减戒规森严的各类组织机构，规范气量狭小的体育联盟和整顿头重脚轻的官僚体系。相反，尽量为所有民众免费提供为他们所喜闻乐见的体育运动，这是地方政府的职责之一，也正是我力图恢复古时的市政体育场馆的原因。这些体育场馆归市政府管理，所有人，无论理念、信仰和社会阶层差别，都可以使用这些设施。只有通过这一途径，健康的一代才能被培养起来。

如果我跳过体育运动的业余主义这一问题，大家一定会感到惊讶不已。这个问题并非不可解决。在战争前，只要一点点良好的愿望就可以解决这个问题了。而现在问题要复杂得多，生活成本的提高使人们的心态发生了转变，公众舆论不愿意体育运动变成富人们的消遣……我们应该确保，在各体育联合会，当前的规则都能认真地贯彻到底，但我们距离这个目标仍很遥远……很多谎言与欺骗行为仍然大行其道，这乃是道德滑坡的一种反映。

到了该为奥运会建构起一套教育理论大厦的时候了……当山脚下的平地上出现了一个巨大的市场之时，我的同事和朋友们看中的依然是那座山峰，因为我们希望在那座山峰上建起一个圣殿。市场会消亡，而圣殿永存。市场或是圣殿，体育界人士必须做出自己的选择，这两者是鱼与熊掌，不可得兼。（荣休时在奥林匹克大会上的演讲，1925年5月29日，布拉格市政厅）

61岁的顾拜旦意识到该把权力的接力棒交出去了，自己努力一生的事业将留给同事们去完成。执委会的工作大大促进了奥运会的发展，它已经成为奥运会日常运作的主体，负责指导奥运会的发展、管理国际奥委会的成员。当某些问题的讨论趋于激烈时，可以将问题提交执委会“研究”，从而消除各届例会上的压力，在缓和国际奥委会成员之间矛盾上起到缓冲作用。

在1925年布拉格国际奥委会大会上，业余主义问题在网球和足球两个项目中再次被提起。国际草地网球联合会（ILTF）和国际足联（FIFA），分别就网球和足球运动员放弃训练参加运动会是否给予补偿展开争论，最后这个提议被投票否决了，但运动员们可以报销15天的花费，政府资助的体育训练被明确禁止。会议上还讨论了“公平竞争”的问题，与此相关的一个宣言被各国家奥委会、各体育联盟以及运动员们签署，该宣言称：“我以名誉担保，我是业余运动员，符合奥林匹克关于业余主义的规定。”与此同时，“业余”的定义也被重新描述为：“业余体育爱好者是那些为了体育运动本身从事体育活动的人，他们不以此（无论是直接还是间接地）为谋生手段。而职业运动员则全部地或部分地以体育为谋生手段。”一直存在的阶级偏见并未得到解决。

1925年5月28日的例会上，委员们投票选出了顾拜旦的接班人。他们中的一些人认为顾拜旦可能会再接再厉，因此将票投给了他。在第1轮投票中（共计40张选票），亨利•德•巴耶-拉图尔得到17票，顾拜旦11票，布洛奈6票，克拉里（de Clary）4票，百利来（de Polignac）1票，另有一张选票无效。在第2轮投票中，排除投给顾拜旦的邮政选票，在所有出席的27名委员中，有19人支持德•巴耶-拉图尔。最后，德•巴耶-拉图尔成为国际奥委会第3任主席。

德•巴耶-拉图尔于1903年入选国际奥委会，因为“确保比利时参与奥运会，对他的国家及其个人来说，都是一种荣耀”，而得到了顾拜旦的赞赏。除此之外，顾拜旦还曾经要求德•巴耶-拉图尔负责组织1905年于布鲁塞尔召开的国家奥委会大会。1920年，出于应急，安特卫普成为战后的主办城市后，德•巴耶-拉图尔作为组委会主席，全心全意地工作，堪称典范。1923年，他成为比利时国家奥委会主席。到1925年，他已经为国际奥委会工作了22年之久。作为新一任奥委会主席，他的第一个任期为8年。

亨利•德•巴耶-拉图尔，国际奥委会第3任主席，谦逊的银行家，顾拜旦的忠实信徒。他反对女子体育，反对布尔什维克。

德•巴耶-拉图尔出生于1876年3月1日，是前安特卫普总督菲迪兰•巴耶-拉图尔的儿子。鲁汶大学毕业后，曾做过一段时间的外交官。作为一位出色的骑手，他还曾出任过布鲁塞尔赛马俱乐部的主席。

顾拜旦总是在微妙的政治情势与狂热的疑忌之间周旋，力图使国际奥委会得以生存下来，而德•巴耶-拉图尔这位将要连续在位17年的主席，尽管一直竭尽全力地保持国际奥委会的理想，却总是被卷入一些争议之中。与他的前任相比，他缺少哲学家气质，更加注重保持体育的贵族气质与精神。作为教育家的顾拜旦，对哲学问题保有开放性，而其继任者德•巴耶-拉图尔则不然，比如说，他反对工人阶级的体育运动以及任何具有布尔什维克性质的东西。他的墨守成规导致了好几次国际奥委会的政策失误，最著名的包括在阿姆斯特丹举行的足球联赛（运动员在比赛期间得到补贴）和在奥运会上引入女子田径运动的问题（尽管这与他自己的承诺相抵触）。在1928年女子800米决赛中发生“不幸事件（指许多运动员精疲力竭倒地）”之后，德•巴耶-拉图尔也是那些鼓吹回归古希腊的传统——只有男子参赛的人中的一员。英国的希斯女士（Lady Heath）因此反唇相讥，并提醒他说，男女平等在商业和科学领域已经得到了证实。虽然如此，德•巴耶-拉图尔与生俱来的谦恭有礼依然使他能驾驭他的反对者，并赢得他们的尊敬。与顾拜旦相比，德•巴耶-拉图尔并不那么武断，总之，在其任职期间，他被证明是一个优秀的管理者。

在艾丽斯•米莉艾特（Alice Milliat）的领导下，国际妇女体育联合会（Federation Sportive Feminine Internationale）声誉日隆，1922年，在巴黎举办了“女子奥运会”后，情况更是如此，她们还准备在1926年举办第2届“女子奥运会”呢。

1924年，国际业余田径联合会投票决定取消女子田径赛事，对是否将在奥运会中取消这些赛事，却语焉不详。在国际妇女体育联合会持续的压力下，埃德斯特朗会晤米莉艾特，同意让米莉艾特负责女子赛事，但同时要求她们去掉其赛事名称中“奥林匹克”等字眼。但是，到1926年4月，国际奥委会却不得不同意，接受国际业余田径联合会关于允许女子参加一定数量的体育赛事的决定。这些赛事仅限于100米、800米、4×100米接力、跳高和掷铁饼，体操项目也被允许，但仅限于团体赛。与1926年国际妇女体育联合会在哥德堡举行的比赛相比，她们被允许参赛的项目实在少得可怜（哥德堡运动会包括11项比赛）。英国妇女对此愤怒不已，在英国妇女体育运动协会的倡导下，她们对1928年奥运会进行了集体抵制。但无论如何，女性终于跨进了奥运会的门槛。

在阿姆斯特丹奥运会期间，埃德斯特朗参加了国际妇女体育联合会(这是第23个体育联合会)大会，作为交换，米莉艾特也参加了国际业余田径联合会，在会上申述了她们的要求。顾拜旦及其同僚对女子体育的嫌忌心理渐渐消失了。在国际奥委会大会上，顾拜旦遭到了捷克斯洛伐克和英国的女子体育联合会私下的攻击。前主席对女子运动的反对态度最后体现在一份官方报告中，称妇女需要保有“健康、强韧而美丽的身体……总体上是社会和家庭的生产性因素”。应该避免从事激烈的体育运动，不应该去“追求体育运动的纪录”。报告认可由妇女来主持女性体育教育，而“女性特质不容侵害”。

1924年在巴黎举行的奥林匹克联赛上，网球开始成为争论的主题之一，到1926年3月国际草地网球联合会时，争议进一步加深。网球联合会提出的要求有：在国际奥委会拥有一个席位；积极组织赛事的权力；自己的独有的业余定义；对常规赛程任一赛事的支配权，包括取消某一赛事的权力。德•巴耶-拉图尔要求国际草地网球联合会接受奥委会的业余观点，否则就取消1928年的网球联赛，并给出一个最后期限。结果，国际草地网球联合会和国际奥委会之间发生严重对立，双方互不相让。最后，国际奥委会发表声明，进一步表明“只有符合奥林匹克规定的业余运动员才有资格参加奥运会”的态度，后来这个僵局始终没有打破，致使网球运动项目缺席奥运会达60年之久。

从早期开始，在所有的体育运动项目中，足球比赛因为可以吸引大量的观众，从来就是赚钱的重要项目。而且，如果将足球拒之门外只会促成他们创办自己的世界杯赛。与此同时，国际足联主席、法国人儒勒斯•雷米特（Jules Rimet）于1927年8月被邀请到巴黎的国际奥委会的执委会，德•巴耶-拉图尔向他解释了“业余问题”的定义，以求找到双方都可以接受的折中的解决方案。执委会认可了国际足联的新规则：在参赛期间，运动员将得到补偿，但这些补偿将被直接付给运动员的雇主，而不是运动员本人。国际奥委会被指责过于复杂，英格兰、苏格兰、北爱尔兰和威尔士这4个心怀不满的足球协会（它们的成立时间都比国际足联早）退出了国际足联。虽然执委会采取了折中的方案，但是双方始终坚持意见。2年以后，“儒勒斯•雷米特杯”足球赛开赛，

雅各布•塔姆斯（Jacob Thams，挪威）正在圣莫里茨体验当时世界上最高的滑雪跳台。

足联拥有了他们的首届世界杯赛。

1926年6月，在执委会会议上，国际滑雪联盟宣布将于1924年在夏蒙尼举行的冬季赛事定为“国际奥林匹克冬季运动会”，这显然对国际奥委会于同年的里斯本例会上决定的“第1届奥林匹克冬季运动会”的名称提出了挑战。早在布拉格国际奥委会大会上，国际奥委会决定继续举行4年一度的冬季体育赛事，但没有决定1928年运动会的举办城市。

1921年，阿姆斯特丹被选定为1928年夏季运动会的举办地。洛杉矶也参加了申办角逐，但荷兰作为战争中立国更切实可行。但是，荷兰不具备举办冬季奥运会的条件和设施，考虑到种种因素及各方面的态度，最终，国际奥委会决定在中立国瑞士的圣莫里茨举办1928年的冬季赛事。

圣莫里茨冬奥会的参赛项目依然有限，仅有11项男子比赛和2项女子比赛。尽管圣莫里茨当时已经成为设备齐全的冰雪赛事中心，但也只是夏蒙尼运动会的翻版而已。在比赛设施方面，圣莫里茨建立了当时世界上最高的滑雪跳台，其垂直高度达到了310英尺。除此之外，还为重要观众专门建造了一个可以容纳400人的看台，另外还有一个可以容纳500人的普通大看台。

从几乎所有的方面来看，圣莫里茨奥运会都将证明，无论是对这个位于阿尔卑斯山的城市，还是对奥运会来说，这都是一个双赢的结局，尽管国际奥委会好不容易才把新闻转播权卖出去（同样的问题在随后的夏季奥运会上再次出现）。正是在本届奥运会上，阿诺德•伦恩（Arnold Lunn）爵士（也是国际雪联的委员）成功说服了他的同事们，试验性地将滑降比赛和障碍滑雪赛纳入到国际性赛事之中，并使之成为奥林匹克的一个主要的观赏性项目。直到20年以后，这两项赛事才最终被纳入到奥运会中。在圣莫里茨奥运会上，日本、墨西哥、荷兰和罗马尼亚第一次参赛。

荷兰虽然只是一个很小的国家，但它在欧洲现代文明的进程中，扮演着重要的角色。其围海造田更是宏壮至极，而且在17世纪，在全球范围内的海上商业扩张行动中，它与英国、西班牙和法国一样，都是一方列强。阿姆斯特丹也是欧洲最美丽的城市之一，喜好自行车和滑雪运动的荷兰人也都积极地参与体育竞技，这一切注定了阿姆斯特丹奥运会将会成为该国文化和工业的盛大庆典。可以容纳4万名观众的体育场——需要打入4500根地桩作为该建筑的基础，本身就是一件展览品。场内设置了400米的径赛跑道，现在已经成为标准赛道的长度。径赛跑道外侧设置了自行车赛道。本届奥运会上，第一次出现了奖牌榜和奥运火炬，虽然其火种并非取自奥林匹亚。

顾拜旦因病未能出现在阿姆斯特丹。美国队的领队麦克阿瑟将军称赞说，本届奥运会是“未来奥运会的典范”。

荷兰威廉明娜女王（Queen Wilhelmina）在阿姆斯特丹为运动员颁奖。

第18章 圣莫里茨

第二届冬季奥运会 1928

*W.*费斯克（*W.Fiske*）

美国最年轻的有舵雪橇奥运冠军

W.L.M.费斯克——英国皇家空军军官，第一位在英国皇家空军任职、并在二战牺牲的美国人。年仅29岁的费斯克在战争爆发前不久来到英国，加入英国皇家空军，经过培训，3月份他被正式任命为皇家空军少尉军官，成为一名空军战斗机中队成员。他多次升空作战，曾击落多架敌机。就在最后那次具有决定意义的战役后，他还设法使飞机安全着陆。当人们发现时，他已经奄奄一息了，虽然被立即送到了医院，终因伤势过重，不治身亡。

费斯克出生于美国一个声名显赫的银行家世家，他本人是纽约狄龙读书俱乐部的股东之一。在美国，人们戏称他为威廉•费斯克三世。除此之外，他还在圣莫里茨奥运会上的有舵雪橇比赛中获得冠军，并多次打破速滑世界纪录。坚忍无畏的性格使他无论是在大西洋两岸的生意场上，还是在滑雪比赛中，都同样令人敬重。

费斯克是位勇敢的斗士，他为我们献出了宝贵的生命。无论是作为一名赛车手，还是有舵雪橇运动员，或是飞行员，他都是卓越的，但作为一名克里斯塔速滑选手，他是至高无上的。在短短的几年内一跃成为一流的运动员，他的成功几乎是个奇迹。对于这位顶级的滑雪健将来说，没有任何纪录是不可逾越的，没有任何比赛是不能赢取的。他用自己优雅的风度，创造了一个永不言败的神话。作为一位享誉世界的美国公民，他拥有令人称羡的家世，有着令全世界都为之神往的个人魅力，而他却选择了加入皇家空军，为正义而战。我们感谢美国赋予我们最优秀的运动员。我们中的许多人原本可能在战争中失去生命，费斯克用自己的鲜血换来了我们的生命。他的名字将被铭刻在阿尔卑斯山这个他曾赢得巨大成功的地方，铭刻在他所有朋友的心间，直到永远。（J.T.C.莫尔-巴巴松中校，国会议员，《泰晤士报》，伦敦，1940年8月20日）

尽管冬奥会已经由一种休闲活动迅速发展成一系列严肃的竞技体育项目，但仍然具有一定程度的非职业性质，这一点在社会高消费群体光顾的有舵雪橇比赛中表现得尤其明显。获胜的美国队中的3名成员：杰弗里•马森（Geoffrey Mason）、理查德•帕克（Richard Parke）和尼昂•塔克（Nion Tucker）都是通过巴黎版《纽约先驱者论坛报》的广告招募到的。而在此之前，3

人还都从来没有接触过有舵雪橇。经过短短3周训练，他们就被派上场，而且还意外获胜，其中马森自此以后就再也没有在有舵雪橇比赛中露过面。就连比赛小组也不是4位成员，而是5位，这是奥运史上的首例，也是唯一的一次。年仅16岁零260天的美国赛车手费斯克成了本届冬奥会上最年轻的金牌得主，42岁的老塔克则是这些比赛中年龄最大的选手。在喜获该项赛事金银奖牌的同时，美国的詹尼森•希顿（Jennison Heaton）和约翰•希顿（John Heaton）兄弟还分获平底雪橇比赛的金、银牌，铜牌被英国的诺塞斯克公爵大卫（David）获得。

费斯克在圣莫里茨冬奥会之前，就已经是滑雪场上的老手了，可说是集勇敢无畏和准确的判断力于一身。从1935年到1938年，他囊括了克里斯塔速滑赛中的主要奖项。1932年，他作为美国队的旗手参加普莱西德湖冬奥会，并获得了比4年前更为辉煌的成绩。为了抗议美国对他的一位犹太籍好友——也就是和他一起在普莱西德湖冬奥会获胜的美国速滑运动员欧文•贾菲（Irving Jaffee）的不公正对待，1936年加米施冬奥会上，费斯克拒绝接受美国代表队队长一职。第二次世界大战爆发后，他加入英国皇家空军第601中队，后来在战斗中牺牲。

尽管阿尔卑斯滑雪项目所具有的时代气息已被公认，传统的北欧项目仍是眼下众人觊觎的焦点，但因不断受到气候变化的影响，又加上由南而至的暖热焚风（Fohn wind）的破坏，赛场秩序显得有些混乱。上午举行的50公里越野滑雪中，当滑雪运动员开始首次打蜡测试的时候，气温为零下17摄氏度。几个小时后，海拔1850米的山上，温度已经升到了25摄氏度，滑道几乎成了春天里的潺潺的溪流。1/4的选手在明显不公的条件下被迫退出比赛。3名瑞典选手P.艾瑞克•赫德伦德（Per Erik Hedlund）、古斯塔夫•荣松（Gustaf Jonsson）和沃尔加•安德松（Volger Andersson）最终拿到了奖牌，但他们所用的时间比起4年前夏蒙尼冬奥会上的成绩相差1个小时。

次日开始下雨，以致比赛不得不推迟。随之而来的霜冻虽然挽救了冬奥会，但对于那些在气温开始上升时就已经开始上路的万米速滑运动员们来说却是太迟了，此时70%的参赛选手已经耗尽了体能，加之冰块被冻成了干酪状，根本无法继续比赛。当时，欧文•贾菲（Irving Jaffee）仅仅领先挪威选手伯恩特•埃文森（Bernt Evensen）1/10秒。比赛被迫中断并推迟，部分挪威队员擅自离开了赛场，重新组织比赛已不现实，贾菲被视做赢家，但官方却否定了比赛成绩。在其他速滑比赛项目中，来自芬兰的克莱斯•图恩伯格（Clas Thunberg）在上届夏蒙尼冬奥会获取3金1银1铜的基础上，新添2枚金牌。在500米速滑中，图恩伯格和埃文森双双夺冠，创造了43.4秒的奥运纪录，从而成就了当时奥运体坛上的一大奇观。这场比赛没有设立银牌，只有3枚铜牌分别被美国选手约翰•法雷尔（John Farrell）、芬兰选手雅科•弗里曼（Jaako Friman）以及挪威的罗尔德•拉尔森（Roald Larsen）夺走，他们的成绩均为43.6秒。

年仅15岁的苏妮雅•海妮在花样滑冰比赛中战胜对手，获得了奥运冠军。

本届比赛的亮点集中在苏妮雅•海妮（S.Henie）身上。这位年仅15岁的挪威选手首次获得了女子花样滑冰冠军，并在接下来的两届冬奥会中蝉联冠军宝座。凭借对柴可夫斯基的“天鹅湖”的精彩阐释，她为花样滑冰运动拓展了新的舞台空间，注入了新的元素。带着从夏蒙尼冬奥会上积累的经验，她又在两年后举行的世界锦标赛上取得第2名的好成绩。1927年，在挪威首都奥斯陆举办的锦标赛中，裁判间出现分歧。5名裁判中有3位挪威人，他们都支持海妮，而另外两位分别来自奥地利和德国的裁判则支持赫尔玛•普朗克-绍博（Herma Planck-Szabo）。这场纷争促使国际滑冰协会规定以后比赛每个国家只能派出一名裁判。海妮在这次冬奥会上的出色表现赢得了在场7位裁判中6人的一致认同，剩下的那位美国裁判投票支持最终只获得第3名的美国选手比阿特丽克斯•洛格兰（Beatrix loughran）。

膝盖受伤的瑞典的34岁花样滑冰运动员基尼斯•格拉夫斯特隆（Gillis Grafstrom），忍受疼痛成功卫冕。他完美娴熟的技巧使他险胜来自奥地利的韦尼•伯克尔（Willy Bockl）和来自比利时的罗伯特•泽布罗克（Robert Von Zeebroeck），毕竟这两名选手强健有力的跳跃动作也颇受一些评委的欣赏。格拉夫斯特隆被称做冰上的弗雷德•阿斯泰尔（Fred Astaire，著名舞蹈家），对他而言，滑冰不仅仅是一种体育项目，更是一种艺术表现方式。在角逐金牌时，沉着冷静，全力以赴。尽管如此，他几乎每次都是在别人的说服下才勉强参加奥运会及世锦赛的。格拉夫斯特隆是一名建筑师，还是著名的艺术品及滑冰纪念品收藏家。

上届冠军加拿大队按新的方案直接进入决赛，其他10个国家则被分成3个小组，3组中的胜出者将在决赛中对阵加拿大队。结果，加拿大队分别以11:0、14:0和13:0的绝对优势战胜了瑞典队、英国队和瑞士队，充分显示了这个方案的高明之处。

尽管天公不作美，本次冬奥会无论是从组织上、形式上，还是商业运作上，都获得了巨大的成功。日本、荷兰、罗马尼亚还有墨西哥等国都实现了自己的预定目标，圣莫里茨的社会影响力也得到了提升。

基尼斯•格拉夫斯特隆,被誉为冰上弗雷德•阿斯泰尔,在本次奥运会中成功卫冕。

第19章 阿姆斯特丹

第九届夏季奥运会 1928

珀西·威廉斯（*Percy Williams*）

加拿大选手，奥运双料短跑冠军

在范库弗峰的爱德华皇家中学，和其他人一样，我也要接受体能训练。人必须给自己找点事做，就这样，我开始了径赛生涯。有人曾告诉著名的田径教练鲍勃•葛兰格（Bob Granger），爱德华中学有个学生很能跑。于是他注意到了我，开始找我聊天。长达一年的训练是孤单而艰难的历程，其目的不过是为了参加几次径赛，但鲍勃•葛兰格却很有兴致。

在汉密尔顿举行的奥运会选拔赛中，我获得了多次意想不到的成功。参赛的大部分选手都在大学里接受过正规训练，但我却能在两项短跑比赛中胜出。我搞不懂为什么一次小小的百米赛跑的胜利会把我推向前往阿姆斯特丹的成功之旅。

因为缺少路费，鲍勃错过了第一趟轮船。我母亲劝他前来，还给他筹集了足够的盘缠，于是他就乘下趟轮船离开了范库弗峰,前往阿姆斯特丹。因为他到得 很迟，在甲板上练习起跑的计划也泡汤了。鲍勃临时决定在宾馆的房间里训练，还弄了张床垫靠墙放好，免得我撞到墙上。尽管宾馆经理没有说什么，我的心里却因此蒙上了一层阴影。前来参赛的选手们看起来大都比我更为高大健壮，但鲍勃只是对我说：“冷静点！就当是一次学校的周末径赛！”在赛前的热身运动中，他让我穿上4件运动衫外加一套田径训练服，这样一来，我感到既暖和又轻松。对于在场的每一个人（包括我本人在内），我的胜利都令人震惊。如今，我成了奥运百米冠军。而跑步对

我来说，却也如同被挤烂了的苹果，失去了往日诱人的沁香。

我一直都不符合真正运动员的形象，身高5.6英尺，即便是身体最强壮的时候，体重也不过130磅。但几天后，我又赢得了200米短跑冠军。一时间，电报、鲜花纷至沓来，我成了炙手可热的新闻人物。我所有的对手，包括帕多克、魏可夫等人也都向我表示祝贺。我知道鲍勃对我的成绩一定很满意，事实上，我所取得的一切成就都要归功于他。可以说，没有鲍勃,就没有我的今天。对我来说，他是一切的一切。在和标枪手多

拉•皮尔林（Doral Pilling）一起回宾馆的路上，在宾馆门口遇到了骚动的人群。我们都很好奇发生了什么事，这时，旁边有人告诉我们："我们正在等加拿大短跑冠军威廉斯呢。"我们一边和周围人聊天，一边站着等威廉斯！真的很有趣。

两年后，在英国汉密尔顿运动会上，尽管比赛前肌肉被轻微地拉伤，我还是赢得了100米短跑冠军。肌肉拉伤的毛病一直困扰着我，直到我带领加拿大队参加洛杉矶奥运会。那次100米半决赛中，我被淘汰出局。对此，我并不感到烦恼，相反，我很高兴在这种场合结束自己的田径生涯。我对跑步并不十分感兴趣，我所做的一切都是在鲍勃•葛兰格的意志力驱使下完成的。我常常想，如果一个运动员宣称他努力跑步是为了自己的祖国和国旗，那他肯定是在胡扯。我参加比赛的目的就是为了打败我身边的那个人。（新闻采访稿）

在英国的积极协作下，一个久被国际奥林匹克忽略的事实在20世纪末浮现出来，那就是，奥林匹克精神正在世界范围内被广泛传播。在这次阿姆斯特丹奥运会上，乌拉圭队在足球比赛中获胜；阿根廷队在拳击比赛中喜获2金2银，另外还在游泳比赛中获得一枚金牌；一名智利运动员在马拉松赛中取得了第2名的好成绩；印度曲棍球队则在5000名观众面前打败了东道主；日本运动员织田干雄（Mikio Oda）不仅获得了三级跳远比赛的冠军，还在游泳比赛中为日本再添一枚金牌；埃及选手亚伯拉罕•穆斯塔法（Ibrahim Moustafa）在古典式摔跤项目中夺魁；来自海地的西尔沃•卡尔托（Silvio Cator）在跳远比赛中名列第二；南非的席德•阿特金森（Sid Atkinson）在跨栏赛中获胜，他的另一位队友乔治•维特曼-史密斯（George Weightman-Smith）则在之前的半决赛中打破了世界纪录；来自新西兰的爱德华•摩根（Edward Morgan）在次重量级拳击比赛中夺冠。由此表明，奥运会已成了一项全球性的体育赛事。

换个角度来看，辉煌首先是属于芬兰的。作为中长跑王国，他们总能在赛场上赢得最后的掌声，这已经成了体育世界的一大奇观。而今，哈利•拉瓦（Harri Larva）和埃诺•普尔耶（Eino Purje）两位选手又在1500米径赛中分别占据了第一和第三的位置；在5000米比赛中，维尔•里托拉和帕亚沃•努尔米又分别摘取了金、银牌；在10 000米赛跑中，努尔米和里托拉再次分获冠亚军；芬兰选手托伊沃•劳科拉（Toivo Loukola）、努尔米和奥维•安德森（Ove Anderson）还囊括了障碍赛的奖牌；另外一名选手马蒂•马特林（Martti Marttelin）在马拉松比赛中取得了第3名的好成绩。无论是芬兰队还是分析家们，都把这些非同寻常的成功归结到锡苏特质上，也就是说芬兰人具备融意志力和忍耐力于一身的特质。31岁的老将努尔米一出现在阿姆斯特丹的400米赛场上，他的支持者及官方人士都长出了一口气，因为在此前的两个赛季里，超负荷的训练使他的腿部受伤，现在他已经完全恢复了以前生龙活虎的状态。芬兰队在1500米以上径赛中所取得的辉煌一直以来都是无可比拟的，这种局面直到60年后才被肯尼亚打破。

东方崛起：日本选手织田干雄（Mikio Oda）在三级跳远中获得亚洲首枚个人奥运金牌。

10 000米赛跑一直是努尔米的强项，8年前，这个项目是他辉煌的起点，而今他又在这里拿到了第9枚也是他奥运生涯最后一枚金牌。比赛进行到1/3时，他和里托拉以及来自瑞典的艾德温•威德（Edvin Wide）已经占有了明显的优势，距离最近的选手也落后7圈之多。随后努尔米一直紧跟在里托拉身后，如影随形，直到最后终点冲刺时才超出对手2步，并创造了30分18.8秒的奥运纪录。

在5 000米赛场上，这两位芬兰选手的排名又反了过来，努尔米没能保住自己的冠军头衔，但两人都打破了当年由努尔米创下的奥运纪录。同样10 000米中争金的3人又在5 000米跑道上相遇，不同的是这次里托拉首先冲到了终点，以14分38.0秒的成绩轻松地摘到了金牌。

努尔米与里托拉的关系一直比较尴尬，对此，他一直保持缄默。赢得10 000米比赛冠军后，他避开摄影师和里托拉，表情沉重地离开了田径场。出于对法国人吕西安•迪尤肯（Lucien Duquesne）的敬意，（努尔米在跨栏时跌倒，吕西安将他搀起）努尔米在剩余的比赛中提出，让这位法国选手率先冲过终点线，但对方拒绝了他的好意。

本届奥运会上，美国人在田径领域的优势受到了极大的挑战。首先是来自范库弗峰的一位名不见经传的19岁高中生珀西•威廉斯（Percy Williams）在100米短跑赛中获胜。威廉斯的第二轮比赛成绩为10.6秒，与奥运纪录持平，因此，这位小将很快就吸引了公众的目光，尽管在之前的两场半决赛中，他都落后于美国选手鲍勃•麦卡利斯特（Bob Mcallister）和一名来自圭亚那的英国选手杰克•伦敦（Jack London，他是第一位采用起跑器的不列颠选手）。威廉斯甚至没有旅费，是靠搭便车才得以参加加拿大国内的预选赛，而此前，他曾在城里做服务生攒路费。在决赛中，他是最不被看好的一位，但在两次错误的起跑后，他一路领先，成功地顶住了伦敦和另外一名德国选手乔治•拉默斯（Georg Lammers）的挑战。麦卡利斯特由于肌腱拉伤落在最后。在200米短跑决赛中，威廉斯和英国的瓦尔特•兰热利（Walter Rangeley）把初赛成绩与奥运纪录持平的德国选手赫尔穆特•科尼希（Helmut Kornig）甩了50米远。在4天中的第8场比赛中，他以微弱的优势取得了胜利。在回国的途中，各种丰厚的奖品都向他涌来。他没有受到任何业余主义严格限制的影响。

初露锋芒的加拿大队。珀西•威廉斯，一位来自范库弗峰爱德华中学年仅19岁的学生，在100米比赛中获得冠军。

尽管美国的弗兰克•卡赫尔（Frank Cuhel）和摩根•泰勒（Morgan Taylor）都曾是400米跨栏的奥运纪录保持者，却无法挡住大卫•伯利（David Burghley）的锋芒，这位英国选手在比赛中创造了53.4秒的新世界纪录。在800米赛场上，英国队再创佳绩。更为有趣的是，在两年前斯坦福桥赛场上，来自德国的奥托•佩尔策（Otto Peltzer）博士打败了英国选手道格拉斯•洛（Douglas Lowe），并打破了连续保持了14年的世界纪录。紧接着这项纪录又先后被美国的劳埃德•哈恩（Lloyd Hahn）和法国选手瑟拉•马丁（Sera Martin）刷新。但在阿姆斯特丹奥运会上，佩尔策因意外受伤而在半决赛中被淘汰，正是在这次奥运会中，洛在明星云集的赛场上显示了自己的夺冠实力，比第2名少用1秒，并创造了1分51.8秒的奥运纪录。排在第2的是瑞典选手艾瑞克•比莱恩（Erik Bylehn），在最后的转弯处就开始倍感吃力的哈恩只排在了第5位，马丁则名列第6。

在本届马拉松比赛上，一位出生于阿尔及利亚的法国选手莫罕默德•厄尔•瓦非（Mohamed ElOuafi）取得了胜利。事情虽然已经过去了半个多世纪，但在当时却成了未来体坛动向的指针。此后，北非不断地涌现优秀的长跑运动员。起初，在巴黎进行的预选赛中，他的成绩排在第7位，另一名来自智利的选手排到了第6位。后来，在决赛距离终点3公里的时候，两人分别排在第2和第3名，当时排在第1位的是日本选手兼松山田（Kanematsu Yamada）。不久，瓦非突然冲到了最前面，普拉萨第2个冲过终点，但那已经是半分钟以后的事了。

非洲崛起。阿尔及利亚籍法国选手莫军默德•厄尔•瓦非，本届马拉松比赛冠军得主。

在女子五项田径比赛中，发生了一场意料中的不幸事件，这其中当然也搀杂了一些性别歧视。在女子800米比赛的终点，许多运动员都摔倒了。这种情况在当天的男子比赛中也时有发生，但官员们还是以为女性身体健康着想为借口，取消了女子800米跑比赛项目，这一禁令直到1960年才被解除。在这样的条件下，德国女选手琳娜•拉德克（Lina Radke）赢得了比赛，创造了2分16.8秒的世界纪录。

德国选手安妮•赫尔德曼（Anni Holdmann）是第一位获得奥运径赛冠军的女选手，但在第2轮100米预赛中惨遭淘汰。来自美国伊利诺伊州的16岁小将伊丽莎白•鲁宾逊（Elizabeth Robinson）获得冠军，她的运动天赋是在一次追赶公共汽车的时候被发现的。阿姆斯特丹奥运会是她有生以来第4次出国参加比赛，即使这样，她还是大显身手，追平了12.2秒的世界纪录。

相对而言，美国游泳运动员的处境要好得多。早已经被视作传奇人物的约翰尼•魏斯穆勒（Johnny Weissmuller）在100米自由泳比赛中，尽管在换气的间歇不时感到呼吸困难，可他还是以提前0.4秒的成绩刷新了由自己创下的58.6秒的世界纪录，领先匈牙利选手伊斯托凡•巴拉尼（Istvan Barany）1秒钟。日本在这次奥运会的游泳比赛中开始崭露头角，其中两名选手鹤田义行（Yoshiyuki Tsuruta）和高石胜男分别获得了200米蛙泳项目金牌和100米自由泳铜牌。4年后，魏斯穆勒在好莱坞影片《人猿泰山》中首次亮相。

美国选手阿宾娜•奥西波维奇（Albina Osipowich）获得了女子100米自由泳冠军，创造了1分11.0秒的奥运纪录。此外，她还参加了4×100米接力赛。年仅12岁时，她就已经是历史上年龄最小的两枚金牌的获得者了。因魏斯穆勒执意放弃男子400米游泳比赛，瑞典选手阿恩•博格（Arne Borg）和澳大利亚的安德鲁•查尔顿（Andrew Charlton）之间的竞争就显得异常激烈了。他们互相把对方视为眼中钉，在游泳池内你争我夺，两人几乎是齐头并进，最终，阿根廷选手阿尔伯托•索里利亚（Alberto Zorilla）以5分1.6秒的成绩捧走了金牌，他的成绩比博格创下的世界纪录多了11秒。在1 500米的自由泳比赛中，博

女子运动兴起。在100米比赛中，美国女选手伊丽莎白•鲁宾逊获得冠军，加拿大两名选手芬尼•罗森菲尔德（Fanny Rosenfeld）和埃塞尔•史密斯（Ethel Smith）则分获银牌和铜牌。

格轻松地战胜了对手查尔顿，创造了19分51.8秒的奥运纪录。在截至1929年的8年间，博格总共创造了32项世界纪录，他所创造的19分7.2秒的1 500米自由泳纪录一直保持了11年。

自两年前第一届世界杯足球赛举行以来，人们对足球的兴致越发浓厚，这一点只要看看高达25万的观众数量就能明白。决赛中，乌拉圭队以2∶1战胜了阿根廷队，意大利队以11∶3击败埃及，获得铜牌。印度队摘得了首枚曲棍球比赛的金牌，并自此连续6次蝉联奥运会冠军，守门员理查德•艾伦（Richard Allen）几乎是滴“球”不漏。

瑞典选手斯温•托菲尔特（Sven Thofelt）在现代五项全能比赛中击败了自己的队友博•林德曼（Bo Llindman），获得冠军。另外，300米游泳也是他的强项。托菲尔特后来连续在3届奥运会上成为首席运动员，并随后在奥委会任职。

瑞典选手斯温•托菲尔特在击败队友博•林德曼和赫尔穆特•卡尔（Helmut Kahl）获得五项全能冠军后，开始了漫长的奥运生涯。

挪威王子奥拉夫（Olav），也就是后来的挪威国王，在帆船赛中勇夺金牌，成为首个获得奥运金牌的王室成员。他的儿子哈拉德王子在1964年到1972年间创造的辉煌成绩更是让人叹为观止。

在女子800米预赛中，德国女选手琳娜•拉德克（Lina Radke）夺得冠军，紧随其后的是日本选手人见绢枝（Hitomi Kinue）。最终，由于许多选手在比赛中累倒，这项比赛被取消，直到1960年才得以恢复。

第20章 走出困境

瑞士选手尼斯·奥斯瓦德（*Denis Oswald*）
奥运会赛艇运动员，曾为国际赛艇联合会（*FISA*）负责人
国际奥委会执行委员会成员

几年前，在一次火灾中，一位曾同时获得奥林匹克奖杯和世锦赛划艇冠军的运动员的住宅被大火吞噬。他在其运动生涯中所获得的奖杯在大火中惨遭毁坏。他希望能将奥林匹克奖杯修好，这充分反映出奥林匹克运动会的魅力所在。对于每一位运动员来说，能够参加奥运会是他们运动生涯的最终目标，在他们眼中，奥林匹克奖牌要比世界冠军奖章更为珍贵，即便这两场比赛事实上是基于同样的标准，甚至连对手都是一样的。

在公众眼中，奥运会被罩上了特殊光环，许多人原本不热衷于体育运动，也很少观看比赛，但奥运会的现场直播却每场必看，对比赛成绩更是异乎寻常地关注。之所以有这样的区别，原因很简单，因为这是"奥林匹克运动会"啊。

奥林匹克运动会在人们心目中的特殊地位源于很多因素，归纳起来主要有三点：首先，奥林匹克运动会每4年才举办一次，自然"物以稀为贵"；其次，现代奥运会继承了古代奥运会的宝贵遗产，历史悠久；当然更重要的原因还在于它的广泛性和综合性。的确，奥林匹克运动会已经超越了它所代表的体育比赛本身。它通过严格的比赛规则和统一的奖励方式把不同的运动形式联结成一个整体。在这个整体中，一位摔跤冠军和一名百米赛跑的胜利者得到的奖励是相同的。不同的是，他是自己所在领域的佼佼者，别人则是另一比赛项目的获胜者。奥林匹克运动会意味着对各种体育运动的国际性认可。它已经不再是单纯的体育比赛，而在各国派出的奥林匹克代表队中，同样的追求也把所有来自国内的各种体育项目的运动员们联结成一个独立的整体。可以说，奥林匹克运动会在不同领域的运动员之间搭起友谊的桥梁，通过共同的奥运经历，他们才能够相互了解。

一场成功的运动会就是要把所有的体育项目都包罗在内，而不考虑这些体育赛事本身知名度的大小、媒体覆盖率的高低以及重要性如何等。这样才能使一些所谓的小项目也能在运动场上占有一席之地。这种海纳百川的包容力造就了奥林匹克运动会，赋予了它独特的、国际性的特质，也正是这种包容力使奥林匹克运动会具有了非凡的意义，从而超越了诸如世界杯足球赛和世界锦标赛之类的体育比赛。此外，奥林匹克运动还将体育运动与道德教育融为一体，这也正是它之所以拥有强大生命力的关键所在。

实际上，那些所谓的小的体育赛事已经成了奥林匹克大厦中不可或缺的基石。也正是在它们的点缀下，奥林匹克运动会才超越了单纯的竞技比赛，成为独树一帜的国际性盛会。

18、19世纪之交，普莱西德湖作为耕地，被划给了刚刚获得自由的美国黑奴，约翰•布朗就长眠在湖区外围那个属于他的农场上。这位著名的废奴主义者因在哈珀渡口袭击美国军械库而于1859年在弗吉尼亚被处死。此时的普莱西德湖正迅速发展成一个文化和运动场所，众多登山爱好者和艺术家们纷纷来到阿迪伦达克山区享受湖区静谧的夏夜。1895年，梅尔维尔•杜威博士在这里建立了普莱西德湖俱乐部，用来刺激当地日益火爆的旅游业。杜威是纽约市一名普通的图书管理员，但他在1904年到1905年间把冬季体育活动列入俱乐部发展进程的举动却在奥运史上留下了自己的印迹。他从挪威引进了滑冰项目，此前在美国绝无仅有。一些俱乐部成员开始在镜湖上滑雪、驾雪橇、溜冰等。后来，在杜威的儿子戈德弗雷的积极奔走下，1932年，在这个尚不为东部海岸以外居民所知的旅游胜地举办了第3届冬季奥运会。

截至1921年，普莱西德湖先后建成了跳台滑雪场和速滑场，当地的滑雪协会成了美国最权威的冬季体育组织。洛杉矶已经取得了1932年夏季奥运会的主办权，国际奥委会也有过在同一国家举办两场奥运会的想法。当时还在父亲的俱乐部里担任秘书的戈德弗雷•杜威认为申办冬奥会有利可图，于是他先是说服了全镇居民，而后又说动了当时的纽约市长富兰克林•D.罗斯福，并在1928年成立了一个申奥委员会。第二年，杜威的代表团先后来到法国和瑞士。功夫不负有心人，4月10号，国际奥委会认同了他们的申请 。

普莱西德湖计划本届冬奥会参赛选手多达几百名，预计每天观众为8 000人次，还要修建一个有舵雪橇冰道和一座主体育馆，以及其他的体育设施。纽约市政府答应投资12.5万美元修建有舵雪橇冰道，为此，还专门请来了一位德国设计师负责场地建设。

比赛日益临近，然而1929年10月25日，那个黑色星期五，华尔街股票市场全面崩溃，美国国内和全球都开始面临严峻的经济形势。这对于预计耗资高达百万美元之巨的冬奥会筹备者而言，更是雪上加霜。尽管有普莱西德湖所在的北厄尔巴市为其发行的20万美元公债，再加上有限的门票收入，建设费用还是严重不足。最终，联邦立法机构出面承担了超过50万美元的建设费用。

如果说当时美国国内财政预算紧张的话，那些欧洲国家则更是如此。考虑到路费问题，许多国家在参赛上打起了退堂鼓。在这种情况下，布伦戴奇出面，说服轮船和铁路等运输部门减少国外参加奥运会（包括夏季奥运会）人员20%的旅费。胡佛总统还宣布免除国外参赛人员的签证费用，要知道签证在当时可是极为严格的，所需费用更是高得惊人。更令组织者担忧的是该地在1月份降雪偏少，再加上一场意外的热气流影响，气温骤然升至10摄氏度（相当于华氏50度），一时间到处可见积雪消融，冰道上的冰块也纷纷解冻。好在温度及时回落，一场暴风雪又为比赛场地送来了新的积雪。

富兰克林•D.罗斯福(前排左二），手拿礼帽宣布普莱西德湖冬奥会开幕。

由于胡佛拒绝主办奥运会，此时呼声正高的罗斯福抓住有利时机，通过全美广播公司和哥伦比亚广播电台向公众批露了这一事实，为胡佛总统谋求连任设下了不可逾越的障碍。为了对场地进行精确测量，罗斯福的妻子埃利诺还亲自来到新建的有舵雪橇冰道上视察。

经济危机限制了普莱西德湖冬奥会比赛的规模和人数，也给在洛杉矶举办的夏季奥运会带来了更为严重的破坏。截至1932年夏，美国国内1/4的工人（大约1300万人）都面临失业。国内生产总值也随之下跌了1/3，街道上挤满了等待发放救济面包的人。在加利福尼亚的首府萨克拉曼多市，抗议者游行示威，反对继续举办奥运会，他们还打出了“要面包，不要比赛”的标语。曾经拒绝继续主办奥运会的胡佛大发厥词：“此时如果有人还希望我参加奥运会，那将是对我人格的侮辱。”

在欧洲，形势也同样不乐观。德国正在从因一战赔款而导致的通货膨胀的困境中走出，但国内日益抬头的纳粹分子却又叫嚣着要和奥地利结盟，意大利也在一旁跃跃欲试。在英国，失业人数几乎达到300万。同时，亚洲的日本国内生产总值几乎下降了一半。

卡尔•R.冯•赫尔特博士带领德国代表团从面临通货膨胀和纳粹思想风行的德国来到普莱西德湖冬奥会上。

历史证明：威廉•贾兰德（William Garland）不愧是一时人杰。早在1920年在安特卫普召开的国际奥委会会议上，贾兰德就已经积极地为洛杉矶争取1928年奥运会的举办权了。1921年，他被推选为国际奥委会委员后，一回到美国就宣布开始扩建洛杉矶纪念体育场。在1923年召开的罗马会议上，贾兰德再次提出了申请，国际奥委会欣然同意预先给予洛杉矶奥运主办权，并一致同意不再寻求其他候选城市。

1929年的一次执行委员会会议上，委员们就有关女性参赛议题仍争论不休。国际奥委会主席的德•巴耶-拉图尔坚决反对妇女参加竞技体育项目，其立场之坚定比顾拜旦有过之而无不及。除此之外，他还宣称妇女只能被允许参加艺术类比赛，更为荒唐的是，这其中竟包括最消耗体力的竞技体育项目之一——游泳。由于游泳比赛是在水中进行的，那些表面上怜香惜玉的男人自然就看不到姑娘们大汗淋漓的样子，相反她们还会优雅地甩落身上的水滴。

国际奥委会在女子参赛问题上的保守态度越来越显得不合时宜。1930年，国际女子体育联合会（FSFI）在布拉格举办了第3届世界妇女运动会（这一名称至今仍在沿用）。来自17个国家的女选手们参加了12项田径比赛以及篮球、手球等球类项目。为此，曾亲临布拉格赛场的科尔比（Kirby）专门写了封建议书，寄给那些在1931年巴塞罗那会议上仍然对女性参赛问题摇摆不定的官员们。她们的努力没有白费，国际奥委会终于投票决定在洛杉矶奥运会上开设女子田径比赛项目，除此之外还增加了80米跨栏、标枪以及击剑、体操、滑冰和游泳等项目，只有女子800米仍不被允许。也正是这个决定，成就了第一位女子田径体育明星米尔德里德•迪德里克森（Mildred ‘Bebe’ Didrikson）。

女性终于能够正式参加奥运比赛了，但极富传奇色彩的帕亚沃•努尔米却失去了参赛的权利。就在开幕式进行前不久，国际业余田径联合会以他曾经受到物质奖励为由裁定他为职业运动员，于是这位传奇的芬兰运动员极其遗憾地被取消了参赛资格。

1923年，当威廉•贾兰德带回申奥成功的消息时，难以言喻的喜悦和自豪淹没了加利福尼亚人。于是，一项100万美元的公债被批准用于奥运会建设，另外，人们还扩建了洛杉矶纪念体育场，使之可容纳10万名观众。然而，自1929年开始，世界经济形势急转直下，到1930年已经再无

威廉•M.贾兰德（右），洛杉矶奥运会的策划者，正带领国际奥委会主席德•巴耶-拉图尔（左）和美国副总统查尔斯•柯蒂斯（Charles Cutis）参观比赛设施。

回天之力了。在这个时候，谁能支付得起跨洋过海的高昂旅费呢？

贾兰德给正在主持柏林例会的国际奥委会致电，表示洛杉矶方面已经准备为参赛选手提供每天只需花费2美元的膳宿及交通便利，为此他们还专门为选手们修建了奥林匹克村，里面有为各国国家奥委会提供的独立餐厅。此外，船票和火车票价格也下调了，这样，欧洲的参赛者长达一个月的旅程只需500美元/人，节省近1/3的费用。主办方还别出心裁地把奥林匹克村设在距离奥运会主体育场只有几分钟路程的鲍尔温山上，这里有来自太平洋清凉的微风。这样的安排使欧洲队开始重新考虑参赛问题，先后有37个国家派代表队参加了比赛，其中绝大部分都要归功于新建的奥林匹克村。后来的奥林匹克村还增设了医院、消防、独立警署以及安全网等。美国人的这一灵感造就了运动员和工作人员居住在一起的比赛环境，并由此演变成了奥林匹克运动会的一项传统。然而，女选手们却被排斥在奥林匹克村以外，她们被安排在位于威尔特大道上的查普曼•帕克大酒店。

刚刚摆脱经济困境的洛杉矶又开始策划和好莱坞联手打造历史上组织最完善、场面最热烈的一届奥运盛会。以巴尔的摩为首的各大豪华宾馆的舞厅和餐厅举办了各种娱乐活动和庆典；椰子湾酒店每天晚上都会接待众多的游客；由约翰尼•魏斯穆勒加盟的第一部影片《人猿泰山》也给这个繁华的都市增添了几分别致。玛丽•毕克馥和道格拉斯•菲尔班克斯夫妇，作为多年来奥林匹克运动会的忠实观众，还在自己的豪宅里举办大型聚会，热情招待来自世界各地的观众和运动员们。

在本届奥运会上，洛杉矶不仅拥有世界一流的体育场（场内设有新轧成的煤渣跑道），还专门修建了一座拥有万人坐席的游泳池；他们还把军械库改为击剑场，并在此基础上增设了可容纳1万名观众的拳击和摔跤馆；另外他们还新建了一条专门为自行车比赛准备的木制跑道。在洛杉矶历史、科学与艺术博物馆内举行的艺术类比赛种类之繁多，是在此之前的历届奥运会所无法相比的。一届原本如噩梦般的运动会就这样变成了梦幻般的体育盛会。在这届奥运会中，主办方事无巨细，一切都安排得相当出色。赛场还专门为径赛项目设置了电子终点摄影装置，这种装置分辨率高达1/100秒，不过当时还只是用来判定成绩相近的选手的名次。本届奥运会还专门设置了三层领奖台，并在领奖仪式中加进了升国旗的环节。一个很能反映当时经费困难的事实是：需要

参赛选手们在专门修建的奥运村内休息。

自己支付旅费的66名奥委会成员中，只有16人来到洛杉矶奥运会现场，其中还有3名是美国人。

在奥运会进行的两周内，有上百万人观看了比赛，并为此支付了近200万美元，这届奥运会出人意料地盈利了。在第23届洛杉矶奥运会（距此52年之久）之前的历次奥运会中，这是唯一的一次盈利。其中一项重要的盈利项目就是他们发行的一种面值为3美分的纪念邮票，这枚新邮票是以阿尔弗雷德•莱康利（1924年短程接力赛的冠军，当时他是最后一棒）为原型塑造的一名赛跑者形象。这届奥运会可以说是奥运史上的里程碑，约有8.7万名观众参加了闭幕仪式。太阳下山了，上千人组成的大合唱却在此时响起，雄壮的歌声在城市的上空盘旋，直到一声“再见”，一切才又恢复了平静。这届奥运会让我们想起了记分器上反复出现的一段话：“重要的是参与，而不是取胜……最重要的事情不是征服，而是奋力拼搏。”

国际奥委会主席德•巴耶-拉图尔正在为他贷款买来的豪华轿车加油。

第21章 普莱西德湖

第三届冬奥会 1932

挪威选手苏妮雅·海妮

曾获冬奥会女子单人滑比赛三连冠

我的第一双冰鞋是8岁时的圣诞礼物。以前我从没穿过冰鞋，所以当我得到这个礼物后，就箭一般地冲了出去，和我哥哥利夫一起玩了起来。那天早上，我虽然跌了好多次跤，摔得浑身是伤，但却尝到了从未有过的欢乐和喜悦。也许是我那天的表现使父亲觉得我在滑冰上有些天赋，所以他决定给我请一位指导老师。

直到1928年的冬季奥运会，花样滑冰项目在比赛形式上还比较呆板和缺少活力。自由滑冰本应是选手们自由发挥、展现自身个性和创造力的表演项目，但那时却成了由一系列几何图形和少许绝活表演糅合而成的套路。我相信我之所以能够在圣莫里茨获得奥运冠军是因为我在自由滑中加入了一些舞蹈形式，而正是这些舞蹈成分使传统的旋转和跳跃动作显得更加生动流畅。此后的一些滑冰选手们也都开始尝试着依赖大量的舞蹈动作来完成自由滑冰项目。

几乎所有的挪威选手都把普莱西德湖冬奥会看作是一次失败的赛事。天气和赛场条件的变幻不定给比赛带来了很大的麻烦。不过好在花样滑冰项目还算进展顺利。场地很坚固，比赛结果也很令人满意。更重要的是我觉得自己在这场比赛中真的是受益匪浅。

1932年的这场比赛在欧洲人眼里更是不值一提。选手们的水平普遍较低，这使得在普莱西德湖举办的这届冬奥会显得过于平淡。与之形成鲜明对比的是，1936年加米施-帕滕基兴冬奥会上的比赛场面却是万众瞩目，精彩纷呈。恶劣天气引起的道路积雪，也使得人们在离开美丽的阿迪伦达克山区时感到万分苦恼，连告辞都比平时要仓促得多。

我从小就梦想着有一天能够进入影视圈。当看到许多女演员都是从练习舞蹈走向演艺道路的时候，我也开始练习舞蹈，但我始终不愿放弃滑冰，因为它对我来说太重要了，在我眼中，它和舞蹈一样美妙，同样令我痴迷。但我同样渴望新的人生体验，我更希望这种体验能把我的事业推向一个新的台阶。的确，这样的选择使我失去了昔日逐鹿赛场的乐趣，但我更在乎的是滑冰本身，而不再是结果。事实上，在离开赛场以后，我有了更多的时间可以用来滑冰，而且还可以尝试更多的冰上运动。另外，在准备拍摄电影的同时，我还学到了许多新花样，这在以前连想都不敢想。最重要的是，现在我至少可以把自己对冰上舞蹈的体会展示给公众，也算是实现了我孩童时的梦想吧。（摘自苏妮雅•海妮的自传《脚下的翅膀》）

1912年，苏妮雅•海妮出生于奥斯陆一个很富有的家庭里，她的母亲出身船舶世家，父亲家里则是做皮革生意的。海妮是他们的第2个孩子。这个女孩既有天分，又很能吃苦。她的父亲威廉不仅是一位自行车冠军，还是一位颇有成就的速滑运动员和越野滑雪能手。除了在奥斯陆拥有一处豪宅外，他们还有一栋山间小屋以及一所夏季海滨别墅，这就为一个幼年早熟的心灵提供了自由舒适的成长环境，也为她后来成为最著名的奥林匹克冠军埋下了种子。

这位据说是挪威第一位拥有私家车和私人飞机的父亲总是想方设法满足女儿的一切要求。9岁时她就已经是全国花样滑冰冠军了。就在圣莫里茨冬奥会之前，年仅12岁的海妮遇到了安娜•巴甫洛娃（Anna Pavlova），两人都同样痴迷于自己的体育事业。在1937年前她一直被认作是一位业余选手，但她已经获得了10个世界冠军，并连续3届蝉联奥林匹克女子单人滑冠军。名利双收的海妮已经和当时名噪一时的网球运动员苏姗•朗格朗（Suzanne Lenglen）齐名了，但她们能躲过敏锐的运动员业余性审查，这不能不说是当时体坛上的两大奇迹。

成为奥林匹克冠军的海妮用她的优雅和创意赢得了国际范围的崇拜，据传随后达里尔•扎纳克还和她签约，以每张12.5万美元的高价购买她的照片。但她在国内却不太受欢迎，这主要源于她和希特勒之间的暧昧关系。在1935年柏林举办的滑冰展中，她举止轻浮地向希特勒行纳粹军礼以博取他的赞许，并接受了希特勒赠送的一幅有银框的画像，上面还有希特勒本人的亲笔签名。这个后来曾被纳粹军队占领的国家一直把这件事视作整个民族的耻辱。

奥地利选手卡尔•舍费尔（Karl Schafer）击败了基尼斯•格拉夫斯特隆（Gillis Grafstrom）。

在普莱西德湖冬奥会上，7名分别来自美国、奥地利、加拿大、芬兰、法国、英国和挪威的裁判一致认定海妮为冠军。同样，男子单人滑冠军落到了奥地利的卡尔•舍费尔头上，他获得了除芬兰和英国以外的5名裁判的最高分，从而击败了曾连续两届蝉联冠军的瑞典选手基尼斯•格拉夫斯特隆。尽管已经38岁的格拉夫斯特隆竭力用自己的出色表现弥补了在规定内花样动作上的失误，他还是与冠军头衔失之交臂。在此之前，他撞上了一台放错位置的录像机，或许这就是导致他赛场失利的原因吧。

美国在本届冬奥会上成绩斐然，短短14天

内，共获得6枚金牌，4枚银牌和2枚铜牌，比他们迄今为止在冬奥会上获得的奖牌总和还要多。不过，这主要是因为他们在速滑比赛中执行了所谓的内部标准，从而导致一窝蜂似的自由起跑，而不是采用欧洲的测量体系。另外，天气状况和经济危机的双重干扰，也使得参加本届冬奥会的国家和个人锐减，一半以上的参赛者都来自美国本土和加拿大。

曾经多次获得冠军的芬兰选手克莱斯•图恩伯格被本次冬奥会的多次预选赛制度激怒了，因此他拒绝参加比赛。对于欧洲选手来说，这种体制无疑是灾难性的，而后来的比赛结果也证实了这一点。美国队和加拿大队获得了全部12枚金牌中的10枚。欧洲各队一致要求：在此后不久仍在这里举办的世界锦标赛以及以后的冬奥会中恢复原来的起跑方式。在接下来的世界锦标赛中，曾在1928年冬奥会5000米速滑赛中获得冠军的伊瓦尔•巴兰格鲁德（Ivar Ballangrud）又以赢得3金1银的骄人战绩证明了欧洲在冬季项目中的实力。当地年仅21岁的小将杰克•希亚（Jack Shea）则在500米和1 500米速滑项目中获得冠军，他在3场资格预选赛之前大约一两个小时举行的开幕式上，还曾为此立下誓言。由于比赛安排不规范，6名进入决赛的选手中有5位都是北美运动员，希亚以5米的优势打破了挪威选手伯恩特•埃文森（Bernt Evensen）所保持的奥运会纪录，并获得了金牌。在1 500米隆滑项目中，排在首位的美国选手赫伯特•泰勒（Herbert Taylor）在最后一次转弯时不幸跌倒，希亚于是轻松地击败加拿大选手艾利克斯•赫德（Alex Hurd），再度获胜。

根据奥尔巴尼气象台发布的天气预报，阿迪伦达山脉当年将出现117年以来最暖和的一个冬天。直到2月末，哈得逊河才开始结冰，这在历史上尚属首次。天气变暖使美国人不得不开着卡车到加拿大边界运载雪块，同时还导致了迄今为止第一次在闭幕式以后才举行四人雪橇比赛。不仅如此，在比赛滑道上，事故频发，5 000名旅客纷纷解囊相助，每人拿出了10美元，才使得比赛在一名指挥的帮助下继续进行。在这届冬奥会上还出现了双人有舵雪橇比赛项目，更新鲜的是，在美国四人座雪橇小组中还有一名来自丹佛的律师爱德华•伊根（Edward Eagan）。出身贫寒的伊根先后在耶鲁、哈佛和牛津读过书，他还曾在1920年安特卫普夏季奥运会上获得拳击比赛冠军。因此，他便成了20世纪独一无二的在冬、夏两季奥运会上均获金牌的运动员。

虽然这届奥运会上出现了一些灾难性的后果，但开创了女子速滑比赛的先河。正是在这届运动会上，英国滑冰选手莫莉•菲利普斯（Mollie Phillips）成了第一位奥运开幕式的女旗手。

在颇有争议的500米和1 500米速滑赛中，杰克•希亚获得两项冠军。

费斯克带领美国队在四人雪橇比赛中获胜。由左至右依次为：德国选手札恩•韦纳（Zahn Werner）（铜牌获得者，正在为费斯克颁奖), 爱德华•伊根（Edward Eagan）,克利福德•格雷（Clifford Gray）和杰伊•奥布莱恩（Jay O' Brien）。

加拿大冰球队第4次蝉联冠军。

第22章 洛杉矶

第十届夏季奥运会 1932

米尔德里德·萨哈蕾亚斯
（*Mildred 'Babe' Zaharias*，原名迪德里克森）

美国选手，奥运会田径双项冠军

人们很难理解为什么我在跨栏时前腿可以抬那么高。其实，我平时练习用的栏的高度就较比赛用栏要高。另外，我投标枪的方式也很独特，我不完全按照教练要求的方式去做，为此，我曾向教练真诚地道歉。但是，我已经很难改变自己去适应它们了。科尔•迈克库姆斯教练真诚地告诉我，应该保持自己的个性。

我们初次到达体育场的那天很兴奋，但离开的时候，我突然觉得并不喜欢那里的训练方式。比如，每个人都必须穿上特制的服装、长袜和白色的鞋子。那是我一生中第一次穿长袜，至于那双鞋子就更糟了，把我的脚都给磨破了。

第一天就安排练习标枪，但直到太阳就要落山、整个运动场变得很凉的时候训练才开始。看到德国女孩训练的时候，我有些兴奋，因为她们被认为是最好的队员。她们已经学会如何通过就地俯卧来放松自己，我也听说这种放松的方法很有效，却从心底里不赞同。我觉得这种方法不适合我，所以在比赛中，我还是尽量选用习惯的放松动作。

人们把一些旗帜插在地上，以显示新的奥运会纪录是多少。一个德国女孩儿刚刚创造了一个新的纪录（和我的成绩相比还差点儿），于是地面上插了一面德国旗。轮到我的时候，由于天气较冷，加上缺乏赛前的准备活动，我没能完全放松，然而，我还是创造了143.4英尺(相当于43.68

迪德里克森(中)和简•希利（左)、伊娃•道斯（Eva Dawes）在一起。

米)的奥运纪录。我平时的训练成绩几乎接近150英尺，但是我的肩部肌肉在这次投掷中被划破了，所以在第一次和最后两轮的表现都不是很好，这使人们误以为我并没有尽全力。

两天以后我们又进行了第一次跨栏热身赛。当时的纪录是12.2秒，而我的个人最好成绩则是两周前创下的11.9秒，在热身赛中我以11.8秒的成绩刷新了它们。在第二天的决赛中，因为急于创造一个新纪录，我差点儿抢跑。由于想到可能被取消资格，我有点胆怯，所以直到在第5个跳栏追上芝加哥的伊芙莲•霍尔（Evelyne Hall）的时候，我才知道自己胜出了。如果用赛马的术语来说，就是以一个"鼻子"的距离取胜（指侥幸取胜的意思）。尽管起跑慢了些，我还是创造了

11.7秒的世界纪录。

我需要赢得跳高冠军才能实现3 个田径项目(妇女在田径赛中只允许参加这三个项目)的“满堂红”。简•希利（Jean Shiley）和我都超常发挥，跳杆一直升到了5.5英尺(相当于1.65米)，几乎比我们训练时的高度要高出2英寸，但我们都跳过去了。截止到目前，我已经打破了2项世界纪录。当他们把跳杆又升高3/4英寸时，我们两个都失败了，他们只好把横竿再降到了5.5英尺，这样我们两个都很轻易地跳过了。他们不习惯我的西方式动作，根据当时的比赛规则，运动员的脚必须首先越杆，如果你的头先越杆的话，那叫“俯冲”，不能得分。他们裁定我“俯冲”，结果让我与金牌失之交臂。后来的照片可以证明我的脚的确是在身体之前越杆的。我找裁判申诉，他们却说：“你以前是否俯冲，我们不知道，但这次我们亲眼看到了。”（选自迪德里克森的自传《我的一生》）

关于迪德里克森的性格，人们有两种相反的看法，这主要缘于她的过分自信。这位杰出的女运动员，同时也是历史上最优秀的万能选手，19岁时已经是奥运赛场的宠儿了。但是，据说她的队友暗地里都祈祷她的对手简•希利在跳高比赛中胜出。

迪德里克森的父亲是一艘挪威籍船上的木匠，曾多次随船环绕合恩角。迪德里克森小时候爱和同龄的男孩子们比赛体力，从来没有像一般女孩子一样玩过洋娃娃，但她也有自己的玩法，她喜欢用家中的扫帚把和母亲的铁熨斗练习举重。她经常以假小子形象出现，也相应地缺乏女性特质，这成了她一生都无法摆脱的烦恼。18岁时，她退出了拳击比赛，并宣称自己是位淑女。除了擅长棒球、足球、篮球、手球等运动，她在曲棍球、台球、剑术、滑冰、射击、自行车、桌球等领域的成绩也非同一般。除了体育方面的才能，她还有很多过人之处，比如能在一分钟内打出80多个字，会吹口琴等，还是很好的舞蹈演员和打牌高手。也许正是因为她在各方面都有过人之处，才招来了那么多人的憎恶。

少年时代的迪德里克森就和她所在的达拉斯飓风队一道获得过美国篮球比赛三连冠；17岁时，在棒球投球锦标赛上，她投出了296英尺（相当于90.22米）的好成绩；而后她开始在布鲁克林道奇棒球队作投手，这期间她还曾当着72 000多名观众的面，击败了传奇人物迪•马吉奥（Di Maggio）。在伊利诺伊州的埃文斯顿举行的洛杉矶奥运会预选赛上，她获得了8个比赛项目中的5个第一名，3次刷新世界纪录。即便如此，

美国选手米尔德里德•迪德里克森在80米跨栏赛中和队友伊芙莲•霍尔争夺冠军，两人几乎同时到达终点。

她的最高荣誉却并不在这里，而是在高尔夫球比赛中。当她第一次偶然进入一个高尔夫球俱乐部的时候，只听了3节课便击中了83个球。她从一名业余选手逐步过渡到职业选手，并3次获得世界冠军和美国女子公开赛冠军。她最后一次获得美国女子公开赛冠军是在1954年，两年后，年仅43岁的她因癌症去世。

颇具讽刺意味的是，迪德里克森在跳高比赛中，因错误地受到违规处理而失去了分享金牌的机会，却在跨栏比赛中，因裁判失误而独享了本应由她和伊芙莲•霍尔共同拥有的金牌。虽然这届比赛采用了电子终点摄影装置，但该技术仍处于试验阶段，而且胶卷冲洗的过程也相当慢，根本满足不了当时赛场的需要。在跨栏决赛结束一个星期后，才有照片显示伊芙莲•霍尔最迟也是

和迪德里克森一起到达终点的。但木已成舟，她们还错误地拥有了同样的世界纪录。

1932年的洛杉矶奥运会获得了极大的成功，尽管此前的经济危机和低迷的门票需求给组织者造成了一定程度的悲观情绪。当众多好莱坞明星，包括道格拉斯•菲尔班克斯、玛丽•毕克馥、查理•卓别林、克拉拉•鲍和玛琳•黛德丽一起自愿参加开幕式前的造势活动时，会场气氛开始热烈起来。对于那些从欧洲远道而来，而后又从纽约乘坐近5天的火车，还要在每隔几百公里的短暂的停车间隙做热身运动的运动员来说，能够站在高地之上的奥林匹克村内，俯瞰太平洋，享受温暖的阳光和新鲜的空气，旅途的艰辛和心灵的劳顿全都一扫而光了。据正式统计数据表明，参加本届奥运会开幕式的人数达到了历史最高水平，101 000名观众把新扩建的洛杉矶体育场围了个水泄不通，特别是当中国运动员刘长春举着国旗出现的时候，会场几乎沸腾了，人们发出了震耳的欢呼。尽管在两项短跑比赛中，他都没能进入决赛，但作为第一个出现在奥运会田径跑道上的中国人，他已经预示了中国在田径赛场上的春天。

在1924和1928年的两届奥运会中，芬兰队创造了一个“长跑王国”的神话，如今这样的神话被打破了，这并不仅仅是因为努尔米被禁止参赛。据说这位身价极高的运动员心脏跳动极慢。如今他正和宾•克罗斯比、麦克思兄弟以及其他观众一起坐在看台上。在10,000米比赛中，芬兰选手伊索-霍洛（Volmari Iso-Hollo）和波兰选手杰纳斯•库索辛斯基（Janusz Kusocinski）上演了一场决斗。这两人你追我赶，直到最后一圈才分出胜负。库索辛斯基最终还是以30分11.4秒的成绩刷新了世界纪录，这个成绩比努尔米创下的世界纪录快了5秒。5000米比赛更是扣人心弦，而美国队表现出的良好的体育修养也被大家所公认。在比赛进行到第3圈时，当时美国最优秀的运动员拉夫•希尔（Ralph Hill）就已经赶上了当时世界纪录的保持者、芬兰选手劳瑞•莱赫蒂宁（Lauri Lehtinen），并随后开始赶超另一位芬兰选手劳瑞•维尔塔宁（Lauri Virtanen），起先他试图从外道超，后来又从里道超，但每次这位芬兰选手都会跨过来挡在他前面。最终莱赫蒂宁以14分30.0秒的成绩打破了奥林匹克纪录，以不到一步的距离胜出。面对这样的比赛结果，许多人发出了嘘声，但播音员却制止道：“请大家记住：他们是我们请来的客人。”美国官方也拒绝对此提出抗议。

芬兰选手劳瑞•莱赫蒂宁在5 000米跑的最后冲刺中击败了美国选手拉夫•希尔。虽然比赛结果颇有争议，但无论如何莱赫蒂宁还是延续了芬兰在中长跑领域的优势。

在1500米赛跑中，世界纪录保持者法国选手朱尔斯，和努尔米一样也被禁止参赛，原因还是职业化的问题。尽管如此，这次比赛却成就了两位未来的田径明星：新西兰的杰克•洛夫洛克（Jack Lovelock）和美国选手葛仑•坎宁安（Glenn Cunningham）。起初坎宁安和加拿大选手菲利普•爱德华兹（Philip Edwards）一直领先五六步，英国选手约翰•科恩斯（John Corns）紧随其后。但在最后一圈时，来自意大利的贝卡利却超过了他们，创造了3分51.2秒的奥林匹克纪录，为意大利再添一枚金牌。在这届奥运会的金牌榜上，美国队以41枚金牌的成绩位居榜首，意大利以12枚金牌尾随其后，名噪一时的芬兰队则一落千丈。

在备受瞩目的马拉松比赛中，年仅20岁的阿根廷小将胡安•卡洛斯•萨瓦拉（Juan Carlos Zabala）获得冠军。一开始，他遥遥领先，在比赛进行到3/4时被已经获得10 000米和5 000米比赛铜牌的维尔塔宁赶上，但此后不久萨瓦拉又开始以微弱的优势领先，最终，他在终点线上因虚脱而倒下。此时，来自英国的萨缪尔•费里斯（Samuel Ferris）和邓肯•怀特（Duncan Wright）以及芬兰选手阿玛斯•托伊沃宁（Armas Thoivonen）继续在赛场上争夺亚军和季军。

800米比赛的结果更是出人意料。几乎没有人对汤米•汉普森（Tommy Hampson）寄予希望，这位来自英国的24岁的年轻教师，其训练成绩从没突破过1分52秒，更不要说打破美国人本•伊斯门（Ben Eastman）所保持的1分50.0秒的世界纪录了（不过这位世界纪录保持者在洛杉矶奥运会上已经把注意力转移到400米项目上了）。尽管如此，汉普森也已经意识到自己要想取得800米的金牌，就必须突破1分50秒，他一直在为实现这一目标而努力。他首先争取在大约55秒之内跑完400米，从而以1分49.7秒的成绩打破世界纪录，这个目标很快就实现了。“在赛跑的过程中，每当我觉得无法坚持到终点的时候，都有一种精神激励我一定要坚持下去，这种精神激励正是来自我的未婚妻温妮。”汉普森自豪地说。

还有一个问题也令人捉摸不透：在400米跨栏决赛中，是谁打破了世界纪录？谁获得了第二名？在该项赛事中，不仅有来自美国的世界纪录保持者以及1924年400米跨栏冠军摩根•泰勒（Morgen Taylor）、1928年奥运冠军伯利爵士（Lord Burghley），还有在半决赛中就已经平了奥运纪录的美国选手葛仑•哈丁（Glenn Hardin）和鲍勃•蒂斯德尔（Bob Tisdall）。洛杉矶奥运会是蒂斯德尔第7次参加的比赛，而他在爱尔兰代表队中也只是一名试用队员，根本没有接受过跨栏训练。来到洛杉矶之后，为了尽快恢复体力，他每天都要睡上15个小时。如今，正是他的体力才使他对决战满怀信心。在决赛中，他异常冷静，虽然中途被栏杆绊倒，却还是站起来继续比赛，最终他还以0.2秒的优势击败了对手哈丁。然而根据有关比赛规则，由于他在比赛中撞到了栏杆，所以他所创造的51.7秒的世界纪录也会被适当调整，就这样哈丁以51.85秒的成绩获得了本场比赛的第一名。

在100米决赛中，埃迪•托兰（Eddie Tolan）和拉夫•梅特卡夫（Ralph Metcalfe）被认为最具

爱尔兰一位名不见经传的替补队员鲍勃•蒂斯德尔在400米跨栏比赛中击败了实力雄厚的美国对手葛仑•哈丁和摩根•泰勒。哈丁只获得了第二名却创造了世界纪录，这可真让人糊涂！

夺冠实力：梅特卡夫在预赛中胜出，而托兰则在第二轮比赛中打破了10.4秒的奥林匹克纪录。在最后20米时，两人一直齐头并进，但似乎是梅特卡夫最先冲到终点。然而根据电子摄像，裁判们裁定托兰为冠军。多年以后，当人们重新评估这次比赛时，才证实了梅特卡夫是这场比赛的真正赢家，而新的10.3秒的奥林匹克纪录也应当由他们两人共同分享。在200米赛跑中，梅特卡夫又遭受了同样的厄运。错误的起跑线标志使他一开始就落后了一米，最终他只拿到了一枚铜牌，而他的队友乔治•辛普森（George Simpson）却获得了本应属于梅特卡夫的银牌。在这次比赛中，托兰再次获得冠军，并以21.2秒的成绩打破了奥林匹克纪录。更令人称奇的是，该项赛事世界纪录的保持者澳大利亚选手詹姆斯•卡尔顿（James Carlton）没有参加这次比赛，就在比赛前，他突然跑到修道院里出家了。

在洛杉矶奥运会上，日本选手成了游泳比赛中的赢家，尽管他们在赛前做了相当充分的准备，但人们对这样的结果仍感到十分意外。这其中有4名日本选手获得个人赛冠军，3名队员打破了奥运纪录，另外，在800米接力赛中，日本队的成绩与上届奥林匹克纪录相比缩短了38秒。其

中获得1500米自由泳冠军的北村久寿雄（Kusuo Kitamura）年仅14岁；100米仰泳冠军清川正二（Masaji Kiyokawa）只有16岁；获得100米自由泳第一名的宫崎康二（Yasuji Miyazaki）也只有17岁。在本届男子游泳比赛项目中，参赛的3名日本队员都进入了决赛，并赢得了16枚奖牌中的11枚。

在铁饼比赛中，法国选手朱尔斯•诺埃尔（Jules Noel）是否应该获得冠军这一问题引发了很多争议。比赛正式结果显示，他的成绩要落后于排在第一位的美国选手约翰•安德森（John Anderson）。但不幸的是：在他掷出迄今为止仍是他最高纪录的距离时，裁判们正忙于关注撑竿跳比赛，根本没人注意他到底掷了多远。而当他被允许重掷时，却再也没能掷出自己的最好成绩。

虽然经历了一场异常艰辛的持久战，加拿大选手邓肯•麦克诺顿（Duncan MacNaughton）最终还是赢得了跳高比赛的冠军。正在南加利福尼亚大学读书的他曾希望参加美国国内的预选赛，但遭到拒绝。之后他又向加拿大提出了同样的要求，结果依然如此。终于在他的不断请求下，他被允许参加加拿大锦标赛，虽然在比赛中胜出，他仍然被排斥在加拿大奥林匹克代表队之外。尽管如此，他还是来到奥林匹克村，并要求分给住处。已经被他缠得精疲力尽的加拿大奥委会只好听从了他的请求。就是靠这样的坚持，麦克诺顿才有机会成为自现代奥运会开办以来在该项目中打破美国人独霸局面的第一人。

在前来长滩观看比萨大学和加利福尼亚大学之间的2000米赛艇比赛的人群中，意大利观众最多。起先意大利队始终领先一米，但就在快到终点时，却以30厘米之差败给了美国队。在单人双桨赛中，澳大利亚选手亨利•皮尔斯（Henry Pearrce）蝉联冠军。之前，他还在亨利市获得该项目冠军，并落下对方6个船身。

凭借非凡的控制力，一名来自瑞典的警察伊瓦尔•约翰松（Ivar Johansson）在中量级自由式摔跤比赛中获得了冠军，随后他又在短短一周内减掉了5公斤，参加了古典式摔跤比赛并再次夺冠。来自意大利的阿蒂利奥•帕维西（Attilio Pavesi）在长达两个半小时的100千米自行车比赛中展现了自己超强的食物调配能力。在他的自行车把手上挂着汤、水、12只香蕉、奶酪三明治和一些意大利式细面条，除此之外，他还在脖子上围了两个备用轮胎。最终，他以一分钟多的优势战胜了他的队友古列尔莫•塞加托（Guglielmo Segato）。

本届奥运会获得了极大的成功，观众人数高达125万，盈利100万美元。此外，无论是从现场气氛还是赛场成绩来说，它都是历届奥运会无法比拟的。

获得现代五项全能冠军的瑞典选手约翰•奥克斯蒂纳（Johan Oxenstierna）在游泳比赛中获胜后和他的队友一起在游泳池内小憩。

第23章 被掩盖的罪恶

卡尔·迪姆（*Carl Diem*）
德国选手，国际奥委会成员

两年前，洛杉矶奥运会获得了巨大的成功，而今，德国正面临着组织一场能与之相匹敌的运动会的伟大任务。首先，这次运动会要成为涵盖15个项目的总的世界锦标赛，不过，即使这样也不能完全表达出奥林匹克运动这一概念。奥林匹克运动会并不是简单意义上的总的世界锦标赛，而是要成为一个展现年轻一代文化特色的盛会，这其中有包括绘画、雕刻、音乐、文学和建筑等在内的各类文艺竞赛。除了那些规定内的仪式外，主办国还要安排一系列的艺术盛事来烘托这个庄严而神圣的活动。

第二项重大任务是有关运动会配套工程扩建和改造的技术准备工作，例如位于格伦瓦尔德的大型体育场，在格伦洛的赛艇线路，地处米格尔湖和基尔的帆船航道，以及在多贝利兹为所有参赛队员建造的奥林匹克村等。其次，还要修葺冬季运动设施，这其中包括跳雪台、有舵雪橇赛场以及位于加米施-帕滕基兴的滑冰场。

第三个任务就是以统揽全局的高度，确定整个盛事所体现的思想艺术理念及其自身特色。而今，世界各国都在期待德国组织的这一伟大盛事能够取得非凡的成就。正如奥林匹克的创始者们所言：奥林匹克运动会的真正宗旨是要成为追求强健体魄、崇尚真善美以及维系民族团结的盛会，这三种精神是密不可分的。奥林匹克运动会的火炬是一种跨越时光、穿越世纪的和平象征，是国与国之间互相理解的一种符号。正是这种奥林匹克精神指引着人类，为建立一个和谐美好的世界而投注更大的热情。

这位天才的体育官员说起话来是多么诚挚啊，却也无意中表露出某种误导。由于第一次世界大战的爆发，本打算在柏林举办的1916年奥运会被宣布取消，之后重新在德国举办奥运会还需要一系列程序。在1930的柏林国际奥委会大会上，德国的代表们，尤其是西奥多•李哈德（Theodore Lewald, 德国奥委会3名成员之一），在会议之前就开始卖力地宣传他们的方案。由于洛杉矶已经在长达9 年的努力后获得了1932年奥运会的举办权，许多城市都在争夺1936奥运会的举办权。1932年，德国人已经给人们留下了极为深刻的印象，所以在第二年举行的巴塞罗那会议上，只剩下最后两个候选城市——柏林和巴塞罗那。只有20个成员出席了会议，因此邮寄的选票也算数，最终柏林以43:16胜出。在此之前，德国奥委会就已经表示，希望能在德国的加米施-帕滕基兴举办冬季奥运会，但这项决议直到1933年才得到国际奥委会的确认。加米施之所以被选定为冬奥会的举办地，主要是因为它临近人口稠密的慕尼黑和因斯布鲁克，同时它还紧靠德国最高的山峰楚格峰。

此外，巴伐利亚还是民族社会主义工人党的阵地，慕尼黑为其总部所在地，而纽伦堡则是他们举行年会的地方。国际奥委会曾对海因里希•布吕宁领导下的魏玛共和国的那些不稳定的中间联盟表示过一定的赞许。此时，纳粹分子尚在幕后，但这种威胁却已相当明显。

次年，纳粹分子的代言人布鲁诺•马利兹开始谴责现代体育运动，他认为这种运动已经被法国人、比利时人、波兰人以及犹太人和黑人搅得一团糟。8月19日，《民族观察家报》也开始发表社论，提出只有白人才有资格参加奥运会。一个月后，早在1929年就开始担任德国国家奥委会成员，同时也是加米施冬奥会组委会准主席的卡尔利特•冯•霍尔特（KarlRitter Von Halt），迫于奥委会其他同事的压力，决定就举办奥运会有关计划问题征求希特勒领导的民族社会主义工人党的意见，并请求与希特勒本人会面。他的这一请求遭到拒绝，因为当时希特勒正忙于参加竞选活动。不过冯•霍尔特收到一个声明："德国民族社会主义工人党不会反对举办诸如奥林匹克运动会之类的国际性比赛，也不会反对有色人种参加这些比赛。"冯•霍尔特向国际奥委会传达了这个表面上很令人安心的消息，于是委员们的疑虑被打消了。尽管事实证明纳粹分子的行为与他们的声明背道而驰，委员们还是固执而可悲地坚守着那份声明，如果他们具备最起码的观察力，就不难发现这保证不过是一纸空文。

1933年1月30日，希特勒和他的民族社会主义工人党上台执政。而就在一周前，以李哈德为主席的柏林奥组委召开了第一次会议，时任组委会秘书的是卡尔•迪姆，他是一位德国体育运动的坚决拥护者。问题的焦点在于李哈德是犹太血统，他曾在芝加哥、巴黎以及圣路易斯举办的国际博览会上担任德国文化代言人，负责筹措德国奥运代表队的训练经费，1916年接管柏林市财政预算，并于1926年当选为国际奥委会委员。希特勒上台后，当时舆论界的头号人物约瑟夫•戈培尔开始对李哈德进行攻击，尽管李哈德的地位已被体育界所公认，他还是很快被迫辞去了国家体育委员会委员的职务，出身于中上层社会的迪姆通过德国体育总局一跃成为体育界中举足轻重的人物。尽管迪姆本人没有犹太血统，他的妻子却是地道的犹太人，再加上他和拥有犹太教员的德国体育大学关系密切，于是，在戈培尔所控制的《进攻报》以及其他纳粹舆论工具中，他被指责为"白犹太人"，很快就步李哈德的后尘被罢免。接替他们的是体育部长汉斯•范•查莫尔•奥斯滕。

加米施-帕滕基兴冬季奥林匹克运动会组委会主席卡尔利特•冯•霍尔特博士欢迎到场的希特勒。

这些事立即引起了巴耶-拉图尔的警觉，5月份他给国际奥委会的3位德国成员去信，提醒他们敦促希特勒在国际奥委会宪章下组织奥运会，其中宪章明确规定："奥运会的主办权属于一个城市而不是一个国家；其中不应当包含政治、种族、民族或者宗教方面的偏见；奥运会组委会直接向国际奥委会负责；不符合上述条件将被取消举办资格。”国际奥委会随即要求德国政府为即将在维也纳召开的例会提供一份有关德国将严格遵守国际奥委会宪章的书面保证。如果巴耶-拉图尔稍加留意的话，就不难看出参加会议的3名德国人的处境是多么尴尬，不过希特勒还是让步了，他信誓旦旦地向国际奥委会主席保证，由奥委会任命的两位官员不会被范•查莫尔取代。

引起人们关注的不仅仅是李哈德等人的去留问题，关键在于德国对各国代表队中犹太血统运动员的态度以及他们的参赛资格问题。在范•查莫尔的授意下，新上任的体育官员开始对国内各体育团体和俱乐部进行整顿，犹太人被排斥在所有体育组织之外。除此之外，体育还被军政官员所利用，成为宣扬民族社会主义工人党意识形态的工具，这种做法完全违背了奥林匹克的宗旨。然而，处在这种政治体制下的李哈德和同事们却无可奈何。

在维也纳召开的国际奥委会例会上，有关犹太人议题已经进入高潮，在得到柏林方面有关犹太人享有参赛权的保证后，巴耶-拉图尔的态度才有所缓和。

我们可以清楚地看到，国际奥委会在对待犹太人问题上模棱两可的态度。举例来说，J. 西格弗里德•埃德斯特朗在写给埃弗里•布伦戴奇的信中这样写道：“从根本上说，我并不赞成迫害犹太人的行为，但也十分理解情况需要有所改变……可以说德国绝大部分国家机器都操纵在犹太人手中，而不是在德国人手中。甚至在美国也早晚会出现政府不得不出面禁止犹太人参加任何活动的一天。那些犹太佬既狡猾又不择手段。”

虽然未能完全消除这些争议，维也纳例会还是以绝大多数赞成票通过了由巴耶-拉图尔连任国际奥委会主席的决议。在1934年的雅典年会上，英国国际奥委会成员阿伯德尔勋爵（Lord Aberdare）和贾兰德都对纳粹的保证提出质疑，但他们从李哈德和冯•霍尔特那里得到的答复却是：“德国政府将严格遵守去年做出的允许犹太人参加德国队的诺言，这一点毋庸置疑。”

几个月过去了，巴耶-拉图尔的短视依然如故。1935年8月，希特勒在一次欧洲旅行途中会见了谢里尔。在这次会谈中，希特勒谎称自己并不知道1933年德国政府有关犹太人参赛问题的许诺，并宣称这一许诺只适合其他参赛国，并不适合德国境内的犹太人。当谢里尔指出这样很可能导致比赛被取消时，希特勒则表示即使那样的话，也不过就是变成“德国奥运会”而已。谢里尔被希特勒这番言辞震得惊惶失措，他建议巴耶-拉图尔和希特勒会面。这个建议在9月15号后变得迫在眉睫，因为就在当时希特勒正式公布了纽伦堡法令，犹太人被定义为“低等人群”。随后纳粹分子又开始了大规模的迫害犹太人行动。他们还规定任何犹太人都不得成为德国公民，也不得嫁给德国人，否则就会被监禁。

11月，希特勒会见了巴耶-拉图尔，这次会谈没有留下任何记录。然而令人难以置信的是，就在这次会谈后，这位国际奥委会主席写信给美国奥委会的成员们，表示他能保证德国犹太运动员能够继续参加训练。这位比利时的贵族居然对一些虚假的承诺深信不疑，真是让人匪夷所思。

由于同情国内反对柏林的联合抵制运动，美国籍国际奥委会委员厄恩斯特•杰恩克被撤职。图为1932年奥运会上杰恩克正在为获得帆船比赛冠军的美国选手安德鲁•利班诺（Andrew Libano）和吉尔伯特•格雷（Gilbert Gray）颁发奖牌。

只有一位美国籍国际奥委会委员杰恩克对巴耶-拉图尔的保证依然持怀疑态度。1935年11月，当巴耶-拉图尔和李哈德邀请他加入反对美国联合抵制的运动时，他随即在《纽约时报》上刊登了自己的回复，信中这样写道：

……我并不怀疑你们从纳粹体育官员们那里得到的各式各样的保证……他们的许诺太多了……但事实是，他们解散了天主教的体育俱乐部，剥夺了犹太运动员们为进入预赛而参加训练的机会，这就相当于犹太队员作为一个群体已经被排斥在德国代表队以外了。在此，我恳求你们抓住时机，在奥林匹克的历史中选择站在顾拜旦而不是希特勒的旗帜下。

毫无疑问，巴耶-拉图尔对这样的答复很不满，他随即指责杰恩克言辞“过于”偏激，并断言“奥林匹克之父”（顾拜旦）如果在世的话，也会站在受到杰恩克指责的国际奥委会其他成员一边。在12月份召开的美国运动员协会代表大会上，尽管只比对方多出3票，以巴耶-拉图尔为首的反对联合抵制的一方还是占了上风，最终大会决定选派一支美国代表队到柏林。

杰恩克先是成了国际奥委会同事们眼里的“叛徒”，而后又被要求辞职，但他拒绝接受这一要求。国际奥委会在德国奥运会问题上的盲目轻信和固执己见终于使他们在柏林奥运会前夕召开的例会上，一致决定取消杰恩克国际奥委会委员的职务。或许有人会说，从原则上讲，国际奥委会对1936年奥运会和1980年莫斯科奥运会的态度基本一致。但绝大多数意见认为，两者产生的环境截然不同。1980年的联合抵制出于政治目的，而1936年掀起的这场运动则基于人道主义。如果国际奥委会在理论上有权轻信希特勒的谎言，那他们至少也应当赋予杰恩克等人拥有不同意见的权利。除了犹太人以外，美国各界知名人士也都参加了联合抵制运动，这其中有议员、宗教届人士、记者、艺术家及作家等。据1935年的一次民意测验显示，43%的美国民众支持联合抵制运动。

尽管在美国决定派代表队参赛后，全球范围内对希特勒压迫德国犹太人的厌恶情绪开始部分平息，巴耶-拉图尔和希特勒还是于开幕式前夕再次会晤。他首先通知希特勒在宣布比赛开始时，只能按照规定说纸条上的那句话，不能以此进行政治宣传。然后他递给希特勒一张纸，上面写着一句话：我宣布加米施-帕滕基兴冬季奥林匹克运动会开幕。对此希特勒不无嘲讽地说了句：“我一定尽力记住这句话。”除此之外，还有一个令评委们非常不满的问题。尽管双方已经约定清除一切带有攻击性的标语或指令，评委们还是在体育场的公厕外发现了这样一则公告：“犹太人和狗禁止入内。”当巴耶-拉图尔对此提出抗议时，却遭到希特勒的无礼非难，而且他还强词夺理道：“如果你去拜访一位友人，却要对他的房屋提出批评，那可就有点不近人情了。”对此，这位国际奥委会主席义正词严地反驳道：“对不起，长官先生，但是一旦奥林匹克的旗帜在会场上空升起，它就不再属于德国，而属于奥林匹亚。在奥林匹亚，我们才是真正的主人。”几个小时后，这些标语被摘掉了。

就在比赛的同时，民族社会主义工人党公然违背《洛迦诺公约》，开始紧锣密鼓地策划占领非军事化的莱因地区。

希特勒的车队到达加米施-帕滕基兴冬奥会比赛场。

希特勒、空军司令赫尔曼•戈林以及国际奥委会成员冯•霍尔特在加米施-帕滕基兴冬奥会的开幕式上。

对于希特勒、戈培尔和戈林等人来说，本届奥运会是一个对外宣传的好机会，为此，本届冬季奥运会为公众提供了迄今为止数量最多的看台。举例来说，在跳台比赛场地附近建有一座43米高的塔楼，其中设有75 000个看台。此外，主办方还在优越地段设了5万个看台。在这场比赛中，挪威选手伯格•鲁德（Birger Ruud）卫冕成功，而前来观看这一盛况的观众如此之多，只有马拉卡纳体育馆、里约热内卢、汉普顿公园以及格拉斯哥这样的场地才能容纳得了。

在本届冬奥会上，首次参赛的国家包括澳大利亚、保加利亚、列支敦士登、西班牙以及土耳其等。跟随希特勒出席开幕式的纳粹党卫军警卫人员就有6千人。冯•霍尔特还在他的开幕致辞中宣称："我们想向全世界证明，在元首的领导下，我们完全有能力举办一场旨在实现人们互相真诚交流的、真正和平的盛会。"

为了保证这种交流不被那些爱搬弄是非的外国摄影师破坏，他们拒绝这些专业摄影师进场，这就使外国媒体只能从德国摄影师那里获得一些赛场信息。大赛组委会还分别用5种语言采写了一些新闻片断，这样外界所能得到的信息也被控制了。在这些新闻片断中，最受关注的莫过于海妮在花样滑冰项目中第3次获得冠军的消息了，这无疑是本届冬奥会一个亮点。仅有一位犹太运动员被象征性地介绍了一番。这位名叫鲁迪•鲍尔（Rudi Ball）的犹太选手曾是4年前获得铜牌的德国冰球队的成员，在这次比赛中他们却出人意料地被英国队击败。

对于大部分不知内幕的外界人士而言，加米施冬奥会无疑是一次成功的体育盛会，这也完全符合希特勒宣传的为军国主义服务的纳粹文化的目标。1933年，希特勒应邀来到位于斯图加特的大型体育馆内，在那里，给他印象最深的就是伴随着雄壮音乐的运动员队列表演。在他眼中，雅利安人才是古希腊人的后代，正是基于这样的信仰才使他有了"纯种人"的概念。他认为正是在和劣等人种的通婚过程中，他们金发碧眼的纯种特征才受到了玷污。在奥林匹克"圣火"从维也纳传到柏林的时候，激动的人群开始欢呼"Sieg Heil!"(德语为"胜利"的意思，德国法西斯分子见面时招呼用语)。对此，《纽约时报》指出："与其说这一次的奥林匹克火炬是国际体育的象征，不如说它是一场灾难的前兆，是人类步入长夜前一次短暂的闪光。"很多人都在期待这一次的"圣火"能成为奥林匹克历史的象征，但事实远非如此。1928年，李哈德提出了点燃"圣火"的建议，他还在建议中提出，可以通过聚焦奥林匹亚的太阳光点燃火种，然后再将火炬接力到主办城市。这一创意在1934年才被正式定为奥运仪式的一部分，并在柏林奥运会上首次采用。一个由3000名长跑运动员组成的接力队肩负着把火炬从奥林匹亚经过希腊、保加利亚、南斯拉夫、匈牙利、奥地利、捷克斯洛伐克，传递到德国的神圣使命。

1936年3月，纳粹占领莱因区的军事行动没有引发任何争议。在柏林，人们又开始紧锣密鼓地筹备即将举行的夏季奥运会。这次奥运会还将开创奥运会无线电和电视实况转播的先河，其中后者是利用德国一个闭路系统来完成的，每天都有上6位数的观众观看4个主要赛场的比赛。现在让我们看一下所谓的"公开"赛：希特勒曾私下要求获得过1928年奥林匹克冠军的德国第一击剑运动员海琳•麦尔（Helene Mayer）归国（当时她已经定居美国），参加即将开始的预选赛。不过，她败在了来自匈牙利的犹太选手埃罗娜•埃列克（Ilona Elek）剑下，只得了第2名。与此相反的是，德国第一跳高运动员格雷特•伯格曼（Gretel

Bergmann）被排斥在赛场外，原因就在于她不是“官方”指定体育俱乐部的成员。麦卡比和其他类似的犹太俱乐部的成员们也被邀请参加预选赛，但即使成绩再突出，也不能进入下一轮比赛。据美国驻柏林的领事乔治•麦瑟史密斯汇报，1935年11月，李哈德曾痛苦地向他坦言，自己在1933年宣布的不会发生种族歧视的许诺是一个谎言。

为了进一步实现希特勒提出的最大限度地宣传德国的目的，主办者还不惜巨资扩建柏林体育中心，使其可容纳10万名观众，并新建了拥有18 000个座位的露天游泳池和跳水池。从负责运送参赛队员的交通系统，到设施齐全的奥运村（奥运会结束后改为军队营房），以及为300多名女选手们专门准备的客房，一切都近乎完美。在本届奥运会上，电子记时系统和终点摄影技术也得到有效利用，公共定位系统被用来发现随时可能出现的威胁，菩提树下大街等主干道上处处悬挂着带有“卍”标志的巨型条幅，每家咖啡店或餐馆的广播都在播放刺耳的军歌及对元首的效忠宣誓。如果不停下来仔细分析这样粉饰的最终目的，恐怕15万名国外旅客都会被这样的场景所打动。

与其说开幕式是一项体育庆典，倒不如称之为加冕仪式。震耳欲聋的号角声在希特勒进场时吹响，而后才是来自49个国家的4 000名运动员入场。所有人都被要求向这位纳粹领导人致敬。法国人用欢呼声向他致敬，英国人依然保持原来的姿势，草草地行了个传统的注目礼。人群中到处可见棕色和黑色的脸庞，体育场上空盘旋着插有国际奥委会会旗的“兴登堡”号飞船。在开幕式进行前，希特勒的代表鲁道夫•赫斯和范•查莫尔•奥斯滕就已经通知委员们传统仪式将被打破。当首位奥运马拉松冠军史匹登•路易斯为希特勒献上从奥林匹亚带来的橄榄枝的时候，这些元老们更加惶恐不安了。具有讽刺意味的是，其他的首届奥运冠军们，包括体操冠军阿尔弗雷德•弗拉托夫（平衡木）在内，已经位于“最后决策（纳粹集中营）”的边沿。更为讽刺的是，11个月前离开人世的顾拜旦的声音仿佛还在体育场内回响：“比赛中，最重要的是参与，而不是取胜。”就在这次开幕式上，后来成为第五届国际奥委会主席的埃弗里•布伦戴奇的判断力也受到了怀疑，尤其是他在比赛结束时发表的宣言，“正如它的开创者所预言的那样，这个4年一度的盛会再次证实了：奥林匹克运动正是历史赋予我们用来寻求世界和平及创建和谐国际社会的最有效的途径”。另外，基于对“从不关心运动会组织和具体安排等正事”的美国政府的不满，布伦戴奇自始自终都认为联合抵制运动只是犹太人的宣传造势而已。

1936年，由于有犹太血统而备受排挤的德国奥组委主席西奥多•李哈德（右）博士陪同希特勒以及国际奥委会主席德•巴耶-拉图尔（左）进入柏林体育场。

对此，我们只能设想他从来就没有细读过戈培尔在《进攻报》上发表的评论文章。在这些评论中，他称杰西•欧文斯和其他美国黑人选手为“黑人附属”。而纳粹年轻一代的领袖巴尔杜•冯•席腊赫还鄙夷地说：“一个黑鬼拿到了金牌，美国应该为此而感到害臊。至于我本人则是从来不屑于和任何黑鬼握手的。”事实上，能和欧文斯握手对于很多人来说都是件梦寐以求的事。在1976年蒙特利尔奥运会，本书的作者就有幸如此。

在运动会即将结束时，德•巴耶-拉图尔也似乎意识到本届运动会的可悲之处。在参加由希特勒主持的宴会时，他无意中坐在冯•席腊赫的夫人旁边，当听到这位夫人评价这场“团结和平”的盛会是如何成功的时候，德•巴耶-拉图尔一反常态地回敬道：“夫人，愿上帝保佑你的幻想。不过如果您问我的看法，我敢担保不出三年，我们就会面临一场战争。”

第24章 加米施－帕滕基兴

第四届冬奥会 1936

伯格·鲁德（*Birger Ruud*）

挪威选手，冬奥会跳台滑雪冠军

在国外举行的国际滑冰比赛中能够保持挪威特色，对于所有优秀选手而言无疑是一个共同的目标和梦想。对每一个人来说，它都是最振奋人心的挑战，当然也是无上的荣耀。还是少年的我们，就已经开始通过报纸上的报道关注第一场冬季奥林匹克运动会了。那里有我们的偶像——他们创造了赛场上一个个奇迹，唤醒了世人的滑雪意识，给世界留下了深刻的印象。我们为他们的成功而感到快乐和自豪，他们的精神也点燃了我们充满自信而又跃跃欲试的心，甚至憧憬着有一天自己也成为世界冠军。

奥林匹克运动对于个人究竟意味着什么？虽然有很多人获得了幸福和愉悦，然而更多的只是汗水和失望。尽管如此，在每个人心中都会有一个相同的目标，正是这个目标在激励着我们永远积极向上、顽强拼搏的同时，也引导着我们学会自律、学会奉献。对于全世界的年轻人而言，奥运会是一项有益于身心健康、值得为之奋斗的体育活动。

我们能相信这个目标将继续激励着我们吗？是的，我们应该相信。我们也希望它永远地延续下去。然而，很长时间以来，没有人知道，在那些大型的国际体育竞赛里，它们将怎样发挥作用。直到1945年，这个问题还不是很清楚。我们的确需要一个认真细致的领导层，毕竟奥运会曾经是一个为和平服务的体育运动，而且时间也已经向我们展示了这场运动给我们带来的好处，虽然同时也暴露了这场运动中隐藏的种种缺陷。比赛变得越来越激烈，对运动员自身的要求也变得越来越多。不同国家对业余性质的不同理解，使比赛违背了平等竞争的原则。我们也不应当忘记一些国家还曾利用奥运会，为一些与奥运会精神无关的甚至不健康的思想作宣传。让我们祈祷这些问题在不久的将来得到解决；让我们祝愿所有参加运动的年轻人都能在神圣的奥林匹克圣火的周围相遇，奥林匹克圣火永不熄灭！（上述材料来自康宁斯柏格奥林匹克博物馆资料室）

高山滑雪终于在这次运动会上亮相了，而比赛地点就在加米施和帕滕基兴交界的村庄里。在

挪威选手伯格•鲁德在跳台滑雪项目中卫冕成功。

1911年就组织过第一次滑降比赛的阿诺德•伦恩（Arnold Lunn）先生，后来又创设了障碍滑雪比赛项目——一种有类似车道的滑行线路的竞速滑雪比赛，途中设有门形障碍物。这个项目的出现受到了北欧一些国家的强烈反对，因为它和当时传统的北欧风格完全不同，因此当挪威选手出现在这两场比赛中，特别是男女混合的滑降和回转项目中时，那情景显得格外别扭，简直可以称得上是滑稽。尽管如此，他最终还是克服了斯堪的纳维亚人的强烈反对，并说服奥委会通过了这两个项目。

伯格•鲁德从1932年起就保持着跳台滑雪的冠军头衔，并在此次混合滑降比赛中胜出。他经常参加在德国、奥地利以及瑞士定期举行的高山滑雪比赛。不仅如此，他还拒绝接受一般滑雪教练的指导，因为他只信赖国际奥委会指定的专业人员。他以领先3秒的优势在越野滑雪比赛中获胜，但在障碍滑雪比赛中却排在第6名，最终与奖牌无缘。当他在越野赛的最高点时，就已经利用独立的电话线获得了整个线路的具体信息，并随之精确地调整了雪蜡。来自巴伐利亚的一名家具制造商弗兰茨•普夫尼尔除了在滑降项目中获得第2名，还在障碍滑雪赛中幸运地获得了冠军。获得障碍滑雪赛银牌的是德国纳粹党的一名重要人物古斯塔夫•兰切纳尔（Gustav Lantschner）。在女子混合滑降项目中，挪威选手莱拉•绍•尼尔森（Laila Schou Nilsen），一位杰出的速滑和网球运动员，在滑降比赛中以领先4 秒的成绩排在首位，但在障碍滑雪赛中，却因漏掉了一个门而被扣除6 秒，最后只获得第8名，不过这足以使她最终获得铜牌。尽管只有16岁，但她保持着5项速滑世界纪录，不过因为本届冬奥会没有开设女子速滑项目，她只好参加了该项比赛。

苏妮雅•海妮连续3届获得花样滑冰金牌，还是世界锦标赛十连冠获得者。海妮打算在退出体坛后到好莱坞发展，但在这届比赛中她面临着卫冕的巨大压力。在规定图案舞中，她仅以3.6分的优势领先于15岁的英国女孩赛西莉亚•科莱奇（Cecilia Colledge），对此她显得非常沮丧。然而，科莱奇在自由滑中发挥得并不好。轮到海妮出场时，不想音乐却被放错了，当海妮毫无惧色地滑到高潮时，其他26名参赛选手都已经认定这次的冠军非海妮莫属。最终，科莱奇获得亚军，瑞士选手韦维•安妮•胡尔滕（Vivi-Anne Hulten）

高山滑雪项目出现。在女子两项全能比赛中，德国选手克利斯蒂•克兰茨和挪威选手莱拉•绍•尼尔森分别获得冠军和季军。

则获得铜牌。在一年内，海妮的薪水直升到六位数。5年后，她获得了美国国籍。在经历了两次感情失败之后，她和青梅竹马的尼尔斯•翁斯塔（Niels Onstad）结了婚。在她57岁因白血病而去世的时候，据说她的身价值5000万美元。

来自奥地利的卡尔•舍费尔（Karl Schafer）获得男子花样滑冰冠军，这是7名裁判一致的选择。不过，几乎每次比赛都会出现偏袒行为，已经成了花样滑冰比赛的一大特色。在这次比赛中，两位匈牙利裁判把本国选手排在第2位与第3位，而在其他几位裁判的排序中，匈牙利选手的位置都低于第7名。来自德国的厄恩斯特•拜尔（Ernst Baier）获得了银牌，他还在队友麦克西•赫贝尔（Maxi Herber）的配合下获得了双人花样滑冰的冠军，他成为花样滑冰比赛中少有的双项冠军。年仅15岁零128天的赫贝尔则是这次运动会中最年轻的金牌获得者。

在最后的“压轴戏”跳台滑雪比赛中，鲁德获得了本届奥运会的最后一枚金牌。此时，在跳台滑雪赛场上还有125 000名观众，其中一些人将乘坐当夜的火车离开慕尼黑，为此德国特意安排了每隔10分钟一趟的列车。就这样，纳粹分子成功地实现了把运动带给人们，以及使人们走向运动的目的。不久，他们还将表演一幕更为卑劣的强制运送犹太人的暴力剧。

备受瞩目的苏妮雅•海妮获得第3届花样滑冰冠军。

第25章 柏林

第十一届夏季奥运会 1936

杰西·欧文斯（*Jesse Owens*）

美国选手，奥运会四项田径比赛的冠军

我对政治从来都不感兴趣。参加柏林奥运会也并不是为了和别的选手竞争。对我来说，奥林匹克运动会的真正意义在于尽自己最大的努力。我的第一位教练查尔斯•赖利曾对我说：一个人一生中最大的成功就在于超越自己。为了这一刻，我已经准备了整整8年。然而我知道，哪怕是一个小小的失误就足以毁掉一切。所以，何必担心什么希特勒呢？当我们站在100米决赛的起跑线上的时候，我已经意识到接下来的10秒钟将是我生命中最辉煌的时刻。

我必须承认自己是个被幸运之神特别眷顾的孩子，因为我总会碰到很多愿意帮助我的人。我承认自己有天赋，但天赋就像一股细流，如果没有正确的引导，就会被激流冲下山或者慢慢干涸了。所以，多亏了中学时代的教练，我才能打破世界纪录。那年的奥林匹克运动会成了我的圆梦场，所有的一切都那么顺利。然而，赢得100米冠军却是我记忆最深的时刻，那一刻我成了世界上跑得最快的人。

至于和希特勒之间的小插曲（指希特勒曾拒绝和他握手的事），我并不感到有什么，因为我不是去专门和他握手的。在那届奥运会上，最让人难忘的就是和德国跳远运动员卢茨•朗（Lutz Long）之间的友谊。在跳远比赛中，朗是我的劲敌，但在预选赛中，他却走过来帮我改进起跳动作，直至我取得最后胜利。对我来说，这段友谊是我生命中最宝贵的财富。我们一直定期互通书信，直到德国入侵波兰前才断了联系。卢茨在战斗中牺牲后，我又和他的儿子通信，我希望能用这样的方式来延续我们之间永恒的友谊。

当我又拿到了200米赛跑和跳远两项冠军时，一种特别的荣耀笼罩在我的头上，毕竟只有少数特别幸运的人才会享有这种荣耀。注视着国旗高高飘扬的时候，那种幸福的感觉简直难以表达。对我来说，那标志着另一个梦想的实现，我不会忘记是我的祖国把我送到了这里。我所有的一切都属于奥林匹克运动会，在我看来，这是世界上最伟大的体育盛会。每当看到上万名来自世界各地的男人和女人在同样的天空下歌唱、生活、嬉戏时，我都会被这样的场景深深地打动。到哪里还会看到这么激烈的竞争，这么强烈的信念？每天晚上，运动员们都会独自返回奥运村，然而当最后一天到来的时候，他们却都在四处张望，寻觅着自己在赛场上新结识的朋友。他们拥抱着，雀跃着……在这些来自全世界的年轻人眼里，奥运会是他们唯一可以通过同样的方式汇聚在一起的舞台。或许他们语言不通，却可以有共同的生活，但你不能同时消除他们的民族特性，也不能减少他们对自己的祖国和国旗的热爱。

即使是在成为奥运冠军以后，我仍然无法摆脱世人对我的歧视。我曾在奥运会上备受喜爱，也曾公开反抗过一位曾改变过整个世界的人物，但这没有用，我还是只能坐在公交车的后面。值得庆幸的是，随着马丁•路德•金博士和其他人以及那些还要先于他的人们的出现，事情正在发生着变化。20世纪30年代的美国，黑人几乎和任何形象都联系不上。然而就在这时有两个人出现了，这就是乔•路易斯和杰西•欧文斯。由于我们的努力，大门只打开了一条缝。由于金博士的出现，才真正打开了这扇通往正义的大门。

你说的话，也许人们只能记住其中的一些观点，也许他们会把这些传给自己的子孙。我想如果你的思想被一代一代传下去，那应该就是永恒了吧。通往奥林匹克的路不是通向某一个特定的国家或城市，它走过莫斯科，走过古代的雅典，走过纳粹德国，而今它正向着我们心底最美好的梦想走来。（节选自欧文斯的演讲以及新闻采访）

即使没有柏林奥运会上的种族因素，杰西•欧文斯（Jesse Owens）也会成为20世纪田径赛场上一个里程碑式的人物。欧文斯天生就是一位杰出的运动员，这位天才即便在最具有爆发力的时候也显得毫不费力，其秘密就在于他的非洲血统赋予其肌肉一种收发自如的本领。在那个纳粹势力日增的年代，他的成功无疑更加令人振奋。

1913年，欧文斯出生在阿拉巴马州一个黑人佃户家里，他是家里10个孩子中最小的一个。在他还是孩童的时候，全家搬到了克利夫兰，那里的学校老师在登记时把他的名字误听为J.C.（James Cleveland），还给他登记了个新名字杰西，后来这个名字上挂满了成功的光环。欧文斯很小的时候，在一位好心的体育教师查尔斯•赖利的指导下进行体育锻炼，15岁时就已经显示出了非凡的体育天赋，他的跳远成绩达到7米（接近23英尺）。进入俄亥俄大学后，成绩更是突飞猛进。1935年5月25日，在密歇根州的安阿伯，在后背拉伤的情况下，在不到一个小时内，他打破了5项世界纪录。除此之外，在100码比赛中，他还以9.4秒的成绩平了当时的世界纪录。他的跳远成绩为8.13米（相当于26.8英尺），不仅超出当时的世界纪录6英寸，而且保持了整整25年。 在220码比赛中，他以20.3秒的成绩刷新了世界纪录，同时也缩短了200米跑的世界纪录。最后，他还在包括220米跨栏赛在内的两个项目中连续打破了两项世界纪录。

18岁的欧文斯没能参加洛杉矶奥运会，但柏林成就了他的梦想，虽然他在那里受到了主办国的极端侮辱。这种文化上的歧视并不只是针对欧文斯一人，事实上，美国田径队的66名队员中有10名黑人，他们中的一些人在柏林奥运会上获得了7金、3银和3铜，比其他国家和他们的队友们在田径赛中得到的奖牌总数还要多。

尽管欧文斯早已和查理•帕多克（Charlie Paddock）以及奥运银牌得主拉夫•梅特卡夫（Ralph Metcalfe）一样成为100米比赛10.2秒世界纪录的保持者，但在柏林奥运会上，一开始不是很顺利。在之前的比赛中，他曾几次败给了梅特卡夫和来自坦普尔大学的尤尼斯•皮科克（Eulace Peacock），不仅如此，他还要承受和中学时代的恋人（他后来的妻子）生下私生女的压力。尽管面临着种族主义分子的侮辱，欧文斯却发现，他在柏林早就成了人们心目中的英雄。在首轮预赛中，他被分到了12个小组中的最后一组，但他却以10.3秒的成绩平了奥运纪录。在第二轮比赛中，欧文斯又创造了10.2秒的奥运纪录。半决赛和决赛那天，天气突然变得阴冷。在半决赛中，他的成绩为10.4秒，梅特卡夫落后0.1秒。在决赛中，欧文斯起跑非常迅速，而梅特卡夫则差点跌倒。欧文斯像阵风似的跑到了最前面，几乎没有人能追得上他。尽管在终点冲刺的时候，梅特卡夫几乎和他并驾齐驱，但终究还是落后了0.1秒。就这样，欧文斯再次平了奥林匹克纪录。这时候，跑道已经被雨淋湿了。来自荷兰的马蒂纳斯•奥森达普（Martinus Osendarp）获得了铜牌。

在100米比赛中，杰西•欧文斯轻而易举地拿到了冠军，而这还只是他所得的4枚金牌中的一枚而已。欧文斯也因此成为奥运精神的象征与世界体坛的典范。

在本届奥运会上，还有一个颇具历史性的故事：一直坐在主席台上的希特勒观看了开幕式当天所有的项目，但是在比赛的第二天，为了避免给曾被纳粹分子侮蔑，并在本次大赛中大获全胜的美国黑人选手欧文斯祝贺并与之握手，他公然离开了看台。事实击破了种族主义的谬论。在田径场上，德国队从来没有获得过一枚金牌。所以，当金发碧眼的“雅利安人”汉斯•范奥恩（Hans Woellke）获得射击项目的奥运金牌时，全场观众无不为之振奋。而后，他的队友吉哈德•施特克（Gerhard Stock）又在标枪项目中夺得一枚金牌，蒂莉•弗莱舍尔（Tilly Fleischer）和路易斯•克吕格尔（Louise Kruger）则在后来的女子标枪比赛中分获金、银牌。所有这些获奖运动员以及在10 000米长跑中获胜的3位芬兰选手都在主席台上受到希特勒的接见。暮色降临，希特勒离开了会场，他这样做是为了避免亲自为跳高冠军美国黑人选手克尼利厄斯•约翰逊（Cornelius Johnson）颁奖。

在200米赛跑中，欧文斯的优势更为明显。在前两轮预赛中，他就已经创造了21.1秒的奥林匹克纪录，在半决赛中，这个成绩被马克•鲁宾逊（Mack Robinson）追上。决赛是在一个阴冷、潮湿的傍晚进行的。起初，鲁宾逊和欧文斯几乎是并驾齐驱，然而在最后的转弯处，欧文斯行动更为干脆，最终他以领先4码的优势获得了冠军，并以20.7秒刷新了世界纪录。

尽管从某种意义上说，跳远一直是欧文斯的强项，然而这枚金牌却是他所获得的4枚金牌中最险的，他的成绩和1900年奥运会上的克伦茨莱因持平。不知是出于紧张还是比赛信息失误，欧文斯靠着预赛的第3跳成绩才勉强杀进决赛。当预赛已经正式开始时，欧文斯还以为是其他队员正在热身，所以只是试了下起跑便径直跑了过去，直到后来他才发现自己根本就没有第一跳的成绩。在第二次起跳时，欧文斯又犯规了。然而就在这时，他和实力雄厚的德国运动员朗有了第一次亲密接触。当时，朗很受纳粹领导层器重，他是他们用来打破“黑人工具”神话的一张王牌。然而朗却是一位品格极为高尚的运动员，他把欧

杰西•欧文斯在200米预赛中轻松获胜。

文斯拉到了一边，建议他退后一步起跳以保证获得参赛资格。可以说，朗在成就欧文斯的同时，也种下了自己失败的结果。

欧文斯以超出7.16米的决赛资格线仅1厘米的成绩获得决赛权。在决赛中，气氛更是剑拔弩张。第一次起跳，朗就以7.84米的成绩打破了当时的欧洲纪录。欧文斯的成绩比他多1英寸。在最后三次的第一跳中，两个人都出了错。第二跳，朗赶上了欧文斯上次的成绩，两人一起创造了奥林匹克纪录。欧文斯也毫不示弱地跳出了7.92米，并在最后一跳时把这个纪录提高到8.06米。这时，第一个上前祝贺的是他的德国劲敌朗。尽管也有一些观众为欧文斯喝彩，但大多数人在种族主义政策的影响下对此无动于衷，只有空旷的大厅发出悲哀的回声。欧文斯和朗十分珍惜这段友谊，两人一直互相通信。朗在1943年圣彼得堡战场上牺牲后，欧文斯又和朗的儿子通信。1980年3月31日欧文斯因肺癌去世，两位运动员之间的传奇式友谊才画上了句号。

在柏林奥运会上，欧文斯还参加了短跑接力赛，然而正是这项比赛给美国队的成功投上了一丝阴影。1912年奥运会，美国队没能进入半决赛，但自此以后他们一直保持该项目的冠军头衔。一段时间以来，美国队有4名选手一直在教练指导下进行训练，他们分别是：萨姆•斯多勒（Sam Stoller）、马蒂•格里克曼（Marty Glickman）、弗兰克•魏科夫（Frank Wykoff）和弗伊•德雷珀（Foy Draper）。这4人的次序本已确定，然而就在即将进行预赛的那天早上，他们被通知由欧文斯和梅特卡夫代替斯多勒和格里克曼参赛，被取代的恰恰是美国田径队中仅有的两名犹太选手。对此，美国一直没能给出令人满意的答案，尽管教练们声称，这样做是为了避免参赛队员的情况被透露出去。据传，美国奥委会负责人布伦戴奇曾经发出避免犹太选手出现在领奖台上的指令。面对这样的传言，布伦戴奇说这一组合早就定下了，这样的解释自然难以令人信服。其实，这6位选手中的任意4人组合都有夺冠的可能，最终美国队创造了39.8秒的世界纪录，

如果说欧文斯在本届奥运会上备受瞩目的话，其他一些比赛项目也是精彩迭出、不容错过的。4年前，在1 500米赛跑中获得前5名的选手，包括曾创造新的奥林匹克纪录的意大利选手路易吉•贝卡利（Luigi Becaali）、英国选手约翰•科恩斯（John Corns）、加拿大选手爱德华兹、美国选手格伦宁•坎宁安（Glenning Cunningham）以及瑞典的奈(Ny)，这次都进入了决赛，最终却无一人胜出。比赛进行到一圈后，科恩斯被德国选手弗雷兹•绍姆伯格（Fritz Schaumburg）超过，坎宁安和奈已经步履沉重，紧随其后的还有贝卡利和27岁的新西兰选手杰克•洛夫洛克（Jack Lovelock）, 后者曾经是一名业余拳击手，在一次大学生橄榄球比赛中，不幸被踢伤了腿，不得不中断了自己的跑步生涯。目前场上的次序已经依次为：奈，坎宁安，洛夫洛克，贝卡利暂时排在最后，不过奈的第一名也没能保持多久。在最后的冲刺时，洛夫洛克出人意料地冲到了最前面，这也是他在短跑项目中最后50米的一贯风格。据研究表明：洛夫洛克早年的踢伤已经导致他身体其他部分的功能错乱。此时洛夫洛克领先了两三步，在他身后，坎宁安拼命追赶，却无济

新西兰选手杰克•洛夫洛克在1 500米比赛中战胜了美国选手格伦宁•坎宁安以及意大利选手路易吉•贝卡利，获得了本场比赛的冠军。

由于日本占领了朝鲜，被迫以孙基祯的名字参加比赛的朝鲜选手以两分钟的优势战胜了德国选手（265号）厄恩斯特•哈珀（Ernest Harper），获得了本届马拉松比赛的冠军。

于事。最终，洛夫洛克以领先4码的优势创造了3分47.8秒的世界纪录，坎宁安3分48.4秒的成绩也打破了原来的奥林匹克纪录，贝卡利以3分49.2秒的成绩获得了铜牌。真是一场惊心动魄的比赛。

被誉为赛场上的“特种剧目”的马拉松比赛一向被视为对运动员身体素质的严酷考验。此次参赛的两名日本选手均是朝鲜人，由于当时的朝鲜被日本占领，所以他们被迫以孙基祯（Kitei Son）和南升龙（Shoryu Nan）的名字参加比赛。当时，阿根廷人胡安•卡洛斯•萨瓦拉（Juan Carlos Zabala）夺冠呼声最高，他此前一直在德国紧张地备战。比赛当天，天气晴朗，英国人厄恩斯特•哈珀（Ernest Harper）很快就显出了非凡的实力。起初，萨瓦拉一直遥遥领先。比赛进行到15公里时，他依然保持了两分钟的优势。跟在他身后的是哈珀和孙基祯，后者看起来身材瘦小，而且有些佝偻，然而在他亚洲式的平静中却蕴藏着非凡的意志力。在他们后面是3位芬兰选手。比赛进行到28公里时，孙基祯和哈珀先后超过了筋疲力尽的萨瓦拉。与此同时，3名芬兰选手也开始感到了压力，他们已经落得太远了，甚至连第3名都有可能被南升龙夺去。孙基祯已经和哈珀拉开了距离，哈珀的脚上已经磨出了水泡，走路有些一瘸一拐的。当孙基祯独自一人跑进体育场时，他所用的时间比奥运会纪录2小时29分19.2秒还要快2分钟。哈珀凭借自己顽强的意志坚持到终点，并获得了银牌，南升龙顺利地拿到了铜牌。一分钟后，埃尔基•塔米拉（Erkki Tamila）冲过终点线，又过了一分钟，瓦依诺•穆伊诺宁（Vaino Muinonen）也冲过了终点。在颁奖仪式上，当日本国旗升起的时候，孙基祯和南升龙都羞愧地低下了头。在给热心的观众签名时，孙基祯签上了自己的朝鲜名字。归国后的孙基祯在饱受欺凌的国人眼中成了一位真正的民族英雄。

本届奥运会创造了前所未有的成果：1932年奥运会的29项奥林匹克纪录中有15项被打破，其中最具代表性的是撑竿跳，仅预赛就持续了整整12个小时，最终仍有25名选手进入决赛。在灯光的照耀下，比赛进入了新的高潮，很快就演变成了美国选手艾尔•梅多斯（Earle Meadows）和比尔•塞夫顿（Bill Sefton）以及日本选手西田修平和大江季雄之间的较量。4名选手先后跳过了4.25米的高度，当横竿升高到4.35米时，第一次试跳4人都失败了。在第二次试跳中，梅多斯终于创造了新的世界纪录。

波兰选手斯德娜•沃尔施（左一）试图在100米跑中保持冠军头衔，却在决赛中被18岁的美国选手海伦•斯蒂芬斯击败。图为斯蒂芬斯正在和欧文斯聊天。

在获得100米自由泳冠军后，荷兰选手亨利卡•玛斯滕布罗克喜极而泣。

一位来自密苏里州富尔顿的18岁女孩海伦•斯蒂芬斯（Helen Stephens）成了女子比赛场的新星。在100米预赛中，她以领先10米的优势胜出。在此后的决赛中，她又取得了11.5秒的好成绩，不过由于是逆风跑，她的成绩没能打破自己的纪录，尽管如此，她还是以领先10米的优势击败了当时奥运纪录的保持者斯德娜•沃尔施（Stella Walsh）。获得冠军的斯蒂芬斯受到了希特勒的接见，但她拒绝了他明显带有性别歧视的建议。在女子短跑接力赛中，斯蒂芬斯又为美国赢得了一枚金牌，而起初领先的德国队却由于最后一棒的接棒失误与金牌失之交臂。有意思的是，斯蒂芬斯在100米比赛中取得的成绩比1900年首位男子冠军还要快一秒钟。

日本队和美国队几乎囊括了男子游泳项目的全部奖牌，而荷兰队则在女子游泳比赛中占据了绝对优势，其中亨利卡•玛斯滕布罗克（Henrika Mastenbroek）的成绩尤为突出，她一人就独揽了3枚金牌，还另获一枚银牌。出人意料的是，在男子100米自由泳项目中，弗伦克•奇克（Ferenc Csik）从外道击败了3名日本选手，并取得了57.6秒的优异成绩。来自美国的阿道夫•基弗（Adolf Kiefer）在100米仰泳比赛中，以领先3秒的优势打破了奥林匹克纪录。不过，在这些运动员中，最受瞩目的还是来自匈牙利的奥利弗•哈莱希（Olive Halassy）。在1928年奥运会上，他已经获得了水球项目的银牌，在接下来的两届奥运会中，他又连续两次获得冠军。谁能想到这位奥运冠军竟然没有一条完整的腿呢？哈莱希11岁那年，从一辆电车上摔下，造成膝盖以下全部截肢。虽然如此，他仍然摘得欧洲1 500米自由泳的冠军。

在本届奥运会金牌榜上，美国队首次被拉下了榜首的宝座，德国队以33枚金牌、26枚银牌和30枚铜牌的成绩荣登榜首。

亨利卡•玛斯滕布罗克和队友W.邓•奥登（Willemijintje den Ouden，左一）、卡瑟琳•瓦格纳（Catherine Wagner，右二）以及约翰娜•瑟尔贝克（Johanna Selback，右一）一起欢庆接力赛夺冠。

第26章 战后严峻形势

瑞典人西格弗里德·埃德斯特朗

国际奥委会第四任主席,1942—1952年上任

战争在欧洲结束了，人们终于可以在新的世界里自由呼吸了。在这场战争中，成千上万的人失去了生命，一些伟大的历史性建筑被摧毁了，还有很多珍贵的历史遗迹也在战争中化为灰烬，对人类而言，这无疑是一场空前的浩劫。目前我们要做的是重拾希望，团结起来，共同建设一个更美好的家园。同时，我们也期待着在以后的工作中，奥林匹克运动能真正发挥其服务全人类的重要作用。让我们衷心地祝愿奥林匹克"圣火"再次燃起，引导我们的后代通过不懈的努力到达充满希望和幸福的彼岸。

我知道你们中的每一位都在为这项运动尽自己最大的努力，而且还做了相当有价值的工作。同时，我也意识到大家都期望得到有关如何去做这项工作的意见。因此，我提出以下五点建议。我个人认为，这些都非常重要，希望大家能够尽快实现。

•在自己的国家积极鼓励和组织体育文化活动和正规的体育运动。

•努力尝试与国家或联邦政府商议机构重组问题。

•请本国奥委会成员立即投入工作。

•尽力筹集资金以保证训练工作尽快开始，为即将到来的奥运会培养运动员。

•一切迹象表明，这场战争在远东及日本至少要两年才能结束。所以，我们推断下一届奥运会可能在1948年进行。我争取明年在伦敦召开一个领导层会议，届时希望大家都能参加。

现在由我宣布有关设置奥委会副主席建议的投票结果。由于大多数人一致赞成，现在我很高兴的向大家宣布埃弗里•布伦戴奇先生将成为国际奥委会第二任副主席。（《致奥委会成员的一封信》，1945年6月）

第二次世界大战的爆发使奥运会在1936—1948年间被迫中断。尽管战争已经结束了，但它留下的创伤却使奥委会举步维艰。在这段时间两位奥委会主席先后去世，如果不是一位瑞典老兵（指埃德斯特朗）的不懈努力，顾拜旦毕生追求的成果也许成了这场战争的牺牲品。

顾拜旦一生都在研究伦理问题。1936年，经过国际奥委会执行委员会出面协商，洛桑市政府同意投资兴建一座奥林匹克博物馆。顾拜旦表示，除了被指定送给卡尔•迪恩负责的柏林国际

国际奥委会主席德•巴耶-拉图尔在奥林匹亚为顾拜旦致悼词。

奥林匹克研究所的一部分藏品，他愿意把他剩下的手工制品、手稿及收藏品全部捐给博物馆。1937年，洛桑市还授予他“荣誉市民”称号。除了承担博物馆建设资金，市政府还解决了顾拜旦不愿公开的私人财政困难问题。这位“奥林匹克之父”不仅为奥林匹克运动奉献了自己的一生，还投入了几乎全部家产，他已经一贫如洗了。来自瑞士国家奥委会的秘书弗朗西斯•梅塞利（Francis Messerli）提议由各国奥委会共同设立一项基金，以表彰顾拜旦先生在50年间对教育改革所作出的贡献。这些年由他亲自撰写的文件就已经多达60 000多页。许多国家奥委会、国际单项运动联合会和国际奥委会的成员，以及一些政府和国家首脑都参与了捐款，于是这项名为“皮埃尔•德•顾拜旦”的基金很快就超过50 000瑞士法郎。其中最可观的几笔捐款分别来自日本、德国、希腊、捷克政府，以及国际足联、意大利、瑞典还有巴西国家奥委会。1936年，因生活所迫，顾拜旦不得不从位于洛桑的公寓搬到位于日内瓦的一处住宅。1937年9月2日，当他散完步后坐在藤椅上歇息时，因心脏病突发不幸去世。就在逝世前一个月，他还为奥林匹克运动做了最后一次努力：在对第一个亚运会组织者表示支持的同时，他希望能使所有的亚洲人都能了解奥林匹克精神和希腊文明。

作为对顾拜旦一生贡献的酬答，在1935年召开的奥斯陆会议期间，他的49位国际奥委会同事一致推荐他为诺贝尔和平奖的候选人，并把他们的签名送到了设在奥斯陆的诺贝尔奖委员会。早在7年前，挪威的体育新闻界已经推荐他为和平奖的候选人，但顾拜旦认为这个奖应该给那些曾经为了和平事业而奋斗的人，因此拒绝推荐。

在那些把他视做英雄的人们当中，很少有人知道他家庭生活的艰辛曲折。1895年，他和玛丽•罗森（Marie Rothan）结婚。起初生活还算美满，但好景不长，他们的第一个孩子雅克因中暑而不幸夭折。充满负罪感的妻子因为失去孩子而痛不欲生，精神上深受折磨。另外，他们最疼爱的两个侄儿在一战中牺牲，进一步加剧了夫妻俩的痛苦，他们的精神已经到了崩溃的边缘。因此，顾拜旦的逝世同时意味着多少世纪以来的顾拜旦家族的终结。他被安葬在洛桑市的波德沃斯克公墓，紧临国际奥委会总部。根据他的遗愿，人们把他的心脏埋葬在奥林匹亚。

遵照奥林匹克运动的创始人顾拜旦的遗愿，希腊的保罗王子将顾拜旦的心脏埋葬在奥林匹亚。

在去世前夕，顾拜旦写信给德国体育部长

冯•夏美尔（von Tschammer），请求成立一个奥林匹克研究中心，以继续推进他的教育工作。1938年，在政府的大力支持下，国际奥林匹克研究院在柏林成立。曾经参与安葬顾拜旦心脏的卡尔•迪恩，成为顾拜旦知识遗产的负责人。1939年春，希腊国会通过投票，决定在奥林匹亚创建奥林匹克学院，但是直到战争结束才得以实施。

这位现代奥运会创始人没能也不可能看到，国际女子体育联合会（FSFI）在他去世一年后解体了。国际田联宣布要单独负责女子体育运动，并要求在柏林奥运会时组成的国际女子运动会代表大会解散。同时，原定于1938年在维也纳举行的第5届世界女子运动会也被取消。在国际田联的支持下，第一届澳洲女子体育锦标赛逐渐取代国际女子运动会。在1938年的开罗国际奥委会会议上，200米赛跑、跳远和射击3个项目被纳入了女子竞技体育范围。这样，国际女子体育联合会的地位变得越来越无关紧要了。

1936年，在革新和浪漫的气氛中，1940年奥运会被安排在远东的东京和札幌两个城市举行。随着1937年中日战争的爆发，国际奥委会要求日本确认举办奥运会的意向。虽然日本政府当时正在为运动会作准备，却迟迟没有回复，因此国际奥委会不得不把奥运会的举办地转移到赫尔辛基和圣莫里茨。由于国际奥委会不允许滑雪教练以业余身份参赛，所以圣莫里茨拒绝国际滑雪联盟在阿尔卑斯山举行滑雪比赛。情况变得更为复杂，国际奥委会不得不再次把地点从圣莫里茨改在加米施。直到1939年11月，也就是德国入侵波兰前两个月，赫尔辛基和加米施还在为运动会作准备。1940年5月，前苏联开始东进，芬兰不得不宣布停止筹办奥运会。

除此之外，希特勒企图建立一个全新的世界体育秩序，也就是要把奥运会的舞台永久设在德国，他的这一野心使局势进一步复杂化。为了使奥运会重返加米施，希特勒举行了一场万人参加的“滑雪日”活动，还发表了一个冗长的演讲。在这次演讲中，他公开践踏了奥林匹克的规章制度。当时的国际奥委会主席德•巴耶-拉图尔对于取消奥运会一事很遗憾，他在给迪恩的信中提到：“本来我们很想把第5届冬奥会办成最具影响力的盛会，我们也希望这届冬奥会能给所有的参赛者留下难忘的回忆，而今我们所有的努力都化为泡影，这多么令人痛心啊！”尽管如此，德•巴耶-拉图尔和他的同事却再也不愿把冬奥会的举办权交给加米施了，因为此时，德国已经侵占了波希米亚和摩拉维亚。

在1939年的伦敦例会上，1944年夏季、冬季奥运会被分别定在伦敦和意大利克缔纳举行。前来申办本届奥运会的还有雅典、布达佩斯、赫尔辛基、洛桑、圣莫里茨和奥斯陆等城市。由于战争的缘故，这届奥运会又被取消了。

德国开始入侵低地国家，德•巴耶-拉图尔的能力开始受到怀疑，他和其他国际奥委会成员之间的沟通日益困难。相反，来自中立国瑞典的国际奥委会副主席埃德斯特朗则更容易做到这一点。此时，德国企图篡夺国际奥委会权力的野心也日益明显，幸亏有了埃德斯特朗，国际奥委会才摆脱了这一困境。1940年冬，迪恩、冯•霍

国际奥委会秘书丽迪亚•赞奇女士在二战期间把重要文件都锁在了地下室，从而挫败了德国妄图控制国际奥委会的阴谋。

尔特和冯•夏美尔以专程问候为由拜访了埃德斯特朗，但事实上三人是要向德•巴耶-拉图尔阐明希特勒接管国际体育的计划。1942年1月6日夜，德•巴耶-拉图尔因中风不幸去世。此后不久，迪恩就来到洛桑国际奥委会总部，当面表明了由他来负责国际奥委会的想法，这一企图很快就化为泡影，因为1927年以来一直担任国际奥委会秘书的丽迪亚•赞奇（Lydia Zenchi）已经把所有重要文件都锁进了地下室。

德•巴耶-拉图尔的儿子在美国的“自由比利时空军部队”训练中因坠机而不幸遇难，尽管这一事件可能与巴耶-拉图尔的去世毫不相干，但他的确是在听到这一噩耗后去世的。他的去世把埃德斯特朗推到了临时主席的位置，重新整合这一国际组织的历史重任落在了埃德斯特朗的肩上。尽管当时邮政和电报系统都受到破坏，他还是成功地实现了各国奥委会之间的相互沟通，而且这种沟通的频繁程度几乎是前所未有的。尽管遭到部分奥委会成员的反对，埃德斯特朗还是决定每年向各国奥委会发送三四份有关国际奥委会和其他方面信息的信函。其中包括杰里•古斯-雅可夫斯基（Jiri Guth-Jarkovski）的讣告，这位来自捷克斯洛伐克的委员是国际奥委会13名创始人中最后谢世的一位。

1870年11月21日，埃德斯特朗出生于瑞典哥德堡。在当地一所大学里学习了一段时间后，他来到苏黎世，在那里，他成了一名工程师，并且还熟练地掌握了英语、法语、德语以及基础俄语等外语。除此之外，他还是一位短跑健将，曾经在100米赛跑中创造出11秒的世界纪录。1904年，他参加了圣路易斯奥运会，此后，他便全身心地投入了国内的体育管理事业。他曾是瑞典体育联合会的创始人之一。1912年，他担任了斯德哥尔摩奥组委副主席。除此之外，他还组建了国际业余田径联合会，并担任第一任主席。1946年，刚刚从国际业余田径联合会退休的他又当选为国际奥委会主席。

自从国际奥委会执行委员会创办以来，埃德斯特朗一直担任执委一职。整体而言，他属于保守派。他和布伦戴奇一样，在19世纪以来的运动员业余性问题上贡献非凡。和顾拜旦以及德•巴耶-拉图尔一样，他也坚决反对女子参与奥林匹克运动。不过，他旺盛的精力与一丝不苟使斯德哥尔摩奥运会获得了巨大的成功。他在领导国际奥委会的工作中显得细致而严谨。1942年，72岁的埃德斯特朗成了国际奥委会代主席，他不顾旅途劳顿和危险亲自乘飞机到达美国，和布伦戴奇就国际奥委会的保护和发展前景进行了磋商。此后，他又推荐布伦戴奇为第二任国际奥委会副主席。他本人是在1937年戈德弗鲁瓦•德•布洛尼去世后继任副主席的。

1945年8月，埃德斯特朗、布伦戴奇和阿伯德尔勋爵召开第一届战后执行委员会会议，三人在伦敦会面商讨奥运会的复兴问题。他们还讨论了1948年奥运会的申办情况，当时有意举办冬奥会的城市包括普莱西德湖和圣莫里茨，申请举办夏季奥运会的城市包括雅典、巴尔的摩、洛桑、伦敦、洛杉矶、明尼阿波利斯以及费城等。三人一致同意通过邮政投票的方式决定奥运会的举办城市，如果伦敦入选的话，执委会将推荐圣莫里茨为冬季奥运会的举办地。除此之外，他们还决定于次年在洛桑召开战后第一次例会。会上，埃德斯特朗通报了46岁的瑞士人奥托•梅耶（Otto Mayor）被任命为国际奥委会秘书长的最新消息。

3名国际奥委会主席：比利时人德•巴耶-拉图尔(左)、他的继承人瑞典人埃德斯特朗（右）以及埃弗里•布伦戴奇正在研究国际形势。

次年2月，投票结果表明：伦敦以压倒性优势胜出，获得了1948年奥运会的举办权，伦敦市长也已经就奥运会的承办作出了一系列承诺。在同年召开的洛桑会议上，埃德斯特朗当选为第4任国际奥委会主席，尽管他已经接近76岁了。出席1939年伦敦例会的73名成员如今只剩下51位，于是会议又补充了13名新成员。在这次会议上还作出了其他决议，如对国际滑联有关滑雪教员参赛资格问题的让步；拒绝在本届奥运会中加入射箭、棒球、滑翔、团体手球、水球、旱冰、台球和网球等项目；把国际体育学院由柏林迁到洛桑。

如果说国际奥委会在1930年纳粹迫害犹太人时表现得不够警觉，如今，他们在处理与共产主义体系之间的关系上慎之又慎。1946年，国际奥委会同意从前苏联选出一名国际奥委会委员，但要求前苏联必须把体育联合会并入到国家奥委会。前苏联方面表现得相当积极，当年就参加了在奥斯陆举行的欧洲体育锦标赛。尽管到1947年底，前苏联已经全面参与了包括篮球、足球、举重、摔跤等项目的比赛，然而，第二年召开的执行委员会会议又作出了在1948年奥运会前不宜先成立前苏联国家奥委会的决议。除此之外，前苏联方面也没有任何违背运动员业余资格的问题。但布伦戴奇、伯利勋爵和其他国际奥委会成员仍然保持以往的严厉态度。在对运动员业余性问题作出承诺的同时，前苏联国内的体育界人士也开始为奥运积极备战。

那些参加1948年奥运会的国家普遍认可甚至惊叹英国人的能干，因为刚刚经历过二战，食品、衣物等日常用品奇缺，伦敦奥运会就是在这样的条件下上演的，所有比赛设施也是本着“一切从简”的原则建成的。在此之前，英国方面已经承诺要本着宽容自由的原则来主办这一届奥运会。然而，鉴于当时即将上台的社会党对举办奥运会不够重视，组织这届奥运会可说是困难重重。

尽管很多国家都面临严重的经济困难，还是有来自59个国家和地区的4 000多名运动员参加了这次比赛，人数达到了历史新高。英国奥委会在温布利体育馆内修建了一条临时跑道，还把1924年用于国家博览会的大厅改造成运动场。本届奥运会总共只花了75万英镑，而温布利体育馆有一天最多接待了8万名观众，所以最终还勉强赢利。

乔治六世在伦敦温布利迎接前来参观的国际奥委会主席埃德斯特朗以及国际奥委会成员伯利勋爵(左)和伯托子爵（Viscount Portal）。

第27章　圣莫里茨

第五届冬季奥运会 1948

瑞典选手埃克·塞法特（*Ake Seyffarth*）

冬奥会速滑冠军

我体育生涯的黄金期基本上是在二战的炮火声中耗掉的，因为在此期间根本没有什么比赛，这对我来说无疑是一种无法估量的损失。我原本是自行车运动员，直到1939－1940年才开始成为滑冰运动员。在参加圣莫里茨冬奥会前，我的状态并不是很好，因为多次参加自行车比赛，我的身体有多处摔伤，而且我还从来没有经历过像奥运会这样的国际性比赛。尽管如此，自行车运动赋予了我一个最大的优点，那就是我的腿部肌肉发达而有力。在1 500米比赛中，我本来有望突破2分15秒，但最终还是以2分18.1秒的成绩落后于挪威的斯维瑞•法尔斯塔德（Sverre Farstad），只拿到了一枚银牌。有人曾预言在5 000米比赛中我会被挪威的利亚克勒夫（Liaklev）击败，结果我只得了第7名，所以疲惫不堪的我决定放弃10 000米的比赛。

当时，瑞典队中还没有按摩师，在10 000米比赛的前一天晚上我辗转反侧，夜不成寐。直到赛前的最后一刻我才决定要试一试，不过也只是为了表明自己的守信而已。比赛开始后的很长一段时间内，我都以为报时人员故意报错时间来鼓励我，我很清楚赛场上高手如云，因此我一直滑得很轻松。滑到7 000米时，我开始感到浑身疼痛，但还是咬咬牙挺过去了。随后，我听到滑冰能手贝索尔王子冲我喊：“加油啊，你快赢了！”我相信一位王子决不会拿这种事开玩笑，所以精神为之一振。直到后来我才发现以将近10秒的优势战胜了排在第二的芬兰选手。说实话，这场比赛真的很惊险，但我觉得非常值得。（节选自采访记录）

在圣莫里茨冬奥会上，埃克•塞法特的出现极具代表性。第二次世界大战中断了各国的体育训练，使得新一代运动员迟迟未能出现，这意味着像塞法特这样的老将不得不出面填补空白。作为5 000米世界纪录的保持者，塞法特的最高纪录为8分13.7秒，但人们普遍认为他无法战胜雷德•利亚克勒夫（Reidar Liaklev）。然而，如果不是因为在最后一圈和一位越线偷拍的瑞典摄影师相撞，他完全可能拿到一枚奖牌，甚至获得金牌。

在10 000米比赛中，塞法特的表现尤为突出。起初他并没有意识到自己的速度有多么惊人，但当他滑到5 000米处时只用了9分20秒，最终以17分26.3秒的成绩赢得了比赛，这个成绩比当时的奥林匹克纪录只差了2秒钟。塞法特在圣莫里茨冬奥会上的成功，也是瑞典队在速滑项目上的首次夺冠，因此在国内名噪一时，使他顺利地开办了一家体育用品商店。就这样，塞法特成了第一位在商业上成功的瑞典体育明星。在1948年冬奥会上，斯堪的纳维亚人仍是赛场的主角。前苏联没有参加比赛：由于在瑞典举行的锦标赛中失利，斯大林下令撤换所有的体育教练及官员，

瑞典老将埃克•塞法特，瑞典首位奥运速滑冠军。并成为第一位在商业上成功的体育明星。

代之以克格勃官员——尽管他们没有任何体育比赛的经验。

本届冬奥会上最古老的比赛项目是平底雪橇，这项比赛是在克里斯塔速滑道上进行的，在历届奥运会中只进行了3次，分别是在1928年、1948年和2002年。在比赛中，起初排在前两名的分别是美国选手詹尼逊和他的兄弟约翰•希顿。希顿曾是上届奥运会中冰橇项目的亚军得主，如今已经39岁的他在20年后再获银牌。年轻的尼诺•比比亚（Nino Bibbia）成了赢家，对于经常往来进货的比比亚来说，这条在旁人眼里几乎不可见的线路，尤其是Shuttlecock大转弯，他再熟悉不过了。在一次滑雪事故中，比比亚险些丧命，但他不以为然地说："当时我的雪橇距滑道边沿还有两个手指的距离呢——没什么大不了的！"

虽然在大多数比赛项目中，老一代运动员

意大利选手尼诺•比比亚（Nino Bibbia），一位当地杂货商的儿子，在克里斯塔举行的第二届冰橇比赛中获胜。

都显现出明显的优势，但在花样滑冰比赛中，年仅18岁的美国选手迪克•巴顿（Dick Button）和19岁的加拿大选手巴巴拉•安•斯科特（Barbara-Ann Scott）双双夺冠。当时还是哈佛大学新生的巴顿在比赛中进行了技术革新，在此之前，他还曾独创了欧洲第一例双周半跳，使得全场为之震惊。"奥林匹克运动会给我带来的压力使我总想改变，这种冲动一直困扰着我，"在后来的自传中，巴顿这样写道："不过一旦下定决心，我就

美国选手迪克•巴顿在花样滑冰比赛中引入了戏剧性的跳跃动作，为美国队赢得了首枚花样滑冰金牌。

勇敢的法国选手亨利•奥雷耶，著名的摩托车手，在滑降比赛中冒险成功，获得金牌。

执意在创造双周半跳的基础上继续摸索了。”他成功地完成了自己独创的跳跃动作，一名裁判甚至给他打了满分，9名裁判中的8名都一致裁定他为冠军。

1947年，斯科特就已经赢得了世界锦标赛的冠军头衔。随后，她的家乡渥太华市市长决定赠送她一辆崭新的汽车，但由于国际奥委会的极力反对，斯科特最终还是谢绝了这一馈赠。在圣莫里茨冬奥会上，暖风造成的场地表面不平使她的表现受到了前所未有的挑战，然而全身由白色羽毛装扮的斯科特一出场就立即被一致认定是海妮的接班人。和海妮一样，斯科特不久就转为职业选手……她最终接受了那辆汽车。

法国选手亨利•奥雷耶（Henri Oreiller）一向以擅长公路赛和摩托车赛著称。除此之外，他还是一位勇敢的滑雪运动员，对冒险似乎情有独钟。在已经得到官方正式承认的高山滑雪项目中，他连续获得男子滑降和多项全能冠军，此外他还在障碍滑雪比赛中获得了一枚铜牌。在滑降比赛中，他那几乎是自杀式的猛冲使他领先排在第二位的奥地利选手弗兰茨•加布尔（Franz Gabl）4秒之久。他不顾一切的勇猛几乎可以和1976年冬奥会上的弗兰茨•克拉默（Franz Klammer）相媲美。滑降途中他差点跌倒，最后还是靠一只滑板的力量才稳住了阵脚。

36岁的伯格•鲁德（Birger Ruud）现为挪威国家队教练，通常情况下不会出现的他这次又被推上了赛场。在传统的北欧两项比赛中，两名芬兰队员赫基•哈苏（Heikki Hasu）和马蒂•胡赫塔拉（Martti Huhtala）囊括了冠、亚军。不过，在跳台滑雪比赛中，挪威队依然信心十足，毕竟自1924年以来，在这个项目中，他们一直都是理所当然的赢家。

经过一番争论，美国的AHA队代表美国参加了本届冰球比赛。起初，他们以4:5输给了瑞士队，这个结果在意料之中，就连AHA的队员也都为瑞士队喝彩。不过AHA队并没有气馁，相反，他们在接下来的比赛中以33:1挫败意大利队。比赛最后演变成了加拿大队、捷克队以及瑞士队之间的较量。最终，尽管只打了个平局，加拿大队再次赢得冠军，捷克队拿到了一枚银牌。

19岁的加拿大选手巴巴拉•安•斯科特获得花样滑冰比赛冠军。一年前，她曾被赠予一辆汽车，但却被迫放弃。如今，她成了一名职业选手，领回了本应属于自己的那辆汽车。

第28章 伦敦

第十四届夏季奥运会 1948

荷兰选手芬妮·布兰克尔斯·科恩（*Fanny Blankers-Koen*）

奥运会四项田径比赛冠军

18岁那年，我参加了1936年的柏林奥运会。在跳高和接力赛中，我分别获得了第6名和第5名。之所以能在接力赛中获得第5名，主要是因为总共只有6组选手参加比赛，而且一名来自德国的女孩儿不小心滑落了接力棒。在战争期间，我经常有机会在一些地方性的比赛中和男人们竞争。不仅如此，我甚至打破了跳高、跳远、跨栏和100米跑4项世界纪录。

听说伦敦将举行下届奥运会，我感到异常兴奋。虽然那时我早已结婚，还有7岁的儿子和刚刚两岁的女儿，但我依然坚持进行赛前训练。比赛前不久，我还创造了11.5秒的百米赛跑世界纪录。

在这场奥运会中，给我印象最深的就是我和莫琳•加德纳（Maureen Gardner）在跨栏比赛中的竞争。和我一样，她后来和她的教练吉奥夫•戴森（Geoff Dyson）结了婚。至今我还记得热身赛和决赛中的每一个细节。热身赛那天，我跑在一位前奥运百米冠军的后面，不过在赛场上谁也不服谁。我的腿开始发抖，在面对那些向我索要签名的孩子们时我竟然拂袖而去，这些情况在过去很少出现。我依然像平常一样进行热身锻炼，却无法全身心地投入其中，因为我一直在幻想能够看到莫琳。虽然此前我从没见过她，但我知道她曾创造出11.2秒的最好成绩，而我在她之前就已经创造了11.0秒的世界纪录。当然，我也知道一些事情是不能凭经验而论的，那样注定会出错。记得第一次看到她乘汽车前来时，我就意识到她肯定已经带上了自己的跨栏。由此可见，她真的是位非常出色的选手。因为当时训练场地还没有跨栏，我于是鼓起勇气问她能否把跨栏借给我用。当我们握手时，我注意到她和我一样紧张。

在半决赛中，莫琳表现得非常出色。虽然碰倒了一个跨栏，但她在失去平衡的情况下仍然巧妙地挽回了局面，并以第3名的成绩进入决赛。半决赛后，人们开始预言我会轻松夺冠，但我丈夫却非常谨慎，他建议我放弃跳远项目的预选赛，因为预选赛刚好安排在第二天上午举行，而下午就是跨栏决赛。此外，他觉得我应该全神贯注于跨栏决赛，他已经意识到我的对手是多么强大。比赛前夜，我几乎整晚失眠，脑子里满是我丈夫的那句“在跨栏中一定要全神贯注”。

比赛中，我刚好被安排在靠近莫琳的跑道上，这对我很有利。但在起跑的时候，我却犯了一个在我整个运动生涯中都很少出现的错误，那就是起跑失误。由于这个失误，我在开始的十米就落后了一米，尽管如此，我还是飞快地跳跃着，这反而给我带来一种从没有过的新鲜感。转瞬间，我已经追上了莫琳。但由于跑得太快，在跨越第5个栏杆的时候，我几乎撞杆，身体也失去了平衡。我的节奏完全打乱了，不得不挣扎着试图恢复平衡。即便在这种情况下，我也感到自己已经超过了莫琳，但不能确定是否已经超过了和自己并驾齐驱的雪莉·斯特里克兰（Shirley Strickland）。当我踉踉跄跄地跑到终点时，忽然听见英国国歌响了起来，随即想到一定是莫琳胜出了。直到最后我才知道，那音乐原来是为了迎接英国王室的到来而演奏的。

当我回到荷兰的时候，我突然感到从未有过的紧张。以前我只是一个小人物，现在却成了万众瞩目的焦点。火车到达阿姆斯特丹时，已经有一辆由4匹马拉的豪华马车在等我了。

退出体坛后，我成了一名家庭主妇。再跑步的时候，我们开始使用起跑器。如今，孩子们都已经成家立业了。说实话，我觉得我的生活比从前更有趣了。

芬妮·布兰克尔斯·科恩是奥林匹克历史上最富盛名的人物之一。可以说，是当时的社会环境使她的成就进一步扩大而彪炳史册的。首先，在国家遭受纳粹占领的屈辱时期，她千方百计地使自己的体育成绩达到最高水平。其次，在这场比赛中，30岁的她已经是两个孩子的母亲了。在20世纪中期，歧视妇女的观念依然存在，一个母亲几乎没有资格参加像奥运会这样的重大比赛。

获得4枚金牌的荷兰选手芬妮·布兰克尔斯·科恩在80米跨栏比赛中感受到了从未有过的压力。图中芬妮处于领先位置，紧随其后的是亚军德国选手莫琳·加德纳和季军澳大利亚的雪莉·斯特里克兰。

芬妮·布兰克尔斯·科恩在泥泞的跑道上奔跑，并最终获得了200米赛跑冠军。

尽管布兰克尔斯·科恩是作为当时7项世界纪录的保持者来到伦敦的，但相当一部分不明情况的英国观众对此知之甚少，甚至还有很多人对她的实力持怀疑态度。试想一下，布兰克尔斯·科恩在短短9天内以惊人的速度连续拿下4枚金牌，这是多么令人震撼啊！在获胜的4项比赛中，只有80米跨栏项目使她面临了巨大的挑战。在本届奥运会首次设立的女子200米比赛中，她以0.7秒的优势战胜了英国选手奥黛丽·威廉森（Audrey Williamson），这也是她获得的最大胜利。如果不是教练（同时也是她丈夫）的劝阻，她完全可以一举拿下跳远项目的冠军，因为跳远冠军匈牙利选手奥尔加·贾尔马蒂（Olga Gyarmati）的成绩和布兰克尔斯•科恩创下的6.25米的世界纪录相比，几乎相差了2英尺。

在100米比赛中，布兰克尔斯•科恩就已经向世人展示了自己超强的实力。当她以12秒的惊人速度跑完第一轮预赛时，全场都为之震惊。随即她又以11.9秒的成绩在决赛中获胜，紧随其后的英国选手多萝希•曼利（Dorothy Manley）则用了整整12.2秒。布兰克尔斯•科恩在百米决赛中的成绩和当时年轻的澳大利亚选手雪莉•斯特里克兰所保持的世界纪录持平。直到此时，那些曾对她深表怀疑的人们才开始安定下来。在200米比赛中，她觉得自己的控制力战胜了对自身能力的怀疑，因此，虽然是在潮湿的跑道上，她还是保持了绝对的优势。在接力赛的最后一棒中，她以令人难以置信的速度超过了英国、加拿大和澳大利亚选手，最终使自己的名字出现在最引人注目的新闻标题中。在田径项目里，如果没有其他比赛，她或许早已超过了极富传奇色彩的世纪最佳女子个人运动员米尔德里德•迪德里克森。

没有人像美国运动员哈里森•迪拉德（Harrison Dillard）那样能够在赛场上保持常胜。这位著名的田径运动员是杰西•欧文斯的崇拜者，二人非常友好。在1948年的美国田径选拔赛上，当时保持着此项比赛世界纪录的他被认为是当之无愧的冠军。但他在国内选拔赛中却发挥失常，以100米跑第3名的成绩参加了1948年伦敦奥运会。他和世界纪录的保持者迈尔•帕顿（Mel Patton）和亨利•诺伍德•埃厄尔（Henry Norwood Ewell）共同角逐100米比赛冠军。30岁的埃厄尔在预选赛上成绩突出，但出人意料的是，决赛中却是哈里森•迪拉德胜出，埃厄尔认为是自己先到达终点，欢呼不已。由于当时的比赛情况都拍成了照片，这些照片帮助了哈里森•迪拉德获得了自己在奥运会上的首枚金牌。

哈里森•迪拉德未能参加跨栏比赛并没有影响美国在此次奥运会的胜利，比尔•波特（Bill Porter）以13.9秒的成绩获得金牌。另一名美国选手巴顿则在200米的比赛中，以一个肩宽的优势战胜对手埃厄尔获得冠军，来自巴拉马的拉比奇（LaBeach）获得第3名，牙买加的赫伯•麦肯利

牙买加选手阿瑟•温特（122号)在最后冲刺时超过队友赫伯•麦肯利，获得400米冠军。而800米世界冠军美国选手梅尔•惠特菲尔德（136号）在此役只拿到了铜牌。

（Herb McKenley）名列第四。400米是麦肯利的强项，但在决赛中，他遇到了一位劲敌，那就是牙买加籍英国医生阿瑟•温特（Arther Wint）。相比之下，温特跑得更快。

在400米比赛中，麦肯利在枪响后便像一只刚从地狱逃出的猎狗一样拼命狂奔，此时，他唯一的希望就是自己的体力能够保持到终点。不过，麦肯利最终还是体力不支，以0.2秒之差败给阿瑟•温特，获得亚军，温特则以46.2秒的成绩刷新了奥林匹克纪录。在400米接力赛中，人们对由温特、麦肯利以及乔治•罗顿（George Rhoden）等人组成的牙买加队寄予厚望，不料由于温特腿部肌肉拉伤，他们最后以失败告终。在400米跨栏比赛中，美国选手罗伊•科克伦（Roy Cochran）以51.1秒的成绩获胜。斯里兰卡（原名锡兰）的邓肯•怀特（Duncan White）则获得了一枚银牌，这是斯里兰卡代表队在奥运会上获得的第一块奖牌。

如果说在本届奥运会之前，很少有人知道布兰克尔斯•科恩的话，捷克选手埃米尔•扎托佩克（Emil Zatopek）则更少有人知晓。1946年埃米尔•扎托佩克第一次出国参加在奥斯陆举行的欧洲锦标赛，并在5 000米赛跑中获得第5名，刚好排在英国老将西德尼•伍德森（Sydney Wooderson）之后。赛后，扎托佩克坦言：“我在奥斯陆学到的最重要的一点就是，必须懂得运用

战术，必须把自己的体力保持到最后。”次年，他在3 000米比赛中胜出，但他依然不确定自己能否在奥运会上取得成功。到了位于阿克斯布里奇的奥运村后，扎托佩克心态很平静，他像往常一样训练、弹吉他，甚至还顶着酷暑参加了开幕式，全然不顾第二天就要开始的10 000米长跑。教练命令他马上回到奥运村休息，但他只是退后几步，加入到了丹麦队的出场队伍，随后旁若无人地出现在体育场上。在教练的帮助下，他制定了一套确保自己以每圈71秒的平均速度前进的方法。如果他跑的超过这一速度，看台上的教练就会举起一条白色领带，过慢则举红色领带。就在奥运会前两个月，一名捷克选手以 2 秒的优势打破了由芬兰的维尔约•海诺（Viljo Heino）保持的29分35.8秒的世界纪录，成了长跑比赛中的一匹黑马。据有关人士预测，在本届奥运会上，这匹黑马很可能对海诺带来威胁，而这位名噪一时的选手还声称自己每天都在以一种前所未有的方式进行训练。

比赛很快就开始了。在第 8 圈时，扎托佩克就已经超过了一直领先的海诺，他随后听从教练的指挥加快速度。不久，场内的分化出现了，扎托佩克一直保持自己的平均速度。很快，除两名选手以外，其他选手都被扎托佩克撇出了一圈，在场的裁判们误以为比赛已经进行到最后一圈了，随即敲响了铃声，但一直掌握比赛进程的扎托佩克并没有受到误导，他坚持跑完了最后两圈，以29分59.6秒的成绩创造了新的奥林匹克纪录。

完全有能力同时获得5 000米比赛冠军的扎托佩克却因在预赛中和一位毫不相关的瑞典选手艾瑞克•阿尔顿（Erik Ahlden）争夺冠军而耗尽了体力。再加上刚刚参加过10 000米长跑比赛，扎托佩克在决赛时已经疲惫不堪了。最后一圈铃声响起的时候，他还落后比利时选手加斯顿•雷夫（Gaston Reiff）50米左右。尽管如此，他还是拼命追赶，随着他和雷夫的距离越拉越近，观众的呼声也越来越高。最终，雷夫还是以领先一步的优势险胜，并创造了14分17.6秒的奥林匹克纪录。扎托佩克最后一圈只用了60秒，这在当时可以说是极为罕见的。

传奇般的埃米尔•扎托佩克在10 000米比赛中居于领先位置。但在5 000米赛跑中被比利时选手加斯顿•雷夫击败。

伦敦奥运会虽然条件简陋，优秀选手却层出不穷。第3次参加体育比赛的罗伯特•马赛厄斯（Robert Mathias）成为十项全能比赛中最年轻的冠军。 5 个月前，他才在一位教练的建议下决定参加比赛。3个月后，他获得了奥运会的参赛资格。作为一位杰出的全能运动员，马赛厄斯尤其擅长美式足球和篮球，然而他在伦敦的胜利并非一帆风顺。在铅球比赛中，由于不懂比赛规则，他在投掷时身体越过了比赛规定的圆圈，因此最好成绩被宣布无效。不仅如此，在跳高比赛中，他的成绩甚至低于平均线，差点输掉了比赛。当第一天的 5 项比赛结束时，他落后于阿根廷选手艾布里克•基斯滕麦奇尔（Ebrique Kistenmacher）和法国的伊格纳斯•安里什（Ignace Heinrich），名列第三。由于天气恶劣，第 2 天的比赛被推迟了。在第 2 场掷铁饼比赛中，他掷出了44米的最好成绩，遗憾的是由于记分员跌倒，他的成绩也“丢”了。比赛在昏暗的光线中又进行了近半个小时。由于当时的温布利还没有照明灯，倒数第二场的标枪比赛只能用汽车前灯照明，而1 500米赛跑一直到晚上10：30才结束。这位筋疲力尽的年轻选手最终以7139分的总成绩击败了对手安里什，获得了十项全能比赛的冠军。他的父母以及两个弟弟专程从远在6 000公里之外的家乡来到已被夜色笼罩的赛场

由于当时的温布利还没有照明灯，17岁的十项全能冠军罗伯特•马赛厄斯在掷铁饼比赛中的最好成绩不幸"丢失"。接下来的标枪比赛不得不依靠汽车前灯照明。

上，与他一起分享成功的喜悦。

在本届奥运会上，40年前在马拉松赛中出现的著名的道兰多事件再次上演。这是为期14天的奥运会中最热的一天，比利时选手埃蒂安•盖利（Etienne Gailly）第一个跑进了温布利体育场，然而，此时的盖利已经是步履蹒跚，几乎支撑不住了。他挣扎着前行，周围的观众紧张得几乎喘不过气来。这位21岁的比利时空降兵少尉经过两次冲刺才冲在最前面，在他身后距离体育场大门200码处是阿根廷选手德尔弗•卡夫雷拉（Delfo Cabrera）。很快，卡夫雷拉和英国选手汤姆•理查兹（Tom Richards）先后超过了盖利。基于道兰多事件的教训，再也没有人敢去扶运动员过线了，而此时坚强的盖利拼尽最后的力量跑过终点，获得铜牌。精疲力尽的他没有参加颁奖仪式。

在本届奥运会上，拳击比赛达到了24年来的最高峰。在成功地成为中量级冠军后，匈牙利选手拉斯洛•帕普（Laszlo Papp）开始了自己辉煌的职业生涯，成为匈牙利首位职业选手，并赢得了欧洲锦标赛的冠军，他在接下来的两届奥运会中蝉联中量级摔跤冠军。

报名参加本届足球联赛的共有17支球队，其中瑞典队和南斯拉夫队双双进入决赛。自此，人口稀少的瑞典和多民族的南斯拉夫在足球赛场上展开了长达半个世纪的角逐。最终，瑞典队以3:1战胜了南斯拉夫队，从而把进球总数提高到22个。

和一年一度的皇家赛艇比赛一样，划船比赛在亨莱举行。比赛航道从前只能容下两只赛艇，现在已经拓宽到可以容下3只了。在本届奥运会中，保罗和希拉利成为唯一一对双双夺冠的父子。

匈牙利选手拉斯洛•帕普在中量级拳击比赛中击败英国选手约翰•怀特（John Wright），并连续3届蝉联奥运冠军。

第29章 苏联人来了

维塔利·斯米尔诺夫（*Vitaly Smirnov*）
苏联人，国际奥委会副主席

无论是在前苏联，还是在后来的俄罗斯，体育事业和有关组织机构的发展都反映了这个国家艰难的演进过程。在20世纪，这个国家先后经历了几次严重的社会动荡，每一次动荡都深深地影响着居住在这个辽阔领土上的人们的生活。

1917年的十月社会主义革命后，出现了两大意识形态对峙的局面，所以在1917年至第二次世界大战期间，几乎所有的赛事都被定性为无产阶级体育项目，不过却鲜有今天被称做“运动员”的选手。直到1945年，情况才有所转变，以斯大林为首的苏维埃政府逐渐认识到奥林匹克运动的意义，并随即提出了“我们不仅要打赢战争，还要打赢比赛”的口号。这一口号反映了新的社会动向，就是要利用前苏联及东欧各国在体育领域的胜利来显示社会主义体制的优越性。所以从1945年起，前苏联开始积极关注并参与国际性体育比赛。

优秀运动员可以获得由国家给予的财政津贴，虽然这种津贴对于大多数人而言只是杯水车薪，但这种基于人均生活标准的补助却为他们创造了更多的锻炼机会。不过，这并不意味着国家已经允许运动员职业化。与此同时，前苏联政府开始大力扶植青少年体育运动和体育教育科学，并积极筹建各种体育训练中心和体育设施等。此外，政府还利用国家预算制定实施了一个培养青年运动员的合理体系。一时间，前苏联成了各国纷纷效仿的榜样。

20世纪80年代末，前苏联的社会生活发生了巨大改变。首先，一些冰球和网球运动员开始获得了出国交流的机会。随着前苏联的解体，几乎人人都有机会到世界的任何地方。不过，新的俄罗斯政府再也不能提供那么多的津贴来支持运动员出国了，而且要获得国家体育联合会的批准也变得更加困难。

这种情况在21世纪之初已经有所改善。如今，如果哪位运动员想与国外的俱乐部签约，他必须有体育当局的相关证明。许多运动员，包括花样滑冰、乒乓球、冰球、手球和网球队员等，虽然在国外生活集训，但还属于俄罗斯国家队成员。在这些运动员中，能够称得上是真正的职业运动员的更是屈指可数，当然足球和篮球例外。虽然各种体育联合会和俱乐部都在努力地寻求赞助，但大部分资金还是来自政府预算。政府预算是用来支付国家队参加国际性比赛所需的费用，而地方财政只负担当地体育运动的发展。这个国家还没有真正的市场经济，而这也正是体育运动缺乏职业化的原因。总而言之，竞技体育的发展依然任重道远。

如果说第二次世界大战改变了世界的政治、经济和社会格局，那它给奥运会也带来了深远的影响和冲击，这其中最明显的就是，以前苏联为首的社会主义阵营开始为奥运会注入新的元素和活力。在接下来的45年里，奥运会不仅为前苏联人提供一个少有的出国旅行和开阔视野的机会，还给这个相对贫困的国家带来了丰厚的物质回报。

战争刚刚结束，西格弗里德•埃德斯特朗就对布伦戴奇说，应该邀请社会主义国家参加奥林匹克运动会，尽管他对一些共产主义者当选为国际奥委会执行委员会成员感到不满。1948年，国际奥委会邀请前苏联参加伦敦奥运会，但前苏联却以运动员没有准备为由回绝了他们的邀请，不过前苏联最终还是派观察员参加了奥运会，并做了记录。在短短两年内，前苏联运动员进步神速，并在1950年的欧洲运动锦标赛上给人们留下了深刻的印象。同年，为了争取更有利的国际环境，前苏联还释放了仍在监狱里服刑的德国国际奥委会成员冯•霍尔特。随后，在维也纳召开的国际奥委会会议上，国际奥委会批准了前苏联参加奥运会的请求，不过埃德斯特朗和布伦戴奇依然担心前苏联运动员职业化的问题。一向争强好胜的前苏联还宣称要通过40年的时间来进行谈判，并提出了要使俄语成为国际奥委会官方语言之一、在国际奥委会执行委员会上获得一席之地、以及驱逐西班牙等非分要求。当要求被拒绝后，他们再次提出申请，并依据国际奥委会有关规定作出了一些调整。斯大林要求前苏联新成立的国家奥委会单方面宣布自己的国际奥委会成员，并派康斯坦丁•安德里昂诺夫（Konstantin Andrianov）代表自己出席维也纳会议。埃德斯特朗对这种试图破坏国际奥委会权威的做法非常恼火，但他最终还是平静下来。安德里昂诺夫最终在1951年成为国际奥委会成员。

1952年6月，前苏联宣布将参加在芬兰举行的赫尔辛基奥运会，不过他们要求本国代表队和来自于东欧其他社会主义国家的代表队安排在独立的奥运村中。芬兰方面勉强答应了他们的要求。

如果说埃德斯特朗对前苏联的参赛感到一些莫名的不安，那么很明显，布伦戴奇则是急切地希望德国加入，至少想让新成立的联邦德国尽快加入。1949年9月，西德成立了国家奥委会，阿道夫•冯•梅克伦堡（Adolf von Mecklenburg）当选为主席，卡尔•迪恩则成了名誉秘书。在1950年的哥本哈根会议上，国际奥委会暂时承认了西德奥委会，随后他们遇到一个更为棘手的问题：1951年4月，没有得到认可的民主德国私自成立了自己的奥委会。

国际奥委会主席埃德斯特朗对前苏联加入1952年奥运会深感不安。

在1951年的维也纳会议上，国际奥委会正式承认了联邦德国奥委会的合法地位，但一些社会主义国家对国际奥委会拒绝接受民主德国奥委会的做法非常愤慨。几位奥委会成员，包括埃克塞特勋爵（Lord Exeter）在内，提出如果双方愿意组成共同的代表队参加奥运会的话，那就应该承认他们。这个建议受到了布伦戴奇的欢迎。这样一来，国际奥委会似乎有意支持经济实力雄厚的联邦德国奥委会。然而，民主德国却不愿牺牲自己的自主权。在一次和西德代表共同参加的秘密会议上，民主德国提出，如果要组成统一的奥委会的话，双方代表人数必须相等。随后，国际奥委会执行委员会专门召开了一次会议，民主德国委员会同意联合派出代表队，但柏林当局却驳回了这个决定。1952年2月，也就是冬季奥运会开始前夕，在哥本哈根又召开了新一轮的执行委员会会议。可是，民主德国代表团到达丹麦首都后，却一直没有进入会场，这使一直等候他们的埃德斯特朗和西德代表们倍感尴尬。尽管如此，在本次会议上，国际奥委会还是通过了一项旨在帮助两德联合的协议，协议提出："由东德和西德代表组成特别委员会负责组建统一的德国代表队，参加赫尔辛基奥运会。在卡尔•冯•霍尔特主席的领导下，双方各自选派3名代表作为奥委会成员。新成立的奥委会将负责组织专门的选拔赛，以在两德范围内选拔参赛选手。"但民主德国依旧坚持，他们认为不需要和任何一支代表队合作。

早在1922年，中国奥委会就已经得到国际奥委会的承认。1932年，中国政府首次派出了一名代表参加洛杉矶奥运会。1949年后，中国共产党执政，随后，中国政府开始对体育组织进行整合，并向国际奥委会提出申请，希望参加赫尔辛基奥运会。1952年，芬兰政府承认中华人民共和国为中国唯一的合法政府。

解放战争胜利后，旧中国奥委会官员大部分都到了台湾。在3名国际奥委会成员中，只有董守义留在了北京，另外两名成员王正廷和孔祥熙分别去了香港和纽约。

当听说原中国国际奥委会成员之一的董守义尚在人世时，埃德斯特朗马上要求他前来参加会议。3天后，董守义在一名翻译的陪同下出席了会议。由于国际奥委会依然坚持其错误立场，董守义愤而返回中国大使馆。

在1956年召开的罗马会议上，澳大利亚的墨尔本获得了第十六届奥运会的举办权。然而，由于澳大利亚政府对马匹进关检疫的严格规定，国际奥委会执委会不得不把所有的马术比赛转移到瑞典斯德哥尔摩进行。当时提出申请主办这届奥运会的共有13个城市，其中仅美国就有8个候选城市。瑞典城市科蒂纳丹佩佐获得了第七届冬奥会的主办权。

在一个斯堪的那维亚国家举办冬奥会的确是再合适不过了，毕竟这里几乎可以称得上是冬季奥运会的精神家园。早在奥运圣火点燃前，越野滑雪就已经融入了他们的生活，滑冰也成了举国上下最普遍的一种运动形式。挪威是一个非常感性的民族，他们没有像往届冬奥会一样从奥林匹亚山引燃奥运火种，而是在挪威冰雪运动的奠基人桑德•诺汉（Sondre Norheim）生前居住的莫尔盖达村的一所石屋内点燃奥运圣火，并由此进行了长达220公里的火炬接力。

继1948年冰球联赛中出现纷争后，在奥斯陆冬奥会之前，有关冰球比赛的问题再次引发争议。在1950年的哥本哈根例会上，大会就冰球国际联合会（HIHG）成立了一个专门委员会。经过几个星期的调查，委员会提出了改进冰球比赛的方案，并和美国就有关问题提出解决方案，虽然美国对此很不满意，不管怎样，冰球比赛最终还是回到了奥运赛场。除了冰球项目，奥斯陆冬奥会还加入了男女大回转和女子北欧10公里越野滑雪两项比赛。

1948年，75岁的埃德斯特朗当选为国际奥委会第4任主席，在他之前从来没有一位国际奥委会主席能有如此高龄。依据宪章规定，国际奥委会主席一般任期为8年，但对于埃德斯特朗来说，他的任期则是不固定的。1949年，埃德斯特朗表示希望能在第二年退休，但在众人的劝说下，直到赫尔辛基奥运会他才宣布隐退。自上任以来，埃德斯特朗极力扶植布伦戴奇为自己的继承人。然而，很多人都私下反对布伦戴奇继任主席，同样，布伦戴奇本人也对这些反对派怀恨在心。虽然布伦戴奇性格复杂，有时还会自相矛盾，但他最大的优点就是对顾拜旦留下的这项事业尽心尽责，也正因为如此，他才获得了执委会的提名。出于自身利益考虑和反美情绪，许多人反对这位芝加哥的建筑承包商继任主席，他们希望能在欧洲寻求一位继任者。于是，在波瑞特（Porritt）、前苏联的安德里昂诺夫的支持下，伯利勋爵推荐国际业余田径联合会主席丹麦人埃克塞尔（Axel）王子为候选人。在一次不记名投票中，布伦戴奇以30票对17票的结果，战胜了埃克塞尔。

来自肯尼亚的国际奥委会成员雷金纳德•亚历山大是布伦戴奇的忠实拥护者。他和布伦戴奇一样坚决反对职业化和商业化对奥林匹克运动的侵蚀。

早在1940年，赫尔辛基就已经获得了1952年奥运会的举办权。到了1952年，世界局势开始动荡不安，不过芬兰依然保持了独有的安定局势。不善言辞的芬兰人决心靠自己的努力举办一次最成功的体育盛会。为此，议会拨出100万美元的专款，用于改进国内体育设施以及修建奥运村。新扩建的奥林匹克体育场可以容纳7万名观众，游泳赛场可以容纳8 000人，还有专门的供暖系统。由于1940年修建的奥运村被占用，他们兴建了一个新的奥运村，女选手们则住在一所护士学校。当时赫尔辛基的旅馆只能接待4 000名旅客，他们动员部队、学校、甚至私人家庭接待了近10万名旅客。

尽管赫尔辛基是奥运会历届举办城市中最小的一个，人口不足40万人，但人们还是一如既往地期待着最后一位火炬手的到来。当55岁的努尔米手持火炬出现的时候，观众发出了雷鸣般的欢呼声。对于埃德斯特朗、布伦戴奇和国际奥委会禁止努尔米参赛，芬兰方面始终耿耿于怀。自一战结束以来，职业运动员已经活跃在赛场上，但国际奥委会一直置若罔闻，所以当被视做芬兰民族英雄的西贝琉斯因为职业性质被排斥在1932年奥运会赛场外的时候，芬兰方面极为恼火。如今，对这些禁令芬兰田协视而不见，继续支持努尔米参赛，而且还把火炬接力的最后一棒交给了他。在点燃奥运圣火后，他把火炬传给了芬兰另一位长跑英雄科莱赫迈宁。科莱赫迈宁随后乘电梯登上了体育场的塔楼，点燃了另一个圣火。值得一提的是，这座塔楼高72.71米，刚好是马蒂•耶尔维宁在1932年奥运会标枪比赛中创造的奥运纪录。

赫尔辛基奥运会不仅取得了丰硕的成果，还成为国际奥委会发展史上的转折点。在本届奥运会上，共有69个国家和地区参加了比赛。此后，奥运会规模逐渐变大，经费开支也越来越多，给很多主办国带来了沉重的债务负担，使得一般的发展中国家几乎望而却步。随着前苏联的日益崛起，国际奥委会在运动员业余性上采取的双重标准也逐步陷入了僵局。

芬兰民族英雄帕亚沃•努尔米在雷鸣般的掌声中点燃奥运圣火，对芬兰方面的这一选择，国际奥委会颇有争议。

第30章 奥斯陆

第六届冬奥会 1952

英国选手珍妮特·阿尔特韦格（*Jeanette Altwegg*）

冬奥会花样滑冰冠军

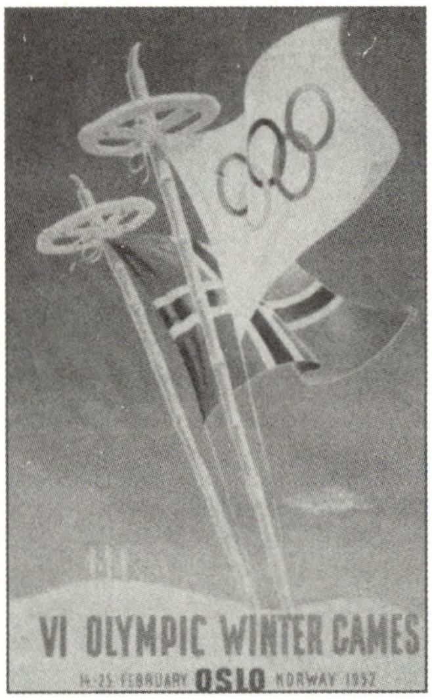

每次谈起奥斯陆冬奥会时，我都会不由自主地想起4年前第一次参加圣莫里茨冬奥会时的情景。那时候，战争刚刚结束，由于长时间没有举行任何体育比赛，参加本届冬奥会无论对哪个人来说都是一次全新的体验，选手们甚至摸不透对方的实力。对于一个热血沸腾的青年学生来说，能来到风景如画的圣莫里茨本身就是件值得庆贺的事，更何况当时我还对古希腊神话和有关古代奥运会的传说痴迷已久。我几乎完全沉醉在享受异国风情的喜悦中，什么自己的理想、他人的希望之类全被抛到脑后。尽管最后只得了第3名，我还是兴奋不已。然而，这次来奥斯陆的感觉却很不同。比赛变得严肃起来，连赛场周围的空气仿佛凝固了一般。上次参加比赛时的轻松全都一扫而光了，代之以一番别样的经历，这段经历一直陪伴着我，直到永远。

寂静的深夜里，清凉的夜风直刺人的心底。当我站在冰上准备比赛的时候，音乐的流动打破了黑夜般的寂静，我开始感到自己体育生涯的最高峰正在向我走来，我无法描述自己当时的心情，只模模糊糊地觉得兴奋，却又有几分焦灼。的确，这可是奥林匹克运动会啊！在这里，我的教练、父母以及祖国都急切地期盼我能成功，而我自己又何尝不想证明自己的实力呢？我不得不承认奥斯陆是我运动生涯的巅峰。至今我都很难描述当时的心情，但我相信这段经历会永远停留在我心灵的最深处。

在首次由斯堪的纳维亚国家举办的奥斯陆冬奥会上，一切都很平淡，几乎没有什么戏剧性的事件出现，但自此一股邪恶力量开始滋生，并在未来的半个世纪中一直威胁着人类基本的体育道德。当运动员们已经启程回国的时候，赛场清理人员在奥运村发现了注射器和针管之类的物品，这一事实雄辨地证明了一些运动员在比赛时使用了兴奋剂。令人遗憾的是，当时并没有引起广泛关注。直到举办了7届奥运会（包括冬季和夏季）之后，兴奋剂才被列入禁用品。

尽管如此，在奥斯陆冬奥会上还是出现了积极的一幕：第一次观看国际性比赛的挪威观众表现得非常热情，他们由衷地欢迎不同种族、不同肤色的冠军选手们，丝毫不带任何偏见。这样的情景在42年后的利勒哈默尔冬奥会上表现得更为明显。在为期11天的比赛中，56万多名观众观看了30个国家之间的比赛。在豪门克勒的高山上，当挪威选手阿恩芬•贝格曼（Arnfinn Bergmann）不负众望地拿到了跳雪比赛冠军时，103 432名观众都志愿前来助威，这种情形无论是在冬季还是夏季奥运会上都是空前的。贝格曼的队友托布约尔•法尔坎格（Torbjorn Falkanger）,获得亚军，

风度翩翩的挪威选手斯坦•埃里克森在大回转比赛中以绝对优势夺冠。

瑞典人卡尔•霍尔姆斯特伦（Karl Holmstrom）获得第3名。自1924年冬奥会举办以来，跳台滑雪项目总共产生了18块奖牌，挪威队就拿到了14枚，不过在本届冬奥会后，由于芬兰、奥地利、东德以及日本等国的崛起，挪威开始逐渐失去了这一领域的绝对优势。

联系到挪威方面对高山滑雪项目的偏见，以及他们在两次战争期间反对国际奥委会把这些项目加入到冬奥会上的表现，挪威选手斯坦•埃里克森（Stein Eriksen）在大回转项目中的胜利也就颇具讽刺意味了。这位风度翩翩的挪威选手成为该项比赛中来自非阿尔卑斯山国家的第一位冠军，在他之后，先后出现了诸如弗兰茨•克拉默（Franz Klammer）和阿尔伯托•通巴（Alberto Tomba）等优秀的滑雪运动员。可以说，他是冬奥会上涌现的第一位享誉全球的超级巨星。在这次比赛中，他分别领先奥地利选手克里斯蒂安•普拉夫达（Christian Pravda）和托尼•施皮斯（Toni Spiss）2秒和4秒。随后，埃里克森离开挪威，先后在密歇根、加利福尼亚、科罗拉多、佛蒙特以及犹他州做职业教练。非常熟悉诺弗杰地区环境的埃里克森本来有望在小回转滑雪赛中再添一枚金牌，但他还是被奥地利选手奥斯马•施奈德（Othmar Schneidar）以1.2秒的优势击败。

在竞争异常激烈的滑降比赛项目中，埃里克森排名第六，排在他前面的是托斯坎的一位饭店老板齐诺•科洛（Zeno Colo）。在女子滑雪项目中，一名来自佛蒙特州的19岁女孩安德里亚•米德•劳伦斯（Andrea Mead-Lawrence）获得了回转和大回转比赛的双项冠军。在回转比赛中，由于在赛场上跌倒，她在第一轮预赛中名列第四，随后她又参加了第二轮比赛，以2秒多的优势击败了其他选手。获得女子速降比赛冠军的是奥地利选手特鲁德•约胡姆•贝瑟尔（Trude Jochum-Beiser）。

本届男子滑雪项目共产生了24枚奖牌，仅斯堪的那维亚国家就囊括了18枚。在备受关注的18公里北欧越野赛中，挪威选手霍尔吉尔•布伦登（Hallgeir Brenden）一举夺冠，随后他还在国内举行的障碍赛中获得两项冠军。曾在伦敦奥运会的10 000米径赛中落后于埃米尔•扎托佩克而名列第四的挪威选手马丁•斯托肯（Martin Stokken）这次又参加了接力赛，他所在的小组还获得了亚军。1952年，斯托肯又参加了赫尔辛基奥运会，他因此成为在一年内连续参加夏、冬两季奥运

挪威选手哈加马•安德森（Hjalmar Andersen）获得3项速滑冠军。

会的少数运动员之一。在奥斯陆冬奥会上，斯堪的纳维亚国家在18公里越野赛中的优势也相当明显，前17名的位置都被挪威、瑞典和芬兰选手占据了。就在挪威选手布伦登赢得18公里越野赛的当天，他的队友哈加马•安德森和西蒙•斯拉特维克（Simon Slattvik）分别获得1 500米速滑和北欧两项滑雪赛冠军，这一连串的成功使得前来庆贺的挪威观众人数达到了最高峰，可以说，在奥斯陆的任何一家旅馆里，你都找不到空余的客房。

曾在圣莫里茨冬奥会的男子花样滑冰比赛中引入双周半跳的美国选手迪克・巴顿这次又创造了一种全新的三周旋转技术，并以此成功卫冕。在戴维•沃勒琴斯基（David Wallechinsky）的《冬奥会大观》一书中，作者以准确的数据和包罗万象的历史纪录再现了历届冬奥会的盛况，书中引用了巴顿在自传中的一段话：

> 突如其来的紧张使我几乎忘记了该把哪只胳膊放在前面。我太害怕看到前排的那些裁判了，他们个个面无表情。但不管怎样……一定要把握好高度。一圈，两圈……我在空中旋转着。不到一秒工夫，我就干脆利索地降落在冰面上。此刻，激动万分的我兴奋得几乎喘不过气来。

美国选手安德里亚•米德•劳伦斯在回转和大回转比赛中获得双项冠军，但她在比赛中咄咄逼人的气势却被很多人视作“不雅”。

珍妮特•阿尔特韦格，成为自1908年夏季奥运会马奇•赛耶斯后，英国第2位花样滑冰项目女子奥运冠军。

巴顿的出色表现获得了在场9名裁判的一致认同，此后不久，他就成了一名职业选手。

在本届冬奥会上，阿尔特韦格意外夺冠。这一切要归功于她在规定动作中展现出的扎实的基本功，因为在自由舞中她只排到第4位。她的主要对手是来自美国的藤利•奥尔布赖特（Tenley Albright），这位未来的奥运冠军理所当然地获得了美国裁判的支持。由于9名裁判中的6位都投票支持阿尔特韦格,因此，美国人最终与金牌无缘。

刚刚被列入奥运比赛项目的冰球比赛引发了许多争议，美国队在比赛过程中的粗暴行为引起了挪威观众的不满。不仅如此，前苏联媒体还指责美国在和本届冠军加拿大队打成平局的过程中，存在欺骗行为。美国队凭借和加拿大打成平局的优势从第4名升至第2名，而以埃德蒙顿•麦卡利（Edmonton Mercury）为代表的加拿大队更是战绩辉煌。在冬奥会开办以来的比赛中，加拿大队只有一次失利、3次平局，连续5次蝉联冠军。

在本届冬奥会上，联邦德国异军突起，包揽了有舵雪橇的全部冠军。不过，参加四人雪橇的4名德国队员体重共达472公斤。为了维护比赛的公正，国际滑雪联盟作出了限制参赛选手体重的规定。

第31章　赫尔辛基

第十五届夏季奥运会 1952

捷克选手埃米尔·扎托佩克

奥运会3项长跑冠军

在我们家里，大家都很喜欢我……这主要归功于我的“飞毛腿”。就连我的老师也喜欢让我为他买些火腿汉堡之类的。我一直很怀念少年时代家中那些灰色的中国鹅，它们给我带来了许多美好的回忆。它们还是很好的门卫，就连去我家的邮递员在投送邮件时也不敢越过大门一步。有一次，当他大着胆子走进我家大门时，裤子差点被这群“门卫”给撕破了。我很喜欢这些鹅，因为它们喜欢跑步和飞翔。我经常私下把这些鹅放出去，然后沿着小道飞奔，还不时地招呼它们快跑。就这样，它们陪着我跑了大约有几百米，直到街道的尽头。我想它们一定和我一样喜欢跑步，因为它们总是在花园门口等我放学回家。我母亲担心这些鹅老长不肥，特别是当她知道了我们的活动时，很快就发出了禁令，毕竟在她眼里，“鹅生来就是为了吃食物、下蛋，而不是要参加什么体育比赛。”

有一次，一些男孩子在我们的房子周围画了一个大约一公里的跑道，他们发出挑战，看谁能不停顿地跑完全程。我开始不停地跑啊，跑啊，几乎不费吹灰之力就跑完了第3圈，其他人惊奇地盯着我看，其中一个男孩儿赞叹道：“你跑起来简直像努尔米！”这是我平生第一次听到努尔米的名字。

14岁那年，我离开家乡，到辛宁市的贝塔制鞋场工作。在那里，我有一种孤独感。每次下班后，我都会跑上一到两公里，这是我的发泄方

式。直到18岁时，我甚至还不知道田径赛场的长度。1941年，在上司的强迫下，我不情愿地参加了一次环绕辛宁市的长跑比赛，出乎意料的是，我竟然获得了第二名。人们的欢呼声使我雀跃起来。我突然感觉到自己比任何时候都重要。从此，我开始了长跑生涯。

我找了一个很好的体育俱乐部，不过在此之前，跑步就已经成为我生命中不可或缺的一部分了。战后，我很快成为捷克国内5公里和10公里两项纪录的保持者。再接下来，我又获得了参加伦敦奥运会的比赛资格。我可不想失去这难得的机会。于是，我开始拼命地练习，甚至连夜晚也不间断，这在当时可以说是一项疯狂的计划。之

所以这样拼命，一方面是因为我觉得在奥运会上我会遇到世界上最强大的对手，但主要还是源于不想在奥运会上丢丑的爱面子心理。

作为一个初次参加奥运会的选手，我的表现还算不错。一金、一银的成绩使我顺利地挤进了体育明星的行列，也为我打开了通往体育界的大门，同时它还唤醒了我内心深处对那些奥运英雄的向往，我开始变得雄心勃勃。在赫尔辛基奥运会上，我终于实现了这个梦想。

悉尼奥运会将成为新世纪的起点，让我们期待这场伟大的体育盛事能够一如既往地弘扬体育道德，维护公平的原则，从而进一步增进世界各国人民之间的友谊。（摘自本书作者于2000年和扎托佩克之间的谈话记录）

1968年，前苏联坦克强行开进布拉格，镇压了由总理亚历山大•杜布契克（Alexander Dubcek）和一位名叫杨•帕拉夫（Jan Palac）的学生发起的民主运动，这名学生当场自焚。时任部队高级官员的埃米尔•扎托佩克对前苏联的行为提出强烈抗议，并直言不讳地指出前苏联应该被禁止参加墨西哥奥运会，他因此被解职，并被下放到波希米亚铀矿厂开挖掘机。事实远非如此简单，他的这一大胆的举动还险些使他丧失了参加1952年奥运会的机会。由于消息被严密封锁，媒体也完全受政府控制，很少有人知道事件的内幕，当扎托佩克在捷克代表队到达赫尔辛基的第3天才赶到奥运现场时，也没有人对此提出质疑。捷克年轻的1 500米赛跑选手斯坦尼斯拉夫•扬沃斯（Stanislav Jungwirth）一直追随这位民族英雄。但由于他的父亲是一位反共产主义的活动家和政治犯，扬沃斯被开除出奥运代表队。对于这件事，扎托佩克态度很坚决："如果扬沃斯不去参加比赛，我也不去。"就这样，两个人滞留在布拉格。由于扎托佩克的世界声誉以及捷克国内民众的请求，48个小时后，政府不得不做出让步，两人这才开始启程前往赫尔辛基。尽管在本届奥运会中，扬沃斯没能进入最后的决赛，但4年后，他在这项比赛中获得了第6名，1957年又打破了1 500米的世界纪录。

扎托佩克之所以被称做世界体坛的奇迹，不仅是因为他获得的奖牌数量，还在于他谦恭有礼的待人方式。在赛场上，他随时都可能爆发，生活中他却是另一副样子，人们很难把眼前这位温文尔雅的绅士和运动员这一职业联系起来。每当他回想起自己在辛宁制鞋厂当塑化技师的那段日子，还会说："我并不是一个很有天赋的运动员，以前，我甚至从来都没想到自己有一天会成功。"当时，连他的父母都不支持他把跑步作为自己的职业，木匠出身的父亲总是训诫年轻的扎托佩克："如果你想锻炼身体的话，到花园里干干活就够了。"

处在德国占领下的捷克，不仅体育活动受到了严格限制，各种群众集会也被禁止。1941年，19岁的扎托佩克 1 500米成绩仅为 4分20秒，这个成绩比当时的英国在校学生强不了多少。到了1944年，他不得不靠借来的网球鞋坚持跑步，成绩提升之缓慢可想而知。然而，即便是在这样的条件下，他还是先后打破了国内的2 000米、3 000米和5 000米三项纪录。波希米亚的一些体育编辑对此深表怀疑，他们曾专门打电话确认这些消息的真实性。即便是在前苏联坦克炮轰辛宁、德国军队向西溃逃的时候，扎托佩克仍在专注于创造更高的纪录。

在赫尔辛基奥运会上，已近而立之年的扎托佩克身体状况很差。就在奥运会开幕6周前，扎托佩克抱病参加了一个小型的体育比赛，之后他的病情日益加重，队医认为他应该休息3个月，否则他的心脏将会面临危险。但执拗的他还是决定靠茶叶和鲜柠檬进行自我治疗。"当我到达赫尔辛基的时候，身体已经完全康复了，"扎托佩克说，"因为我已经成了10公里比赛的冠军，只需保持这一头衔就行了，所以尽管身体状态不是特别好，我也不是很担心。"在10公里比赛的看台上，早已成为传奇人物的努尔米和科勒赫迈宁端坐在那里，准备观看这项长达25圈的比赛。和往常一样，起初选手们各显神通，争抢有利位置，不过从第7圈开始，扎托佩克开始逐渐领先。随后他以稳健的步伐超过了英国选手戈登•

皮里（Gordon Pirie），遥遥领先的扎托佩克最终以29分17秒的成绩把奥运纪录缩短了近42秒。

现在轮到5 000米赛跑了。已经结束的预赛显得很平静，尽管德国选手以2秒多的优势打破了雷夫创造的奥林匹克纪录，但究竟花落谁家还是个未知数。扎托佩克在预赛中只获得第2名，但他极力鼓动前苏联选手亚历山大•阿努弗里耶夫（Aleksandr Anufriyev）跑在他前面，甚至还友好地推了他一把，这当然和政治立场无关。后来扎托佩克在发表比赛感想时曾说："我觉得这是我跑得最好的一次，因为在比赛中遇到了很多劲敌，首先就是赫伯特•沙德（Herbert Schade），还有米蒙、皮里和英国的查特维（Chataway）等。我本来算好要在最后一圈冲到前面的，但却被他们中的3个给超了过去，当时真觉得没戏了。"当决赛进行到两公里时，扎托佩克超过了一直领先的沙德，还向几乎是肩并肩的沙德调侃说："赫伯特，陪我一起跑两圈吧。"这当然是为了减轻自己给对方带来的压力，但沙德却忽略了这一点，这或许就是导致他失利的原因吧。而这正是扎托佩克的本性，他经常和对手聊天，这并不是在耍伎俩，而是出于他与生俱来的运动家风度。一圈又一圈，5位有夺冠实力的选手沙德、扎托佩克、米蒙、查特维和皮里在跑道上展开了你死我活的争夺。当最后一圈铃声响起的时候，扎托佩克排在最前，紧随其后的就是沙德，但随后查特维、米蒙和沙德先后超过了扎托佩克。就在最后的转弯处，扎托佩克开始大步向前猛冲，此刻查特维不幸被路边的石块给绊倒，而跑在前面的扎托佩克、米蒙和沙德相差仅有一步之遥。"凭我多年的长跑经验，我相信在经过弯道处的加速后，他们3个很快就会松懈下来，"扎托佩克说，"当查特维摔倒后，沙德开始主动放弃冠军的位置，我相信米蒙也坚持不了多久，这就给我创造了一个非常有利的时机。"最终，扎托佩克以领先两码的优势获得了冠军，还创造了14分6.6秒的奥林匹克纪录，从而成了继科勒赫迈宁之后第一位获得5公里和10公里双项比赛冠军的选手。几乎同时在女子赛场上也传来了扎托佩克的妻子达娜•扎托佩科娃（Dana）以50.47米的成绩获得标枪比赛冠军的喜讯。

据好事者透露：扎托佩克曾打算在马拉松比赛中再夺一枚奖牌，以重新确立自己在家中的主导地位，当然这可能只是玩笑。尽管以前从来没有尝试过马拉松之类的比赛，扎托佩克却表现得信心十足。在后来的回忆中，他提到："这并不是一项很难的比赛，其他比赛都注重速度，但马拉松却不同，运动员要有不断获取氧气的能力。在这方面，英国的吉姆•彼德斯（Jim Peters）是位行家，但他不懂如何在比赛中控制自己的速度。而在马拉松比赛中，调节速度是成败的关键。在比赛刚刚开始一个小时后，我就已经预感到自己能够成功。"由此可见，经验丰富的扎托佩克的确技高一筹。相比之下，一开始就跑得很快的彼德斯的确是少了些比赛技巧。比赛还没到一半，扎托佩克以及瑞典选手古斯塔夫•扬松（Gustav Jansson）就已经就和他并驾齐驱了。而此时的扎托佩克开始问彼德斯自己是不是跑得太快了。已经是精疲力尽的彼德斯故意说他跑得太慢，以鼓动扎托佩克跑到前面，从而拖垮对方。然而不幸的是彼德斯在比赛中突然抽筋， 在20英里处被落了下来。此时，扎托佩克已经甩掉了扬松，正在和路边的观众以及执勤的警察们兴奋地聊天呢。第一个跑进体育场的扎托佩克受到了观众的热烈欢迎，正在庆祝4×100米接力赛胜利的牙买加队员还用椅子抬着他走了几步。当排在第二位的阿根廷选手莱因纳多•戈尔诺（Reinaldo Gorno）跑进体育场的时候，扎托佩克已经在为

在马拉松比赛中，被誉为体坛奇迹的扎托佩克超过了一直领先的英国选手吉姆•彼德斯。连续获得3枚金牌的扎托佩克跑进了体育场。

在1 500米赛跑中，最终获得第3名的德国选手沃纳•卢埃格暂时领先，在他后面的选手依次为：冠军卢森堡选手约瑟夫•巴特尔（406号）、亚军美国选手罗伯特•麦克米伦、第4名德国选手罗格•班尼斯特（177号）以及第5名法国选手帕特里克•埃尔•马布鲁克。

周围的观众签名了。尽管没能打破彼德斯最近创造的世界纪录，但扎托佩克在本届马拉松赛上所取得的成绩已经超过了历届马拉松赛的最好成绩。由于在本届奥运会上连夺3金，再加上他谦逊有礼的待人方式，扎托佩克创造了一段流传千古的体坛佳话。

在赫尔辛基奥运会上，前苏联派出了第一支代表队。在1917年十月革命前，曾有一些俄国选手参赛，其中绝大多数都出身于上流社会，还有一些则来自波罗的海国家。1948年，国际奥委会批准前苏联加入奥林匹克运动会，但斯大林却规定参赛的运动员只能成功，不能失败，尤其是不能败给西方资产阶级运动员。当时，前苏联的一些教练已经花了4年时间，专门研究西方国家的比赛技术。用前苏联组委会秘书长彼德•索波罗夫（Petr Sobolov）的话说："体育是争取和平和增进世界各国友谊的武器。"虽然在1948年奥运会的男子田径比赛项目中，前苏联选手没能拿到一块金牌，但苏联人的出现无疑给比赛注入了新的元素。

在男子1 500米比赛中，英国选手罗格•班尼斯特（Roger Bannister）和德国选手沃纳•卢埃格（Werner Lueg）是观众心目中最具实力的选手，其中卢埃格已经和甘德尔•哈格以及伦纳特•斯特兰德名气相当了，三人都是当时1 500米世界纪录的保持者。由于参赛选手太多，国际业余田径联合会不得不加了一项半决赛，而班尼斯特的赛前训练只着眼于预赛和决赛，所以这一突如其来的改变使他在体力上显得有些力不从心。相比之下，一位一直坚持耐力训练的卢森堡选手则受益非浅。在半决赛中，班尼斯特表现平平，被这位毫不起眼的卢森堡选手约瑟夫•巴特尔（Josef Barthel）击败。在接下来的决赛中，德国选手鲁尔弗•拉默斯（Rolf Lamers）在前3周一直领先，在最后的转弯处，班尼斯特开始从300米处猛冲，屡试不爽的绝招这次却失灵了，因为此时他已经筋疲力尽。正当卢埃格费尽心思想要摆脱班尼斯特和法国选手帕特里克•埃尔•马布鲁克（Patrick El Mabrouk）时，巴特尔和美国选手罗伯特•麦克米伦（Robert Mcmillen）出其不意地冲了上来，和卢埃格并驾齐驱。此时，他们距终点线只有50米了。突然，巴特尔——这位瘦小的卢森堡选手突然狂舞着双臂，冲到了麦克米伦和卢埃格前面，创造了3分45.1秒的奥林匹克纪录，这也是迄今为止卢森堡获得的唯一一块夏季奥林匹克金牌。不过，这下可让乐队忙坏了，他们好不容易才找到卢森堡的国歌乐谱。

领奖台上的约瑟夫•巴特尔正从卢森堡吉恩王子手中接过该国在夏季奥运会上的唯一一块金牌。

男子100米比赛的结果十分出人意料。多亏有了电子终点摄影装置，美国选手林迪•雷米吉诺（Lindy Remigino）才得以坐稳自己的冠军宝座，因为他和另一名选手几乎同时到达终点。在美国国内的选拔赛中，他被排在第4位，但当裁判们重新审查洗出的照片时，却发现他应该是第3名。在这次100米决赛中，呼声最高的要数英国选手以马利•麦克唐纳•柏利（Emmanuel McDonald Baily）和牙买加选手赫伯特•麦肯利（Herbert McKenley），其中麦肯利还是400米世界纪录的保持者，这次他又要进军100米短跑比赛了。麦肯利在最后冲刺时表现出来的爆发力使人们误以为他就是本场比赛的赢家，连雷米吉诺也认定自己被他超过了，甚至还向他道贺。从随后洗出的照片中，可以看到当时麦肯利和雷米吉诺、美国选手迪恩•史密斯（Dean Smith）以及柏利4个人几乎是并排的，他们的成绩在手动计时表上均为10.4秒。但据电子记时器显示，雷米吉诺的确领先一步，他的成绩为10.79秒，麦肯利则落后0.1秒。柏利和史密斯的成绩分别为10.83秒和10.84秒。

对牙买加赛跑选手而言，1952年的赫尔辛基奥运会有着不同寻常的意义。因为就在这届奥运会上，牙买加选手麦肯利在100米和400米赛跑中均获得银牌，他的队友乔治•罗登（George Rhoden）获得400米比赛的冠军。在最后的4×400米接力赛中，麦肯利与队友又以3分3.9秒的成绩击败美国队。

在本届奥运会中，还有很多奥运冠军也非常值得关注。美国选手瓦尔特•戴维斯（Walter Davis）8岁时因患小儿麻痹症而不得不在轮椅中度过了整整5年，就在参加奥运会之前的几年，他还要靠拐杖行走，但到了1952年，他的身高就已经超过了两米。在本届奥运会的跳高比赛中，他以2.04米的成绩创造了新的奥林匹克纪录，而他本人极有可能是奥运会中最高的个人比赛项目冠军。

在女子田径比赛项目中，美国试图通过短跑接力赛寻求突破。在当时看来，澳大利亚的马乔里•杰克逊（Marjorie Jackson）和雪莉•斯特里克兰（Shirley Strickland）是短跑领域的两位巨星，其中杰克逊不仅获得了100米和200米短跑冠军，还平了当时的100米世界纪录，在200米半决赛中又以23.4秒的成绩刷新了瓦拉谢维奇（Walasiewicz）已经保持了17年的世界纪录。斯特里克兰除了获得100米比赛第3名，还在80米跨栏比赛中击败了芬妮•布兰克尔斯•科恩，创造了新的世界纪录。由于在前两次跨栏中碰上了横栏，芬妮没能到达终点。

澳大利亚选手马乔里•杰克逊成为奥运两项短跑冠军。

在本届奥运会中，拳击比赛也颇有看点。后来均成为世界职业拳击比赛冠军的美国选手弗洛伊德•帕特森（Floyd Patterson）和瑞典选手英格马•约翰逊（Ingemar Johansson）在这次比赛中的表现却截然不同。在中量级拳击决赛中，帕特森只用了74秒就击败了罗马尼亚选手瓦希勒•蒂塔（Vasile Tita），并连续击败3名对手，获得了本场比赛的冠军。美国著名专栏作家雷得•史密斯曾这样评价帕特森："他出手之迅猛甚至比地铁里的扒手还要快，而且更有杀伤力。"相比之下，约翰逊的表现则有些反常。在81公斤以上决赛中，他因消极被动很快就输给了美国选手埃德•桑德斯（Ed Sanders），而且，他在比赛中获得的银牌一直拖到1983年才得以补发。不过，如果本届奥运会没有加入轻中量级和轻量级两个比赛项目的话，帕特森或许会面临失败的结局，他走上职业道路的可能性也就更小。由于曾获得伦敦奥运会中量级冠军的匈牙利选手拉斯洛•帕普参加了轻中量级比赛，这就为帕特森获得中量级比赛冠军提供了有利条件。不过，在7年后的奥运会上，约翰逊最终还是从帕特森手中夺得了重量级比赛的冠军。

在足球决赛中，匈牙利队以2:0战胜南斯拉夫队，获得冠军，而正是在这次比赛中，一支最成熟的足球队诞生了：格罗斯科斯为守门员，伯兹克和西德格库蒂负责中场，普斯卡斯、科奇斯和齐伯尔担任射手。在一次偶然事故中失去右手的匈牙利射击运动员在男子手枪速射比赛中，获得了一枚特殊的金牌。

在男子手枪速射比赛中，匈牙利射击运动员卡罗利•塔卡奇(Karoly Takacs)用仅存的左手赢得了一枚特殊的金牌。

第32章 刚愎自用的理想主义者

美国的埃弗里·布伦戴奇

第五届国际奥委会主席，1952—1972年在任

“……现在，奥运会变得更成熟了，80多个国家积极参与，很难想象60年前顾拜旦所面临的困难。当时，大多数国家都对体育没有兴趣，没有一个机构来运作奥运会、没有国家奥林匹克委员会、没有国际体育联合会、没有共同的原则和规定，也没有钱，我们只有一个理念。而在这个关键时刻，对奥运会的热情支持不是来自任何强大富庶的国家，而只是来自小小的希腊，因此，就希腊对奥运会的重要性而言，我们无论如何去估量都不会太过分。

在古代……文化既是身体的也是精神的。在比赛中，美和优雅等无形的东西和力量、速度与技巧一样受到尊重。荣誉高于一切。比赛在美丽的天然公园中进行，世界上最精致的雕塑装饰在周围，音乐和诗歌萦绕在运动员的耳边。运动会充满着优雅的氛围。就是在这样一个开明的环境下，奥运会发展壮大起来。

在世界历史的这一重要时期，所有重要的思想观念，没有比国际奥委会冀求、继承和发扬得更多了。……体育，只能是发自内心和没有禁忌的，只能为自由的人所从事，所以古代奥运会仅限于希腊人。只有尊崇体育理想的文明人才能参加。

没有自然的恩赐、科学的发展、哲学和宗教的教育，我们无法和平地生活在一起。几千年后，政治并没有创建和平的世界。埃及人、波斯人和罗马人，亚历山大、恺撒和拿破仑企图以武力建立和平。但他们都失败了。连宗教也失败了。

体育教会人们尊重规则，懂得公平公正。这是对运动员的要求。……奥林匹克运动现在已进

入世界每一个角落，所有国家的青年都在思考奥运会闭幕式的誓言：“奥林匹克火炬将以更大的热情、勇气和荣誉使人类的光辉永世流传。”这个理想化的组织怎么会在一个如此商业化的社会中成长并繁荣，人们对此感到吃惊。这说明人类本性的善良，和他们渴望世界由诚实和公正的体育精神所主导的愿望，也就是说，所有人机会均等，胜利来自才能和努力、个人技巧和高效。胜利是对美德的回报。

贯穿古代奥运会的奥林匹克停战协议在整个希腊广受尊重。我们将奥运会扩展到整个世界。也许我们也能将和平继续下去。也许，体育这个20世纪的信仰，带着公平竞争的理念，会在其他机构都失败的情况下，取得成功。”(摘自第49届例会，墨西哥城，1953年)

埃弗里•布伦戴奇是一个专制的暴君，顾拜旦思想的狂热拥护者，是杰出的工程师、建筑承包商、自我奋斗成功的百万富翁、社会公益事业的代表，也是一个不忠实的丈夫。他担任主席将近20年，从教父成为独裁者，得到一个“奴隶主”的外号。他是奥林匹克运动最好的、但有时也是最糟糕的朋友，因为他对过去、对19世纪的传统体育理想过度追求，以及他对顾拜旦理想的理解，使他对社会的变化浑然不觉，这些变化都是难以察觉的财务上的变化,而且是在远低于他的生活圈子的范围内发生的。没有人像他那样目标明确，也没人像他那样专制，到他主席任期的后期，其信念逐渐变得无人应和，到他90多岁的时候，他的行为损害了这个机构，这个他一生中最钟爱的东西。对他而言，这个机构超过了他的家庭和朋友。

1887年9月28日,布伦戴奇生于密歇根的工业中心底特律，他的父亲查尔斯•布伦戴奇是个石匠，埃弗里是长子，下面还有一个弟弟。在他6岁的时候，他家搬到了芝加哥，而父亲却离家出走了。他在克兰手工技术学校读中学，然后在伊利诺斯大学学习工程。在青年时代，他学习文学和艺术，并形成了自己的品味，他后来的财富使他有能力收集亚洲的古董。他死后，约有3 000件古董被遗赠给旧金山的M.H.青年纪念馆。在28岁的时候，他就已经成立了自己的建筑公司。他的精明使他在14年后的经济危机中生存下来，后来他将兴趣转移到了股票和房产上：从一个报童到百万富翁，典型的美国神话的化身，他为自己赚的每一分钱而骄傲。

在他25岁的时候，布伦戴奇参加了斯德哥尔摩奥运会。他在五项全能中名列第六，这是他少有的示弱的时刻，他也为此自责不已。布伦戴奇没能参加十项全能的决赛，冠军由后来被取消资格的吉姆•索普获得，布伦戴奇从那以后就没原谅过索普。他任职于业余运动员联盟（7届主席）和美国奥林匹克委员会（先后任职25年），1936年，他在争议中取代厄恩斯特•杰恩克，成为国际奥委会委员。在他入选执行委员会后仅一年，就被埃德斯特朗主席召来当了第二副主席，

埃弗里•布伦戴奇主席与他的第一任妻子、音乐家伊丽莎白•邓拉普在他的80寿诞庆祝会上。

第二年成为第一副主席。1927年在他40岁时，与小他3岁的音乐家伊丽莎白•邓拉普结婚。

1951年，在联邦德国奥委会被国际奥委会接纳时，东德的国家奥委会被否决了。虽然卡尔•冯•霍尔特与东德体育领导人海因兹•舍贝尔（Heinz Schobel）联系紧密，但霍尔特发起的组织联队的运动，最困难的仍是面临的冷战，而且，东德还受到前苏联的安德里昂诺夫的有力支持。1954年雅典例会又一次否决了对东德的认可，有些国际奥委会委员被东德媒体不断的谩骂所激怒。投票结果是31:14，东德只好等到下一届巴黎例会再说了。这时，东德加入《华沙条约》组织，东德委员会的官员不那么有敌意了。在巴黎会议前，布伦戴奇问舍贝尔，他们的组织是不是一个政治组织，舍贝尔说不是。布伦戴奇说，接纳的条件是，必须在下列协议下组成联队参加1956年的奥运会：共同的旗帜、队服和国徽；住在一起，国家奥委会的顾问比运动员级别要高；各国的金牌获得者奏国歌，联队的胜利不奏国歌。布伦戴奇因此宣布：“我们在政治家们不可能达到的领域取得了一些进展——在科尔蒂纳和墨尔本将出现德国联队。结果对西德有利，两队的支持率是3:1。

在前苏联委员康斯坦丁•安德里昂诺夫和阿历克谢•罗曼诺夫（Aleksei Romanov）于1951年和1952年分别当选奥委会委员后，国际奥委会的格局发生了变化。在其后的40年中，直到《华

沙条约》失效，人们看到，无论哪个共产党委员提出提案，另一个委员一定履行义务似地予以支持。尽管国际奥委会内部已经趋于政治化，布伦戴奇仍尽全力阻止这一趋势。

布伦戴奇在1954年应邀访问前苏联——自掏腰包支付旅费——对前苏联的体育生产线印象非常深刻，说他看到了“世界上最大的运动员军团：仅在田径领域就有400万人”。在前苏联，布伦戴奇只看到了他想看到的东西。1956年，保加利亚将军、1920年的马术冠军、共产党员弗拉迪米尔•斯托伊切夫（Vladimir Stoytchev）入选执行委员会。他的任期结束后，安德里昂诺夫取代了他。这期间，前苏联方面志得意满：他们没经过运动队登记就参加了奥斯陆奥运会，这是他们参加的第一届冬奥会！

保加利亚将军弗拉迪米尔•斯托伊切夫成为执行委员会里的第一位共产党成员。他出身贵族，是军队中的专业骑手。

与德国人不同，中国没有哪个代表是布伦戴奇的亲信，因此，无论哪个阵营——台湾还是大陆——都无法施加影响。在1954年的雅典例会上，国际奥委会在北京组织了一个新的国家奥委会，名为“中华人民共和国奥林匹克委员会”，尽管台湾也组织了国家奥委会。例会以投票方式接纳了两个组织。北京的全国体育协会宣布：“中国人民和中国运动员不能容忍这种人为的分裂中国的企图。”白宫对台湾的认可引发了美国与国际奥委会之间的激烈争论。在科尔蒂纳例会上，中华人民共和国代表董守义——他一年前在巴黎例会上批评过布伦戴奇——要求驱逐台湾，并抗议说他在巴黎的发言被从备忘录上抹掉了。他被告知：政治演讲的记录不符合国际奥委会条款。在墨尔本奥运会之前，执行委员会得知中国和台湾都进行了运动员登记。

国际奥委会也在进步。在1953年墨西哥城的例会上，首次提供了英语、法语和西班牙语的同声传译。从1948年开始，速记员开始记录会议讨论，但是这项工作的巨额支出限制了它的规模。1954年，会议开始进行录音，目的是做记录；关于国家奥委会的第24条开始形成：即国家奥委会必须由来自至少5个体育协会的代表组成，而这些体育协会必须从属于本项目的国际体育协会。从1955年开始，国际奥委会新委员入会首次进行宣誓：

> 在自己的国家履行与国际奥林匹克委员会委员的巨大荣誉相称的责任，我……宣誓尽自己所能推动奥林匹克运动的发展，捍卫和遵守由顾拜旦创立的基本原则，确保自己不受任何政治、宗教和商业势力的影响。

大量的事实证明，这个誓言像运动员们所作的誓言一样脆弱。同年，希腊国家奥委会宣布，奥林匹克学院在奥林匹亚成立。1956年，国际奥委会通过了一条规定，任何团体赛的比赛队伍不得超过16支，国际联盟负责组织、筛选比赛。我们很难把这些比赛算作是“奥林匹克竞赛”。更糟的是，国际奥委会账户上只剩下130 000 瑞士法郎，可能连第二年的支出都满足不了。

科尔蒂纳丹佩佐是意大利北部城市，坐落在阿尔卑斯山的怀抱中，最初是威尼斯共和国的一部分，但在16世纪早期附属于蒂罗尔，在拿破仑战争时期归奥地利人控制，直到1915年被意大利占领。在20世纪早期滑冰、雪橇滑雪和冰球传入之前，那里没有什么冬季项目。阿尔伯托•博纳科萨（Alberto Bonacossa）在1924年成功后，倡议在此举办冬奥会，这位杰出的滑雪运动员和花样滑冰运动员，于1925年成为国际奥委会委员，在意大利国家奥委会的支持下进行了特别讨论。科尔蒂纳在1939年伦敦例会上，被授予1944年冬奥会的主办权。在二战之后，博纳科萨继续努力，1949年，科尔蒂纳成为1956年奥运会的首选。

白手起家的百万富翁，国际奥委会主席布伦戴奇与爱丁堡公爵在墨尔本奥运会开幕式上。

科尔蒂纳现有设施不够完备，必须建设新的面向多罗米蒂风景区的主溜冰馆，座位也大幅增加，可容纳7 500名观众，临时座位更是两倍于此。老式的跳台滑雪台被新的有6 000个座位的越野赛体育馆代替。滑雪跑道于1948年重建，而后的世界锦标赛证明，它完全符合要求。除了速滑在密苏里纳湖之外，所有的赛事都在城市近郊举行。比赛场地离市中心15公里远，且具有无风的理想比赛条件。奥运资金主要来自国家足球彩票的发售。在由乔瓦尼•格隆基（Giovanni Gronchi）主席主持的奥运会开幕式上，首次由一名女性运动员——1952年速降赛铜牌得主凯纳尔•米努佐（Giuliana Chenal-Minuzzo）——宣读誓言。

虽然电视台在随后20年之内变成了庞然大物，但首届冬奥会的户外电视转播，对几近破产的国际奥委会来说，却是天赐良机。1955年，奥运会执委员会与各国际体育联合会召开会议，讨论未来的盈利问题，各体育联合会都贪婪地紧盯着他们自己的那一份。布伦戴奇作为一个白手起家的人，疑心特别大，主张组委会可以在国际奥委会的原则下与电视公司协商，但是国际奥委会自身却不能让商业伙伴玷污它的道德立场。尽管如此，国际奥委会收取电视转播费的权利却得到了认可。

为了达到国际奥委会的要求，墨尔本组委会制作了一部电影，并安排了主赛区墨尔本板球场（MCG）及其他赛场的电视转播，只是象征性地支付了费用，但仅有5 000台电视收看。这是奥运会首次"全国性"电视转播。

第二次世界大战结束后不久，名为"维多利亚奥林匹克委员会（VOC）"的组织决心将奥林匹克带到墨尔本。早在奥运会首次召开时，墨尔本的《阿尔戈斯报》就提出过主办奥运会的建议。海港大桥完工后，20年代曾有人主张在佩斯市、30年代又有人主张在悉尼申办奥运会。申办墨尔本奥运会的领导人是在1908年、1920年和1924年赢得过3枚银牌和3枚铜牌的弗兰克•博雷佩尔（Frank Beaurepaire）爵士。他曾以"奥林匹克"的商标发展轮胎业务，后来成为维多利亚奥林匹克委员会的主席，并力劝城市委员会组成申办委员会。在1949年申办奥运会时，空运线路已有了长足的发展，30小时之内就可以从欧洲或美国到澳大利亚，申办已经可行。墨尔本在第4轮投票中以一票优势击败了底特律。

随后就是主赛场的选择问题，看是否有可以取代墨尔本板球场的地方。但维多利亚州不肯出修建新体育场的钱，后来，总理罗伯特•孟西斯积极介入，最后决定由国家支付奥运会建设的一半费用，加上维多利亚和墨尔本城市委员会的投入，建设资金基本到位。州政府负责住房的部门同意用普通公共住房建设奥运村，使得情况更为乐观。

如果说墨尔本稍有混乱的话，也无法与奥运会前世界其他地区的混乱相比。在中东，由于埃及与前苏联的关系，美国和英国撤销了对建设阿斯旺水坝的援助。1956年7月，纳塞尔总统宣布苏伊士运河公司国有化，并申明了埃及对连接地中海和印度洋的水路的控制权。同年10月，以色列、英国和法国对埃及进行了愚蠢的海陆空攻

凯纳尔•米努佐在科尔蒂纳丹佩佐宣读奥林匹克誓言。

击，很快归于失败。在美国的强烈干涉下，联合国进行了停火谈判，英、法两国十分尴尬。埃及在战争中损失惨重，还用沉船封堵了运河，并要求奥运会对英国和法国禁赛。国际奥委会拒绝了这个要求，埃及、黎巴嫩和伊拉克退出奥运会，这是首次对奥运会的政治抵制。

同年10月23日，匈牙利反苏情绪蔓延，成千上万匈牙利人要求前苏联撤军。政府恢复了1955年被赶下台的前总理伊雷姆•纳吉的职位，意图缓和局势。前苏联军队于10月31日撤出了布达佩斯。4天后的11月4日，飞机和坦克重返该城，监禁了纳吉及其下属，屠杀了10 000多市民。此时，匈牙利参加奥林匹克代表队已经启程，当时正在捷克斯洛伐克。听到消息，很多人都要回去参加战斗，但是他们不能越过边境线，只好继续前行。而匈牙利教练和官员代表团正在去往澳大利亚的飞机上，什么都不知道。

奥运会面临双重危机，如果一些国家参赛，另一些国家就会加入阿拉伯国家的抵制。荷兰退出了，给匈牙利的受害者送去了100 000盾的援助。西班牙和瑞士也退出了，后来瑞士改变了主意，但是已经赶不上去澳大利亚的飞机了。国际奥委会官员奥托•梅耶（Otto Mayei）很泄气：“像瑞士这样一个中立国家，国际奥委会总部所在地，却给各国树立了政治干涉的榜样，这有损奥林匹克理想。”加纳、危地马拉、马耳他和巴拿马也退出了比赛。一些国家缺席了，但也有新的成员加入，包括埃塞俄比亚、斐济、肯尼亚、乌干达、马来西亚、柬埔寨首次在斯德哥尔摩亮相。67个国家的3 547名运动员参加了奥运会，是自1932年以来人数最少的一届。

在由爱丁堡公爵主持的开幕式上，匈牙利队员穿着制服和民族服装步入会场时，受到热烈欢迎。奥运圣火由创少年一英里世界纪录、后来成为多项世界纪录保持者的伦•克拉克（Ron Clarke）点燃，在开幕式上，他高举火炬的胳膊被烧伤了。运动员誓词由著名的中长跑运动员约翰•兰迪（John Landy）宣读。

伦•克拉克，澳大利亚运动员，在墨尔本开幕式上高举圣火。

第33章 科尔蒂纳丹佩佐

第七届冬季奥运会 1956

奥地利的安东·托尼·赛勒(*Anton 'Toni' Sailer*)

冬奥会3项高山滑雪冠军

那时的奥运会与现在不同：现在每个人只注意自己的比赛，那时我有时间去看冰球比赛及跳台滑雪，或者去为越野赛的队友加油。

得3块金牌？我从来也没想过。我的奥运梦想从12岁在圣莫里茨冬奥会之后就开始了。奥地利有很好的高山滑雪的传统，1903年滑雪俱乐部成立，随后便赢得了莫大的声誉。1952年在奥斯陆时我太年轻了，比赛经验不足，第二年我摔断了腿，然后就迎来了科尔蒂纳冬奥会，我只敢奢望拿一块金牌。第一场大回转是我的强项，在这项比赛中，前一年中除了一次例外，我全部取得了胜利。我知道我会遇到队友莫尔特雷尔（Molterer）的挑战，但那天我击败了他。比赛时你什么都不能想，尤其是在奥运会。如果你对失败没有思想准备，你就不可能赢。在小回转比赛中，两次我都是最快的，尽管日本的猪谷千春表现很好，但我最终还是赢得了第二个冠军。猪谷千春是一位能在奥运会比赛中保持冷静的真正的行家，如果我稍有失误，冠军就是他的了。

最后是速降赛——赛道崎岖，结了冰，天还很冷。在开赛前，我的雪橇带断了。我只有一点时间，也许是10分钟左右，但是我的教练们都不在身边，周围的人也帮不上忙。这时我的一个老朋友从离起点不远的小屋里出来，看到我的窘境，把他的带子给了我。即使这样，我仍然顺利地完成了比赛，3块金牌改变了我的人生道路，但也不是完全改变。这很难说。批评家会很快给你定位。我记得其中一位曾经在比赛后四五分钟时来看我，他全神贯注，以至于完全入了迷。我有可能涉足歌坛或影坛。那也是我喜欢做的事，拍30部电影，爱情片之类的，那一定很棒，肯定是不同的体验。”

在前6届冬奥会中，没有人能取得像安东•赛勒一样的声誉。他在奥地利的滑雪圣地凯兹堡

奥地利的安东•“托尼”•赛勒，第一位在一届奥运会上获得3个高山项目冠军的运动员。

长大，年仅20岁就赢得高山滑雪的3项金牌。他不但成为在一届奥运会中赢得3枚金牌的第5位冬奥会运动员——其他几位是:瑟利夫•豪格，克莱斯•图恩伯格，伊瓦尔•巴兰格鲁德和哈加马•安德森，都是斯堪的纳维亚人——而且他在比赛中的优雅、技巧和速度使每个人都叹为观止。

他是在大回转项目中成名。赛前每一位运动员都戴着埃利奥•科里（Ilio Colli）的纪念像，他是当地的滑雪运动员，因撞到树上头骨碎裂而死，这个赛场以他的名字命名。“开赛前，告诉运动员死亡在威胁他们，这很难鼓舞士气。”赛勒简洁地说。他的队友安德里亚斯•莫尔特雷尔第6位出场，成绩是3分6.3秒，人们欢呼不已，但是他提醒大家，还有“托尼”呢。赛勒像一只雄鹰疾驰而过，成绩是3分0.1秒，比莫尔特雷尔和其他人快了6秒。

赛勒在小回转中的优势更不必说，在两轮比赛中远远领先于日本的猪谷千春和瑞典的斯蒂格•索兰德（Sit Sollander）。猪谷千春后来成为国际奥委会成员，并入选执委会。

赛勒已经是速降赛的纪录保持者，这是他辉煌成绩的第3步。但是在开赛前，他突然发现他的一条安全带断了。在赛勒马上要出发时，意大利队的一个教练帮助了他。那天赛道非常难滑，将近一半的运动员都没有完成比赛，8人进了医院。而赛勒控制自如，并纠正了自己的判断失误，以3秒半领先瑞士的雷蒙德•费莱（Raymond Fellay），以及队友莫尔特雷尔。

美国花样滑冰运动员几乎囊括了该项比赛的个人项目的所有金牌。坦利•奥尔布赖特（Tenley Albright）得过小儿麻痹症，曾在一次练习时摔倒，左冰刀严重损伤了她右边的踝骨。她的父亲，马萨诸塞州的一个外科医生（后来奥尔布赖特继承了他的职业），及时赶到救治。在科尔蒂纳，奥尔布赖特赢得了11名裁判中10名裁判的最高分，唯一例外的那个裁判也是美国人，他把最高分给了她的队友卡罗尔•海斯（Carol Heiss）。卡罗尔•海斯拿到了11名裁判中的10名裁判的次高分，获得银牌。

1956年的新鲜事，就是前苏联运动员开始崛起，尤其是冰球，这也许是水到渠成的。在短短几年之内，随着科学方法介入教练领域，项目规划和体能训练使他们的成绩大大提高。他们的冰球队有纪律，配合协调，谨慎精确——在

小儿麻痹症患者，坦利•奥尔布赖特成为引人注目的花样滑冰冠军。

决赛中以2:0击败加拿大队。前苏联在速滑方面的优势也令人吃惊。耶夫捷尼•格军申（Yevgeni Grischin）赢得了500米和1 500米冠军——后一个项目的冠军与尤里•米哈伊洛夫并列。

挪威的希望寄托在越野赛上。海勒格•布伦登在18公里项目中成功卫冕冠军——在科尔蒂纳这一项的距离降为15公里。同时西克斯腾•耶恩贝里（Sixten jernberg）赢得了50公里自由式滑雪冠军和两枚银牌、一枚铜牌。

科尔蒂纳是冬奥会的里程碑，它是第一届用电视进行转播的冬奥会。前苏联拿到16块奖牌。

斯堪的纳维亚的希望寄托在越野赛上．瑞士人西克斯腾•耶恩贝里获得了50公里自由式滑雪的冠军，并获得其他3枚奖牌。

第34章 墨尔本

第十六届夏季奥运会 1956

美国的艾尔弗雷德·奥特（*Alfred Oerter*）

1956—1968年间4届奥运会铁饼冠军

只有在我走向墨尔本板球场时，我才意识到奥运会的真正含义是什么。运动精英中的精英都在这里，这里的环境也是最好的。在我的孩提时代，我从没有做过奥林匹克梦，当我在墨尔本进行第一场比赛时，好像来到了一生所追求的地方。在闭幕式上，当"罗马"二字在荧屏上闪烁时，我就开始为那届奥运会作准备了。取得胜利虽然令人满意，但这不是促使我参加下一届奥运会的动力，我的动力来自想要不断提高成绩，直到达到最好。

我对自己在4届奥运会上赢得4枚金牌感到骄傲，但印象最深的是那些离奥运会还有三四年的日子，在这些日子中，我清扫投掷圈的积雪，以完成训练项目，使我的成绩一天天接近目标。1956年，我还很年轻，没希望与像阿道夫•康索利尼(1948年意大利冠军)和福琴•戈迪恩（世界纪录保持者）这样的老将对垒，但是代表队的教练埃尔温•德拉克给了我很好的建议。在我等待比赛时，他说："你看，孩子，我觉得你很有才华，但是不要受别人的影响，把握住你自己的第一投，保持自己的特色。"虽然第一次努力我就成功了，但我还是像其他运动员一样害怕。

在罗马，我几乎放弃了。我的队友伦克•巴布卡（Rink Babka）在日常训练中一直可以破世界纪录。而我在第一投时，浸过树脂的手很黏，结果，投得远低于我的最好成绩，因此压力很大。在我第5投之前，巴布卡拿金牌几乎是板上钉钉了。这时，他走过来，说我太紧张了，所以上身用力不对。这一投，我终于领先了。没有伦克，我不可能获胜。

在东京，决赛6天前，在泥泞的训练场和教练训练时，我拉伤了胸肌。为了集中精力，我稍作包扎接着投，结果又拉伤了软骨。有人建议我退出比赛，但我为此已经训练了4年，我不愿半途而废。在预选赛上，我的背部被冰袋冰得生冷，世界纪录保持者卢德维克•达涅克（Ludvik Danek），我的队友杰伊•西尔维斯特（Jay Silvester）和大卫•韦尔（David Weill），他们中的一个，看起来就要胜出了。我在第5投时才投出水平——用了一个很慢的过程才将训练成果体现出来。

1968年在墨西哥城，我已经有些老了！但我很幸运地入选了。这一年我的最好成绩与新的世界纪录保持者西尔维斯特等人相比，差了20英尺。但我感觉在墨西哥城，情况也许会变。当我们进入赛场时，由于闪电，比赛被推迟了。天还下着雨，人们情绪不高，在雨伞下瑟缩着。在第3投，我想办法找到一个最佳握法，成绩达到了67.8米,刷新了奥运会纪录。

在墨尔本，前苏联在男子田径赛中首次获得金牌，冠军是弗拉德米尔•库茨（Vladimir Kuts），一个乌克兰水手。他在10 000米和5 000米比赛中创造了令人吃惊的好成绩，他那迷惑人的战术和经久的耐力，使他在两个项目中都打破了纪录。两个月以前，库茨已经打破了10 000米纪录，成绩高出原纪录12秒，但是在此之前，却被英国人戈登•皮里（Gordon Pirie）在5 000米项目中击败。因此，在这两个项目中都有可能产生激战。在10 000米中他可能会遇到匈牙利的约瑟夫•科瓦奇（Jozsef Kovacs）的挑战。在开赛那天，库茨在10 000米比赛中领先，皮里紧随其后。5圈以后，库茨开始加速，但是在这一圈的最后，皮里已经缩短了二者间的距离。其间，库茨曾跑到第二道，让皮里领先，但皮里没有这样做。在跑到一半的时候，他们领先其他人100米，已经接近了扎托佩克的14分6.6秒的5 000米奥运纪录，这见证了这一项目的进步。在接下来的5圈中，库茨又一次加速，将他跑一圈的时间缩短了5秒。皮里紧跟着他。还剩最后5圈时，库茨几乎停下来，迫使皮里跑到前面去。但这只是暂时的。在下一圈，库茨又一次冲到前面，拉开了100多米的距离，皮里垮了下来，落到后面，只取得第8名。科瓦奇获得银牌，比库茨的奥林匹克纪录 28分45.6秒多了7秒。在该项目的比赛中，前5名运动员都达到了扎托佩克的纪录。匈牙利的科瓦奇拒绝向前苏联的胜利者表示祝贺。在比赛前三天，库茨被一辆小车撞伤了胸部，但他没有喊痛。

如果皮里气馁了，他将一无所得。但他不顾失败，决定在5 000米比赛中继续挑战库茨，试图去刷新他自己创造的世界纪录。而那个乌克兰人仍然所向无敌，在5天之后的比赛中，他很快跑到了前面，一直没有人超过他，而且又一次刷新了扎托佩克的奥林匹克纪录——但没有刷新皮里的纪录——并将时间缩短了将近半分钟。后来的破纪录

弗拉德米尔•库茨,墨尔本双料长跑冠军。在10 000米和5 000米比赛中战胜英国的戈登•皮里后，兴奋地向观众招手。

者，英国的德雷克•伊博森（Derek Ibbotson）获铜牌，库茨像1912年的科莱赫迈宁和1948年的扎托佩克一样成为“双料冠军”。直到1972年，这一情况再没有出现过，库茨在1975年死于心肌梗塞。

墨尔本奥运会时，法国的阿仑•米蒙已经36岁了。在前两届奥运会上，他3次位居扎托佩克之后取得银牌，现在，他也像扎托佩克一样，把目光转向了马拉松。米蒙在阿尔及利亚长大，18岁离开家乡参加了法国军队，但他真正的职业一直是跑步。1954年，他去位于里修的圣泰丽莎大教堂朝圣后，慢性坐骨神经痛也痊愈了，然后开始备战墨尔本奥运会。比赛的前半段，米蒙一直跑在最前面的一群中，然后他超过了其他人，领先将近1分钟，之后全程领先于南斯拉夫的弗兰约•米哈利奇（Franjo Mihalic）。扎托佩克取得第六，赛后颇有风度地向他的老对手祝贺。“拿一块金牌绰绰有余。”米蒙赛后说。

在3 000米障碍赛结束后，观众们没有看到裁判室里戏剧性的一幕。挪威的夺标热门厄恩斯特•拉尔森（Ernst Larsen）和世界纪录保持者森尼•罗斯约伊尔（Sandor Rozsnoi）在最后一圈中

领先。但在跨越最后一栏时，英国人克里斯多弗•布拉谢尔（Christopher Brasher）超过他们，赶到了最前面，以领先罗斯约伊尔2秒的成绩创下奥林匹克纪录8分41.2秒，比他自己的最好成绩快了6秒。但不久，布拉谢尔被取消成绩，因为在跨越倒数第4个栏时，他的胳膊肘推到了拉尔森。布拉谢尔让本国奥委会提出抗议。罗斯约伊尔、拉尔森（第3名）和德国的海因兹•劳弗尔（Heinz Laufer，第4名）都支持布拉谢尔的抗议，拉尔森说，他认为这件事对比赛没有影响。3个小时后，上诉团以无记名投票的方式重新确认布拉谢尔的成绩，这是英国自1936年以来获得的第一块田径金牌。

班尼斯特在一英里赛事中突破4分钟纪录后不久，澳大利亚的约翰•兰迪，一位年轻有为的运动员，就刷新了这一纪录，尽管在同年于温哥华举行的英联邦运动会上，他输给了班尼斯特。后来还有其他8名运动员刷新了该赛事的纪录，其中5位——东德的布莱恩•休森（Brian Hewson），匈牙利的拉斯洛•塔柏里（Laszlo Tabori）和世界纪录保持者伊什特万•罗斯扎沃伊（Istvan Roszavolgyi），爱尔兰的罗纳尔德•德拉尼（Ronald Delany）和挪威的甘纳•尼尔森（Gunnar Nielsen）——参加了墨尔本奥运会1 500米比赛。其中，德拉尼还差点因为被休森两次击败而落选。在预赛中，纪录保持者约瑟夫•巴特尔（Josef Barthel，4年后的银牌获得者和其后的一英里纪录保持者）、罗斯扎沃伊和法国的米歇尔•杰兹（Michel Jazy）被淘汰。这是奥运会有史以来最激烈的决赛之一，在最后一圈，所有运动员相差仅在3步之内。休森跟在澳大利亚的莫维•林肯（Merv Lincoln）之后，此时，德拉尼发起了进攻，他一路超过前面的选手，在最后的直道冲刺。最后一圈他只用了53.8秒，创造了3分41.2秒的奥林匹克纪录，轻松战胜了东德的克劳斯•里希岑海因（Klaus Richtzenhain），后者与兰迪并列第三。

比利时的罗杰•莫恩斯（Roger Moens）此前一年曾打破了德国鲁道夫•哈比希（Rudolf Harbig）保持了17 年之久的800米纪录，但他因为受伤，未能到墨尔本参赛。赛前预测，决赛将在美国选手托马斯•考特尼（Thomas Courtney）和阿尼•索维尔（Arnie Sowell）之间展开，事实的确如此，两人在最后的弯道处展开了争夺。在最后的直道上，考特尼进入第3道，以避开内道上拥挤的运动员。英国的德雷克•约翰逊（Derek Johnson）此时从两个美国人之间冲出来取得领先。考特尼奋勇反击，返回了原跑道，并与约翰逊同时撞线。颁奖仪式因此而被推迟，这使考特尼心急如焚。最终他以0.1秒的优势击败了约翰逊，并创造了1分47.7秒的奥林匹克纪录。约翰逊、布拉谢尔和班尼斯特都可以说是老派的业余运动员的最后人物了。

爱尔兰的罗纳尔德•德拉尼在1 500米比赛中意外获胜。爱尔兰皇家艺术院成员詹姆斯•汉雷作，爱尔兰国家艺术馆收藏。

奥林匹克的成绩通常都伴随着欢乐与汗水，对来自纽约州西巴比伦的20岁的铁饼冠军艾尔弗雷德•奥特来说，情况更是如此。在连续几届奥运会上，他的每一次历史性的胜利都需要挑战当时的世界纪录。奥运会与众不同的是它4年一度的周期，以及因此而来的一些要求：为了成为强手中的强手，你需要在一天之中表现出最佳成绩。奥特在墨尔本、罗马和东京击败的对手是：世界纪录保持者美国人戈迪恩（Gordien）和巴布卡（Babka），以及捷克人达内克(Danek)。奥特第一投就创造了他的最好成绩56.36米，他在比赛中的三投都是最远的，面对自己的成功，他甚至有些措手不及，以至于差点从领奖台上掉下来。东道国观众最关心的是悉尼18岁女孩贝蒂•卡斯伯特（Betty Cuthbert）的两项短跑。在100米第一轮比赛中，她以11.4秒的成绩打破了马乔里•杰克逊保持了4年之久的纪录，在半决赛时她输给了东德的克里斯塔•斯塔布尼克（Christa Stubnick），但在决赛中却以半步的优势反败为胜。在200米比赛中，卡斯伯特又一次战胜了斯塔布尼克，这次她以23.4秒的成绩平了杰克逊4年前的纪录。

雪莉•斯特里克兰，现在的德•拉•汉迪太太，已经是一位母亲了，她在80米跨栏中成功卫冕，创下10.7秒的奥林匹克纪录，并与卡斯伯特、诺玛•克罗克（Norma Croker）和弗莱尔•米罗（Fleur Mellor）一道创造了接力赛44.5秒的世界纪录，领先于英国和美国。她总共获得了3金、1银和3铜。一年之后，一幅终点照片表明，在1948年的200米比赛中，她应该是第三而不是第四。

澳大利亚人精心安排了比赛，他们寄予厚望的游泳项目是奥运会的高潮。新体育场的5 500个观众席早在一月前就已售罄，公众甚至排队买票观看赛前训练。最后的回报分别是8金、4银和2铜，原来占据优势的美国则获得2金、4银、5铜。尤其令人满意的是澳大利亚在男子和女子自由泳比赛中大获全胜，囊括了男子和女子100米游泳的全部冠军。为了这次胜利，他们从7月开始进行了为期12周的集训，由最先进的心理学家和教练督阵。此后的44年中，澳大利亚人一直都采用这一训练方法。

道恩•弗雷泽（Dawn Fraser）在女子比赛中，领先夺标热门洛琳•克拉普（Lorraine Crapp）和费思•利奇（Faith Leech），创造了1分零2秒的世界纪录。这对弗雷泽来说，只是她杰出而有争议的运动生涯的开始。

自信而充满争议的道恩•弗雷泽在女子100米自由泳中创下世界纪录，以此开始了她连续3届奥运会的冠军之旅。

墨西哥选手乔奎因•佩雷斯（Joaquin Capilla Perez），在赢得跳台跳水冠军之前，在连续3届奥运会中都无甚建树，他在决赛上的前空翻一周半转体两周彻底击败了美国的加里•托比恩(Gary Tobian)。

在水球半决赛中，匈牙利对阵前苏联，双方最终发展到语言和身体的冲突。在匈牙利队4:0领先时，前苏联队员开始大声谩骂对手是“法西斯”。因为他们又打又踢，裁判被迫一次就把5名队员罚下场。一个前苏联队员用头撞裂了匈牙利队员欧文•扎多（Ervin Zador）的眉骨。当瑞典籍裁判叫暂停的当口，前苏联队退出了比赛。

18岁的前苏联运动员瓦亚切斯拉夫•伊凡诺夫（Vyacheslav Ivanov）赢得了他连续3次单人划艇冠军中的第一个，他在决赛的最后1/10路程内超过了领先的澳大利亚运动员斯图尔特•麦肯齐

匈牙利水球队艰难地赢得了对前苏联的比赛，赛后部分人没有回国。

（Stuart Mackenzie）。伊凡诺夫在领奖后欢呼雀跃，将金牌抛向空中，结果却眼睁睁地看着它消失在湖里。他一次次潜水寻找，都失望而归，专业潜水员也没能找到。国际奥委会又为他补发了一枚。1920年的冠军约翰•凯利的儿子小约翰•凯利获铜牌。

到这届奥运会为止，所有的比赛项目中运动寿命最长的女运动员应属奥地利的击剑运动员埃伦•米勒•普莱斯，这已经是她第7次参加奥运会了。24年前，米勒•普莱斯就在洛杉矶获得奖牌，然后在柏林和伦敦名列第三。接下来就是瑞典的击剑选手柯汀•帕尔姆（Kertin Palm），她在1964年到1988年间参加了7届奥运会比赛。吉莉安•希恩（Gillian Sheen）在本届奥运会中赢得了金牌，她是英国有史以来唯一一位击剑冠军。

在南半球召开的奥运会非常成功。澳大利亚人在本届奥运会上赢得了13块金牌，他们最好的成绩是打破了36项奥林匹克纪录和11项世界纪录。前苏联人宣告了社会主义阵营的胜利，他们获得了98块奖牌，其中金牌37枚，领先于美国奖牌总数74枚（其中金牌32枚）的成绩。

第35章 电视的到来

澳大利亚的凯文·高斯帕（*Kevan Gosper*）
奥林匹克径赛银牌获得者，国际奥委会副主席

墨尔本闭幕式被载入了史册。一个叫约翰的华裔男孩儿写信给组委会的威尔弗雷德•肯特•休斯（Wilfred Kent Hughes）爵士，建议运动员不要列队入场，而是混合在一起进入，并向观众招手。“我设计的入场式与开幕式不同，它将使奥运会更加精彩，”约翰写道，“这样就只有一个队伍。让全世界像一个国家一样，没有比这再好的了。这很容易做到。”于是，入场式真的就成了这个样子。

尽管有冷战的紧张、苏伊士运河的余波和匈牙利骚乱的影响，在奥林匹克村的运动队之间，我看不到任何紧张气氛。水球比赛中，前苏联和匈牙利的“水中血战”被过分渲染了，其实，其他队之间的关系都是平静而友好的。虽然美国和前苏联的不同利益也造成了双方的某些对峙。

墨尔本奥运会标志着电视的到来。因为很少有家庭可以买得起电视，观众聚集在商店橱窗前，观看黑白电视的转播。

虽然，从我代表祖国参赛起，奥运会已经发生了巨大的变化，但在体育运动中，没有任何其他体验可以与电视的介入相比。即使到现在，本质上依然没有太大变化：不同种族、文化和信仰的运动员汇聚于奥运村，使所有国家走到一起来，而同时，在世界的各个角落，无数的人在家里通过电视收看奥运会——这依然是这个世界上最美好的事情之一。

20世纪中期，墨尔本仍然属于偏远之地。除了我们的年轻人到国外去打仗，或新闻记者出去采访，以及一小部分留学生，澳大利亚人的出游颇受限制。从世界各地到澳大利亚都要费很大的劲儿。那时画上画的飞船所加的夸张标题是：“这艘极速飞艇可以在3到4天内把人送到澳大利亚”。这种与世隔绝反映了澳大利亚人主要的生活方式，在墨尔本举办的奥运会第一次将澳大利亚与国际社会联系在一起。最重要的是，我们赢得“有能力”的国家荣誉，并且获得了新的自信。所有这一切都归功于奥运会。

年轻的一代会继续努力，希望将奥运会再度带回澳大利亚，虽然，这还需要走很长的路。这一次的悉尼奥运会，国际奥委会主席在闭幕式上向世界宣布，这是“有史以来最好的一届奥运会。”2000年的成功，与1956年一样，是每一个澳大利亚人内心对体育的热爱与社会参与的表现。而且，在奥运会上展示澳大利亚，仍然是每一个澳大利亚年轻人的梦想。

当卓越的运动员弗拉德米尔•库茨在墨尔本上演激动人心的一幕时，在铁幕的背后，长期的政治对抗正在继续。埃弗里•布伦戴奇对这两大阵营的形成再清楚不过了，在奥运会获得越来越广泛的承认的同时，这种现象也越来越明显。1954年1月，在一份给国际奥委会委员的通知中，他写道："在国际奥委会，不允许拉帮结伙，也不允许国家主义。"在这一年雅典的例会上，委员们重申了他们的独立地位：他们是国际奥委会在自己国家的使者，而不是相反。但前苏联始终坚持自己的的立场——不肯背离他们的民主建设道路。布伦戴奇理想主义的宝地越来越演变为政治投机的场所。

1959年，慕尼黑例会后不久，前苏联提出重组国际奥委会。新机构将包括：当时的委员会成员（总数为64名）、相关国家的奥委会主席以及相关国际体联主席。这一改组方案将使国际奥委会的规模扩大3倍，并大大增加社会主义阵营和第三世界国家的力量。

伯利勋爵（东德)，即后来的埃克塞特侯爵，在1928年赢得了400米跨栏冠军。作为国际奥委会成员，他主张，只有台湾更换其国家奥委会的名称后，才能被国际奥委会接纳。

国际奥委会依然没有解决两个中国的问题。布伦戴奇和董守义继续相互攻击，最后，董守义于1958年递交了辞呈。这个问题在1959年的例会上又一次引起争议。美国委员道格拉斯•鲁比主张，如果台湾换掉"中国国家奥林匹克委员会"的名称，就应该接纳它。但由于来自中华人民共和国的委员的辞职，前苏联支持者也难以重提此问题。

经过激烈的辩论，由伯利勋爵提出的妥协方案以48票对7票获得通过："通知中国奥林匹克委员会的台北会员，这一名称将不再被承认，因为它不是中国体育的管理者。该名称将保留在官方的名录中。如果国际奥委会收到了要求承认其他名称的请求，国际奥委会将会接受申请。"这个做法遭到了新闻界公开的批评，尤其是亲台湾的美国，宣称台湾被驱逐了，矛头指向布伦戴奇。美国国务院也谴责此事，说它是"一个意在不让自由中国的运动员参赛的歧视法案"。布伦戴奇回答，国际奥委会不与政府发生关系，还补充说，结论是通过不记名投票决定的。

在德国，虽不能说天下太平，却还算平静，他们在墨尔本奥运会上达成的共组队伍的协议，在罗马奥运会上也得以继续保持。海因兹•舍贝尔（Heinz Schobel）和他的东德同事想使自己的"区域"地位升级，但遭到了国际奥委会的拒绝，因此仍然保持了两个国家奥委会使用一个旗帜和队歌的约定。布伦戴奇成功地说服了德国联队使用带有奥林匹克五环的黑红金三色旗帜，而不再使用东德的镰刀斧头旗。当看到联队行进在罗马的奥林匹克体育场时，这就是他胜利的时刻。意大利总理乔瓦尼•格隆基（Giovanni Gronchi）在开幕式上对布伦戴奇说，国际奥委会的成绩是一种奇迹。"在体育领域中，我们可以做到。"布伦戴奇说。

种族隔离的定时炸弹现在已经可以听见秒表的嘀嗒声了。虽然这个问题还没有成为国际奥委会的议题，但反对南非种族隔离的第一次行动，发生在1957年非洲国家杯足球赛上。南非队与埃塞俄比亚的半决赛被中止了，因为南非国家体联禁止球队与混合肤色的足球队对垒。1960年，第一次有中非联盟、非洲足联和南非反种族隔离足球管理协会参加的正式的反种族隔离会议召开。布伦戴奇宣布，国际奥委会永远不会破坏宪章的首要原则——在赛场上任何国家和任何人都不能受到种族、宗教或政治的歧视——但面对最广泛的空前一致的对种族隔离的反对，国际奥委会不可能明确地支持南非参会。多年以来，布伦戴奇与南非国际奥委会成员雷金纳德•哈利（Reginald

Honey）保持着良好关系，他多次声明，奥运会不为政治服务，但是这已逐渐成为事实。1959年，阿里克西•罗蒙诺夫(Alexei Romanov)因为回应哈利坚称他的国家奥委会是“善意的，我国的所有运动员都有资格参加奥运会”，使南非的种族隔离政策引起了世人的注意。哈利说，在南非奥林匹克队，对于非白人运动员的歧视并不存在，到目前为止，南非奥林匹克队中没有非白人运动员的原因是因为他们的运动成绩没有达到国际标准。这一说法虽然于1958年在卡地夫举行的友好运动会期间，得到了新西兰的亚瑟•波里特（Arthur Porritt）的支持，但他无法解释，为何即使在那次比赛中，南非队也全由白人组成。全白人队在罗马的参赛使得反种族隔离运动进入了一个新的更广泛的阶段。在1959年的例会上，印度的桑迪（Guru Dutt Sondhi）也开始质询非洲的肤色歧视问题。对于南非，布伦戴奇选择了接受白非洲人“没有问题”的保证。但有确凿证据表明，来自巴西和其他国家的黑人球员在南非被禁止比赛，布伦戴奇无法回避这一切，他承诺在罗马奥运会以后，要进行相应的调查。国际奥委会在有争议的问题上所采取的一贯的拖延战术，在种族隔离这一超敏感问题上，注定要走向失败，因为抗议者决不限于非洲国家。

除了国家方面的问题，还有其他争端。在1957年索非亚会议上，罗马组委会要求将比赛项目限制在两周内完成。但国际业余田径联合会主席说，这样，公众将失去对奥运会的兴趣。另一方面，为了限制运动员人数，伯利建议在各国多个队员希望参加同一个项目的情况下，引入预选赛。最终，在索非亚会议达成的协议包括：夏季奥运会至少有15个项目，如果某项目登记的参赛国家少于12个，则允许组委会撤换；一个比赛项目获得奥委会承认的条件是至少有25个国家从事该项目的比赛。在会议期间，菲利普•诺埃尔•贝克爵士被授予诺贝尔和平奖。

同时，职业化这一难以治愈的顽症，继续困扰着国际奥委会主席。在1957年的索非亚会议上，国际奥委会重申了它的业余性质。运动员因为备战主要赛事而不能工作，在美国和其他地

南非国际奥委会成员雷金纳德•哈利竭力在他的种族隔离制政府和保持其国家的奥林匹克资格之间寻找出路。

区，随着二战后社会意识的逐渐觉醒，很多人都开始关注对这一“闲时”补贴的原则及定义。除了布伦戴奇，许多人认为，当运动员代表国家参赛时，对他们损失的工资进行补贴是应该的，一些务实的国家奥委会也开始考虑这个原则。但是，老资格的国际奥委会委员们所关注的并不是实际情况，他们对修改关于参赛资格的第26条并不热心，第26条规定：

> 以下情况都将被裁定为非业余运动员：为了金钱或易于转换成金钱的实物或者超过40美元（即14英镑）的奖金参赛，教练（不包括教师）接受工资、接受帮助运动员参赛的财务收益、接受未经认可的支出、在奥运会之后宣布成为职业运动员的意向，以及为了训练停止工作超过30天等。

这些规定中，最后3条明显不切实际，但在墨尔本奥运会之前，爱丁堡公爵仍然坚持这个基调：英国不能将一支“临时公仆队”送去参加奥运

会。这对那些坐在豪华的英式客厅里和贝尔维尤大街、纽波特和罗得岛的豪宅中的人来说，听起来是个不错的主张，但对于那些可敬的工人们——比如像英国的唐•汤普森(Don Thompson)，他在自家的高温浴室中训练了很长时间，以使自己适应潮湿的环境，并最终在罗马奥运会上赢得了50公里竞走冠军——这些说辞毫无帮助。法国体育编辑安德鲁（Andre Chassaignon）在罗马奥运会中，以"奥运旗帜是谎言的标志"为题严厉抨击布伦戴奇。愤怒的布伦戴奇以诽谤罪诉诸法律，法国法庭嘲弄地给了他200美元的赔偿金。

在所有新生事物中，最重要的是意大利国家奥委会与美国的哥伦比亚广播公司(CBS)签订了一份价值39.4万美元的关于罗马奥运会电视转播权的合同，欧洲电视网也签订了一份合同，数额为哥伦比亚广播公司合同金额的2/3。哥伦比亚公司还为斯阔谷冬奥会另外支付了5万美元。这标志着一个新产业的出现。对于一个迄今为止仍依靠会员费和主办城市的捐赠勉强维持的组织而言——不算布伦戴奇自掏腰包支付的管理费——这的确是一大笔横财。

但布伦戴奇却感到进退两难：一方面，他反商业化的态度十分坚决，另一方面，他也清楚地意识到，国际奥委会目前面临着四位数的赤字。1959年，伯利勋爵曾经建议加收票价5%的税收，以增加收入，其中3%返还给当地的组委会，2%留给国际奥委会。然而，布伦戴奇固执地拒绝了这一建议。由于布伦戴奇对罗马组委会的影响力不大，所以，意大利国家奥委会主席古里奥•昂里斯蒂（Guilio Onesti）抢在头里做成了这笔交易。意大利广播电视网 (RAI)的现场直播几乎可以覆盖整个西欧，并通过东欧8国电视网，覆盖了大部分东欧国家。哥伦比亚广播公司覆盖了整个北美，日本广播协会使每天来自罗马的录像进入了千家万户。奥运会总共出现在21个国家的电视节目中。

亚历山大•伽兴(Alexander Gushing)是纽约一个杰出的律师，同时也是狂热的滑雪爱好者。1947年，他游览斯阔谷时，被它深深吸引，于是他在那里买下了将近600亩土地，带着50万元，举家西迁，在斯阔谷创造了一个旅游滑雪胜地。他听说美国国家奥委会正在申办1960年的冬奥会，马上意识到这是一个契机，尽管这个位于加利福尼亚——内华达交界处、塔霍湖附近的地方缺少奥运会所需要的设施。如果伽兴能够保证美国国家奥委会成功申办的话，加利福尼亚州政府和州议员仍能够募集到100万美元用于斯阔谷的开发。1955年伽兴第一次会见美国国家奥委会的官员时，斯阔谷还只有一架高空缆车和一个汽车旅馆。虽然它的竞争对手包括众所周知的科罗拉多的阿斯彭、爱达荷州的太阳谷和普莱西德湖这样的冬季运动中心，但斯阔谷的优美风光还是赢得了官员们的欢心。在这些障碍被清除后，与圣莫里兹和因斯布鲁克相比，位于海拔近9 000英尺的斯阔峰的斯阔谷还是很难胜出。但是，伽兴要"在纯洁的环境中保持奥林匹克理想"的承诺使人印象深刻。1955年6月，斯阔谷在第2轮投票中以32比30战胜因斯布鲁克。下面要做的就是建造一个用于开幕式、闭幕式、花样滑冰和冰球赛的价值400万美元的新体育馆，新的污水处理厂还不在这个计划之内。项目成本很快从240万美元上升到800万美元。因此，原来设想的办一届有亲和力的奥运会的氛围没有了。沃尔特•迪斯尼公司也被请来，好莱坞的花哨盖过了风景的优美，各种娱乐节目成了主角。斯堪的纳维亚人开始担心，海拔6 000英尺的稀薄空气可能对12英里的越野赛不利。由于成本攀升，组委会决定不再建造雪橇滑雪赛道。国际滑雪联合会抗议无效，因此提前两周在科尔蒂纳举行了锦标赛。奥运会开幕时，斯阔谷的造价上升到了1 500万美元，包括人工制冷的户外溜冰场、电子计时器、由IBM提供的计算机服务，以及迪斯尼公司豪华的开、闭幕式。

尽管问题很多，斯阔谷——这个首次专门建立的冬奥会赛场，仍然被认为是成功的。在本届冬奥会上，南非第一次也是34年间最后一次参赛。女子两项赛（两项赛起源于军队的雪地巡逻）和女子速滑第一次亮相。

到公元393年菲奥多西斯皇帝颁布法令禁止奥运会为止，罗马是古代奥运会的最后举办地。

因此，在外流落了半个世纪后，夏季奥运会又回到它的家园。在1904年被否决，1908年和1944年被迫放弃之后，不朽之城罗马终于于1955年在巴黎以35比24击败洛桑，成为举办城市。意大利国家奥委会在足球彩票的支持下，为奥运会投资了5 000万美元，使奥运会增光添彩。他们共建造了12个场馆——由建筑师皮埃尔•鲁基•奈尔维(Pier Luigi Nervi)设计和施工——让观众愉快地观看现场和转播的比赛。墨索里尼奥林匹克体育馆焕然一新，佛罗•伊塔里科球场加装了游泳和跳水设施。棒球在现代Palazetto dello体育馆举行，体操在古代的卡拉卡拉温泉浴场举行，摔跤比赛在马森奇奥殿的拱门下举行。教皇可以在他的宫殿的屋顶阳台上看到在阿尔巴诺举行的划船比赛。奥运村是横跨台伯河的一个新社区，一条新的大桥将它与体育馆连在一起。幸运的是，在富丽堂皇中举办的奥运会，没有出现任何政治对抗。摩洛哥、苏丹、圣马力诺和突尼斯首次参加了奥运会。

希腊女王弗德瑞卡(Federika)到达罗马奥运会的车站，她的右边是王储康斯坦丁和索非亚(Sophia)公主。康斯坦丁赢得过划艇的金牌，索非亚公主后来嫁给了未来的西班牙国王。

第36章 斯阔谷

第八届冬季奥运会 1960

德国的海蒂·比布尔(Heidi Biebl)

冬奥会速降赛冠军

1960年，我赢得奥运会女子速降赛冠军，奥林匹克冠军同时也是世界冠军，所以我在同一天成了奥林匹克和世界冠军。虽然我逐渐认识到，这次胜利的优点和缺点同在，但在胜利的那一刻，我仍然感受到赢得这样一场比赛的意义。一方面，我得到一个机会去开办滑雪学校，它既是一家旅馆又是一个体育中心；但另一方面，公众给我的压力很大，他们希望我不断地取得胜利。我没有得到任何财政援助，而且因为那个年代大家不懂得运动医学，我的身体受到了严重损害。我不能确定金牌是不是损害了我的生活，但我能告诉大家的是，在公众的注视下，生活很不容易。成为奥林匹克冠军是很不平凡的事，你会成为历史的一小部分。

那天很适合比赛，天空湛蓝，阳光明媚，雪况也很理想。我与瑞士的安妮•曼因•瓦瑟尔(Anne Mane Waser)一道走上起点的T形台。我尽力避免受观众的影响，以保证集中必要的精力去比赛。像进行其他比赛一样，我很紧张。我没有去想胜利，只是想着赛道，以及怎样尽快地、尽量顺利地滑下山去。有些业内人士认为我一定能拿冠军，但那一天，很多运动员都可能赢，因为大家水平很接近。我的成绩是现有成绩中最快的，但我必须焦急地等到最后一位运动员比赛结束，然后才知道自己是不是冠军。对我来说，最重要的是，在巴伐利亚我可以通过广播和妈妈保持联系。我开始意识到这一天多么美好，多么不同寻常，所有的一切都同时发生了。

海蒂•比布尔的主要对手是来自新罕什布尔的潘妮•皮图(Penny Pitou)，她在中学时期曾经入选男队，并在禁止女孩儿参赛之前，连获5次新罕什布尔州的小回转冠军，从此闻名遐迩，并成为斯阔谷冬奥会的夺标热门之一。速降赛中有一个所谓的“空中拐弯”：在运动员滑过一个几乎成直角的拐弯时，前面的一个小山头会使他们离开地面，跃向空中。一些运动员在这个拐弯处摔倒了，皮图也险些如此，但她恢复了平衡，并在开始时以1分38.6秒暂时领先。但是，比布尔下滑的速度比她快了整整一秒，所以皮图只能拿到银牌。奥地利的特劳德•黑赫（Traudl Hecher）位居第三，她比皮图慢了不到1秒。在3天后的大回转比赛中，皮图又一次屈居第二，瑞士的伊凡妮•吕埃格（Yvonne Ruegg）力拔头筹。在小回转比赛中，皮图运气不佳，在第二轮比赛中摔倒了。冠军是来自加拿大的安妮•赫格特韦特（Anne Heggtveit），她比美国的白特希•施奈特（Betsy Snite）快了整整3.3秒，比德国的巴巴拉•亨内伯格尔（Barbara Henneberger）快了7秒。这么大的夺冠优势并不多见，在历史上也不过仅次于1936年德国的混合赛冠军克利斯蒂•克兰茨（Christel Cranz）所创造的差距。

大雪使男子速降赛推迟了3天，也带来了选择何种滑雪蜡的问题。对于法国的吉恩•维亚尔内（Jean Vuarnet）而言，这些问题并不存在，他获得了速降赛的冠军，也是奥运会中首位使用金属滑雪板的金牌获得者。据说他还是第一个发现下蹲式的空气动力学作用的人。

克鲁特•约翰内森在速滑中将10 000米纪录缩短了46秒。

所有的比赛都是在世界上第一个人工制冷的冰场上进行的。耶夫捷尼•格里申（Yevgeni Grischin）获得了他的第2个奥林匹克冠军，以40.2秒的成绩追平了自己创造的世界纪录，在500米比赛中卫冕成功。要是没有在冲刺的直道上绊了一跤，他的成绩还会更好。挪威的克鲁特•约翰内森（Knut Johannesen）将10 000米的世界纪录缩短了整整46秒，这是20世纪升幅最大的成绩。

来自纽约的卡罗尔•海斯（Carol Heiss）在1956年她16岁的时候，取得花样滑冰亚军，两周后，她在世界锦标赛上击败了金牌获得者坦利•奥尔布赖特，获得世界冠军。不久前她妈妈患癌症去世，卡罗尔为纪念她发誓要获得奥林匹克冠军。在斯阔谷，9个裁判全都给了海斯最高分，使她领先于前途远大的荷兰女孩儿斯卓科•戴克斯特拉（Sjoukje Dijkstra），获得奥运会冠军。

即使对美国以外的观众而言，冰球赛也是很有戏剧性的。在来斯阔谷之前，美国队在预赛中表现平平，但在对捷克斯洛伐克一役中，在比赛的最后一节，攻入4球，逆转了前两节3:4的比分，最终以7:5胜出。此后，他们过关斩将，以2:1击败了同为夺标热门的加拿大队。之后又经过苦战，击败前苏联，赢得了他们的首次胜利。在决赛中，为了获得冠军，美国队必须赢得7场比赛，而这时他们已经疲惫不堪了。在比赛进行两节后，捷克以4:3领先，但美国队在第3节接连攻入6球，终以9:4挽回败局。这是一个少有的时刻。加拿大队虽然很少失分，但最终仍败在邻居的手下。决赛中，前苏联队队长尼克莱•索罗古勃夫(Nikolai Sologubov)在第3节比赛开始前，到美国队更衣室吸氧，使体力得到恢复，这是冷战时期少有的温暖的一幕。

来自纽约的花样滑冰选手卡罗尔•海斯在16岁时获亚军，4年后，她母亲因癌症去世，她曾向母亲发誓要获得奥林匹克冠军，并最终在斯阔谷冬奥会上实现了这个愿望。

第37章 罗马

第十七届夏季奥运会 1960

澳大利亚的赫伯·埃利奥特（*Herb Elliott*）

奥运会1 500米长跑冠军

1956年在墨尔本举行的奥运会改变了我的生活。那时我只是个有点儿天赋的小男孩儿，还不是世界级运动员。在观看了开幕式和弗拉德米尔•库茨在5公里和10公里比赛中难得的胜利后，我的决心被激发出来了，在以后的4年中，我把我的天赋发挥到了极致。我将1960年罗马奥运会作为目标，因此离开了家乡，去找我的教练佩西•塞拉蒂(Percy Cerutti)，并由此开始了4年的训练。在此期间，我逐渐成熟起来——包括身体上和精神上的。一直到现在，我在1 500米比赛的胜利仍是周围的人津津乐道的话题。没有这两届运动会，我的人生可能是另外的样子。训练改变了我对自己的认识，奥运会改变了别人对我的看法……在当时的比赛中，我的压力很大——原因很多，也许仅仅是因为想获得我曾经有过的轻松感。在我的运动生涯中，这一直是最重要的。

与佩西一起工作是非凡的，在他无情的鞭策下，我的体力和精力得以结合，从而释放出体内蓄积的能量。能做到这些很不容易，但是，他并不给人以强迫感，他的胡萝卜多于大棒，没什么难的，只要听他的话，最大程度地发挥自己就行了。

是兰迪（Landy）和班尼斯特（Bannister）点燃了我对一英里赛的梦想。我曾写信给兰迪，请教关于训练的问题，他回信了，我把自己与那些杰出的人连在了一起。他的认可给了我一种不可言说的责任感。是的，我最满意的成绩是在罗马，但奥林匹克的压力比任何比赛都大。你等待了4年，其间意识到了自己的弱点，知道那一天你可能会砸锅，你在想：“我为什么要做这件事，给我自己这么大的压力？”在罗马能赢我就很高兴了，但佩西坚持要赢得漂亮。我们的策略是前几圈轻松点儿，看看赛场，然后再去比赛。

赛后几个星期，我发现自己讨厌跑步了，再也不觉得有什么快乐。我很高兴自己还知道要走的路：作为一个老运动员，我对自己的经历很高兴——有些特别，后来者可以在我的成绩的基础上再创佳绩。我希望自己被认为是好样的。

英名长存。赫伯•埃利奥特在打破1 500米世界纪录后选择了退役。

在赫伯•埃利奥特的时代，很少有人像他那样占尽风光。他1938年出生在西澳大利亚的佩思。他的天赋再加上资深的教练——66岁的佩西•塞拉蒂——使这个年轻的运动员实现了与前辈并驾齐驱的梦想：通过创造世界纪录，赢得令人难忘的奥林匹克的胜利。而塞拉蒂也实现了自己成为杰出教练员的愿望。

埃利奥特在罗马奥运会之前就声名卓著。1958年，在威尔士的卡地夫举行的友好运动会上，他在半英里和一英里比赛中夺魁，同年以3分36秒的成绩在1 500米比赛中夺冠，他一英里的成绩是3分54.5秒。在罗马奥运会的决赛中，他在1 500米和一英里比赛中所向无敌，将胜利的纪录增至44场。

参赛的运动员中，有3个人同样杰出：法国的米歇尔•杰兹（Michel Jazy）、匈牙利的伊斯特凡•罗扎沃尔吉（István Rózsvolgyi）和瑞典的丹•瓦伦(Dan Waern)，但是他们都被埃利奥特的风头盖住了。比赛中，埃利奥特最初一直在靠近后面的位置，直到比赛进行了2/3后，他开始加速，超过了法国的米歇尔•伯纳德(Michel Bernard)。他与塞拉蒂之间有一个约定，如果他的成绩可以打破世界纪录的话，塞拉蒂就在看台上给他一个信号——尽管在比赛中，教练提供意见是非法的。当埃利奥特领先的时候，还不能肯定其他人会不会赶上，塞拉蒂虽然因为接近赛道，而受到管理人员的警告，但他仍然挥动了白色毛巾。从此刻开始，埃利奥特就沉浸在自己的世界里，好像在沙漠中独自奔跑，而不是在90 000名翘首以待的观众面前比赛。人们看得入了迷。他只用55秒就跑完了最后一圈，把对手甩在20米以外，比他以前创造的3分35.6秒的世界纪录快了0.4秒。他领先的优势如此之大，历史上从来没有发生过。杰兹和罗扎沃尔吉拿到了另外两块奖牌，而瓦伦只能屈居第四。埃利奥特是自艾德温•弗拉克在首届奥运会上夺魁以来的第一位澳大利亚冠军。埃利奥特曾经说，他从不研究对手，那天他几乎没有意识到他们的存在。后来，他决定功成身退，在风头正健的22岁时选择退休，这也是没有先例的。

意大利人没有在他们的奥林匹克体育场举行马拉松比赛，这是第一次将比赛的起点和终点都设在了主赛场之外：69名运动员从卡彼托山下出发，然后在亚壁古道的冰冷的月光中结束。主办者的奇思妙想与世界上最优异的成绩相得益彰，

埃塞俄比亚赤足运动员阿贝贝•比基拉在罗马奥运会上赢得冠军，实现了非洲人零的突破。另一位非洲运动员，摩洛哥的拉迪•本•阿布德塞拉姆获得亚军。

来自埃塞俄比亚的阿贝贝•比基拉(Abebe Bikila)首次获得奥运冠军，他成为带来一场革命的非洲运动员的先驱。赤足的比基拉是海尔•塞拉西(Haile Selassie)皇帝的禁卫军成员，他父亲曾经参加过1935年抵抗穆斯林军队入侵的战斗。比基拉是作为新秀出现的，这是他第3次跑这么远，也是第一次出国比赛。沿着灯火通明的赛道，他们在数以千计的观众面前向前奔跑。在离终点还有一英里的康斯坦丁拱门处，比基拉当仁不让地冲到前面，最终以2小时15分16.2秒的成绩，领先25秒夺冠。比基拉是在国家体育馆登上领奖台的第一位埃塞俄比亚人。

除了麦吉，莱迪亚德还有两位优秀学生：皮特•斯内尔（Peter Snell）和马瑞•哈尔伯格（Murray Halberg），他们对于训练的贡献在未来的10年影响很大。斯内尔和哈尔伯格分别参加了800米和5 000米比赛。一个人口不到300万的国家，在一届奥运会中就涌现出3位冠军，实在令人惊叹。哈尔伯格在罗马的胜利是他与命运抗争的转折点。10年来，他一直与17岁时在橄榄球比赛中造成的伤病搏斗，肩部损伤造成的淤血，几乎要了他的命。为了恢复状态，他转向了跑步。

在5 000米比赛中，开始领先的是波兰的卡兹米尔茨•齐姆内（Kazimierz Zimny）。白天的酷热让运动员们精疲力竭，但哈尔伯格是有备而来，所以根本不担心，而且开始时他还甘居人后。在2公里之后，他位居第五，紧紧地跟着领先的齐姆内和两个东德人汉斯•格罗多茨基（Hans Grodotzki）与杰恩克（Friedrich Jahncke）。莱迪亚德为哈尔伯格制定的策略是提早发起攻击，这对冲击金牌的运动员来说并不常见。哈尔伯格在第12圈开始加速，在还剩3圈时全速前进，与对手拉开了10米的距离，下一圈用61秒跑完，又拉开了10 米，最后一圈，看起来他就要取胜了——像格罗多茨基曾经大刀阔斧地领先一样。观众的惊呼，使哈尔伯格意识到身后的危险，他继续加速，由于竭尽全力而双目紧闭，在触线后又跑了4步，然后一头栽倒在地上。

哈尔伯格年仅22岁的年轻队友皮特•斯内尔在半小时前也取得了胜利。斯内尔在开赛时是个无名之辈，其实，他在这个较短距离的比赛中曾经击败过埃利奥特，按说应该引起大家注意。但夺标热门是比利时的罗杰•莫恩斯（Roger Moens）——他是世界纪录保持者，但现在已经30岁了——和牙买加才华横溢的乔治•凯尔（George Kerr）。800米是最难训练的项目之一，它要求运动员兼具速度和耐力。莱迪亚德信奉纯粹的力量，这一点被斯内尔所验证。参加决赛的运动员，从内道算起，依次是Matuschewski (东德)、莫恩斯、瓦格里(Wagli)、凯尔、施密特(Schmidt，法)，斯内尔在最外边。这也是奥运会有史以来，800米决赛中第一次没有美国人。瓦格里当仁不让地领先，用52.3秒跑完第一圈，但无法避免地在第3圈落败，莫恩斯开始领跑，紧接着他的是凯尔。在最后的角逐中，莫恩斯继续领先，看来马上就要胜利了，他向右边瞟了一眼，估摸凯尔和自己的距离，却放松了对斯内尔的防备，斯内尔正从边道一点点赶上，并终于领先。等焦灼的莫恩斯往左边看时，已经来不及了，斯内尔夺得了冠军，以1分46.3秒的成绩刷新了考特尼保持了4年的纪录，凯尔则获得铜牌。斯内尔跑出了最好成绩，他筋疲力竭，在撞线时，他的脸因为痛苦而扭曲了。“谁赢了？”他问莫恩斯。“你！”莫恩斯沮丧地说。

尽管西德的阿米恩•哈里（Armin Hary）和加拿大的哈利•杰罗姆(Harry Jerome)都曾以10.0秒的成绩名列第一，但100米的夺标热门却是雷•诺顿(Ray Norton)，他是在前一年的泛美运动会上获得两项短跑冠军的美国人。美国人戴夫•赛姆（Dave Sime）呼声也很高。在罗马的第2轮比赛中，哈里以10.2秒的成绩击败赛姆，创造了奥林匹克纪录。幼年得病的英国人皮特•雷德福（Peter Radford）赢得了半决赛。在决赛中，有3个人抢跑，其中就有哈里，在引入电子起跑机之前，他有一个坏名声，就是在听到“预备”时抬起得很晚，而在枪响的同时就起跑。这一次他近乎合法地起跑，在两步之后就领先了，尽管赛姆在最后阶段攻势强劲，但哈里一直保持领先，并成为第一位非英语国家的100米冠军，他的成绩是10.2秒。

女子田径比赛共有10项赛事，前苏联获得了6项冠军。最引人注目的是一个非裔美国人，她战胜了儿时的残疾，获得了奥林匹克冠军。来自田纳西的威尔玛•鲁道夫(Wilma Rudolph)是早产儿，是父亲22个孩子中的第20个。她幼年得过肺炎、脑灰质炎和猩红热，以至于她到11岁时，左腿上还带着矫正器。但在妈妈和兄弟姐妹的帮助下，她的腿逐渐恢复了健康，通过打垒球，她的运动才能逐渐显露出来。到16岁，成为成熟的赛跑选手，并在墨尔本奥运会中入选美国队，获得铜牌。1960年，她成为100米的夺冠热门，很少有人像她这样前程似锦。半决赛中，她以11.3秒的成绩平了雪莉•德•拉•汉蒂的世界纪录，在决赛中，她顺风成绩是11.0秒，领先英国的多罗西•海曼(Dorothy Hyman)，创造了自己的世界纪录。在200米比赛中，她以 23.2 秒创奥林匹克纪录, 比她自己的世界纪录慢了0.3秒。

28年后，800米重返女子赛场，但仍然有人对女子能否完成这项比赛表示怀疑。很多女运动员明显体力不支。决赛中，澳大利亚的迪克西•威利斯(Dixie Willis)在离终点150 米的时候虚脱了。但很明显的是，问题在于训练而不是体能。前苏联的柳德米拉•舍夫佐娃(Ludmila Shevtsova)后发制人，超过澳大利亚的布兰达•琼斯(Brenda Jones)，以2分零4.3秒的成绩追平了她自己的世界纪录。

罗马尼亚的伊奥兰达•巴拉斯(Iolanda Balas)在墨尔本获第五，现在要在跳高赛场上建立自己的霸业。她成为世界上第一个跳过6英尺的女选手，并14次刷新世界纪录。她 1.91米的成绩保持了整整10年。

美国游泳队在墨尔本失利，仅获得5块金牌，但在罗马重振雄风，赢得11块金牌，打破了5项世界纪录。这一次轮到澳大利亚人品尝失败的滋味了。但在男子100米自由泳比赛中，两名夺标热门选手都没有参加这个项目的决赛：杰夫•法雷尔(Jeff Farrell，美国)由于阑尾炎而没能参赛，琼恩•汉德里克(Jon Hendricks，澳)则因半决赛中的糟糕成绩而未能出场。这场比赛的结果极具争议。在6名裁判中，有3名认为澳大利亚的

约翰•德维特以微弱优势战胜兰斯•拉森。但裁判间的争议极大，兰斯•拉森更有可能是100米自由泳的冠军。曼纽尔•多斯•桑托斯(Manuel dos Santos，巴西)获铜牌。

约翰•德维特（John Devitt）第一，而另外3名则认为美国的兰斯•拉森（Lance Larson）第一。拉森认为是自己赢了，实际上德维特也向他表示了祝贺。他的最后发力使他在最后几米中超过了德维特，而且，非官方的电子计时器表明拉森领先了0.06秒。但是主裁判否决了所有的证据和异议，判德维特取胜。手工计时将两人成绩均记为奥运纪录的55.2秒（德维特是世界纪录54.6秒的保持者）。美国对提出抗议，却无果而终。

游泳比赛中的杰出运动员是美国的克里斯汀•冯•萨尔察(Christine von Saltza)，她是普鲁士/瑞典贵族的后裔,今年16岁，赢得了3块金牌（其中两块是在接力赛中获得的）和一块100米自由泳的银牌。在这场比赛中，澳大利亚的道恩•弗雷泽以1分零1.2秒的奥林匹克纪录，成为第一位卫冕成功的奥林匹克游泳冠军。弗雷泽在以前的奥运会中，在这个项目上没有失败过。她有风度

地对自己表示了祝贺，并希望在第二天的比赛中能发挥得更好，但事实是，她被安排到混合接力赛中。这个项目的团队管理很混乱，其他队员都排斥性情暴烈的弗雷泽。他们最后输给了美国队。德国17岁的英格雷德•克雷默（Ingrid Kramer）赢得了跳台和跳板跳水冠军，这是自1920年跳板跳水被纳入奥运会以来，第一位非美国运动员获得胜利。

对很多著名运动员而言，奥运会是通向职业运动的桥梁。尽管凯西亚斯•克莱（Cassius Clay）已经是声名卓著的老手了，他仍然来到罗马参加次重量级拳击赛。他在奥运村如鱼得水，是那里最擅交际的人，愿意和你谈所有的事情。而他最愿谈的，就是他很快要取得的胜利。他的自我推销是如此的吸引人，以至人们包容了他那些铺张浪费的行为。拳击赛在优美的Palazzo dello体育场举行，意大利观众热爱拳击比赛，在大穹顶下用烧着的报纸烘托气氛。对于那些想看高水平比赛的观众，克莱满足了他们的愿望，他后来皈依伊斯兰教，改名为默罕默德•阿里(Muhammad Ali)。虽然只有18岁，但他的技巧已经相当纯熟。在对3届欧洲冠军、波兰的兹比格纽•皮耶特日科夫斯基（Zbigniew Pietrzykowski）

乌克兰体操运动员伯利斯•沙赫林（Boris Shakhlin）。他赢得了多项赛事的冠军，包括4枚金牌、两枚银牌和一枚铜牌。

18岁的凯西亚斯•克莱击败了兹比格纽•皮耶特日科夫斯基（右）、安东尼•马迪根(Anthony Madigan，澳)和朱利奥•萨劳迪(Ciulio Saraudi，意)。

一役中，克莱有意打了两局防御性的比赛，在第二局要结束的时候，突然用一记勾拳出击，击中对手的头。在随后的第三轮，他一连串的重拳出击，逼得皮耶特日科夫斯基毫无还手之力。4年后，他战胜了桑尼•雷森(Sonny Listen)，获得冠军，实现了他的诺言。

在20世纪的前半段，奥林匹克帆船赛很少有什么新闻，但是，在那不勒斯湾这一历史胜地，丹麦的保罗•埃弗斯特隆(Paul Eivstrom)赢得了“芬兰”型帆船赛冠军，这是继赫尔辛基、墨尔本和1948年的“萤火虫”型帆船赛冠军后，他获得的第4块金牌。希腊王储康斯坦丁、未来的康斯坦丁二世国王，在Nirefs号上掌舵，赢得了“龙”型帆船赛的冠军。这是自1912年康斯坦丁•齐克利蒂拉斯(Constantin Tsiklitiras)赢得跳远冠军以来希腊的第一块奖牌。挪威的皮特•伦德(Peter Lunde)在“飞行荷兰人”型帆船赛中，创造了奥林匹克纪录。他父亲也叫皮特,曾在1952年"5.5米型"帆船赛中获银牌，而他的祖父尤金，在1924年"6米型"帆船赛中获得金牌。他们是唯一的祖孙三代都获奥林匹克奖牌的家庭。

自行车比赛中发生了悲剧，丹麦的克纳德•詹森(Knud EnemarkJensen)在100公里公路赛中摔了下来，在送往医院的途中去世。这时，兴奋剂对于体育道德的威胁已初露端倪。詹森的解剖结果证明他的吡啶甲醇呈高度阳性，但没有人知道这是他自身的行为，还是第三方的责任（有可能是教练所为）。由于这个事件，国际自行车联合会成为首家引入药检的组织。

印度自1928年参加曲棍球赛以来首次受挫。到目前为止，他们已经赢得了30场胜利，从未出现过败绩，总积分为197:8。但在本届奥运会的决赛中，他们以1分之差输给了巴基斯坦队。

匈牙利的阿拉迪尔•盖雷维奇(Aladir Gerevich)连续5次获得男子佩剑团体赛金牌，而今，他以50岁高龄在该项赛事中获得了他的第6块团体赛金牌。他是有史以来这个项目最优秀的运动员，在长剑比赛中，1948年获金牌，1952年获银牌，1936年获铜牌，另加上1952年的花剑团体赛铜牌，他一共获得10块奥运奖牌。

在这届壮观恢宏的奥运会中，共有83个国家参赛。由于一些比赛项目的淘汰标准很严格，一些昔日的冠军甚至都没有参赛。

意大利的雷蒙迪奥•丁泽奥(Raimondeo d'lnzeo)和皮埃诺•丁泽奥(Piero d'lnzeo) 两兄弟在超越障碍马术比赛中分获一金一银。

第38章 反种族隔离的燎原之火

南非的萨姆·拉姆萨米（*Sam Ramsamy*）

国际奥委会委员，反种族隔离活动家

1904年，南非首次参加奥运会——以非官方的方式——由布尔人组成的运动队参加了拔河比赛，两名祖鲁族运动员参加了马拉松比赛。1908年，官方的代表队全部由白人组成。最终，反种族隔离运动迫使南非自1964年起，被排除在奥运会之外。从那以后，南非黑人就一直阻止政府以不正当方式参赛的企图。

1988年，萨马兰奇主席创立了种族隔离与奥林匹克委员会，采取行动加速南非的回归。1992年3月，当时的南非国大党主席纳尔逊•曼德拉(Nelson Mandela)在多年监禁后复出，萨马兰奇与他进行了会晤。曼德拉为参加巴塞罗那奥运会提供了保证，他说，这将促进种族主义的灭亡。

备战奥运期间，我们困难重重——没有国歌，没有旗帜，还有一场屠杀——但最终，17个项目的95名运动员组成了南非代表队。在那届奥运会上，南非赢得了两块银牌。我们必须面对一些人的干扰，他们认为，在1994年民主选举之前参赛是不合适的。但是，支持参赛的意见占了上风，因为这是标志着南非结束孤立的第一场赛事。重返奥运会使得其他体育赛事，如板球和橄榄球等，也向南非敞开了大门。

萨马兰奇主席和纳尔逊•曼德拉之间有一个协议，允许南非的体育发展小组以观察员身份参加巴塞罗那奥运会，并在开幕式上列队入场。我们入场的时候掌声如潮，曼德拉坐在国家首脑席位上——这是另一个世界第一，因为，他实际上在很久之后才真正成为国家首脑。他与我们一起共处了3天，参观了我们在奥运村的住处，这是令人难忘的记忆，好多人围过来一睹他的风采。

在罗马奥运会前的例会上，埃弗里•布伦戴奇再次被大家公推为下个4年的国际奥委会主席。法国的马萨尔（Armand Massard）和英国的伯利勋爵分别继任第一和第二副主席。布伦戴奇还是一家之主，但他和他的同事们很快就被他担任主席20年来最棘手的问题搞得焦头烂额：南非的种族隔离制度。

南非的困局并不出人意料。1950年，挪威人就曾威胁说，他们准备在1952年奥斯陆冬奥会上驱逐全白人的南非队。1959年在慕尼黑，前苏联也在例会上提出了抗议。雷金纳德•哈利哄骗大家说，他保证所有的南非运动员都获得护照。但实际上，是所有的白人运动员获得了护照。

1962年，在尼日利亚的亚伯拉罕•奥蒂亚

尼日利亚的法官阿杰莫拉爵士，在反种族隔离斗争中成为国际奥委会第一位非洲黑人委员。

（Abraham Ordia）酋长的领导下，南非反种族奥委会(SANROC)成立了，总部设在伦敦，著名诗人和学者丹尼斯•布鲁图斯（Dennis Brutus）和纳塔尔杰出的教师、游泳教练萨姆•拉姆萨米（Sam Ramsamy）是其中的领袖人物。南非反种族奥委会并不是纯粹的体育组织，完全是非洲黑人抵抗运动的一个政治性分支机构，是受捷克斯洛伐克和其他社会主义国家资助的。

1963年，国际奥委会例会原定在内罗毕举行，由于肯尼亚政府不允许南非代表团入境，只好改在巴登-巴登(Baden-Baden)召开。会议轻描淡写地要求南非国家奥委会支持国际奥委会的规定，保证当年年末在比勒陀利亚(Pretoria)改变立场，否则南非就会被禁止参加1964年奥运会。

同年初，南非国家奥委会告知国际奥委会："我们已经将巴登-巴登所作的决议通告给政府，政府愿意考虑按照决议的精神改变政策。"这使得执行委员会别无选择。在其国家奥委会"愿意将非白人运动员包括在奥林匹克代表队中"的说法被接受的情况下，他们并没有按规定放弃种族政策，却获得了进一步的宽限：在8月16日达到国际奥委会的要求。执行委员会的决定于因斯布鲁克冬奥会前的例会上被公布，日本的东龙太郎说，南非不在被邀请之列。6月，南非国家奥委会通知国际奥委会，其代表队中的非白人运动员可以参赛。但是，这一通告并未起什么作用，南非最终没能参赛。

另一个在奥运会上挥之不去的阴影是兴奋剂问题。有史以来，无论男女，都会求助于药物，即那些能够增强竞争和性爱能力的药草和物质，现在它的范围扩大到了体育。好像鸦片一样，小剂量的砷就是一种著名的兴奋剂。

在罗马奥运会上，由于丹麦自行车运动员詹森在100公里比赛中的死亡，兴奋剂问题首次浮出水面。鉴于这一事件，1961年的雅典例会重申了兴奋剂问题及相应的惩罚。布伦戴奇在与国际体育兴奋剂协会(FIMS)的讨论中发言，称与这个机构的合作是很重要的。因此国际奥委会创建了药物委员会，新西兰的伯瑞特博士被任命为主席。

在1964年东京的例会上，瑞典的波•埃克伦德(Bo Ekelund)建议在筛选运动员时验血。伯瑞特的答复是，药物委员会认为，将验血作为一种有效的解决方案为时尚早。他建议例会采用以下3个步骤：一个谴责服用兴奋剂的正式声明；一个关于对国家奥委会或个人直接或间接地使用兴奋剂的惩处修正案；对国家奥委会提出要求，要求他的运动员随时准备接受检测。

新西兰的阿瑟•伯瑞特(Arthur Porritt)博士，后来成为爵士，在丹麦自行车运动员克纳德•詹森死于罗马奥运会之后，被任命为药物委员会的第一任主席。

与兴奋剂问题同时出现的是女运动员的性别确认问题。也许是出于巧合，东京奥运会成了肌肉异常发达的前苏联投掷项目的运动员姐妹塔玛拉和伊瑞娜•普雷斯(Irina Press)的最后一次露面机会，后者曾经是奥运会五项全能冠军，还有罗马尼亚杰出的跳高运动员爱奥兰达•巴拉斯(Iolanda Balas),她们全都是在获得金牌之后就立即退役了。100米铜牌得主波兰的克洛布科夫斯卡(Ewa Klobukowska)，成为第一位没有通过性别检验的人。1968年，不论性别检验对女人而言是什么样的羞辱，它还是被国际奥委会引入了。

1960 年初，智利发生了严重的地震，死伤很多。为了显示团结，法国国家奥委会出资资助3位智利运动员参加罗马奥运会。而意大利国家奥委会则资助整个运动队的食宿。这种自发的行为启发了博蒙特伯爵（Comte de Beaumont），次年，他在雅典的例会上提出，构造对相关国家的财政援助的正式手段。这个提议被谨慎处理，因为人们认为，国际奥委会的资产不足以实施这个建议。紧接着，在莫斯科召开的下一届例会上，博蒙特宣布，一个审查委员会已经将其定名为国际奥林匹克资助委员会。接下来的一年中，他向执行委员会报告了他们的活动。但对此问题争论纷纷，莫衷一是。而他们关于申请主办奥运会的城市应提出捐赠的建议遭到了副主席马萨尔的强烈反对。布伦戴奇也认为资助委员会应该致力于教育，而不是经济援助，后来，该委员会被迫将“奥林匹克”一词从委员会的名称和文件抬头中去掉。直到9年以后，博蒙特的这一建议才得以实施。

由于工作量太大，布伦戴奇难以负担，有些工作由国际奥委会总干事奥托•梅耶（Otto Mayer）来处理。奥托•梅耶是一位珠宝商，他的兄弟阿尔伯特是瑞士的国际奥委会委员，而梅耶的工作则由兼职秘书莉迪娅•赞奇（Lydia Zanchi）来协助。但大量的非议使他难以应付，被迫于1964年退休。他承认：“在我担任总干事的18年中，业余的概念变化得如此之大，以至于我们必须改变现在奥林匹克中的业余理念。”

1964年，在东京召开的例会上，瑞士人埃里克•琼斯（Eric Joans）被正式任命为国际奥委会秘书长，总干事的称号同时废除，国际滑雪联合会主席马克•霍德勒（Marc Hodler）成为荣誉财务主管。但是新秘书长没有获得布伦戴奇的欢心，一年之内，一个荷兰将军韦斯特霍夫(Johann Westeroff)接替了他。韦斯特霍夫意识到，国际奥委会不可能由两个兼职人员运作，他认为至少需要10个人，这就需要搬到一个比当时办公室更大的地方。国际奥委会当时的办公室是由洛桑提供的，主要是为了国际奥委会总部及创始人德•顾拜旦和他的妻子的居住。于是，总部搬到了Chateau de Vidy。

奥托•梅耶，国际奥委会总干事，由于对业余概念的可用性产生迷惑而退休。

渐渐地，国际奥委会的俱乐部成分越来越少，商业味越来越浓。这对奥运会重要创始人西格弗里德•埃德斯特朗来说，是很奇怪的现象——他死于1964年3月。尽管从资金来源看，国际奥委会很难说是国际性的，但其财产已经增至将近50万瑞士法郎，其中一半来自东京和因斯布鲁克的电视转播权，另一半来自夏季和冬季奥运会上国际联合会的收入。另外，东京奥运会还首次采用彩色电视信号，尽管播出范围有限。

埃弗里•布伦戴奇的宏图吸引了媒体的注意力。在因斯布鲁克奥运会之前，他提出了冬奥会是否应该继续举办的问题，其理由过分强调有关业余性质的规定，他还坚持，运动员必须遵守宪章。如果不是3 000名奥地利陆军士兵人拉肩扛，火车、汽车、直升机齐用，将近40 000立方米的雪从其他地方运来，高山和越野项目就很难进行，奥地利首都蒂罗尔就不可能成功举办奥运会。

因斯布鲁克要确保首次在大城市举办的冬奥会成功，他们已经投资了300万美元来改善体育设施，建设像伊格斯、塞费尔特和Axamer Lizum等这样的新卫星城滑雪区，其中Axamer Lizum距因斯布鲁克15公里，用于高山项目的比赛。越野项目在塞费尔特举行，城中新建了一个滑冰馆，一个50英尺长的隔板被竖立起来，以遮挡唯一的战争废墟遗迹。奥运会比赛场地的分散招致了批评。相距甚远的分赛场和位于城外的奥运村使运动员没有时间在主办城市观光，只有滑冰和冰球赛是在城里举行的。由于34个电视网的转播，上千家电台和报纸的运作（这还没有包括中间商），奥运会传遍了世界，因此，组织者还是获得了成功。奥地利已经成为继西德之后的第二大滑雪设备生产国和最大的出口国，因此，随着民族英雄托尼•赛勒（Toni Sailer）在高山项目大获全胜，该国的公众形象大获改善。

仅从统计数字上就可以看出，这是一届迄今为止最成功的冬奥会，拥有50多万观众，34个项目，跳台滑雪比赛首次被分成70米和90米两项赛事。蒙古和印度首次参赛。IBM公司在对斯阔谷进行巨额投资之后，这一次又投资了200多万美元。1956年在科尔蒂纳，花样滑冰的成绩用了好几个小时才统计出来，而现在，有了计算机的帮助，几秒钟就可以出结果了。

在本届奥运会之前的例会上，阿尔及利亚、刚果、尼日利亚和塞拉利昂的国家奥委会首次被接纳，国际奥委会的成员国增至114个。格勒诺布尔战胜加拿大的班夫，成为1968年冬奥会的主办者。

当时有一种很自然的倾向，就是希望奥运会越办越好。事实也的确如此，从墨尔本的热情友善，到罗马的风格独具，这不仅是布伦戴奇个人的感受，每个参会的人都能感受到。1964年东京奥运会也是这样，这是在亚洲举办的第一届奥运会。日本人把这次盛会看做是一个用以展示他们努力营造的战后工业奇迹、尤其是电子方面的业绩的机会。更重要的是，东京奥运会是高效的管理和热情好客的共同体现。

东京萌发主办奥运会的想法始于1931年，当时国际奥委会应邀访问该城。1936年，伦敦退出了1940年的竞选，东京以36比27领先于赫尔辛基。但随后中日战争爆发，东京就退出了。进一步的申办工作在50年代就开始了，但直到1958年，东京才正式申办1964年奥运会，并在第二年，战胜布鲁塞尔、维也纳和底特律赢得主办权。

组委会主席安川（Daigoro Yasukawa）与埃弗里•布伦戴奇在东京奥运会开幕式上。

在本届奥运会之前的例会上，埃弗里•布伦戴奇又一次当选为主席，任期4年。唯一的竞选对手伯利勋爵，在投票期间退出了。布伦戴奇已经77岁了，给人的感觉就像一个落后于时代的组织的代表：他说，国际奥委会没有电视已经运转了60年，它还能再这样运转60年。但他的奉献精神始终如一。他在会上说："奥林匹克运动是20世纪的一种宗教，它包含其他宗教的基本价值观，获得了广泛的认同。不论是基督教、伊斯兰教、印度教、佛教和无神论者，都尊重它的诚实、互相尊重、公平竞争和良好的体育道德，这是所有宗教的精华所在。"

第39章 因斯布鲁克

第九届冬季奥运会 1964

意大利的尤金尼奥·蒙蒂（*Eugenio Monti*）

冬奥会雪橇和滑雪双料冠军

最令我激动的一届奥运会在1968年，我赢得了冠军！1956年，在科尔蒂纳，在双人赛和四人赛中我都拿到了银牌。双人赛的冠军是兰伯特，他一直都是在赛场滑雪的，所以对赛道非常熟悉。四人赛冠军队的舵手是瑞士的弗兰茨•卡普斯（Franz Kapus），他对我帮助很大。卡普斯在那一年退役，并去了圣莫里茨工作。1960年在斯阔谷没有该项比赛，因为美国人没有为这项赛事建造赛道。

在因斯布鲁克奥运会时，我的身体状况正处于低潮。我在科尔蒂纳忙于建造一个滑雪用的电缆车，搞得自己非常疲倦，几乎不能参赛。在双人赛中，我将自己滑板上的链扣借给了英国的托尼•纳什（Tony Nash）和罗宾•迪克森（Robin Dixon），修好了他们的滑板。他们拿到了冠军，而我与萨尔迪奥•西奥尔佩斯（Sergio Siorpaes）只拿到了铜牌。很多人对此大惊小怪，但就我所知，托尼和罗宾也会为我这样做的。

4年后的双人赛是一场真正的激战。在4轮比赛过后，我们与德国一队的赫斯特•弗洛特（Horst Floth）和佩奇•巴德尔（Peppi' Bader）成绩相当，两个队都可以得到金牌，但第一名由获得单次比赛最优成绩的一队获得，那就是我们了。这是艰难的两天。因为第一天，我们在晚上进行比赛——要等着赛道冰冻；第二天，我们又要在凌晨4点开赛——以防赛道解冻。在前一年的世界锦标赛上，我的闸手萨尔迪奥在双人赛中摔断了胳膊，无法参加奥运会，强壮的卢德诺•德•鲍里斯（Ludano De Paolis）取代了他的位置。在四人赛中，由于赛道解冻，比赛只进行了两轮，我们击败了奥地利人。

1954年，26岁时，我才开始参赛。我并不喜欢雪橇比赛，我喜欢的是滑雪。我曾经在意大利锦标赛小回转和大回转比赛中赢得两个冠军。1952年奥斯陆奥运会之前，我摔伤了膝盖，然后才转到雪橇滑雪项目上来。恐惧？你不能产生恐惧，否则你就别比了！滑行需要一种特别的技巧，有时需要凭感觉，感觉与技巧同样重要。这与一级方程式赛车相同。现在，双人赛和四人赛的比赛方式没有大的差别。用新的雪橇，你可以任意发挥。但在那时，四人赛更加稳定、安静，你可能需要整整一天的时间去适应它。

不爱出风头的尤金尼奥•蒙蒂是一位最谦和不过的焦点人物，他从来不津津乐道自己在1957年到1968年的重大赛事上，包括奥运会上，获得的那些数不清的金银牌。他本来还可以再创佳绩的，但1960年，他没参加当年的雪橇赛。尽管如此，6块奥运奖牌（金、银、铜各2块），可以使他在该项目中独占鳌头。1964年的雪橇赛事爆出冷门，在强手如云的情况下，两个雪橇赛冠军第一次落到了两个英国人手中，而当时英国甚至连雪橇赛道都没有呢！

在双人赛决赛中，这两位英国选手——托尼•纳什和罗宾•迪克森见识了真正的男子汉风度——蒙蒂无私地将他的雪橇搭扣借给了他们。因此，他们得以飞速地滑下赛道，将另一对意大利组合，萨尔蒂尼（Sergio Zardini）和邦纳古拉（Romano Bonagura）,挤到第2名的位置上，蒙蒂和西奥尔佩斯则只拿到铜牌。为了表彰蒙蒂的体育精神，组委会授予他顾拜旦公平竞争奖。来自加拿大蒙特利尔的青年四人队在四人雪橇赛中夺冠，这是加拿大首次参赛。蒙蒂和他的队友排在奥地利之后，获得铜牌。

意大利的尤金尼奥•蒙蒂，雪橇滑雪之王。1956年在奥运会上赢得两枚银牌，两枚铜牌，1968年赢得两枚金牌。这是他与萨尔迪奥•西奥尔佩斯在比赛中。

全能速滑运动员莉迪亚•斯科布利科娃成为第一位在单届冬奥会上获4枚金牌的人。其夺冠项目分别是500米、1 000米、1 500米和3 000米速滑。

1963年，前苏联的莉迪亚•斯科布利科娃（Lydia Skoblikova）在日本的长野赢得了速滑比赛4个项目的全部冠军。在因斯布鲁克，人们认为她与队友沃罗宁娜（Inga Voronina）将有一番激烈较量。沃罗宁娜是1962 年世界杯的冠军，1963年，她正处在伤病恢复期，没有参赛。斯科布利科娃顺利夺得4枚金牌，成为第一位在单届冬奥会上赢得4金的人。在500米比赛中，伊琳娜•叶戈罗娃（Irina Yegorova）以45.4秒的成绩一开始领先，随后，斯科布利科娃凭借45.0秒的奥运纪录超过了她。后来她创造了1 000 米和1 500米的奥运纪录，还以2.5秒的优势赢得了3 000米冠军。她是第一位获得6块金牌的人。

奥地利赢得了女子速降赛中的全部3块金牌，奥地利人深以为荣。哈斯(Christl Haas)领先齐默尔曼(Edith Zimmermann)和黑赫(Traudl Hecher)1秒钟，获得金牌，斯阔谷奥运会冠军比布尔(Heidi Biebl)位居第四。来自法国的一对姐妹，克里斯汀(Christine)和玛丽埃拉•格瓦切尔(Marielle Goitschel)颇引人瞩目。玛丽埃拉在小回转赛的第一轮保持最快，领先于克里斯汀，在第二轮比赛中，克里斯汀超过了她。两天后两人再度对阵，结果还是一金一银，但次序却颠倒了过来。玛丽埃拉在大回转赛中以将近1秒的优势领先于她的姐姐。哈斯令人失望地获得第4名。索伯特(Jean Saubert) 在小回转和大回转比赛中，分别获得铜牌和银牌。而在障碍赛中又一次发生了死亡事故，19 岁的澳大利亚运动员罗斯•米连（Ross Milne）在训练中，撞在一棵树上，伤重身亡。

越野赛在塞费尔德举行，前苏联女队初现峥嵘，博亚尔斯基赫(Klaudia Boyarskikh) 在5公里和现已取消的10公里比赛中，赢得了两项个人赛的冠军，并且在3×5公里接力赛的最后一棒中表现出色。男子赛事中，瑞典35岁的西克斯腾•耶恩贝里（Sixten Jernberg）又一次获得50公里冠军（他曾在1956年获此殊荣），加上他在4×10公里接力赛中的胜利，他已在3届奥运会上获得了9枚奖牌，这一纪录保持了28年之久。

因斯布鲁克奥运会大回转亚军，奥地利的卡尔•施兰茨（Karl Schranz），他后来频创佳绩。

法国怪杰弗朗索瓦•邦利厄（Francois Boilieu），在奥地利家门口的滑雪道上，击败了包括施兰茨在内的奥地利人，获得大回转冠军。9年后，他在戛纳被谋杀。

第40章 东京

第十八届夏季奥运会 1964

美国运动员比利·米尔斯（*Billy Mills*）

奥运会万米冠军得主

“我身上有一半印第安人血统，一半白人血统，然而这两种文化都抛弃了我，幸运的是我找到了另外一种文化——体育文化。体育接纳了我，于是成了一名长跑运动员，并荣幸地加入了东京奥运会美国代表团。我7岁时，母亲就去世了。5年后，父亲也离开了我。父亲在世时教了我许多事情，他告诉我：你的生命是上帝赐予的，你所做的一切都是对上帝的回报——所以人活着就必须有生活的热情以及精神上的追求。他还向我灌输了有关奥运会的理念，并向我解释，在希腊神话中奥运冠军都是神的子嗣。除此之外，我还从书上了解到北美印第安裔选手巴斯特•查尔斯（Buster Charles）获得了1932年奥运会十项全能的第4名。我记得父亲常引用的苏格拉底的名言：成就源于荣誉，荣誉出自责任。

大学一年级时，我已经成为全美跑得最快的5名选手之一。毕业那年，我参加了业余体育协会锦标赛，每次赛后合影留念时，摄影师都会冲我喊：“喂，你这个黑皮肤的家伙，一边去！”我对这样的歧视感到心灰意冷。回到学校后，我打开8楼的窗户，准备跳下去。就在这时，父亲的声音在耳边响起，“不要这样，”我记起了他憧憬奥运胜利时说的话：“相信，相信，再相信！”

为了参加1964年奥运会，我参加了马拉松预选赛，我必须全力以赴。6天后，我又获得了6英里比赛的参赛资格，这对我来说是一个极大的挑战，因为在两场比赛之间几乎没有休息时间。尽

管如此，我的万米选拔赛成绩也足以使我跻身世界前8名，就这样我来到了东京。如今，耐力和速度兼具的我开始在脑海中不断想象着自己在比赛还剩一圈时与世界一流选手们齐头并进的情景。

在东京奥运会上，当万米比赛赛程过半时，我开始意识到“在前3英里我的时间已经接近我的最好成绩，而现在还有3英里要跑呢！”这样一来，我开始变得忐忑不安，心里盘算着找一个没人注意的时机从内道适时退出，然而就在进入半程终点直道的转弯处，我看到了坐在观众席上的妻子。想起我们曾一起许下的诺言，我暗下决心：决不能放弃！

比赛进入最后一圈时，我和克拉克（Clarke），还有加穆迪（Gammoudi）几乎是齐头并进。克拉克在冲刺的时候被困住了。他突然把我挤到第3道，还差点儿使我摔倒。这样一来，我完全有理由安心于第三的位置，然而4年来对这一刻的种种憧憬涌现在我的脑海中。到了最后弯道处，观众的欢呼声此起彼伏，奇怪的是

此刻我只听见自己在默默地喊："我能赢，我能赢！"几年后，克拉克还和我开玩笑说，在决胜时刻是他帮我一举成名，但我告诉他我是凭着年轻时的满腔热情才赢的。

在东京奥运会上有两项长跑比赛非常引人注目，这倒不完全是因为比利•米尔斯的意外夺冠。最主要的是，这次比赛对于著名的澳大利亚万米长跑及6英里世界纪录保持者罗纳尔德•克拉克来说是双重失败，毕竟他是当时呼声最高的夺冠大热门，而且没经过预赛就直接进入了决赛。在人们看来，最有可能的挑战者是来自突尼斯的默罕默德•加穆迪，或者是5 000米卫冕冠军、新西兰选手哈尔伯格（Halberg），当然也可能是万米赛事的卫冕冠军前苏联选手博洛特尼科夫（Bolotnikov）。自1912年该项目创办以来，几乎没有美国人夺得冠军，甚至连接近夺冠的人都没有出现，而26岁的米尔斯在该项目上的最好成绩也要落后克拉克的纪录一分钟之久。

由于选拔门槛过低，有38名选手进入决赛，摩肩接踵的选手们给领先者带来了不少麻烦。比赛进行到5公里时，由于克拉克间歇性的加速，除加穆迪、埃塞俄比亚选手马默•沃尔德（Mamo Wolde）和东道主选手圆谷幸吉（Koichi Tsuburaya）外，大多数追随者的体力都被耗尽了，当时名不见经传的米尔斯依然紧随领先者。在比赛还剩一公里处，沃尔德不幸摔倒。考虑到克拉克的世界纪录为28分15秒6，而不管是加穆迪还是米尔斯都未曾突破过29分钟大关，结局看来似乎不言而喻。

比赛进入倒数第二圈时，不可思议的事情出现了，米尔斯突然冲到了前面，这使克拉克很难在进入最后一圈时发起冲刺。更糟的是，克拉克发现自己被一名在内道蹒跚的掉队选手和外道的米尔斯夹在了中间，而且前者拒绝按照惯例为他让道，后者更是当仁不让。克拉克使劲儿将米尔斯挤到一旁，米尔斯被迫踉踉跄跄地跑到了右边，而一直尾随其后的加穆迪乘机跑到了前面，并领先二人10厘米左右。在一片加油声中，克拉克紧跟其后，穷追不舍。当两人进入终点直道时，克拉克稍稍领先，加穆迪随后冲刺，胜利在向他们二人招手了，然而就在最后40米，米尔斯以常人无法想象的速度迅速超过了另一位掉队的选手以及领先的两人，以1.5个步长的优势获得了最后的胜利。或许是上帝的青睐吧，他的成绩比此前的个人纪录还要快45秒，因此创造了28分24.4秒的奥运纪录。

加穆迪在喜获银牌的同时，将自己的个人最好成绩提升了47秒，拿到铜牌的克拉克只能自认倒霉。由于不认识米尔斯，一名日本裁判甚至去问他到底是谁。他在奥运村积极备战的时候，几乎没有一名记者采访过他。一年后，米尔斯将克拉克6英里的世界纪录提升了近6秒钟，他所属的部族将他视为英雄。

对于克拉克来说，5 000米比赛更是雪上加霜。和前次比赛一样，大部分时间他都处于领先地位，这使得他和加穆迪再度成为夺冠热门。不过据专家分析，在短距项目中表现出众的米歇尔•雅齐（Michel Jazy）也是比赛的热门选手之一。美国选手罗伯特•舒尔（Robert Schul）虽然不在其列，但其实力也不容忽视。

比赛进行到4公里时，雅齐和另一位美国选手比尔•德林杰（Bill Dellinger）先后超过了领先的克拉克。德林杰暂时领先。之前的一场大雨使跑道变得泥泞不堪，赛场上的选手们个个步履沉重。进入最后一圈后，雅齐、德国选手哈拉尔德•诺尔波特（Harald Norpoth）、克拉克、德林杰以及极有潜质的肯尼亚选手基普乔吉•凯诺（Kipchoge Keino）均处于领先地位。直到进入最后的弯道，雅齐还处于领先位置，虽然胜利在望，但此时的他已经精疲力竭，很快就败下阵来。过于频繁的国内赛事使得选手们普遍缺乏竞赛紧张感，雅齐更是深受其害。他一如既往地跑着，像是在等待最后的欢呼，却没想到去做最后的一搏。正在这时，舒尔毫不留情地超了过去，当雅齐焦急回望时，冠军宝座已经非舒尔莫属了。在最后的直道上，雅齐先后被舒尔和诺尔波特抛在了后面。在最后的几米，又被德林杰超出了0.01秒，最终无缘奖牌。对此，法国报纸刊出

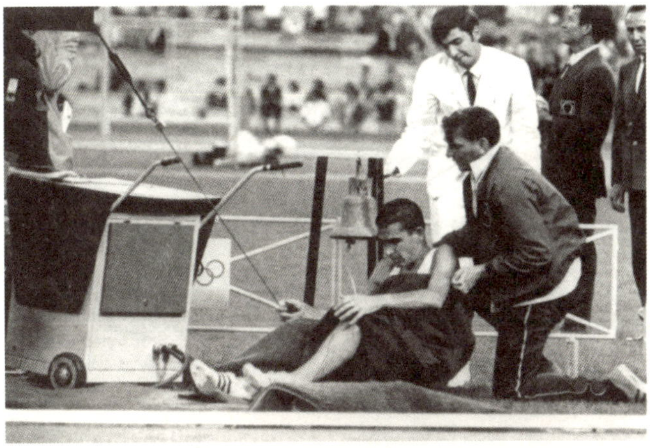

多项长跑纪录保持者罗纳尔德•克拉克在东京意外受挫。4年后，在墨西哥奥运会上，由于当地的高温和高海拔，克拉克再次失利。

了头条新闻，名曰“雅齐投降”。

在1960年罗马奥运会前，21岁的彼德•斯内尔（Peter Snell）还是个无名小卒，但在这届奥运会上，他获得了800米赛的冠军并打破了奥林匹克纪录。回到新西兰后，在亚瑟•利迪亚德的指导下，他又开始了新一轮的刻苦训练，并着重提高自身的耐力。1962年，在短短一周时间内，他先后刷新了一英里和由赫伯特•埃利奥特保持的800米世界纪录。到1964年，他的体形已经可以和查尔斯•阿特拉斯（Charles Atlas）相媲美了。在随后的10年中，不断涌现出依靠肌肉力量跑完两圈的力量型选手，而他是其中的第一人。与古巴选手阿尔伯托•胡安托雷纳（Alberto Juantorena）以及稍微逊色的英国选手斯蒂夫•奥维特（Steve Ovett）一道，他们将这一潮流推向了高潮。

斯内尔的脉搏已经下降到了每分钟42次，只比传奇人物努尔米的脉搏高出一点。他曾开玩笑说，自己想在东京奥运会上夺取800米和1 500米冠。自从1920年英国选手阿尔伯特•希尔在一场不太正式的比赛中同时获得这两项比赛的冠军以来，还没有人能够再次获此殊荣。

如果不是对自己的身体状况充满自信，斯内尔很有可能在800米半决赛中就已经丧失勇气了。在第1场半决赛中，他以1分46.9秒的成绩获得第一名，这一成绩只比他的奥运纪录慢了半秒钟。然而到了第2场半决赛，当看到在罗马奥运会上名列第三的牙买加选手乔治•凯尔（George Kerr）和肯尼亚选手威尔逊•基普鲁古特（Wilson Kiprugut）均以1分46.1秒的成绩打破了他的奥运纪录时，他开始变得忐忑不安了，不过此时的斯内尔依然坚信自己将会成为新的奥运纪录保持者。

在800米决赛中跑完第一圈后，斯内尔发现自己被困在基普鲁古特后面，他不得不慢下来以保持适当的距离。在最后的直道上，他的力量帮了大忙，使他能够一鼓作气冲到终点，并创造了1分45.1秒的新世界纪录，比前一天的纪录快了整整1秒。在50码外，体力不支的基普鲁古特踩到了凯尔的脚跟，不幸摔倒在地，不过他还是设法爬起来，并紧随加拿大选手比尔•克罗瑟斯（Bill Crothers）之后夺得铜牌——这也是肯尼亚人在本届奥运会上获得的首枚奥运奖牌。

相比之下，斯内尔在1 500米比赛中的胜利要简单得多。在半决赛中，他以3分38.8秒的成绩获得第一名。决赛中更是好运当头，还剩最后一圈的时候，他就已经排到了第三，不过他随即发现自己又被困住了。他碰了碰前面的选手，示意自己想要移到第二道，英国运动员约翰•韦顿

继刷新由埃利奥特保持的一英里世界纪录后，新西兰力量型选手彼德•斯内尔又在东京奥运会上获得800米和1 500米两项冠军。图为在1 500米比赛中，斯内尔击败捷克斯洛伐克选手约瑟夫•奥德洛日尔（Josef Odlozil）和队友约翰•戴维斯（John Davies）获得冠军的情景。

（John Whetton）给他让出了一点空间，斯内尔毫不犹豫地冲了出去。在最后的转弯处，他回过头看了一下后面的情况，随即就放松下来，毕竟他的优势太明显了。最终，斯内尔以领先捷克斯洛伐克选手约瑟夫•奥德洛日尔1.5秒的优势获得冠军。

为了卫冕马拉松冠军，在东京奥运会开幕6周前刚刚做过阑尾切除手术的阿贝贝•比基拉（Abebe Bikila）冒险出征，还给自己准备了比赛专用的鞋子。不管这是否比赤脚跑步更舒服，事实证明，这种选择是毫无根据的。他的竞争对手也包括克拉克，这是克拉克在一周内的第4场比赛。由于先前比赛的失意，克拉克从比赛一开始就遥遥领先。阿贝贝可能还在适应穿袜子跑步的感觉，一直到7公里处他都没能占据有利位置。

比赛进行到一半时，起初一直领先的克拉克和另一名爱尔兰选手吉姆•霍根（Jim Hogan）开始体力不支，阿贝贝却突然进入亢奋状态，并以惊人的速度跑完全程，最终他以2小时12分11.2秒的成绩夺冠，创造了新的世界纪录，比之前由英国选手柏塞尔•希特利（Basil Heatley）保持的纪录还要快4分钟，他因此成了第一位成功卫冕奥运会马拉松冠军的选手。在进入体育场后的最后一圈，在满场观众的面前，希特利超过了主场选手圆谷幸吉获得了银牌。卫冕冠军阿贝贝兴奋不已，以至于当乐队找不到埃塞俄比亚国歌的乐谱，而只能用日本国歌代替时他也没太在意。圆谷幸吉被认为是日本最有希望夺取马拉松金牌的选手，但最后只拿到一枚铜牌。这是日本28年来的首枚田径奖牌，他也因此成了民族英雄。但赛场的失利还是让他备受煎熬，不久，他所在的运动队通知他为下届墨西哥奥运会作准备，然而，伤病缠身的他却不得不住进医院。出院后，他意识到自己已经丧失了运动能力，在墨西哥奥运会前夕，他以自杀的方式结束了自己的生命。

来自佛罗里达的短跑健将鲍勃•海斯（Bob Hayes）一向以体格健壮、不拘小节著称，在本届奥运会中，他再次捍卫了美国在100米项目上的霸主地位。在半决赛中，他在顺风的条件下跑出了"非法"的9.9秒。在决赛中，他如同一匹脱缰野马，以10秒的成绩获得冠军，并打破了由阿明•哈里、哈利•杰罗姆和霍拉西奥•艾斯特维兹先后创下的世界纪录。海斯后来成功地实现了由短跑冠军到职业橄榄球球员的转型，并为达拉斯牛仔队效力达9年之久，这在体育界是极为罕见的。

就在米尔斯成功铺就自己的明星路的同时，玛莉•兰德（Mary Rand）也获得了女子跳远的冠军，并以6.76米的成绩创造了新的世界纪录，与男子赛事中获胜的林恩•戴维斯（Lynn Davies）一起成为英国在本届奥运会上仅有的两名冠军，也是英国第一位奥运女冠军。归国后，据说女王伊丽莎白二世对她能够跳出这么远的距离惊讶不已，特意在温莎城堡走廊的地毯上用粉笔把这个距离标了出来。

在女子100米的第2轮预赛中，来自乔治亚州的19岁姑娘维尤玛•泰厄斯（Wyoma Tyus）以惊人的速度，将奥运纪录从11.5秒提升到了11.2秒，这一成绩几乎和威尔马•鲁道夫（Wilma Rudolph）保持的男子世界纪录持平。在决赛中，她又出人意料地战胜了自己的队友艾迪斯•麦圭尔（Edith Maguire）。除此之外，她还在200米比赛中战胜了18岁的波兰选手伊蕾娜•基尔森

澳大利亚选手道恩•弗雷泽在27岁时再一次刷新了自己的100米自由泳纪录，她也因此成为该项目冠军中年龄最大的选手。

斯坦（Irena Kirszenstein）获得冠军，并打破了奥林匹克纪录。这一切使她真正认识到了自己的潜力。

自1956年以来，女子体操就由苏联人拉丽萨•拉蒂尼娜（Larissa Latynina）统治着，在本届奥运会上她又获得6枚奖牌，包括两枚团体金牌、2枚银牌、2枚铜牌，使她的奖牌总数上升到了18枚，其中包括9金、5银、4铜。然而，在争夺代表最高荣誉的个人全能冠军比赛中，她只获得了亚军。击败她的是来自布拉格的22岁女选手维拉•恰斯拉夫斯卡（Vera Caslavska）。维拉•恰斯拉夫斯卡同样出色，早在罗马奥运会上就已经获得了亚军，并以其独特的女性气质和魅力著称。尽管她在这两届奥运会上所获得的奖牌远远少于拉蒂尼娜，但她的比赛风格带给体坛的冲击却毫不逊色。在男子体操比赛中，前苏联选手伯利斯•沙赫林（Boris Shakhlin）延续了以往两届奥运会上的独特风格，并使自己的个人奖牌总数达到了14枚，其中包括：7金、5银、2铜。

在本届奥运会上，被称为“游泳大婶”的道恩•弗雷泽再次吸引了大家的目光，这不仅是因为她将100米自由泳的世界纪录提升到了59.5秒，更在于27岁的她是获得此项比赛冠军年纪最大的选手，而且还是第一位连续3届夺冠的游泳选手。

新建成的游泳池是当时条件最好的比赛场所之一，正是在这儿，18岁的耶鲁学生丹•斯科兰德（Don Schollander）以4枚金牌创造了一个新的体坛神话。在26个田径项目中，美国队拿到了14枚金牌，而今他们又从22个游泳项目中获得了16枚金牌。前苏联选手加利纳•普罗祖明希科娃（Galina Prozumenshikova）在200米蛙泳比赛中获得了冠军，并打破了世界纪录，为欧洲国家争得了游泳项目中唯一的一枚金牌。斯科兰德则打破了100米的奥运纪录和400米的世界纪录，成为第一位在奥运个人金牌榜上居于首位的游泳选手。

来自布拉格的维拉•恰斯拉夫斯卡以其完美无瑕的表现击败夺冠热门选手——来自前苏联的拉丽萨•拉蒂尼娜和波琳娜•阿斯塔霍娃，获得了个人全能比赛冠军。图为国际奥委会罗马尼亚籍委员亚历山大•西佩尔科正在为她们颁发奖牌。

来自耶鲁的18岁学生丹•斯科兰德在游泳项目中独揽4枚金牌。图中他在400米自由泳比赛中领先德国选手弗兰克•维甘德和澳大利亚选手阿兰•伍德的情景。

自1882年嘉纳治五朗（Jigoro Kano）首创柔道以来，整整80年间，这个项目的金牌一直都由日本人牢牢把持。1961年，荷兰选手安东琉斯•海辛克（Antonius Geesink）击败夺冠热门神永昭夫，夺得无差别级世界冠军，日本人的自信心因此受到了很大打击。而在本届由日本主办的奥运会上，日本国内各界人士纷纷对主场选手神永昭夫寄予厚望，并视他为整个国家赢得成功与荣誉的关键所在，不过公众显然忽略了那位比他高20厘米、体重多出5公斤的年轻荷兰人的实力。在比赛的最后一回合，两人互相致敬后9分钟时，神永昭夫的一次内股攻击失手，海辛克则熟练地利用了对手的冲量，把他压在地上并持续了30秒，此时会场的气氛几乎凝固了。当胜利的铃声响起的时候，成千上万张紧绷着的脸才松弛下来，叹息声打破了赛场的寂静，紧跟着的是亚洲式的礼貌的鼓掌声。

一位美国拳击选手获得了重量级的金牌。他以替补的身份勉强进入美国队，名字叫乔•弗雷泽（Joe Frazier）。在击败3名对手后，他的右手受了伤，但在决赛中他还是击败了一名德国卡车司机汉斯•胡贝尔（Hans Huber）。6年后，随着穆罕默德•阿里（Muhammad Ali）逐渐淡出，弗雷泽击败吉米•埃利斯（Jimmy Ellis）成为新的职业冠军。

在预选赛阶段出现的一场灾难性事故使足球场上一片混乱。在秘鲁首都利马举行的秘鲁队和阿根廷队的比赛中有328人遇难，500人受伤。在决赛中，匈牙利和捷克斯洛伐克之间的比赛还算精彩，最终匈牙利队以2:1获胜。

日本队值得庆贺的是，他们的女子排球队在经过严酷的训练后，终于获得了该项比赛的冠军。这些球员是从贝冢的大日本纺织厂1 300名女工中挑选出来的。她们每天从早上8点工作到下午3点半，然后到体育馆进行8个小时不间断的训练。这种生活整整持续了一年，据说队长会田河西（Masae Kasai）在训练场上举办了婚礼。这些姑娘们在决赛中击败了前苏联队，这场比赛的收视率在本届奥运会所有比赛中居首位。

荷兰选手安东琉斯•海辛克的胜利震惊了日本人。

美国选手乔•弗雷泽作为巴斯特•马西斯的替补进入美国队，击败西德选手并夺得超重量级别冠军。6年后，他又获得了世界职业拳击冠军称号。

第41章 改革者的诞生

西班牙人胡安·安东尼奥·萨马兰奇

第七届国际奥委会主席，1980—2001年在任

体育竞赛并不是顾拜旦的唯一目标。他想创办一项具有教育意义的运动，以确保体育能够在其他众多的活动中找到合适的定位，特别是对青年人起到这一作用。为了赋予体育运动特殊的象征意义，他想到了按照古希腊人在特尔斐、科林斯、尼米亚和奥林匹亚等地举办体育竞赛的方式来组织这项运动，最终，奥林匹亚成了它的象征，从此奥林匹克运动生生不息，历经两次世界大战延续至今。

如果说奥运会代表了国际体育竞赛这座金字塔的塔顶，那塔顶之下则是国际单项体育联合会主办的各项体育赛事，处于基层的才是各国国内的体育比赛，而它们是世界体育竞赛的真正源泉。尽管如此，国际奥委会还是会把更多的精力放在奥运会的组织上，并和世界范围内的体育组织及其他世界体育竞赛协会保持适当的距离。

国际奥委会和国际单项体育联合会之间的关系一向建立在相互尊重的基础上，除去奥运会和被认可的地区运动会之外，国际奥委会很少与国际单项体育联合会有瓜葛。因此，国际奥委会经常被认为是一个可亲可敬却相当遥远的长者，而比奥运会更为宽泛的奥林匹克运动在许多情况下被认为只局限于体育竞赛，这其实是一个极大的错误。当国际单项体育联合会不希望被控制时，国际奥委会可以自行决定自身权力的控制范围。很明显，监督世界范围内体育运动的发展状况并不是国际奥委会的份内工作。不过，所有的体育运动，从最高等级的运动会到最基层的学校、青年运动和大学都应该有一定的道德支持，当然还需要有奥林匹克理念做支撑。

顾拜旦一生都在努力向我们传递这样的信念：奥运会应该是所有体育运动的至高点。在捍卫这项奥运理念之纯洁性的漫长斗争中，我们已经消耗了许多力量，因为这牵涉许多体制方面的变革。历史会对那些有远见的、能够坚持奥运理念的人给予公正的评判，但是,如果继续按照50年前的已经漏洞百出的旧套路来执行这一理念的话，势必会导致一场危机。

对我们来说，最重要的是要确保这项伟大的教育活动的延续性，国际奥委会必须保持符合自身价值的地位，也就是说，它必须保持自己在世界体育运动中的最高权威。如果它不想看到其他组织取而代之，并成为世界体育领袖的话——无论是从正义性、历史性还是就其自身而言，这一位置都应该属于国际奥委会，而且也只能属于它——我们相信，它应负起这种责任。（摘自萨马兰奇当选国际奥委会委员后在一本西班牙杂志上发表的文章）

1966年新当选的国际奥委会委员胡安•安东尼奥•萨马兰奇的话极富预见性，南非反种族运动和美国黑人民权运动成为体育界、尤其是奥林匹克运动中不可跨越的话题，商业化大潮带来的冲击也让他们倍感头疼。巴伐利亚的鞋匠兄弟阿道夫•达斯勒（Adolph）和鲁道夫•达斯勒（Rudolph Dassler）的出现预示着一股新潮流的到来。他们曾经是搭档，后来成了竞争对手——阿道夫创办了阿迪达斯，鲁道夫创办了彪马，双方都通过向运动员免费赠送运动鞋以扩大企业的影响。墨西哥奥运会的时候，这两个竞争者用来与世界排名前十名运动员签约的费用高达五位数，分发和免费赠送商品的总价值接近100万美元，以便借助电视转播向全世界宣传他们的产品。

运动鞋的买断权。墨西哥城奥运会100米冠军吉姆•海因斯（Jim Hines）和对手们在照相机前展示阿迪达斯鞋上的图案，这种宣传使阿迪达斯公司获得了全球范围内的垄断地位。

国际奥委会及其领导者被困在一张由各种贪婪力量交织成的错综复杂的暗网中。电视转播费，加上运动鞋厂商的捐赠费用，形成了一个交易市场。尽管国际奥委会仍摆出一副要求选手必须坚持业余运动员标准的姿态，但它本身还需要从电视转播收入中获得适当的份额来维持运行，并和主办城市组委会一道筹备和运作奥运会。运动鞋厂家，尤其是滑雪设备生产商需要在电视上展示自己的商品，运动员自然也希望获得资助。

法国选手让•克劳德•基利（Jean-Claude Killy）是冬奥会夺冠热门选手，滑雪公司争相向他赠送设备，基利因此一夜暴富。布伦戴奇对此怒不可遏，再加上国际单项体育联合会特别是国际雪联以及各国奥委会都从厂商那里获得过资助，他甚至拒绝出席格勒诺布尔高山滑雪比赛的颁奖仪式。

国际奥委会内部也面临着极为严峻的形势。1967年，不断膨胀的机构带来的运行成本飙升，导致委员会内部财政几乎濒临崩溃的边缘。在短短8年间，它的年度支出就翻了7倍，1960年的费用是36 000瑞士法郎，1966年的费用支出是266 000瑞士法郎。尽管来自墨西哥城和格勒诺布尔的收入分成可以缓解困境，但布伦戴奇却不愿意参与收入分配。正是因为有了从1972年慕尼黑奥运会开始逐步攀升的电视转播费用，国际奥委才得以安然渡过1968—1972年的5个年头，而不至于负债累累。在1966年的执委会会议上，国际奥委会财政委员会主席霍德勒（Hodler）提议，电视转播费用应该按照以下方式进行分配：第一个100万美元先在国际奥委会、各国际单项体育联合会和各国奥委会之间平分；其后的100万美元，1/3归入举办城市的组委会名下，国际奥委会、各国际单项体育联合会以及举办国奥委会各得2/9；再之后的100万美元，2/3归组委会，其余三者各得1/9——这项提案从1972年开始生效。

让•克劳德•基利靠他的3枚高山滑雪金牌大发横财，使布伦戴奇暴跳如雷。

反种族运动带来的纷扰仍在延续。在1965

年的马德里例会上，吉尤利奥•奥内斯蒂（Giulio Onesti）汇报说有80个国家的奥委会支持国际奥委会关于驱逐南非的政策，但是南非委员雷金纳德•哈利对自己被拦在会场外感到愤愤不平，他声称“南非收到了邀请”。非洲各国奥委会则认为，既然南非运动员已经被驱逐出赛场，他们的官员就不能继续参加国际奥委会会议，否则就会显得自相矛盾。第2年，南非奥委会被禁止参加会议。尽管如此，南非奥委会代表弗兰克•布劳恩（Frank Braun）仍在大肆鼓吹，南非奥委会将委派一个多种族的委员会选择一支多种族的代表团参加墨西哥奥运会。国际奥委会决定派调查委员会前去调查，但非洲国家再也按耐不住了，1966年12月，32个非洲国家齐聚马里首都巴马科，组成了非洲最高体育理事会（SCSA），要求将南非从国际奥委会中除名，并威胁说如果南非参加墨西哥城奥委会的话，非洲国家将联合抵制。对于这种威胁，布伦戴奇并没放在心上，当加勒比海国家、伊斯兰国家以及众多社会主义国家，特别是前苏联也加入到抵制大潮中后，他才意识到事态的严重性。在4月20日的执委会会议上，以47票赞成、16票反对、8人弃权的邮政投票结果决定撤销对南非的邀请。

来自刚果的反种族主义积极分子让•克劳德•甘加说：“我们不希望非洲黑人被看成像穿着衣服的猿猴一样。”

1967年德黑兰例会召开后，药物委员会开始施行对类固醇和其他兴奋剂的监测，以及对性别的检测。被列入首批禁用物质名单的药物包括酒精、安非他明、麻黄素、可卡因、血管舒张药物、鸦片剂和大麻，另外还有类固醇人工合成派生物。此类物质产生的副作用极强，可能会导致如男性黄疸和阳痿、女性多毛症和月经中断等症状。波里特退休后，比利时王子德•梅罗德（de Merode）成为药物委员会主席。他上任后不久，就发生了臭名昭著的滥用药物事件。在第13届环法大赛上，英国选手汤米•辛普森（Tommy Simpson）在攀登著名的冯杜山（Ventoux）时，因为服用违禁药物，导致体力耗尽而虚脱，最终死在阿维尼翁一家医院里。

性别检测是为了消除欺骗现象，运动员在1968年奥运会的检测中获得了性别证明，以后就不需要再进行此类认证。曾在1936年奥运会上获得女子跳高第4名的多拉•拉耶恩（Dora Ratjen）在50年代承认她的真名是霍尔曼（Herman），在纳粹的强迫下，他男扮女装达3年之久。在1968年对640名女性运动员进行的性别检测中，没有出现此类现象。

1964年，格勒诺布尔以27票对24票击败了卡尔加里，获得了1968年冬奥会的举办权，但比赛地点的分散带来了一系列交通难题，大多数运动员更愿意住在赛场附近而不是集中在主奥运村。第2年，国际奥委会开始怀疑是否应当将比赛放在多芬（Dauphine）地区6个不同地点举行，因为只有冰上速滑比赛和冰球比赛放在了主办城市进行，其他包括高山滑雪、越野滑雪、高山跳台滑雪、长橇、短橇在内的比赛项目分别被安排到了夏莫霍斯（Chamrousse）、瓦迪西耶（Vald' Isere）、奥特兰斯（Autrans）、圣尼齐尔（St Nizier）、阿尔卑斯杜埃兹（L'Alpe d'Huez）和维拉尔德朗斯（Villard de Lans）等地。

在1963年的巴登-巴登例会上，墨西哥城当选为1968年夏季奥运会的主办城市，但这个国家动荡的局势却引起了人们的担忧。不仅如此，在海拔2 240米的环境下，不仅运动员参加长跑比赛时的耐力会受到影响，他们的健康也会受到潜在的威胁。

海拔高度与长跑之间的关系最为密切，最显著的例子是1 500米比赛。与来自肯尼亚峡谷区的基普•凯诺（Kip Keino）相比，最被看好的美国选手吉姆•赖恩几乎是不堪一击。另一名来自低地的夺冠热门选手澳大利亚人伦•克拉克后来患上了严重的心脏病，有人推测这是在墨西哥城比赛的后遗症。不过，在短跑比赛和其他田径项目中，海拔却成了对低地运动员的额外奖励：最引人注目的是鲍勃•比蒙（Bob Beamon），他在跳远比赛中取得了令人惊讶的成绩，而迪克•福斯贝里（Dick Fosbury）在跳高中的表现也异乎寻常。在本届奥运会上，至少有252名运动员在可以量化测量的运动项目中打破了奥运纪录，24项世界纪录被刷新。

在墨西哥这个第三世界农业大国，奥运会被视做使国际社会对其另眼相看的大好时机。如果我们将目光从数百万人居住的贫民窟移开，就可以看到在建筑师佩德罗•拉米雷兹•瓦斯克兹领导下，这个城市所做的许多准备工作。他们在城市南部兴建了一个可容纳5 000人的奥运村，旁边是新建的可容纳22 000人的体育馆。在体育馆旁边，还有一座新的室内赛车场及一座由私人捐助设计修建的富丽堂皇的主体育场，这是为1970年世界杯足球赛准备的。划船比赛被安排在一向以“流动公园”著称的旅游胜地霍奇米尔科举行，体操比赛则被安排到了翻新的查普特佩礼堂举行。本届奥运会的总支出为1.8亿美元，其中有大约1/3专门用于体育设施建设。这些资金有5 600万美元直接来自政府拨款，还有640万美元来自电视转播权收入，仅美国的ABC就单独支付了450万美元。毫无疑问，这些新落成的建筑、房屋和交通设施等让这个城市受益无穷。

国际奥委会技术部主任阿图尔•塔卡奇正在筹划墨西哥城的奥运准备工作。

第42章 格勒诺布尔

第十届冬季奥运会 1968

法国选手让 · 克劳德 · 基利

冬奥会高山滑雪三连冠获得者

在1967的整个赛季里，我的状态都不是很好，因而我一直犹豫是否应该参加格勒诺布尔奥运会。我曾参加过30场比赛，取得23场胜利。除此之外，我还囊括了所有的高山速降赛事的冠军。我本打算在格勒诺布尔冬奥会后退役，但是每况愈下的身体状况使我在比赛中获胜的可能性大打折扣。奥运会之前的那个夏天，我和经纪人马克•迈科麦克讨论了当前的处境，他对我说："无论输赢，你都是世界第一。"

8月份，我决定参加奥运会，开始积极备战奥运。在高山速降比赛中，我非常幸运地以0.08秒的优势获胜。在夺得大回转冠军后，我又参加了小回转比赛。在第2轮预赛中，卡尔•施兰茨没有出现在终点线附近，我意识到可能什么地方出了差错。虽然我在第一轮名列前茅，但在第二轮并不突出。随后我们从广播里获悉卡尔因为漏了两个旗门，返回了起点处，并向主办者提出了抗议。当他再次滑下山时，两次总成绩使他成为了获胜者。这回轮到我所在的代表团抗议了，我知道这将是一场漫长的争论，便返回了旅馆。然后我们开始庆祝，毕竟获得了两块金牌，我已经是欣喜若狂了，但就在那天晚上，有人前来通报，裁判们已经确定我为这块金牌的得主。多年之后当我和卡尔在温根的一个夜总会碰面时，他没有一点怨恨的意思——他曾经告诉别人："我的金牌在基利家里！"

在赢得3枚金牌后，我发现奥运会的影响力有多大。突然之间，我成了众人瞩目的焦点，于是我决定离开格勒诺布尔。为此，军队还特地为我提供了一架直升机。走近飞机时，我发现警察在向我敬礼。他们为什么要向我这么一个性情古怪的人敬礼？我很快便发现了答案，邮递员竟然每隔4到5个小时给我送来几千封电报。

奥运会上的胜利使很多事情变得简单多了。在此之前，我的梦想是周游世界，顺便挣点钱，然后回来接手父亲的滑雪设备商店。如今我和迈科麦克签了一份合同，成了世界公民，不仅要为120家不同的公司工作，还要在一部好莱坞电影、两部电视剧和无数的广告中抛头露面。如果我出现在巴哈马和第五大道上，很快就会被人认出。不过努力工作是这一切的基础，不努力你就不可能成功。

奥运会并没有改变我，我还是那个不喜欢公众场合或鸡尾酒会的人。如今，我依然只有少数几位朋友，没有买大房子和大游艇。无论如何，生活对于一位奥运冠军而言很简单。你永远都不会遭到白眼！许多大门都朝你敞开。我希望奥运会改变的是我的生活，而不是我本身。

让•克劳德•基利来自阿尔卑斯山区萨伏伊一个小镇，15岁的时候，成为法国滑雪队中的一员。之后他又到阿尔及利亚的军队服役，在此期间，他还带病参加了因斯布鲁克冬奥会，并获得了3项高山滑雪比赛的参赛权。除此之外，他还在大回转比赛中获得第5名，但在其他两项比赛中未能完成比赛。从此之后，他的职业生涯一路走红。到格勒诺布尔冬奥会的时候，人人都盼望他能够在比赛中包揽3项赛事的冠军。

在开始的高山速降比赛中，他的速度只比他的队友盖伊•佩里亚（Guy Perillat）领先一个膝盖的距离，成绩为1分59.85秒。他的主要竞争对手是奥地利人卡尔•施兰茨（Karl Schranz），但这次卡尔•施兰茨只拿到第5名。

在比赛终点处，基利的一名队友跑上来拥抱他，此时，基利的滑雪板已经被组织者没收了，目的是为了防止设备制造商有意宣传，这位队员的衣服上印有商标图案，上前祝贺的机会展示了滑雪板的商标。布伦戴奇是个不可救药的卫道士，基利则是广告商的宠儿。随后，基利轻取大回转比赛的冠军——此项比赛首次实行双日双赛，按总成绩排名，取代了之前的单日单轮的比赛形式——比第2名快了2秒钟，而此时他离第3枚金牌也已经是不远了。

鉴于小回转比赛面临的各种各样的争论，这场比赛也就显得更加引人注目。出于天气方面的考虑，比赛原本要推迟，但由于比赛那天已经是是奥运会的倒数第二天，再加上组织方担心这样会和最后一天的跳台滑雪比赛相冲突，只好作罢。比赛当天，雪道上大雾弥漫。太阳就露过一次脸——正好是在基利进行第一轮滑行的时候，这也让他滑出了自己的最好成绩。而他的对手们却要备受煎熬，因为他们还要等天气稍有好转后才能继续比赛。作为首位出场的选手，基利在第2轮比赛中的成绩并不是很好。挪威选手哈孔的成绩超过了他，但哈孔却错过了两个旗门。排在他后面的是久经沙场的老将施兰茨，他曾夺得除奥运金牌外的所有比赛冠军。但在本次比赛中，施兰茨却因意外地漏掉了总共69个旗门中的第18和第19号旗门而中途退出了比赛。

加拿大选手南希•格林（Nancy Greene）以很大优势击败了法国选手安妮•法莫斯（Annie Famose），获得了大回转比赛的冠军，不过在小回转比赛中，却以0.29秒的微弱劣势负于法国选手玛丽埃勒•戈瓦切尔（Marielle Goischel），获得亚军。这是她第3次参加奥运会，也是最后一次获得大回转比赛冠军的机会了。为了减轻她的焦虑情绪，经验丰富的教练在比赛开始前才让她站在起点处，这一策略果然起到了效果。

本届女子单人雪橇比赛也引发了不少争议。前来卫冕冠军的东德选手奥图恩•恩德莱因（Ortrun Enderlein）果然不负众望，获得了冠军，她的队友安娜•玛丽娅•穆勒（Anna-Maria Muller）和安吉娜•诺泽尔（Angela Knosel）分别获得亚军和第4名。然而，她们在起点和终点处

让•克劳德•基利敏捷地穿过了一个旗门，也绕过了业余选手的规定和布伦戴奇肃清异己的行动。

鬼鬼祟祟的举动引起了很多人的怀疑，后来调查表明，她们是在用火加热雪橇以提高速度。最终她们还是被剥夺了名次，冠军被意大利选手艾瑞克•莱希纳（Erica Lechner）获得。

长橇比赛被安排在陡峭的阿尔卑斯杜埃兹（Alpe D' Huez）举行，这次比赛可以说是对9次世界冠军得主尤金尼奥•蒙蒂的最终奖励。在此之前，他曾获得过7次双人橇冠军，2次四人橇冠军，却从没有获得过奥运冠军。在双人橇比赛中经过4轮比赛后，蒙蒂、德•保里斯（De Paolis）组合与德国的霍斯特•弗洛特（Horst Floth）、佩皮•巴德尔（Pepi Bader）组合打了个平手，不过幸好意大利人取得了单轮比赛的最好成绩，否则按照先前的规定，两队都要被授予金牌。40岁的蒙蒂成了奥运会上最老的冠军。由于雪道可能会解冻，四人橇比赛只进行了两轮，蒙蒂和他的队友领先奥地利选手0.09秒获得胜利。

尤金尼奥•蒙蒂获得了两枚金牌。图为他和搭档德•保里斯、银牌获得者德国选手霍斯特•弗洛特和佩皮•巴德尔以及铜牌获得者罗马尼亚选手艾恩•潘图鲁（Ion Panturu）和尼古拉•尼亚戈（Nicolae Neagoe）在一起。

第43章　墨西哥城

第十九届奥运会 1968年

肯尼亚选手基普·凯诺 (*Kip Keino*)

奥运传奇人物

还在肯尼亚的时候，我就已经饱受胃病之苦。到达墨西哥后，我被带到一位德国队的随队医生那儿。医生断定我得的是胆囊炎，还警告我说，最好不要参加这次田径比赛，我的健康状况会因此而进一步恶化。然而我已经到了墨西哥，而且是作为国家的代表前来的，这就注定了我的使命是要为肯尼亚争得奖牌。此时的我一心要为祖国争光。然而在10 000米决赛中，由于胃部突然剧烈疼痛，我跌倒在田径场的内道上，尽管如此，我还是努力爬了起来，并坚持跑完了全程。

第2天，虽然身体尚未好转，我毅然决定继续角逐5 000米比赛的奖牌。和上次一样，我在半决赛中跑得相当轻松，然而在决赛进行到一半时，疼痛再次侵袭了我。我默默地坚持着，幸运的是，疼痛很快就消失了。我本以为自己已经稳操胜券了，但遗憾的是，此时，我和队友纳夫塔利•蒂姆（Naftali Temu）一样犯了个致命的错误。我后来意识到，自己完全有足够的体力提前进行最后冲刺，然而当时蒂姆和我却不约而同地挤到了第二道上，这就给了来自突尼斯的加穆迪以可乘之机。这次失误使我以微弱的劣势败给了加穆迪。

此时，我的胃病已经相当严重，无论是肯尼亚队还是德国队的医生都劝我放弃接下来的1 500米比赛，毕竟这还将牵涉到3场比赛。我告诉他们，自己决不会放弃比赛。虽然我对吉姆•赖恩（Jim Ryun）这位世界纪录保持者早有耳闻，但我相信自己仍有机会，至少可以在半决赛中和他进行一番较量。

1 500米决赛前，我的胃痛再次发作。由于从奥运村出发的公交车半路遇到堵车，我于是决定在最后几公里下车，一路小跑赶到田径场。由于过分紧张，我几乎忘掉了疼痛。在赛前的热身运动中，我一边尽量放松自己，一边还在心里盘算着如何去跑——究竟应该先跟着队伍慢跑还是一开始就甩开他们？之前，我们也曾计划利用本•吉普乔（Ben Jipcho）拖跨赖恩，但事实上，在本•吉普乔领跑完第一圈后，我就开始遥遥领先。当时，我唯一的想法就是和赖恩尽量拉开距离。这种状况一直持续到第三圈，尽管当时我已经疼痛难忍。确切地说，我并不知道自己是从哪里得到体力支撑着继续前行的，但我和我的队友一样都为我们的祖国感到自豪，我们愿意为奖牌牺牲一切，甚至生命。

当天晚上，我感觉很糟。第二天，那位德国医生给我开了些药，情况稍有好转。回到国内后，我又接受了长达两个多月的治疗。最终，我的病情得到了控制，尽管至今还会偶尔发作。总之，在墨西哥，我尽了全力，发挥出了自己的最高水平，我为这一切感到骄傲。

对于在海拔将近2 240米的墨西哥城举办的第十九届奥运会，人们存在两种不同的看法。有人认为，这是国际奥委会所做的一次不明智的选择，它使很多优秀的运动员难以发挥自身优势。但另一方面，也正是这次奥运会对那些来自肯尼亚和埃塞俄比亚等高原国家的运动员敞开了大门，从而使他们能够展露自己的体育才华和该地理环境下所形成的独特的生理特点。除此之外，作为首届在高原地区举办的盛会，本届奥运会还产生了多项世界纪录，尤其是男子跳远纪录，多年以后仍无人能及。在从1 500米到马拉松的各种距离的径赛中，肯尼亚和埃塞俄比亚的队员一连获得了9枚奖牌。在中长跑比赛中，打破奥运纪录的澳大利亚选手伦•克拉克（Ron Clarke）以及美国头号种子吉姆•赖恩和实力相当但夺冠呼声稍逊的肯尼亚选手基普•凯诺之间的竞争成为最令人瞩目的两大焦点。

早在1966年，19岁的赖恩就已经打破了一公里和半公里的世界纪录，并因此成了各大新闻媒体争相报道的焦点人物。而此刻在大洋彼岸，一个从小就习惯于来回奔波20公里去上学的孩子也开始了他辉煌事业的起点。直到19岁那年，这位牧人的孩子凯诺成为一名警察，但他早期的跑步生涯正如刺破的轮胎那样，基本是靠消耗体内氧气来完成的。1962年，在澳大利亚的珀斯进行的英联邦运动会的3公里比赛中，凯诺的大跨度跑使他最终只获得了第11名。作为本届奥运比赛的序曲，1967年，在洛杉矶举行的一次1 500米比赛中，凯诺在最后冲刺时还曾败给了赖恩。当时赖恩以3分33.1秒的优异成绩刷新了由赫布•埃利奥特保持的世界纪录。尽管如此，聪明的凯诺却从这次比赛中学到了很多东西。的确，赖恩可能靠速度取胜，而凯诺拥有非凡的耐力。回到肯尼亚后，凯诺开始每天坚持跑两三公里，并尝试在3分53.1秒内跑完两公里，即便是在整个运动史上，也仅有3人次达到过这样的速度。

有关海拔高度问题的争议主要集中在10 000米比赛的结果上：获得前5名的选手几乎毫无例外都来自高原国家，或曾在高原地区接受过训练。这其中，世界纪录保持者克拉克的遭遇可作为低地国家运动员所面临的困境的缩影。尽管他不顾一切地试图接近这些领先者，但他的成绩比起自己所保持的世界纪录慢了整整两分钟。在本次比赛中，他被撇下整整两圈，尽管只用了2分18秒就跑完了最后两圈，但最终只获得第6名，而且在最后撞线时险些跌倒。由于体内极度缺氧，他几乎处于半昏迷状态了。直至20分钟后，他仍无法动弹。对此，前奥运障碍赛冠军克里斯托弗•布拉谢尔（Christopher Brasher）在英国《观察报》上义愤填膺地写道：“我真恨不得撤掉国际奥委会！”

当比赛进行到8公里处，就已经交替出现了11位不同的领跑者。在9公里处，凯诺因病跌倒，但事实上，他的病情和高原稀薄的空气毫无干系。在当时看来，只有4名选手有望获得奖牌，他们分别是：蒂姆、加穆迪、埃塞俄比亚选手 玛曼•沃尔德（Mamo Wolde）以及最终失利的克拉克。4年前曾败给比利•米尔斯的加穆迪出生在北非中部的沙漠地区，赛前他曾在比利牛斯山上接受过严格的训练。当比赛进行到第24圈时，蒂姆已经撇开了其他选手，但冲在最前面的仍是沃尔德，两人相距仅一步之遥。最后一圈时，两人都施展出浑身解数，不过最终蒂姆以一步的优势险胜。加穆迪获得铜牌。

在澳大利亚代表队的随行医生布莱恩•科瑞甘看来，赛场上的克拉克已经濒临崩溃。“我当时眼前一片模糊”，克拉克后来回忆道，“但我明白，必须坚持到底，毕竟这是一件关系到荣誉的

基普•凯诺，一位和蔼可亲却又勇敢无畏的肯尼亚选手，依靠自己的名望成立了一家孤儿院。

大事。”对于凯诺而言，事情亦是如此。由于跌倒在田径场的内道上，凯诺被取消了参赛资格，尽管如此，他还是挣扎着起来跑完了全程。

在5 000米比赛之前，本届奥运会还进行了障碍赛。如果说在此之前，蒂姆还只是个无名小卒的话，年仅20岁的阿莫斯•比沃特（Amos Biwott）更是鲜为人知。没有任何技巧和策略的他只是简单地把跨栏看做是连续的跳高过程，尽管如此，在预赛进行到半圈时，他就已经领先了30米，并最终获得了8分49.4秒的成绩，比之前所有在高原地区产生的纪录至少要快8秒。由于表现得过于突出，比沃特受到了肯尼亚教练的指责，于是在决赛中他主动退后，改让来自比利时的加斯顿•罗兰茨（Gaston Roelants）和其他选手领跑。直到比赛进行到最后一个栏时，比沃特才以领先两步的微弱优势战胜跑在最前面的另一位肯尼亚队员本•科戈（Ben Kogo），并最终以8分51秒的成绩获得本场比赛的冠军。排在第3位的是美国选手乔治•扬（George Young）。

在第二天进行的5 000米比赛中，非洲选手再次包揽全部奖牌，就连第6名和第8名也都被他们获得。此时的克拉克身体已基本恢复到赛前水平，却不再被人们看好。接下来轮到加穆迪大显身手了。在随后进行的10 000米比赛中，他先是领跑了近4公里，而后又连续击败了蒂姆和在最后冲刺时发挥失误的凯诺，最终以14分5秒的成绩刷新了奥运纪录。此时的凯诺要面临他在本届奥运会中的最后一场比赛。

赛前，赖恩的一位朋友兼医生建议他尽可能地慢跑以保存体力，从而避免出现类似克拉克那样的结局。“我多么希望自己当时能跑得慢些，”赖恩后来追悔道。然而，那些肯尼亚选手根本没有给他这样的机会。发令枪一响，吉普乔就像兔子一样窜了出去，以至于这场比赛在首圈就已经剑拔弩张了，凯诺几乎是脚不连地，另外10名进入决赛的选手也都穷追不舍。年届28岁的凯诺正在进行本世纪以来最奋不顾身的一场比赛，他决心不让自己的胆囊炎成为败给同样拼命的赖恩的理由。当比赛进行到第2圈时，跑在前面的吉普乔似乎有点放松，凯诺随即冲到了前面，并以令人难以置信的1分55秒跑完了800米，几乎不可能的事情实实在在地发生了。到第3圈，凯诺仍处于领跑的位置，3圈一共只用了2分53秒，比当时赖恩保持的世界纪录领先近5秒。此时的赖恩已经被撇下30多码，他明白自己必须做点什么了。不久，他发起了新一轮的攻击，很快超过了吉普乔，却为此付出了体力上的巨大代价。直到进入最后直道时，赖恩仍拖着身子向前挪了七八步，心里盼望着凯诺此时也会崩溃，但这只能是幻想而已。此时已经筋疲力尽的凯诺最终还是以20米的绝对优势获胜，并创造了3分34.9秒的奥运纪录，虽然比起赖恩在平原地区创造的3分33.1秒的纪录仍有一定的差距。事实上，就在最后的直道处，凯诺的胃痛再次发作，他说：“我告诉自己必须坚持到底。”

自奥运会兴起近72年来，男子100米决赛场首次出现了清一色黑人运动员的壮观景象。4个月前，海因斯在加利福尼亚进行的美国业余体育联合会锦标赛中以9.9秒的百米成绩夺冠，从而成为首位突破10秒的种子选手。不过，在和旗鼓相当的美国选手格林对阵时，他却屡屡失利。尽管如此，在墨西哥进行的百米决赛中，海因斯拉开了他人生中最精彩的一幕。起初，他和格林齐头并进，直到最后20米才逐渐拉开距离，最终电子记分器显示海因斯的成绩为9.95秒，这样的成绩事实上已经远远超出了之前他在平原地区创造的9.9秒的纪录。如果是在1960年，就连拉夫罗曼兰

在首次全部由黑人运动员组成的奥运百米决赛中，首位突破10秒大关的美国选手吉姆•海因斯正处于领先位置，紧随其后的是银牌获得者牙买加选手兰尼克斯•米勒（第536号）以及铜牌得主美国选手查尔斯•格林（第275号）。

茨索亚排名第八的10.2秒的成绩也足以使他登上奥运冠军的宝座。

曾先后20次成为世界纪录保持者的约翰•卡洛斯（John Carlos）和汤米•史密斯（Tommie Smith）都是由哈里•爱德华兹（Harry Edwards）发起的“奥林匹克人权组织”的创始人。卡洛斯出生于美国的贫民窟，而史密斯则是美国德克萨斯州一户黑人佃农家庭的第7个孩子。这个拥有12个孩子的大家庭曾在加利福尼亚种棉花，后来又加入到出卖劳动力的移民队伍。相对于卡洛斯的外向活泼，几乎算得上是文盲的史密斯显得腼腆而细致，不过两人的社会意识都很强，并且都曾参加过阿拉巴马州的伯明翰种族暴动。借助200米比赛的胜利，这两名种族主义者长久以来积压的情绪很快就展露在世人面前。

在200米半决赛中，两人所用时间均为20.1秒，比当时由卡洛斯保持的世界纪录多了0.2秒。一般说来，决赛前两名应该非他们莫属，然而由于卡洛斯在最后几步时只顾关注史密斯，从而让澳大利亚选手彼特•诺曼（Peter Norman）占了上风。最终，史密斯以19.83秒的成绩刷新了奥运纪录。

当卡洛斯和史密斯登上领奖台时，前者脖子上围了一条黑色围巾，两人手上还戴着由史密斯的妻子、五项全能运动员丹妮丝•帕斯卡尔（Denise Paschal）亲手制作的黑手套。当美国国歌奏响时，他们举起了戴着黑手套的拳头，愤怒的眼睛直盯着地面。史密斯事后表示：“这不是愤怒，而是失望。”与单纯的竞技体育相比，他们的这一举动将更长久地停留在人们的记忆中。两名美国黑人选手在颁奖仪式上的政治性抗议震惊了美国奥委会。然而，更为恼火的却是国际奥委会执行委员会，他们立即决定将这两名运动员赶出奥运村。至于布伦戴奇和前奥运冠军埃克塞特侯爵，他们更是气急败坏。两名被认为“颜面尽失”的选手很快被遣送回国，但事实上他们的遭遇得到了普遍的理解和同情。与那些曾经在1936年对希特勒大行德国军礼的非德国人相比，他们所谓的政治性抗议又算得了什么（有关问题尚有争议，因为当时的奥运敬礼方式刚好和纳粹的军礼相同）。对此，卡洛斯认为奥林匹克运动本身就带有一定的政治色彩。“为什么大家都必须穿上自己国家统一的服装，领奖仪式上要奏国歌？为什么美国队和前苏联队大打出手？”他反问道，“为什么大家不能穿上相同颜色的运动装，靠编号来区分彼此？在奥林匹克精神的定义中，究竟人与人之间应该有着怎样的关系？”这些都是布伦戴奇和埃克塞特侯爵不愿触及的问题。颇具讽刺意味的是，1982年，时任洛杉矶奥运会组委

由温斯•马休斯（Vince Matthews）、诺劳德•弗里曼（Ronald Freman）、劳伦斯•詹姆斯（Lawrence James）以及李•伊文斯（Lee Evans）组成的美国4×100米接力赛队在打破世界纪录后，紧握拳头向美国代表团开除他们的队友约翰•卡洛斯和汤米•史密斯这一行为表示抗议。图中紧随其后的是参加授奖仪式的肯尼亚队和德国队。

会主席的彼得•尤伯罗斯（Peter Ueberroth）还曾授权卡洛斯，要他负责宣传1984年的拉美运动会。

曾为400米世界纪录保持者的李•伊文斯是奥运会夺冠热门选手之一，他和卡洛斯以及史密斯的关系非比寻常，他们都是圣何塞州立大学体育队的成员。和史密斯一样，他也来自加利福尼亚州一个移民家庭。得知队友被驱逐回国后，他的第一反应就是和他们一道回国。直到卡洛斯告诉他，比赛比抗议更重要时，他才稍稍平静下来。即使除去海拔上的优势，接下来的400米比赛也将是奥运史上最精彩的一笔。

相对而言，400米决赛的抽签结果更有利于伊文斯的同胞兼最大竞争者拉利•詹姆斯（Larry James）。由于詹姆斯抽到了内道，伊文斯所有的举动都会暴露在他的眼前。伊文斯深知，自己必须一直和詹姆斯保持齐头并进，然而一到最后的直道上，位于左侧的詹姆斯还是能用余光感觉到他。尽管心里有些忐忑不安，伊文斯最终还是成功地将自己的纪录缩短到43.86秒，并以领先0.1秒的微弱优势战胜了对手詹姆斯。获得第3名的是他们的队友伦•弗里曼（Ron Freeman）。颁奖时，他们全都戴着黑色的无沿软帽站在领奖台上，直到国歌奏响的时候才慢慢摘了下来，当乐曲结束时又挑衅似地挥舞帽子。布伦戴奇虽然愤怒至极，却也无计可施。

对于400米赛跑之类的厌氧性比赛项目而言，高原稀薄的空气反倒成为有利因素，这一点尤其在跳远比赛中表现得更为突出，而鲍勃•比蒙（Bob Beamon）那“惊人一跳”也颇具征服性意味。比赛开始时，人们普遍感觉到要出现什么奇迹，然而当时的焦点主要集中在美国选手拉夫•博斯顿（Ralph Boston）和前苏联选手伊格•捷尔•奥瓦涅相（Igor Ter-Ovanesian）身上，他们二人当时同为8.35米世界纪录的保持者，而且还分别是上届奥运会的银牌和铜牌得主，仅次于英国选手林恩•戴维斯。相比之下，年仅21岁的比蒙，几乎可以说是无名之辈，对于其6. 3英尺的身高来说，他的体重很轻，而且其股骨力度和长度以及由此决定的冲刺能力也不被看好。和1936年杰西•欧文斯在资格赛中两次犯规一样，比蒙也遇到了同样的麻烦。碰巧的是，比蒙也遇上和卢茨•朗同样热心肠的博斯顿,他告诉比蒙将起跑线向后挪。按照博斯顿的建议，比蒙的第3跳成绩达到了8.19米,超出决赛资格线2英尺多。当国际奥委会的技术指导阿图尔•塔卡奇（Artur Takac）命令把为选手们做标记和兼做广告而堆放在跑道上的鞋子一一拿走时,决赛场上的气氛开始变得紧张起来。尽管如此，当国际业余田径联合会成员阿德里安•鲍伦（Adriaan Paulen）前来视察跑道时，博斯顿还是不失幽默地喊了声：“快点吧，伙计，圣诞节都快到啦！”

由于前3位选手先后犯规，比蒙成为首位获得有效成绩的选手，而他的这一跳也注定会成为奥运史上具有里程碑意义的一刻。还是按照原来的方法，比蒙先进行了长达19步的助跑，然后又做了个完美的起跳动作，一番辗转腾挪之后身体前倾着地。和戴维斯一起前去看过比蒙落地的沙坑后，博斯顿肯定这一跳起码有28英尺。兴奋不已的比蒙开始跳跃欢呼起来，他当然明白，这一成绩意味着什么。不过，随后的测量过程却遇

当鲍勃•比蒙跳出8.9米的世界纪录时，他自己和旁观者一样惊讶莫名。

到了麻烦，比赛结果迟迟没能出来。早些时候，塔卡奇曾要求体育馆的技术人员把电子测试设备的测试距离增加40厘米。而鲍伦相信这已经足够了，然而，比蒙一跳的成绩便超出了测量系统的测量范围。于是，裁判取来建筑测量员使用的老式钢卷尺，当他拉出卷尺，测量从落地处到起跳板的距离时，旁边的鲍伦不依不饶地说："天哪，我们必须重新量过，结果不对。"他和塔卡奇拉出卷尺重测了一遍，结果准确无误。最后记分板上的成绩显示比蒙不仅超过了28英尺线，而且还超过了29英尺线，他跳了8.9米。不熟悉公制的比蒙直到博斯顿向他解释后才回过神来。戴维斯对博斯顿低声说："没有必要再量了，我们就像傻瓜一样。"

如果说比蒙打破了人们在距离上的传统理念，那么美国跳高运动员迪克•福斯伯里（Dick Fosbury）也同样在他的运动领域做到了这一点。传统的过杆方式有两种，一种是跨越式，一条腿紧跟着另一条腿过杆；另一种是背越式，双腿一起过杆。采用这两种方式整个身体差不多是水平的，并且几乎同时越过横杆。但是通过研究物理学和工程学，福斯伯里发现背越式从几何学和人体学角度来说更为有利。因为采用背越式跳高时，整个身体飞跃的路线是一个弧，达到弧的最高点时头和脚在横杆的两端，身体和横杆互相垂直。此时，运动员就不用将身体的中心抬高到横杆的高度，因此节省了不少气力。这种方法唯一的缺点就是需要用脖子后部着地。20世纪60年代，没有学校买得起泡沫跳高垫，所以福斯伯里在高中改进跳高技巧时曾有几节颈椎受伤。奥运跳高决赛在福斯伯里、卡拉瑟斯（Caruthers）和俄罗斯的加夫里洛夫（Gavrilov）3位选手间展开。当横杆抬到奥运纪录的高度2.24米时，卡拉瑟斯和加夫里洛夫分别失败了3次，福斯伯里则成功了1次。在人们为他新颖的跳高方式所倾倒的时候，福斯伯里作了最后一次尝试，他的准备时间几乎超出了规定。他身体前倾，右脚起跳，就像一把折叠刀，最后他成功了。他创造了历史。不久，他的跳高技术就成了标准。

稀薄的空气也为短道径赛项目助了一臂之力。400米跨栏的前7名都打破了奥运纪录。但英国的大卫•赫默里（David Hemery）以48.1秒的世界纪录使其他选手相形见绌。赫默里从第2栏开始领先，并最终从40年前的奥运冠军、埃克塞特侯爵手中接过金牌。

迪克•福斯贝里首创跨越式跳高，革新了跳高技术。

如果说赫默里的表现反映了奥运水准的话，那么连续4次取得奥运会铁饼项目奖牌的艾尔•奥特（Al Oerter）同样不同凡响。32岁的奥特已经是一家电脑公司的经理，在所有的赛季里，奥特都落后于他的同胞、新世界纪录的保持者杰伊•西尔维斯特（Jay Silvester）。因下雨而暂停的比赛重新开始以后，虽然场地和天气都很潮湿，奥特还是投出了他的最好成绩——64.78米。银牌的获得者是德意志民主共和国的洛塔尔•米尔德（Lothar Milde），西尔维斯特名列第五。奥运会的一个重要特点就是，它要求运动员的体能在4年内的这一天爆发，这一天将是生命中最重要的一天。

400米比赛中最受欢迎的运动员是英国19岁的金发女郎莉莲•博德（Lillian Board），但是令人吃惊的是，来自波尔多的科勒特•贝松（Colette Besson）比她领先一步到达终点，平了52.03秒的

32岁的艾尔•奥特在潮湿的天气中，第4次获得奥运会铁饼项目奖牌。

奥运纪录。博德在慕尼黑奥运会上肯定能夺冠，但在运动会开始两年前，她罹患癌症，并在22岁生日后不久在慕尼黑的一间诊所悲惨地死去了。

另一个出乎意料的事件发生在讨人喜欢的南斯拉夫赛跑选手维拉•尼古利奇（Vera Nikolic）身上，刚刚20岁的尼古利奇是800米世界纪录保持者，却在半决赛不到一圈时退出了比赛。两年前她在布达佩斯得到欧洲冠军，但由于背负了太大的压力——如果她拿到冠军，她的父母和祖父母都会得到国家奖励，并且在她的家乡，一个塞族小城的市长也会得到提拔——她的教练彼德洛维奇对此也无能为力。而最后的冠军是美国人曼宁，她的纪录为2分0.9秒。

美国队在本届奥运会中大获全胜，他们的奖牌总数为107枚，其中金牌23枚、银牌15枚、铜牌20枚，超过了所有其他国家获得的奖牌总数。具体到游泳项目上，美国人的霸主地位使比赛显得多少有点单调。即使如此，澳大利亚的迈克尔•温登（Michael Wenden）在100米自由泳中还是取得了胜利，并以52.22秒的成绩刷新了世界纪录，他还在200米比赛中打败了美国的斯科兰德。民主德国的罗兰德•马特斯（Roland Matthes）赢得了100米仰泳冠军。当17岁的墨西哥运动员菲利浦•莫尼奥斯（Felipe Munoz）取得200米蛙泳冠军时，当地的记分员甚至激动得扔掉了记分板。美国著名运动员马克•施皮茨（Mark Spitz）在接力比赛中夺得了好几块金牌.

在公路自行车计时赛中，瑞典的皮特森（Petterson）四兄弟艾瑞克（Erik）、戈斯塔（Gosta）、史都（Sture）和唐纳（Tomna）赢得了银牌，这是唯一一次在同一赛事中四兄弟同时获奖。

捷克斯洛伐克的维拉•恰斯拉夫斯卡在体操比赛中，以芭蕾舞般的曼妙表演赢得4金3银的成绩。

第44章 恐怖

德国人托马斯·巴赫（*Thomas Bach*）

奥运击剑冠军，国际奥委会执行委员会委员

1972年慕尼黑奥运会的宗旨是消除隔阂，加深理解，将体育和文化结合起来——以此达到体育运动会的目的。但是这一理想在9月5日被未曾预料的残忍事件打破，全世界为之震惊。对以色列运动员的攻击破坏了欢庆的节日气氛，使人们认识到了奥运哲学的脆弱性，却也更强调了它的价值。埃弗里•布伦戴奇的“奥运会必须继续下去”的信念坚定了大众的决心，惨祸后运动员、官员和观众的可敬表现重建了奥运会的尊严。没有哪一届运动会如慕尼黑奥运会这般触动人心。慕尼黑奥运会展现了人类行为的两个极端。

尽管如此，维利•道默（Willi Daume）为这次奥运会定下的主旋律在其他方面都得到了实现。德国和慕尼黑按照自己的允诺向世界展现出友善、欢快、和平的节日气氛。仍然处于分裂状态的德国的西半部——西德，抓住这少有的机会，向世人展示了一个优异的国度：隐忍，殷勤好客。为了达到这一点，冷战中的政治藩篱被抛开了，德意志民主共和国得到了同等的代表权。

维利•道默不仅成功地建立了奥运会的组织框架，而且还创造了一件艺术品：奥林匹克公园新颖的建筑，帐篷似的透明屋顶，轻盈而雅致，完全不同于传统的建筑风格。它完全融入了如画般细致的风景，荒地变成了有小山、沙丘、湖泊和迷人池塘的公园。在这般平静祥和的环境中，一个真正的奥林匹克节日诞生了。鲜亮的色彩，造型和设计，看台的座椅、旗帜，无数志愿者的服装都反映了这种气氛。浅蓝、绿色、黄色、赭色使观众的眼里充满了欢快的情绪，观众完全被节日的气氛所吸引，然后又反过来加强了这种气氛。他们以公平而统一的方式庆祝世界各地运动员的胜利，甚至为另一个德国的胜利而欢呼。人们徜徉在奥林匹克公园，与临近奥运村的运动员、来自各大洲的记者和贵宾接触。奥林匹克理念赢得了人们的心。

在1968—1972年间，奥林匹克运动会目睹了布伦戴奇理想主义的混乱不清，年愈八十的他已不再拥有昔日的权威。和奥运会的创建者一样，他非常珍视奥运会，但他面临的遭遇却充满了讽刺意义。奥运会已经非常成功了，以至于越来越多的人开始用它来达到其他目的。以汤米•史密斯和约翰•卡洛斯的“黑人权利”的展示开始，人种和宗教的斗争与混乱逐步增长，巴解组织在慕尼黑“黑九月”对以色列运动员的暗杀是它的高潮。到现在为止，这些在最神圣的奥运舞台上发生的插曲是这位芝加哥的百万富翁最痛苦的告别曲，虽然他曾以毕生的精力和财富追求顾拜旦提出的"广泛的友谊"。

令布伦戴奇烦恼的事情还不止这些，他和他的同事在慕尼黑奥运会数月之前便被推向了另一个政治上的困境：非洲统一组织反对刚脱离英国殖民地统治、尚未得到承认的片面限武论者伊安•史密斯领导下的白人政府，并成功地驱逐了按照章程规定本可以参赛的罗得西亚队。

再者，布伦戴奇关于奥运会业余主义性质的观点已经不合时宜。因为违反了运动器材广告登载方面的规定，优秀的奥地利滑雪运动员卡尔•施兰茨可笑地被取消了比赛资格，而他不过是众多的违规者之一。布伦戴奇对国家奥委会持续的敌对态度也使得双方互相仇视。布伦戴奇对秘书长韦斯特霍夫的工作很不满意，因为没有足够的员工来支持他的工作，韦斯特霍夫无法驾驭国家奥委会，对奥运会的复杂性也无能为力。1968年春天，国际奥委会搬到位于洛桑的新办公室，次年一月，韦斯特霍夫就挂冠而去了。新闻和公共关系署署长贝丽乌夫人（Monique Berlioux）兼任了这一职位，因此拿到两份薪水，肩负双重重担。作为法国的前游泳运动员，贝丽乌夫人异常勤奋，她的秉性也经常使那些不太自信的国际奥委会成员怒火中烧。因为处于布伦戴奇和基拉宁勋爵权力交接的时期，存在大量的权力真空，贝丽乌夫人便大权独揽，她甚至可以越过秘书处，直接去改组国际奥委会组织。

在国际奥委会的众多问题中，还存在着两个中国的问题——幅员辽阔的中华人民共和国和对岸分离的台湾对代表权的争夺。中华人民共和国正积极求得联合国成员资格，并想恢复与世界各国的外交关系。虽然越战给中美的友好关系蒙上了阴影，但这种关系终于在1971年得到了缓和，中国派出了乒乓球代表队参加日本名古屋举办的世界杯，而美国代表队也参加了比赛。因为有了这次联系，中国便邀请美国人参观大陆，通过外交人员，美国乒乓球队员接受了周恩来的私人邀请。基辛格在他的回忆录里写道："所有的成员都给周恩来敬酒，这举动蕴涵多重意义，以至于

曾经的篮球队员，颇具献身精神的奥委会委员德国人维利•道默，它组织了精彩的慕尼黑奥运会，以期吸引世人，却因为针对以色列运动员的恐怖惨案导致计划落空。

光鲜的表面已经成为最无关紧要的东西了。"

业余主义的问题一直困扰着布伦戴奇。在札幌冬奥会上，国际滑雪协会会长马克•霍德勒（Marc Hodler）表示，国际单项体育联合会无意抵制奥运会，但是，如果像布伦戴奇提出的那样，部分滑雪选手将被作为专业选手而惨遭禁赛，那么国际单项体育联合会就会在明年组织一个独立的世界锦标赛。在1971年国际单项体育联合会大会上，奥地利、法国、意大利、瑞士、西德和南斯拉夫威胁说，如果布伦戴奇禁止10位滑雪选手参加在加利福尼亚举行的比赛，他们会联合抵制奥运会。在札幌冬奥会以前，法规委员会提交的报告取消了卡尔•施兰茨第11届冬奥会的参赛资格，原因是在国际滑雪比赛中将自己的名字和图片用于商业广告。从札幌回到维也纳时，施兰茨受到了20 000人的热烈欢迎。抗议者攻击了美国大使馆。赛后，施兰茨宣布退役，同时被授予了奥地利勋章。热血沸腾的布伦戴奇重申，1976年，即科罗拉多州丹佛市冬奥会以后，冬季奥运会将不再举行。但罗马尼亚的亚历山大•西

佩尔科（Alexandru Siperco）警告说，如果他走出这一步的话，其他组织，例如联合国教科文组织就应该接管奥运会。芬兰总统、前运动员吉科宁的观点更有警告意义，他在一次采访中说，应该是联合国而不是国际奥委会管理奥运会。

1972年冬季奥运会的主办城市早在1966年就定为加拿大的班夫，其他候选城市分别是美国犹他州首府盐湖城和日本的札幌。但加拿大野生动物协会强烈反对在班夫举行奥运会，而美国刚刚办完斯阔谷冬奥会，因此只有选择札幌了。札幌是日本第6大城市，人口超过百万。这个城市曾在1940年得到过举办权，却由于二战而被取消了。

札幌冬奥会的举办者准备耗资5亿美元建设道路、地铁和运动设施。新闻采访人员众多，是运动员人数的两倍。仅数据处理中心就投资了50万美元，这无疑有助于日本电子产业的发展。奥运会成了北海道发展的催化剂。北海道的面积是日本总面积的1/5，人口却只占日本总人口的1/20。为了举办两项高山滑降比赛，同时又保存惠庭岳（山）的原始模样，政府一共动用了15 000人、850台推土机和6吨炸药，建成了两条有缆车和升降椅的坡路，但当比赛结束数周后，一切又恢复了原貌。

1969年，国际奥委会收到消息说南非利用奥运会的五环宣传“南非运动会”，而这只是一个纯白人参加的综合体育赛事。布伦戴奇建议，为了稳妥起见，应该驱逐南非。但他的同事们觉得不妥，认为应该给南非以解释的机会。因此，南非被邀请派遣一个代表参加当年在华沙举行的会议。没有任何记录表明曾经有这样一个代表团出席了会议。来自非洲国家奥委会的压力逐渐加大。南非曾计划参加下次国际奥委会执委会会议，但黑非洲对此提出抗议，称不愿意与南非代表同处一室。作为妥协，南非代表声明，自己虽然参加会议，但不要求发言权。

1970年阿姆斯特丹会议前，国际奥委会给出一个选择：驱逐南非；或是保留其资格，但不能参加慕尼黑奥运会。同年，19个非洲国家奥委会在开罗召开会议，一致投票要求驱逐南非，并称很多国际单项体育联合会成员已经有此行动。布伦戴奇意识到问题的严重性，他向执委会建议，国际奥委会应就此放弃。在会议上被问及是否撤消或接受南非的参赛资格时，投票结果非常接近：35票支持，28票反对，3票弃权。心情烦乱的雷金纳德•哈利（Reginald Honey，南非人）要求给他点时间考虑是否要辞去委员资格，考虑到他所处的无法控制的政治形势，出于对争论对手的尊重，埃及的阿玛德•汤尼（Ahmad Touny）请哈利留下来。即使如此，面向南非的大门并没有完全关闭。布伦戴奇和基拉宁都认为，应该继续保持某种形式的接触，南非还可以继续努力，争取其在体育界的全部地位。在札幌会议期间，人们多少都相信了南非代表鲁道夫•奥伯曼（Rudolph Opperman）的报告。

南非是国际奥委会的十字架，而罗得西亚（即后来的津巴布韦）也同样如此。影响力渐强、日益自信的非洲体育最高委员会希望给罗得西亚同样的惩罚，意图在阿姆斯特丹会议上提出这一要求。他们的原则未变，还是追求在前白人统治的殖民地内黑人的联合，但细节很不一样。罗得西亚作为英国的殖民地参加了罗马和东京奥运会，但在1963年组成了罗得西亚和尼亚萨兰联邦政府。由于该国总理伊安•史密斯在1965年发布的单方面独立宣言，联合国还对它实施了禁运，罗得西亚因此在体育界中的地位低下。阿姆斯特丹会议上，尽管前苏联人安德里昂诺夫很刻板地认为，从政治方面来看，该国家奥委会现在并不能代表一个被承认的国家，但人们仍然发现，我们并没有充足的理由制裁罗得西亚。1971年，非洲最高体育理事会同意罗得西亚参加慕尼黑奥运会，并随后建立了一个质询委员会，以调查该国内体育运动的现实状况。国际业余田联当年的调查虽然确认，在罗得西亚国内，并没有单独分开或是特别的供白人使用的体育设施，但要求他们依然得使用“南罗得西亚”的名称，运动员需要持英国护照旅行和使用殖民地的旗帜参赛。非洲最高体育理事会对此措手不及，亚伯拉罕•奥蒂亚（Abraham Ordia）及其同事断定，罗得西亚不会接受这样羞辱性的条件。

但是，当所有事情似乎都平静下来的时候，却又有一阵大风吹向了国际奥委会：在慕尼黑奥运会开幕式前6天，21个非洲国家奥委会起草了一项驱逐南罗得西亚的决议，并威胁说如果得不到执行，他们就将全体退出。一向温和的摩洛哥国王哈桑二世、非统主席发出了以下强硬信息：

前苏联人康斯坦丁•安德里昂诺夫，国际奥委会委员，他试图按照联合国的模式重组国际奥委会，并主张驱逐南非和南罗得西亚。

虽然41个非洲国家希望参加奥运会，但我们也有必要说明非洲国家的态度。如果国际奥委会决定让罗得西亚参加奥运会，我们非洲国家就不会参加慕尼黑奥运会。而且，非洲之外的一些国家也将持有和我们一致的态度。

国际奥委会面临困境。哈桑所说的非洲以外的支持者是指前苏联和美国黑人队员。非洲最高体育理事会的结盟行动，比如尼日利亚的阿德弗普（Adefope）与安德里昂诺夫之间的接触从来就没有停止过。但是，国际奥委会却没有相关的章程规定该怎么去应付他们。当各大洲的体育代表形成决议，同意罗得西亚参赛，德国奥组委的惊慌失措是可想而知的。因为投资巨大，即使罗得西亚队47名男运动员和1位女运动员已经抵达慕尼黑，组委会还是请求国际奥委会重新考虑他们的立场。非统强调技术上的原因，说罗得西亚用的是奥林匹克身份，而没有持英国护照。当联合国要求联邦政府——抵制津巴布韦的签字政府之一——拒绝罗得西亚队入境时，这一策略得到了强化。如果这样，国际奥委会将被分裂：道德抑或政治上的破裂、白人与黑人之间的破裂。国际奥委会成员、澳大利亚的休•韦尔（Hugh Weir）和新西兰的兰斯•格罗斯（Lance Cross）敦促他们的同事，不要让这个运动发展成政治的替罪羊。布伦戴奇在慕尼黑会议上给出了几种选择：要么支持罗得西亚自认合法的国家奥委会，要么支持黑非洲的其他成员。如果投票支持罗得西亚，将导致大批会员离开。如果投票支持黑非洲的抗议，将会被看作国际奥委会在政治压力下的脆弱。当然还有最后一种选择，那就是罗得西亚也许会出于好意而自愿离开。

投票结果显示，分歧小于预先的估计。有36票支持罗得西亚退出，31票反对，3票弃权。慕尼黑奥运会终于被挽救了，但是，国际奥委会因为忽略了自己的规定而受到媒体的攻击。布伦戴奇说道：

大部分世人都会认为，国际奥委会是唯一可以让抵制分子的机会主义和政治讹诈得逞的国际组织。它已经因此自取灭亡了……这是在我作为国际奥委会主席的20年间，第一次恳求会议在一项重要选择上采取我的建议。你们虽然没有提出，但我应该辞去主席职务了。

在那个星期，新主席的选举工作已经展开。

两天后，布伦戴奇的接任者被选出。布伦戴奇将继续在慕尼黑奥运会上行使权力，虽然这在奥运会即将到来时，多少显得有些尴尬。来自都柏林的迈克尔•莫里斯略带迟疑地答应成为候选人之一。迈克尔•莫里斯曾做过记者、电影导演和公司经理，他已经从父亲那里继承了基拉宁勋爵的爵位。而现在，他面临的唯一挑战就是巴黎银行家和国际奥委会的掌权人之一，让•德•博蒙特伯爵，他显然渴望得到这个职位。

但博蒙特树敌甚多，而国际奥委会也不想再选出一个有偏见的主席，他们更喜欢性格温和的基拉宁，共产主义集团也认为可以依赖基拉宁，很支持他。第一次投票的结果是39：29，基拉宁胜出。布伦戴奇没有参加投票，据说他曾经跟道默讲："我们需要一个领导，而迈克尔并非如此"。基拉宁是一个温和的妥协主义者，和所有人都是朋友。他在奥委会的危难之际接掌权力，但他并不知道，自己面临的问题将会越来越多，接下来的8年不仅是变革的8年，更是饱受磨难的8年。

慕尼黑奥运会给了德国一个新机会，借此机会，它可以向世界展现其深层的运动特质。从上个世纪的体操强国到备受批评的政治挂帅的1936年柏林奥运会。虽然许多德国城市受到了破坏，但无论是在东德还是西德，与生俱来的活力和纪律性即使在这个分裂的国家也是压抑不住的。1966年，慕尼黑当选为1972年奥运会的主办城市，这同时也是德意志联邦向世界证明其经济已经复苏，与世界人民也能诚心相待，是对以前蹂躏人类文明的行为所做的忏悔。德国总理古斯塔夫•海涅曼宣布，德国人民的热情好客是人们走向新生活的一个里程碑，其目标是为了达到人类的和平共存。

布伦戴奇（右）和新当选的基拉宁主席正在考虑如何应对慕尼黑奥运会上的罗得西亚危机。

第45章 札幌

第十一届冬季奥运会 1972

荷兰选手亚德利安纳斯·申克（*Ard Schenk*）

冬奥会3项速滑赛冠军得主

随着“开放”体育时代的到来，在关于如何组织利用资金的问题上，主要竞技项目的运动员们产生了很大的分歧。在国际奥委会和国际体育协会忙于签订合约时，许多人意识到应该向运动员返回一些商业利益。卡尔•施兰茨（奥地利滑雪运动员，因拍商业广告而被禁赛）和我一起讨论过这个话题。在世锦赛和欧锦赛夺冠后，我成了札幌冬奥会的夺冠热门，但挪威奥委会写信给埃弗里•布伦戴奇，抱怨我和一对挪威选手涉嫌为一种软饮料做广告。荷兰奥委会和我并没有意识到有何不妥，我得以被允许参加比赛。此后的1974年5月，卡尔•施兰茨和我一起参加美国人马克•迈科麦克（Mark McCormack）组织的“超级明星”电视竞技大赛，卡尔•施兰茨回忆道：“被驱逐出奥运会以后，我可能比获得金牌更受欢迎些吧。”

我对在札幌获胜相当自信，那时我保持了5项世界纪录，但我知道，仍然要努力。虽然我相信自己能够获得3项冠军，但也有可能只获得1项，或者什么都拿不到。在5 000米速滑赛时，天正下着雪，我是第一个出场的选手。第6位选手比赛过后，冰面不能被很好地清理，上面满是划痕，而工作人员也不可能浇水以形成新的冰层，我因此将比赛成绩保持到最后。接下来的是1 500米比赛，在那个项目上我已经两三年都没有被击败过了。令人高兴的是比赛当天天气很好，没有风，我获得了冠军。但在接下来的500米比赛中，一开始我意外摔倒在地。而在10 000米比赛中，我希望能最后出场。一些对手争辩说，作为5 000米赛的冠军，我应该在第一组，但由于我在最近的欧锦赛中仅排名第三，因此有权最后出场，这是一个好消息。

在一届奥运会上赢得3枚金牌是我职业生涯中最重要的时刻，尽管两个星期后，我在奥斯陆的世界锦标赛上赢得了四项全能冠军，取得了从技术上而言更大的成就，但对公众和媒体来说，札幌就是一切。

几乎没有选手能像亚德利安纳斯•申克那样士气高昂地进军奥运会。8年前，19岁的他就赢得了荷兰冠军。此后两年，他在欧锦赛上的出色表现让荷兰人欢呼不已。同年，他刷新了1 500米和3 000米世界纪录。1968年，在格勒诺布尔，他仅获得了1 500米的银牌。但随后，他就打破了从1 000米到10 000米的全部世界纪录。对他在札幌参加的4项比赛，人们寄望甚高。在5 000米比赛那一天，天气恶劣，还下了雪，这对在露天滑冰场进行比赛的速滑选手来说是最糟糕的。然而更糟的是，他第一个出场，根本没有办法去判断对手。在真驹内糟糕的滑冰场上，他的7分23.61秒的成绩与他自己所保持的世界纪录相去甚远。雪停了，冰面也被清理了一下，这一切让他夺冠的希望更加渺茫。这时，一阵风帮了他的忙。没有人超过他的成绩，而他的同胞基思• 韦尔科克比他慢了整整一分钟。申克高兴得忘了自己没能打破奥运纪录，金牌就是一切！看来至少还有3枚金牌在等待着他，但在500米速滑赛中，他的意外摔倒使他丧失了这次机会。申克并没有泄气，他在随后的1 500米比赛中创造了新的奥运会纪录。在10 000米速滑赛中，他被安排在最后出场，这使他能够准确地判断自己在比赛中的地位。韦尔科克的好成绩使申克将自己的目标定为15分4.7秒的奥运纪录，但25圈的比赛后，经过精确的裁判，他将这个纪录提高了3秒，申克因此成了历史上第3个获得3项奥运冠军的速滑选手。

荷兰选手亚德利安纳斯•申克，在即将来临的开放运动时代前，因与职业化过从甚密而受到调查，他在札幌获得了3枚滑冰金牌（图片显示的是此前在多伦多夺银的情景）。

在大回转滑雪比赛中，挪威的埃瑞克•哈克（Erik Haker）在第一轮比赛中获得第一名，但在第二轮比赛开始时就落到了后面。而古斯塔沃•托尼（Gustavo Thoni）以两轮比赛中完美无瑕的技术动作，成为了20年来第一个在高山滑雪项目上获得金牌的意大利选手，总成绩为3分9.62秒，比瑞士的埃德蒙•布鲁格曼（Edmund Bruggmann）快了1秒钟。

在小回转比赛中，法国人的希望再次破灭了。让•诺埃尔•奥格特（Jean Noel Augert）在大回转比赛中仅获得第5名，赛前他曾被许多人看好，但在比赛时他被自己的滑雪杖伤了肋骨，在小回转比赛中不得不注射止痛剂。第一轮比赛他获得了第2名，但在第二轮比赛后，他便落到了第5名。托尼和他的堂兄弟罗纳德从技术水平而言，获得银牌和铜牌都很正常，不过冠军却在毫无征兆的情况下被来自马德里的21岁的弗朗西斯科•费尔南德斯•奥乔亚（Francisco Fernandez Ochoa）获得。此前他一直在法国队受训，在以前的国际赛事中，奥乔亚从来没有高于第6名。但在札幌，他两次耗时相等、总计用时为1分49.27秒的成绩不但给西班牙带来了首枚冬奥会金牌，而且也是这个国家自1928年获得马术冠军以来在各种国际大赛中获得的首枚金牌。

法国滑雪选手安妮•法莫斯（Annie Famose）遭到了国际雪联关于商业化的严格审查，这可能对她在女子速降比赛中的发挥有所影响，最后仅获得第8名。领先位置被先前不被看好的美国选手苏珊•科洛克（Susan Corrock）占据，但她很快就被同样不知名的瑞士选手玛丽•特蕾斯•纳迪格（Marie Therese Nadig）超越，后者从未获得过世界冠军，奥地利的夺冠热门安妮玛尼•普勒尔（Annemarie Proll）获得第2名。坏脾气的普勒尔在本年度获得了5项冠军中的4项，唯独丢掉了奥运冠军，这让她沮丧不已。她的教练K.卡尔

（Karl Kahr）由于没能专心执教而被革除了奥地利女队教练的职务。

在大回转比赛中，普勒尔的情况也没能好转。她的成绩被第10位出场的纳迪格超越。在小回转比赛中，普勒尔落后于来自美国佛蒙特州的芭芭拉•科奇兰（Barbara Cochran）屈居第五，后者的父亲让她在出发时，上身首先进入运动状态，这一技巧帮助她以0.005秒的优势险胜法国选手丹妮尔•德贝纳尔（Danielle Debernard）。这是美国20年来首次获得冬奥会高山滑雪金牌。

为了举办跳台滑雪项目，组织者新建了70米高的奥运山和一个拥有24 000个座位的看台。为了避免上升气流，斜坡向山体挖进了6米，这项措施赢得了举国称赞。

雪雄笠屋，在他飞向荣誉与金牌的时候，也造成了大街上的交通堵塞。

雪雄笠屋（Yukio Kasaya）曾在欧洲连续赢得了3项冠军，在此之前的那个冬天他一直都在不停地训练。比赛当天，大多数日本人，甚至连街道上的行人，都停下来观看雪雄笠屋和他的队友见次今野(Akitsugu Konno)、喜代次青地（Seiji Aochi）的较量。超过10万人在观看比赛。雪雄笠屋被证明是最棒的，他在两轮比赛中均处于领先地位，第2跳的79米成绩和银牌得主见次今野的成绩持平。喜代次青地最后获得了铜牌。

1964年，年仅13岁的捷克斯洛伐克选手翁德列•内佩拉（Ondrej Nepela）首次参加奥运会的花样滑冰比赛，便获得了第22名的好成绩，4年后他获得了第8名。现在，21岁的他成了9名裁判一致的选择，没有人在乎他在尝试连环三周跳时曾摔倒在地，这也是他4年来首次摔倒在赛场上。更耀眼的自由式花样滑冰选手是美国人肯•雪莱（Ken Shelley）和约翰•帕特科维奇（John Petkevich），但他们缺乏欧洲选手（比如世界冠军内佩拉）那样的刻苦训练。内佩拉（Nepela）用他尝试的高难跳跃动作时的失误获得了裁判的信任。1989年他死于艾滋病。

普罗托波波夫（Protopopov）组合在1969年的欧洲锦标赛上被罗德尼娜（Irina Rodnina）和乌拉诺夫（Aleksei Ulanov）用精心编排的激情舞蹈从冠军宝座上赶了下来，后者在随后的3年中保持着不败的骄人战绩。罗德尼娜在滑冰场外一直都很轻视她年轻的搭档，而且卷入了同胞和竞争对手、安德烈•舒莱金（Andrei Suraikin）与柳德米拉•斯米尔诺娃（Lyudmila Smirnova）之间的爱情关系里。在札幌比赛期间，流言四起，不过前苏联代表团内的任何不和谐都没能阻挡他们成为冠亚军，即使罗德尼娜伤心欲绝，决定离开滑冰场。她适时地换了搭档，在随后的9年，包括两届冬奥会中一直保持着胜利。

第46章 慕尼黑

第二十届夏季奥运会 1972

西德运动员乌尔力克·迈法特（*Ulrike Meyfarth*）

曾经两次夺得奥运会跳高冠军

与12年之后的洛杉矶奥运会相比，我更喜欢慕尼黑运动会，并不是因为那是我第一次夺冠，而是因为这儿的一切如此鲜活，如此热烈，整个国家都沉浸在其中。这儿是我的家，能够在这儿参加比赛我十分高兴。此前，在德国锦标赛上我获得了第3名，在队中我也排在第3位，马克思•丹兹（Max Danz）医生对我说，我能被选进去要感谢他，那时我才16岁。

比赛开始时我很平静，没有压力，也不害怕。我渴望得到金牌，是因为它很有趣。几周前，我的最好成绩是1.85米，但我想，我能跳到1.90米。当我的名字首次出现在记分牌上，并排在第3位时，我高兴极了。然后名次变成了第二，第一，我几乎不敢相信，所有的情景就像是一场梦。我的生活改变了，突然间变成了名人。有一天我甚至要改变发型以避免自己被人认出来，结果还是被认出来了。我必须学会过这种生活，虽然变化太快了。

当我第一次冲击1.90米失败后，人群中传来口哨声。我想："我还年轻，我在尽最大的努力，你们为什么要吹口哨？"第2次跳时，我成功越过横杆，观众们也很高兴，但这场比赛给我上了严酷的一课。当保加利亚选手布拉戈耶娃（Blagoyeva）在第3次试跳1. 90米时，横杆晃悠了好长一段时间最终还是掉了下来。我成了冠军，也给了我尝试1.92米的动力。当我越过去时，所有的观众都兴奋地欢呼起来。

胜利的确改变了我的生活，虽然从经济利益方面来说是太早了点儿——此时仍然停留在所谓的业余时代。是的，可以得到一些钱，不过和没有差不多。但1972年是独一无二的一年，那是我的故事。我认识到必须去调整自己，在赛场之外我还有别的生活。之后我聘请了经纪人，但他大手大脚地花我的钱。我太幼稚了，后来我的律师丈夫替我打官司要回了那些钱。

慕尼黑奥运会的目标以不同方式胜利实现了，这体现在一些令人难忘的比赛中，比如，一位苗条的德国女学生在跳高比赛中带来的不可思议的胜利，让来自上百个国家的观众情感在一次普通的体育庆典中凝聚到一起。然而，接下来的9月5日是奥运历史上最黑暗的一天，美丽的奥林匹克节日被有预谋的野蛮行为搅成了一团乱局，整个世界都为之震惊。仅仅一天一夜，全世界人的目光都集中到了这里，每一时刻都有未经确实的消息从这里散播开来，体育的话题从未像现在这样被人们热烈地讨论。

从1948年建国以来，以色列一直与阿拉伯国家征战不休，巴勒斯坦难民纷纷逃离家园，流离失所。1964年，巴解组织成立，但在强大的以色列军队面前，它显得弱小无力，但其下属的激进派别已开始着手从事国际恐怖主义活动，以宣扬他们的理想。

16岁的德国女孩乌尔力克•迈法特，她追平跳高的世界纪录后，现场80 000多名来自世界各地的观众都为之癫狂不已。

9月5日，4点

6名伪装成维修工的男子爬过环绕在奥运村周围的安检铁栅栏，和已经在奥运村中的另外两名同伙会合——这两名头儿分别是伊萨（Issa）和托尼（Tony），事实上，他们两人在奥运村中得到了建筑工和厨师的职位——一起前往第31栋，那儿是至少28人的以色列代表团住所，其中有7人当晚未归。

恐怖分子破门而入，摔跤教练摩西•温伯格（Moshe Weinberg）和举重选手约瑟夫•罗曼诺（Josef Romano）死于枪林弹雨中。另一位摔跤教练图维亚•索考洛夫斯基（Tuvia Sokolovsky）和举重选手盖德•特索瓦利（Gad Tsovari）逃了出来，随后又有8名以色列人成功逃脱。而余下的9人被扣为人质。

5点

盖德•特索瓦利报了警，恐怖分子的第一封通牒也出来了：伊萨散发了传单，要求以色列释放236名政治犯，另外还有最近被逮捕的臭名昭著的西德恐怖分子乌尔丽克•迈因霍夫（Ulrike Meinhof）和安德烈亚斯•巴德尔（Andreas Bader）。通牒同时声称他们将每小时杀死一名人质。

6点

埃弗里•布伦戴奇得知此事。与此同时，慕尼黑刑侦分局警官格雷斯（Fraulein Graes）换上奥运村安检员的制服，第一次和恐怖分子的头目进行试探性接触。

7点

德国人建立起危机处理委员会，布伦戴奇也是委员之一。而巴伐利亚州内政部长布鲁诺•莫克（Bruno Merk）、联邦内政部长汉斯•迪特里希•根舍（Hans Dietrich Genscher）和慕尼黑警察局长曼佛列得•施雷伯（Manfred Schreiber）则共同负责行动指挥。

8点

格雷斯回到31栋，安排伊萨与危机委员会委员会面，后者包括国际奥委会的埃及成员阿玛德•汤尼（Ahmad Touny）。德国人提供了高额的赎金，同时用高职位的德国人来交换人质，但他们的提议被回绝了。以色列总理葛达•梅尔（Golda Meir）告诉维利•勃兰特（Willy Brandt）部长："不能对恐怖分子的讹诈让步。"

10点

整个世界为之哗然，而奥运会组委会主席维利•道默和布伦戴奇同意了施雷伯的提议，继续当日的奥运赛事。

12点

第一副主席基拉宁得知了消息，此时他正和来自荷兰的副主席霍尔曼•冯•卡尼比克（Herman van Karnebeek）、执委会委员日本王子武田（Takeda）及卢森堡大公在基尔泛舟。布伦戴奇让他不必返回慕尼黑了，但基拉宁还是强压着怒火飞回慕尼黑。来自法国的国际奥委会成员、登山运动员摩里斯•赫尔佐格（Maurice Herzog）在得到了足够多的签名后，要求举行国际奥委会紧急会议。

15点

布伦戴奇发表公开声明，表示取消当天剩余赛事，并在第二天10点为两位死去的以色列运动员举行默哀仪式，赛事将在16点后恢复进行。

16点

恐怖分子要求携人质飞往开罗，同时进一步威胁说，如果政治犯得不到释放将会杀害人质。最后通牒的期限延长到19点，以便准备所需的飞机。布伦戴奇和道默代表奥运会组委会发表了一个公报：

> 奥林匹克和平被一次绑架行为破坏了。文明社会谴责这种野蛮的罪行。作为对遇难者深深的敬意和对仍然未获释的人质表示同情，下午的比赛已被取消……明天上午10点将会在奥运会主体育馆为遇难者举行默哀仪式……以此表明奥运精神比恐怖和暴力更为强大。

17点

两名人质、安德鲁•史必泽（Andre Spitzer）和埃尼泽•莎尔芬恩（Eliiezer Schalfin）出现在二楼窗口，以表明所有的人质依然活着。

19点

基拉宁召开了紧急执委会议，批准了布伦戴奇不久前的决定，并且通过了以下决议："奥运会是为了，也仅仅只是为了体育运动而举办的。所有的官方接待都被取消，所有的礼节都应该尽可能地保持简单。"

20点

警方的营救计划是让恐怖分子和人质乘直升机飞离奥运村，随后当他们在城南的福斯滕费尔德布鲁克（Furstenfeldbruck）空军基地转乘飞机时，安排枪手分别予以击毙。尽管消息不准确，危机委员会还是相信只有5名恐怖分子。5名神枪手被再三地要求即刻击毙恐怖分子，否则计划便不能成功。乔治•伍尔夫（Georage Wolf）与其他警察官员都确信只有5名恐怖分子。而通常对每个目标会安排两名射手。

21点

当恐怖分子和人质从31栋出来等待直升飞机时，巴伐利亚州内政部长惊恐地发现共有8名恐怖分子。他和施雷伯错误地认为机场上射手的数目也会相应地进行调整。奥运村中运动员和官员脸上都是惊恐不安的表情。

22点

布伦戴奇和汤尼向紧急会议报告了继续进行运动会的决定。在机场，伍尔夫和警方的行动小组发现恐怖分子的数目比射手的数目还多，却根本没有人预先警告过他们。两架直升机降落下来，从中分别先走出两位飞行员，其余的人鱼贯而出。恐怖分子觉察到了陷阱的存在，他们的头领伊萨前去检查727飞机。这时伍尔夫下达了开火的命令，只有3名恐怖分子应声倒地。其他恐怖分子用卡拉什尼柯夫冲锋枪打碎了机场的探照灯，接着是一阵沉默。这阵沉默也让人产生了一个让人震惊的误判：恐怖分子都已死亡，而所有的人质已经生还。后者是对的，但他们正处于死亡的危险之中。错误的消息在慕尼黑四处传播，同时也传遍了世界。道默接到消息后返回大会宣布："我们赢了"——但这个残酷游戏在4个小时后才真正结束。

新闻机构仍然在喋喋不休地谈论成功营救的童话。事实上，当6辆装甲车姗姗而来，在半夜试图强攻时，活着的恐怖分子杀害了所有人质：大卫•伯格（David Berger，举重选手）、马克•斯莱文（Mark Slavin，摔跤选手）、埃米泽•夏普拉（Amizur Schapra，运动教练）、卡哈特•修亚（Kahat Shor，射击教练）、安德烈•斯必泽（Andre Spitzer，击剑教练）在一架直升机内被手榴弹炸死；埃尼泽•莎尔芬恩（摔跤选手），安德鲁•史必泽（举重选手），约瑟夫•盖特弗洛伊德（Josef Gutfreud，摔跤选手）和雅科夫•斯普林格（Jakov Springer，举重教练）则在第二架直升机里被射杀。

24点

到现在为止，在这次草率处置、充满漏洞的营救行动中，包括伊萨在内的5名恐怖分子被击毙，3人被俘。

219

9月6日，3点

姗姗来迟的安全负责人曼佛列得•施雷伯公布了这一可怕的事实，在45分钟的演讲中，他详细报告了整个事件，并最后宣布："所有的人质都已死亡。"

8点

执委会开会讨论是否要把奥运会继续下去，他们已经得知荷兰和一些阿拉伯国家正考虑退出比赛。基拉宁同意布伦戴奇本能的反应。"他的固执决定第一次也是最后一次拯救了奥林匹克运动会，"基拉宁后来说道，"我自己的感觉和他的不谋而合。这是我的肺腑之言：我确信取消奥运会只会给将来带来无限麻烦。"

10点

悼念仪式在奥运会主体育馆举行。在8万名沉默的悼念者前，慕尼黑爱乐乐团演奏了贝多芬《英雄交响曲》中的葬礼进行曲。运动员坐在场地上默哀。阿拉伯国家没有派出一个代表，前苏联也没有。当康斯坦丁国王、当时的国际奥委会委员走进体育馆时，有人从人群中向他走来，"奥运会不能被取消，"他说，"那将是投降。"这个人就是杰西•欧文斯。

以色列代表团幸存的17名成员坐在人群最前面，身边的11个空座在无言地诉说着一切。此时同情和理解理应出现在布伦戴奇的演讲中，即将退休的主席先生却让人大吃一惊：在说完"在这个不完美的世界上，奥运会变得越大越重要，它就越不可避免地受到商业、政治，现在又要加上刑事罪犯的压力"后，他任性地继续说道：

> 第20届奥运会遭受了两次野蛮的攻击。我们在罗得西亚之战（罗得西亚，即现在的津巴布韦。大会开幕前夕，由于罗得西亚白人种族主义者的到来，引起了非洲国家强烈的不满。一些非洲国家郑重宣布，如果允许罗得西亚参赛，非洲则进行集体抵制。因事态愈演愈烈，国际奥委会不得不举行特别会议。8月22日，会议通过了取消罗得西亚参赛资格的决定。——译者）中输给了赤裸裸的政治讹诈。我们要保持伟大的精神力量。我确信，公众会同意我们不让一小撮恐怖分子来摧毁存在于奥林匹克运动中的国际合作的努力与良好的愿望。运动会必须继续下去，我们必须继续努力保持它的干净、纯洁和诚实，努力把运动领域中的友谊拓展到其他领域。

所有在场的非洲人及基拉宁和国际奥委会的大多数人，都被布伦戴奇把反种族隔离的决定和恐怖分子联系起来的言辞弄得震惊不已。

15点

紧急执委会会议再一次召开，会议强烈指责了布伦戴奇，并强迫他发表声明，算是勉强收回了先前的失言："今天早上提到罗得西亚是有意识的……意在加强非洲的体育界领导的努力，使他们能不受到政治领袖的干扰……没有要把这些和罪恶的恐怖主义行为联系在一起的意图。"

17点

阿图尔•塔卡奇（Artur Takac）赶往非洲代表团所在的旅馆，去平息由布伦戴奇的讲话所引起的另一场政治风暴。迎接他的是嘘声和口哨声，但他还是同亚伯拉罕•奥蒂亚（Abraham Ordia）酋长一起努力让非洲人相信，在基拉宁领导下，奥运会可望得到更好的领导。

遇害的3名人质：以色列举重运动员泽夫•弗里德曼、大卫•伯格和约瑟夫•罗曼诺，另一位是摔跤教练图维亚•索考洛夫斯基，他是在恐怖分子闯入时侥幸逃脱的两人之一。

即将退休的埃弗里•布伦戴奇在悼念仪式上发表了充满争议的演讲。

9月7日，14点

布伦戴奇和基拉宁会见了非洲最高体育理事会代表团，布伦戴奇再次表达了他的歉意。

10月29日

奥运会的情调最后被破坏殆尽了：一群巴勒斯坦人在贝鲁特劫持了一架汉莎航空公司的客机，命令它飞往慕尼黑，要求释放被关押的那3名恐怖分子。西德当局同意了他们的要求，恐怖分子乘机飞到了利比亚的黎波里。以色列政府提出抗议，并对叙利亚和黎巴嫩境内的巴勒斯坦基地进行了空袭。

尽管慕尼黑奥运会留下了无法磨灭的创伤，但从正面的记载来看，此次运动会也因一些出众的运动员而闻名。这些人中，无人能比得上来自前苏联白俄罗斯的小奥尔加•科尔布特（Olga Korbut），电视上充斥的主观报道迅速转向了这项性感度十足的女子运动。个人全能比赛中，图里谢娃是如此优雅、矫健与柔美，她已经超越了恰斯拉夫斯卡（Caslavska）所创立的标准，尽管如此，她本来应得到的喝彩声还是被小精灵科尔布特偷走了，虽然科尔布特最终的个人名次只是第7名。卡琳•扬茨（Karin Janz，民主德国）和另一位白俄罗斯选手塔玛拉•拉扎科维奇（Tamara Lazakovitch）分别获得银牌和铜牌。在团体比赛中，科尔布特在高低杠上的不俗表现很快让她成为众人瞩目的焦点，而且很有可能第一次获得她国际大型赛事中的个人全能金牌。但她后来在个人全能比赛中从高低杠上摔了下来，不得已退出比赛，哭着回到了自己的座位上。第二天，在进行单项比赛时，科尔布特恢复了自己的最佳状态，不仅在高低杠上夺得了银牌，而且还在平衡木和自由体操项目中夺得金牌。她活泼的举止，昂首阔步的动作，腾跃的姿势和回眸一笑，紧紧抓住亿万观众的目光。她既纯真而又狡黠，在勇于创新的雷纳•科尼施（Reynald Knysch）教练的指导下，形成了自己独特的风格，让整个前苏联队都成了自己的后备队。毫无异议，体育比赛的公正性会受到主观印象的干扰，慕尼黑的裁判也不可能对这个身高不足5英尺、扎着马尾辫的小精灵每次出现时的掌声雷动和呼声震天充耳不闻。

在男子体操比赛中，就像图里谢娃完全落在了科尔布特的阴影里一样，日本人获得了个人项目全部18枚奖牌中的12枚。他们在团体比赛中以极大优势获得金牌，加藤泽男卫冕全能冠军成功，也是继意大利的A•布拉利亚（Albrto Braglia, 1908—1912）、前苏联的维克多•丘卡林（Viktor Chukarin, 1952—1956）之后，第3个获得这一殊荣的人。

活泼的少女奥尔加•科尔布特，来自于前苏联白俄罗斯加盟共和国，她改变了体操运动的面貌——事实上，从那时起她也改变了奥运会的面貌。

像体操赛事一样，游泳也是一项毫无悬念的比赛，美国队的马克•施皮茨（Mark Spitz）利用大好形势实现了7枚金牌的大丰收：100米和200米自由泳、100米和200米蝶泳，同时他还参加了4×100米、4×200米和4×100米混合接力，每项比赛均创造了新的世界纪录。这是游泳适应性和技术加速进步的表现。美国获得了全部29枚金牌中的17枚，余下的金牌被澳大利亚、民主德国、日本和瑞典瓜分。来自民主德国的罗兰•马特斯（Roland Matthes）和来自瑞典的贡纳•拉尔松（Gunnar Larsson）分别创造了两项世界纪录。

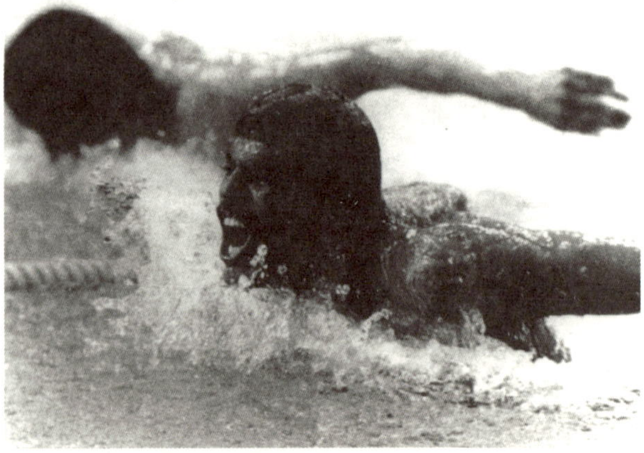

来自美国的马克•施皮茨，囊括了游泳比赛7块金牌，而且每次都刷新了世界纪录。

来自加州的22岁的施皮茨自16岁始便保持了自由泳和蝶泳的世界纪录，但4年前在墨西哥的时候他发挥一般，现在他已经成熟了。他在夏威夷度过了6年的童年时光，在萨克拉曼多免受了对犹太孩子的偏见，全心全意投入到谢尔曼•沙沃尔（Sherman Chavoor）和乔治•海因斯（Georage Haines）的训练指导赛中，长期的辛勤努力最终有了回报。就像努尔米曾经统治跑道那样，在慕尼黑的泳池中，施皮茨以完美的表演统治了这一运动项目，甚至还超越了唐•斯科兰德（Don Schollander）的表现。

400米自由泳比赛产生了不少争议。在比赛前夜，患慢性哮喘病的里克•迪蒙（Rick DeMont）因呼吸困难醒来，并服用了含有违禁药物麻黄素的药片，当天比赛之前他又服用了一些药片，比赛中他以0.01秒的微弱优势战胜了澳大利亚选手布拉德•库珀（Brad Cooper），创造了4分0.26秒的奥运会纪录。两天后，他的赛后药检被宣布呈阳性，因此被禁止参加当晚的1 500米决赛。这位优秀的运动员由于与自身地位不相符的举动受到了处罚，他的奖牌和他创造的纪录也被从奥运历史上抹去。尽管如此，他的艰难的胜利也凸显了违禁药物可能具有的重要价值。

在奥运会篮球比赛中出现了不寻常的争议。美国队曾经赢了所有的奥运篮球比赛，却在此次决赛的最后3秒钟败给了前苏联队。这也终结了美国队自1936年战胜爱沙尼亚以来至本次奥运会战胜意大利为止的62场连胜。在49:48而全场比赛只剩3秒时，前苏联人祖拉布•萨坎德利兹（Zurab Sakandelidze）对美国队的道格•科林斯（Doug Collins）犯规。喧闹的现场顿时安静下来，看着科林斯精准地将两次罚球命中。美国队高兴地庆祝起来，但比赛还没有结束。前苏联队的教练叫了暂停，但巴西籍裁判雷纳托•里盖托（Renato Righetto）和保加利亚籍裁判阿坦尼克•阿尔巴彦（Artenik Arbadjan）都没有注意到，比赛继续进行。几秒钟后，里盖托因为所谓的记分牌混乱而再次暂停了比赛。美国队忙着庆祝他们相信已到手的胜利，而前苏联队要求追加先前要求的暂停。比赛再次进行，依旧是3秒钟时间。莫德斯塔斯•保拉斯卡斯（Modestas Paulauskas）从后场直接发球到前场，别诺夫（Belov）接球跳投命中，比分定格为51：50。国际奥委会的上诉仲裁团花了整整一个晚上来处理美国队的抗议，包括最后3秒钟录像的不停回放，直到第二天下午，最终裁决结果宣布前苏联队获胜。美国人对此非常愤怒，以至于拒绝领取银牌。

在以色列代表团的悲剧的前两天，芬兰部分恢复了失去很久的奥运会小天王的地位。1912—1936年他们的赛跑选手共赢得了20枚金牌、19枚银牌和9枚铜牌，在此之后，除了在1956年曾获得马拉松铜牌外便颗粒无收了。这次他们有了一名23岁的干瘦警察拉塞•维伦（Lasse Viren），他一直在北方森林跑步，这让他日常的心率降低到了努尔米的水平，仅有30次/分。

拉塞•维伦的首场比赛是10 000米跑，28分

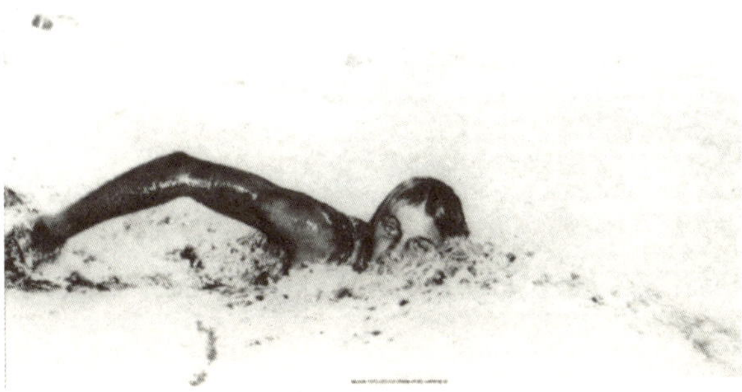

几乎和施皮茨一样显眼，15岁的澳大利亚选手雪恩•古尔德获得了2枚金牌、1枚银牌和1枚铜牌。

4.4秒的成绩让他在15名预赛合格选手中名列第六。比赛规格非常高：卫冕冠军蒂姆在预赛中因跌倒而被淘汰，人们都把夺冠期望寄托在英国选手戴维•贝福德（Dave Bedford）身上，他在预赛中名列第二，是个专注的工作狂，他的胜利多半源于赛场上不要命的狂奔。这次比赛中，贝福德跑完两公里时领先于世界纪录，4公里后仍然处于领先地位。但第一集团的其他人，包括维伦在内，都紧紧跟着他。比赛进行到5 000米时，维伦和突尼斯选手莫罕默德•加穆迪（Mohamed Gammoudi）相撞摔倒在地，他们的希望看来都要破灭了。两人爬起来继续前进，但加穆迪很快就落到了后面，而维伦若无其事地返回队伍继续参与竞争。6公里过后，贝福德情况开始不妙。领先集团现在包括比利时选手艾米尔•普特曼斯（Emiel Puttemans，预赛中名列第一）、埃塞俄比亚选手米鲁兹•伊夫特（Miruts Yifter）、西班牙选手马里亚诺•哈诺•西斯纳罗斯（Mariano Haro Cisneros）和美国选手弗兰克•肖特（Frank Shorter）。维伦在最后一圈半开始了最后的冲刺，在最后一圈跑出了足以让人震惊的57秒。他比普特曼斯快1秒多跨过终点线，创造了27分38.4秒的世界纪录，比克拉克的纪录提前了1秒钟。考虑到他在中途摔倒，这是一次令人难以置信的发挥。

第二天，维伦参加了5 000米预赛，而5 000米决赛被安排奥运会倒数第二天、即9月9日举行。在这一距离上的最有力竞争者，除了卫冕冠军加穆迪，普特曼斯和英国选手伊恩•斯图尔特（Ian Stewart）外，就是性格外向的美国队员史蒂夫•普里方丹（Steve Prefontaine）。他向那些千里迢迢赶来的支持者们允诺，他会在最后4圈竭尽全力获得冠军。当他开始冲刺时，维伦和加穆迪紧紧跟着他，当进入最后一圈直道时，维伦获得了领先位置。虽然加穆迪一时也想获得领先，但维伦还是比加穆迪提前一两步到达终点，以13分26.4秒的成绩刷新了奥运会纪录，斯图尔特则从落后的普里方丹手中夺走了铜牌。维伦像科勒赫迈宁、扎托佩克和库茨一样，获得了长跑的双料冠军。一年后，不幸的普里方丹于车祸中丧生。

对吉米•赖恩来说，慕尼黑奥运会给他提供了在1 500米比赛中一雪前耻的机会，比赛中，他将与曾在墨西哥奥运会上的老对手基普•凯诺对决。赖恩经过一段不确定的调整期后再次达到了运动巅峰状态，然而上次他是第一次缺氧条件下比赛的牺牲品，这次他又栽倒在一个小小的失误上面：由美国奥委会申报的资格申请写的是1英里项目，而不是1 500米。这个很慢的“次等”成绩，事实上是一个惊人的成绩。这一意外让他像凯诺一样在第一轮预赛时就陷入了苦战。比赛陷入了未曾料到激烈竞争之中，在离终点还剩1圈半的时候，赖恩前面的巴基斯坦选手穆罕默德•尤尼斯（Mohammad Younis）减速，而外道的乌干达选手维他斯•阿希巴（Vitus Aschaba）加速，将他夹了起来。赖恩踩到了阿希巴的脚后跟，和加纳选手比利•福琼（Billy Fordjour）撞在一起并摔倒在地。虽然赖恩几秒钟后爬了起来，但他的本次奥运之路只能终止了。

决赛时人才济济：肯尼亚选手迈克•博伊特

（Mike Boit）、新西兰选手罗德•狄克逊（Rod Dixon）、英国选手布瑞登•福斯特（Brendan Foster）和芬兰选手贝卡•瓦萨拉（Pekka Vasala，4年前因病未能参赛）。进入最后的直道时，凯诺看起来志在必得，不料却被瓦萨拉超过。瓦萨拉在最后两圈疯狂地追赶，他的3分36.3秒虽然比赖恩的世界纪录慢了3秒，在历史上也名列前六。

多面手凯诺涉险参加了障碍赛。他跨越栅栏就像是在连续跳高——“这很有趣”——他把他的同胞本•吉普乔甩在了后面，以8分23.6秒的成绩夺冠并创造了奥运会纪录。这位助人为乐并在28年后成为国际奥委会委员的运动员，后来用他的名望和金钱——这当然不能和职业化时代同日而语——在一个农场创建了一所孤儿院，在那儿，无论何时他和妻子菲利斯（Phyllis）都能收容多达40名无家可归的孩子。“我的孩子们”，他骄傲地告诉来访者，就像他们真的是他的孩子一样。凯诺出生于大峡谷一个泥泞的小村子，经常遭受坏心肠叔叔的毒打。正因为如此，他希望能帮助那些有困难的孩子。

来自肯尼亚的多面手基普•凯诺在跨栏（他坚定的脚步就像在跨越自己人生中的各种障碍一样），领先于芬兰的塔皮奥•坎塔宁获得银牌。

400米栏比赛中，对于卫冕冠军英国选手大卫•赫默里（David Hemery）来说，最大的威胁来自于美国选手拉尔夫•曼（Ralph Mann），当两人领跑完前200米后，看起来并没有遇到什么麻烦。尽管这样，—个处于不利境地的内道中——从技术而言，内道会限制选手的发挥——有着43个孩子、8个妻子的乌干达酋长的儿子正在紧紧追赶他们。约翰•阿基•布阿（John Akii-Bua）从小就赤着脚在灌木丛中追赶斑马，作为坎帕拉警察学校的训练生，阿基•布阿现在正在追逐世界级的声望。两年前，在英联邦运动会上他获得了第4名。赫默里在那时已经被放入了他的视线之中，在暂居乌干达的英国教练马尔科姆•阿诺德（Malcolm Arnold）的帮助下，他研究了关于赫默里的一切。在跨越第5栏时，阿基•布阿已经和赫默里并肩。阿基•布阿以惊险的方式越过第8个和第9个栏，以3步的优势获胜。他的成绩比赫默里的世界纪录快了0.3秒，这一成绩震惊了所有的观众，更别说他自己了。曼获得了银牌，赫默里只获得铜牌。

慕尼黑未来主义风格的体育馆里呈现出一种奇特的景象：占多数的主场观众不断地为来自于国外的对手喝彩，但内心中则又与本国的运动健儿们难舍难分。玛丽•彼得斯（Mary Peters）是一个来自刚刚遭受了恐怖袭击的北爱尔兰贝尔法斯特的33岁的秘书，她看起来更像是一根高尔夫球杆而不是一个五项全能运动员。凭借坚强的意志力和极高的天赋，她已经参加过两次奥运五项全能赛事，在东京获得了第4名，在墨西哥获得了第9名。而现在，她将要与主场选手海德•罗森达尔（Heidi Rosendahl）竞争，后者在两天前获得了跳远的金牌，对手中还有民主德国选手柏格林德•波拉克（Burglinde Pollak），她是未来的世界纪录保持者。彼得斯有着一头金发、美丽的笑容和自然而然的友善表情，当赛事进行到高潮时，她赢得了所有人的赞扬。

在第一天比赛结束时，彼得斯领先波拉克97分，领先罗森代尔301分。第二天要进行的是她最弱的项目：跳远和200米。罗森代尔以接近世界纪录的6.83米，将差距缩小到121分，而波拉克以6.21米的成绩将差距缩小到47分。如果罗森代尔能够追平她自己200米的最好成绩：23.1秒，彼得斯就需要跑出24秒2才行。罗森代尔像一阵风一样跑出了22.96秒的成绩，但彼得斯的成绩是24.08秒。但这已经足够了，她以10分的优势创造了4801分的世界纪录。当她们在等待最后结果时，彼德斯甚至都没有意识到自己已经夺冠了，直到她被罗森代尔紧紧地抱住。

男子短跑比赛由于美国人的管理失误而引人注目。他们的教练斯坦•怀特（Stan Wright）将24小时日程表上的17点误认为是下午7点。埃迪•哈特（Eddie Hart）和雷•罗宾逊（Ray Robinson）两人在美国奥运选拔赛中都跑出了9秒9的成绩，被认为是前苏联选手瓦列里•博尔佐夫（Valeri Borzov）的主要对手，后者在两年中都没有被击败过。当第二回合100米比赛开始时，罗宾逊和他们的队友是从ABC新闻中才得知这个消息的，他们当时正在等开往体育馆的公共汽车。当他们姗姗来迟时，只有泰勒刚好赶上比赛，并且顺利进入半决赛。

美国黑人选手文斯•马修斯（Vince Matthews）和韦内•科利特（Wayne Collett）在400米比赛中分获冠亚军，但他们在颁奖台上做无以名状的黑人民权力量展示的时候错误地解读了以色列大屠杀之后的公众情绪。冠军马修斯把他的奖牌绕在手指上，并且两人都轻蔑地嘲笑他们的国歌，结果换来了一阵口哨和嘘声。科利特在离场的时候向咆哮的人群做出了挥拳示意的黑人民权力量手势。二人都不愿意道歉——“我是一个运动员，不是政治家，我从不去注意什么。”马修斯抱怨道——布伦戴奇盛怒之下命令美国奥委会给二人终身禁赛的处罚。这一威胁后来被撤销，但二人之后再未能参加奥运会。

在400米比赛中夺得第一和第二的美国人文斯•马修斯和韦内•科利特。他们在国歌奏响时表现出轻蔑的神情，以此来展示黑人民权力量。

来自英国的玛丽•彼得斯为了夺得五项全能冠军在200米比赛中咬牙追赶柏格林德•波拉克，这是她最弱的项目。

标枪比赛中的戏剧色彩为主场观众带来了不少欢乐。在前苏联选手亚尼斯•卢西斯（Janis Lusis）领先的情况下，克劳斯•沃尔夫曼（Klaus Wolfermann）一声怒吼，掷出了令观众们惊讶的90.48米，卢西斯最后一投的距离比它少了2厘米。撑杆跳被关于美国人用的一种玻璃纤维撑杆在技术上是否合适的争论给搅乱了。国际田联犹豫不决，先是禁止使用，后来又允许使用，在资格赛前两天时再次变卦，并要求世界纪录保持者美国运动员鲍勃•西格伦（Bob Seagren）不得使用他正在用的撑杆。最后，民主德国运动员沃尔夫冈•诺德威格（Wolfgang Nordwig）终结了自1896年来一直由美国人保持的世界纪录。厌烦透顶的西格伦在赛后把他的“合法”撑杆扔给了国际田联主席阿德里安•鲍伦（Adriaan Paulen）。

印度次大陆自1928年开始的在曲棍球项目上的独霸局面被德国人打破，而他们与巴基斯坦的决赛被巴基斯坦队支持者对裁判的抗议所破坏。在马术比赛中，英国选手洛纳•约翰斯顿（Lorna Johnstone）成为奥运史上年龄最大的运动员，再过5天她就满70岁了；在同样的比赛中，西德选手L.林森霍夫(Liselott Linsenhoff)成为首位在马术赛中夺冠的女选手，时年45岁零13天。

第47章 痛苦的王者

加拿大人理查德·庞德

奥运会游泳决赛选手，1978年当选为国际奥委会成员

一些因素让蒙特利尔奥运会的组织工作复杂化了。第一，1970年国际奥委会例会上，也就是确定蒙特利尔作为主办城市的会议上，要求把南非驱逐出奥林匹克运动会的说客最终取得了胜利，但这个问题远没有结束。第二，慕尼黑奥运会上恐怖分子的行动改变了奥运会所需的安全级别，从长远来说，也给它的未来提出了疑问。第三，蒙特利尔的财政计划依赖于联邦政府，但那时的政府是一个魁北克少数派的政府，他们对1967年世界博览会耗尽了联邦资金一事耿耿于怀。国债发行因而被耽搁了，使原本6年的计划变成了3年内必须完成的任务，奥运会的预备工作因此变成了一场与时间的赛跑。第四，工会充分运用了他们讨价还价的优势。第五，伴随1973年石油危机的世界性通货膨胀让所有的主要预算增长了两到三倍。第六，市长让•德拉波（Jean Drapeau）聘请了法国建筑师罗杰•塔利伯特（Roger Taillibert），但此人的设计除了用于运动会之外别无他用，而且在加拿大极端寒冷的气候条件下完全不合实际，主体育场还留个“天窗”。第七，市政当局对建设项目的管理全无章法。

德拉波不把运作预算和基础设施建设预算分开的决定极其愚蠢。蒙特利尔基础设施的改善是奥运会日程得以顺利进展的关键。这些设施，包括奥运村在内，将来都会成为市政设施的一部分。向大棒球联盟（他们在奥运会结束后将使用主体育馆）做的建设封闭式体育馆的承诺使主体育馆的造价变得更加高昂。由于运作预算和基础设施建设预算混淆不清（而明智的账目表应当把开支项目分别列出），媒体缺乏判断地将奥运会的开支说成是基础设施建设与运作费用的总和，这种偏见至今仍然存在。不管在设施上花了多少钱，包括奥运村，组委会还是取得了超过1亿美元的收益，平均资本收益比后来受到大肆吹捧的洛杉矶奥运会还要高很多。尽管没多少根据，现在的国际奥委会坚持预算分列、反对预算同列乃是为了避嫌：因为后者正是蒙特利尔奥运会的政策之一。

非洲的抵制是南非的种族隔离制度冲击奥林匹克运动的又一时刻。蒙特利尔成了4年前针对罗得西亚的攻击延续下来的新靶子，攻击所瞄准的是同南非保持联系的国家，此次纠葛被双方给搞砸了：一方是非洲国家，他们对新西兰的反应有些过头，后者的奥委会对橄榄球项目没有管辖权力；一方是国际奥委会，它忽视了非洲国家，等到发现时已经为时太晚。国际奥委会的失误是由基拉宁和贝丽乌造成的。如果萨马兰奇当时在的话，我敢肯定不会发生抵制事件。基拉宁在蒙特利尔和莫斯科事件中都没有表现出什么效率。

运动会筹备得很棒，奥运会运作得也很好。安全方面做得很好而且低调。虽然这一地区在4个月后的选举中推出了一个分离主义的政府，但在开幕式上，人们对女王表现得还是很友好。开幕式上最受欢迎的人是让•德拉波。

对基拉宁勋爵任期内的表现有许多不同的看法：究竟是这个端庄、威严、彬彬有礼的爱尔兰人用他的不动声色的镇定，领导着奥林匹克运动走过了8年的危机时期；还是由于他的无所作为，让国际奥委会滑向了危险的毁灭边缘呢？

他的许多朋友都会跳出来为他辩护，这些人大多没有他有名气。艾兰•库帕特（Alain Coupat）先后作过基拉宁和萨马兰奇的副手，他把基拉宁的位置放到国际奥委会的改革史中。“历史应该感谢他，”库帕特说，“他是国际奥委会从布伦戴奇领导下完全封闭的组织向萨马兰奇领导下开放的国度转变的关键因素，他主导了其向现代化转变的思维。”

基拉宁早期的言论就显示出他统治奥委会的不确定性。“国际奥委会拥有奥运会，并执掌奥林匹克运动。”他1973年在保加利亚瓦尔纳举行的大会上带着几分自满振振有词地宣称——毫无疑问，他试图向其他人表达：慕尼黑的惨剧只是屏幕上一个平凡的小污点而已。基拉宁的生活方式很平静，尽管他经历过战争，包括诺曼底登陆，从本质上说，他相信温和的态度能消除愤怒。战争的暴力让他变成了一个和平主义者，他也承认，在目睹了荷枪实弹的墨西哥军人于1968年墨西哥奥运会开幕式上的巡逻后，人们变得胆怯起来。尽管如此，他将会发现，优雅礼貌是无用的，只有强权才能得到尊重。“体育中的政治是不可避免的，但我不喜欢的是政治说客们的强压。”他在1972年说，“国际奥委会的决定必须是体育运动上的决定。如果妄图在奥林匹克运动中玩弄强权政治，我们必将用所有方式与之斗争。国际奥委会有必要努力预见此类行为，并采取强力行动。”

但远见卓识不是他的长处。事实上，他倾向于认为如果将行动搁置问题会自行解决：当贝丽乌夫人权力过分膨胀时，他一直试图限制她，却从未行动，他意识到他已经部分依赖她的知识和经验，以至于到了当更需要和首席副主席加强关系时仍然只带着她参加重要会议的程度。“我感觉到她不是最好的总导演。”他如此说，但这一问题得留给萨马兰奇来解决。

虽然如此，基拉宁在理论上确实取得了长足进步。他希望国际奥委会不再是“多年之前的俱乐部”，意指布伦戴奇领导下的组织，即憎恶和限制它的必要的伙伴——国际单项体育联合会和各国奥委会——获得任何自决权力。

在瓦尔纳的时候“业余”一词被从宪章第26条删除，它是关于运动员的资格认定，将不可能实现的纯粹业余选手定义为遵守“精神上和伦理上的传统奥林匹克精神。”基拉宁虽然对职业化的奥林匹克运动会不感冒，但还是想让规章制度能够被人遵从。“我们显然必须更加理性地对待运动员的资格问题。”他承认第26条逼着运动员为自己的身份撒谎。1974年，在维也纳会议上通过的新的规定被缩短并且放宽了条件：运动员必须遵守国际奥委会和他们所属的国家奥委会和单项体育联合会的规定；他们不能因运动项目的关系而接受任何经济或物质利益，附带法规中规定的除外。广告报酬必须交付运动员所属的国家奥委会和单项体育联合会，不过，训练周期由单项体育联合会确定，这一条因此很快被打成了死结。工作之外的兼职报酬是被允许的，但不能超过运动员在同一时期内的收入的总和。如果雇主没有支付薪酬，国家体育协会或者国家奥委会可以代替支付。基拉宁正在让国际奥委会的道德变得合理，放松资格限制，让各国际单项体育联合会向其提出调整建议，却也不可避免地将一些权力拱手让给了国际体育联合会总会（GAISF），为前国际划船联合会主席，现国际体育联合会总会

（GAISF）主席托马斯•凯勒（Thomas Keller）提供了试图挑战国际奥委会整体权威的平台。

同时，在瓦尔纳成立了新的奥林匹克团结委员会，包括20位成员，最初的资金是1 000万瑞士法郎。第一协调人是在荷兰人赫尔曼•冯•卡内贝克（Herman van Karnebeek）领导下的爱德华•维乔雷克（Edward Wieczorek）、尼日利亚人亚伯拉罕•欧迪亚酋长（Chief Abraham Ordia）和刚果人让•克劳德•甘加（Jean-Claude Ganga），他们均是杰出的非洲竞选家。基拉宁身上的主动性现在才表现出来。10年后来自象牙海岸的国际奥委会成员，也是草案的起草者吉兰都•恩吉亚（Guirandou N'Daiye）说："这根本不是什么团结，只是给他们知道的一些人小恩小惠。他有那么多的甜言蜜语，人们一直都在等着看他会做些什么，但只有等到萨马兰奇来了之后才带来钱。兼职的基拉宁根本没有时间去思考世界范围内的奥林匹克运动。"

谦恭而中庸的第6任国际奥委会主席基拉宁勋爵、蒙特利尔问题建筑的始作俑者让•德拉波市长以及奥运组委会主席罗格•卢梭在一起。

在1974年例会上，莫斯科和普莱西德湖分别当选为1980年夏、冬季奥运会的主办城市。莫斯科的对手是洛杉矶，它们在1976年的竞选中都输给了蒙特利尔。这一次，大部分西方国家站在改善东西关系的高度，姿态性地投票支持莫斯科，决议几乎没有任何争议。基拉宁看到投票过程一帆风顺，便认为资本主义世界有责任帮助共产主义世界，反之亦然。1973年，他在克里姆林宫拜访柯西金（Kosygin）总理时，总理向他保证所有被认可的国家奥委会，无论前苏联是否与该国政府有外交关系都将被承认。

同样在1974年，南韩政坛和体坛的重要人物金云龙教授实施了一次对他的国家在世界体育格局中有深远影响的秘密行动。在瑞士伯尔尼举行的1978年世界射击锦标赛申办仪式上，他孤注一掷地将墨西哥提出的平均每人10美元的食宿费用标准加以削减：他给会议提供的标准是5美元每人。也正因为他的突然举动，汉城以62票对40票的优势被选为举办城市，金云龙让汉城走上了举办1988年奥运会的道路。

1975年4月，定居德国的布伦戴奇因为流感住进了加米施当地的一家小诊所，却未能康复，于5月8日逝世，享年87岁。他最后3年的孤独生活没有什么欢乐可言，45岁的妻子伊丽莎白已于1971年死于他们在加州圣芭芭拉的寓所。从主席位子退休后，国际奥委会为他保留了一小间办公室，布伦戴奇便在那儿徒劳地等待着基拉宁的咨询和求助。贝丽乌曾述及这个孤独的君王经常邀请她久久地默默无语地散步。1973年，85岁的布伦戴奇娶了Ruess公国（一个历史悠久的地处东德的公国）国王亨利希三十七世的37岁的女儿。联邦德国奥委会主席维利•道默（Willi Daume）一直对他忠心耿耿，但布伦戴奇其他的亲信都认为这是一件尴尬事，对此缄口不言。布伦戴奇为了满足新婚妻子和岳母的花销，他的账单很快达到了6位数，不到两年，他的财政咨询师就通告他已经面临破产了。布伦戴奇去世后，他的妻子带着他的遗体返回他的故乡芝加哥，将他埋在那里。

位于圣劳伦斯河和渥太华河交汇处的蒙特利尔于1642年建市，在法国人的统治下，它是北美皮毛交易中心。18世纪英法战争以后，苏格兰和英国商人在这里取得了经济和政治优势。加拿大的第一枚奥运金牌于1904年获得，金牌获得者艾蒂安•德斯马托（Etienne Desmarteau）是蒙特利尔的一名巡警。在皮埃尔•杜鲁多（Pierre Trudeau）的双语泛加拿大主义政府的领导下，不同语言、国家主义和地方主义的政见让这座以法语为主导的城市——讲英语的人口只占该市总人口的16%——不可避免地成为一个并不太友善的主办城市，而且联邦政府起初竟然反对向奥运会提供财政支援。面临这样的困境，让•德拉波市长向外界表示，存在许多严重的未曾料到的问题。而且，这一切还都是石油危机之前的情况，石油危机到来之后的境况更是可想而知。受1967年成功举办世界博览会的鼓舞——这次博览会也是严重超支——他们做出了一个3亿美元的预算，而该预算被证明是一个严重的失误。如果将基础设施建设考虑在内（这些基础设施对每一个获胜的举办城市而言都是极为重要和必不可少

亚历山大•德•梅罗德王子，药物委员会主席，他于1976年引入了类固醇检测。

的），蒙特利尔及其居民的支出总和数倍于该数字。1972年工会发动的总罢工意味着3年的准备时间过后，蒙特利尔仍然一事无成。德拉波选定的罗杰•塔利伯特(Roger Taillibert)及其宏伟设计，只会加剧危机，因为组委会不可能同时去应付建筑公司和工会过高的要求。

对身处都柏林的兼职主席基拉宁来说，幸运的是在蒙特利尔组委会还有一个专家顾问阿图尔•塔卡奇。作为前国际奥委会技术总监，阿图尔•塔卡奇在布伦戴奇任内后期黯然离职，随后接受德拉波的邀请，到蒙特利尔这个对奥运事务一无所知的城市去监管技术细节。而他之所以会去蒙特利尔工作，更多的是因为接受了其密友国际奥委会的匈牙利成员和足球专家阿帕德•恰纳迪(Arpad Csanadi)的劝告。恰纳迪建议："你必须接受，因为你如果到蒙特利尔工作，你对蒙特利尔的组织者和奥林匹克运动将更有价值。"塔卡奇也认识到了这一点。

塔卡奇说没有必要在主体育馆的斜顶中央建一个50层高的塔，德拉波在这一点上做出了让步。魁北克省公共事务部长维克多•戈德布隆（Victor Goldbloom）被派去监督工作的重新安排，并负责向魁北克和国际奥委会汇报情况。基础设施已不再是问题，但哪些国家将去参加奥运会呢？在瓦尔纳召开的代表大会上，亚洲运动会联合会（AGF）主席、国际奥委会成员古拉姆•礼萨•巴列维（Gholam Reza Pahlavi）王子重申他们将在1974年的德黑兰亚运会上接纳中华人民共和国的决定。亚运会由国际奥委会官方赞助，但中华人民共和国当时还被排斥在国际奥委会的大家庭之外。巴列维补充说，他认为中国问题应当值得解决。国际组织正在不断地接受来自中华人民共和国的相关组织，而与此相反，台湾仍然被国际奥委会冠以"中华民国"的头衔予以承认。国际奥委会警告亚洲运动会联合会，它正在冒失

德拉波正在平息对蒙特利尔不断出现的问题的担心。

去赞助的风险。但这又能如何呢？到1975年夏，中华人民共和国已经被9个国际单项体育联合会接纳，而且建立了自己的国家奥委会，尽管它还没有被洛桑承认。台湾不想就此罢手，开始同意“两个”中国的方案。虽然国际奥委会1975年例会拒绝了中华人民共和国提出的在驱逐台湾的条件下加入国际奥委会的申请，但基拉宁却一直对大陆抱有同情，并保证大门会对他们随时敞开。同时，台湾也正在积极备战蒙特利尔奥运会。1970年，蒙特利尔在当选举办城市时，杜鲁多首相做出了保证，说所有的代表团都将被接纳。但在1972年，加拿大政府就改变了它的政策，放弃承认台湾转而承认中华人民共和国。基拉宁应该早在奥运赛场上嗅出了此类举动，1975年，西班牙首次拒绝台湾参加巴塞罗那世界柔道锦标赛，而更具有征兆的却是参加蒙特利尔国际赛事的台湾拳击和自行车选手被拒发签证。

一些观察家，如理查德•埃斯蒂（Richard Esty）在他的《奥运政治》一书中所讲的那样，认为国际奥委会在政治上相当幼稚，但美国卓越的历史学家约翰•卢卡斯（John Lucas）认为基拉宁让事物按照自己的轨迹发展是相当聪明的做法。台湾缺席的一个结果是，国际足联觉得可以考虑重新接纳中华人民共和国（中华人民共和国于1958年退出该组织），但中国拒绝了，理由是国际足联承认两个成员，而他们（中华人民共和国）认为二者本是一个国家，这违反了国际足联自身的规章制度。

尼日利亚的亚伯拉罕•欧迪亚酋长、非洲最高体育理事会主席和总秘书长让•克劳德•甘加正与非洲代表一起讨论即将到来的奥运抵制问题。

无论基拉宁在感情上受到了多少伤害，在开幕式上坐在女王旁边的他还是很高兴。在蒙特利尔，女王一袭紫色的裙子，披着大衣，戴着帽子，打扮得十分得体。她受到了像对德拉波一样热烈的欢迎。一如每次访问加拿大一样，她讲的是法语。

蒙特利尔奥运会受到了所有人的称赞：交通、娱乐中心、节日氛围、舒适的宾馆和高效的赛场，都受到了广泛的赞扬。尽管售出了325万张入场券，但游客还是比预期的要少一些，其原因是非洲国家的抵制导致了许多赛事被取消，441名选手离开了奥运会，超过10万张票被退。蒙特利尔奥运会的收益是4.3亿美元，相对2.07亿美元的运作费，它取得了2.23亿美元的利润，但相反的是，花在基础建设上的投资高达12亿美元，在外人看来，这完全是对纳税人的一种惩罚，需要用从市政财产税到省烟草税等各个税种的收益来加以补偿。

基拉宁任内的第一个4年还有一些事件值得注意，包括废除国际奥委会成员300瑞士法郎的年费，和拒绝执委会在蒙特利尔例会上提出的即使某一国家已有一个或两个奥委会成员，女性候选人依然可以被选入国际奥委会的提议。看得出，妇女和反种族主义运动人士，还得继续等待下去。

对蒙特利尔的忧心忡忡分散了人们对因斯布鲁克冬奥会的注意，奥地利人用相当节俭的8 560万美元举办了他们的第2次奥运会，其中将近一半的钱都花在了改善交通和一座横跨莱茵河的新桥梁的修建上。大约有150万现场观众观看了共37项赛事，同时有6亿观众通过电视观看了这些比赛。两个最小的州，安道尔和圣马力诺第一次举办了这场奥运会。为了安全，奥地利集结了5 000名警察，平均每个运动员配备2名。

基拉宁勋爵坐在光芒四射的伊丽莎白女王旁边，他可不希望失去这一嘉奖。

第48章 因斯布鲁克

第十二届冬季奥运会 1976

奥地利人弗朗兹·克拉默（*Franz Klammer*）
冬奥会高山速降冠军

有关体育的讨论话题往往都会集中到奥运会上，奥运会是所有运动员的目标，对我来说也不例外。你可以是这个比赛的冠军，可以是那个比赛的冠军，但只有奥运冠军是永恒的，它是少有的殊荣。与其他的运动会相比，奥运会是独一无二的。

滑雪选手的职业生涯是非常短暂的。一年前，我在10项高山速降赛事中赢得了9个冠军头衔，其中包括在7个项目中连续夺冠。而今年，在伊泽尔谷的开幕赛失利之后，我仅赢得了接下来的四五项比赛。包揽了1956年冬奥会3项高山滑雪冠军的托尼•赛勒告诉我：当你是一名夺冠热门选手，当你只有一颗子弹但你必须赢得胜利的时候，才是你真正面临压力的时候。

在帕加寇非山区，当我第15个出场参加比赛时，情况开始变得困难起来：路非常不平，但从自身着想，我必须赢得胜利，以此来证明我能够承受压力。这就是它与其他比赛不同的地方。开始阶段并不难，但我犯了一个低级错误，因此，我必须重新调整滑行路线，我要做一些特别的事情，而且不得不这样做。过了中间的计时台，我选择了一个很大的弯道，还没有其他人到过那儿。离安全网只有几厘米时，我听到了一声叫喊，我想搞明白是我的滑雪杖碰到了观众呢还是不过就是一声叫喊罢了。这是我在比赛中所采取的最好的行动，在那儿，我牢牢地把握了自己的命运。我取得了我所需要的优势。这不是教练的意图，只是我在一瞬间的本能反应。

甚至在25年后的美国，人们都还记得我这个穿黄衣服的人，即使这时我早已不是滑雪选手了。黄色的衣服？那是因为我们代表团的黑色和金色的衣服并不合身，穿上去很不舒服，所以，我穿上了以前那件黄色衣服。

从情感上讲，没有其他比赛可以和这次比赛相提并论。我为这次比赛作了很多心理上的而非技术上的准备工作。但事已至此，我必须依靠勇气走出困境并承担风险。人们曾经认为我不能承受压力，比赛后我十分欣慰。现在这已经成了历史，但人们依然会记住它。

弗朗兹•克拉默总是喜欢把自己描绘成一个农民的儿子——强壮而又懂得克制自己。他出生于奥地利和南斯拉夫斯洛文尼亚两国交界处一个叫莫斯瓦德的小山村，自幼便参加了一个特别的滑雪学校，每天早上进行训练。不过，他矫健的身手并不如他的大胆来得明显，平时他总把危险抛诸脑后，好在还不至于太蛮干。18岁时，他进入国家高山速降滑雪队，在两年内，便在一级方程赛事中取得了令人敬畏的成绩，尽管他还缺乏成为世界杯竞争者全面的技术，包括小回转和大回转项目在内。

1976年，由已故的布伦戴奇所引发的对奥地利及它的骄子卡尔•施兰茨的侮辱仍然是一个热门话题。全奥地利都希望，实际上是在要求克拉默能够想办法报这一箭之仇，在已故国际奥委会主席的眼睛里吐一口痰。22岁的克拉默当时就生活在这种气氛之中。开幕式上，他执掌奥地利国旗。第二天，他命中注定的日子到来了。高山速降的赛道有3 145米长，起点和终点的海拔落差达到了870米。

没有比弗朗兹•克拉默在1976年高山速降中更加勇敢的冲刺行为了，在这次比赛中，他击败了卫冕冠军瑞士选手伯纳德•鲁西,后者向他表示了祝贺。（国际奥委会供图）

他并不是没有对手。奥运会之前在帕加寇非山区举行的世界杯比赛中，瑞士选手伯纳德•鲁西（Bernhard Russi）仅比克拉默慢了半秒，他们两人似乎是势均力敌的一对。在第一轮比赛中，在经过调整以便能产生更高速度的赛道上，他甚至比克拉默上一年的纪录还快了10秒。余下的11名选手都没有取得如此骄人的成绩，其中，意大利选手赫伯特•普兰克（Herbert Plank）仅落后半秒多。

现在轮到克拉默了。在1 000米处的第一个中途计时站，他落后于鲁西和普兰克；在2 000米处，仍然落后0.2秒。尽管他不可能准确地意识到这些相对时间，但克拉默还是明白，已经到最后关头了。为了保持下坡的动力，在所谓的“熊颈”处他直接走了直线，甚至差点撞到了人群。一个非正式的计时记录表明，他的时速比鲁西的75英里/小时（120公里/小时）还要快6英里。不管你是在现场，还是在电视机前观看比赛，这都是奥运历史上最让人惊心动魄的时刻之一。那个身着黄色运动衣的家伙像只没头脑的兔子，几乎是垂直地滑落下来，看起来他随时都会摔倒。克拉默以此向世界宣告：“我来了！”他的确来了，1分45.73秒的成绩比鲁西领先虽不足半秒，但的确是历史上最好的高山速降成绩，平均速度达到了令人惊讶的102.828英里/小时，这一纪录一直保持了22年之久，直到美国选手汤米•莫（Tommy Moe）在利勒哈默尔创造了103.319英里/小时的纪录。如果考虑到克拉默是在倒数第3个出场的，他当时处于不利地位，这就更是一个令人惊讶的成绩了。“真是完美，以最快的路线突破极限从而取得胜利！”赛前的夺冠热门选手加拿大人史蒂夫•波德博尔斯基（Steve Podborski）回应说。而鲁西以0.33秒的差距屈居第二。

作为大回转和小回转项目的夺冠热门选手，意大利人古斯塔沃•托尼（Gustavo Thoni）曾分别获得了札幌冬奥会的亚军和冠军，在最近4届世界杯中他连连胜利。虽然还没有人能够在奥运会的高山滑雪项目上连续获得冠军，而且在高山速降比赛中他也只获得了第26名的成绩，但托尼打算拼一下。他的竞争对手是19岁的瑞士小将英格玛•斯滕马克（Ingemar Stenmark）和1974年世界锦标赛冠军皮耶罗•格罗斯（Piero Gros），其中，英格玛•斯滕马克曾在上一年的世界锦标赛中被托尼以微小优势击败。在大回转比赛中，托尼和斯滕马克都被一对瑞士选手海尼•海米（Heini Hemmi）和厄恩斯特•戈德（Ernst Good）打败，这两人以前从未获得世界锦标赛冠军。托尼在第一轮比赛中领先，斯滕马克在第二轮比赛中拔得头筹，但海米和戈德平稳的表现更出色，他们最终分别获得金牌和银牌。在小回转比赛中，格罗斯的运气来了，他在第二轮比赛中比他的队友快了1秒钟，并因此成了英雄。托尼伤心欲绝，回到自己的住处去了，那是他用自己挣的钱租的一个旅店。在布伦戴奇和其他业余选手看来，他已经非常富有了。

没有一个女子高山滑雪选手能像赛勒（奥地利，1956）和基利（法国，1968）那样囊括3枚金牌，不过，西德选手鲁西•米特迈尔（Rosi Mittermaier）离这个目标很接近。虽然才25岁，米特迈尔已经因漫长的运动生涯而被冠以"大姐大"的称号了。在此之前，她并没有获得过高山速降的冠军。这是她第3次参加奥运会。在到达终点时，她发现自己比自负的奥地利选手托奇尼格（Totschnig）还快了半秒钟。而这时，卫冕冠军瑞士人玛丽•特蕾西•纳迪格（Marie-Therese Nadig）还因为流感在病床上备受折磨呢。这是米特迈尔在100次尝试之后拿到的第一个高山速降冠军。第一枚金牌到手了，还有两枚在等着她呢。

4天后，在小回转比赛中，她用自己的技术力压群芳，获得了第二枚金牌。在那个高难度的赛道上，42名运动员中只有19人两次都顺利完成。在第一轮比赛中，米特迈尔仅次于对手帕梅拉•贝尔（Pamela Behr），但在第二轮比赛中她取得了第一。一时间，她在奥地利和德国声名大噪，街道上挤满了她的崇拜者，以至于需要出动警察帮忙疏通道路，护送她回到旅店。

鲁西•米特迈尔在经过100次尝试之后最终获得了她的第一个高山速降冠军（左），也获得了小回转的冠军（右）。

在接下来两天的大回转比赛中，米特迈尔三取金牌的梦想最终破灭了，来自安大略的18岁姑娘凯西•克赖纳（Kathy Kreiner）首发出场获得领先，并将这一优势保持到最后。米特迈尔第4个出场，在前半段一直处于领先位置，但在后半段开始落后，以0.12秒的差距与第3块金牌失之交臂。克赖纳几乎有一种做错了事的感觉。在终点处，那些颇显沮丧但仍然热情十足的米特迈尔拥护者给她献上了一大束鲜花。米特迈尔把鲜花献给了克赖纳和铜牌获得者丹妮尔•德贝纳尔（Danielle Debernard），并把获胜的克赖纳高高举起：这是奥运精神的体现。

英国花样滑冰选手约翰•柯里（John Curry）在克服了一系列困难之后终于获得了成功。自从6岁时观看第一次冰上表演以来，他便本能地喜欢上了舞蹈和芭蕾。他父亲就像奥斯卡获奖影片《舞动人生》中的父亲一样，认为舞蹈和芭蕾缺少男人味，劝他返回速滑赛场。16岁在伦敦做银行的兼职书记员时，他跟着著名教练瑞士人阿诺德•盖斯威勒（Amold Gerschwiler）受训。从这时起，已经有反对者说他的风格与传统相比太艺术化了。

1973年，他得到了美国工业家艾德•莫斯（Ed Moser）的资助，在科罗拉多州丹佛接受卡罗•法西（Carlo Fassi）教练的指导，此人曾是前奥运冠军佩吉•弗莱明的教练。1975年他在欧洲锦标赛中获得亚军，在世界锦标赛中获得铜牌。到1976年，柯里已经准备好了，他将带来前外一周半跳、后外钩点冰一周跳和灵敏的旋转等一系列以前在奥运会上未曾见过的动作。他的表演是如此出色，9名裁判中的7人都将他排在第一位，只有前苏联裁判把他排在伏拉季米尔•科瓦廖夫（Vladimir Kovalev）后面，加拿大裁判则因偏见把柯里排在托勒•克兰斯顿（Toller Cranston）之后。尽管如此，他已经毫无疑问地获得了6.0的最高分数。

法西同时还是多罗茜•哈米尔（Dorothy Hamill）的教练。19岁的哈米尔经过他5年的指导已经有了长足的进步。和柯里相反，她寻求把更多的竞技因素带入更富女性气质的女子赛场。她的跳跃和旋转都非常生动流畅，浑然天成。虽然很富乐感，但在必选动作上却相对薄弱。更糟的是，她因为比赛过度紧张而吃了不少亏。在前两次世界锦标赛上，她分别输给了民主德国的克里斯汀•埃拉特（Christine Errath）和荷兰的黛安•德•莱乌（Dianne de Leeuw），比赛中一点也不自信。虽然如此，法西的坚持还是得到了回报，这一次她在必选项目上获得了领先，在自选项目上很理想地将比分差距进一步拉大。这一次她做到了，分数非常高，意大利裁判因其技术上的卓越表现竟然打了6.0的满分。

爱莉娜•罗德尼娜和她的新搭档兼丈夫亚历山大•扎伊采夫（Alexandr Zaitsev）在双人滑项目上同样获得了一致好评，并夺得金牌。来自德意志民主共和国的两对运动员分获该项目的银牌和铜牌。第一位参加冬奥会的黑人选手美国人泰伊•巴比伦娜（Tai Babilonia）和兰迪•加登纳（Randy Gardener）搭档获得了双人滑的第5名。

在经过长期的申请后，冰舞终于在争议声中首次成为奥运比赛的项目之一。前苏联在该项目上占据了绝对优势。双人滑的举和抛等标志性动作并不为冰舞所接受。近几年来长期占据冠军宝座的帕霍莫娃（Lyudmila Pakhomova）和戈尔什科夫（Aleksandr Gorschkov）毫无异议地成为预料中的金牌得主。他们的队友莫伊谢耶娃（Irina Moiseyava）和米年科夫（Andrei Minenkov）获得亚军。这项赛事的训练和运动特点自此开始彰显出来。

来自底特律的席拉•扬（Sheila Young）在女子500米比赛中的表现可以和米勒的光荣相提并论。席拉•扬在4年前痛失铜牌，后来获得了一次世界冠军并创造了世界纪录。在因斯布鲁克，她被认为是不可战胜的，事实也证明了这一点。席拉•扬创造了42.76秒的奥运纪录，比她自己的世界纪录慢了2秒。第二天她又在1 000米比赛中获得铜牌，位列前苏联选手塔提亚娜•阿维里娜（Tatyana Averina）之后。阿维里娜被认为是奥运之星，她获得了1 000米和3 000米比赛的冠军，并打破了奥运纪录，同时还获得了500米和1 500米比赛的铜牌。

芬兰和前苏联在女子赛事上谁更有优势呢？33岁的前苏联选手格宁娜•库拉科娃（Galina Kulakova）后来成为本国最负盛名的滑雪运动员，她在1968-1980年的4届冬奥会上共获得了4枚金牌、2枚银牌和2枚铜牌。但在因斯布鲁克，她获得5公里铜牌后被查出药检呈阳性——当天早上向室友借的鼻滴剂中含有麻黄素。国际奥委会认为这是一个诚实的错误，允许她继续参加比赛，她随后获得了10公里比赛的铜牌，且在4×5公里接力项目上获得了职业生涯的第4块金牌。她的同胞、来自乌拉尔山脉的莉莎•斯梅塔尼娜（Raisa Smetanina）是本次奥运会最成功的运动

没有过多资助，没有过高估计，英国选手约翰•柯里只专注于舞蹈，在克服了种种不便和裁判的偏见后终于获得了成功。

员，共获得2金1银。她在4届奥运会中以10枚奖牌的成绩超过了库拉科娃。在5公里项目上，她与芬兰选手海伦娜•塔卡洛（Helena Takalo）相差1秒而得到银牌。

在长橇比赛中，东德35岁的前标枪运动员门哈德•内默尔（Meinhard Nehmer）在奥运会上第3个出场，（内默尔曾在标枪比赛中获得过可信的81.50米成绩，而他的双人项目搭档伯纳德•格米斯豪森（Bernhard Germeshausen）作为一名十项全能运动员也曾取得过7544分的成绩。）并赢得了双人和四人赛事的冠军。除了其中的3枚奖牌被其他国家运动员获得外，东德在长橇和短橇项目上得到了余下的所有奖牌。

回顾过去，我们能在多大程度上谴责东德选手呢？在个人努力方面，他们是诚实的，但是因为滥用药物以提高成绩，他们得作为一个集体而承担罪责。汉斯•乔治•阿申巴赫（Hans-Georg Aschenbach）和约翰•丹内贝格（Jochen Danneberg）在70米跳台项目上分别获得冠亚军。多年以后，阿申巴赫承认使用增强肌肉的类固醇药物。在获胜后等待药检的那一段时间里，他被自己可能被查出作弊并被曝光的后果吓坏了，“没有人能想象你经历过什么，”他回忆道，“你甚至会忘了所赢得的一切。”类固醇对阿申巴赫在赛前从膝伤中恢复过来起到了很大的帮助。

第49章　蒙特利尔

第二十一届夏季奥运会 1976

芬兰选手拉塞·维伦（*Lasse Viren*）

唯一两度获得10 000米和5 000米长跑冠军的运动员

当我年轻的时候，一直都忙于职业训练。我从没有想过奥运会，虽然知道奥运会的存在，我也熟悉帕沃•努尔米和汉内斯•科勒赫迈宁的名字，但他们都太遥远了。对我来说，重要的是芬兰和瑞典间的年度比赛，包括主场和客场两次比赛。我知道有许多人参加过此项比赛，我的雄心壮志也就盯在这上面了。这是一项非常有名的赛事，每两年在赫尔辛基的奥林匹克体育馆举行，而且自1925年以来，比赛的门票总会在两天之内全部售光。直到1971年，奥运会还很遥远，也不是那么重要的事情。

那时，我们在芬兰的比赛是很正式的：首先，你必须参加地区锦标赛，获得参加全国锦标赛的资格，然后才有可能获得参加与瑞典比赛的资格。我们没有其他大型国际赛事，无论如何我都没有想过出国比赛，直到1971年的欧洲锦标赛。体育对我来说是件愉快的事情，我喜欢它。我一直在芬兰的茂密森林里训练。1971年的锦标赛，我获得了5 000米的第7名、10 000米的第17名，我突然认识到，我可能获得了参加奥运会的资格。

当我把目标设定为参加慕尼黑奥运会时，开始认识到还有更多的事情需要做。奥运会非常重要，对我和我的国家都是如此。我一直都非常现实，努力保持脚踏实地，但是奥运会是一个大场面，能够参加就已经是一项成就。获胜甚至都成了一件令人难以置信的事情，这也是我一直都在坚持去做的事情。尽管纪录后来被打破了，但奖牌还保留着……我获得的奖牌和奖品没有放在显眼的地方，而是被放在衣柜的一个角落里。当我的大儿子在6岁时打开衣柜门，看到奖品时，他跑到妈妈那儿问："妈妈，妈妈，爸爸曾经是运动员吗？"

我怀疑现在的体育，特别是跑步，是否还像我年轻时那样。那时，奥运会是世界上最伟大的赛事。今天，他们有了专项田径赛事，有了国际汽车赛事，有了许许多多有着丰厚奖金的赛事，金牌已经不算什么了。回到70年代，我们除了奥运会外没有其他的世界锦标赛事，没有半程马拉松比赛，没有公路接力赛。在今天，锦标赛本身几乎没有什么意义，所有的运动员都在问“值多少钱？”做第一个在4分钟之内跑完赛程的人？或者是第一个突破百万美元大关的人？我不相信当今奥运会上的胜利与以前的一样伟大。

在到达蒙特利尔之前，拉塞•维伦被问及为什么有了慕尼黑奥运会两项冠军头衔后，还要试图卫冕呢。他回答说不想让他的国人再把“会飞的芬兰人”仅仅与努尔米等同起来，他要终止这种联系。在一个只有450万人口的国家，他发现自己始终被一个已经被确立多年的传奇形象所遮蔽，腿伤和鼻病自慕尼黑奥运会后就一直困扰着他，使他的状态低迷，怎样才能对付对手呢？包括葡萄牙人卡洛斯•洛佩兹（Carlos Lopez）、新西兰人罗德•狄克逊（Rod Dixon）和迪克•夸克斯（Dick Quax）、英国人布伦达•福斯特（Brendan Foster）和伊恩•斯图尔特（Ian Stewart）等。这个孤独的寡言少语的芬兰人，一个乡下来的警察，在发表这通宣言时，就像凭空地一阵情绪激动罢了。而之后发生的事情却让人们瞠目结舌。

由于抵制事件所导致的埃塞俄比亚和肯尼亚运动员的缺席减少了10 000米长跑比赛的激烈程度，但没有降低比赛的标准，因为留下的前8位选手和慕尼黑奥运会时的前8位选手跑得一样快。安排上的不同寻常之处是取消了赛间的休息。比赛中没有选手采取新的战术，相反的是，洛佩兹学习了戴维•贝德福德（Dave Bedford）（本次未参赛）的方法，在比赛最后阶段逐渐全力加速。

洛佩兹在两公里后就取得了领先，接下来的时间里，他跑得越来越快，每公里的耗时越来越短：2分53秒，2分50秒，然后是2分49秒。他不断地加速，又一个2分49秒，第5公里是2分46秒，5 000米赛程总共花了14分9秒，比贝德福德创造的世界纪录慢了半分钟。洛佩兹的策略很大胆，不过有些人认为这种速度太让人失望了。他没能甩掉冲刺速度更快的对手，在最后一圈，维伦慢慢地超过了他，以5秒的优势成为奥运史上第2个卫冕该项目的选手，此前只有扎托佩克做到了这一点。维伦来自于赫尔辛基东北70公里外的一个小村子，此时，他在体育界的声望已经成就大半了。

他的对手们在5 000米比赛中会如何对待他呢？这是一场艰难的比赛，不过，他的对手们应该明白，要么在比赛开始时就把他甩在后边，将他踢出局，要么耐心等到最后再超越他。有一些对手很有实力，特别是狄克逊和夸克斯，他们都有可能成功，而福斯特在预赛中甚至还创造了13分20.34秒的奥运纪录。有人开始宣称，维伦少见的高水平发挥源自于“血液回输法”：在高海拔地区将少量血液抽出，让体内自行产生新的血液，在比赛之前将抽出的血液重新输回体内，以提供额外的含氧红细胞。人们知道这种方法曾在斯堪得那维亚半岛被采用，但维伦却神气十足地否认了这一点，他对自己在大赛中超常发挥的解释是：这是自己真正发挥水平的时候。紧接着，更大的争议袭来，5 000米决赛前，国际奥委会要求维伦为自己在10 000米比赛后挥舞鞋子的举动做出解释，问他这是否是炫耀性的商业行为。“不是，这不过是兴奋的表示。”他回答。最后，那些老爷们的忍耐最终让他得到了豁免。

如福斯特在10 000米中所经受的那样，夸克斯在比赛中不幸地被追上了。 维伦现在正与福斯特齐头并进。落后的夸克斯和西德的克劳斯•皮特•希尔登布兰德（Klaus-Peter Hildenbrand）

蒙特利尔5 000米比赛中，芬兰选手拉塞•维伦在最紧张的长跑冲刺中，领先迪克•夸克斯（291号）和克劳斯•皮特•希尔登布兰德（420号），成了“双双料冠军”。

在第4公里时加入了他们的队伍。在最后3圈时维伦开始加速。他看了看后边，“我处境不妙，人人都是我的威胁。”他说，“我已经跑了两个60秒的圈了，可他们还在那儿。我就像个逃难者一样。”在接近终点时，他们仍然没有拉开距离。这是奥运会上一次最特别的比赛结束场面：5位选手成一线散布在赛道上，他们中的每一个都可能是冠军。当他们拼死进入最后一个直道时，维伦精干的身形开始突出。他的步幅正在缩短，但节奏仍然把握得很好，继续保持着微小优势，其他人正在奋力争夺另外两块奖牌，同时怀着微小的期望：希望维伦崩溃。夸克斯是一个亲切、健谈和有才能的新西兰人，最近平了普特曼的纪录，他紧挨着维伦的肩膀却始终不能再靠近一个手臂的距离。在终点线，希尔登布兰德发力从狄克逊手里夺走了铜牌，福斯特排名第五。如此紧张的长跑选手的冲刺使奥运会达到了高潮：现在有了第一位能够在5 000米比赛中卫冕的选手，更不用说他获得的是特别的“双双料冠军”。他的13分24.76秒的成绩比4年前的奥运纪录更快。“他就像响尾蛇一样快。”他的一个对手说。

古巴选手阿尔伯托•胡安托雷纳（Alberto Juantorena）没能在1972年奥运会的400米半决赛中胜出。1976年，他不仅在这一项目上，甚至罕见地在800米比赛中也处于优势地位。在蒙特利尔，他两次获胜，包括创造800米世界纪录。即使是像胡安托雷纳这样强壮的运动员，能够在22岁至26岁间取得如此长足的进步也足以让人惊讶莫名。如果不亲自见识他的日常训练，这一疑问是很难得到答案的：不同寻常，普通人只能这么说。他似乎能将普通人只能坚持一圈的无氧跑坚持得更久，而部分地延续到本该属于有氧跑的第二圈中，这便是他的卓越之处。在教练告诉他跑800米能够提高400米跑的耐力后，他才被说服参加800米比赛的。由于抵制比赛的肯尼亚选手迈克•博伊特（Mike Boit）缺席，卫冕冠军里克•沃尔哈特（Rick Wohlhuter）便成了夺冠热门。

在赛前虽然有关于沃尔哈特将获胜的说法，胡安托雷纳还是在800米决赛中一路领先，轻松应对了印度选手锡兰•辛格（Siran Singh）无足轻重的挑战，之后又保持了对自负的沃尔哈特的领先。在50秒内他便跑完了第一圈，很显然，新的世界纪录就要诞生了。胡安托雷纳在跑向终点之前没有任何怀疑，他成了首位来自非英语国家的800米冠军。他的1分43.50秒的成绩也以0.2秒的优势打破了由意大利人马瑟罗•菲亚康纳诺（Marcello Fiasconaro）保持的世界纪录。伊沃•范•达姆（Ivo Van Damme）从沃尔哈特手中抢走了亚军的位置。

古巴人阿尔伯托•胡安托雷纳以其强健的体格和步伐获得了少见的400米和800米两项冠军，图中他正在超越比利时人伊沃•范•达姆和美国人里克•沃尔哈特并最终获得胜利。

在短跑比赛中，胡安托雷纳没有表现出任何倦怠。他的竞争对手来自美国。弗雷德•纽豪斯（Fred Newhouse）和赫尔曼•弗雷泽（Herman Frazier）率先进入直道，前者似乎已经看到了冠军的希望。尽管如此，当胡安托雷纳把自己的步调调整到最佳后，美国人还是稳稳地赶上了，最后赢得了比赛，成绩是44分26秒，虽然比李•埃文斯（Lee Evans）的世界纪录和奥运纪录慢一些，但这也是由非美国选手所创造的有史以来第4好成绩。英国人大卫•詹金斯（David Jenkins）和纽豪斯此时还在半路上呢，纽豪斯最终排名第七。而詹金斯却因为在美国贩卖类固醇药物，随后被宣判有罪而锒铛入狱。

没有人在看了艾德•摩西（Ed Moses）400米栏比赛那天的训练后还会怀疑他是不是冠军。通过复杂的安排，他更新了自己的技术，在障栏间维持13个步伐而不是15个：在使用13个步伐的情况下，前两届奥运会中破了纪录的世界冠军大卫•赫默里（David Hemery）和约翰•阿基•布阿（John Akii-Bua）都只能跨过前5个障栏。摩西比缺席比赛的阿基•布阿的步伐更有节奏。摩西的另一个威胁，两年前欧洲和英联邦锦标赛的冠军英国人阿兰•帕斯科（Alan Pascoe）正长期受着伤痛的困扰，而他的训练目标就是在蒙特利尔取得47分50秒左右的新世界纪录。

摩西，这个带着眼镜的美国黑人，在这一年的3月份前没有参加过比赛，但在美国奥运选拔赛时他跑出了48.30秒的成绩，排名第三。奥运会是他参加的首次国际赛事，当时他年仅20岁。决赛中他脱颖而出，领先同胞迈克尔•夏因（Michael Shine）和前苏联选手耶夫捷尼•加夫里连科（Yevgeni Gavrilenko），创造了47.64秒的世界纪录。自1977年8月起，摩西在将近10年的107场比赛中连续保持不败，他创造的47.02秒的世界纪录一直保持到1992年。

十项全能比赛前，人们希望卫冕冠军尼古拉•阿维洛夫（Nikolai Avilov）能够与西德选手吉多•克拉奇梅尔（Guido Kratschmer）、美国选手布鲁斯•詹纳（Bruce Jenner）共同上演一场精彩的对决。詹纳虽然在慕尼黑只获得第10名，但随着自身进步，现在已经以8 538分的成绩成为了世界纪录保持者。他毫无悬念地获得了冠军，并将纪录提高到了8 634分。在第一天的5项赛事中：100米、跳远、射击、跳高和400米，他发挥出最好水平，仅落后阿维洛夫17分，落后克拉奇梅尔35分。这意味着面对第二天的强项，詹纳已经稳操胜券，在还剩两项赛事时，结局便已明朗。他知道这一胜利会让他变得富有，他不需要再进行比赛了——至少他不用再为自己住的破旧的拱顶房屋而烦恼了。

在美国严格的奥运选拔制度下，史蒂夫•威廉姆斯（Steve Williams）和休斯顿•麦克蒂尔（Houston Mctear）都因受伤而未能获得参加100米比赛的资格，即使前者曾经追平或者打破了100米短跑的世界纪录。老教练勒罗伊 •沃克（Leroy Walker）对这种僵化的选拔制度提出了严厉的批评，因为这是自1928年以来，美国在此项目上首次与奖牌无缘。夺冠热门是牙买加人丹•夸里（Don Quarrie）和卫冕冠军瓦列里•博尔佐夫（Valeri Borzov），另外还有此前一年泛美运动会的冠军西尔维奥•莱昂纳德（Silvio Leonard）。由于有脚伤，莱昂纳德在第二轮就出局了。特立尼达选手哈斯里•克劳福德（Hasely Crawford）满脸愁容地出现在起跑线上，他在慕尼黑奥运会上因伤未能参加决赛。克劳福德虽然有些紧张，不过这并未阻止他在最后20米先后超越博尔佐夫和夸里，以10.06秒的成绩领先夸里0.02秒，获得冠军。他也是特立尼达在所有体育赛事中的第一个冠军。

由于抵制事件的发生，约翰•沃克避开了同坦桑尼亚选手菲尔伯特•巴伊的竞争，轻松地领先比利时选手伊沃•范•达姆和西德选手鲍尔•海因兹•韦尔曼，获得冠军。

许多著名运动员的后代都难以从父辈的阴影中走出来。不过米克洛斯•内梅斯（Miklos Nemeth）却是个例外，他是伊姆雷（Imre）的儿子。伊姆雷是1948年奥运会的链球冠军，曾3次保持世界纪录。内梅斯在墨西哥城没有进入决赛，在慕尼黑只得了第7名，比欧锦赛的第五好不到哪儿去。在蒙特利尔时他已经29岁了，在第一掷中，他竭尽全力，94.58米的成绩比因伤缺赛的前冠军克劳斯•沃尔夫曼（Klaus Wolfermann）的世界纪录还多了2英尺，超过他以前的最好成绩10英尺。他和父亲伊姆雷成了唯一在田径项目上获得金牌的父子组合。

在女子赛事方面，用现在广为人知的有关东德教练和运动员广泛使用禁药的事实，以事后诸葛亮的口气来作一个描述的话，肯定会有人对前苏联和东德在蒙特利尔奥运会上的光辉成绩——他们赢得了除两项赛事外所有田径项目的金牌，而东德获得了共14枚金牌中的9枚——持怀疑态度。东德在比赛中的优势引人注目，与游泳比赛中的表现一样可疑。短跑比赛表现最出色的选手是伊莉娜•谢文斯卡（Irena Szewinska），她把自己保持的400米世界纪录提高到49.29秒。1974年，她在第二次跑400米时便成为第一个突破50秒大关的女性。谢文斯卡在1964年至1976年的4届奥运会中共获得7枚奖牌（3金、2银和2铜）。

罗马尼亚体操教练贝拉•卡罗利（Bela Karolyi）在娜蒂亚•科马内奇（Nadia Comaneci）5岁的时候发现了她。到11岁时，她已经成了全国冠军，两年后成了最年轻的欧洲冠军。在14岁的时候，她初次出征蒙特利尔奥运会，并成为首位获得满分的体操选手。这让已经建立起优势地位的前苏联选手们感到惊慌失措。在前苏联队中，快速成长的涅莉•基姆（Nelli Kim）和老队员卢德米拉•图里谢娃 不得不容忍人们对奥尔加•科尔布特的偏爱，虽然后者从未击败过图里谢娃。科马内奇在欧洲锦标赛上曾战胜图里谢娃而成了夺冠的热门人物。她毫无惧色的发挥赢得了全世界所有电视观众的支持。在高低杠项目上以两个10分获得第一名，在平衡木上她也独占鳌头，在自由体操项目上位列图里谢娃和基姆之后，获得铜牌。她最终获得全能冠军的头衔。在获得了更高的分数后，科马内奇在平衡木和高低杠项目上赢得了另外两枚金牌。基姆也获得了两枚金牌，科尔布特只获得一枚银牌。

无论东德选手是否受益于药品的使用，他们在每一项运动中的表现，从冬季奥运会的雪橇，

罗马尼亚选手娜蒂亚•科马内奇打破了整个局势，在平衡木项目上获得了满分10.0分。

到夏季奥运会的游泳、跑步和其他项目，都反映出国家对于体育科学和训练的关注已经提高到细致入微的程度。

当英国选手大卫•威尔基（David Wilkie）在200米蛙泳项目上夺得自1908年来英国的首枚游泳金牌时，美国人对男子游泳比赛的垄断被打破了。但美国队的优势继续存在：他们的约翰•内伯（John Naber）获得4枚金牌，包括2枚接力金牌，还包括1枚200米自由泳的银牌。澳大利亚裔的意大利人克劳斯•迪比亚西（Klaus Dibiasi）是第4次参加奥运会了，他成了首位连续3次获得金牌的跳水选手。

在拳击比赛中，美国人又一次出彩。经历了慕尼黑的弱势之后，他们打造了一支拥有5位冠军的最强的队伍：次轻量级的李奥•伦道夫（Leo Randolph）、轻量级的霍华德•戴维斯（Howard Davis）、轻中量级的雷•伦纳德（Ray Leonard）、中量级的迈克•斯平克斯（Michael Spinks）和他的兄弟轻重量级的列昂（Leon）。古巴选手特奥菲洛•史蒂文森（Teofilo Stevenson）在重量级比赛中成功卫冕，并成为奥运会拳击比赛的三连冠。

古巴选手特奥菲洛•史蒂文森成功卫冕重量级拳击冠军，照片显示的是他在半决赛中击败美国人约翰尼•塔特的情景。

第50章 冷战，热吵

爱尔兰人基拉宁勋爵

第6任国际奥委会主席（*1972—1980*）

“我们将在这届大会上讨论第22届奥林匹克运动会所面临的问题……除了美国和澳大利亚政府的观点外，执委会也已经征求了国际奥委会成员大会主席的意见。考虑到要向世界公开1980年奥运会的情况，我觉得自己有责任将一些关键点作一回顾。

国际奥委会于1974年通过了在普莱西德湖和莫斯科举行奥运会的决议。协议的签署完全符合奥委会制定的规则。从当时世界的反映来看，这些决定被作为相互谅解的标志而受到了广泛欢迎。尽管当前的政治形势发生了可悲的变化，但是我们必须忠实地履行1974年的协议。但不幸的是，自现代奥运会诞生以来，政府就一直试图赋予其政治目的。我从来没有否认和忽视过政治的侵扰，但是我相信，抵制这些侵扰符合我们大家的利益。我们必须妥善解决德中两国的政治问题以及南非和罗得西亚的种族问题。我们一直力求以体育的观点去解决这些问题，努力为世界人民带来团结。

……我们只能祈祷两大对立集团的领导人能够走到一起来解决他们的纷争，避免另一场世界性的大屠杀。我将继续谴责奥运会在某些方面表现出的大国沙文主义。民族偏见产生的积累性后果对我们毫无裨益，相反我们的规则表明：“奥运会是个人间的竞争，而非国家间的竞争。”虽说如此，不论是在奥运仪式上还是在运动赛场上，国家主义的势头依然有增无减。对此，国际奥委会并非没有过错，甚至还可能在一定程度上起到了推波助澜的作用。除此之外，就有关奥运仪式也存在不少误解。但事实上，就像奥运会一样，颁奖仪式和奖牌是国际奥委会的财产，而不是主办城市的。

我们居住在一个有着左右极权主义的世界上，又有哪个国家能说自己完全尊重人权并且不存在任何形式的歧视呢？……我希望那些有不同观点和情感的人不要利用奥运会来分割世界，而是要拿它来团结全人类。国际奥委会明年要在巴登-巴登举行第十一届奥林匹克大会，届时国际单项体育联合会、各国奥委会、运动员联合会以及政府和非政府体育组织都将派代表出席……将讨论一些永久性的奥林匹克政策，包括运动员参赛资格、商业化、政治化以及奥运会的规模、举办和管理等……我现在邀请国务卿赛勒斯•万斯先生正式宣布第82届国际奥委会例会开幕。（大会致辞，普莱西德湖，1980年2月）

尽管基拉宁极力呼吁理性对待奥运会，但他和国际奥委会还是面临着众多的非议，他们所制定的协议受到了侵犯，而这种侵犯是以吉米•卡特政府的旗手万斯发表演讲的形式出现的。对外毫不掩饰自己政治目的的卡特徒劳地希望在大选中依靠前苏联最近对阿富汗的入侵捞取政治资本。

基拉宁是一个陷入麻烦中的非政治家主席。政治家们不会撇开国际奥委会，毕竟它是一个非常具有吸引力的平台，能够吸引全世界观众的注意力。1977年的布拉格例会谴责了抵制蒙特利尔奥运会的国家，不过并没有追加任何处罚。例会也对英联邦首相在苏格兰鹰峡会议上作出的决议表示欢迎，此决议表示将不会与南非进行任何体育交流。签署本项协议的包括新西兰总理罗伯特•马尔登，他曾出面改善了非洲人对奥运会的看法。在本届例会上，由加拿大和其他国家提出的延缓参加抵制事件的国家参加下届奥运会的提议被拒绝了，希腊总理卡拉曼利斯再三提出的所有奥运会都应该在希腊举行的建议也被驳回。

英国奥林匹克协会（BOA）在1978年提出了"没有运动员可以被剥夺参加奥林匹克运动会的权利"的决议，而这恰恰体现了《委员会主席关于奥林匹克运动会的最终报告》（国际奥委会，1977年）的有关内容，这份报告也对"政府阻止运动员参加国际比赛的行为"表示遗憾。英国奥林匹克协会申明的宗旨成了它18个月后反抗行动的基石，当时它拒绝了玛格丽特•撒切尔首相发来的4封要求他们加入卡特的抵制行动的信函，并且驳回了外交大臣卡林顿勋爵（Lord Carrington）3次类似的压制尝试。英国奥林匹克协会主席丹尼斯•弗卢斯（Denis Follows）爵士坚持认为："我们当然会遵从任何要求我们不得触犯的政府法律，但我们不会向某一项决议低头。"

1978年，萨拉热窝被选为1984年冬季奥运会的主办城市，而洛杉矶作为唯一的候选城市成为夏季奥运会的举办方。这一次，洛杉矶之所以会缺乏竞争对手不仅因为蒙特利尔遭受到严重财政危机的影响，还在于洛杉矶已经连续在1976年和1980年奥运会的申办中失败，这次该轮到它了。另外，奥林匹克运动很少像现在这样处于低潮（无论是在政治上还是在经济上），因此国际奥委会有责任接受洛杉矶的申办。由于这一申办是由私人公司运作的，这显然违反了奥林匹克宪章，洛杉矶市政府拒绝承担哪怕是一美元的成本，尽管市长汤姆•布拉德利希望他所在的城市能够与奥运会亲密接触。在和国际奥委会的契约中，将有两份与此届奥运会相关的合同：一份是国际奥委会和组委会之间的协议，其中规定后者

尽管洛杉矶市长汤姆•布拉德利（右）渴望举办本届奥运会，却不愿为之花费一分一毫。

将承担主办城市既定的责任；另一份则是组委会和美国奥委会之间的协议。

美国人对共产主义政治的敏感并没有阻止NBC电视台与莫斯科签订了价值8.7亿美元的电视转播权协议。来自前苏联的国际奥委会成员维塔利•斯米尔诺夫表达了自己的忧虑：一个由美国建立、一个坦桑尼亚人领导的运作团体正在试图形成一个国际协会，以分裂体育世界，"对于奥林匹克运动来说，这是非常危险的，运动员们很可能会因为政治原因被禁赛"。

与此同时，联合国教科文组织采取的政治行动也使基拉宁备感头痛。这一组织受到了莫斯科政治家们的暗中扶植，正在策划接管奥林匹克运动会。基拉宁在一定程度上阻止了联合国教科文组织以及国际体育联合会总会（GAISF）的托马斯•凯勒的野心，后者是随着1973年三大支柱委员会的成立而兴起的。后来三大支柱委员会与联合国教科文组织翻脸，基拉宁正是抓住这一有利时机，对联合国教科文组织对体育运动发展的主

动"帮助"表示欢迎，并承诺只要它不再受政治事宜的影响，双方将会继续合作等。然而，基拉宁试图规范运动员资格和业余主义的想法却由于国际足联的介入而受挫。

随着在蒙特利尔有关中国和台湾问题的升级，国际奥委会专门成立了一个委员会去访问它们。出于对中国的感情，基拉宁急于将中国带回奥林匹克，这一态度遭到了对台湾青睐有加的同僚们的敌视。他还建议执行委员会，可以接受台湾以别的名义加入奥运会。委员会首先同意批准来自北京的奥委会以"中国奥委会"的名义加入，同时还建议将来自台湾的奥委会以"中国台北奥委会"的名义留下来，条件是它必须采用新的国歌和国旗。台湾当局拒绝了这个提议，当台湾代表团以"中华民国"的名义到达普莱西德湖时参加比赛时，他们被拒绝入境，最后只得在开幕式之前返回了台湾。

在罗得西亚，伊安•史密斯总理与占国内人口多数的黑人就修改法律进行了协商，此后1979年被驱逐出国际奥委会的罗得西亚奥委会写信给国际奥委会，声称种族歧视已经被禁止了。然而，国际奥委会拒绝承认新的津巴布韦（罗得西亚）奥委会。直到次年2月，非洲人民联盟主席罗伯特•穆加贝上台执政时，才最终得到承认，就这样，全部由白人女子组成的津巴布韦板球队搭上了莫斯科奥运会（因受到抵制，本届奥运会的参赛国家数锐减）的末班车，并且赢得了冠军。

在普莱西德湖例会上，美国国务卿塞勒斯•万斯错误地发表反苏政治演讲，破坏了协议规定。

1979年12月28日，前苏联应喀布尔政府的"请求"进驻阿富汗。可以设想，联合国安理会的任何行动都会被前苏联否决，而奥运会恰恰将被安排在莫斯科举行。肆无忌惮地抵制奥运会没什么损失，卡特政府迅速作出反应，宣称"自由世界"需要让前苏联知道谁掌握着世界的道德准则。

到了一月中旬，众议院应总统请求，以386票比12票的结果要求抵制奥运会，参议院也以88票比4票通过了该决议，美国奥委会很快作出了支持抵制行动的承诺。

在奥运会开幕之前，基拉宁到达普莱西德湖乡村俱乐部，参加国际奥委会例会。当美国国务卿万斯在开幕演讲中提到，总统坚决反对继续在莫斯科举行奥运会，要求迅速找到一个替换场地，并且需要其他国家对抵制表示支持时，整个会场炸开了锅。

虽然例会上的争论异常热烈，但大会成员的意见很快趋于一致。2月12日，73位成员以主席名义发表了一项声明，声明指出，他们完全意识到自己所面临的艰难的政治形势；143个国家奥委会和国际奥委会将一致团结在奥林匹克宪章下，莫斯科奥运会必须按照计划举行；只有各国奥委会才有权接受或者拒绝奥运会的邀请；国际奥委会没有解决政治问题的义务。他们还呼吁各国政府，特别是那些超级大国，通过举行会谈来解决他们之间的差异。

与此同时，普莱西德湖奥运会也陷入了困境，其中组织方自身有着太多的内部问题。事实上，他们已经接近破产了。组委会几乎从承办奥运会那天开始就陷入了无组织状态：缺少投资、赛场和奥运村，同时还受到一些环境保护组织的干扰，他们更关心阿迪朗代克国家公园的保护：

90米滑雪跳台、白面山上滑雪赛道的扩展、小城的商业化和奥运村的建设对环境的影响问题。为了募集资金，组委会从联邦监狱管理局争取到4 700万美元的支持，条件是将赛后的奥运村用作外役监狱。滑雪跳台和冰球场馆的建设因为一个钢铁供应商的破产而被迫推迟，主要募款人因在发放合同时偏袒有裙带关系竞标者而被起诉，而为奥运修建的交通系统也被证明从长远上看是不合适的。卡特和万斯曾不冷不热地说，抵制运动会进一步影响到普莱西德的赛事，但前苏联还是比较明智地宣布，他们不会抵制冬季奥运会，也不支持"反对奥林匹克运动精神"的做法。中华人民共和国出现在本届冬季奥运会上，塞浦路斯也是首次出席奥运会，而懊恼的台湾只能在赛场外徘徊了。

冬季奥运会结束后，基拉宁认为，他已经把皮球踢到了各国际单项体育联合会、各国奥委会及各国体育协会的院子里，是否参加莫斯科奥运会是他们自己的决定。西德克虏伯公司的领导、同时也是国际奥委会成员的贝托尔德•贝伊兹（Berthold Beiz）试图说服基拉宁前往白宫和莫斯科。卡特在撒切尔的积极支持下，幼稚地要求重新更换主办城市，完全无视筹备奥运会需要花费的难以计数的时间、人力。同样无知的卡林顿勋爵被派到洛桑去转达此意，在此之前，他会见了英国奥林匹克协会和国家体育运动联合会的领导人，试图阻止他们前往莫斯科。面对如此强大的压力，英国奥林匹克协会主席丹尼斯•弗卢斯爵士坚持独立自主精神，表示英国会继续参赛，丝毫没有理会下议院已经支持撒切尔的这种意识形态封锁的计划。澳大利亚仅以1票优势决定参加莫斯科奥运会，西班牙则以22∶13的投票结果决定参加奥运会。

西班牙的这一决定为胡安•安东尼奥•萨马兰奇造就了一个重要的契机。在过去的5年中，他是后佛朗哥时代民主政体下的第一任驻前苏联大使，同时也是基拉宁继任者的候选人之一，选举将在莫斯科奥运会前举行。如果西班牙因参加抵制莫斯科奥运会而缺席此次会议的话，萨马兰奇的前景也将急坠直下。许多国际奥委会的元老，像阿什维尼•库马尔（Ashwini Kumar）和埃克塞特勋爵努力劝说基拉宁连任，不过基拉宁自认为已经达到了自己承诺的年限，已经到退隐的时候了。除萨马兰奇外，当时的候选人还有加拿大人詹姆斯•沃瑞尔、西德人维利•道默和瑞士人马克•霍德勒（Marc Hodler），他也是国际雪联的主席。尽管在国际奥委会外没什么名气，也曾是布伦戴奇的支持者，萨马兰奇却出乎意料地表现出非同寻常的强硬态度，而不是基拉宁般的绅士风度。萨马兰奇说：

> 我从未设想过自己能有机会成为主席，直到布伦戴奇表示支持我。我感到自己还没有和国际奥委会处在同一级别上，之后也一样，无论是在社会关系还是在体育知识上。但当我得到这一职位时，我意识到它并不像我以前所认为的那样特别。我们现在已经到了一个紧要关头，如果再这样继续下去的话，国际奥委会将会崩溃。我们如何才能避免诸如部分运动员可以在其他组织名下参加世界性比赛，却没有资格参加奥运会之类的情况发生呢？在我成为主席的那一刻，我就已经意识到，国际奥委会已经作好挑战未来的准备了。

在奥运会开始前的例会上，第一轮投票的结果为：萨马兰奇 44票、霍德勒21票、沃瑞尔7票、道默 5票。暗中支持萨马兰奇的还有突尼斯人穆罕默德•姆扎利（Mzali）和法国人德•博蒙特，这两人都反对继续举办这届奥运会。他们只身飞往莫斯科投票支持萨马兰奇，以向这个"不知名"的西班牙人表示支持，随后便匆匆返回。

由于莫斯科奥运会的缺席国家数目不断攀升，比赛规则只能相应作出调整。一直以来，奥运会的旗帜都由上届奥运举办城市的市长转交给本届举办城市的市长，然而此次将由两位少年火炬手从蒙特利尔带到莫斯科去，原因在于德拉波市长迫于政治压力无法前往莫斯科。尽管加拿大奥委会负责人沃瑞尔和理查德•庞德作了很多努力，加拿大还是参加了抵制运动。在莫斯科奥运会上，除了选派一名旗手外，各国奥委会并没有被要求在开幕式和闭幕式上列队入场。除此之外，他们还被允许使用自己的名称而不是他们所在国家的名称；他们甚至可以使用自己的旗帜或者是国际奥委会的五环旗；在颁奖仪式上他们也可以采取和开幕式及闭幕式一样的做法，如果愿意的话，可以用奥运会歌替代国歌。

截至到奥运会开幕，参加和抵制奥运会国家的数目分别是81和65，比基拉宁的最坏估计要好得多。毫无疑问，诺维科夫和国际奥委会的前苏联成员维塔利•斯米尔诺夫在忠于奥运会宗旨方面并不存在任何私心。诺维科夫曾发表过以下声明：

> 从举办奥运会的荣誉被授予莫斯科的那一刻起，在前苏联举办奥运会这一事实就引起了那些反对现代奥林匹克运动之普遍性与包容精神的国家的激烈反对。他们在莫斯科奥运会筹备期间发动了一些旨在诋毁奥林匹亚的政治运动，这是他们的过错……不幸的是发生在最近几个月的事件皆由以下事实而来，即美国政府认为自己具有使奥林匹克运动俯首听命的权利，并试图将体育用作政治施压的手段。

一星期后，基拉宁飞往华盛顿拜会了卡特。同一天，西德宣布退出比赛。尽管基拉宁的华盛顿之行和克里姆林宫之行一样收效甚微，国际奥委会在世界各地面临的藩篱正在被打破。英国奥委会坚决支持奥运会的态度正在为意大利和法国所效仿；在拉丁美洲只有智利加入抵制行动，大部分非伊斯兰非洲国家则已经意识到4年前那场抵制运动失败的必然性，他们都决定参加奥运会。肯尼亚、利比里亚和刚果是仅有的参加抵制的南撒哈拉国家，同时参加抵制的还有依附美国的以色列以及政治上随风倒的日本。

即便基拉宁没有像他的一些同僚所希望的那样迅速而有力地处理好这次危机，他依然可以称得上是一位热情的、值得尊敬的道德旗手。

尽管有几分失望，与刚就职时相比，基拉宁离开国际奥委会时的财政状况还算良好，这要感谢转让电视转播权的收入。他在任的8年间，

面对任期内的第2次抵制事件，基拉宁主席会见了吉米•卡特总统，后者正徒劳地想要阻止奥运会，从而达到为选举做秀的目的。

国际奥委会的资产从200万美元上升到4 500万美元。

即便各国代表团都出席，即便没有这次抵制事件，莫斯科的管理运作水平也仍然和8年前的慕尼黑不分上下。各项工作都提前一年完成，并在他们的第7届运动会上做了预演，该比赛共接待了1万名运动员。始建于1956年的列宁体育馆被翻新，并新建了一条塑胶跑道以及可容纳10万名观众的看台。游泳、跳水、拳击和篮球比赛被安排在新的体育馆进行；赛艇和皮划艇被安排到7年前修建的训练河道上进行。可容纳12 000名运动员和官员的奥运村离主体育场只有15分钟的路程，由于许多人的缺席，参赛者的居住环境比以往更加舒适，他们盘子里的食物几乎让少见美食的莫斯科市民感到惊讶。

尽管行动不便，73岁高龄的勃列日涅夫主席还是亲自指挥了开幕仪式。本届开幕式内容丰富多彩，表演非常出色，美中不足的是带有一定的军事色彩。最后一位火炬传递手是奥运三级跳远的三连冠维克多•萨涅耶夫（Viktor Sanyeyev），他把火炬递给国家篮球队队长谢尔盖•别洛夫(Sergei Belov)，由他点燃主体育场的火炬。两名前苏联宇航员出现在电视屏幕上，表达了他们的问候。虽然有16支队伍在走进体育场的时候表达了一些抗议，但大部分莫斯科人还是微笑着欢

这些参加奥运会的贵宾们。我想苏联人一定会暗自得意：面对竞争对手的减少，他们获得了80枚金牌、69枚银牌和46枚铜牌，民主德国以47金37银42铜名列第二。前苏联军队仍然留在阿富汗，卡特的抵制运动到此为止。

人群中的胡安•安东尼奥•萨马兰奇（下排中）和圣诺娜•玛丽娅•特雷西（Senora Maria Therese）一起观看莫斯科奥运会开幕式。上排为面无表情的基拉宁勋爵及其夫人，以及面色铁青的勃列日涅夫。

第51章 普莱西德湖

第十三届冬季奥运会 1980

瑞典运动员英格玛·斯滕马克（*Ingemar Stenmark*）

在冬奥会高山滑雪赛中两次夺冠

奥运金牌是一名运动员所能获得的最好的奖励。我是看着电视转播的奥运会成长起来的，在我的印象中，最不可思议的场面就是鲍勃•比蒙在墨西哥的惊世一跳。对我来说，能在普莱西德湖获胜就是一切，尽管这会是一段艰难的历程。早在奥运会之前，我就已经多次获得世界杯冠军，这也为我在奥运会上的表现带来了很大的压力。

大回转项目分两天举行并没有让事情变得简单些。第一天比赛结束之后我排在第3名，不过我想这对我来说也算是一个优势。如果排在首位的话，赛程之间漫长的等待可能会给我带来更多的压力。

我的首轮成绩相当糟糕，原因在于滑行路线过宽，完全没有按照我原先设计的路线走。我知道自己在第2轮滑行的时候必须竭尽全力。于是，我努力忘记了前一天那场失误的比赛。不过第2轮的赛道对我很有利。当我看到上半段赛道后，对自己说这次我一定能够挽回上次的失误。比赛前15分钟，我紧张得要死，甚至双脚都在发抖，然而一旦出发后，我便忘记了一切。尽管如此，这并不是一次理想的滑行，当我到达终点的时候甚至感到沮丧和愤怒。我认为自己滑得还不够快，特别是在上半段，所以当我发现已经获胜时，那感觉真是好极了。很多人认为我的获胜是理所当然的，但只有当你真正做到了的时候才会感到高兴。如果最终我排在列支敦士登选手安德亚斯•文策尔（Andreas Wenzel）之后获得第2名，这依然是一个很好的结果，但我会非常非常地失望。

我在小回转中的第2轮比赛中实力保存得不错。由于下雪，再加上又是第13个出发，我在首轮比赛中处于不利境地。头一个出发的美国选手菲尔•梅尔（Phil Mahre）成绩最好。第2轮我第2个出发，这让我感到特别高兴。我应该比其他选手更有心理优势，因为这回压力都转移到他们身上了。从某种意义上说，第2枚金牌更使我兴奋，因为在此之前，所有人都希望我在大回转比赛中获胜，但小回转比赛却更有悬念。赢得两枚奥运金牌让我感受到了前所未有的喜悦。

英格玛•斯滕马克的孩提时代是在斯德哥尔摩以北700公里处的一个贫瘠而孤独的大山中度过的——他成年后的害羞和孤僻也就不足为奇了。他家在一个小山村里，靠近他爷爷奶奶的农

瑞典选手英格玛•斯滕马克，一位出类拔萃的障碍滑雪专家，在一次事故后退出了高山速降的赛场。

场。斯滕马克幼年时几乎没什么同伴，“我滑雪是因为我能够一个人完成这一运动。”他说，在这块冬天连太阳都照不到一个小时的土地上，他的确没有什么别的选择。

起初斯滕马克一直由他父亲指导训练，13岁时指导他的任务便转交给了意大利人赫尔曼•诺格勒（Hermann Nogler），这位伯乐敏锐地感觉到男孩刻苦的训练终有一天会把他推上冠军的宝座。17岁时，斯滕马克便参加了世界杯巡回赛，1976年，斯滕马克获得了世界杯冠军。1979年，他创造了一个赛季获得13次胜利的纪录，比基利在1967年创造的纪录还要多。截止到1980年普莱西德湖奥运会前夕，他已经连续获得了14场大回转滑雪冠军，也因此创造了滑雪场上的奇迹：到1989年退役时为止，33岁的他共赢得了270次世界杯锦标赛中的86场胜利。

1979年，斯滕马克在意大利练习高山速降滑雪时不幸摔倒，出现了严重的脑震荡，不过他康复得很快，甚至还赶上了为普莱西德湖冬奥会作准备。由于心情紧张，他在大回转的第一轮中表现得非常谨慎，排在文策尔和南斯拉夫选手博杨•克利扎伊（Bojan Krizaj）后面，暂居第三。在第二轮比赛中，他以出色的表现证明了他在风格和速度上的领先地位，最终以领先文策尔 0.75秒的优势夺冠。

和斯滕马克一样，美国选手菲尔•梅尔也于当年不幸摔伤，甚至需要用金属盘去修复左踝，但他在小回转的第一轮比赛中充分利用了自己的首发优势，获得了良好的成绩，以1秒多的优势暂时领先，但这还不足以让斯滕马克之类的高手俯首称臣。在第二轮比赛中，斯滕马克再次以惊人的速度为自己扫清了夺冠道路。相反，梅尔在第二轮的成绩则慢了半秒多。于是，斯滕马克成为历史上仅有的在同一届奥运会中夺得大回转和小回转双项冠军的4名运动员之一。

对于安妮玛尼•普勒尔来说，普莱西德湖将成为她漫长职业生涯中的巅峰。8年前，在札幌冬奥会上她屈居瑞士选手玛丽•特蕾斯•纳迪格之后获得两枚银牌。对此，她一直耿耿于怀。截止到1979年，她已经获得了9场世界杯比赛中的6场胜利，两次获得第2名，此次在普莱西德湖她又以1分37.52秒的成绩获得金牌。

美国选手艾瑞克•海登（Eric Heiden）获得了从500米到10 000米速滑比赛的全部5项冠军，而且均创造了奥运纪录，他本人也因此成为奥运史上的里程碑。当然滑冰并不只是体力的较量，不过有着男性标准的健美身材的海登一直是雕塑家们梦寐以求的模特。他的腿围达29英寸，而腰围却只有32英寸，给他制作开幕式用的星条旗制服时，唯一一条适合他臀围的裤子比他的腰围大了

健壮的美国选手艾瑞克•海登获得了5枚速滑金牌，这在奥运史上是极为罕见的。

6英寸。

500米速滑是海登唯一的弱项，一周之前他曾在世界锦标赛中失利。此次在普莱西德湖的赛场上，起初他和世界纪录保持者前苏联选手耶夫捷尼•库利科夫齐头并进，然而就在快要到达终点时，海登爆发式的冲刺使他最终以0.34秒的优势获得冠军，并刷新了奥运纪录。由于头天晚上观看有两位队友参加的美国队和前苏联队的冰球决赛，他在10 000米决赛当天睡过了头，并在狼吞虎咽吃完早餐后匆匆参加比赛。尽管如此，他还是以领先8秒钟的优势战胜了荷兰选手皮耶特•克莱因（Piet Kleine），并创造了14分28.13秒的奥运纪录。就这样，海登赢得了所有速滑比赛的胜利，并成了第一位在同一届奥运会中夺得5枚金牌的速滑选手。

爱莉娜•罗德尼娜和丈夫亚历山大•扎伊采夫在他们的第一个孩子出世后，成功卫冕双人滑冠军。

爱莉娜•罗德尼娜是无可争议的花样滑冰之星，她和丈夫亚历山大•扎伊采夫再次从9名裁判那儿拿到了最高分，成功卫冕双人滑的冠军。两年前，她在连续获得第10个世界冠军后退出赛场一年，其间还生了一个孩子。此次普莱西德湖获胜之后，她的成就达到了苏妮雅•海妮曾创下的最高峰：10次世界冠军和3枚奥运金牌。

罗宾•卡曾斯（Robin Cousins）获得了男子花样滑冰的6个最高分，并最终获得冠军，从而为英国守住了约翰•柯里上届获得的冠军头衔，不过也有些人认为这枚金牌应该由东德选手杨•霍夫曼（Jan Hoffmann）获得。这也是英国在本次奥运会上拿到的唯一一枚金牌，而他的教练卡罗•法西也因此创下了在3届奥运会连续指导运动员夺得4枚金牌的纪录。

出于某些微妙的原因，在偏僻的普莱西德湖，冰球决赛成了最受人关注的赛事——这也是被冠以爱国头衔的“大学男子组”和所谓的邪恶苏维埃之间的大决战。抗议者在体育馆外高呼“抵制莫斯科”和“滚出阿富汗”等口号，不过比赛开始后会场内开始安静下来。此刻，美国人内心潜在的危机感和狂妄自大交织成的奇怪心理达到了平衡。比赛的魅力部分缘于美国队的大部分队员以及一向以严厉著称的教练赫伯特•布鲁克斯（Herbert Brooks）都来自明尼苏达大学。前苏联队可以说是世界上最强的队伍，由一帮职业和业余选手组成。比赛异常激烈，美国队在前苏联队的强攻下一次次死里逃生，守门员吉姆•克雷格（Jim Craig）苦于扑球。比赛还剩20分钟时，美国队仍以2比3落后，但之后的两次得分终于为他们赢得了令人激动万分的胜利。一时间，欢呼声几乎掀翻了这片土地上每户人家的屋顶。比赛中并没有出现血腥的暴力场面，在冲天的欢呼声中，前苏联队依然微笑着向胜利者表示祝贺，这样的场景成了文学创作的绝佳素材。

当美国冰球队击败前苏联队的时候，整个会场都沸腾了。

第52章 莫斯科

第二十二届夏季奥运会 1980

英国选手塞巴斯蒂安·科（*Sebastian Coe*）

两届奥运会1 500米冠军

1976年，当奥维特已经成为公认的蒙特利尔奥运会上的种子选手时，我还只是位初出茅庐的新手。1977年，奥维特在世界杯中一举夺冠，并击败了包括奥运冠军约翰•沃克在内的所有对手，而我直到1979年才具备夺冠的实力。但不管怎样，我无法忍受在参加完莫斯科奥运会后自己欺骗自己说：算了，无论是1976年还是1978年——那年我在布拉格举行的欧锦赛中败给了奥维特——都没什么大不了的。我一直都很尊重他所表现出的才华。参加莫斯科奥运会的时候，我已经快24岁了。自18岁起我便一直在怀疑自己能否击败他，我想这可能是我永远都无法企及的高度。在莫斯科800米比赛中的失利很大程度上源于我的不自信：我怀疑自己能否击败他，却没有想自己也曾创造过世界纪录。直到1981年，我才找回了自信，我开始相信自己能在任何比赛任何项目上击败他……

在1980到1984的4年间，情况有了新的变化。与23岁时相比，27岁的我已经判若两人。1980年，我的比赛动机是纯粹体育性质的，完全是为了向世界展示我，当时的世界纪录保持者，在800米比赛中是最棒的，同时我也很想知道自己在1 500米比赛中能否坚持完最后一圈。我想证明自己无论在精神上还是体力上都是最好的。然而在这场比赛失败之后，我发现自己在奥运会这个大舞台上还有很大的欠缺。我一直问自己是不是一名优秀的运动员，也许我还不是。到洛杉矶奥运会时，我已经变得更成熟，也更能集中精力了。我不再专注于在赛场上证明自己，而是抱着通过比赛来认识自己的心态来到了洛杉矶。

如果说莫斯科奥运会1 500米比赛获胜给我带来的是一种信念，洛杉矶奥运会则给了我带来了突如其来的愤怒——当然我最后的胜利证明了那些媒体是错误的——可能也带来了一些满足感。当你在奥运主体育馆进行的决赛中一路领先并获得胜利的时候，之前的半小时会使你学到很多与你自身有关的东西。可以说，很少有什么经历能够与在亿万观众面前夺冠相提并论。这也是竞争产生的首要推动力。不过能出现在奥运赛场本身就是值得纪念的，奥林匹克的独特魅力就在于“重在参与”的精神。总而言之，这一切都将成为你生活中新的起点。

塞巴斯蒂安•科，这位奥运历史上最具挑战性的选手之一，为了此次奥运夺冠已经谱写了长达一年之久的序曲。两年前，他在欧锦赛的800米项目上败给了斯蒂夫•奥维特，不过那只是在实验自己的跑步技术，比赛的第一圈他就用公认的近于自杀的49秒验证了自己的能力。虽然只获得了铜牌，却是他和彼德•科（Peter Coe，塞巴斯蒂安•科的父亲）已经进行了8年的训练的一个重要组成部分：也许有些人会说这种训练方式很荒谬。早在塞巴斯蒂安•科15岁的时候，他就已经梦想着要在莫斯科奥运会上打破世界纪录了。

在1979年夏的41天中，科一共打破了3项世界纪录，其中800米比赛成绩为1分42.33秒，比胡安托雷纳的纪录快了整整1秒；1英里比赛成绩为3分48秒95，这也使他和同时打破两项纪录的斯内尔平分秋色；此外，他在1 500米比赛中创造的3分32.03秒的成绩再次刷新了巴伊于1974年创下的纪录。

对于科，前5 000米项目的奥运纪录保持者布瑞登•福斯特曾经有过这样的评价："你不能和一个你知道始终比你快那么几秒的家伙一起站在起跑线上——因为在这种情况下你别想取胜。"作为回应，奥维特于当年在奥斯陆创造了2分13.4秒的1 000米世界纪录，并在1个小时内以3分48.8秒打破了1英里的世界纪录，他还在莫斯科800米预赛之前平了科的1 500米纪录。当科到达莫斯科时，英国业余运动员委员会决定举行新闻发布会以缓解采访压力，400名记者出席了新闻发布会，然而就在此时，一次出人意料的失败已经开始倒计时了。

在经过了一场黯淡的800米比赛后，英国塞巴斯蒂安•科获得了1 500米比赛的胜利，从而挽回了自己的声誉。对于科竟然领先东德选手尤尔根•施特劳布，他左侧的铜牌获得者，也就是刚刚获得800米奥运冠军的斯蒂夫•奥维特颇感意外。

科对于800米比赛获胜一直深信不疑，这一点反倒加速了他的失利。如果仅看进入决赛的其他7名选手的成绩，他的估计也许是正确的，因为没有一个人能够接近他的最好成绩，而事实上最关键的不在于奥维特，而在于两名东德选手安德里亚斯•布塞（Andreas Busse）和德特勒夫•沃根尼切特（Detlef Wagenknecht）可能会采取的团队阻止或夹逼战术。此次参与抵制运动的新西兰前世界纪录保持者约翰•沃克说："如果我们和美国人及西德人都在这儿，我想1 500米比赛将成为历史上最伟大的比赛之一。虽然我非常尊重奥维特的实力，但我在这两项赛事中更看好科。"

早在比赛开始前，科便决定在此次比赛中不再领跑，而是采用最后冲刺的战术。选手们起跑之后，科看起来就像跑在软沙上一样，似乎对前面的情况浑然不觉。进入第2个弯道后，奥维特以其特有的方式甩开了沃根尼切特，后者因失去平衡而倒地，还几乎带倒了法国人琼斯•马拉约（Jose Marajo），此人是赛场上除了科外唯一突破1分44秒的选手。此时的科仍像偷渡者一样在队伍后边蹒跚。当比赛进行到第3个弯道时，排在第3位的英国选手戴维•沃伦（David Warren）冲到了前面——对此，奥维特现在的教练安迪•诺曼（Andy Norman）预见道："沃伦一定会虚张声势地爆发一下，奥维特会像以前一样在还剩280米时发起冲刺，赶上沃伦，然后进行新一轮的冲刺，一旦他慢下来的话，还要小心别人的冲刺。奥维特会逐渐拉开距离，如果此时科还未能跑到前面的话，他将很难胜出。"实际情况果然如此。

当科最终醒悟过来的时候为时已晚，他现在距离奥维特6个步长。虽然科最后疯狂爆发，金牌最终还是落入奥维特囊中，他的成绩仅为1分45.40秒，同样的成绩在蒙特利尔奥运会上只能排第5名。

除了对手的自身素质外，还有一些因素也使奥维特在1 500米比赛中处于不利位置。首先，他希望能保持自己的不败纪录，这种毫无必要的做法就意味着他必须在半决赛中击败尤尔根•施特劳布（Jurgen Straub），而这将会消耗他为决赛所保存的体力。其次，他在800米比赛过后承认这场胜利是他以前想都不敢想的，这场意外的胜利也在很大程度上削弱了他的动力。

施特劳布是这场比赛的关键人物。诺曼曾再三警告奥维特说施特劳布会在最后700米开始加速，并努力保持自己的位置，这样一来，谁在最后300米领先，谁就能获得冠军。事实的确如此，形势对奥维特极为不利。施特劳布和他的教练伯恩德•戴斯勒（Bernd Diessner）已经精心安排了比赛战术，他们深信这至少能使他夺得一枚奖牌：开始的700米尽可能放慢速度，之后竭尽全力一直跑到终点。事实证明：这是一次勇敢的、成功的尝试。

起初，施特劳布和科一路领先，速度还算正常。施特劳布低着头跑在前面，好像已经沉醉在自己的世界中一样，就这样二人相安无事地跑到还剩800米的地方。此时，施特劳布开始实行自己的赛前计划，这将把这场比赛从闲庭信步变成生死大战：奥运历史上最漫长的一次终点冲刺开始了。施特劳布此举的目的是为了将科和奥维特甩开。在以61.6秒和63.3秒的成绩慢慢溜达了两圈后，他将第3圈的时间缩短到了54.2秒。当最后一圈的铃声响起时，赛场次序依次为：施特劳布、科、奥维特、布塞（东德）、方达奈拉（意大利）以及马拉约（法国），英国年轻选手斯蒂夫•克拉姆（Steve Cram）跑在最后。进入最后的直道时，施特劳布发起了最后的攻势。科现在必须作出回应了。在最后的转弯处，他的第一次冲刺使局势顿时变得明朗起来：据后半段的时间纪录显示，即便是在经历了700米的一路狂奔之后，科依然从距终点150米处加速一直到最后50米。科赢得了这场比赛，他最后800米所用的时间仅为1分48.5秒，这是当时1 500米比赛后两圈的最好成绩。施特劳布夺得了银牌，奥维特只拿到一枚铜牌。

拉塞•维伦再次出现在长跑赛场上，但此时的他已经过了体育生涯的黄金期。曾在8年前的慕尼黑奥运会上继维伦之后获得铜牌的埃塞俄比亚选手米鲁兹•伊夫特已经35岁了。抵制事件把许多人挡在了赛场外，比赛最后发展成了3个埃塞俄比亚人和两个芬兰人之间的竞争。伊夫特、莫罕默德•凯迪尔（Mohammed Kedir）和图卢兹•科图（Tolossa Kotu）3人一路领先，不过，领跑者和前进速度却不时会发生变化。20圈过后，芬兰选手维伦和卡尔罗•马宁卡（Kaarlo Maaninka）还在苦苦竞争，维伦也在徒劳地挑战着伊夫特，却被伊夫特最后的冲刺弄得精疲力竭，毕竟伊夫特是上一年度多特蒙德世界杯5 000米和10 000米双料冠军。马宁卡插到了伊夫特和凯迪尔之间，获得了银牌，而维伦只得到第5名。

没人知道埃塞俄比亚选手米鲁兹•伊夫特的年龄，不过人人都发现他很能跑——他在本届奥运会上获得了双项冠军。

毫无疑问，田径赛场的统治权依然掌握在前苏联人和东德人的手中，不过东德选手吉尔德•韦西格（Gerd Wessig）在跳高项目中的夺冠还是让人颇感惊讶，该项目世界纪录保持者西德选手迪特马•默根堡（Dietmar Mogenburg）缺席了比赛。韦西格是在奥运会前两周才被选来参加比赛的，但在列宁体育馆他击败了世界纪录保持者波兰选手雅塞克•弗绍瓦（Jacek Wszola）。

意大利选手萨拉•西梅奥尼（Sara Simeoni）获得了女子跳高冠军，并创造了1.97米的新奥运纪录，从前苏联和东德人手里夺得了漏网的两枚金牌之一。另一枚金牌则由古巴选手科隆•鲁埃涅斯（María Caridad Colón-Ruenes）在标枪比赛中获得。前苏联和东德的统治地位是如此稳固，以至于比赛显得十分单调乏味，这也更加坚定了新当选的主席萨马兰奇的立场，即允许在西方毁誉参半的职业选手参赛的“开放”型奥运会才是使奥运会更具有地域代表性、在政治上更加均衡的最佳途径。

在抵制事件众多无辜的受害者中，没有比埃及运动员约瑟夫•纳吉•埃萨德（Youssef Nagui Assad）更为不幸了。1968年，23岁的他以2厘米之差而未能参加奥运会的铅球比赛。接下来的两届奥运会，他仍在为参加比赛进行不懈的努力，然而在慕尼黑大屠杀之后，他所在的代表团退出了比赛，而后他的国家又参加了针对蒙特利尔和莫斯科的抵制运动。

人们很难对特奥菲洛•史蒂文森，这位奥运历史上的优秀运动员的行为作出评价。这位古巴重量级选手是唯一一位获得三连冠的拳击选手，曾在1972年至1980年的3届奥运会上连续夺冠。在同样重量级别上，他一直拒绝进入职业赛场，不过即便选择进入职业赛场，也未必能获得像前奥运冠军阿里和福尔曼那样的声望。蜂拥而至的职业入场券没有穿透史蒂文森的道德防线。“我不会用古巴人民的荣誉换美元。”史蒂文森反复声明。

古巴奥运拳击比赛三连冠获得者特奥菲洛•史蒂文森有多优秀呢？图为他和前苏联选手彼得•扎耶夫（Pyotr Zayev）之间的比赛。尽管很多商家高薪聘请他参加职业比赛，他都拒绝了。

女子体操因一名前苏联裁判的偏见而变得阴云密布，而世界冠军叶连娜•穆希娜（Yelena Mukhina）因上场前练习时脊椎骨折造成瘫痪而不能上场。她的缺席使罗马尼亚选手娜蒂亚•科马内奇卫冕之路变得不可思议的顺畅，虽然18岁的她已经丧失了当初的巅峰状态。同样引人注目的是一位来自东柏林的15岁少女玛克西•格瑙克（Maxi Gnauck），她杂技般不可思议的表演连松鼠都会感到羞愧吧！

女子个人全能比赛最终演变成了格瑙克、科马内奇和叶连娜•达维多娃（Yelena Davydova，前苏联）之间的激烈竞争。要想与达维多娃分享金牌，科马内奇至少需要获得9.9分，不过这对于一位习惯于获得10分的女选手来说是很正常的，就像她在团体赛中所做的那样。列宁体育场内的气氛几乎凝固了，连老鼠的窃窃私语几乎都可以听到。科马内奇的动作近乎完美，但在比赛结束将近1个半小时后人们还在等待裁判争论的结果。来自罗马尼亚的主裁判玛丽娅•西蒙内斯库拒绝承认9.85的最后得分，而这一分数恰恰是由前苏联和波兰裁判给出的9.8分的成绩给拉下来的。最终，国际体操联合会技术委员会判决低分有效，达维多娃最终成了冠军，科马内奇和格瑙克分享了银牌。

在此之前举行的团体赛中，前苏联、罗马尼亚和东德分别位于前3名。但人们所能记住的只是格瑙克在自由体操赛场上美丽的身影和她在高低杠项目上获得的满分，整场观众因此在比赛结束后还拥挤在体育场里，久久不愿意离去。

在游泳比赛中，前苏联－东德轴心掌握了比赛的风向，东德女子选手的表现尤其突出，其中最突出的是15岁的莉卡•赖尼施（Rica Reinisch），她在100米仰泳比赛中3次打破世界纪录，并在200米仰泳比赛中打破世界纪录，最终获得了4枚金牌。

男子100米仰泳一直是美国队的弱势项目。在此项比赛中，瑞典选手本格特•巴龙（Bengt Baron）以56.53秒的成绩超越了其他东欧选手，并领先另一位后来查出类固醇呈“阳性”的前苏联选手维克多•库兹涅佐夫（Viktor Kuznetsov），获得了本场比赛的冠军。英国选手邓肯•古德休（Duncan Goodhew）和澳大利亚选手米歇尔•福特（Michelle Ford）也在一定程度上突破了东欧壁垒。古德休获得了100米蛙泳的冠军，成绩是1分3.34秒——此成绩一星期后在美国被两次刷新。福特在800米自由泳比赛中领先两位东德选手夺冠，并创造了8分28.9秒的奥运纪录，不过与两天后基姆•莱恩汉（Kim Linehan）在美国国内比赛中创造的世界纪录相比还是相差甚远。

印度于16年后再次获得了男子曲棍球冠军。由于抵制事件的影响，在女子曲棍球比赛的初赛中，预定参赛的6支队伍有5支缺席。1972年被禁止参赛的津巴布韦这次重新获得了参赛机会，一支全部由白人组成的队伍讽刺性地获得了冠军——这也是奥运史上唯一一支可以避免失败命运的球队。

由于人们大都专注于女子体操比赛，男子比赛被不合理地忽视了，而多枚金牌获得者亚历山大•季佳京（Alexander Dityatin，前苏联）在男子全能比赛中的表现几近完美。

第53章 改革

西班牙人胡安·安东尼奥·萨马兰奇

国际奥委会第7任主席，1980年—2001年在任

一年前，也就是1998年，国际奥委会遭遇了自从它成立以来最严重的危机之一。这场危机暴露出我们的制度存在严重的问题，包括它的组成、组织和角色，以及某些程序。特别是在选举奥运会的主办城市时，这些问题就更加突出了。通过这场危机，国际奥委会的一些成员和其他人所犯的错误开始引起公众的注意。我们正在遭受强烈的指责，我们的信誉、甚至某些情况下我们的完整性，都受到了怀疑。

我们正在努力解决的危机源自于以下事实：随着1984年奥运会在洛杉矶成功举行，举办奥运会对于举办城市来说不但在公共关系上而且在经济上都成了具有潜在利益的资源。我们花在这些危机上面的钱越来越多，达到了数亿美元。

国际奥委会的确接受过私人资助。事实上申办奥运会在许多国家成了一个对国内各组织来说都至关重要的目标——不仅是体育组织，还有商业组织，包括市政当局。在这种环境下，候选城市的竞选过程越来越具有挑战性。每一次申办，财政投入都会更高。这种情况发展下去的后果是个体在申办过程中的作用变得越来越微弱。这不是借口，而是事实。在当今社会，金钱的作用几乎无处不在，人类的弱点正受到日益严重的潜在诱惑。

我们的制度是在150年前建立的，当时并没有如此多的问题和风险。国际奥委会在没有严重缺点的情况下平稳运行了多年。我们的错误在于，在这个金钱正无孔不入地渗入包括体育在内的人类所有活动领域的时代，我们的组织没有对自身进行调整，以适应新的世界、新的环境和新的社会。

直到去年，国际奥委会都还没有采取过如此多的计划，也没有开展过如此多的工作。所有这些如果没有国际奥委会成员、国际单项体育联合会以及各国奥委会的支持、理解和积极参与是不可能实现的。这场危机已经危及到我们中的每一位领导者以及我们的职业和日常生活。

我们正在面临种种棘手的危机，许多问题对我们来说都是始料未及的。不过团结会产生前进所需的力量，所以，随着新千年的到来，我们的信誉和声望都会重新得到恢复。任何危机都有它积极的一面。没有这些危机，国际奥委会就不会采用在这次具有历史意义的会议上所通过的基本改革方案。由于这些改革，国际奥委会将进入一个更强大、更现代、更民主、更透明、更可靠和更负责的新千年。（在1999年例会上的演讲，之前因为盐湖城申办丑闻事件而引发了国际奥委会的制度改革）

胡安•安东尼奥•萨马兰奇注定要与一段被同时代的人称之为革命的发展时期结伴而行。在位的头10年，萨马兰奇将一个陈旧的、反动的私人俱乐部转变成了一个进取的、理性的体育组织：最终把它从一个长期以来被自相矛盾的业余主义所困扰的组织提升成一个有着良好管理和竞争力的专业组织。这既受人嫉妒也被人嘲笑，既受人欢迎也遭人谴责。在当时的社会情况下，这位主席必须处理一系列的现实问题。通过这些举动，他不仅让国际奥委会也使整个奥运五环都获得了巨大的财富，但由于内部监督的不力，他又亲眼看到这个组织陷入到1998/1999年的那场灾难之中。

凭着一种领导者的勇气，在面对世界范围内的批评，甚至是来自政府的批评和辞职要求的情况下，萨马兰奇最终还是在离任之前将国际奥委会引回了健康状态，为此他曾两次推迟了退休时间。在悉尼奥运会不久之后的2001年，萨马兰奇宣布离职，此次奥运会完全按照国际奥委会精心设计的模板举办，是历史上最引人注目的奥运会之一。

在当选国际奥委会主席前的30年中，萨马兰奇在奥林匹克的金字塔上一直稳步上升：他先是成为西班牙轮式曲棍球协会的主席；1955年组织了第二届地中海运动会；逐渐成为西班牙奥委会内一位显著人物；在带领西班牙代表团参加1960年和1964年奥运会后，1966年在布伦戴奇的帮助下，他进入了国际奥委会。在当选委员的两年间，他一直在为执委会的职位四处奔走，不过最终还是以极小的差距败给了对手。后来，他被布伦戴奇委任为礼宾部主任，并成了国际奥委会副主席，同时还担任了西班牙驻莫斯科大使，这是自1917年以来西班牙首次和俄罗斯或前苏联恢复外交关系。

令很多人始料未及的是这个安静的西班牙人在当选主席之后很快就显现出了他的远见、意志力、微妙的沟通技巧以及对国际奥委会具有影响力的预见能力。在弗朗哥政府的独裁统治下，萨马兰奇曾被委派去指导胡安•卡洛斯王子——他是弗朗哥的指定继承人——的学业，他像每个在弗朗哥统治下的西班牙人那样谨慎地工作：这也是他当选主席之后，经常要面对的尖锐问题的根源。

他作出的第一个重要决定就是选择留在洛桑。马德里体育大学给他提供了一间办公室，但是他认为自己必须有发动改革的控制权，必须每天都在场；这不仅仅是由于长期担任总干事的贝丽乌夫人总是表现出一副一人之下、万人之上的架势，就好像她才是国际奥委会主席一样；就连国际划船联合会的主席托马斯•凯勒也在试图证明国际奥委会的存在对于主要国际单项体育联合会来说毫无意义。萨马兰奇曾私下告诉同事他准备拿掉贝丽乌夫人，但在国际奥委会的罗马尼亚成员亚历山大•西佩尔科的劝说下，他放弃了这项计划，因为在后者看来，当洛杉矶奥运会面临种种困难时这样做会导致不稳定。“留在洛桑是我作出的最好的决定。”萨马兰奇说。事实上对国际奥委会来说，选择一间相对简朴的旅馆要比租一间带有必要家庭设施的公寓开支更少。

在家庭教师的帮助下，萨马兰奇每天都要花上一个小时或者更多的时间来提高他的法语和英语。除此之外，这位没有报酬的主席开始从一大串看起来比任何空洞无物的表面文章都要翔实的事实着手筹划改革。改革围绕的三大支柱分别是奥林匹克运动三大组织（国际奥委会、各国奥委会、国际单项体育联合会）的团结一致、巩固的财政基础以及参与的广泛性。改革同时还包含了以下补充和变化：

- 各大洲奥林匹克联合会的建立
- 完成基拉宁未能完成的让中国和中国台湾同时加入国际奥委会的问题（基拉宁的首要目标是要让中华人民共和国加入——“对人口最多国家的最大美德”）
- 放宽运动员参赛资格标准，允许职业选手参赛，以平衡极权国家培养业余选手的优越性
- 发展商业化和营销策略，将国际奥委会和奥林匹克运动置于一个更加安全的基础之上

- 与电视台开展更切实有效的谈判，发掘电视转播权费用的潜力以防止政府的干涉
- 在1981年巴登-巴登大会上建立奥林匹克运动委员会，以取代之前的三大支柱委员会，后者的机构权力直接移交奥林匹克运动委员会
- 通过尽可能多的访问来熟悉172个国家奥委会的实际情况
- 拓宽国际奥委会的成员范围，以便使更多的运动员、国际单项体育联合会和各国奥委会的主席，以及一直被忽视的妇女成员加入
- 接受瑞士当局关于位于维迪（Vidy）的国际奥委会享有国际性、独立性和免税特权的决定
- 通过捐赠在洛桑日内瓦湖旁边建立奥林匹克博物馆
- 解决困扰国际奥委会20年的关于南非的争论
- 洛桑管理体制的转变，包括干事权力的重新修正

在间隔了67年之后，第7任国际奥委会主席恢复了吉姆•索普在1912年获得的金牌，并将金牌授予索普的妻子。

1981年，巴登-巴登大会召开。由于之前的莫斯科抵制事件造成了大量不良后果，整个奥林匹克运动都陷入了一种持续的焦虑状态中。“在过去的几年中，奥林匹克运动曾多次面临翻船的危险，但最终还是从风暴中死里逃生，”他说，“敌对力量试图颠覆它的企图从来没有获得过成功，但他们仍不甘心。如果我们想要冲破障碍的话，所有的运动员、教练、记者和官员都必须保持团结。”在巴登-巴登，萨马兰奇给代表们留下了一个肩负着重要使命的勇者形象。

萨马兰奇明白自己在贝丽乌夫人的问题上必须忍耐一段时间，同时他也意识到必须尽快铲除凯勒。就在莫斯科奥运会之前，凯勒还曾激怒过基拉宁，事情源于他单方面给三大支柱委员会的所有成员发送一封信函，信中建议下一年大会的主题应该按以下安排：第一天——国际奥委会讨论1973年至1981年的工作；第二天——各国奥委会讨论抵制事件；第三天——各国际单项体育联合会讨论奥运会的未来。

身为三大支柱委员会主席的基拉宁对于这份文件怒不可遏，但他并没有及时谴责凯勒。而此刻，萨马兰奇认为到该采取行动的时候了。

除了来自国际体育联合会总会主席凯勒的威胁之外，萨马兰奇同时也注意到——虽然比较少——墨西哥人马里奥•巴斯克斯•拉涅亚（Mario Vazquez Rana）领导下的国家奥委会联合会（ANOC）的潜在力量，虽然拉涅亚曾经帮助协调过萨马兰奇的竞选运动。对此，萨马兰奇采取了分而治之的传统策略。凯勒的权力部分来自于国际体育联合会所得到的奥运会收入分成。他现在正想把夏季奥运会和冬季奥运会的财政合并在一起，然后在各国际单项体育联合会之间进行分成。萨马兰奇采取的解决方法是把夏季项目和冬季项目的单项体育联合会分成两个集团：夏季奥运会项目联合会（ASOIF）和冬季奥运会项目联合会（AIOWF），分别由国际业余田径联合会主席意大利人奥罗•普里莫（Primo）和国际滑雪联合会主席瑞士人马克•霍尔德（Marc Holder）领导。这两个组织有权处理国际奥委会相关的奥运收入，这样一来，国际体育联合会总会和凯勒的影响力就大大削弱了。普里莫正在私下谋求成为国际奥委会成员，他逐步削减了国际田联所拿的各个夏季项目单项联合会收入的20%——余下的80%

由其他项目平分——这样他们就能够享有平等的收入，箭术项目和田径项目也享受了同样待遇。

与此同时，萨马兰奇还与非洲最高体育理事会一起建立了非洲国家奥委会联合会（ANOCA），第一次大会于1981年6月在多哥洛美举行，主席阿纳尼•马蒂亚（Anani Matthia）于1983年被选入国际奥委会。负责泛美体育运动的泛美体育组织（PASO）自1940年以来一直在活动——现在正由富有的传媒亿万富翁巴斯克斯•拉涅亚领导，在财政上也靠其赞助。此外，替代亚洲运动会联合会（AGF）的亚洲奥林匹克理事会（OCA）也将在1982年建立。通过这些举措，萨马兰奇获得了对已经存在的权力基础的控制权，并与新组织的领导人建立了良好的协作关系。

国际体育联合会总会主席托马斯•凯勒向国际奥委会叫板的计划很快被萨马兰奇粉碎。

1984年，萨马兰奇的另外一次行动是建立国际奥委会承认的国际体育联合会总会（Association of IOC Recognized International Sports Federation），金云龙主席后来接替凯勒出任国际体育联合会总会主席。通过这些措施，国际奥委会鼓励双方在赛事安排、日程协调和其他一系列关系到多方利益的问题上合作。“他并没有什么体育成就，在西班牙之外也没有什么突出的执政表现。没有人知道他的才能，”罗马尼亚学者西佩尔科曾这样评论萨马兰奇，“在他当选时，人们提出了很多质疑。不过一旦当选，他的性格有了巨大的转变。他的人格魅力为他带来了好运。他出色地领导了奥林匹克大会，并使奥林匹克运动的三大支柱紧密团结起来，这也是他第一次建立起自身良好形象的关键时刻。”

此外，萨马兰奇还敏锐地感觉到来自国家奥委会联合会的潜在威胁，就像国际体育联合会总会一样，其中的焦点仍是资金的分配问题。对此，在巴登-巴登，团结基金会被改称为“奥林匹克团结基金委员会”，内部组成也做了修改。来自普莱西德湖和莫斯科奥运会的电视转播权收入使可用资金增加到850万美元。萨马兰奇的老朋友安塞莫•洛佩兹（Anselmo Lopez）成了新的团结委员会办公室名誉主任，拥有4位助手。

在巴登-巴登大会上通过的另一项提议是国家奥委会有权视察潜在的奥运会候选城市，这一议题在17年后将成为萨马兰奇在本章最开始处提到的危机的焦点。与大会同时进行的例会正在讨论遴选1988年奥运会主办城市的问题。毫无疑问，来自美国和英国奥委会的丹•米勒和迪克•帕尔默（Dick Palmer）所做的报告将有助于国际奥委会作出使汉城作为夏季奥运会举办城市的选择，这虽然有争议，却也在情理之中。投票结果是52对27。尽管如此，萨马兰奇很快就预感到国际奥委会因选择汉城而即将面临的新危险。这一决定在例会之中和例会之后都引起了政治上的争论。年迈的国际奥委会日本成员清川（Kiyokawa）开始把注意力投到南朝鲜欠日本的60亿美元债务上。冬奥会的主办权则给了卡尔加里。

除此之外，例会还通过了其他决定，其中包括修订有关运动员资格的第26条规定，新规定明确表明：“任何国际单项体育联合会应该对相关体育项目的运动员资格表述负责”，而这种资格的指导原则是"选手的健康不能因准备和参与奥运会或其他国际赛事而受到损害，也不能因此在社会和物质生活上被置于不利地位"。即使如此，在当时，职业选手参赛仍被视作是不合法的，更不允许做广告，除非是在国际单项体育联合会、国家奥委会以及国内有关体育协会的监督之下。

在有关运动员资格规定的修订过程中，国际奥委会的表现更多的是被动而不是主动。对于选手的物质奖励尽管在理论上是不合法的，但在实践中已经长期存在，而且数目正在迅速攀升。此前，基拉宁曾表达过类似运动员"应该取得一些分成"的观点。国际田联在1981年设立了信托基金的原则，根据这一原则，运动员在职业生涯中接受的金钱可以存入此类基金，但并非正式"兑现"，而是直到他退休后方可取出。然而那些运动员获得的所谓运动设备公司的赞助或者鼓励等非正式收入仍在放肆地侵蚀着业余理念。萨马兰奇清醒地认识到，国际奥委会不能再生活在谎言中了。在萨拉热窝冬奥会上，萨马兰奇就险些一脚踩进了水沟里：他被问到为何卡尔•刘易斯（Carl Lewis）能在他所在的国家协会的庇护下随心所欲地做广告，而瑞典的英格玛•斯滕马克却因同样的问题而被禁赛，二者之间究竟有何道德差异。萨马兰奇只得把这个问题踢给了雪联主席霍德勒，因为他无法回答这个问题。

在历经了87年之后，例会终于选出两名女性国际奥委会成员：弗洛尔•伊萨瓦•丰塞卡（Flor Isava Fonseca，委内瑞拉）和奥运赛跑选手皮尔约•海格曼（Pirjo Haggman，芬兰）。许多人对纳蒂娅•莱卡斯卡（Nadia Lekarska，保加利亚）的落选感到遗憾，毕竟她在奥林匹克运动中有着很高的威望，还是马术运动员克鲁姆•莱卡斯卡（Kroum Lekarska）的遗孀，但后者的同事弗拉迪米尔•斯托伊切夫的国际奥委会成员资格却成了纳蒂娅的障碍。例会还选举成立了运动员委员会，12名活跃在赛场上的运动员进入其中，塞巴斯蒂安•科借此呼吁对服用禁药的人施以终生禁赛的处罚。

在瑞典的再三请求下，例会接受了为英格马•约翰逊授予拳击银牌的请求，他是在1952年

委内瑞拉人弗洛尔•伊萨瓦•丰塞卡（左）和芬兰人皮尔约•海格曼，成为姗姗来迟的国际奥委会最早的女成员。

的决赛中因"没有尽力"而被拒绝授予银牌的。除此之外，例会还在其他方面取得了进展，其中包括国际奥委会分别与中华人民共和国及台湾就有关承认各自国家或地区奥委会的问题上达成了最终的协议。于是，国际奥委会成了第一个能够在一个组织下同时容纳两岸存在的国际组织，这其中萨马兰奇可谓功不可没。在萨马兰奇涉入此问题之前，随着各国际单项体育联合会纷纷倒向中华人民共和国一方，台湾参加的国际单项体育联合会从18个降至11个。与此同时，穆巴耶初步起草了一个有关成立国际仲裁法庭——即最后的国际体育仲裁法庭（CAS）——的计划，这样一来，国际奥委会至少能够与现实和潜在的执法纠纷保持与时俱进，因为奥运组织经常被牵涉进各种纷争之中，但在之前根本没有此类法律中心。

在巴登-巴登，萨马兰奇第一个倡议由普里莫（国际田联）和拉涅亚（国家奥委会联合会）担任国际奥委会资格审查委员会委员。从本质上来说，这意味着国际奥委会的两大分支机构在执委会中都占据了一席之地，但来自底层的不满很快就迫使他改变了主意：并不是因为两人正式职位的来源存在问题，而是由于他们的人品问题。

与此同时，在英国工党下院议员丹尼斯•豪威尔（Denis Howell）的领导下，一项针对比赛赞助的独立调查开始了。豪威尔曾是一名体育裁

判，在60年代还曾出任体育大臣。根据调查结果，他还发表了一连串带有道德评判的声明：

- 负责协商电视赞助的管理方应当将利益评估向所有的利益相关组织做出通告。
- 政府应当将国际管理集团（Mark McCormack）和英国体育运动两者关系的材料呈送给公平交易办公室以确定是否存在垄断。
- 国际奥委会应该与所有的国家奥委会及国际单项体育联合会进行一次关于奥林匹克未来的讨论，探讨运动员参赛资格及商业化的问题。
- 国际体育联合会总会应当与国际足联和国际奥委会共同评估阿迪达斯公司资金涉入的程度。

这些发现不啻为一种凌辱。国际奥委会早已在奥林匹克运动委员会的指导下着手清理各种错综复杂的关系了，但是对国际体育联合会总会来说，要评估阿迪达斯公司的资金状况却并非如此简单，因为它仅仅只是霍斯特•戴斯勒（Horst Dassler）的一次善举而已，目的是要将国际体育联合会总会从夏季和冬季项目联合会的成立给它带来的财政窘境中解救出来。一些自命不凡的观察家曾把戴斯勒描绘成一个专门操控国际体育运动的恶魔。他被说成曾经策划了萨马兰奇的当选和选择汉城作为奥运会主办城市等重大事宜。戴斯勒当然对运动服装和设备的计划感兴趣——这占了公司总产品的1/3，主要的产品是休闲服装——不过，他同时也是一位慈善家。他曾用以货代款的方式向大量的非洲和东欧国家提供赞助，自己却处于亏损状态，他也向著名运动员提供更明显并且对其自身有更多好处的赞助品，当然这些鞋子和衣服上都带着熟悉的三叶草标志，起到了一定宣传作用。萨马兰奇知道国际奥委会的生存有赖于财政上的独立性：没有金钱的话，他们就会失去赖以生存的力量。只有通过商业化和与像戴斯勒这样的商人合作，国际奥委会才能创造出保证自身生存的财富。

1983年，在新德里例会上，国际奥委会接管了奥运会营销以及奥运符号和标志的唯一使用权，同时还和总部设在瑞士的ISL公司达成了一项初始协议，后者将负责协调奥林匹克标识在包括石油、照相机、烟草、机动车、电器和食品饮料等30种主要广告商品的使用。属于阿迪达斯旗下的ISL后来和日本电通合并。基于戴斯勒有关派人到指定的国家奥委会谈论商业合作关系的保证，在新德里例会上，一项新的计划发起了，这也导致了1984年之后奥林匹克计划（The Olympic Programme）的出台。该计划为那些支付了上百万美元的赞助商设计了数目有限的商业垄断合同，并特许他们享有独占权，ISL则代表世界范围内的国家奥委会的利益。在新德里例会上，大会决定由奥林匹克团结基金为参加1984年冬奥会的每一个国家奥委会支付2名参赛选手和1名官员的交通和日常支出费用，夏季奥运会则为4名参赛选手和2名官员支付。

如果国际奥委会对于药物的滥用还有任何疑问的话，那么，1983年在委内瑞拉加拉加斯举行的泛美运动会应该可以消除他们的疑问。在这届运动会上，15名举重运动员在合成类固醇的检测中被查出呈阳性。这些检测仪在奥运前不久才问世，能够用来确定选手以前类固醇的使用量。然而令人悲哀的是，面对活生生的证据，国际奥委会仍然不采取行动，也不愿实施有实质内容的惩罚措施。从1981年在科隆进行的对莫斯科奥运会中没有检验的运动员样本的测试结果来看，有超过20%的人因为睾丸激素过量而呈阳性。对1983年开始举办的世界田径竞标赛，国际田联却奇怪地决定不去检测睾丸激素。这又如何解释呢？

萨拉热窝冬奥会开始后，有关冰球选手的职业化问题引起了广泛关注，呼声虽不是很大却很清晰。在这次比赛中，凯里•威尔逊（Carey Wilson）隐瞒了自己的职业运动员背景，从而绕过了传统的藩篱，之后在比赛中他连获3分，最终帮助加拿大以令人惊讶的4:2大胜美国。这不但让ABC电视台的控制室感到心力衰竭——它在美国市场上投资了9 150万美元——也使威尔逊和国际奥委会感到十分尴尬，因为威尔逊在芬兰已经和职业冰球赛签了约。国际冰球联盟（IIHF）将北美联赛的职业球员排除在奥运参赛人员之外，不过不包括其他联赛。只要他们稍加注意，将不难发现欧洲世界冰球联赛的职业球员与此毫不相干。加拿大人里克•坎宁安（Rick Cunningham）加入奥地利国籍，并帮助他们击败了芬兰，他在世界冰球联赛中出场达323次。道默和萨马兰奇无法回答媒体有关双重标准的质问。

6年前，萨拉热窝作为最受青睐的候选城市，成为第一个举办冬奥会的社会主义城市，它意图在中欧建立一个新的冬季运动中心，却完全无视由于环绕在城市周围的山脉把波斯尼亚与黑塞哥维那的亚地中海气候分割开来而导致的不可预料的天气状况。

萨拉热窝是一个地处东西方交汇处的多元文化城市，在城中有许多狭窄而迷人的小巷子，许多传统交易便在其中进行，如珠宝、贵金属、皮毛和衣服等。然而多变的天气加上经常出现的冬雾把这个城市的机场变成了一个让乘客感到沮丧的终点站。不过作为历史上第二大举办冬奥会的城市，这个拥有50多万人口的非旅游城市做了大量令人叹为观止的筹备工作来迎接其他参赛国家。49个国家出席了本届冬奥会，首次出现的包括埃及、哥斯达黎加、波多黎各、塞内加尔和维京群岛，创下了历史最高纪录。

在这个因引发了第一次世界大战而闻名的城市（刺杀费迪南大公）里，虽然身处和平环境，但这里人民的好客是迄今所有其他主办城市都难以比拟的。他们简朴的旅馆和酒吧一直喧闹到凌晨，举止得体的人们即使在晚上也会聚集在市中心等待颁奖仪式，这些都给带着雾气的夜色增添了几分迷人的色彩。在这儿，你不会听到任何不耐烦的司机按喇叭的噪声。尽管如此，情况还是急转直下。一位前挪威越野滑雪冠军，当时的加拿大队教练，一时疏忽误撞进了芬兰队的更衣室，目睹了银牌获得者阿齐•卡尔沃宁（Aki Karvonen）正在进行血液回输。之后在接受美国《体育画报》采访时，阿齐承认了自己的行为——这种做法在次年才被确定为违规行为。

前苏联发起的对洛杉矶奥运会进行报复性抵制的行动逐渐在萨拉热窝奥运会上浮现出来，尽管在之前的萨拉热窝例会上，美苏体育关系曾显现出积极的迹象。在1981年的巴登-巴登大会上，前苏联奥委会主席伊格纳蒂•诺维科夫所做的有关莫斯科奥运会的总结报告显得很乐观，他说："我们赞同国际奥委会的路线，对某些国家奥委会所采取的拒绝参与的姿态深表痛惜……他们的理由违背了奥林匹克运动的利益。"前苏联显然正在为洛杉矶奥运会作准备，一切看起来都很顺利，直到国际奥委会前苏联成员康斯坦丁•安德里昂诺夫在例会上就他们所预想的美国当局将会采取的限制，提出了前苏联参赛者和新闻媒体在洛杉矶获得自由的要求。在此期间，勃列日涅夫逝世，继任者安德罗波夫开始改革。军队出身的马拉•格拉莫夫（Marat Gramov）接替谢尔盖•帕夫洛夫（Sergei Pavlov）出任体育部长，这

南斯拉夫滑雪选手博杨•克利扎伊在冬奥会的开幕式上代表运动员宣誓，此次在政局不稳的萨拉热窝举办的冬奥会是奥运史上最友好的一届奥运会之一。

当前苏联体育部长马拉•格拉莫夫（左）威胁说要对彼得•尤伯罗斯（右）领导的洛杉矶奥运会进行抵制的时候，国际奥委会主席脸上的笑容颇有几分勉强。

位新体育部长一向以作为克里姆林宫中央委员会的传话筒而闻名。当安德罗波夫在冬奥会进行期间死去的时候，局势开始走下坡路。因为他的继任者不是富有改革精神的米哈伊尔•戈尔巴乔夫而是保守的契尔年科：一个受制于他的外交部长葛罗米柯的病人，后者对于美国有一种天然的厌恶。前苏联关于洛杉矶奥运会的决定建立在他们所宣称的缺乏安全的基础上，当然这是由克里姆林宫而不是前苏联奥委会作出的决定。

萨马兰奇决心要尝试各种可能的途径来突破种种局限，他于5月24日出发前往布拉格，并与11个社会主义国家的体育部长和国家奥委会会谈，力求获得他们不会参加由老大哥发起的抵制行动的保证。不过最终还是白费功夫。只有罗马尼亚确定会出现在洛杉矶。

获悉抵制事件的当天，尤伯罗斯便通告了洛杉矶总部，并请求他们迅速委派"特使"到各个摇摆不定的国家去。他还策划给每个国家奥委会派遣一名与其所在的国家有某方面紧密联系的特使：这种关系可能是在语言上、文化上或是商业上的，除此之外，其中的大多数人还身居要职，如来自圣地亚哥司法部的查尔斯•李（Charles Lee），他将飞赴北京会见中国的体育总局局长。"我们像洪水一样席卷了每个摇摆不定的国家。"尤伯罗斯说：

非洲是一个关键地区。我们告诉他们，抵制我们的奥运会将会对他们在南非问题上的立场产生负面影响。仅有的缺席者是埃塞俄比亚和上沃尔特（即后来的布基纳法索）……我们可以为第三世界（的到来）支付他们真正需要的一切，不过，是政治家们接手了这些。在罗马尼亚，我们为他们支付了一些开支，不过他们的决定并非出于经济上的考虑，而是要归功于3个劝说他们去洛杉矶的人：萨马兰奇、西佩尔科和阿涅斯•穆拉，这位罗马尼亚特使已经和他们的官员建立了关系……

到里根开始涉入的时候，他还会帮助我们驳斥前苏联有关奥运会存在不安全因素的谬论。奥运会产生的爱国主义精神将帮助里根获得连任……

这是萨马兰奇一生中最令人激动的时刻。历史将会牢记他为拯救奥林匹克运动所作的一切。他维持了表面上的平静，驾驭了众多的公共和个人危机，从而使许多危机都未曾有机会浮出水面。

萨马兰奇与拉涅亚和普里莫前往莫斯科的努力再次被证明是白费心机，他无法与契尔年科会面。不过，他最大的胜利便是罗马尼亚和中国决定参赛，后者是50年以来首次参加奥运会。

"萨马兰奇和基拉宁之间的区别在于，"加拿大观察家理查德•庞德说，"当前苏联退出的时候，萨马兰奇满世界游走，不仅去会见契尔年科和里根，还和许多其他领导人进行实质性接触，并尝试着用奥运会将他们紧紧团结起来。他明白，如果自己行动足够迅速的话，很少有人会接受所谓的安全因素的声明。"除前苏联之外，缺席本届奥运会的还包括：阿富汗、保加利亚、古巴、捷克斯洛伐克、埃塞俄比亚、东德、匈牙利、朝鲜、老挝、蒙古、波兰、上沃尔特、越南以及民主也门，但参与洛杉矶奥运会的国家数量达到140个，创造了历史最高纪录。

希腊火炬的传递路线和尤伯罗斯举办一次环美火炬长跑的计划，引起了与希腊之间一场荒诞

洛杉矶奥运会开幕式上，“电脑杰出小子”在翻新过的体育场内欢迎运动员的到来。

无稽的争吵，希腊奥委会抗议说这是奥运传统的“腐败”。尽管如此，来自希腊西部山区的火炬并没有什么神秘的起源，在国际奥委会德国成员西奥多•李哈德的建议下，1928年的阿姆斯特丹奥运会采用了此项仪式，而直到1936年才有利用太阳光采集火种点燃火炬的仪式。此外，希腊人还向国际奥委会征收了一些费用——对洛杉矶则是10万美元——以维护奥林匹亚的设施。在AT&T电话公司实物赞助的支持下，尤伯罗斯从每个志愿的火炬传递手那里募集3 000美元的赞助款——美国的这种行为实在是令人耳目一新——当然，从4 000名火炬传递手身上得到的1 200万美元被毫无保留地捐献给了基督教青年会（YMCA）和慈善团体。由此看来，国际奥委会希腊成员向执委会提出的抗议的确是不适合的。

白手起家的尤伯罗斯建立了全美第二大旅行公司。他为洛杉矶奥运会提供的管理方案是削减赞助商的数目，赞助商可以享有独占权，但同时必须缴纳高额的赞助费——这一原则后来在国际奥委会手中发挥到了极致。尤伯罗斯用此种方法募集了4.7亿美元的资金，当然这只是蒙特利尔和莫斯科奥运会成本的一小部分。这些资金主要还是来自于电视台（ABC:2.25亿美元）、赞助商（1.15亿美元）、门票收入（8 500万美元）、设备赞助商（1 400万美元）以及贸易许可证（1 300万美元）等。预期的10%盈余将依照国际奥委会的规定在美国奥委会、南加州教育部和全国体育管理组织之间平分。这个颇善言辞的美国人喜欢引用丘吉尔的名言：“一些人把私人企业视做一个被猎食的目标，其他人则把它看做一头被宰杀的母牛，很少有人把它视为一匹能够拉车的健康的骏马。”由于现存主要的设施都得到了充分利用，美国经济实现了振兴，同时奥运会赛事的举办范围也超过了100英里，从北部的卡西达斯湖（划船），到南部举行了3日赛事的圣地亚哥，再到东部的足球比赛场地——帕萨迪纳玫瑰碗体育场。仅有的两座新体育场都是赞助商出资修建的，分别是游泳馆（麦当劳，360万美元）和自行车场馆（南方食品公司，312万美元）。1932建成的有着环绕拱形结构的主体育馆由大西洋里奇菲尔德公司出资翻新。

“除了举办一届好的运动会之外，我们没有任何其他的想法。”这便是尤伯罗斯的格言。事实上，私人委员会取得了总计2.5亿美元的收益，国际奥委会因此修订了未来的收益分成规则。洛杉矶奥运会收益的大部分都投入到具有公益性质的业余运动员基金会中。截至到1984年5月为止，最初只有22人的奥运组委会已经有了1 700名雇员。在奥运会期间，国际奥委会除了雇用12 000多名职员外，还招募了33 000名志愿者。

许多人预计这次奥运会将被烟雾和交通堵塞所困扰。但事实并非如此。奥运会由站在防弹玻璃后的里根总统宣布开幕。最后的火炬传递手是吉娜•亨普希尔（Gina Hemphill），她是传奇人物杰西•欧文斯的孙女，在奥运圣火踏上美国之后，她与同为传奇人物的吉姆•索普的孙子比尔共同进行了在美国的首次火炬传递。吉娜把圣火传给了1960年奥运会十项全能冠军拉夫•约翰逊，由他来点燃体育场的火炬。因为电子提示器出了问题，艾德•摩西只能断断续续地念完了运动员誓词，在后来的比赛中，他成功地夺回了400米跨栏的金牌。虽然由于部分国家“业余选手”的缺席降低了比赛水准，但在田径比赛中，运动员们仍然创造或持平了13项世界纪录。

国际奥委会的权力运作程序也有所创新：执委会与洛杉矶组委会调整了日程，在每天早上7点30分举行当日第一次例会，同时与会的还有来自各国家奥委会、国际单项体育联合会和运动员联合会的代表。会议将审查有关前一天晚上各个项目进展情况的书面报告以及安全方面的各种隐患。

这确实是一次革命。

杰西•欧文斯的孙女吉娜•亨普希尔在洛杉矶奥运会开幕式上手持奥运圣火奔跑。

第54章 萨拉热窝

第十四届冬季奥运会 1984

德国选手（前东德）卡塔琳娜·维特（*Katarina Witt*）

两届冬奥会花样滑冰冠军

和平友爱地进行比赛，为年轻人和他们的后代创立一个有意义的榜样，推进一次展示力量而不是宣扬暴力的竞赛，这对我来说，正是当年内心深处对奥林匹克的憧憬。奥林匹克展示了和平之中的竞争，友谊的姿态超越了国家和宗教，种族在此变得不再重要：这些是我们仍然要为之奋斗的理想，它们比只关注金牌更为重要。

体育是一种奇妙的媒介。有多少时候坐在场边的选手们只想自己能发挥最佳水平，甚至希望对手能够出现失误。然而只要比赛一结束，参赛的选手之间就会被一种真诚的、深厚的、不限于表面上的理解包围。比赛在一群稳健、包容的选手之间进行着，虽然是对手，却依然可以孕育出深厚的友谊。

1984年的萨拉热窝，在亿万观众的注视下，我在冰上与一个个对手进行了激烈的比赛，也正是在这儿，“友谊”一词有了它真实的含义：与别人竞赛，而不是对抗。我知道足球队的队员在比赛结束交换队服时，通常都不再是对手了。当然，这其中有一些场面是虚假做作的，但大多数时候是真诚的。诚实和竞争是完全可以兼容的。

总有一些体育画面能够激起人们对人性新纪元的希望。画面能够承载一种强有力的信息，讲述权力的语言，然而在画面上那些失败者在国际上的影响和那些永恒的胜利者一样多。一个在萨拉热窝切除了一条腿的孩子比联合国精心编撰的关于“内战中的孩子”的统计数据更能说明问题，不同肤色的运动员像兄弟姐妹一样拥抱在一起比许多疯狂的反种族主义的呼吁更能激动人心。当然我们也会看到一个带着友善笑意的独裁者，一个发表印象深刻的经济数据的环境破坏者，一个在媒体帝国的照相机面前穿着条纹衫的俗气明星。道理很简单：在画面的语言中，任何人都拥有权利。不，没有什么能够比不需要精心处理的画面更为明亮动人。同样，画面中的奥林匹克蕴藏着危机，但同时也存在着孕育未来的人道与人性的巨大机遇。

卡塔琳娜•维特运用自己的性感影响着裁判，也征服了观众。

1965年，卡塔琳娜•维特出生于卡尔·马克思·斯大得特，在这里，她充分发展了自己的运动天赋，她成了享受特权的少数人士之一。1981年，15岁的她就已经夺得8个国内冠军中的第一个，而后又在欧洲比赛中连续取得第14名、第13名和第5名的成绩。1982年，她获得了欧洲赛场上的第一枚银牌，并于次年获得首个欧洲冠军，从此开始了六连冠的光辉历程。在萨拉热窝，她将要面对两位世界冠军：当时的世界冠军罗萨琳•萨姆纳斯和1982年的世界冠军艾琳•扎娅克。扎娅克在必选动作的第3节出现了失误，退出了争夺冠军的行列。当时领先的选手是萨姆纳斯，维特处于第三的位置。

没有人能够对裁判的动机和技术评分标准成竹在胸。但毫无疑问的是，年轻的维特是一颗冉冉升起的新星，何况花样滑冰的评分长期以来一直给人一种先入为主的印象。不过，萨姆纳斯的一些细小的技术失误也可能扩大了不利因素，因此9名裁判中有6人给了维特最高分，只有3人支持萨姆纳斯，有两名裁判甚至把萨姆纳斯排在了第4位和第5位。

在情人节的清晨，克里斯托弗•迪安（Christopher Dean）向他的冰舞搭档杰恩•托维尔（Jayne Torvill）献上了一朵兰花。当天晚上，他们获得了奥运金牌，还拿到了史无前例的12个满分。就像最伟大的剧院中的舞蹈诠释者一样，他们表演“波罗莱舞”的浪漫性和悲剧性深深打动了观众，为了这一天他们已经在冰舞事业中连续奋战了9年之久。

他们彻底击败了对手前苏联人纳塔娅•别斯捷米亚诺娃（Natalya Bestemianova）和安德列•布金（Andrei Bukin），这对搭挡在四年前的普莱西德奥运会上名列第八，英国选手当时名列第五。艺术上的天赋是很难解释的，世界上成千上万的观众都被吸引，不仅仅是由于他们的动作几乎完美无缺，还在于他们优雅的天衣无缝的动作是迪安自己创作出来的：这对于一位来自于诺丁汉的警察来说是一项不寻常的成就。当他拥抱着像玫瑰花苞一样的搭档起舞时，他已经实现了常人眼中的两大梦想：成功和美人。

随着美国人在冰球项目上的过早出局，ABC电视台的大牌主持人们便歇斯底里地叫嚷着“为国”夺冠，而男子高山滑雪选手和矮小的花样滑冰选手成功地做到了这一点。司格特•汉密尔顿

在10多年的时间中，杰恩•托维尔、克里斯托弗•迪安——一位警察，同时也是一名舞蹈家——让全世界的观众如醉如痴。

（Scott Hamilton）5岁时，因为患了一种罕见疾病而停止生长，尽管经过多方治疗，身高还是未能超过1.6米，于是他开始尝试体操运动。10岁时开始滑冰，直到19岁才开始有一定影响力，在16个连续巡回赛中夺冠，但是对于奥运冠军的过高期望差点儿毁了他。在规定动作中取得了巨大的领先优势之后，在自选动作中的表现却大失水准，被技术极佳的加拿大选手布莱恩•奥泽（Brian Orser）超过。不过规定动作的得分为他带来了足够的优势，最终胜出。

反常的天气加上变化无常的大风和降雪导致男子高山速降滑雪项目接连3次被推迟。在该项目上，美国选手还没有夺冠的经历，比尔•约翰逊却踌躇满志。很多高水平的瑞士和奥地利选手没有参赛，被神话笼罩着的老将弗兰茨•克拉默除外。计时器显示：第3个出发的克拉默在到达赛道最后3段时，已经比瑞士选手裴明•楚尔布里根慢了0.3秒，这就意味着他的梦想已经结束。随后出场的是意大利选手迈尔，其次就是约翰逊，他的粉白相间的运动服在阳光下闪耀着光圈。约翰逊比克拉默快了近1秒半，比楚尔布里根快了半秒多。第11位出场的瑞士选手彼特•米勒（Peter Muller）和他的差距在0.25秒以内，就这样在3公里的赛道上他创下了104.532公里/小时的纪录。

美国的梅尔兄弟在世界杯积分榜上，弟弟斯蒂夫排在第45位，哥哥菲尔排在第62位。在本次比赛中，他们不仅完成了比赛——有101名选手出发，只有47人完成比赛——而且分别获得了金牌和银牌。斯蒂夫在首轮以0.7秒的优势领先菲尔排在首位。在第2轮中，菲尔精彩的表现使他暂时领先，他在比赛结束后很快用无线电话给弟弟传达比赛建议。斯蒂夫在第2次滑行中几乎完全无视自己的安全，尽管如此，他还是阴差阳错地只得了第2名。

瑞士选手米赫拉•菲吉尼（Michela Figini）17岁时成为最年轻的女子高山速降冠军。两周前，刚获得了她的第一个世界杯冠军，现在又以0.05秒险胜更被看好的队友马莉亚•瓦利泽尔（Maria Walliser）。芬兰选手马莉亚•丽莎•海迈莱伊宁（Marja-Liisa Hamalainen）是本届奥运会上最耀眼的选手，获得了全部3项女子北欧赛事的冠军，分别为5公里、10公里和20公里，此外还获得了接力赛的铜牌。她从5岁开始滑雪，6岁时便参赛了。

前苏联冰球队的著名守门员弗拉季斯拉夫•特列加克（Vladislav Tretyak）拒绝了蒙特利尔加拿大人队高达100万美元的商业合同，表现了他对祖国的忠诚。特列加克可谓赛场上的常青树：在1972年和1976年获得金牌，1980年又获得了银牌。在最后对捷克斯洛伐克的决赛中，前苏联队几乎没有碰到什么真正的麻烦，虽然比赛中不断出现明显的撞击、抱人、摔倒和击打等犯规动作，捷克人很少对前苏联队构成威胁。

东德垄断了雪橇项目。沃尔夫冈•霍普（Wolfgang Hoppe）在双人和四人雪橇项目中均获得了胜利，但最耀眼的选手要数53岁的瑞典老将卡尔•埃瑞克•埃里克松（Carl-Erik Eriksson），他是第一位连续参加6届奥运会的运动员。1972

马莉亚•丽莎•海迈莱伊宁垄断了全部3项女子越野赛事，图为她在20公里比赛中的情形。

年，他在双人比赛中获得第6名，这次他获得第19名。“这是勇敢者的运动！”他意味深长地说，还捋了捋他海象般的胡子。

瑞典选手托马斯•古斯塔夫松（Tomas Gustafson）获得了他的两枚奥运5 000米速滑金牌中的第一枚，他以0.02秒险胜前苏联选手伊戈尔•马尔科夫（Igor Malkov），但在10 000米速滑比赛中，马尔科夫却将这一结果颠倒过来，以0.05秒的优势击败世界纪录保持者古斯塔夫松。在跳台滑雪的巅峰对决中，东德选手简斯•魏斯弗洛格（Jens Weissflog）在70米跳台滑雪项目中击败芬兰选手马蒂•尼凯宁（Matti Nykanen），但这个因性格脆弱而著称的年轻芬兰人在90米跳台滑雪中以历史上最大的优势取得胜利。他日后还会有更惊人的表现。

加拿大的商业合同并没能诱使3届奥运冠军队的传奇守门员弗拉季斯拉夫•特列加克抛弃他的团队和他的苏维埃信仰。

第55章 洛杉矶

第二十三届夏季奥运会 1984

美国选手卡尔·刘易斯

他重现了杰西·欧文斯在同一届奥运会中夺得4枚金牌时的辉煌

许多历史性的纪录依赖于当事人的态度，而不取决于批评家和历史学家的意见。历史是由参与其中的人创造的，包括他们的所思所想。我喜欢去感受运动员的脚步……1984年，我回忆了杰西•欧文斯在1936年经历的各种沉浮，那时我正准备去参加相同的比赛，我了解了他不得不面对的一切，他成为我最好的榜样。做这个比较，对我来说是一个额外的荣誉，因为欧文斯不仅是一名运动员，而且是一个传奇。

对我来说，第一个值得纪念的时刻是1978年的全国锦标赛，当时我才17岁，就在这一年龄组以7.62米的第一跳成绩赢得了跳远冠军，同时还在100米比赛中获得亚军。第二个值得纪念的时刻是在下一年，我创造了新的全国高中生纪录，这使我能够参加泛美运动会。第三个时刻是参加泛美运动会，它给我提供了在美国之外进行比赛的机会，虽然当时我一度处境艰难，因为我与美国队的官员发生冲突，差点被取消资格。第四个时刻，也是最重要的时刻，就是1984年的奥运会，它使之前的一切经历都显得那么珍贵，因为它们是通向我一生中最值得回忆的时刻的奠基石。

对于我来说，处乱不惊的最好注解便是1984年奥运会。全世界都看着我，评价着我，注视着我所能想象的一切。人们预料我会做到这样或是那样，同时还伴随着一些家庭问题，但在这样的压力下，我还是能全神贯注地比赛。并且最终赢

得了曾发誓得到的金牌。我的教练汤姆•特列斯（Tom Tellez）要求的是完美无缺，他对我说的第一句话是：“从技术上讲你的起跑相当糟糕，你本来应该打破世界纪录的。”

……我希望在人们的记忆中我是一位抓住了机遇的运动员，我从不允许别人告诉我他认为我做的事情是不可能的。我一直相信如果你为了自己想要做的事情而努力，你就能够成功。成功并不意味着做到“最好”，而是要做到“自己最好的程度”。我希望被人们看做一名体育界的创新者、一名运动员和一个黑人。我一直都认为自己是穿越了重重藩篱后才获这些成就的。（摘选自NBC的采访录像）

1984年奥运会的首枚金牌由射击项目的许海峰摘得，这是中国有史以来的第一枚奥运金牌，不过整个体育界尤其是美国观众并没有注意到他，这有些不公平。人们热切期望看到的是游泳、体操，以及田径。

许海峰在自由式手枪射击比赛中成为中国第一位奥运冠军。

卡尔•刘易斯(Carl Lewis)是两名田径教练的孩子，排行第三。虽然青春期发育有些缓慢，但到了1981年，刘易斯20岁的时候，他已经成为世界100米和跳远两个项目的世界冠军。两年后，在赫尔辛基举行的首届世锦赛上，他又获得了3枚金牌，这不免让人推测他是否能登上欧文斯曾占据的宝座。就像欧文斯一样，无论是跑还是跳，他近乎都达到了运动的极限。有关刘易斯涉嫌使用药物的传闻一直不断，但是从刘易斯魁梧的身材上却看不出借助注射和服用药物提高成绩的人有的明显特征。刘易斯一直在努力证实自己的清白无辜，并且公开谴责违禁者。在他退休很久之后的2003年，有人发现了他在1988年的一次麻黄素物质检测中呈阳性，那些怀疑者们进而试图抹煞整个体育运动的信誉。

刘易斯在100米决赛中的表现被奥运历史所神化。他在第2轮比赛中10.04秒的成绩，已经是低地国家奥运会中最好的了。起初，美国队的另一位选手山姆•格雷迪（Sam Graddy）和一位名不见经传的加拿大选手本•约翰逊（Ben Johnson）遥遥领先，还剩20米时格雷迪仍跑在前面，但刘易斯以惊人的速度冲刺，最终以超过2米的优势轻松获胜：这是一个巨大的差距。格雷迪拿到银牌，约翰逊获得铜牌。

两天后，刘易斯又迎来了跳远决赛和200米赛跑。由于参加两场比赛，刘易斯在跳远比赛中没有跳满6次。他第一跳的成绩是8.54米，但在第二跳时开始出现失误，随后他放弃了剩下的4次试跳机会，这使得那些希望看到他冲击世界纪录的观众一时嘘声四起。刘易斯不但没有被嘘声镇住，还颇为自大地将其视为观众希望他能获胜的表现。在接下来的比赛中，他像百米比赛那样轻松地摘得第3枚金牌，并且创造了19.80秒的奥运新纪录，比第二名柯克•巴普蒂斯特（Kirk Baptiste）领先了将近2米。刘易斯获得了空前的成就，接着他又和队友格雷迪、伦•布朗（Ron Brown）卡尔文•史密斯（Calvin Smith）一道参加了4×100米接力赛，并创造了37.83秒的世界纪录——这是本次奥运会田径项目中创下的唯一一

田径运动重新演绎现代传奇，卡尔•刘易斯正像杰西•欧文斯那样奔跑在摘取4枚奥运金牌的道路上。

项世界纪录。此刻，刘易斯成了全国上下谈论的热门人物，他的父母比尔和艾芙琳也备受推崇，他的经纪人乔•道格拉斯（Joe Douglas）显得比任何人都兴奋。

直到1960年奥运会之前，均没有设立女子径赛项目，而洛杉矶奥运会却在世人面前开创了女子比赛的新纪元。历史将永远记住400米栏、3 000米和马拉松比赛，这些比赛为奥运历史书写了精彩的篇章。

来自缅因州的乔恩•贝努瓦（Joan Benoit）曾在波士顿马拉松赛上以2小时22分43秒的成绩创造了世界纪录。当她来到洛杉矶参加第一次奥运会女子马拉松比赛时，发现另外两位参赛的挪威选手英格丽•克里斯蒂安森（Ingrid Kristiansen）和格雷特•瓦伊茨（Grete Waitz）的实力与她不相上下：前者在3个月前跑出了世界第二的马拉松成绩，后者则是1983年的世界冠军。比赛时，为防止太阳暴晒，贝努瓦戴了一顶白色的帽子。比赛进行到3英里时，她已经跑到了队伍前面，后面的人很放心地让她领跑。等到挪威人看到贝努瓦根本没有体力不支的迹象时，她早已消失在她们的视野之外了。即便是在总共举办了20届的奥运男子马拉松比赛中，贝努瓦创下的2小时24分52秒的成绩也足以赢得13块金牌。她比埃米尔•扎托佩克在1952年创下的纪录慢了不到两分钟。最终，她领先瓦伊茨500米到达终点。1982年的欧洲冠军葡萄牙选手罗莎•莫塔（Rosa Mota）获得铜牌，克里斯蒂安森名列第四。

乔恩•贝努瓦克服了洛杉矶滚烫的水泥赛道，赢得了首次举办的女子马拉松冠军。

南非人左拉•芭德（Zola Budd）因为有英国血统，所以能够代表英国参赛。芭德曾在开普敦的斯泰伦博斯创造了非官方的5000米世界纪录，比玛丽•德克（Mary Decker）的个人最好成绩还快了7秒。后者是去年世锦赛1 500米和3 000米的双料冠军，曾经创造过1英里、5 000米和10 000米的世界纪录，并且是新举办的田径大奖赛中所有女子项目的冠军。这位媒体的宠儿此次在家乡将角逐3 000米比赛的冠军。

德克的主要对手被公认为罗马尼亚选手马莉西卡•普伊卡（Maricica Puica），比赛中与芭德的交手却打破了她的幻想。在跑完7圈半中的4圈后，芭德超过了德克，占据了领先位置，并随即移到了内道。无力反超的德克只能继续沿着外道跑。两者之间的距离是如此接近，以至于200米过后当她们进入还剩3圈的直道处时，德克的右脚绊到了芭德的左脚，芭德不幸摔倒在赛道的边界上。她沮丧地躺在地上，眼里满是愤怒的泪水，整张脸都变了形。很多观众愤愤地向德克打呼哨，但她最后也只获得了第7名，普伊卡以8分35秒96夺冠。芭德被取消了比赛成绩，但后来根据录像带显示过错在于德克，国际田联仲裁委员会否决了这次资格剥夺，并认定德克采取了“侵犯性战术”。

27岁的艾芙琳•阿什福德（Evelyn Ashford）获得了女子100米冠军，并创造了10.97秒的奥运纪录，这使她从莫斯科奥运会上失利的阴影中走了出来。在此之前艾芙琳已经连续5年称霸女子百米项目，她1983年创造的奥运会纪录也同时成为新的奥运纪录。她的队友瓦莱里•布里斯科-胡克斯（Valerie Brisco-Hooks）在著名的世界纪录保持者捷克选手加米拉•克拉托赫维洛娃（Jarmila

在女子3 000米比赛中，左拉•芭德（151号，右3）与夺冠热门选手玛丽•德克（372号）接触的一瞬间，德克绊到了芭德的脚后跟，冠军被德克身后的马莉西卡•普伊卡夺得，斯莱（Sly，英国，175号）获得第2名。

Kratochvilova）和其他东欧选手缺席的情况下，获得了200米和400米的双料冠军。在400米比赛中，曾在选拔赛中败给队友钱德拉•奇斯伯勒（Chandra Cheeseborough）的布里斯科•胡克斯扭转乾坤，击败了钱德拉，并创造了48.83秒的奥运会纪录。在3天后的200米比赛中，由于当时世界纪录的保持者民主德国选手玛丽塔•科赫（Marita Koch）缺席，布里斯科•胡克斯以领先队友弗罗伦斯•格里菲斯（Florence Griffith）和牙买加选手马兰奇•奥蒂（Merlence Ottey）的优势夺冠，并且创造了21.81秒的奥运纪录。在1 600米接力比赛中，布里斯科•胡克斯再接再厉，获得了第3枚金牌，她所在的队伍也以3分18.29秒的成绩刷新了奥运纪录。这一切充分证明了女运动员在生育之后力量会增强。

岁月不饶人，如果说塞巴斯蒂安•科的800米银牌是经过了2年伤病之后应得的奖励的话，那巴西选手乔基姆•克鲁斯（Joaquim Cruz）的金牌则象征着熊熊燃烧永不熄灭的奥运火炬——一个新人辈出的年代里的希望火炬。在短短4天内，他在4次比赛中都展示了超乎常人的节奏感，并打破了古巴人保持的奥运纪录。在克鲁斯的祖国，只有足球才受到重视，田径则几乎无人问津，巴西最后一枚奥运奖牌是费雷拉•达西尔瓦（Ferreira da Silva）在1956年夺得的三级跳金牌，这些都为克鲁斯的成功增添了几分传奇色彩。

800米的赛场上真是热闹非凡。克鲁斯和科把领跑的任务交给了凯奇，但在进入第二圈时，克鲁斯开始与凯奇并驾齐驱，科也只有一步之遥。在第2个直道前的转弯处，格雷和琼斯将科夹在了中间。克鲁斯在第4个转弯处发起了最后冲刺，科也发起冲刺，但在进入最后一个直道时，克鲁斯的优势已经非常明显，他干净利落地以5米优势获得冠军，这也是这项赛事56年中最大的冠亚军差距。琼斯获得铜牌。科、康谢拉、塞比亚以及凯奇的最终成绩都优于奥维特在莫斯科奥运会上的夺冠成绩。不过科在1981年创造的1分44.71秒的世界纪录还要等到13年后才被打破。比赛结束时，克鲁斯紧张得连话都说不出来了。

在科被健康问题困扰的两年中，斯蒂夫•克拉姆先后获得了英联邦、欧洲和世界锦标赛的1 500米冠军。比赛中，苏丹选手哈里法（Khalifa）在第一圈跑出了最快的58秒，之后斯

巴西首位田径冠军乔基姆•克鲁斯正站在800米的起跑线上。在这项比赛中，他以半个世纪来最大的优势获得了冠军。

科特冲到了前面，他决定不让冲刺者冲到自己前面去，可惜他的勇气只帮了科的忙。科在跑完了800米后正处于巅峰状态。斯科特在第2圈的快速奔跑使他在前800米的成绩达到了1分56秒8，比4年前的成绩还要快8秒钟。不过他最终还是成了强弩之末，在还剩1圈零1/4的时候，西班牙选手乔斯•阿瓦萨尔（Jose Abascal）、科和克拉姆相继把他超过。

比赛很快进入了高潮，奥维特再次有失尊严地倒在了赛场上。阿瓦萨尔像通常一样踉踉跄跄地进入内道，并占据了微弱的领先位置。由于去年受伤影响了自身状态，克拉姆在进入最后弯道的时候才发起了最后的冲刺，科也发起了同样的进攻，两人加速超过了阿瓦萨尔。由于先前为冲刺保留了实力，科最终获得了胜利，并以3分32秒53的成绩刷新了基普乔吉•凯诺保持了16年之久的奥运纪录。比赛结束时，他朝英国记者的方向做了一个愤怒的手势，这些记者曾质疑他留在队中是否有用。科成了成功卫冕此项冠军的第一人，为此他还好好庆贺了一番。

此次奥运会争论的焦点之一在于：卡尔•刘易斯和戴利•汤普森谁是本届奥运会上最伟大的冠军；另一个争论则是：他们在跳远和现代十项比赛中没有尝试打破世界纪录的行为对公众来说是否公平，这点汤普森表现得尤为明显。

现代十项运动事实上是卫冕冠军汤普森和世界纪录保持者尤尔金•欣格森（Jurgen Hingsen）之间的交锋，后者在与前者的5次交手中从未获胜。在长达两天的比赛中，汤普森再次向世人证明了自己的超凡实力，而烈日炎炎的比赛天气也在一定程度上削弱了欣格森的实力。在第2天铁饼和撑杆跳比赛中的休息时间里，欣格森在遮阳伞下面的荫凉处睡着了，结果头暴露在阳光底下时才醒过来，身体因而出现了恶心等反应。他两次试跳失败，第3跳成绩为4.50米，而汤普森的成绩是最高的5米，这让身体不适的欣格森夺冠希望更加渺茫。标枪比赛过后，汤普森只需要在1 500米比赛中跑出4分34.8秒的成绩，便可以追平欣格森的世界纪录，而他的个人最好成绩是4分20秒。结果他慢慢悠悠地跑出了4分35秒的成绩，而他最终的8847的总分只比欣格森的世界纪录差一分，这令在场的99 000名观众大失所望，因为根据赛前有关数据，人们认为他能够打破世界纪录。

戴利•汤普森飞跃在捍卫现代十项冠军的道路上，之后他的对手尤尔根•欣格森倒在了赛场上。

埃德温•摩西正走向400米栏的起跑线。自1977年以来，他在104场比赛中从未被击败过。他并不打算在这个体育场内终结自己的不败纪录，所以丝毫没有注意到他将要面对的西德选手哈拉尔德•施米德（Harald Schmid），此人是1976年以来唯一曾经击败过他的对手。还有快速成长的新人丹尼•哈里斯（Danny Harris）以及一贯出众的瑞典选手斯万•尼兰德（Sven Nylander）。虽然起跑失误，摩西最终还是以47.75秒的成绩获胜。18岁的哈里斯参加此项运动才5个月，本次比赛中他击败施米德获得了银牌，他还将最终终结摩西保持了9年的世界纪录。

10 000米比赛的看点并不是获得冠军的意大利选手阿尔伯特•科瓦（Alberto Cova），而是银牌获得者芬兰选手马蒂•瓦尼奥（Martti Vainio），他因为赛后没能通过药检而被剥夺了亚军称号。在此之前，科瓦曾获得过1982年的欧洲冠军和1983年的世锦赛冠军，两次均领先于因抵制事件未能参赛的东德选手韦尔恩•希尔德豪尔（Werne Schildhauer）。比赛是在相对平和的气氛中进行的，科瓦和瓦尼奥始终领先，科瓦在最后的冲刺中，以几步的优势击败对手瓦尼奥，并最终获得了27分47.54秒的成绩，比菲尔兰多•马梅德（Fernando Mamede）创造的世界纪录稍差一些，后者在中途便退出了比赛。赛后瓦尼奥的药检呈阳性，因此他不得不退出了5 000米比赛。5000米比赛冠军出人意料地被萨义德•奥伊塔（Said Aouita）获得，不仅是摩洛哥，整个北非都在为他的成就欢呼庆祝。在比赛中，他在最后一圈甩开了瑞士选手马库斯•里费尔（Markus Ryffel），并将布瑞登•福斯特的奥运纪录刷新为13分05秒59。

如果说马梅德让葡萄牙失望的话，卡洛斯•洛佩斯（Carlos Lopes）则在马拉松比赛中用2小时0分21秒的奥运最好成绩弥补了这一缺憾。虽然洛佩斯曾在 8年前获得过该项比赛的银牌，但还有其他热门选手，比较显眼的是美国选手阿尔伯特•萨拉查（Alberto Salazar）和澳大利亚选手罗布•德•卡斯蒂利亚（Rob de Castella），后者一直保持着两项最好的比赛成绩，自1980年以来从未失手。另外还有日本选手濑古（Toshihiko Seko），他自1979年参赛以来也从未失败过。但在本场比赛中，这3人的排名分别是第15名、第5名和第14名。就在ABC的摄像机还在对着萨拉查时，领先的选手们早已经跑出了他们的视野，可见其报道的拙劣和片面程度。当比赛进行到一半时，坦桑尼亚选手朱马•伊坎加（Juma Ikangaa）开始占据领先位置，不过德•卡斯蒂利亚一直都在与他竞争，最终朱马在离终点6英里处拿饮料的时候丢掉了自己的领先位置。英国选手查理•斯佩丁（Charlie Spedding）有着良好的体质，尽管没有太大的夺冠希望，他还是加快了速度，洛佩斯和首次参加马拉松比赛的爱尔兰选手约翰•特里西（John Treacy）紧随其后。凭着自己超凡的体力，洛佩斯最终干净利落地获得了冠军。

本次跳高比赛既为中国选手朱建华带来了荣誉也带来了失望，他在两个月前击败了西德选手迪埃特马•默根堡（Dietmar Mōgenburg），并创造了2.39米的世界纪录。但这位德国选手也非等闲之辈，此次他越过了自己尝试的每一个高度，直到横杆上升到2.40米才失败。而朱建华的麻烦在于他的第2次试跳2.33米被推迟了，因为医生们正忙着护理倒在跳高场地边上的斯蒂夫•奥维特（Steve Ovett）。朱建华决定跳过2.33米，直接尝试2.35米，结果失败。而瑞典选手帕垂克•舍贝里（Patrik Sjoberg）在第二次试跳中越过了2.33米，朱建华最终只获得了铜牌。

在波利公园举行的体操比赛中，美国的男女选手均表现出色。只有1.5米的16岁的小女孩玛丽•卢•雷顿（Mary Lou Retton），在此次奥运会上成了全世界的焦点，几乎可以与12年前的科尔布特相媲美。她在女子个人全能项目上的夺冠使她的声望达到了顶点——这是美国女选手第一次获得此项目的金牌——来自10个不同公司的

身高1.5米的玛丽•卢•雷顿正昂首阔步地迈向名誉、财富和体操女子全能冠军，这也是美国女选手首次摘得此项赛事桂冠。

合约差点把她给淹没了，其中每一份合约的价值都超过6位数。除了全能项目的金牌之外，她还获得了个人鞍马的银牌、高低杠和自由体操的铜牌以及团体比赛的银牌。在团体比赛中，拥有压倒性优势的前苏联队的热门选手没有参赛，于是罗马尼亚排到了首位，中国队位居美国队之后名列第三。对雷顿来说，这是她参加的第一场重大的国际赛事，当她与她杰出的队友朱尼安妮•麦克纳马拉（Juliannne MacNamara）和凯西•约翰逊（Kathy Johnson），以及男子选手彼特•维德马尔（Peter Vidmar）、巴特•康纳尔（Bart Conner）和米切尔•盖洛德（Mitchell Gaylord）——击败了世界冠军中国队——一同完成比赛的时候，体操项目的收视率已经远远高于其他项目。

雷顿为体操运动带来了一股咄咄逼人的力量型的新潮流。在与罗马尼亚选手埃卡特林娜•萨博（Ecaterina Szabo）的对决中，对方先在平衡木项目上得到了满分10分，又在随后的自由体操项目上取得了暂时领先，但这一局势很快就被雷顿以自由体操项目上的10分打破。当萨博在高低杠上得到9.90分时，所有注意力都集中在了雷顿在跳马项目的表现上。她需要获得10分才能击败萨博。此时，比赛达到了高潮：她飞离跳板，以两周后空翻的动作稳稳落地，现场9 000名观众顿时欢呼起来。此时此刻她已经确立起了自己的名望。不过萨博并没有泄气，她依然夺得了3枚单项金牌。

可能是第一次参加奥运会带来的心理压力，世界冠军中国队在第一天的团体赛中失利，就连少年老成的李宁也失了手，他们一直都没能恢复状态。当然如果前苏联队参赛的话，男子和女子比赛都将大为不同，由于他们的缺席，野心勃勃的美国队趁机渔利。维德马尔、康纳尔、盖洛德、蒂莫西•达格特（Timothy Daggett）、詹姆斯•哈通（James Hartung）和司各特•约翰逊（Scott Johnson）都发挥稳定，这就使得美国队在还剩一轮比赛时就已经稳操胜券。日本队获得铜牌，他们的头号选手具志坚辛司（Koji Gushiken）以微弱优势击败维德马尔获得个人全能冠军，李宁则因出现失误位居第三。

游泳池中出现了比赛开始以来最让人意想不到的一幕。西德选手米歇尔•格罗斯（Michael Gross）由于具有2.2米的臂展而被人称为“信天翁”，人们相信他能够在参加的每项赛事中夺冠。格罗斯先是在200米自由泳项目上领先美国选手米歇尔•希思（Michael Heath），并将自己保持的世界纪录提高到了1分47秒44，他也因此成为了第一位夺得奥运游泳冠军的西德人。格罗斯还参加了100米蝶泳比赛，并以53.08秒的世界纪录击败美国选手帕布罗•莫拉莱斯（Pablo Morales）夺冠。之后的200米蝶泳，人们认为他主要的竞争对于应该是莫拉莱斯和来自委内瑞拉的拉斐尔•维达尔（Raphael Vidal）。作为该项目的世界纪录保持者，格罗斯在比赛开始的前半段一直领先于他的两名主要对手。来自布里斯班的默默无闻的17岁少年乔恩•西本（Jon Sieben）在半程时处于第7位，在还剩50米时跃居第4位，此时的他仍然落后格罗斯两个身长，但他在水中的爆发力使他最终得以领先格罗斯和维达尔获得了冠军，并且以0.01秒的优势将世界纪录提升为1分57.4秒。而在此之前，西本从未突破过2分钟大关。

格雷格•洛加尼斯（Greg Louganis）在24岁时就被认为是有史以来最伟大的跳水运动员之一。在跳台和跳板项目最近3年的比赛中他从未失利过。洛加尼斯具有萨摩亚人血统，父母生他时只有15岁。洛加尼斯的童年生活极其悲惨，少年时还差点成了酒鬼。跳水将他带入了一个崭新的世界，16岁的他曾在蒙特利尔奥运会上获得了跳台跳水的亚军。此次在洛杉矶，他又成了夺冠热门选手——而且他跳得比人们预计的还要好。在10米跳台的最后一跳前，他就已经获得了遥遥领先的618分，他决定用10次跳水总分700分甚至更好的成绩来获得他的第2块金牌。为此，他选择了反身翻腾三周半屈体动作，也就是所谓的死亡俯冲——之所以这样命名是为了纪念Sergei Schalibashvili（他曾在一次国际比赛中尝试这一动作时遇难）。洛加尼斯完美地完成了这一动作，入水时水花极小，最终他得到了710.91分的高分，并成为了自1928年以来第一位同时获得跳台和跳板双项冠军的男选手。在之前的跳板比赛中，他还以94分的巨大优势击败中国选手谭良德获得冠军。

在现代五项个人赛越野项目的比赛规则做了更改之后，它的结局也开始充满戏剧色彩。选手们按照前4项比赛的成绩的高低依次出发，每3分的差距就须晚出发1秒钟，第一个冲过终点线的人将成为冠军。意大利选手丹尼尔•马萨拉（Daniel Massala）第一个出发，瑞典选手斯万迪•拉斯穆松（Svante Rasmuson）8秒半后才从起点出发，第5个出发的意大利选手卡洛•马苏洛（Carlo Massullo）则在马萨拉出发1分10秒后才开始行动。在离终点100米处，拉斯穆松赶上了马萨拉，但在转弯处却摔倒在地，看来他也只能安心于第二的位置了，马苏洛最终获得第3名。英国选手理查德•费耳普斯（Richard Phelps）晚出发1分19秒，但他差点就赶上了马苏洛。团体冠军最终被意大利夺走。

时隔60年之后，网球运动终于重返奥运赛场，不过只作为表演项目，国际奥委会承诺4年后将给予它正式的位置。单打冠军分别被西德选手施特菲•格拉夫（Steffi Graf）和捷克选手米洛斯•麦齐日（Milos Mecir）夺得。

少年乔恩•西本（右）本是无名之辈，但他在200米蝶泳比赛中不仅击败了多项冠军获得者“信天翁”米歇尔•格罗斯，并且创造了新的世界纪录。

第56章 现状

德国人瓦尔特·特罗格(*Walther Troger*)

国际奥委会成员，前体育部干事

在胡安•安东尼奥•萨马兰奇21年任期内的第2年，体育界发生了一次具有重大意义的变革。巴登-巴登大会决定废除奥林匹克宪章中对业余选手的规定。顾拜旦爵士在他的英国朋友的鼓动下制定了针对业余选手的规定，“绅士”般的自我隔离就这样建立起来了，而今这种隔离终于走到了尽头。

过去有很多试图定义业余选手的尝试，但最终都以失败告终。萨马兰奇坚持要找到一个解决方法，以使各项目上的顶尖选手都能够参加奥运会。允许职业选手参赛的“始作俑者”是网球运动。大约60年前，国际网球协会宣布与奥运会断绝关系，然而现在它又开始寻求重新加入奥运大家庭的机会。1984年奥运会上的网球巡回表演是这一过程的决定性环节。在作出最终决定之前，我曾经作为技术部（后改名为体育部）干事，向国际奥委会做了内部报告。我对职业化仍然心有余悸。没有人知道，在赞助商和经济人合约控制之下毫无独立性可言的运动员怎样才能够融入奥运大家庭，特别是他们的国家队。经过几轮充满争议的投票，委员会以微弱的优势通过了国际奥委会主席赞同的完全准入的提议。进一步审议的责任落在了维利•道默领导的资格委员会身上，他起初对此持怀疑态度。作为资格委员会的主任，我在随后召开的大会上提出并阐述了自己的标准，其中最重要的两条分别是：选手不能做广告，在运动会期间不能索要报酬；更为重要的是，在奥运会进行期间，所有的选手都要与他们的国家协会、国家奥委会和网球队协调一致。国际奥委会和国际网联很快便同意了上述两条标准，于是，在1988年，奥运会网球比赛恢复举办，有了职业选手的精彩参与。

随着其他体育比赛中职业成分的增加，运动员职业化进程取得了一定的进展。国际篮联开始有些犹豫，不过之后，便从坚决反对转为完全赞同。1992年，美国的“梦之队”被邀请代表北美篮球联赛参加奥运会，这一举动赢得了多方支持。冰球的资格规定最为困难，因为在短短的冬季赛期内存在着诸多比赛时间的冲突，而且北美职业联赛和它旗下的各个俱乐部之间的关系也相当复杂，这些都很难解决。

过去的20年已经证明：这些决定是正确的。毫无疑问，赞助商、发起商和代理商不断增长的影响力会使选手们在可观的物质收入中占据相当的份额。固守业余主义信条只会给奥运会带来不可避免的分裂。有关业余运动员标准的修改使国际奥委会保证了对财政事务的主导权，更重要的是，这种做法使国际奥委会增强了对奥运会的控制力。

随着来自萨拉热窝和洛杉矶奥运会的收入源源不断地汇入到奥林匹克的户头上，萨马兰奇在1984年秋提议，通过奥林匹克团结基金向各国奥委会提供额外援助。在萨拉热窝和洛杉矶奥运会上，每个国家奥委会分别接受了5 000美元——以负担2名运动员和1名官员的费用（冬季奥运会），以及5 750美元——以负担4名运动员及2名官员的费用（夏季奥运会）。现在这些补助将分别增加到6 000美元和8 000美元，以负担参加卡尔加里冬奥会的3名运动员和1名官员以及参加汉城奥运会的6名运动员和2名官员的费用。截至到1984年，国际奥委会已经接受了来自世界范围内的40万美元的管理费和授课费；到1988年，这一数字已经上升到300万美元。

在第3次抵制事件发生后，国际奥委会于1984年12月举行了一届特别例会以讨论关于“抵制事件”可能发生的预防措施和规定。正如人们事先预料的那样，经过一阵激烈而又不失谨慎的争论之后，没有任何提议付诸实施，会上通过的唯一举措是——未来奥运会的邀请函将由国际奥委会发出，而不是举办地组委会。

尽管如此，特别例会并没有减轻萨马兰奇对于可能发生的第4次抵制事件的担心。虽然洛杉矶奥运会获得了成功，萨马兰奇却敏锐地意识到，另一场严重的抵制事件可能会使国际奥委会再次陷入生存危机。朝鲜发出了双重威胁：鼓动他们的意识形态盟友退出；通过秘密的恐怖行动阻止奥运会的举行。此时的韩国正从一个美国支持下的军人政权国家向民主国家转变，政治上处于不稳定状态，再加上地处与北方邻国接壤的非军事区（DMZ）边界，时刻面临战争的威胁。在接下来的4年中，卢泰愚以及金云龙一直是萨马兰奇在筹备汉城奥运会过程中的主要盟友，前者是1981年汉城申办奥运会的灵魂人物，后来成为韩国总统。在巴登-巴登大会选择了汉城之后，朝鲜要求改换比赛地点，但萨马兰奇明白无误地表示拒绝。

1984年11月，朝鲜奥委会主席通知萨马兰奇——说他的国家有兴趣与韩国共同商讨“联合举办”的事情，这一想法完全超越了宪章以及国际奥委会与汉城组委会之间签订的合同范围。萨马兰奇和金云龙以及他在汉城的政治同僚都知道，联合举办没有任何成功的希望可言，即便如此，他们仍然答应并举行了冗长但没有任何实质性内容的会谈。1984年4月到5月，朝鲜奥委会和汉城方面及国际奥委会在板门店共同警备区举行了3次会议，之后还在洛桑举行了一系列会谈。1985年东柏林例会上，又就朝鲜的提议进行了讨论。国际奥委会给出的意见是：朝鲜与韩国在奥林匹克旗帜下共同入场；马拉松和公路自行车赛的路线穿越两国领土；类似足球的团体项目预赛在朝鲜举行。

在谈判进行过程中，韩国在新建成的奥林匹克体育馆举办了1986年亚运会，独特的风格使国际社会对这个崛起中的远东工业巨人的信任度迅速增强。工业发展的前景和民主化进程正是汉城寻求举办奥运会的立足点。中国奥委会成员何振梁回忆了80年代末的情景：

> 朝鲜与韩国之间的对话既给两个国家，也给所有国家的奥委会带来了深入思考奥林匹克理念的机会。在我看来，作为一架共同的桥梁，奥林匹克运动显然能够使人们团结在一起。虽然我们中国与韩国还没有建立外交关系，但我们仍然感到有责任为奥运会的成功举办而努力，当然也包括亚运会。我们参加汉城奥运会给了我国人民一个更好地了解韩国人民的机会，反之亦然。

不稳定因素在1986—1987年间进一步增长，韩国相继发生警察血腥镇压政治游行的事件，迅速成为全球报纸的头条消息。汉城和其他地方的暴乱画面的确让人不安，但是媒体显然有意利用了这些突发的混乱事件进行了夸大和歪曲地报道。

1987年的整个春天和初夏，朝鲜和韩国仍然在洛桑进行着断断续续的会谈。萨马兰奇仍然有条不紊地继续着他的游戏，就像是在一局5分制的网球双打比赛中连续发出高球一样将朝鲜逼到了底线。本届奥运会提供给他们的比赛包括女子排球、乒乓球和射箭，其中排球最具有吸引力。

金云龙博士既是汉城奥运会背后的智囊团的主要成员，也是国际体育联合会总会的主席。在20多年的国际体育生涯中，他逐渐成了奥林匹克运动的一位核心人物。

萨马兰奇正用自己的慷慨大方慢慢和他们消磨时间。一份国际奥委会官方公报说，双方将在9月17日前接受最新提案，同时国际奥委会的正式邀请将发送给各国奥委会。朝鲜奥委会副主席对此仍不满足，他认为这一提案与朝鲜提出的8个体育项目的要求相去甚远。朝鲜主席金正日的目标则是在平壤举行开幕式和闭幕式。这种试图改变国际奥委会与汉城之间合同的行为显然缺乏现实性。萨马兰奇于是决定，不管朝鲜作出什么样的决定，他都将在11月再次访问汉城。他计划与卢泰愚会见反对党领袖（也是即将参加同年底总统选举的候选人之一）以稳定局势。金云龙说：

在卢泰愚（他是军人总统全斗焕的民主接班人）的政治对手中间盛行着一种观点，认为国际奥委会应该支持联合举办，但国际奥委会并没有为此全力以赴。萨马兰奇邀请反对派领袖金大中、金泳三等进行会谈。会谈之后，他们开始对国际奥委会和奥林匹克宪章有了更多的理解，反对意见也随之烟消云散。

到了11月份，不稳定因素再次出现，一架飞往缅甸的大韩航空公司客机被朝鲜间谍所安装的炸弹炸毁，155名乘客死亡。与此同时，非洲又出现了新的威胁：一些非洲国家宣称可能采取行动，抗议那些参加了南非约翰内斯堡锦标赛的网球选手参加奥运会网球比赛。到了`1987年圣诞节的时候，朝鲜问题才不再是个问题了。

朝鲜之所以希望介入奥运会，部分缘于经济而非政治的因素，因为此时来自电视台和赞助商的资金收入正在快速增长。美国的奥运电视转播权费用从ABC为洛杉矶奥运会支付的2.25亿美元一路爬升到了汉城奥运会的3亿美元，而这还是NBC与国际奥委会苦苦协商的结果。这笔交易的达成非常复杂。由于抵制事件，NBC在莫斯科奥运会上损失了近3 500万美元，他们能否再从ABC手中把夏季奥运会的转播权抢到手还真是个问题。相比之下，冬季奥运会费用的涨幅更为可观。后来的统计数据表明，这种上涨幅度完全不成比例：从ABC为萨拉热窝冬奥会支付的9 150万美元迅速上涨到它为卡尔加里冬奥会支付的3.09亿美元。毫无疑问，这是国际奥委会抬高转播价格的结果（理查德•庞德是奥运会方面的谈判代表）。而在此之后，萨拉热窝冬奥会的费用才逐渐广为人知。起初ABC和NBC均开出了3亿美元的天价，是ABC为萨拉热窝奥运会开销的3倍多，甚至比洛杉矶奥运会的费用还要高，其中的关键在于：此届冬奥会的比赛时间与北美的黄金时段撞在了一起。庞德给了两个电视台1刻钟来进行第2轮竞标，在竞标中NBC出价3.04亿美元，ABC出到了3.09亿美元。最后当ABC不得不为卡尔加里冬奥会的巨额亏损而休养生息时，CBS却以2.43亿美元的低价得到了1992年阿尔贝维尔冬奥会的电视转播权。除美国之外，其他国家的转播权费用也是一路飙升——从欧洲广播联盟为洛杉矶奥运会支付的1 900万美元上涨到它为汉城奥运会支付的3 000万美元，而事实上，这已经相当少了。从某种程度上说，是萨马兰奇保护

国际奥委会朝鲜成员Yu Sun Kim（右）是联合举办的中心人物，他正与萨马兰奇和Chong Ha Kim（韩国）一起。

了欧洲广播联盟。

在卡尔加里冬奥会电视转播权竞标大会结束的5个月后，有关汉城奥运会的谈判开始进行。韩国人误解了马克•麦科马克国际管理集团成员巴里•弗兰克的意思——他曾经说过，夏季奥运会的电视转播权费用通常是冬奥会的2.5倍——他们一直怀着能够收入大约7.5亿美元的美好想法（这个数字是卡尔加里冬奥会3.09亿美元的2.5倍），但由于亚洲与其他地区的时差，这个数目显然只能是天方夜谭。萨马兰奇担心，卡尔加里的费用是否已经“突破封顶”了，他认为应该允许美国电视台在汉城奥运会上获得一定的利润。那段时间，在洛桑和日后的汉城组委会主席卢泰愚之间每天都要有许多焦躁不安的电话。韩国人很不情愿地把电视转播权费用降到了5亿美元，但是ABC先前的神经质行为导致NBC将合同定为相对合理的3亿美元——比ABC为卡尔加里开出的价格还要低，当然，这主要是因为汉城奥运会的比赛不在美国的黄金时间进行。为了安抚韩国民众，NBC提供了一个额外的利润分享合同，前提是他们能够从市场上获取超过4.5亿美元的收益。但这个目标他们从来没有实现过。事实上，市场价格正处于紧缩状态。在为1992年奥运会转播权进行谈判的时候，CBS建议为阿尔贝维尔冬奥会和巴塞罗那奥运会制定相同的合约，这一提议很快被国际奥委会驳回。CBS以2.43亿美元的价格获得了阿尔贝维尔的电视转播权，而NBC则以足以使它的对手胆战心惊的4.01亿美元的价格保住了巴塞罗那奥运会的转播权。在美国令人眼花缭乱的电视和广告市场的价格战中，如下是44年来的电视转播费用明细表：

冬季奥运会

	美国电视转播权费用	世界总额
1960 美国斯阔谷	CBS 50000美元	不明
1964 奥地利因斯布鲁克	ABC 597000美元	90万美元
1968 法国格勒诺布尔	ABC 250万美元	不明
1972 日本札幌	NBC 640万美元	850万美元
1976 奥地利因斯布鲁克	ABC 1000万美元	1160万美元
1980 美国普莱西德湖	ABC 1550万美元	2100万美元
1984 南斯拉夫萨拉热窝	ABC 9150万美元	1.03亿美元
1988 加拿大卡尔加里	ABC 3.09亿美元	3.25亿美元
1992 法国阿尔贝维尔	CBS 2.43亿美元	2.92亿美元
1994 挪威利勒罕莫尔	CBS 3亿美元	3.53亿美元
1998 日本长野	CBS 3.75亿美元	5.135亿美元
2002 美国盐湖城	NBC 5.45亿美元	7.38亿美元
2006 意大利都灵	NBC 6.13亿美元	8.32亿美元
2010 加拿大温哥华	NBC 8.20亿美元	不明

夏季奥运会

1960 意大利罗马	CBS 394000美元	不明
1964 日本东京	NBC 150万美元	不明
1968 墨西哥墨西哥城	ABC 450万美元	不明
1972 西德慕尼黑	ABC 750万美元	1780万美元
1976 加拿大蒙特利尔	ABC 2500万美元	3500万美元
1980 前苏联莫斯科	NBC 8700万美元	1.01亿美元
1984 美国洛杉矶	ABC 2.25亿美元	2.87亿美元
1988 韩国汉城	NBC 3亿美元	4.03亿美元
1992 西班牙巴塞罗那	NBC 4.01亿美元	6.36亿美元
1996 美国亚特兰大	NBC 4.56亿美元	8.92亿美元
2000 澳大利亚悉尼	NBC 7.05亿美元	13.31亿美元
2004 希腊雅典	NBC 7.93亿美元	14.975美元
2008 中国北京	NBC 8.94亿美元	17.147美元
2012 英国伦敦	NBC 11.81亿美元	

如果贝丽乌夫人注意到权力正从她手中溜走，特别是在电视转播费这种事情上，她也应该看到萨马兰奇对于她在管理方面的不满情绪

正与日俱增。当奥委会西德成员瓦尔特•特罗格（Walther Troger）接替已故的匈牙利人阿帕德•恰纳迪（Arpad Csanadi）出任体育部主任时，他发现自己的工作处处受到贝丽乌夫人的干涉。特罗格是一位能够与萨马兰奇在维迪堡花园推心置腹的人。“我很快发现，”特罗格回忆道，“她很有效率而且博学，但她是一个独裁者。”1983年，执委会开始尝试打破独裁，但是萨马兰奇对在洛杉矶奥运会之前将这件事情政治化始终犹豫不决。最终，他决定在1985年柏林例会上解决这一问题。萨马兰奇委托特罗格来发难——这有些像前任体育部主任阿图尔•塔卡奇和哈利•班克斯（Harry Banks）曾经遇到的问题——贝丽乌夫人相信所有的决定都得由她来通过。当特罗格和庞德先后提出贝丽乌夫人的干涉必须停止时，她失去了勇气，并坦言自己已经不能继续工作了。她已经被巧妙地逼入了死角。曾经是一名奥运选手的贝丽乌夫人是一位令人敬畏且十分有修养的女性，但她却为自己营造了一种虚假的幻觉，以为自己是绝对安全的，相信自己绝对正确，而丝毫不去想自己仅仅是一名雇员而已。事实上，她在洛桑的影响力只是缘于连续两届主席都不在洛桑，而分别在芝加哥和都柏林，因此，她把自己的手伸到每一次任命和每一份合同上。每封国际奥委会成员写给主席的信都要由她来回复。除此之外，她处理人事管理方面的手段也极为强硬，每年都会有25%的淘汰率。为此，她曾向下属吹嘘说，自己能够控制基拉宁，只有她能让萨马兰奇当选——她毫不犹豫地支持他的竞选运动——她也能够控制他。但事实表明：她的判断严重失误。用最后的贵族卢森堡大公的话说，“这是一位很难对付的女人。”她憎恨萨马兰奇越来越多地承担对其他成员的义务，特别是此时总部设在卢赛恩的国际体育休闲公司的商业市场的不断壮大。

在柏林例会上，国际奥委会与国际体育休闲公司签订了为期4年的第一期TOP合同，即国际奥委会全球合作伙伴计划。奥运市场并不是什么新鲜事物，在1896年举行的第一届奥运会中，柯达的广告在官方计划中就已经赫然在目，这位胶片巨头成为首批主动加入国际奥委会全球合作

总干事贝丽乌夫人被迫辞职——或者说被炒鱿鱼，图中从左到右依次为：贝托尔德•贝茨（Berthold Beitz，西德）、亚历山大•西佩尔科（Alexandru Siperco，罗马尼亚）、阿兰•库帕特（Alain Coupat，办公室首席顾问）、萨马兰奇主席、弗朗克斯•加尼尔（Francoise Garnier，职员）、贝丽乌夫人、玛丽•特蕾西•潘萨特（Marie-Therese Pansart，职员）、阿什维尼•库马尔（Ashwini Kumar，印度）和亚历山大•德•莫雷德（Alexandre de Morede，比利时）。

伙伴计划的公司之一。在尤伯罗斯为洛杉矶奥运会制订的有组织的市场计划的推动下，洛杉矶奥运会成了首届成功盈利的奥运会，这也为萨马兰奇提供了一个能够很快拿来改进的典型。然而，洛杉矶的计划过于短视，忽视了奥林匹克运动的长期利益。赞助商们买到了全球使用权，结果却发现：没有当地国家奥委会的同意，他们根本没法使用。国际奥委会在1984年的收入——与主办城市相反——几乎完全来自于美国的奥运电视转播费。在这个波动的市场中，这无疑是一块软肋。萨马兰奇知道，奥运会不能只依靠电视台，因而他成立了新的财政基金委员会，起初由来自科特迪瓦的路易斯•吉兰杜•恩迪亚耶（Louis Guirandou-N'Daiye）领导，后来交给了理查德•庞德，他也同时接手了与电视台谈判等事宜。在1984-1988年4月间，由于第一期国际奥委会全球合作伙伴计划（TOP）的成功，国际奥委会虽然只从全球电视转播权收入中拿8%，从TOP那儿拿5%，但也建立起了500万美元的储备金。在处理来自奥林匹克运动的资金时，从1988年起每个国家奥委会都会从每期TOP那儿得到10 000美元的管理费用，另外他们还为每位参加卡尔加里和汉

城奥运会的选手提供300美元的资助。希腊是一个顽固地拒绝参加第一期TOP的国家，但后来还是加了进去。

1987年霍斯特•戴斯勒去世后，人们开始担心国际运动休闲公司的稳定性，但它的成功势头还是锐气不减。在萨马兰奇和庞德的指引下，商业化的容纳范围缩小了，赞助商越来越少，而为独占权支付的实际赞助却越来越多。在1980年的普莱西德冬季奥运会上，有300多个赞助商，每家只需支付很少数额的赞助款。而在第一期TOP中，9个跨国赞助商赞助的资金就已经和洛杉矶奥运会35家赞助商赞助的资金持平。奥林匹克运动会与温布尔登网球公开赛一样，过去是——现在依然是仅有的不在体育场馆放置广告的大型体育赛事：这是国际奥委会抵制过度商业化最强有力的证据。

国际奥委会从赞助商那儿获取资金对双方来说是互惠的，尽管那些精英赞助商们为了买到独占特权需要花费上千万美元，而且此后他们还需要花费同样多，甚至更多的费用来提升公众对该公司的认同以及密切宣传公司与奥运的联系。Visa公司对于奥运的发掘利用是第一流的，但美国快递在被邀请参与TOP时，却可悲地选择了拒绝。Visa公司的销售业绩以令人惊讶的速度增长了18%，比公司预计的12%还要高。国际管理集团花了20年的时间将温布尔登全英格兰俱乐部的利润从7万美元提升到1300万美元，而现在它只能眼睁睁地看着国际奥委会与国际体育休闲公司合作，并与159个国家奥委会签订了从1984年至1988年间的价值9500万美元的合同。

柏林例会的另一个重大决定是将国际奥委会成员未来的退休年龄从72岁提高到了75岁：唯一不想公开的目的是为了使萨马兰奇能够再次当选。前国际泳联主席罗伯特•赫尔米克（Robert Helmick）当选为国际奥委会委员，一年后安妮塔•德弗朗茨（Anita DeFrantz）接替了他的位置。彼得•尤伯罗斯则两次落选，事实上他的才能本来很可能成为萨马兰奇革命中的宝贵财富。尤伯罗斯认识到了奥运会所需的道德立场，而极具讽刺意味的是，赫尔米克却随后因为生意上的利益冲突而被迫辞职。当赫尔米克在执委会会议上被提名时，就有人向萨马兰奇提出否定的看法，说他是“不折不扣的大骗子”。也有人表示支持德弗朗茨，这位非裔美国人在1976年赢得了女子八人赛艇的铜牌。但萨马兰奇对尤伯罗斯的个人态度则是模棱两可的。

萨马兰奇和霍斯特•戴斯勒（Horst Dassler）在法律部主任霍华德•斯塔普（Howard Stupp）的监督下签署了第一期TOP协议。

1985年，笔者陪同萨马兰奇进行了一次广泛的出访，对象是奥林匹克运动的边缘国家：鲜为人知的国家奥委会和他们无私的官员。他们在奥林匹克版图的边缘挥舞着奥运旗帜，不管他们在奥运会上的代表团规模有多小，参与这一行动本身就体现了奥林匹克运动的广泛性，正是他们的参与才把奥运会与其他体育运动区分开来。在为期11天的访问过程中，多数是从早上5点半开始，到将近半夜的时候才结束。萨马兰奇通常处于不利地位，因为他并没有什么个人优势可言，除了在自己从事的事业中所具有的广泛的管理知识外。我们访问了12个国家，其中包括：毛利塔尼亚、塞拉利昂、马里、布基纳法索、尼日尔、加纳、贝宁、赤道几内亚、乍得、中非共和国、乌干达和吉布提等。我们遇到了一贫如洗的人们，看到了他们对于资源的极度渴望，也了解到了孩子们想抓住极小的运动机遇实现理想的愿望：无论是乍得木板拳击场上穿着没有系鞋带的皮鞋的男孩，还是在马拉博和费尔南多波岛热带暴风雨中前行的半程马拉松赛选手，这些地方处于非洲的肘部，由于西班牙多年的不闻不问正在逐渐衰败。两年后，我们对太平洋上的小岛国大小美拉尼西亚进行了一次相似的出访。回来后，萨马兰奇在一封给国际奥委会成员的信中写道："瓦努阿图、西萨摩亚和美属萨摩亚、汤加和库克群岛没有任何力量，无论是政治、经济还是体育运动。尽管如此，他们仍然和其他国家一样拥有自己的国家奥委会……他们的价值不逊于任何人，并且他们用更多的时间，付出热情的努力将我们的理念传递给他们的年轻人。"库克群岛只有234平方公里，人口只有15 000人。就人均而言，他们的人民为他们的选手参加世界赛场的竞赛作出了比世界上其他任何国家都要大的贡献。

1986年，萨马兰奇劝说国际奥委会改变奥运会的赛程安排，以使夏季和冬季奥运会能够轮流在双数年份举行。这项建议是由ABC的体育主管丹尼斯•斯万森（Denis Swanson）提出的，其目的就是要使各电视台和赞助商们为体育所花费的预算能够从分开举办的奥运会中得到更多的回报。为了将旧赛制调整为新赛制，在1992年冬季和夏季奥运会后的第2年将举行新一届冬奥会，然后在1996年举行百年奥运会。萨马兰奇后来说：

> 这是我任主席期间最好的决定之一，在同一年参加两届奥运会对一些国家的奥委会来说有些困难。对于两个主办城市来说，在同一年寻找赞助商、与电视台商谈电视转播权费用都不是件轻松的事情。另外，这样还容易给人造成一种大奥运会和小奥运会的印象。不过在采取新的行动之后，冬季奥运会将变得更为重要，保持冬季奥运会的特色是非常必要的，这儿的运动将只与冰和雪相关。

1992年奥运会主办城市的选举定于1986年举行。在富裕谨慎的银行家卡洛斯•费雷尔（Carlos Ferrer）的官邸参加了一次盛大午餐后，萨马兰奇已经注意到了候选城市开支的费用总额及公众对于浪费的不满情绪——尤其是在他的家乡巴塞罗那。萨马兰奇发起了一项旨在对申办1994年和1996年奥运会的候选城市资金开支进行控制的研究，这是根据1986年的13个候选城市（夏季奥运会：阿姆斯特丹、巴塞罗那、贝尔格莱德、伯明翰、布里斯班和巴黎；冬季奥运会：阿尔贝维尔、安克雷奇、Berchtesgarten、克缔纳、法仑、利勒哈默尔和索非亚）大手大脚挥霍资金情况作出的决定。当国际奥委会委员环游世界、视察候选城市、享受各种服务时，他们的娱乐活动的耗费相当大。洛桑例会宣布将在1986年作出决定，各方对于即将到来的盛宴更是浮想联翩。洛杉矶奥运会的商业成功产生了一个既让人羡慕又使人警惕的副产品——以前没人要的承办权现在变成了世界上无数城市垂涎的奢侈品。国际奥委会陷入了由自身的成功和大城市的贪婪无度以及多数成员的错误行为交织而成的怪圈中。当然，大多数成员的错误是可饶恕的，他们陶醉于阿谀奉承，更多的是由于幼稚想法下的掉以轻心而非放纵腐败。必须承认申办城市与委员们所犯的错误一样多，毕竟国际奥委会对申办城市没有丝毫控制力。

1986年申奥大戏开始上演。问题是巴黎的魅力是否能够与人们对于奥委会主席家乡巴塞罗那的注意力相抗衡。公众和媒体的感觉是萨马兰奇的权力已经无人能敌，他只要打一下响指就能够确保巴塞罗那的胜利。而事实是萨马兰奇很想置身于争论之外（只是没有成功罢了）。他担心如果巴塞罗那赢了的话，申办成功的大部分功劳都会归到他的身上；而如果输了的话，他同样也会遭到本国民众的非议。除此之外，他也被私下建议留在执委会内以免出现巴塞罗那第一轮就获胜的情况，因为如果太明显的话，媒体很可能会炸开窝，而大量的批评也都会落到他头上。有组织的战略性投票使得巴塞罗那的胜利由第一轮推迟到了第3轮。由和蔼可亲的阿兰•丹内特（Alain Danet）领导的巴黎申办活动过于引人注目，他们一直都在强调自己的浪漫和文化声望，却试图掩盖了这个城市设施不足的事实。世界上还有比巴黎更精彩的城市吗——当天，希拉克作了一番

巴塞罗那市长帕斯奎尔•马拉加尔（Pasqual Maragall）和萨马兰奇签订1992年承办奥运会的合同。

热情洋溢的演讲，这差点儿影响了投票结果。不过，巴塞罗那已经在银行家利奥波德•洛德斯和国际奥委会成员弗雷尔领导下，进行了一次出色的游说活动，他们最后以47对23的投票结果成了赢家。对于巴塞罗那来说，这已经是它在过去60年中第4次申办奥运会了。

在选择冬季奥运会举办城市的投票中，阿尔贝维尔在第六轮的时候，其获得的票数已经两倍于保加利亚首都索非亚的票数。在夏季奥运会的第1轮投票中，巴塞罗那只占据了总票数中的少数。虽然这可能是缘于某种策略性投票技巧，他们先投票给贝尔格莱德，而下一轮则不会。对于冬季奥运会来说，在索非亚比赛比在法国分散的地区进行比赛要更有新意，也更为有利。夏季、冬季奥运会的投票结果如下：

夏季奥运会

	I	II	III
阿姆斯特丹（荷兰）	5	-	-
巴塞罗那（西班牙）	29	37	47
贝尔格莱德（南斯拉夫）	13	11	5
伯明翰（英国）	8	8	-
布里斯班（澳大利亚）	11	9	10
巴黎（法国）	19	20	23

冬季奥运会

	I	II	III	IV	V	VI
阿尔贝维尔（法国）	19	26	29	42	-	51
安克雷奇（美国）	7	5	-	-	-	-
Berchtesgarten（西德）	6	-	-	-	-	-
克缔纳（意大利）	7	6	7	-	-	-
法仑（瑞典）	10	11	11	9	41	9
利勒哈默尔（挪威）	10	11	9	9	40	-
索非亚（保加利亚）	25	25	28	24	-	25

在申办结果出来之前，许多城市在洛桑举办了豪华的晚会，这在很大程度上浪费了纳税人的钱，因为这些钱本来应该更好地花在国内。“这一周对国际奥委会来说，是申办过程正在承受失去控制风险的信号，”凯文•高斯帕在他的自传《奥运人生》中回忆道，“洛杉矶奥运会时，我们很幸运——只有洛杉矶是唯一的申办者。从那时起到现在，已经有13个城市在竞争主办权。”萨马兰奇正坐在一辆没有刹车、没有信号灯、隆隆前行的“火车”上，虽然如他曾辩解的那样，“这就是我继承的体制。”4年后，在争夺1996年百年奥运的举办权时，这种情况达到了更加激烈的程度。世界公众对这一体制的不满情绪迅速高涨。

正当各国齐聚卡尔加里参加冬季奥运会时，奥林匹克运动的变革潮流已经不可逆转了。最引人注目的是奥运伦理对社会主义世界的影响，他们曾经谴责并抵制洛杉矶奥运会，但现在他们转而支持搁置意识形态的说法，并派遣代表团到汉城去参赛。抵制时代即将被打破，原因一方面是商业利润的吸引，但更重要的还是奥林匹克“重在参与”理念的不可抗拒的号召力：缺席者不会得到任何奖牌。

“石油城”卡尔加里的主要问题不是缘于政治而是要归因于气候。除此之外，这个城市执意要把一些比赛放在错误的地方举行，这与他们的申办计划背道而驰，事情变得复杂起来。他们投入了约3亿美元来进行奥运会的准备工作。在这个曾经是西北骑警前哨站和加拿大太平洋铁路停靠站的城市——也是著名的卡尔加里牛仔大赛的故乡，一场精心策划的宣传运动将民众动员了起来，无论是在体育还是在文化上，大家都变得更为齐心协力。为了避免12年前蒙特利尔遭遇的风险，卡尔加里几乎出动了所有的工人和志愿者，可谓万事俱备。偏偏天公不作美，天气一直变幻不定，难怪卡尔加里一直有这样一种说法：如果你不喜欢现在的天气，那么请等5分钟。著名的切努克风会使气温在不到一小时之内变化30多度。你永远都不知道是该穿一件极地外套还是该穿一件T恤衫。短橇和长橇的滑道总是会融化，艾伦山和纳基斯卡山需要人工造雪，但雪仍然会被风吹走，这些都给比赛造成了不便。就连市政规划的滑雪跳台也是如此，沙尘的威胁使跳台和长橇项目几乎无法进行。与之形成鲜明对比的是，该城为花样滑冰和冰球比赛所建的马鞍顶式的豪华体育场可谓无与伦比。卡尔加里奥运会毫无疑问获得了巨大的成功，虽然也有一些人抱怨为期3周的挣钱机器奥运会进一步地提高了国家的税率，但就整个加拿大而言，人们还是异常兴奋。国际奥委会现在有了1.5亿美元的收益，参加本届冬奥会的国家达到了创纪录的57个。

1988年3月，药物委员会主席德•梅洛德王子对使用禁药的行为提出了更严格的处罚措施——1.使用合成胆固醇、兴奋剂或者中枢神经系统镇静剂：初犯给予2年禁赛，再犯给予终身禁赛；2.使用禁用物质，如麻醉剂和安非他明等：初犯给予3个月禁赛，再犯给予2年禁赛，三犯给予终身禁赛。

禁药红细胞生成素的出现再次惊醒了药物委员会，这一药物通常被用来防止肾功能衰竭，后来被人用于诸如越野滑雪等的耐力运动，以代替或者简化血液回输疗法。所有可察觉的痕迹都会在注射后48小时之内消失得无影无踪。在卡尔加里，加拿大越野滑雪教练马蒂•霍尔间接指责前苏联女子越野滑雪选手使用了血液回输疗法。事实上，这不仅仅是因为检测技术落后于作弊的生化技术，还在于人们对于体育道德态度的变化也在削弱着诚实的人们的意志力。例如国际田联恢复芬兰选手马蒂•瓦尼奥的参赛权利，允许他参加1986年的欧锦赛，而他在洛杉矶奥运会药检中被查出呈阳性。1987年，瑞士选手桑德拉•加瑟尔（Sandra Gasser）被国际田联处以两年禁赛，原因是他在罗马世锦赛上没有通过药检。但国际田联自身系统就是一团糟，各国都在自行其是。

尽管如此，在汉城奥运会发生的丑闻面前，所有这些都显得苍白无力：加拿大选手本•约翰逊没能通过药检。约翰逊并非汉城奥运会的第一个“肮脏”选手。在为期10天的举重比赛中，违规事件层出不穷，以至于人们完全有理由在将来放弃这项比赛。在接连查出两位金牌获得者检测呈阳性之后，保加利亚召回了自己的参赛队伍。约翰逊事件之所以如此引人注目，是因为它揭示了长期以来司坦唑醇的使用情况。约翰逊于次日凌晨被他所在国家的奥委会从汉城扫地出门，但他还在蹩脚地抗议说，他喝的一种饮料可能被“污染”了。萨马兰奇在奥运会之前的例会上说过“用药就意味着死亡”，现在他正努力地从这场灾难之中总结教训。相对这位曾在洛杉矶奥运会上获得第3名的不够知情的牙买加移民来说，更应该感到内疚的是他的教练查理•弗朗西斯和医生杰米•阿斯泰芬（Jamie Astaphan）。弗朗西斯后来供认，他执教的13名男女运动员都服用了类固醇。

奥运会上涉嫌使用禁药的还有两项女子短跑赛事冠军、美国选手弗洛伦斯•格里菲斯•乔伊纳（Florence Griffith Joyner），尽管她从未被查出呈阳性，但她的强壮体格还是引起了人们的怀疑，尤其是其外貌的表征，她的清白也被打上了问号。

无论萨马兰奇怎么想，由于检测中化学手段和过程的局限性，国际奥委会正在输掉这场特殊的战役。约翰逊连续数月都在为自己辩解，最终在多伦多由查尔斯•杜宾法官主持的一次长时间的质询中，他承认自己在一些运动项目中采取过欺骗行为，而在加拿大，曾经有成千上万的人兴高采烈地欢呼他战胜了美国对手。在1990年的一次法律座谈会上，曾作为杜宾顾问的皇家御用大律师罗伯特•阿姆斯壮（Robert Armstrong）谴责了国际奥委会和国际田联，指控他们在约翰逊事件之前，面对明显的证据却缺乏必要的反应。美国教练证实，美国队的许多队员在1984年就已经在服用指定的类固醇了。

如果说一方面约翰逊代表了奥运会和国际奥委会未来梦魇般的一幕，那另一方面这次背负着顾拜旦理念的庆典却是一次历史性的成功：历史上最盛大的奥运会，无论在规模上、技术上还是在宣传上，加上空前规模的设施以及无数亚洲人民的盛情，这些都为比赛创造了融洽的气氛。就像卡尔加里一样，参加汉城奥运会的国家数目也达到了创纪录的159个。阿尔巴尼亚、古巴、埃塞俄比亚与朝鲜一起抵制了奥运会，而他们错过的正是顾拜旦和他的同事们都无法想象到的盛大节日。在开幕式上，阿拉伯人和以色列人肩并肩地沿着跑道一起行进。

如果说韩国面对着来自社会主义国家的质疑，忍受着来自三八线以北的敌意，得到主办奥运会的机会是欠国际奥委会一份情的话，那么他们以德国式的组织、东方人的方式和美国人的商业头脑为奥林匹克运动作出了回报。对于一个30年前被战争夷为平地的国家来说，奥运会举办得非常成功，与中国、日本的文化、经济和政治关系也重新建立起来，与世界上其他国家的关系也是如此。例如，几个月后韩国与匈牙利的贸易署就开办起来，戈尔巴乔夫和卢泰愚很快要参加在旧金山举行的高峰会议。奥运会为韩国带来的宝贵礼物便是它的国际地位的提升。

1981年获得举办权的时候，韩国还没有彩色电视机。7年后，它已经成为世界十大彩电贸易国之一。与他们对许多来访者的慷慨相对的是，总共取得了5亿美元的收益。开幕式上运动员宣誓被放在跑道上进行，由76岁的孙基祯代表宣誓，他在日本占领期间曾被迫以孙龟龄（Kitei Son）的名义参加比赛，并获得了1936年的马拉松冠军。韩国该扬眉吐气了！

本•约翰逊蒙受了被剥夺百米冠军称号的耻辱，他的教练查理•弗朗西斯承认他的队员曾系统地使用类固醇药物。

第57章 卡尔加里

第十五届冬季奥运会 1988

瑞士选手维蕾妮·施奈德（*Vreni Schneider*）
冬奥会高山滑雪双项冠军得主

卡尔加里是我参加的第一届奥运会。我加入强大的瑞士女子滑雪队并参加比赛这一事实本身就是一个重大的成就。我们住在纳基斯卡，离比赛地点艾伦山很近。我觉得自己的状况一天比一天好，高山两项的速滑阶段我处在第8位，这个成绩在高手如林的情况下已经不错了。不幸的是，在小回转阶段我犯了个愚蠢的错误，把滑雪板卡到了门洞里面，结果丧失了夺牌的机会。但是上一年克莱恩•蒙塔纳世界锦标赛上的比赛经验教会了我怎样对付这样的挫折，因此我能够将注意力集中到大回转项目上去。

我依然清楚地记得那天的每一个细节。由于我过于紧张，那天早上5点就醒了，很快便起了床，然后慢跑穿过森林。随后，我又完成了滑雪板和其他装备的准备工作，开始忐忑不安地等待出发。这是一条难度极大的雪道，第一轮后我只排在第5名，好在我的紧张情绪终于消除了。众多的观众、良好的天气和完美的赛道给了我灵感。我的第2轮完成得相当好，所以当第一轮速度最快的选手碧安卡•费尔南德斯•奥克雅（Bianca Fernandez-Ochoa）不幸摔倒出局时，一种复杂的感觉奔涌而来。我的夺金梦很快就要实现了，那一刻，我突然想不起成功究竟意味着什么。我仍然记得颁奖仪式上生动的那一幕：我站在领奖台上，面对着5万名热情欢呼的观众，膝盖都颤抖起来。之后我返回纳基斯卡，恢复了普通的日常训练，还有小回转比赛在等着我们呢。

大回转比赛的胜利使我对接下来的比赛更加充满信心，我在第一轮中就创造了最好的成绩。之后的第2轮滑行，我是最后一位出发的选手，当我不顾一切地到达终点时，记分牌上再次闪现出了“第一”的字样。

我非常高兴自己能够成为双料奥运冠军，为了这一天，我牺牲了很多。我很难过，逝去的母亲没有能够亲眼看到我今天的成就，我也向所有曾经帮助过我的人表示真诚的感谢。奥运会的成功使我变得更加自信。我想我个人并没有改变，我很想靠努力训练再次去证明我的金牌是理所应当的。

她的确证明了这一点。在接下来的时间里，维蕾妮•施奈德共获得了14项世界杯赛事的冠军，其中包括全部7项小回转项目的冠军。截至到1993年，她总共赢得了41场职业比赛的胜利，在历史上排在第4位。在卡尔加里冬奥会上，高山两项全能（这一项目在1962年到1984年间都未举行）的夺冠热门选手是施奈德的队友布里吉特•厄尔特利（Brigitte Oertli）和玛丽娅•瓦利泽尔（Maria Walliser）。然而出乎意料的是，奥地利选手安妮塔•瓦赫特（Anita Wachter）在高山速降阶段竟然高居第三，虽然厄尔特利在两次小回转滑行中尽力弥补，但在小回转阶段位居第二的瓦赫特最终还是维持住了她微弱的领先优势，夺得金牌。

瑞士选手维蕾妮•施奈德在小回转和大回转比赛中大显身手。

在大回转项目的比赛中，费尔南德斯•奥克雅（Fernandez-Ochoa）在第一轮比赛中领先西德选手克里斯塔•金斯霍夫•居特莱因（Christa Kinshofer-Guthlein）、瓦赫特、克里斯蒂安•迈耶尔（Christine Meier）以及施奈德（位居第五）。作为回应，施奈德在第二轮比赛中开始疯狂地追赶。64名选手中只有29人完成了全部两轮比赛，陡峭的上半赛段使许多选手人仰马翻，施奈德的进步体现了她争强好胜的性格。

玛里拉•基尔（Marina Kiehl）是位来自德国慕尼黑的女孩，她的父亲是个百万富翁，一向以待人冷酷著称。比赛中，她虽然表现得有些狼狈，但滑降过程还算控制得不错，最终获得了冠军。厄尔特利晚一秒钟到达终点，领先加拿大选手卡伦•佩尔西（Karen Percy）0.01秒，获得银牌。

男子高山速降的赛道是由著名的伯纳德•鲁西——他曾在1976年输给了弗兰茨•克拉默——和加拿大人肯•里德共同设计的，这位“疯狂的加拿大人”曾经在这条赛道上试滑了100次。在比赛前，传奇人物克拉默在试滑后对该赛道评价说：“无论谁夺冠都需要冒很大的风险。”这项比赛果然成了最具挑战性的赛事之一。瑞士选手彼特•米勒是当时的世界冠军，排在第一位出发，而楚尔布里根则在第14位。直升机将夜晚的积雪吹得纷纷扬扬，没有其他选手能够像米勒这样享受这么好的新雪。他的开局时间是2分0.14秒，他之后的所有选手都依次相差一秒，这种局面一直持续到楚尔布里根上场。楚尔布里根从悬崖上飞身而下时的线路可以说是完美无缺，同时他转弯时优美的弧度几乎可以和克拉默相媲美，以至于他看起来就像在弯道内加速。片片雪花飘过山坡，为比赛增添了几分雅致：穿着黄色衣服的楚尔布里根从松树林间一闪而过，向着终点飘去，然后在终点的围栏处滑了一条美丽的弧线。当他转头看咔咔作响的计分牌后，兴奋地把滑雪板掷向天空，他以半秒的优势击败了最强大的对手！“感谢上帝，我赢了，”他说，“我根本不知道这些为什么会发生在我的身上。”

随后，接连在小回转阶段的第一轮后他又领先两秒钟。而灾难在第二轮比赛中开始降临。由于滑雪板撞上了第39号旗门，他跌跌撞撞地滑到了第40号旗门，这使得他最终和金牌擦肩而过。

楚尔布里根在大回转比赛中争取到了一枚铜牌，但他还是被开朗的博洛尼亚选手阿尔伯托•通巴抢去了风头。由于小回转和大回转项目的一再失利，通巴始终无缘全能项目的冠军，在1988年和1992年的比赛中均名列第二。尽管如此，除了他华丽的滑雪技术外，最让他与众不同的是，他在任何时候都如阳光般灿烂。他从不说任何人的坏话，“我很开心，我必须向我自己表示祝贺，”他曾在一次获胜后这样说到。他没有经历过什么苦难，从小就生长在一个16世纪的名门望族，家里还有风景如画的花园和喷泉。在卡尔加里奥运会夺冠之后，他的父亲给他买了辆法拉利。在奥运会之前参加的18场比赛中，他获得了9次胜利，这要部分归功于他的教练——前世界冠军古斯塔沃•托尼。据这位教练评论说："常常是我一闭上眼睛，他就开始不认真训练，但他最终还是成功地把自己的过剩精力放到滑雪板上了。"

在获得高山速降的胜利后，优雅的几乎连上帝都为之惊叹的瑞士滑雪选手裴明•楚尔布里根在争夺全能冠军的最后一刻不幸摔倒。

在男子个人花样滑冰的比赛中，尽管布莱恩•博伊塔诺（Brian Boitano）在自选动作中动作华美，但有的裁判却视而不见，最后他以微弱的优势夺得金牌。这是3位世界冠军之间的较量：前苏联选手阿利克斯•法捷耶夫（Alex Fadeyev，1985）、博伊塔诺（1986）和奥泽（1987）。奥泽在规定动作中有一次跳跃出现失误，之后将3周跳改为2周跳。在笔者这位外行的眼中，这种区别就像丝绸和纱缎之间的差别，既明显又细微。在短节目中，他像往常一样领先。但在自选动作完成后，有4名裁判支持奥泽，3名裁判赞成博伊塔诺为第一名，两名裁判认为两人打成平局。根据技术评分的高低，后两名裁判的票数给了博伊塔诺，这使他险胜对手，尽管实际上两人差距极大。

有着超凡魅力的卡塔琳娜•维特的吸引力如此之大，以至于赛前她和塞巴斯蒂安•科以及卡尔•刘易斯共同召开了一次规模庞大的新闻发布会，上百名记者齐聚一堂倾听她毫不做作的谈话。维特有着奥黛丽•赫本那样善睐的明眸、美丽的嘴唇和灿烂的笑容，她准备在比赛中充分展现她电影明星一般的身材。不过也有一些人认为，这个20岁就已经获得过3次世界冠军，同时也是奥运卫冕冠军的东德女孩，此刻正在运用她性感的外貌来吸引裁判。但当她踏上冰面的那一刻，万种风情尽显眼底。她在自选动作中用心去演绎比才•卡门，她和她的主要竞争对手美国选手德布拉•托马斯（Debra Thomas）都选择了这一曲目。托马斯曾在1986年击败了维特，获得世界冠军。维特则在次年将冠军宝座又夺了回来。她们显然不是朋友。在开始的规定动作阶段，维特小心翼翼完成比赛，这一阶段结束后，她排在前苏联选手基拉•伊万诺娃（Kira Ivanova）和托马斯之后列第三。在短节目中托马斯领先，维特紧随其后。在自选动作中，维特在技术动作上较为谨慎，不过艺术表现却是一流，尽管如此她也很有可能被托马斯或者加拿大选手小伊丽莎白•曼利（Elizabeth Manley）超过。曼利自然的表现为她赢得了银牌，托马斯在接下来的5次3周跳中连续出现失误，有一次甚至需要用手支撑着冰面来维持身体平衡，她最终只得到了铜牌。维特成为自海妮卫冕以来第一位成功卫冕的花样滑冰选手，托马斯则成为第一位获得冬季奥运会奖牌的黑人运动员，赛后她扑到丝毫没有责备意味的阿利克斯•麦高文教练怀中。"对不起，对不起，"她反复说道，就像一个孩子对父亲那样。

无忧无虑的意大利超级明星阿尔伯托•通巴就像一辆法拉利一样驰骋在雪地上，他在卡尔加里获得了两项回转赛事的冠军。

正如人们所预料的那样，马蒂•尼凯宁以第一位高山跳台滑雪双料冠军的身份创造了奥运

芬兰选手马蒂•尼凯宁依靠自身无可比拟的优势，成为首位高山跳台滑雪双料冠军，从而创造了历史。

历史。那一年他赢得了11项世界杯赛事的8项冠军。早在18岁时，他就已经成为世界冠军，如今24岁的他将要捍卫自己在萨拉热窝所获得的90米跳台冠军的荣誉。在70米跳台项目上，他的表现远远超过其他对手，最后轻松卫冕，并在高跳台团体比赛中帮助芬兰队夺冠。在个人高跳台比赛中，他以118.5米的成绩创造了冬奥会历史上的最高纪录。

卡尔加里奥运会首次设立了北欧两项（跳台和越野接力），由汉斯•彼德•波尔（Hans-Peter Pohl）、胡伯特•施瓦茨（Hubert Schwarz）和托马斯•穆勒组成的西德队最终获得了冠军。前苏联女选手在四人女子北欧赛事中表现突出，夺得了9枚个人比赛奖牌中的7枚，同时还获得了接力赛的金牌。35岁的蕾萨•斯梅塔尼娜（Raisa Smetanina）获得了1枚银牌和1枚铜牌，这使她在4届冬奥会上获得的奖牌数目上升到创纪录的9枚。

由于卡尔加里新建的室内速滑体育馆进行了技术革新，男子10公里的奥运纪录被16次打破。世界纪录则由瑞典冠军托马斯•古斯塔夫松（Tomas Gustafson）打破，之前他曾成功卫冕5 000米冠军。对于观众来说，长距离速滑比赛本质上是“内部人”的比赛，无论速度多快，比赛都平淡无奇，事实上他们的速度比径赛要快上两倍。只有短距离比赛，如500米和1 000米才能给人带来紧张感。在男子500米比赛中，一周前获得世界冠军的詹森（Jansen）在比赛当天早上得知他的妹妹简因白血病即将去世，他们通过电话进行联络，尽管她不能说话，但还是表达了希望他能够参赛的愿望。下午决赛开始前，简的生命走到了尽头。比赛中她的哥哥在第一个转弯处就摔倒在地，在4天后的1 000米比赛中也是如此，这两项比赛的冠军分别被东德选手梅伊（Uwe-Jens Mey）和前苏联选手尼古拉•古利亚耶夫（Nikolai Gulyayev）获得，前者曾创造了36.45秒的世界纪录，后者则将奥运会纪录提升到1分13.03秒。

前苏联队击败了主场作战的加拿大队，第7次获得了冰球冠军，美国队则没能获得奖牌。前苏联队以5比0击败加拿大队后已是稳操胜券。之后他们又开始迎战最后的对手芬兰队，后者在他们的守门员尤兹卡•塔米的帮助下侥幸以2比1获得胜利。对芬兰来说，这是他们在冬奥会中获得的首枚冰球比赛银牌，也是首枚奖牌。

尽管一路风沙四起，瑞士头号长橇组合还是获得了四人长橇的冠军。

第58章 汉城

第二十四届夏季奥运会 1988

丹麦人保罗·埃弗斯特隆（Paul Elvstrom）
自1948年至1960年连续获得4届奥运会帆船冠军

对我来说，奥运会在所有比赛之中具有最高优先权。1948年，我获得了自己的首枚奥运金牌。在我眼中，其他帆船赛都只是奥运会的练习赛，结果并不重要。在我年轻的时候，金、银、铜牌只有在奥运会上才会颁发；而现在几乎所有的比赛都会颁发，这是错误的。应该只有奥运会才有这种特权，我希望有一天这种情况能改变，赢得奥运奖牌是一名运动员能够获得的最高成就。

从9岁起，我就开始了自己的帆船生涯。我住的地方离大海很近，可以说大海就是我的家。小时候，我有很多简单幼稚的想法，然而只有在长大后我才开始明白自己所做的一切。1948年，年仅20岁的我参加了萤火虫帆船赛。我始终把奥运会看做一项普通的比赛，因为我喜欢帆船运动。在最后两场比赛之前，我只排到了第5位或第6位，但后两场我都赢了。随之而来的胜利很快使我明白了其中的含义。我开始听到有人说我是靠运气取胜，我于是想在其他方面证明自己。由于年轻，再加上没什么名气，我的成功招到了很多人的嫉恨，这就是我为什么要捍卫自己声誉的原因。在比赛中，我轻而易举地获得了冠军。此后，我对于能否获胜越发紧张，总觉得自己必须要做到完美无缺，不能犯任何错误。也正因为这个原因，其他的比赛变得愈加不重要了。

能和我的女儿特丽娜一起扬帆海上才是真正的快乐，没有她我不会重返赛场，不会参加洛杉矶和后来的汉城奥运会。起初我们没有被列在奥运代表团之内，因为丹麦帆船联合会认为我们还不算优秀，但是我们还是获得了1983年的欧洲旋风船比赛冠军，这足以证明我们的实力。在洛杉矶，我有点遗憾，因为特丽娜丢掉了夺得铜牌的机会，当时我们以1分之差排在第四位。

帆船不是一个拥有很多观众的体育项目，也没有受到媒体的足够关注，不过奥运会上的比赛是个例外，因此，获得4枚金牌是我能够找到的最好的推动帆船运动的途径，特别是对我的祖国丹麦来说尤其如此。

1928年，保罗•埃弗斯特隆出生于哥本哈根，他辉煌的一生展现了一名杰出运动员的体育精神。埃弗斯特隆曾连续4届获得了奥运萤火虫和芬兰级帆船比赛的冠军，还是仅有的4名曾参加过8届奥运会的选手之一，也是拥有超过40年运动生涯的4名选手之一。1964年，他曾宣布退出比赛，不过后来他还是和女儿特丽娜一起参加了洛杉矶奥运会的旋风帆船赛，这成为了奥运赛场上的首次父女同赛。

无论如何，1988年奥运会都应当被记作是非洲选手的奥运会——准确地说是肯尼亚人的奥运会。当整个赛场上空被由本•约翰逊和他的顾问们以及部分举重选手们引发的对冠军们的恶意怀疑所笼罩时，肯尼亚人和埃弗斯特隆这样的传统主义者坚守住了奥林匹克精神。在运动员宣誓后不到一周，就有人背叛了这些誓言，当我们因为发现罪恶而感到震惊的时候，肯尼亚人用他们漂亮的步伐给我们带来了巨大的惊喜，也正因为如此，这个吸引了全世界注意力的重大赛事依然得到了积极的评价。在本届奥运会中，肯尼亚选手不仅夺得了800米、1 500米、5 000米和障碍赛跑的冠军，还获得了10 000米、马拉松赛以及障碍赛的银牌。

卡伦金、基库尤和图坎纳等部族位于埃尔贡山和肯尼亚山脚下。这些部族的人以玉米、牛奶、小米和牛血块为生，而这些正是径赛类选手们的天然补品，他们每天都要追赶自己的牛羊，跑10英里路去学校上课。保罗•埃伦（Paul Ereng）小时候是个放牛娃，然而就是凭着一种简单的执著，来自高原的他最终夺得了800米冠军。而在此之前，他从来没有参加过800米的比赛。在决赛的最后一个弯道，他从人群后面冲上来，超过了一大群热门选手，不仅击败了卫冕冠军乔基姆•克鲁斯，也战胜了3年来在此项比赛中从未失利过的传奇人物萨义德•奥伊塔，后者曾扬言自己是不可战胜的。

在国家中长跑教练麦克•科斯基的指导下，埃伦的队友尼克松•基普罗蒂奇（Nixon Kiprotich）做出了牺牲，他将负责吸引克鲁斯、奥伊塔、英国选手彼得•埃利奥特（Peter Elliot）以及另一位巴西选手乔斯•路易斯•巴布萨（Jose-Luis Barbosa）的注意力，从而为埃伦创造条件。在进入最后一圈，巴布萨气喘吁吁地以49.54秒的成绩超过基普罗蒂奇时，埃伦还排在第7位。随后，克鲁斯和埃利奥特率先进入最后的直道，然而在事先毫无征兆的情况下，埃伦从后面冲上来插入内道，并领先一步获得冠军，成绩为1分43.45秒。克鲁斯、奥伊塔和埃利奥特几乎同时冲过终点，而无私的基普罗蒂奇则名列第八。

克拉姆也热切渴望能够获得1 500米冠军，这在他辉煌的体育生涯中始终是个缺憾。1980年，初出茅庐的他完全被科和奥维特的光芒所遮掩。在洛杉矶奥运会上，已经成为欧洲和世界冠军的他又输给了科。而今，显然这是他最后一次获得此项冠军的机会了，但他犯了一个致命的错误：参加两项中距离比赛，800米比赛消耗了他的体力，并最终导致1 500米比赛失利，尽管他保持着3分30.95秒的世界最好成绩。奥伊塔在预赛中即被淘汰，克鲁斯则因感冒退出了比赛，当时的世界冠军索马里选手阿布迪•比勒（Abdi Bile）因为压迫性骨折也退出了，1 500米比赛的大门向所有人敞开了。

正如人们所预料的那样，头两圈大家都在慢跑，之后来自马里兰大学的彼得•罗诺（Peter Rono）决定加快速度。进入最后一圈，罗诺领先埃利奥特、克拉姆和东德选手简斯•彼得•黑罗尔德（Jens-Peter Herold）。跑完倒数第2个直道的时候，他开始不停地回头张望，不过最终他还是轻松击败了埃利奥特。黑罗尔德排在第3位，克拉姆则获得第4名。罗诺和其他人一样对自己的获胜惊讶不已，最后一圈他用了1分50秒，夺冠成绩是3分35.96秒。“这是一个梦——我第一次参加奥运会，我赢了！”罗诺说。

在奥运会前两个星期，约翰•恩古吉（John Ngugi）因为腿伤一度想退出5 000米比赛，最后他决定再赌一把。在经过了头3圈的热身之后，恩古吉开始行动，30米、50米、100米……当其他人反应过来的时候，已经根本无法追上他了。在跑完第一个1000米之后，他又在2分钟内狂奔800米，4公里之后他看来丝毫没有疲劳的迹象。葡萄牙选手多明戈斯•卡斯特罗（Domingos Castro）试图缩小差距，但一切都是徒劳的，他最终因为体力耗尽而在最后几米被西德选手迪特尔•鲍曼（Dieter Baumann）和汉斯于尔格•孔策

（Hansjorg Kunze）超过。恩古吉最终以13分11.70秒的成绩获得冠军，自1974年菲尔伯特•巴伊在1500米比赛中击败约翰•沃克，创造世界纪录以来，他是最大胆的使用领跑战术并获胜的选手。

肯尼亚人第3次在奥运会上包揽了障碍赛的冠、亚军。世界冠军意大利选手弗朗西斯科•帕内塔（Francesco Panetta）试图重复他特有的领跑战术，不过令他没有想到的是，在两公里处他就被朱利斯•卡里乌基（Julius Kariuki）和彼得•凯奇（Peter Koech）超过，此后，这两人轮流领跑。在还剩一圈的时候，卡里乌基将凯奇甩开几步远，轻松地到达终点，丝毫没有注意到亨利•罗诺（Henry Rono）保持了10年的世界纪录就近在咫尺。他最终获得了8分5.51秒的成绩，并打破了安德斯•格尔德鲁德保持了12年之久的奥运纪录。

从放牛娃到冠军。名不见经传的21岁肯尼亚选手保罗•埃伦击败了著名的巴西选手克鲁斯和摩洛哥选手奥伊塔夺得了800米冠军。

很少有其他比赛像女子马拉松那样有如此强悍的夺冠热门选手：葡萄牙人罗莎•莫塔。她曾在1982年获欧洲首届女子马拉松锦标赛冠军，之后又在1984年的洛杉矶奥运会上拿到第3名，并因此成为第一位夺得奥运奖牌的葡萄牙妇女。1986年，莫塔成为欧洲冠军。1987年，她又以领先第2名7分钟的成绩获得世界冠军。在这次比赛中，她大部分时间都处于领先位置。在比赛还剩5公里的时候，结局就已经很明朗了：只有3人在争夺最后的奖牌。之后，莫塔甩开了其他人，留下奥地利选手利莎•马丁（Lisa Martin）和东德选手卡瑟琳•德雷（Kathrin Dorre）争夺银牌，最终胜出。

在过去两届奥运会上，戴利•汤普森的表现已经证明，他所考虑的不是能否在现代十项中获胜的问题，而是能拉开多大差距的问题。在汉城奥运会上，已经进入而立之年的他明白，这次能否从一个充满着不确定性的项目上获得一枚奖牌还是个疑问。之前，他大腿拉伤，不过没有公开治疗而是自己疗养而已，他的意志力仍旧像以前一样坚强——他曾获得2次奥运冠军、2次欧洲冠军、1次世界冠军和3次英联邦运动会冠军。

在本次比赛中，他主要的威胁似乎来自于两位东德选手托斯滕•福斯（Torsten Voss）和克里斯蒂安•申克（Christian Schenk），在上一年的世锦赛中两人分别获得冠军和第5名。经过几天的激烈角逐，申克和福斯最终如愿以偿地获得冠、亚军，加拿大选手戴维•斯蒂恩（Dave Steen）以22分的优势从汤普森手中抢走了铜牌。这标志着汤姆森的辉煌时代已经结束。

对于本•约翰逊来说，汉城奥运会是他最后的征程。在百米决赛中，他将自己在罗马世锦赛创造的9.83秒的世界纪录提升到超常的9.79秒，并以绝对优势击败了卫冕冠军卡尔•刘易斯（Carl Lewis）。获得前4名的选手是：约翰逊、刘易斯、英国选手林福德•克里斯蒂（Linford Christie）和美国选手卡尔文•史密斯（Calvin Smith），他们都跑出了10秒内的成绩。刘易斯创造了9.92秒的美国纪录，克里斯蒂则创造了9.97秒的欧洲纪录。比赛中，他采用爆发式起跑，从发令枪响起一直到越过终点都处于领先位置，获得胜利后，他的得意之情溢于言表。加拿大人共同分享了他的喜悦，然而欢乐仅仅持续了48个小时。当约翰逊的尿样在合成胆固醇司坦唑醇的检测中被查出呈阳性时，胜利光环随即黯然失色。半夜时分，加拿大首席代表卡罗尔•安•莱瑟伦（Carol Anne Letheren）亲自取走了他的奖牌，随后整个世界都知道了这件国际奥委会历史上最大的丑闻。曾经说过"用药就是死亡"的萨马兰奇表现得很乐观。"我们可以将坏消息转换成好消息……它表明我们赢得了禁药战役的胜利。"而这只是一厢情愿的假设。

玷污的光环。加拿大选手本•约翰逊（中）庆祝自己击败了美国选手卡尔•刘易斯（左）和英国选手林福德•克里斯蒂（右），但之后就因禁药丑闻被剥夺了冠军头衔。

卡尔•刘易斯也因此被记载在1988年的奥运史上：他的100米金牌是因为约翰逊的违规而得到的，克里斯蒂和史密斯的奖牌都随之提高了一个等级。他此前一直怀疑且宣称约翰逊涉嫌滥用胆固醇，然而极具讽刺性的是，据2003年被曝光的事实表明，刘易斯在汉城奥运会选拔赛期间，药物检测伪麻黄碱超标，美国奥委会的处罚只是一次警告而非禁赛。美国奥委会厚颜无耻的操纵，保住了这位奥运历史上最伟大的运动员的名誉。

克里斯蒂也受到了怀疑，他因为服用了西洋参茶而被国际奥委会药物委员会查出体内的伪麻黄碱呈可疑的阳性。更具讽刺意味的是，当某著名运动员被查出呈阳性的流言满天飞的时候，英国奥林匹克联合会竟迎难而上，召开了新闻发布会承认这是他们的运动员。

与约翰逊使用胆固醇的事实相比，有关刘易斯的小插曲的确是无足轻重的，但他应该知道，先前没有被揭露出来的行为无疑将会降低他的声望。同时2003年的新发现也给美国奥委会本已脆弱的诚信带来了更大的打击。

如果说刘易斯的百米胜利变质了，他在跳远项目上的胜利却是无可否认的。他的纵身一跳超过了洛杉矶奥运会上的成绩8.72米——而这一纪录已经保持了7年之久。跳远决赛是在200米预赛1小时之后开始的，他从第1跳后就一直处在领先位置，在第2跳中又扩大了领先优势，在第4跳中跳出了自己的获胜成绩，成为了第一位在此项目中卫冕成功的运动员。在接下来的200米决赛中，他负于乔•德洛奇（Joe Deloach）。他在5天中连续参加了3个项目的8场比赛，跳远比赛时脚踝还扭伤了，致使德洛奇以4/100秒的优势夺冠，并创造了19.75秒的新奥运纪录。

400米栏比赛宣告了一个时代的终结，霸占冠军宝座12年的艾德•摩西终于让位。在过去的9年中，安德列•菲利普斯（Andre Philips）一直都在努力追赶摩西，可以说摩西既是他的偶像，又是他的动力。在这次比赛中，菲利普斯一路领先，最后以47.19秒的成绩赢得桂冠，并创造了新的奥运纪录，这项纪录比摩西的世界纪录慢了1/5秒。

一直被人称做弗洛•乔的弗洛伦斯•格里菲斯•乔伊纳（Florence Griffith-Joyner）将与肯尼亚人、北非阿拉伯人和约翰逊一样被人们记住。除了长长的画有图案的指甲、卷发以及紧身衣外，

美国选手弗洛伦斯•格里菲斯•乔伊纳在两项短跑比赛中获胜，图中显示的正是她获胜后的兴奋和异乎寻常的体格。

美国选手哈利•巴奇•雷诺兹是400米比赛的热门人物，却输给了年仅19岁的对手斯蒂夫•刘易斯（Steve Lewis）。在下一届奥运会之前，雷诺兹的药检结果呈阳性。

她许多地方长得像男性，事实上，她100米的速度比男子100米第2轮预赛中的12位男选手都要快，还超过了所有的现代十项全能选手。在200米比赛结束后，人们对她依然表示怀疑。她的一举成名是在印第安纳波利斯的美国奥运选拔赛上，当时她以10.49秒的成绩打破了世界纪录。在这次比赛中，她跑出了10.54秒的成绩，领先老将伊芙林•阿什福德获得冠军。在她的丈夫——洛杉矶奥运会三级跳冠军埃尔•乔伊纳（El Joyner）的协助下，她曾向本•约翰逊请教短跑经验，并深入学习了他的技术。在200米比赛中人们的怀疑情绪真正膨胀起来，比赛中她两次打破了世界纪录：在半决赛中她将玛丽塔•科赫的世界纪录提高到21.56秒，两小时后又将它缩减为21.34秒。这些成就加上她有关肌肉力量增强的煽动性说法，使人们对她充满了怀疑。在实施随机药检前一年，她突然宣布退役，这使人们的怀疑情绪更加高涨。

多年来，女子万米长跑的记录一直由挪威选手英格丽•克里斯蒂安森保持着，她不断地创造并保持着这一世界纪录。她的第一场始料未及的失利发生在奥运会之前奥斯陆的一次比赛上，她被英国选手李兹•麦科根（Liz McColgan）击败。她先赢得了预赛中的小组冠军，与此同时，在另一小组中麦科根也获得第一名。由于预赛中没有出现终点竞争的情况，麦科根在决赛中会做得更好些，而这一次她的确做到了，从半程开始的大部分时间内，她都处于领先位置。克里斯蒂安森却因为在预赛中脚受伤而退出了比赛。在麦科根后面苦苦追赶的是两名前苏联选手奥尔加•邦达连科（Olga Bondarenko）和耶利娜•茹皮耶娃（Yelena Zhupiyeva）。在还剩一公里的时候，领先队伍中就只剩下麦科根和邦达连科了，在进入最后一个直道时，这位前苏联姑娘超到了前面，以31分5.21秒的成绩获胜，并创造了奥运纪录，比克里斯蒂安森的最好成绩慢50秒。

有冠军，也就有英雄。格雷格•洛加尼斯通过高超的压水花技巧和非凡的勇气向世人展示了

“他就像是用花岗岩雕成的人。”美国选手格雷格•洛加尼斯的教练说。在比赛中，洛加尼斯因头部撞到了跳板上而受伤，需要进行缝合，但他最终还是成为首位在连续两届比赛中都获得跳水双料冠军的选手。

跳水运动的内在美，并成功卫冕跳板冠军——这已经是他的第3块奥运金牌了。在预赛中，他因头部撞到了跳板而受轻伤，在经过头部缝合后重新参赛，并成功地进入了决赛。第二天，他又大胆地重复了相同的技术动作。“洛加尼斯就像是用花岗岩雕成的人。”美国队指导教练说。比赛之前，洛加尼斯非常担心中国选手谭良德的挑战，因为他曾两次被谭良德击败。比赛中，谭良德和李德亮紧追不舍，但洛加尼斯只是在第4轮被谭良德抢走了领先位置，随后又夺了回来。在此后的跳台赛上，他在最后一轮比赛中后来居上，击败了中国选手熊倪，从而成为第一位在连续两届奥运会中夺得跳台和跳板双料冠军的选手。

如果说奥运会对运动精神的关注和对运动本身的关注一样多的话，那现代五项与马术三日赛则处于它所关注的焦点。从来没有其他比赛能像这两项赛事一样，在失败中承载着如此多的优雅，在胜利时又显现出如此多的谦逊。匈牙利选手詹诺斯•马尔蒂内克（Janos Martinek）和新西兰选手马克•托德（Mark Todd）分别获得了现代五项和马术三日比赛的个人冠军，胜利后的他们立刻被对手们的欢呼声所包围。两项运动都因为参赛国家相对较少而受到了资金方面的威胁，然而顾拜旦却始终相信它们是最能充分体现个人魅力的体育运动。

女子体操个人全能决赛是美丽的、卓越的，但同时也是偏见和荒谬的混合物：前苏联选手耶利娜•舒舒诺娃（Yelena Shushunova）和罗马尼亚

前苏联选手耶利娜•舒舒诺娃在平衡木上表现完美，而罗马尼亚选手丹妮娜•希利瓦斯却要与其他选手及裁判进行一场艰难的体操大战。

选手丹妮娜•希利瓦斯（Daniela Silivas）优美绝伦的表演，还有6位带着偏见的裁判为了判别金牌的归属。苏联人最终以0.025分——不到他们总分的1/ 3000——的优势获胜，这样的情形难道不应该用别的方式来重新审视吗？任何一个有逻辑的人都不会接受如此细致的区分。两个小女孩儿的艺术气质使人惊讶万分，而获得第3名的15岁前苏联小姑娘斯维特拉娜•博金斯卡娅（Svetlana Boguinskaya）也同样如此。希利瓦斯的教练亚德连•格利亚奇（Adrian Goreac）对裁判的打分颇有微辞，特别是对裁判给前苏联冠军涅莉•基姆在决赛中的打分极为不满。他能得出的唯一的结论就是：罗马尼亚因为4年前破坏了抵制运动而受到了惩罚。

在男子体操中，中国选手楼云在个人跳马比赛中的胜利是前苏联和东欧集团垄断比赛情况下的唯一一次例外。前苏联获得了团体冠军，弗拉迪米尔•阿尔捷莫夫（Vladimir Artemov）获得个人全能冠军，铜牌则被21岁的著名选手迪米特里耶•比洛泽尔采夫（Dimitri Bilozertchev）获得，他刚刚从3年前一场车祸——导致左腿粉碎性骨折中恢复过来。

奥运会所有女子选手中最让人起疑的是东德选手克里斯汀•奥托（Kristin Otto），她获得了6个项目的冠军——这是任何一届奥运会任何一项运动的女子选手都不曾有过的纪录——她也因此成为第一位在同一届奥运会中3种不同类型的游泳项目上都能摘取金牌的游泳选手。然而，当有证据表明这个国家的运动员系统地使用禁药，且涉及到了诸如奥托这样的冠军的时候，她的成就也随之失去了光芒。

在同时进行的男子比赛中，美国选手马特•比昂迪（Matt Biondi）和西德选手米歇尔•格罗斯进行了激烈的对决，大获全胜的比昂迪拿到了7枚奖牌——5金、1银和1铜。但游泳比赛的真正兴奋点是苏里南选手安东尼•内斯蒂（Anthony Nesty）和哥斯达黎加选手西尔维娅•波尔（Silvia Poll）。苏里南曾经是荷兰在南美的殖民地，那儿只有一个50米的游泳池。在100米蝶泳比赛中击败比昂迪之后，这位唯一参加奥运会比赛的苏

苏里南选手安东尼•内斯蒂在100米蝶泳比赛中击败著名美国选手马特•比昂迪之后，创造了4项纪录。

里南选手创造了4项纪录：奥运会第一位黑人游泳冠军，第一位南美游泳冠军，第一位获得奥运奖牌的苏里南选手，还创造了53秒的奥运会纪录。

同样，波尔在女子200米自由泳中的成就也是独一无二的；同时她的银牌是哥斯达黎加历史上第一枚奥运奖牌；同时她也是第一位获此项殊荣的中美洲妇女。她小的时候，德裔父母从尼加拉瓜移民到哥斯达黎加。比赛中，她没有能够找到机会击败世界纪录保持者——东德选手海科•弗里德里希（Heike Friedrich），后者创造了1分57.65秒的奥运会纪录，不过她领先东德的曼努埃拉•施特尔玛赫（Manuela Stellmach），获得了第2名。

奥运会开幕前，国际泳联最终裁决游泳选手可以从捐赠人或者赞助商那儿获得收入，这对于许多选手来说，将起到很大的激励作用——如20岁的澳大利亚选手邓肯•阿姆斯特朗（Duncan Armstrong）在200米自由泳比赛中出人意料地战胜了格罗斯（该项目的卫冕冠军和世界纪录保持者）和比昂迪。世界排名第46位的阿姆斯特朗用比赛成绩证明了他的努力，在比赛最后一个回合，他超过了瑞典选手安德斯•霍尔默茨（Anders Holmertz）和比昂迪，将格罗斯保持的世界纪录提高到1分47.25秒。而格罗斯只获得第5名。

东德女子选手占据了绝对优势：她们获得了15个项目中的10项胜利。一向热衷于游泳项目的美国人只能以17岁的珍妮•埃文斯（Janet Evans）的良好表现聊以自慰，她以4分3.85秒的成绩创造了400米自由泳的世界纪录，并以8分20.20秒的成绩创造了800米自由泳的奥运纪录，另外还夺得了400米混合泳的铜牌。

西德选手斯蒂夫•格拉芙（Steffu Graf）获得了网球回归奥运会后的首个女子单打冠军，从而为她获得本年度4项大满贯冠军画上了一个完美的休止符。她毫不费力地击败了阿根廷选手加布里拉•萨巴蒂尼（Garbriella Sabatini）。捷克选手米洛斯•麦齐日以3：6、6：4、6：4击败了美国选手蒂姆•梅奥特（Tim Mayotte），获得了男子网球冠军。本次参加比赛的选手大都是为了荣誉而战，他们牺牲了在其他地方可以得到的收入。

Nan-Yool Choo在表演项目跆拳道中的获胜，为主办方赢得了巨大的荣誉。16岁的她击

神采飞扬的西德选手斯蒂夫•格拉夫达到了其体育事业的巅峰，她击败了加布里拉•萨巴蒂尼——开幕式上阿根廷代表团的旗手——将自己的奥运金牌总数增加到了4枚。

败了西班牙选手马丽娅•安吉拉•纳兰约（Maria Angela Naranjo）。对韩国妇女来说，本届奥运会也是一次值得关注的奥运会，她们的手球队虽然缺乏高度和体重，却像施了魔法一样奇迹般地以21：19击败了前苏联队，成为世界冠军。而在乒乓球女子双打比赛中，玄静和与梁英子在众目睽睽之下击败了中国选手陈静和焦志敏。在射箭比赛中，韩国女选手囊括了个人项目中的全部3枚奖牌。

东德人在自行车比赛中采用了新技术，他们使用的减少摩擦的车架加剧了是否应该在所有项目中采用标准化装备的争论。但不管怎样，他们的4人小组最终获得了100公里公路自行车赛的冠军，而且平均时速达到了惊人的50.935公里/时。在女子82公里个人公路自行车赛中的壮观冲刺中，同时有45名骑手向着终点线潮水般地涌去。通过对冲刺时照片的研究，最终证实24岁的荷兰女教师莫里克•克诺尔（Monique Knol）是冠军。

拳击和举重比赛因其负面因素而倍受瞩目：拳击是因为骇人听闻的执法不公，举重则是因为在药检中有太多选手呈阳性以致于将来很可能会不再是奥运会的比赛项目。在查出两名队员呈阳性后，保加利亚撤回了整支代表队。苏联人获得了10项比赛中的6个冠军。在拳击次中量级别的决赛中，朴时宪被宣布击败美国选手罗伊•琼斯（Roy Jones）获胜，而后者从头至尾都主宰着比赛，甚至连朴时宪都承认自己输了。国际业余拳击协会也参与了这一争论，他们随后宣布朴时宪为比赛最佳风采人物。更离谱的是之前发生在最轻量级比赛中的事件：新西兰裁判凯斯•沃克（Keith Walker）在存在争议的情况下判决保加利亚选手阿利克斯•赫里斯托夫（Alex Hristov）击败韩国选手卞钟日（Jong-Il Byun）获胜，忿忿不平的韩国官员对其大打出手，卞钟日也拒绝离开拳击台。5名韩国官员被开除。在超重量级比赛中，加拿大选手伦诺克斯•刘易斯（Lennox Lewis）在第2回合就使美国选手里迪克•博韦（Riddick Bowe）出局，成为此项目的冠军。后来，他又代表英国获得了世界职业比赛最重量级冠军。

在一次有争议的比赛中，裁判作出了有利于保加利亚选手阿利克斯•赫里斯托夫的判决，落败的韩国最轻量级选手卞钟日拒绝离开拳击赛场。

第59章 过渡

加拿大人保罗·亨德森（*Paul Henderson*）

国际奥委会成员，国际帆船运动联合会主席

2001年的莫斯科例会对我来说是一次痛苦的经历，它促使我更多地去思考国际奥委会应该如何改进申办程序。改革并没有起到效果，事实上，在过去十年间，申办活动变得更新潮，甚至在某些方面更加隐蔽了，申办成本逐年递增。多伦多为申办2008年奥运会花掉了2500万美元，几乎是它申办1996年奥运会的3倍。以下是我在多伦多两次申办经验的基础上提出的一些想法，这些想法围绕如何去防范那些有可能成为比盐湖城事件更大的丑闻这一主题，提供了有关在1990年申办1996年奥运会主办城市的报告情况。当时我还是国际单项体育联合会的主席。但自2000年起，作为国际奥委会成员，我又将面对3次申办活动的压力。

在申办2008年奥运会期间，我见到许多顾问，他们受雇对国际奥委会施加影响，其中有两个代表团来自于之前成功申办过奥运会的城市。一些前国际奥委会成员被申办城市聘请为顾问；前评估委员会的成员更是被获胜城市委以重任；前申办官员被咨询如何去影响国际奥委会成员；纽约和伦敦的高级幕僚们也被请来为申办活动造势；机场的广告和航班杂志的封面需要有人去买单；一些城市有上百名支持者住在莫斯科，所有这些都开支庞大。一时间，电视宣传画和出版物铺天盖地。由于不许访问的规则限制，申办城市便通过出席区域运动会来游说国际奥委会。一些团体被雇来收集莫斯科的旅馆房间信息，然后将信息反馈到申办代表团那儿去。

授予奥运会的举办权是一次绝佳的侧面考察机会，它可以被用来辨别国际奥委会是否已经完全置身事外了。唯一将事情置于自身控制之下的方法便是保证制度正常运转、遵守纪律且将监督作为最终的手段。我认为新的道德委员会行动应该更加隐秘，此时的它应当作为一个非公开组织谨慎前往候选城市，而不是打着公开的幌子。

在我看来，体育的黄金时代可能已经结束了。我相信世界经济正处在严重紧缩的边缘，奥运会之外的体育运动很难继续寻找到过去二十年那样出手大方的赞助商。我认为奥运会应该由各个大洲来轮流主办，这样就可以避免那些毫无希望获得成功的申办城市加入代价昂贵的申办竞赛。我们应施行比现在更为严格的控制程序。轮办应该在三个区域之间平分——欧洲、美洲和其他地区——例如在雅典和北京之后，2012年的奥运会应该在美洲举行。每个人都知道他们要努力的方向。执委会应该将提名城市限制在3个以内；评估委员会应该在投票前6个月进行他们的工作；参加最后角逐的城市应该在例会之前3个月内宣布。无论如何，在最后3个月前都不能进行公关与宣传活动。

对雅典和北京的应有义务已经履行。在21世纪以后的每一届奥运会的举办权都应该是完全公开的，任何城市都没有特权。雅克，你就是那个人，你完全可以果断地行动，把自己的名字镌刻在奥林匹克运动的丰碑之上。

申办过程中隐蔽的和不怎么隐蔽的灾难性危险对保罗•亨德森来说已经显露无遗。亨德森曾是多伦多一家铅管品公司的老板，曾领导该城申办世纪奥运会。亨德森的警告信如果能在11年前交给萨马兰奇就好了。到1990年，亨德森并不是唯一一个发现问题的人。曼彻斯特第一届申办委员会主席罗伯特•司各特（Robert Scott）也觉察到了这一点，他们一道向萨马兰奇表达了自己的焦虑。同时，笔者与一群国际记者也注意到，1992年出版的国际奥委会主席的官方传记《奥林匹克革命》也表达了类似的担忧。一些人呼吁改革，但此时，国际奥委会正处在成功的浪尖上——一方面因为财政状况得到改善，另一方面也是由于汉城奥委会和后来的巴塞罗那奥委会赢得的赞美之声——因而萨马兰奇对于修补这艘大船不是很感兴趣。除非有人向他提供足够的证据，否则他会一直等下去。诸如亨德森和司各特等人含糊其辞的表述所起到的作用无非是劝动执委会，让国际滑雪联合会主席马克•霍德勒（Marc Hodler）发表了一份要求在申办过程中加强指导的声明，而这比劝说学童们不要在运动场上叫喊的效果强不了多少。

在1989年的波多黎各例会上，萨马兰奇在欢呼声中成功连任。此时，国际奥委会在他的领导下已经取得了一连串的胜利，而他在无数双仅关注着他的改革计划的眼睛的注视下，从一只跛脚鸭变成了奥林匹克运动的精神领袖。同时，他还巧妙地控制着各项赛事和他的下属机构，像恺撒一样站立在整个体育世界的顶峰。欢呼声在某种意义上是理所应当的，因为他的改革是可以感觉得到的、是革命性的，而且迄今为止还在经受着检验。无论他的诽谤者怎么说，他所做的一切都是为了推动国际奥委会的发展，而不是为他自己。他在一年中用于工作的时间会让许多人精疲力竭，更何况这种状况已经持续了9年。不过就像许多拥有最高权力的领导人一样，他也对一些随之而来的危险浑然不觉。他的目光和顾拜旦一样追随着远处的地平线，希望协调与诸如联合国、联合国教科文组织、世界卫生组织、国际红十字会和其他大型国际组织之间的关系。对于那些质询他将国际奥委会卷入政治领域的人，他提醒他们这正是顾拜旦的精神，这也是宪章所要求的促进团结和相互理解的目标。

随着国际奥委会活动范围的迅速扩大，许多人开始关注国际奥委会在行政和财政方面的诸多“不民主”的做法，并对这些做法提出指控。当提及这一类问题时，国际奥委会的英国成员，曾一度担任过国际马术联合会主席的安妮公主表达了她的焦虑：

> 国际奥委会在决策过程中存在许多可疑的地方，但我不知道那是否就是腐败。主办城市的申办程序就是其中一个颇多争议的领域，消除贿选的可能性是一个好主意。同样的，我认为在国际奥委会内部，民主程序被执委会省略了不少。在行政过程中，我们见不到民主程序的执行。从许多方面来看，（国际奥委会的制度）非常让人不满，因为不同的人会采用不同的方式对待它。

安妮公主所说的诱惑是显而易见的。15年前，举办奥运会还被视为是充满经营风险的；后来，电视转播权收入和赞助费用大大减少了申办城市的财政风险。举办奥运会不仅为体育设施的建设创造了条件，而且也为公路、铁路、住房和机场设施的改善创造了机会。自1964年东京成功地将奥运会变成国家的商业展销会后，举办奥运会就成为各个申办城市争相觊觎的目标。现在，候选城市愿意为申办活动花费上百万美元，甚至于向国际奥委会成员提供物质方面的激励，这些行为就毫不奇怪了。促使各城市参与此项竞赛的更深层的诱因是萨马兰奇决定采取电视直播的投票仪式。这是一场华丽的商业展示，不但展示出了国际奥委会和奥运会的形象，而且也让申办城市展现在全世界面前，而这通常是金钱都无法带来的机遇。

在1990年百年奥运会主办权的竞选中，主席和执委会本应该更多地觉察到这一特殊的风险——它可能会引发有害的宣传。当时的候选城市分别是雅典、亚特兰大、贝尔格莱德、曼彻斯特、墨尔本和多伦多。由于缺乏对各个城市实际能力的内在了解，全球普遍看好雅典，毕竟它是现代奥运会的发源地，理所当然应该选择它。如果雅典在选举中被忽视，媒体将不可避免地出现消极反应，尽管它和它的大多数观众一样缺乏逻辑思维能力。在这次事件中，亚特兰大中标，再加上公众原本就认为国际奥委会偏爱可口可乐这些厂商所主导的商业利益，使他们对这一决议充满敌意。

有关东京投票的结果存在一系列误解。一开始，可口可乐希腊分公司就像亚特兰大的母公司一样，充当了雅典申办活动的赞助商。与国际奥委会的公共关系缺乏相对应，在评估报告中，雅典被排在亚特兰大、墨尔本和多伦多之后。从奥林匹克运动所需的条件来看，较中肯的观点是雅典不可能取胜。因为雅典城市很小，交通拥挤，污染严重，缺乏基本设施建设，公共交通不便，老旧的机场充满了安全方面的风险，且国内政局并不稳定。雅典申办代表团在申办过程中，着眼于其丰富的历史基础，而亚特兰大、墨尔本和多伦多都把注意力集中在良好的后勤、多元主义、财政安全和普遍友好的态度上。

当所有人到达东京的时候，亚特兰大申办代表团的领导人比利•佩恩（Billy Payne）在好友查理•贝托（Charlie Battle）以及人权斗士马丁•路德•金的前个人助理安德鲁•扬（Andrew Young）的国际主义精神的支持下，运用自己的说服力扭转了许多国际奥委会成员的想法。第5轮投票的结果显示，有将近2/3的委员认为，北美任何一个候选城市都比雅典好。在第3轮中雅典和亚特兰大票数持平，而在第4轮投票中，还有22名成员支持多伦多，这充分显示了个人思想的独立自主性，然而报纸和电视却还是在大喊“贿赂”。

3年前，亚特兰大奥申委还没有结识任何国际奥委会成员，但他们一直都在努力工作。安德鲁•扬情动天地，得到了来自非洲的选票，东欧和第三世界的成员都被北美的繁荣给吸引住了。为了避免随后的诋毁声，国际奥委会应该提前宣布雅典是不可取的选择，或者直接声明：评估委员会发现他们后勤不力，无法举行奥运会。把这个问题留待最后讨论的做法既是明智的，但从另外的方面来看，又是极其愚蠢的。这5轮投票的具体结果如下所示：

	第1轮	第2轮	第3轮	第4轮	第5轮
雅典	23	23	26	30	35
亚特兰大	19	20	26	34	51
贝尔格莱德	7	--	--	--	--
曼彻斯特	11	5	--	--	--
墨尔本	12	21	16	--	--
多伦多	14	17	18	22	--

比利•佩恩，亚特兰大奥申委主席（右一坐者），和美国奥委会主席罗伯特•赫尔米克（左），在击败雅典之后，签订千禧年主办城市协议。

在亚特兰大竞选激战之后，战场又转移到英国的伯明翰。第二年将在那里举行会议，确定1998年冬奥会的主办城市。这次有3个强有力的候选城市，他们分别是日本的长野、瑞典的奥特桑德和美国的盐湖城。长野虽然还有许多待建的设施，但是它可以提供奥运会在东方扩大影响的机会，而且到目前为止，仅在亚洲举办过一次奥运会；奥特桑德是一个整洁、环境优美的城市。瑞典则是奥运会的发源地，奥特桑德多次申办冬奥会，都没有成功；盐湖城的设施、接待和交通是世界上无与伦比的，但它的弱项是：它的申办适逢反对亚特兰大成功申办的浪尖，而且如果它胜出，将是20年来北美第5个主办城市。在竞选中，长野以4票战胜盐湖城。本次申办过程，流言纷飞，盐湖城的官员们和其他人都认为，长野有行贿之嫌。这种流言将在7年后让国际奥委会面临危机。

虽然如此，国际奥委会1991年为1993年在摩纳哥举行的千禧年奥运会投票仪式作出了新规定。这次参加申办的城市有：北京、柏林、巴西利亚、伊斯坦布尔、曼彻斯特、米兰和悉尼。新规定包括：

●由国际奥委会派遣的国际奥委会委员的机票，不能返还个人，并由申办城市为国际奥委会报销。

●礼品价值不超过200美元

●在最长时限为3天的考察中，不能举行超规格的欢迎会、鸡尾酒会和餐会。

●会议限制在一个房间内召开，不能在游船、饭店或俱乐部举行。

●在投票日之前，不能举行任何展览和演示。

●有关技术性提案的申办文件应使用标准A4格式。

●参加国际奥委会/国际单项体育联合会/国家奥委会会议的城市代表团人数不能超过6人

●违反规定者丧失申办资格。

●如果国际奥委会成员已经访问过某城市，该城市代表团将不得访问该委员的国家。

规定不可谓不严格。但是，国际奥委会作为一个名誉团体，没有什么监督机构来强化这些规定。既不违反规定，又能使委员们得实惠的手段多的是：有的是甘心奉献；有的是不得已而为之。而在这一时期，哈德森早就作过规定：“只有在申办城市淘汰到4个以后，申办城市才能举办推介活动；我还将禁止国际奥委会成员带着客人或孩子到申办城市考察；我要禁止任何送礼行为。”与此相反，萨马兰奇这个灵活的政治家说：

> 你不能等着天上掉馅饼，你必须去争取。国际奥委会的工作方式很奇特，很难预料，一加一等于五减三。在这个机构中你不能太有逻辑性。当我去墨尔本时，整个城市到处都是招贴，你会觉得他们是为了人民而申办。在雅典，什么也没有。亚特兰大具有最专业化的队伍：现代公共关系领域的精英，他们把竞选的高潮安排在选举日前一天，外加一封乔治布什总统签名的给奥委会成员的亲笔信。

在申办过程受关注的同时，有迹象表明奥委会成员存在以权谋私和违规行为。1991年，《今日美国》报道，罗伯特•赫尔米克,这位美国奥委会主席、国际奥委会副主席、前国际泳联主席和1989年执行委员会成员，曾经接受了六位数的法律咨询费：他为国际业余高尔夫联盟做了咨询，内容是有关高尔夫纳入奥林匹克运动会的可能性；他似乎还给特德•特纳（Ted Turner）组织的友好运动会做过咨询，而友好运动会与奥运会是对立的。在这些丑闻还没有浮出水面之前，赫尔米克就被责令退出美国奥委会，不久，由于可想而知的外界压力，国际奥委会展开了对自身的调查。

另一个对国际奥委会损害最大的腐败问题当然是兴奋剂。萨马兰奇竭力强调约翰逊事件的积极之处，他声称这证明了国际奥委会药检制度赢得了胜利。这是个划时代的时刻，但是他不能保证，其他受约翰逊事件启发使用兴奋剂的人会就此罢手。1990年上半年在奥克兰举行的英联邦运动会上，关于举重比赛中药检阳性的流言蜚语更多了，同时在澳大利亚的堪培拉进行的听证会中，举重运动员们都已承认，他们被迫服用类固

曼弗雷德·多尼克博士（左二）——兴奋剂欺诈行为的不知疲倦的探寻者。

醇；要不然他们就达不到国家教练制定的标准，无法获得专业资格。

类似情况越来越多。前苏联铅球选手亚历山大·巴加奇(Alexander Bagach)在欧洲杯决赛中，药检呈阳性。结果前苏联队在1989年的世界杯比赛中，遭遇了严格的检查，最后（所有的人）被除名。这使它丧失了团体分，从而使东德在巴塞罗那举行的世界杯赛上取代了前苏联，排名第二。药物的效果是显而易见的。不论怎样，巴加奇的成绩在一年内由在前苏联国内排第11名提高到世界排名第5名。药物可以迅速使运动员由业余水平提高到专业水平——这是药物在国际范围内泛滥的主要动因。

萨马兰奇不断地遇到各种阻力，其中比较典型的是针对马里奥·巴斯克斯·拉涅亚（Mario Vazquez Rana）和普里莫·内比奥罗（Primo Nebiolo）的当选。拉涅亚担任墨西哥国家奥委会、泛美运动组织 (PASO)和国家奥委会联合会（ANOC）等好几个组织的主席；内比奥罗也是意大利国家奥委会、意大利田径联盟、世界大学生运动会 (FISU)和国际业余田径联合会等几个组织的主席。萨马兰奇在80年代早期就意识到，像国际奥委会这样的国际性综合体育机构，应该在其主要分支机构，像国家奥委会联合会（ANOC）和国际业余田径联合会这样的机构设置委员会主席，如同那些大型企业的情况一样。但是，在萨拉热窝奥运会期间，首次选举新委员的努力遇到了阻力，大家都反对这两个人加入到他们的行列之中。这并不是因为他们的个性，而是因为他们的社会地位。巴斯克斯·拉涅亚非常富有，拥有电视网和报纸，虽然他自己没有明确表示，人们认为他将来会竞选总统，这一点令人不安。而内比奥罗则被认为是权力欲极强的都灵建筑工人。本世纪初，国际奥委会为了适应时代变化，开始做出变革，尝试选入来自各体育单项联合会、国家奥委会，甚至是运动员当选委员。在这个转型期，萨马兰奇花了很多时间去做说服工作，并建立起一个具有其个人印迹的拉丁帮。

萨马兰奇决心已定。当巴斯克斯·拉涅亚被提名为候选人时，同时被提名的还有来自瑞士的国际赛艇协会主席丹尼斯·奥斯瓦德（Denis Oswald）、西德的击剑金牌获得者托马斯·巴赫(Thomas Bach)和3届奥林匹克划船手雅克·罗格爵士。萨马兰奇先要求反对者们举手。7个女成员中的6个举起了手；艾伯特王子(摩纳哥)、威尔逊 (新西兰)和拉米雷兹·瓦斯克兹(Ramirez-Vazquez，墨西哥)也举了手；另一位女成员投了弃权票。然后，萨马兰奇要求同意的人举手，有20人举手。“好，选举通过。”

当巴斯克斯·拉涅亚的选举正引人注目时，还有一个人于1991年悄无声息地登场了，没人知道他将会成为国际奥委会下一届主席，他就是雅

萨马兰奇12年来一直招募精英，像墨西哥国家奥委会的领导人马里奥·巴斯克斯·拉涅亚（左）和国际业余田径联合会主席普里莫·内比奥罗（右），令他们成为国际奥委会成员，但萨马兰奇遇到了重重阻力。

克•罗格。1989年，雅克•罗格成为比利时国家奥委会第一个说佛兰德语的主席。2001年罗格接替萨马兰奇，他具有强烈的意识，要求国家奥委会更普遍的参与，发挥国家奥委会在奥运会中的作用，以替代国际单项体育联合会的作用。在这一点上，他与国家奥委会联合会（ANOC）主席巴斯克斯•拉涅亚是一致的。这个矮胖的墨西哥人说：

> 奥运会的世界性减少之日，就是奥运会终结之时。那时奥运会就会只是另一个国际体联的锦标赛。我们必须帮助那些小国参加奥运会。如果奥运会只为先进国家服务，我就不愿参加了。

一方面，对运动员人数、参赛项目和新增项目数量的限制这个极重要的问题，被忽视了。80年代末，前苏联和南斯拉夫解体后，大量的新国家涌入奥运会，参加人数持续增加。而这对任何一个主办城市来说都是一个沉重的负担，也因此限制了主办城市的数量。正如萨马兰奇在汉城奥运会闭幕式上所说："我们到达了极限，奥林匹克快车已经满员了，要想再上一位，就得有一位下去。"而另一方面，参加奥林匹克运动会是每一个运动员的梦想，维护这个梦想也是很重要的。因此，矛盾不可避免。

在幕后，国际奥委会的技术总监吉尔伯特•费利(Gilbert Felli) 正在不倦地工作，以确定方案来合理地安排每种运动的具体项目，以及每个项目的参赛人数。比如，射击、举重和摔跤于1992年削减了人数，其他项目参赛人数不变。虽然后来有些项目中，女子要求同等的参赛权利，使得增加人数的压力长久存在，但参赛人数却一直未变。田径和游泳人数依然很多，达到四位数；赛艇人数也不少，在1992年，该项目参赛总人数为690人；而自行车则为470人。虽然国际奥委会多次讨论减少人数的问题，但由于比赛项目的增加，参赛总人数一直都在增长。这些增长尤其来自女子项目和新项目，如花样滑冰、艺术体操、花样游泳和沙滩排球等边缘项目。

1988年夏季奥林匹克与反种族隔离委员会创

凯巴•穆巴耶（Keba M'Baye）法官领导的国际奥委会反种族隔离委员会在纳尔逊•曼德拉回程途中，于内尔斯普鲁特机场举行了会谈。由左至右分别是弗郎索瓦•卡拉尔（Francois Carrard，总干事）、让•克劳德•甘加（Jean-Claude Ganga）、凯巴•穆巴耶、N.曼德拉、凯文•高斯帕、H.阿德弗普（H.Adefope）、F.基达尼（Fekrou Kidane）。

建之后，一系列旨在使南非在1991年7月国大党选举前重返奥运会的重要会议举行。这是萨马兰奇和国际奥委会的胜利，但没有纳尔逊•曼德拉和总统 F.W.德•克拉克的支持，也是办不到的。此后，分别举行了一系列会议进行讨论，最后以对南非1990年3月的访问告终。在这次访问中，国际奥委会代表团分别会晤了南非总理德•克拉克、 南非国大党领袖纳尔逊•曼德拉和祖鲁族的因卡塔自由党领袖布特莱齐。国际奥委会已经得到曼德拉的私人保证,同时还获得了德•克拉克积极的表态。执行委员会说服所有的国际体育单项联合会与非洲国家奥委会联合会（ANOCA）保持联系，接受这个新的、多种族的南非国家联盟。因此，当南非联盟成立时，人们以令人吃惊的速度接受了它。

在1989至1992年间，各国的政局变化令国际奥委会感到头痛——柏林墙的倒塌、前苏联的解体、巴尔干国家从南斯拉夫分离……出现了希望参加奥运会的17个新国家。因为奥林匹克运动具有崇高的声誉和广泛的群众性，国际奥委会欢迎他们，克罗地亚和斯洛文尼亚成为巴尔干第一批被奥运会承认的独立国家，同期承认的还有3个波罗的海国家，它们是爱沙尼亚、拉脱维亚和立陶宛。在巴塞罗那奥运会开幕前夕，波斯尼亚-黑塞哥维那获得了临时会员资格。由于与希腊的争端，马其顿不能以自己的国名和旗帜参赛。

在阿尔贝维尔运动会即将开幕前夕，萨马兰奇飞到莫斯科会见俄罗斯的新总统鲍里斯•叶利钦。在装饰着漂亮的水仙花的克里姆林宫的谈判桌上，米哈伊尔•戈尔巴乔夫的继承人眼睛充满血丝，同意了萨马兰奇的折衷方案，组成一个联合代表队，包括从前苏联独立出来的12个新国家中的9个，管理权由前苏联直接移交给新的俄罗斯国家奥委会。由于联合代表队的产生，阿尔贝维尔和巴塞罗那没有出现床位不够的问题。3个高加索国家——格鲁吉亚州、亚美尼亚和阿塞拜疆为独联体队（CIS）输送了22名运动员，他们获得了9枚金牌、1枚银牌和6枚铜牌。萨马兰奇允许俄罗斯电视台延期归还150万美元的借款，用于对运动会节目的转播。而一些有实力的赞助商，如阿迪达斯则承担了运动员的巨额路费。国际奥委会和联合国安全委员会进行了艰苦的谈判，最终使来自前南斯拉夫塞尔维亚-黑山的运动员作为无国籍运动员参赛。如果没有对国际奥委会足够的庞大的商业赞助，国际奥委会不可能在短短几个月中取得这么大的成绩。从长远看，这些赞助真正的受益人是全世界的运动员。

阿尔贝维尔冬季奥运会赛场在650平方英里的区域内铺开，比赛场地极少，环保问题引起了激烈的争论，最混乱的情况是在普拉涅修建雪车和雪橇滑道，造价高达3 700万美元。为修建滑雪道和停车场，3 500万立方英尺的泥土从山脚下移走，4个村庄几近破产。最糟的是布利德温泉镇村，出现了1 000万美元的赤字。运动会的后勤工作乱作一团，实际上57个正式比赛中只有17个在阿尔贝维尔本地举行，只能在电视上看起来是一个整体。

开幕式那天星光灿烂，那是法国的胜利。阿尔贝维尔临时体育馆在夜色中，充满优雅、艺术和激情。欧盟想以价值1 500万美元的纳税人的钱做交易，让欧盟秘书长雅克•德洛尔主持开幕式，这个要求理所当然地被拒绝了。法国运动精神的代表普拉蒂尼(Michel Platini)和弗兰索瓦•西里尔•克雷基——一个当地的8岁的小学生——面对积雪覆盖的山峰，在最后一抹落日的余晖中，手拉手站在体育馆的穹庐下点燃了奥运圣火。

同时，巴塞罗那也有了一个蓝图，他们准备重建城市设施，不仅要新建几个比赛场地，还要建设奥林匹克城。他们准备办一个奥运会中最壮观和最精彩的盛会，他们为当地居民和观光者准备了丰富多彩的活动，咖啡馆和酒吧在奥运会期间彻夜开放，他们甚至准备为此暂时性关闭蒙图伊奇主体育馆周围的地铁。巴塞罗那将向北的铁路挪开，把3英里的城市沙滩整修一新，重建26英里环城道路，更新城市污水系统。加泰罗尼亚自治区投资80亿美元，在公共场所建造50座雕像，这笔投资与蒙特利尔的投资略有不同。所有这一切都是在市长帕斯卡尔•马拉加尔饱满热情下促成的，同时奥申委主席米盖尔•阿巴德也作了不少工作。

当胡安•卡洛斯国王在 1989年重修60年前兴建的奥运会场时，他遭到加泰罗尼亚人的强烈反对。但是在3年后的开幕式上，他与加泰罗尼亚人握手言和，受到了热烈的欢迎。开幕式像6个月前的冬奥会一样热烈，世界的观众欣赏了多明戈、何塞•卡雷拉斯和卡巴耶的出色的演唱和Christina Hoyos剧团的最炫目的弗拉明戈舞蹈。记录在册的 169个国家中,克罗地亚的旗手是温布尔登决赛选手戈蓝•艾云尼斯域（Goran lvanisevic）；瑞典的是斯特凡•埃德伯格(Stefan Edberg)；库克群岛由他们的举重运动员山姆•佩拉（Sam Pera）领队；南非是由1960 年出生的黑人体育教练Jan Tau领队，他出生的那一年是该国最后一次参加奥运会。走在方队中的12000人，无论男女，谁也不会忘记这一夜。残疾射箭运动员安东尼奥•雷波洛（Antonio Rebollo）将一支箭射向夜空，燃烧着的箭头带着奥运圣火点燃了奥运火炬。

第60章 阿尔贝维尔

第十六届冬奥会 1992

意大利的阿尔伯托·通巴

第一位成功卫冕冬奥会高山滑雪冠军的运动员

"从重要性、兴奋和愉快程度看，这三届奥运会对我来说都是一样的。但是从某种程度上来讲，卡尔加里冬奥会是最好的，因为它看起来很容易，在那届奥运会上我赢得了太多的比赛。这就好像一场滑稽戏——在滑雪中游戏，我是其中的主角。每一场比赛都充满乐趣，我很自信。

在阿尔贝维尔，大回转比赛非常困难。我赢了以后，觉得那是我技术发挥到最好水平的结果。山顶的坡很陡，我赢了第一轮，但是在第二轮中压力很大。在起点，我可以听见在山下等待的3万名观众的欢呼，是的，我必须假装自信，告诉自己说'这是阿尔伯托获胜'的比赛，但在内心里，我不那么肯定。由于滑雪条件不好，我真的感到紧张。但从第二轮比赛的中间开始，直到冲向终点的那一刻，我感觉太好了。

1994年的利勒哈默尔特别冷。很幸运，我的滑板新上了蜡。第一轮我是第13名，第二轮我最快，但我却以0.15秒错失了金牌。虽然我没有得第一，我们还是举行了盛大的晚会。4年后的长野，雪况和天气条件很不同，但我在第一次比赛中就失利了，结果无功而返。

我觉得奥运会的比赛从某种意义上看，不如世界杯和世界锦标赛难。那些比赛的坡度更陡，你需要更多的体力，需要更加警醒，你知道自己没有回头的余地。世界杯比赛在很大程度上是为主办者和电视转播而设，但在奥林匹克比赛上，我感到快乐。它很特别，奥林匹克比赛更富有爱意，像是为孩子们准备的惊喜。"

阿尔伯托•通巴像一级方程式车手和流行乐手一样受到公众的喜爱，有数以千计的观众追逐着他。1992年，在瓦勒迪泽尔，翻越阿尔卑斯山看比赛的人数据说达到了五位数。即使是在意大利，他的声誉也可以和任何一个足球运动员相媲美。尤为突出的是，作为一个高山滑雪运动员，他不像其他人那样来自山区，而是来自博洛尼亚。远道而来的观众们这一次不虚此行，因为他将成为历史上第一个成功卫冕奥林匹克高山滑雪冠军的人。这项运动体能消耗极大，雪面变化无常，难度很大。他在阿尔贝维尔大回转比赛中的胜利颇具戏剧性，需要从15名种子选手中以最快速度脱颖而出。

最大的夺冠热门是速度很快的奥莫特，但是排名第六的通巴以 1分零4.57秒的成绩超过了他，在第一轮比赛中领先，吉拉尔德利（为便利起见，奥地利的吉拉尔德利是以卢森堡的名义参赛的）位居第二。接下来，吉拉尔德利开始了精彩的第二轮比赛，这就意味着通巴的声誉要经受更多的考验了。面对着人山人海的观众，通巴开始了上下起伏的滑行。当他在半决赛中冲向终点时，观众的心提到了嗓子眼儿。在下半段赛程中，他迅速赶上了前面的人，但他一直不知道自己的成绩如何，直到看到他的队友狂喜地向他祝贺时，他才知道结果。这次比赛的比分非常接近：在第一轮结束时，他是第12名；第二轮，第6名；在第一轮中。他的成绩比吉拉尔德利快0.13秒,第二轮快0.19秒。在最后一轮比赛中，其成绩为 2分6.98秒，领先优势被扩大到了0.32秒。奥莫特得到铜牌，阿科拉排名第四。

3天后，小回转比赛在梅吕尔滑雪场举行。大批的观众连夜云集到这里，人们不顾禁止私人轿车通行的禁令，提前几个小时乘车到达滑雪场。通巴的目标的确史无前例: 他希望实现第二次卫冕。这次比赛中，他在第二轮中又一次面临着巨大的压力。此次,他的对手是挪威的克里斯蒂安•亚格(Finn Christian Jagge)。亚格的母亲在1964年曾参加过因斯布鲁克的女子小回转赛，获得第7名。通巴在小回转赛前的状态不如在大回转赛时好。亚格在第一轮比赛中领先，比来自奥地利的第2名迈克尔•特里舍尔(Michael Tritscher)快1秒，比第6名的通巴领先1.58秒之多。通巴在第二轮中发起进攻，他超过了所有的人，却未能超过亚格，亚格最终以0.28秒的优势保持总分第一。通巴是第一个向他表示祝贺的人，但过后他说，他和他的技术人员准备的滑雪板不适合雪道，尤其是在第一轮比赛中。但通巴没有抱怨，他说：“银牌也很好，我没有遗憾。”

在瓦勒迪泽尔举行的男子速降赛是对滑雪运动员的考验，而不是对滑雪板的考验。这个比赛

克里斯蒂安•亚格，母亲是奥林匹克运动员，在小回转比赛中战胜通巴，使他的希望落空。

是由瑞士1972年的奥林匹克冠军伯纳德•鲁西设计的，它有25个转弯，而不是通常的15个左右，这就要求要有全面的技术，而不仅仅是速降技术。那天表现上佳的是德国的瓦斯迈尔(Markus Wasmeier)、瑞士的弗朗兹•海因兹尔（Franz Heinzer）、本届世界杯冠军——美国人A•J•吉特（A.J. Kitt）。而到最后，他们的成绩分别是第4名、第6名和第9名。

好戏姗姗来迟。在这场难度很大的比赛中，奥尔特利布第一个上场，成绩为1分50.37秒，后面的人都比他慢。第二个上场的瓦斯迈尔占据第2位，比他慢0.25秒。吉拉尔德利和奥地利1980年的冠军列昂纳德•施托克（Leonhard Stock）都落在了后边。很快，亨特•马德（Gunther Mader）就比瓦斯迈尔快0.15秒，奥地利人占据了第1名和第2名的位置。而此时，在前半段比赛中仅排名第9的皮卡尔飞速掠过起点大门，东道国观众们大吃一惊。他奋起直追，到陡峭的秃鹰坡平缓处时，他已经排在第2位了。绕过险峻的鹰状拐弯，他进入最后一段坡地，但他还是落后于奥尔特利布5/100秒。你可以想像得到人们给他的热烈欢呼。

在梅瑞贝尔举行的女子速降赛的结果像男子比赛一样出人意料。无论是冠军克林•李•加特纳(Kerin Lee-Gartner，加拿大)，还是亚军希拉里•林德(Hilary Lindh，美国)，都是在以前的速降比赛中没什么名气的。李•加特纳在她的故乡卡尔

加里排在第15名，从来没有超过第3名。比赛的滑道由鲁西按男子比赛的模式设计，对任何人来说，这都是最难的滑道之一，既长且陡。但李•加特纳创造了她一生中的最佳成绩，成为此项运动的第一位非德语国家的冠军。

笑面虎佩里拉•维贝里赢得大回转比赛，这是瑞典人夺得的第一枚女子高山滑雪金牌。

女子大回转赛冠军被一位总是笑容满面的瑞典人维贝里(Pemilla Wiberg)赢得，她为她的国家赢得了有史以来第一枚女子高山滑雪奖牌。此前，人们以为瑞士的施奈德、奥地利的克龙贝格尔和瓦赫特以及法国的梅尔可能会胜出。但结果却是维贝里，她在自己的国家一直受到指责，但就像李•加特纳一样，她创造了奇迹。在第一轮中，她落后梅尔半秒钟。施奈德、克龙贝格尔和意大利的孔帕尼奥尼都没有取得名次，被挤出了这一赛事。在第二轮比赛中，美国的罗菲(Diann Roffe)从第9名冲进第2名，但维贝里发挥稳定，以微弱优势夺冠。罗菲和瓦赫特并列获得银牌。克龙贝格尔在小回转赛和混合赛中分别获得冠军，弥补了这次失败。克龙贝格尔在混合赛中占绝对优势，她的队友兼对手萨宾•金瑟（Sabine Ginther）在前天的速降比赛中摔伤，无法参加比赛，所以她更是无人能敌了。克龙贝格尔在小回转赛中就采取了保守的策略，但她仍在瓦赫特之前完成了。

克龙贝格尔在3个小时内参加两次比赛，并夺得冠军，这得益于她的稳健。胜利虽属于克龙贝格尔，但新西兰20出头的运动员科贝格尔(Annelise Coberger)也值得一提。科贝格尔的世界杯排名一路飙升，在这次比赛中，第一轮比赛中名列第八，第二轮比赛中排名第一，总排名第二，成为南半球最好的运动员，可以在冬奥会上赢得奖牌。

1992年，跳台滑雪流行一种新技术——V式滑雪。在V式滑雪中，滑雪板不再是平行的，而是呈“八”字形张开，这样就可以跳得更远；但是在下落时会产生巨大的G力（超重力），因此，采用这一新式动作会更加危险。这对年仅16岁的托尼•涅米宁(Toni Nieminen)来说，却丝毫不成问题，他毫无畏惧，动作极其自然。这一年，跳台的高度升到了120米，他决定性的一跳，将第一轮比赛中的冠军奥地利队推到第2名，使芬兰队获得了团体金牌。涅米宁在上一轮比赛中没有成功，因为助跑太快，为了降低起跳速度，他必须对起跳点做出调整，因此影响了成绩。即使在较低的坡度上，涅米宁在第二轮比赛中也跳出了122米的成绩，获得245分，弥补了落后奥地利队30分的差距。他在16岁零289天时成为最年轻的冬奥会金牌获得者，比1930年的雪橇运动员W•费斯克还年轻一天。在获得 120米跳台滑雪团体冠军后，涅米宁后来又成为该项赛事最年轻的个人冠军，取代了1948年美国花样滑冰运动员迪克•巴顿的位置。他分别跳出了罕见的122米和123米的成绩，刷新了这个项目的纪录。

托尼•涅米宁以完美的新式V式跳台滑雪技术取代W•费斯克，成为最年轻的男子冬奥会冠军

花样滑冰的冠军热门初露端倪：乌克兰的彼得连科(Viktor Petrenko，独联体)。他在上届运动会获铜牌，两年后在世界锦标赛上获亚军，总排名在加拿大的库尔特•伯朗宁（Kurt Browning）之后。他的对手是捷克的彼得•巴尔纳（Petr Barna）以及美国的克里斯托夫•鲍曼（Christopher Bowman）和保罗•怀利(Paul Wylie)。

这里不能不提到独联体队的阿历克谢•乌尔马诺夫（Alexei Urmanov）和维亚切斯拉夫•扎戈罗德尼尤科（Vyacheslav Zagorodniuk），尤其是扎戈罗德尼尤科，他穿着毫不起眼的服装——一件简单的衬衫，像精灵一样在冰面上自由起舞；而乌尔马诺夫则展现了俄罗斯舞蹈的独特魅力。伯朗宁最拿手的是同心旋转，像约翰•克里（John Curry）一样曲体向后；怀利则将音乐和舞蹈完美地结合在一起，他的跳跃如行云流水。彼得连科用他充满灵性的眼睛和富有表现力的双臂，展现出小鹿一样的优雅和令人瞠目的技巧。他像往常一样在短节目中领先，但他在长节目的尾声摔倒了一次，其动作的艺术性使他取得5.9分的成绩，以微弱优势领先强大的对手怀利获得冠军。巴尔纳获得铜牌，她刚刚战胜过彼得连科，获得了欧洲的冠军。

冰上舞蹈的高潮是人们期待已久的。代表法国参赛的一对加拿大裔选手和由乌克兰和俄罗斯人组成的独联体队之间展开了激烈竞争。传统和现代还是有区别的：伊莎贝尔•迪谢奈•德昂（Isabelle Duchesnay-Dean）和保罗•迪谢奈（Paul Duchesnay）兄妹俩演绎的是迷人的《西区故事》；但玛丽娜•克利莫娃（Marina Klimova）和谢尔盖•波诺马连科（Sergei Ponomarenko）的古典造型也无可挑剔，在这对夫妻流畅的平衡中充满了灵感，评委们认为他们的表演是远远超出商业表演的艺术杰作。两对领先的选手之间的竞争异常激烈，他们的表现划分了业余与专业水准之间的界限。在比赛中，当伊莎贝尔举起保罗时，体育馆内回响着大家的一片欢呼声。

1988年，在500米速滑中，美国的博尼•布莱尔(Bonnie Blair)在上届奥运会创下世界纪录，获得冠军。她此次比赛的成绩较先前的纪录慢了一秒,但是她的对手、中国的叶乔波由内道换到外道时被挡了一下，中国因此要求重赛，但遭到了否决。布莱尔在跨越大西洋来支持她的亲朋好友的欢呼声中，以18/100秒获得冠军。叶乔波获银牌，这是冬奥会上第一块亚洲女子奖牌。

博尼•布莱尔，在500米、1 000米两项速滑赛中击败叶乔波，获得胜利。

在男子10 000米比赛中，令人吃惊的是，两年前世界纪录保持者科斯(Johan Olav Koss) 的声誉还如日中天，这次他却被荷兰人费尔德坎普(Bart Veldkamp)击败，只得了第7名，他的队友卡尔斯塔德（Geir Karlstad）赢得冠军。

独联体队的雷莎•斯梅塔尼娜（Raisa Smetanina）是20公里接力赛的第2棒运动员。此

在1000米初赛中，在弯道处，金琪勋(韩)领先冲向终点，迈克尔•麦克米伦(Michael McMillen，新西兰)第四，弗雷德里克•布莱克本(Frédéric Blackburn，加拿大)第二，李准镐(韩)第三。

时离她40岁生日只差12天，这使她成为自1924年冬奥会创办以来所有项目中年龄最大的女子金牌获得者，她所获得的奖牌数则因此增至10枚（4金5银1铜）。她还是第一位连续5届获得奖牌的女运动员。她曾21次获得越野滑雪国家冠军，7次获得世界冠军，以10块奖牌的总数超过了瑞典越野滑雪运动员西克斯腾•耶恩贝里（Sixten Jernberg），后者在1956至1960年间共夺得9块奖牌。

于尔旺(Vegard Ulvang)成为挪威16年来第一位越野滑雪冠军，另外，挪威还赢得了5项越野比赛。于尔旺在10公里比赛中途摔倒，滑雪杆折断了，一个观众朋友递给他一根滑雪杆，尽管如此，他最后还是赢得了比赛。

于尔旺摔倒后，依然在10公里越野赛中取胜，图中是他领先克里斯特•迈巴克(Christer Maiback，瑞典，第3名)和基尔韦斯涅米(Harri Kirvesniemi，芬兰，第6名)。

第61章 巴塞罗那

第二十五届夏季奥运会 1992

帕图利杜(*Paraskevi "Voula" Patoulidou*)

奥运会100米跨栏冠军

我父母是弗洛里纳（希腊的一个地区）的农民，我生于1965年。我是在4年前去德国后，才开始显露运动天赋的。我获得1991年地中海运动会跨栏银牌、1990年巴尔干运动会跨栏和100米金牌，而现在是在巴塞罗那！我经常问自己，运动员脖子上挂着的金牌，不是其他的小金牌，而是奥运会金牌，面对拥挤的观众，听着自己国家的国歌是什么感觉？我终于在巴塞罗那找到了答案。当我站在领奖台上，在这激动人心的时刻，我泪流满面。

多年来，我一直很痛苦。因为在我心里一直有两个不同的希腊，一个是令世界人民尊重的希腊，另一个则是每个希腊人都衷心希望能够得到正确对待的希腊。现在我来了，带着我的梦想，带着多年的努力，我终于骄傲地抬起头面对世界。多年的苦难鞭策着我，去追寻那最崇高的时刻和无以伦比的激情。我怎能不与所有的希腊人一起哭泣？我紧紧握住金牌，说："为了希腊,你们知道吗？"

我从来也没想过我的生活会有怎样的改变。

胜利给了我自信，引导我走上一条我以前不敢想的道路。它改变了我的生活，我有了钱，我不仅可以与家庭分享，也可以与那些需要帮助的人愉快地分享。我写书，参观学校，参加研讨会，生了一个可爱的儿子，现在与我的丈夫基米特利斯一起又回来参加比赛，我丈夫在莫斯科运动会举重比赛中名列第七，他给了我巨大的支持。这一切都来源于巴塞罗那的成功以及永不放弃的信念。

帕图利杜的胜利是值得纪念的，虽然这个胜利得益于另一个运动员的不幸跌倒。如果不算1906年的临时奥运会，帕图利杜是第一位获得径赛决赛资格的希腊妇女，也是自康斯坦丁•齐克利蒂拉斯（Konstantin Tsiklitiras）在1912年赢得立定跳远奖牌之后，在所有奥林匹克运动中第一位赢得金牌的希腊人。奖牌带给她无以复加的快乐，她的祖国与她一样欢乐，因为这个胜利太出乎意料。人们原以为其他人会拿冠军，比如去年的世界冠军——来自俄罗斯的卢德米拉•纳罗契年科（Lyudmila Narozhilenko），要不就是本场比赛的亚军——美国人盖尔•德弗斯(Gail Devers),

布腊的帕图利杜在100米障碍赛中，向80年来希腊的第一块金牌冲刺。在前面领跑的德弗斯(右)，原有希望夺冠，却因为撞上了第10个栏杆跌倒了。

她本来已经成为100米短跑的冠军，但在半决赛时，纳罗契年科摔倒并拉伤了肌腱。按说德弗斯应该获得冠军的，但她却撞上了最后一道障栏，在她跌跌撞撞冲向终点的1/10秒内，4个人超过了她。直到帕图利杜看了录像的回放，她才知道，她与美国的拉沃纳•马丁(LaVonna Martin)差不多一道以1/100秒的优势超过了卫冕冠军——保加利亚的约达卡•东科娃(Yordanka Donkova)。

虽然第25届夏季奥运会是一次友好的盛会，足以让组织者们快慰，但与4年前的汉城奥运会一样，也存在欺诈行为。最明目张胆的作弊是在男子10 000米比赛，摩洛哥的斯卡赫(Khalid Skah)和肯尼亚的切利莫(Richard Chelimo)的激烈争夺中。在最后4圈中，斯卡赫的同胞伯泰布(Hammou Boutayeb)跑在两名领先者后面，有意帮助他的队友。国际业余田径联合会第143/2款规则中的定义很明确，非法协助是指："传递建议、信息和帮助，包括不参加比赛的人带跑，运动员带跑或可能的带跑"……不管有意无意，伯泰布跑在两人后面，干扰了比赛，他不断调整步幅，明显挡住了切利莫，干扰和分散了他的注意力。在最后一圈，伯泰布故意忽快忽慢，把两个人的较量变成3个人的比赛，伯泰布受到了正式的警告。国际业余田径联合会技术委员会主席卡尔•托勒马（Carl Tollemar）走上赛道，示意他离场，观众们也发出嘘声来嘲笑这个摩洛哥人，直到他最后退出比赛。紧接着"奥运冠军"由于在比赛中接受帮助而被取消资格以及后来的申诉，这些都是前所未有的。切利莫后来被授予了金牌。

英国的林福德•克里斯蒂(Linford Christie)在100米比赛中获得冠军，赢得了喝彩，他当时已经32岁了。在汉城奥运会上，约翰逊的药检呈阳性，被取消了冠军资格。位列第三的克里斯蒂也被查出服用过类固醇，他解释说是喝了大量的参茶，由于检测出来的数量很低，药品委员会只作怀疑而未作处罚。约翰逊被取消资格后，克里斯蒂在卡尔•刘易斯之后获得银牌。

这届奥运会对克里斯蒂而言有如神助。首先是刘易斯失去了参赛资格，他的主要对手变成了原世界纪录保持者——美国的布雷尔(Leroy Burrell)。克里斯蒂在热身赛中击败了他，但后来在半决赛中输给了他。决赛中，他由于抢跑而失利。克里斯蒂的起跑也很差，但他在后40米一直加速。最后，超过了纳米比亚的弗兰克•弗雷德里克斯(Frankie Fredericks)获得冠军，弗雷德里克斯获得银牌，成为第一位获得100米奖牌的非洲黑人。

毫无疑问，跳远三连冠理所当然是属于刘易斯的，然后是三级跳的胜利——这已经是他的第

摩洛哥人斯卡赫，有争议的冠军，在1万米赛中。此时他正跟在亚军切利莫后面。

8块金牌了——意味着在世纪末他已经可与跳远选手尤里(Ray Ewry)相提并论了。在十多年中，刘易斯一直保持着由鲍勃•比蒙（Bob Beamon）创下的世界纪录。

在破纪录的运动员中，美国的凯文•扬(Kevin Young)就是一名佼佼者。在400米障碍赛中，由埃德温•摩西（Edwin Moses）创造的47.02秒的成绩保持了近10年，看来就像比蒙的纪录那样，难以超越。在奥运会之前，扬个人的最好成绩是47.72秒，这看来并不理想。他半决赛的成绩是47.63秒，负于牙买加的格雷厄姆(Winthrop Graham)，名列第二。名列第三的马特特由于串道，被取消了比赛资格。在决赛的激烈角逐中，他所向披靡，尽管碰倒了最后一个栏，仍以0.9秒的优势胜出，成绩为46.78秒，把摩西的成绩提高了0.24秒。“我从来没有想过，在有生之年可以看到有人打破这个纪录。”英国的铜牌得主阿卡布西(Kriss Akabusi)说。

对黄永祚来说，品尝胜利的过程与帕图利杜相似。自56年前，在日本占领下的韩国人以日本队的名义参赛，并夺得胜利以来，韩国人已经为赢得马拉松比赛奋斗很久了。这一次，黄永祚对日本的森下广一保持了几乎半圈的领先优势。从市中心到蒙图伊奇体育馆，两人激烈角逐，经过紧张的中场比赛，黄永祚在离终点还剩5公里时，明显超过对手。在领奖台上，两人带着对对方的敬意，互相拥抱在了一起。德国的弗赖冈(Stephan Freigang)摘走了铜牌。

1 500米比赛中阿尔及利亚的莫塞利(Noureddine Morceli)的失败和撑杆跳中乌克兰的谢尔盖•布勃卡(Sergei Bubka)的失利都令人难以接受。对冠军卡乔(Fermín Cacho)来说，这是他运动生涯的顶峰，尽管他3分40.12秒的成绩是36年来最糟糕的成绩。卡乔自己都不敢相信这个胜利。当他跑向终点的时候，往后看了8次。他也成为西班牙第一位获得金牌的长跑运动员。

统一后的南非仓猝组建的代表队也取得了不错的成绩，迈耶(Elana Meyer)在女子10 000米比赛中获得第2名，成为南非第一位田径奖牌获得者。同速消耗战术曾在去年为英国的麦科根赢得世界冠军，但这一次却未能奏效：在跑到一半的时候，还有很多人围着麦科根。一公里以后，迈耶超过了她。埃塞俄比亚的图卢，而不是麦科根，紧随迈耶之后，跟上了她加速后的步伐。最后一圈图卢开始加速，几乎以6秒的优势把麦科根远远甩到第5名，并赢得胜利。当第一位非洲的奥林匹克奖牌获得者，与南非白人手拉手在赛场上庆贺共同的胜利时，奥林匹克精神得到了发

令卡乔及其家乡观众高兴的是，他为西班牙赢得了1500米比赛的金牌，但他的成绩却是36年来最差的。

图卢(Derartu Tulu)——埃塞俄比亚的女子万米冠军，在与新南非的亚军迈耶拥抱。

扬，“走上赛场，而且知道这是为真正的南非而战，真是激动人心。”迈耶说。

当阿尔及利亚的布梅尔卡(Hassiba Boulmerka)赢得1 500米冠军的时候，她表现出一种特殊的、无畏的自尊，带着一种骄傲、自豪和满足的表情。为了进行比赛，布梅尔卡露出了手臂、手和面部，这在她的祖国受到了穆斯林原教旨主义者的严厉斥责。虽然她超过罗加乔娃(Lyudmila Rogachova，独联体)和中国的曲云霞冲向终点时，步态并不雅观，但她的胜利仍使她成了为阿尔及利亚妇女的自由而牺牲的女英雄。她站在那里，大大地张开手臂和双腿，好像在呼吸胜利的空气，好像在说：“我在这里，看看我，认识我，接受我吧。”她撕掉了胸前的号码，让自己国家的名字展现在摄像机前。她自己也是虔诚的穆斯林信徒。这也是第一次有4名选手在4分钟内决出1 500米比赛胜负的女子比赛。

400米的卫冕冠军——乌克兰的布里兹金娜(Olga Bryzgina)被法国的后起之秀佩雷克(Marie-José Pérec)击败了，身为巴黎模特的女孩儿领先一步，获得冠军。她的成绩是48.83秒——这是4年来第一次突破49秒的好成绩。

莫拉莱斯(Pablo Morales)在游泳比赛中取得了骄人的战绩。1984年，他还只是19岁的时候，就赢得了1金2银。后来他一直是100米蝶泳世界纪录的保持者。27岁时，莫拉莱斯复出，成为本次比赛的夺冠热门。但他被强大的对手——西德的格罗斯(Michael Gross) 淘汰了。在汉城，莫拉莱斯平了纪录，但没有入选美国队，于是他退役了。3年半后的复出是引人注目的，他的世界纪录仍然无人打破。莫拉莱斯从回游处开始领先，并且以3/100秒领先波兰的舒卡拉(Rafal Szukala)，获得冠军。卫冕冠军苏里南的内斯蒂(Anthony Nesty)获得第3名。

在过去的32年中，美国选手在男子3项短道自由泳中很少失利。而现在这些项目被独联体队独占鳌头。亚历山大•波波夫(Alexander Popov)获得了50米和100米的双料冠军，耶夫根尼•萨多维（Yevgeniy Sadovyi）则在200米和400米中夺魁。耶夫根尼在400米中以3分45秒的成绩打破世

独联体队的亚历山大•波波夫(右)，完成了50/100米两项自由泳比赛，图为在50米比赛中，战胜比昂迪获得冠军。

界纪录。在这些项目中，美国队唯一的成绩是比昂迪在50米中获得的银牌。他在美国队4×100混合泳接力赛中获得奖牌，这是自1984年来，他获得的第11块奥运会奖牌。

中国游泳队的进步非常明显，特别是汉城奥运会的银牌得主——19岁的运动员庄泳。她在女子100米混合泳中战胜了世界纪录保持者詹妮•汤普森(Jenny Thompson)，其成绩是54.64秒，创奥运会纪录。

游泳项目的任何亮点，在伏明霞面前都相

13岁的伏明霞。

形见绌。这个来自中国湖北的13岁小姑娘以高难度的动作，从蒙图伊奇体育馆炫目的高空跳下。她已经是这个项目的最年轻的世界锦标赛冠军了，现在又轻松地成为有史以来最年轻的奥运会跳水冠军。在单人比赛中，这是很少见的。巴塞罗纳热浪袭人，露天泳池位于微光闪烁的圣家族教堂和一对构成奥运村入口的高塔的怀抱中。观众坐满了体育馆，烈日下他们汗流浃背，好像在观看跳伞比赛。在预赛中，伏明霞赢得32分的领先优势，这一优势一夜之间就扩大为50分。银牌得主是莫斯科的18岁选手米罗申娜(Yelena Miroshina)。29岁的美国老将克拉克(Mary Ellen Clark)获得了铜牌。伏明霞在空中动作流畅，尤其在慢镜头中，是难以置信的优美。没有一点儿多余动作，在身体上下左右旋转时，看不到任何肌肉的凸起。一些年龄大的女孩儿会有像男子一样的肌腱和肱二头肌，但这个中国人却只有细巧的骨架，她是整个奥运会中最美的一道风景。

在女子体操团体全能比赛中，来自德克萨斯州休斯顿的基姆•齐梅斯卡（Kim Zmeskal）是1991年世界锦标赛个人全能的冠军，她在平衡木比赛中掉下来，这使得她和全队损失很大。凭借另一位美国女孩儿米勒(Shannon Miller)的一系列高分9分(满分10分)，为美国队拿到铜牌，名列独联体和罗马尼亚之后。独联体队在斯维特拉娜•博金斯卡娅的带领下稳居榜首。

个人全能比赛的冠军被来自乌克兰的15岁选手古楚(Tatyana Gutsu)获得。古楚在团体比赛中，也曾经从平衡木上掉下来。由于独联体队只有3名选手可以晋级，她被淘汰了。当罗莎•加里雅娃（Roza Galiyava）因膝盖附近受伤而退出比赛，她才获得机会。米勒的表现与古楚同样优异，在鞍马比赛中以近乎完美的动作拿了9.975的高分，获得了银牌。

另一位同伏明霞一样优秀的运动员是白俄罗斯的谢尔博(Vitaliy Scherbo，独联体），他在男子体操项目中获得了独一无二的6枚金牌：团体和个人全能冠军以及4个单项冠军。像女子比赛一样，他虽然肌肉发达，但他的平衡和协调近乎完美。谢尔博可算是1992年的最佳运动员之一。

英国的理查德•福克斯（Richard Fox）在单人皮艇障碍回转赛中独领风骚，曾获得4次世界锦标赛冠军，连续3届世界杯冠军。这次是他自慕尼黑奥运会以来，在他本应拿冠军的项目上第一次失手。他划完第2圈，坐在船里，颇含哲理地说“总得有人得第四。”冠军是意大利的皮尔保罗•费拉奇(Pierpaolo Ferrazzi)，他成功地从第一圈的第17名进入前几名。而对于福克斯来说，奥林匹克比赛来得有些迟了，这时他已经32岁了，比赛有25道曲折多变的关隘，他在第一轮中尽全力完成全程，想重振声威。第二轮他的成绩本来比费拉奇快了2秒，但是他的船3次卡在门柱上，浪费了15秒。法国的库里尼埃尔(Sylvain Curinier)和德国的莱特曼(Jochen Lettmann)分别获得银牌

印度尼西亚的王莲香过关斩将，在奥运会第一场羽毛球比赛中战胜方铢贤，获得女单冠军。

和铜牌。

羽毛球比赛初入奥林匹克。男女单打的冠军分别是来自印尼的魏仁芳（Alan Budi Kusuma）和他的队友王莲香（Susi Susaanti）。世界锦标

赛冠军——中国的赵建华在四分之一决赛中被淘汰出局了。双打冠军被韩国选手包揽。

随后在美丽的巴尼奥拉斯河举行了双人单桨划船比赛，结果激动人心。来自意大利的阿巴尼亚莱（Abbagnale）家的两兄弟——卡迈因（Carmine）和吉塞普(Giuseppe)已经赢得了7次世界冠军和2届奥运会的金牌，并且自从1986年以来从未失败过。相反，乔尼（Jonny）和格雷格•希尔（Greg Searle），在这一年年初刚成为搭档，但也正是他们，在预赛和半决赛中划出了他们的最好成绩。在决赛最后的500米中，希尔兄弟全速冲刺，比意大利人快了5秒，领先仅5桨。在汉城奥运会上，雷德格雷夫(Steve Redgrave)和霍尔姆斯(Andrew Holmes)在男子双人单桨无舵手比赛中获得冠军。此次比赛中，雷德格雷夫和平森特(Matthew Pinsent) 搭档，成功卫冕。

在网球男子单打比赛中，很多世界一流的选手都在激战中被淘汰，这其中包括埃德伯格(Stefan Edberg)、桑普拉斯、穆斯特(Thomas Muster)、张德培和施蒂希(Michael Stich)。冠军是排名世界第44的瑞士选手罗塞特(Marc Rosset)。女子比赛由于塞莱斯(Monica Seles)、娜拉提诺娃(Martina Navratilova)和莎芭天(Gabriella Sabatini)没有资格参赛而黯然失色，原因是她们没有参加联合会杯赛。被人们看好的冠军格拉芙在决赛中被卡普里亚蒂击败。卡普里亚蒂是美国的网球天才少女，是历史上在法国和温布尔登公开赛中进入半决赛的最年轻的选手。

在乒乓球单打比赛中，出色但又常常表现失常的瑞典选手扬•奥弗•瓦尔德内尔是绝对的冠军。女子单打的冠军则由中国的邓亚萍获得。这位中国的小运动员尽管身材矮小，但还是战胜了乔红。她和乔红的合作还取得了女子双打的冠军。

男子篮球的结果不出所料。国际篮联在3年前允许NBA的职业选手参加奥运会。因此，美国的所谓梦之队来到巴塞罗那，包括魔术师约翰逊、伯特(Larry Bird)、麦克尔•乔丹、巴克利等。他们轻松地获得了比赛的胜利。在友好的初赛中，他们的对手是政治宿敌古巴。在决赛中，克罗地亚人一度以25：23领先美国，而且曾打到117：85，差点儿让这群美国大佬们败北，但美国队还是最终打败了克罗地亚队。女子决赛中，俄罗斯以77：66战胜了中国队。

魔术师约翰逊，梦之队的著名人物

第62章 冬日胜境

墨西哥人马里奥·巴斯克斯·拉涅亚
国际奥委会成员，国家奥委会联合会（ANOC）和泛美体育组织（ODEPA）主席

古代的奥林匹克，运动的价值在于它可以激发青年的创造力，是和平和友谊的桥梁。通过一个国际组织，奥林匹克运动已经得到了最广泛的支持和参与。不论性别、种族、宗教以及政治信念的异同，它使人类产生奋斗的信念，促进了所有国家的参与和发展。

要实现这些原则并不那么容易。在一些国家，出于各种各样的原因，包括缺乏理解和缺少措施，物力和财力的匮乏，造成奥林匹克的步履维艰。奥林匹克是伦理、美学和道德上的价值的一部分。它与教育、健康和社会的进步有着密切的关系。国家奥委会联合会和国家奥委会共同努力促进奥林匹克教育，它与政府进行项目合作，保证体育运动成为公民权利；支持体育设施的建设和维护；致力于发展体育运动水平；保证不同发展层次的国家参与奥运会。

国际奥委会一向尊重小国的需要。在与国家奥委会联合会（ANOC）和国际单项体育联合会的合作中，它支持各个国家参与奥运会，不论国家大小。小国的概念不仅根据它的人口和国土面积来定义，还取决于这个国家的体育发展水平和奥林匹克传统。众所周知，当这些国家的国旗和运动员在奥运会开幕式入场时，奥林匹克运动的广泛性和完整性策略有效的实施，对这些国家来说意味着什么。如果再考虑那些杰出的个人成绩，那就是无穷力量的源泉。技术和市场运作使发达和不发达国家之间产生裂痕，但是这些都不应该导致歧视或排斥。资金一定要用于弥补这种裂痕。

在1993年6月洛桑第100次会议上，国际奥委会和国际夏季奥林匹克协会采取双重步骤加强双方的合作：在所有的国际单项体育联合会中统一药检和禁赛的方法；明确国际奥委会国际运动仲裁协调委员会(ICAS)的独立性，将它作为与国际奥委会分立的管理机构，管理在1983年成立的国际体育仲裁法庭。由奥林匹克运动资助的国际运动仲裁协调委员会(ICAS)，作为一个独立的机构，它的有效运作，会限制国内法庭司法权的消极作用，比如美国的雷诺兹(Butch Reynolds)和德国的克拉贝（Katrin Krabbe）控告国际业余田径联合会的诉讼。国际体育仲裁法庭共有8名成员，其中4名分别来自国际奥委会、国际单项体育联合会、国家奥委会和运动员（由运动员委员

会提名产生），另外还包括4名杰出的、独立的和富于合作精神的成员。为了保证国际运动仲裁协调委员会（ICAS）的裁决可以被所有国家的法庭接受以及排除推翻这些裁决的可能性，任何受干扰的现象都要杜绝。瑞士联邦法院(最高法院)已经承认了这个原则。在奥林匹克项目中，接受体育仲裁法庭是每个国际单项体育联合会的义务。

体育的危机显而易见，在20世纪90年代初，中国选手在女子游泳和田径项目上表现突出，之后却有很多人药检呈阳性。但国际奥委会和国际业余田径联合会药物协会成员——瑞士的阿恩•扬奎斯特(Arne Ljungqvist)指出，由于中国的人口众多，出现生物和生理结构的特例，从而出现优异的成绩是有可能的。也就是说，中国比起其他国家，更有机会制造“自然的奇迹”。而中国申奥委即使不申办奥运会，也会花大力气在国内进行药检。

在1993年6月的会议上，理查德•庞德在他的市场推广报告中首次指出：市场运营权的收入已经超过了美国电视转播权的收入，这也是萨马兰奇在他的任期内一直孜孜以求的：就是要避免过度依赖电视，均衡各种收入来源。国际奥委会第3期TOP计划（1993年到1996年），到亚特兰大奥运会结束，收入至少达到2.7亿美元，而第一期TOP计划只是9000万，第2期TOP计划是1.75亿，这个数字，如果算上巴塞罗那当地组委会获得的赞助，就超过了对NBC在1992年各种转播权共4.01亿美元的收费。在第3期TOP计划中，新加入的赞助商是IBM公司，该公司签订了一份为期8年的赞助合同，分别为两届夏季奥运会和两届冬季奥运会提供赞助。IBM给出了迄今为止的赞助天价，据估计超过2亿美元。赞助大多通过两种形式投入：提供信息技术和为所有比赛提供必要的关于比赛结果的服务。有鉴于此，在第3期TOP计划中，IBM的“入场费”比其他公司，如可口可乐、柯达、Visa、 松下、理光、时代华纳和博士伦公司(雷朋太阳镜)等要少得多。任何TOP赞助商都需要付出隐性成本，因为针对赛场广告的禁令（大部分体育运动都没有这种禁令），赞助商要花上百万美元来设法宣传自己。虽然IBM可以将公司的标志打在信息屏和电视转播屏幕的下角，但隐性成本仍然存在。

对IBM这样的赞助商来说，它们面临巨大的技术挑战。IBM公司第一次赞助的是利勒哈默尔奥运会，他们需要将成绩和信息发送给50000个用户，这些用户散布于赛场、新闻中心、旅馆和奥运村。“如果你能应付奥运会，那么你什么都能应付了。”维泼夫斯，IBM设在巴黎的国际体育办公室的主任说，“如果我们失败了，那么奥运会也就失败了。”其他赞助商也是如此。比如说，柯达公司在奥运会的开幕式上，有500多个摄影师，平均每人要冲洗30—40卷胶卷，要求在2小时内冲出来并做成75万张图片。

在日内瓦湖的映衬下，萨马兰奇主席向众人宣布奥林匹克博物馆隆重开馆，这个博物馆接受了来自东方的几个跨国公司的大量捐赠。

如果说国际运动仲裁协调委员会的创建和TOP计划的迅猛发展是一个里程碑，1993年奥林匹克博物馆的开馆也应榜上有名。这是萨马兰奇自始至终努力推进的另一个项目。在总额超过1亿美元的成本中，很多跨国公司慷慨解囊，尤其是日本和韩国的公司，它们的捐款超过5000万美元。德•顾拜旦的梦想终于实现了，洛桑市议会功不可没，他们将辖区内日内瓦河畔的公园草坡捐献出来，作为博物馆的馆址，并代为管理。博物馆是奥林匹克运动精神的体现，将成为奥运会教育和学术研究的园地，同时它也是迷人的旅游景点。这个博物馆存放了大量历史文献，视听室藏有数千小时的影像资料，图书馆藏有2万卷图书，图片资料馆藏有超过50万张图片。目前它已成为瑞士境内参观人数最多的博物馆，以后它肯定会超过设在奥林匹亚的国际奥林匹克学院，虽然后者的魅力仍然吸引着很多考古系的学生。

1993年在摩纳哥的第二次例会上，将投票决定2000年，即千禧年奥运会的主办城市。候选城市有北京、柏林、伊斯坦布尔、曼彻斯特和悉尼。随之而来的，是世界舆论对国际奥委会的批评，认为它偏袒亚特兰大，而不是雅典，这使国际奥委会又一次面临审查。出于政治原因，北京首先被淘汰，尽管中国拥有世界上1/3的人口。这与当年把奥运会的主办权给了莫斯科，所引起的非议不同：虽然前苏联入侵了阿富汗，但决议是在此之前作出的。当时反华的政治势力强大，最虚伪的是美国众议院对中国的谴责，因为仅仅一年前，在商业利益的驱动下，中国还被美国给予贸易最惠国待遇。

不言而喻，21世纪世界的中心将转向太平洋，这是包括主管营销的理查德•庞德在内的很多国际奥委会重要人物的共识。萨马兰奇私下认为，主办奥运会会促进社会的发展和民主化进程，创造"一个更加开放的中国"。但就像在1996年对雅典一样，奥委会成员们意见分化，赞成和反对者们各不相让。而反对者们提出的种种人权问题，北京也难以回避。

北京的主要对手是悉尼，它是澳大利亚第3个奥运会的申办城市。悉尼的申办是由罗德•麦克吉奥（Rod McGeoch）领导的，他是一个英俊的律师，极力推许澳大利亚在发展体育事业上的优势及其美丽的风光，比如悉尼风景如画的海湾、桥梁和漂亮的歌剧院。全世界人对这些耳熟能详，谁不想去悉尼呢？然而，凯文•高斯帕（Kevan Gosper）在他的自传《奥林匹克生活》（An Olympic Life）中讲到，他曾极力否决一个计划，这个计划是由一个顾问向麦克吉奥提出的，旨在破坏北京的声誉。麦克吉奥与他的同事、执行委员会委员何振梁是好朋友，而他正是北京奥申委的主席。何振梁是一个细致稳健的体育领导人，具有高度的道德感。他们俩都认为，申办活动应该在真正的体育平台上进行。

在评估委员会的评估中，北京在技术设施方面较悉尼、曼彻斯特和柏林差，因为北京的很多项目仍停留在计划阶段。更要命的是，在摩纳哥会议上，临近投票的几天内，北京奥申委的一个与会者说，如果北京被否决，他们将抵制1996年的亚特兰大奥运会。尽管在24个小时内，何振梁就作出了强烈的否认，却无法阻止该消息很快传遍了全世界。投票的结果是悉尼以两票的优势获得了主办权。

	第一轮	第二轮	第三轮	第四轮
悉尼	30	30	37	45
北京	32	38	40	43
曼彻斯特	11	13	11	--
柏林	9	9	--	--
伊斯坦布尔	7	--	--	--

可以看出，当曼彻斯特被淘汰后，它的11张票以8对3有利于悉尼，这是因为澳大利亚是英联邦国家，他们当然会支持悉尼。在投票中，来自非洲斯威士兰的戴维•西班泽（David Sibandze，在南非被驱逐出奥运会期间，作为南非的联络员，萨马兰奇错误地让他进入了国际奥委会，后来被迫辞职）在第2轮投票后，就莫名其妙地消失了。悉尼以两票的优势战胜北京，国际奥委会很快宣布了这个决定。

在以微弱的优势战胜北京后，悉尼民众为赢得千年奥运会的主办权欢呼不已。

在摩纳哥投票的前两天，发生了一件巧事：澳大利亚国家奥委会的主席约翰•科茨 (John Coates)向肯尼亚和乌干达捐赠了10 000美元，名义是发展这两个国家的体育事业。令人吃惊的是，这件事没有经过认真调查就过去了。不用多想，我们就会得出结论：这是为争取两名奥委会成员的投票而作出的，他们分别是基普•凯诺的前教练查尔斯•穆科拉(Charles Mukora)和前奥运会的拳击手弗朗西斯•尼扬圭索(Francis Nyangweso)。这件事经过掩饰，没有受到指责，但后来又被国际奥委会提出调查，于是，由于丑闻的出现，穆科拉被迫辞职。

在利勒哈默尔冬奥会之前的会议上，委员们讨论了执行委员会的提议，即将申办2002年的候选城市由10个减少为2个，这个决议将在下一年的布达佩斯执行。在委员们作出最后决议之前，由一个特别委员会负责筛选。另外，委员只能考察已选出的两个城市，考察中也不能携带家属。底层的多数委员要求修改议案，认为应削减到3或4个候选城市。他们认为，如果采用预选的方式，利勒哈默尔不可能获得主办权，预选后的两个城市可能是索非亚或者瑞典的厄斯特松德。同时，他们还认为，荣誉委员可以带妻子或丈夫。最后修订案是4个候选城市，带一位客人。实际上，执行委员会的提议是一种赌博：如果他们提出2个城市的削减计划，他们获准通过的可能就是4个。对于一些委员假公济私和公费旅游的行为，下层委员一向反对，萨马兰奇一直设法消除这种成见。他本人长期以来一直主张申办过程应该尽量简短，由执行委员会作出最后的决定，就像在足球比赛中由国际足球联盟、田径比赛中由国际业余田径联合会作出决定那样。

如果奥委会成员意识到，他们在奥运会的言行是怎样地置身于公众监督之下，那么，他们在利勒哈默尔就会变得清醒些。在那里，很明显，敌意针对的是他们，而不是奥运会。最突出的是，1992年越野滑雪的3项冠军——民族英雄于尔旺在当地的地方电视台批评萨马兰奇和国际奥委会，说他们不民主。墙上贴满了标语，要国际奥委会委员们滚回去。就连挪威组委会主席海伯格(Gerhard Heiberg)也不得不承认，他在一次采访中，说国际奥委会是“卑劣的”，在访谈公开发表之前，他也没有审查。于尔旺随后会见了萨马兰奇，表示了自己的歉意。主席说希望在1994年再见到他，并在他再夺金牌时向他祝贺。国际奥委会的委员们在挪威的境遇是如此尴尬，以致有些人提到了辞职。

奥运会开始了，挪威人在所有的比赛中，对所有的运动员，表现得非常慷慨和好客。虽然在寒冷的北极风的侵袭下，小城白天气温从没高过零下15度，晚上甚至下降到了零下25度，但它拥有炫目的景观。坐落于美丽的梅杰桑湖畔牧场之中的利勒哈默尔使冬奥会返璞归真。有这样的说法，如果说短暂而热烈的北方夏季、无边壮阔的海湾和原始森林是挪威的荣耀，那么，冬季则是挪威的灵魂。人们迎接冬天就像在拥抱兄弟，这是他们性格和意志力的体现。在这片土地上，几乎从石器时代开始就有的越野滑雪，已经成为一种生活的方式。挪威的深沉悲惋，正如易卜生、蒙克和格里格的作品。挪威人一年中有2/3的时间生活在严冬，但为了奥运会，数以千计的观众穿山越岭，滑着雪来参加盛会。数以百计的人在野外露营。他们为自己的运动员创造出一种举国关注的独特氛围，但也同样发自内心地为所有获奖者鼓掌欢呼。他们同时也欢迎萨马兰奇，因为他呼吁遭受战火蹂躏的前南斯拉夫休战，并促使其达成了停火协议；曾带着国际奥委会捐赠的食品，冒着危险飞往战火纷飞的萨拉热窝，慰问这个10年前的奥运会主办城市的人们。正如挪威首相布伦特兰所言：“利勒哈默尔奥运会不能将和平强加给那些处于战火中的地区，……但是，它可以使人们找到一种方式，引导国家和人类将自己的才智用于友好的竞争，并且激励人们挑战人类的极限。”

1988年，当利勒哈默尔——这个世界上唯一在市徽上刻着一个滑雪者的城市，出乎所有人的意料，当选为冬奥会的主办城市时，小城最初的兴奋很快被预算问题打消了：2.89亿美元的可怜预算只是所需预算的1/4。幸运的是，政府很快答应承担所需资金，这些政治家多么敏锐，意识

杰出的跳台滑雪选手斯坦•格鲁本（Stein Gruben）举着奥运圣火，从利勒哈默尔跳台滑雪山坡滑下。

到奥运会是国家实力的反映。最后的开支超过了10亿美元，而且出于对环境问题的高度关注，一些很有意义的复杂设施得以修建。在这一点上，它超过了1972年札幌冬奥会以来的任何一届主办城市。当国际奥委会引入对未来主办城市的必备的环境要求时，超过25%的挪威的市政当局采纳了组委会的“绿色”条例。在哈玛市旁边，修建了海盗船溜冰馆，之所以起这个名字是因为它的房顶设计像一个倒扣的船。这是一个建筑奇观，它的木质房梁全长100米，但它的结构强度甚至超过了钢结构。在格威克（Govik）有一个冰球馆，它被修建在一个山洞里，其创造性的空间设计引起了全球业界的兴趣。组委会在实业家海伯格的领导下，与国家救援机构一起，实施了前所未有的奥运会人道主义项目。“奥林匹克救援”唤起了人们对萨拉热窝的孩子们的现状的关注，他们筹集了一笔400万美元的捐款，甚至还作出了在厄立特里亚兴建学校的进一步计划。在即将到来的奥运会上，有突出表现的科斯将(Johan Olav Koss)号召他的国人在奥运期间，为每块挪威金牌捐出10克朗，加上国际奥委会为配合这个活动的出资，筹集了900万美元。从来没有哪个奥运会主办城市，尤其是这么小的城市，能有如此的人文关怀。

利勒哈默尔奥运会更吸引观众的是那迷人的开幕式，不论是现场还是电视转播都一样漂亮。在开幕式上，挪威人用神话展示了他们的风格——在挪威的土地下面，有一群神秘的仙人，他们性格温和、害羞、平静，与自然和谐相处。挪威人说：“这就是我们的生活方式，希望你们分享我们的感受，理解和接受我们。”在薄雾弥漫的山光中，在温柔飘落的小雪中，挪威人毫无虚饰，纯洁无瑕。他们的开幕式令堕落的世界重见仁慈，令最愤世嫉俗者为之动容。当夜幕穿越峡谷降临，波斯尼亚队举着他们的白色标志旗，率先步入会场。在这支共67人的队伍中，包括一位奥运纪录保持者和14位第一次参赛者。

第63章 利勒哈默尔

第十七届冬季奥运会 1994

挪威选手约翰·奥拉夫·科斯(*Johan Olav Koss*)

冬奥会3项速滑冠军

在挪威，滑冰是很悠久的传统。我们从20世纪初，甚至更早，就有很多伟大的人物。20世纪70年代，我很小的时候，体育界已经是英雄辈出了。当我要求拥有一双冰鞋作为圣诞礼物时，我也想成为他们中的一员。当然，我在比赛中经常失利，成绩不太好，但随后我就想，对，我要成为世界冠军。我想每个男孩儿都会这么说。

我一边看奥运会，一边长大，我懂得了它有多么重要，尤其是利勒哈默尔成为主办城市之后。6年前，我意识到这就是我的目标。

在奥运会前几个月，我的训练停滞了，我想部分是因为心理原因。我需要换换脑子。这时，“奥林匹克救援”邀请我作为代表去厄立特里亚，这是一个非洲东北海岸的小国，经过数十年的内战，最近刚刚从埃塞俄比亚获得独立。这次的经历在我的一生中很重要。

我3次夺得奥林匹克冠军，每次比赛都很不同，但都很紧张。第一项比赛是5 000米，我不知自己能不能做好，我膝盖有伤，冰鞋不好用，这几个月来成绩不好。最长的比赛是10 000米，这是我最有可能取胜的比赛，但我知道我可能会一无所获。可是在哈玛的看台上有15 000名观众，热切地期待我取胜。在5 000米比赛前热身的时候，我意识到这是关键时刻，我必须竭尽全力，尽我所能地去比赛。这是一种奇特的、深刻的内心感受。当我打破5 000米世界纪录时，我感到异常的快乐，这之后，我知道自己在其他两项中会发挥得很好。

然后是1 500米，成功意味着获得一枚以上的金牌。我得到了我最想要的胜利。这时我想到了厄立特里亚，和那里的孩子们比，我有机会参赛真是太幸运了，这给了我新的动力，所以当我赢了以后，我很高兴地将奥委会给我的30 000美元奖金捐给“奥林匹克救援”组织，作为礼物送给激励了我的那些孩子们。

在10 000米中，我知道比赛很艰苦，我希望我发挥出最佳水平：即达到我运动生涯的顶峰。当我又一次取胜，我感觉到无比轻松。看起来简单得很：在世界杯和世界锦标赛上继续滑冰就行了。我休息了一个月，准备5月份开始。但我突然发现我没有了目标，我再也不能完成那些激励着我的目标。如果我不能提高，我就再也不想滑冰了。我所筹集的捐款对我而言是如此重要，因为它使我能够将我在奥林匹克的经历分享给那些看都无法看到的人们。

虽然科斯不能和1980年在普莱西德湖冬奥会上赢得5枚速滑金牌的美国选手艾瑞克•海登相媲美——艾瑞克•海登创造了4项奥运会纪录和一项10 000米的世界纪录——但他的3项世界纪录在某些方面更有价值。在强手如云的情况下，他的训练更刻苦。而就在奥运会之前，正赶上他的状态不好。海登后来当了一名外科医生，他曾谦虚地说速滑是一项不起眼的运动，然而当科斯进入漂亮的木质穹顶的海盗船溜冰馆，观众翘首以待这场比赛时，就不能再说它不起眼了。他曾经4次刷新5 000米世界记录，最近却在欧洲锦标赛上失利，只获得了第4名。他焕然一新的精神面貌使他最终再次刷新自己的世界纪录，成绩是6分34.96秒。他的队友斯托雷利(Kjell Storelid)则以8秒之差获得银牌，可谓锦上添花。

本来里茨马(Rintje Ritsma)是1 500米世界纪录的保持者。但是，科斯在最后两圈比谁都快，刷新里茨马的纪录3/10秒，达到 1分51.29秒。里茨马和赞德斯特拉（Falko Zandstra）虽然都曾领先科斯一圈，但最终都没有抵挡住他的最后冲刺。在10 000米赛中，科斯和斯托雷利又为挪威赢得了1金1银，科斯把他的世界纪录难以置信地提高了12.99秒。他后来说，在开始的12圈，他没有什么建树，但冲刺时却比斯托雷利快了将近20秒，比荷兰的铜牌得主费尔德坎普(Bart Veldkamp)快了26秒。在比赛后，科斯的冰鞋在电视上拍卖，又为“奥林匹克救援”组织筹集了一笔资金。后来，他带着由挪威儿童捐献的大量体育器材回到厄立特里亚。

在3项速滑比赛中创3项纪录，将获得的3项奖金全部捐给了慈善机构——挪威冠军和捐赠者科斯。

这次比赛对于短道速滑选手詹森(Dan Jansen)来说，是第一次，看来也是他胸口永远的痛。他和海登一样，来自美国威斯康星州，就在两个星期前，刚刚在世界锦标赛上刷新了自己的500米世界纪录，成绩是35.76秒。在当时还没人能突破36秒的情况下，他已经4次成功做到了这一点，获得奥运会的冠军对他来说太简单了。然而，他在奥运会上却多次失败：1984年，19岁时获得第4名；4年后在500米和1 000米的比赛中失利；1992年，还是第4名。现在，他的成绩有望达到36秒，在400米跑道的第二弯道，他的速度在30千米/时左右。没什么可担心的，他以前已经成功上千次了。突然，在进入弯道的1/3处时，他左脚冰鞋崴了一下，往他的垂直重心的右侧滑出了很远，冰屑四溅，他的左手扶了一下冰面，因此损失了0.3秒。他最后的成绩为36.68秒，不会高于第8名。名不见经传的俄罗斯人戈卢别夫(Aleksandr Golubev)获得冠军，他在世界锦标赛仅排在第14名。詹森绝望地意识到：“我这一生都将无法得到一枚奥运会的金牌了。”仅仅5步之差，他的命运就此注定，留下了永远的空白。

还有1 000米比赛，虽然这不是詹森的强项，却是他反败为胜的机会，他必须为了尊严而战。对于年届28岁的詹森来讲，这将是他最后一次参加奥运会比赛了，虽然在前3次预赛中他没超过第16名。詹森是一个谦逊的人，他只是想纪念1988年在他参加500米决赛的当天早上死于白血病的妹妹。他的对手是白俄罗斯的热列佐夫斯基(Igor Zhelezovskiy)。热列佐夫斯基在奥运会的经历也和詹森一样多舛。他6次获得短道速滑世界冠军，但只在1988年奥运会的1 000米比赛中获得一枚铜牌。他比詹森大两岁，对他而言，这也是最后的机会。开始时热列佐夫斯基和克列夫切尼亚(Sergey Klevchenya)暂时领先，后者在500米比赛中获得银牌。两圈之后，詹森开始领先了，他很紧张，当他与日本的井上纯一一起飞速前行时，心怦怦直跳。在600米处，詹森的速度令人难以置信，他马上就要打破世界纪录了。不幸的是，在倒数第2个弯道，他的冰鞋内侧碰上了跑道标志，左手碰到了冰面，差点滑倒。观众的心被揪了起来，当他最终以1分12.43秒触线时，观众都发出了阵阵欢呼，这又是一个世界纪录，比热列佐夫斯基快了0.3秒。当他看到屏幕上显示出的成绩，一时还回不过神来，双手紧紧抱头，就这样绕场一周。当他走出来领奖时，不像是一个胜利者，倒更像一个被意外解救的人质。他低下头，难以置信地看着他的金牌，而站在他旁边的却是公认的一流选手。而后他与奥运会吉祥物、充气人克里斯汀和哈康手拉手绕场滑行致意。在最后的直道上，他8个月大的以他妹妹的名字命名的女儿简被递到了他的怀里，于是，他们4个人一道优雅地跳起了施特劳斯的“冰上圆舞曲”。

经过数年的失意后，终于获得冠军，美国选手詹森怀抱女儿，在1000米比赛后绕场致意。

美国人布莱尔(Bonnie Blair)的夺冠历程很轻松。在离30岁还差一个月时，她获得了第3个奥运会500米冠军，以比较明显的优势战胜了加拿大的奥赫(Susan Auch)。虽然这个成绩与她自己保持的39.25秒的世界纪录相差甚远，但在几个星期之后，她就成为第一个打破39秒的女性。接着她在1000米比赛中，又获得冠军。她是这个项目中年龄最大的运动员。虽然只要0.6秒就可以与其他7名运动员分出高下，但布莱尔的成绩却超出对手2.62秒。

有一件事的发生像小说一样，引起了全世界媒体的极大兴趣。美国花样滑冰选手克里根(Nancy Kerrigan)，曾经在阿尔贝维尔获得第3名，现在是夺标热门。1月6日，在底特律的一次训练后，被人用木棒打伤了膝盖。袭击者名叫谢恩•斯坦特，他是德雷克•史密斯的侄子，而德雷克•史密斯是埃卡尔德的朋友，埃卡尔德又是格鲁力儿时的同学，而格鲁力正是哈汀(Tonya Harding)的丈夫，哈汀则是克里根的主要竞争对手。这是一次有预谋的袭击，目的是为了阻止克里根参加奥运会，哈汀的同谋们连续6个星期吸引了美国公众的注意力。这起罪案的追踪报道曾被制成录像在CBS播出。

对这个她想从中获得荣誉和财富的世界来说，哈汀是个不幸的叛逆者：她抽烟，像放浪不羁的流氓一样涂着鲜红的指甲油。她的野心像冰刃一样锋利。哈汀的童年生活一片空白，不论是金钱上还是感情上。当她15岁的时候，行为乖戾的妈妈开始出去工作。虽然她会为女儿缝制演出服，并在晚上倒班当女招待，来给自己的女儿赚取训练费用，但对女儿差劲的表演轻则辱骂，重则大打出手。她的父亲对她同样冷漠，在和父亲生活的日子里，汤妮雅在砍伐圆木的劳动中锻炼了自己的力量，并使她具有了卓越的跳跃技巧，而且还学会了如何去拆卸收割机。这些经历使她的性格坚硬如铁。

在1992年的比赛中，哈汀得了第4名。但在下个赛季，她与克里根之间的距离就拉开了。她痛恨克里根的一路攀升，两人生活经历的反差更加重了这种分歧：克里根有一个美好的家庭，并且越来越多地赢得了商业赞助商的兴趣。哈汀相对困难的境遇得到了一家棒球俱乐部老板的同情，这个老板拿出2万美元作为哈汀的训练经费，可其中一部分却成了袭击克里根的报酬。

1993年12月末，格鲁力、埃卡尔德、史密斯和斯坦特聚在一起策划了这起袭击。格鲁力同意出钱。对克里根而言，幸运的是，斯坦特的袭击只是造成了严重的青紫和肿胀。事件发生后，斯坦特坐上停在门口的车逃跑了。几天后，哈汀被讯问，格鲁力和埃卡尔德被逮捕，丑闻被公之于众。

因为没有确凿的证据证明哈汀和这起案件有关，在法律的威胁下，美国奥委会不能对她禁赛。对于公众来说，白雪公主和邪恶巫婆的故事成为现实。那些七嘴八舌的议论忽略了一个问题：除了克里根之外，还有一些选手也具有夺取金牌的实力，也许她们不如克里根，但至少比哈汀强，这些人包括来自乌克兰的16岁的世界锦标赛冠军巴尤尔(Oksana Baiul)、获得亚军的法国选手塞亚•波娜莉(Surya Bonaly)、获得第3名的中国选手陈露和获得第4名的日本选手佐藤友佳。在法律的压力下，美国奥委会在哈汀入选代表队之前只能闪烁其词。国际奥委会执行委员会的成员——加拿大人理查德•庞德说：“哈汀的合法权利是很危险的。”

美国选手汤妮雅•哈汀在花样滑冰比赛前，算计了她的主要对手南希•克里根，结局自是让人悲伤的。

当运动员们出现在冰场上，幕后的暗算告一段落。技巧项目如期进行，克里根不但没有任何受袭击影响的迹象，而且生气勃勃，战胜了巴尤尔和波娜莉，获得第1名。哈汀在比赛中名列第10，她在跳跃时出现了严重的失误。在自由滑冰项目中，克里根流畅的表演和完美无缺的跳跃会胜过优美的巴尤尔吗？

哈汀向裁判展示她的冰鞋带断了，希望允许她重赛一次。

决赛的争夺更加激烈。在一次训练中，巴尤尔和德国的Tanja Szewczenko相撞，巴尤尔的右胫骨处被缝了几针。第二天，轮到哈汀比赛时，她差点因为迟到被取消资格。而后不到一分钟她又请求暂停，泪水涟涟地请求裁判给她时间调整她右脚的冰鞋，因为鞋带断了。她虽被允许重滑，但表现平平。

命中注定要赚大钱的克里根，获得第2名。巴尤尔，这个平淡无奇的女孩儿获得了冠军。有时候，生活是歪打正着的。这个女孩儿长着小鹿般的眼睛，天真烂漫，才16岁。她的腿是那么细弱，看上去好像很难完成3周跳；她的肩膀那么窄，以至于让人怀疑她是否有力量。可她博得了9名裁判中5名裁判的好感，让人吃惊的是，其中3名裁判对技术的肯定超过了对其表演的肯定。在拥挤的体育馆里，她以魔术般的表演征服了在场的观众。巴尤尔的祖母和母亲已经去世，她从没见过自己的父亲。当她站在领奖台上，看着蓝黄相间的国旗升起的时候，悲伤的脸庞上空洞的眼神和她的樱唇，好像要将她年轻生命中的欢乐和苦难都宣泄出来似的。虽然她的教练已经移民到了加拿大，她仍然取得了胜利。她的乌克兰队友——1992男子锦标赛冠军彼得连科(Viktor Petrenko)很关心她，为她提供了资金支持，而彼得连科的教练给她解决了住处的问题。在这样凄凉的环境里却诞生了一名世界冠军和奥运会冠军。

冰上舞蹈比赛争议更大，其焦点一向与裁判有关。杰恩•托维尔（Jayne Torvill）和克里斯托弗•迪安（Christopher Dean）是1984年萨拉热窝奥运会的冠军，现在作为职业运动员重返比赛。在刚刚结束的欧洲锦标赛上，他们以微弱的优势赢了两对俄罗斯选手。这对英国选手认为，裁判对职业运动员有偏见，虽然在规定舞和创编舞之后，在自由舞中，他们的伦巴表现领先两对俄罗斯选手：普拉托夫(Yevgeniy Platov)和格里茨丘克(Oksana Grishuk)，茹林(Aleksandr Zhulin)和乌索娃(Maya Usova)，但比赛结果还是证实了这种看法的正确性。

美国的宠儿克里根，在她的膝盖受伤后恢复过来，但她不如乌克兰孤儿巴尤尔那样有艺术魅力。

在新规则下，自由舞技术要求更高，所以很复杂。格里茨丘克和普拉托夫被认为有违规的动作；而托维尔和迪安则需要加入新元素，以符合裁判的要求；格里茨丘克和普拉托夫大胆露骨地走性感路线，格里茨丘克穿了一件很挑逗的服装，他们的“彻夜摇滚”是3组中最花哨的。由于新规定中禁止古典音乐，乌索娃和茹林的发挥受了影响，托维尔和迪安也同样如此。英国选手托维尔和迪安表演了一个托维尔从迪安肩头向后空翻的动作，虽然观众们看了都大声叫好，裁判们却不欣赏，并降低了技术得分，包括德国裁判的5.6分和5个5.7分，而两对俄罗斯选手的得分都是5.8和5.9。虽然英国裁判打的艺术印象分是6.0，可与俄罗斯裁判给格里茨丘克和普拉托夫的得分竞争，托维尔和迪安仍然只获得铜牌，乌索娃和茹林获得银牌。

哈玛体育馆的大多数观众都认为裁判不公。从专业角度看，很明显，格里茨丘克和普拉托夫数次犯规，乌索娃也拒绝参加颁奖仪式。国际奥委会主席向国际滑冰联盟抗议，国际滑冰联盟的信誉受到了严重威胁。托维尔和迪安都后悔当初为重归奥运会而花的10万美元的投资。但令人欣慰的是，仅英国就有2 300万的电视观众记住了他们的优雅表演。在随之而来的压力下，国际冰联承认这对英国选手应该得银牌，甚至可能是金牌。

男子花样滑冰冠军由来自圣匹兹堡的20岁小将乌尔马诺夫(Aleksey Urmanov)获得。他穿着丝质白衬衫，有点像罗曼诺夫王子，在罗西尼的乐曲中充满自信的技巧表演远胜过声名卓著的斯托伊科（Elvis Stojko）、彼得连科、前两届冠军库尔特•伯朗宁（Kurt Browning）与博伊塔诺（Brian Boitano）。

“高山蓝缎带”赛，即男子速降滑雪的结果，令东道国观众大失所望。在将近4分钟的时间里，东道国选手奥莫特(Kjetil André Aamodt)一直等在起点，盯着面前的赛道，反复思量那个将要改变他命运的瞬间。如果他现在夺冠，奥莫特就会成为像海妮和科斯一样的传奇人物。在他之前比赛的加拿大选手摔倒了，工作人员必须检查赛道。这位年轻的挪威全能运动员等了又等，超过30 000名观众已经急不可耐，期待着奥莫特凌空飞降。来自卢森堡的吉拉尔德利(Marc Girardelli)第一个出场，成绩是1分45秒75，这是一个目标，奥莫特知道他必须超过这个成绩。

赛道并不难滑，但要技术高超，要求运动员在转弯处控制速度。如果没有失误，最快的选手将会夺得冠军。刚开始在可怕的右转时，奥莫特表现得很完美。这一段他是最快的。但在特拉弗斯回转时，他左边的滑雪板差点失控，在这千钧一发的时刻，来不及考虑任何问题，他像一匹脱缰的野马从山坡上疾驰而下，所有的观众都为他提心吊胆。当他通过终点时，雷鸣般的欢呼迎接着他：比吉拉尔德利快了0.34秒。

紧接着参加比赛的是来自阿拉斯加的汤米•莫(Tommy Moe)，一个从来不懂得努力去发挥天分的野孩子。当他来到挪威，在速降赛场开始练习的时候，觉得那里适合自己。直到第二轮赛间休息的时候，他仅是当天的第4名而已，但此后他开始进入状态。比赛开始一分钟后，他开始领先，不管是后来拿了铜牌的加拿大选手波迪温斯基(Edward Podivinsky)，还是来自奥地利的卫冕冠军奥尔特利布都没能超过他。当他的成绩出现在屏幕上时，观众们发出了惊叹，就连拿到第2名的奥莫特也同样如此。

没有什么故事比关于通巴的更好了。在前两届奥运会中，他得了3金1银。这个意大利人在大回转赛中没有再次成功卫冕。他在卡尔加里首次获胜，而后连获金银牌，但现在却连他能否赢得一块回转赛奖牌都成问题。从意大利队传出的消息称，这次奥运会对他来说，很可能是最后一届了。

这是通巴最好的奖牌吗？这位意大利的大师在障碍赛中挑战自我，仅次于奥地利的施坦加辛格获第2名。

在第二轮比赛中，他是第4位参赛者。他从被厚厚冰层覆盖的山顶雪道飞驰而下，最终以59.33秒的成绩与施坦加辛格拉近了1秒多。还有谁是他的对手吗？他们一个个地败北。当轮到施坦加辛格的时候，通巴已稳拿银牌了。施坦加辛格滑得特别的小心，最终以总成绩0.15秒的优势越过终点线。“这是我见过的最难滑的赛道,”冠军说到，“在山顶，冰那么厚，而在山底，弯道难度这么大。”

对于奥莫特来说，这次全能赛太不顺利了。他曾经在阿尔贝维尔的超大和大回转比赛中分别获得金牌和银牌。在利勒哈默尔的超大回转比赛中，他输给了德国那个一脸轻松和愉快的运动员瓦斯迈尔(Markus Wasmeier)，也输给了汤米•莫，获得铜牌。瓦斯迈尔很像史蒂夫•麦柯奎恩（一个电影艺术家），他对运动的态度是：“如果你太想赢，就失去了其中的乐趣，更没有获胜的机会。”他在超大回转比赛的胜利，与莫仅差 0.08秒，这是他自1985世界锦标赛的障碍赛后第一次夺冠。

这一天，瓦斯迈尔夺得了大回转比赛的第一名，而此时通巴、奥莫特和吉拉尔德利都找不到感觉，这令他自己都感到吃惊。“两个冠军？我不能相信。”他诚恳的说道。在比赛前，一群姑娘们穿着传统的羊毛手工的民族服装，从山坡呼啸而下，为这个阳光明媚的早晨增色不少。

在进行女子大回转比赛时，不仅是罗菲(Dianne Roffe)，所有人都在思念尤里科•马耶尔（Ulrike Maier）。这是两个星期前，马耶尔在加米施的速降赛遇难后，奥地利女队的首次比赛。“我今天早上还在想她，昨天晚上也一样。”26岁的罗菲在得了金牌之后说。自从在1985年世界锦标赛的大回转比赛中获胜后，这是她在9年的职业生涯的最后一个赛季获得的第一块金牌。德国的世界杯冠军塞钦格(Katja Seizinger)在30秒后就失去了锋芒，而卫冕冠军孔帕尼奥尼(Deborah Compagnoni)只得了第17名。此时，罗菲的技术帮了大忙。当记者们在等待颁奖后的发布会时，他们还欣赏了当地一个吉他手和他十几岁的女儿的表演，这充分反映了挪威人对这些比赛放松的态度。

自从施奈德(Vreni Schneider)在1988年两度夺

得大回转冠军后，她就一直是这个项目的元老。施奈德第一个出场，成绩是59.68秒，然后这个成绩被维贝里的59.05秒刷新；斯洛文尼亚的科伦(Katja Koren)又一次刷新了它，成绩是59.00秒。施奈德能接受挑战吗？一定能。她雄心勃勃进入第二轮，在完成68个门后还富余0.3秒，超过了奥地利的埃德（Elfriede Eder）。18岁的科伦第三，维贝里第四。因此，是施奈德，而不是维贝里成了第一位获得了3枚奥运会高山项目金牌的妇女。她还是获得奖牌最多的妇女，一共5枚，与奥莫特一样，但奥莫特的5枚奖牌中只有一枚金牌。

在奥运会上没有比斯米尔诺夫(Vladimir Smirnov)更出色的英雄了。在夺得艰苦的50公里越野赛冠军后，他所受到的欢迎是这特殊的两周中的给人印象最深刻的。这头来自哈萨克斯坦的"熊"，曾在1988年奥运会获得2枚银牌和1枚铜牌。他比芬兰的米吕莱(Mika Myllylä)快了将近1分半钟。米吕莱飞速冲刺，进入体育场，却只能与挪威的西韦特森(Sture Sivertsen)争夺银牌。斯米尔诺夫晚上出现在哈康的大厅旁边举行的颁奖

"大笨熊"斯米尔诺夫在获得50公里越野滑雪金牌后，得到了挪威人的极大尊重。

韦尔斯弗洛格，前东德人。他像一只鸟一样悬在空中。10年前，他也曾在萨拉热窝的常规跳台中取胜。

仪式上，脸上带着不可战胜的表情，人们是多么喜欢他啊！首相布伦特兰说："他给伟大的奥运会画了一个圆满句号。"

跳台滑雪比赛场上演了一场难得一见的反败为胜的大戏。挪威的布雷德森(Espen Bredesen)在第一轮跳出奥运会记录135.5米，看来胜券在握，其距离/姿势混合得分为144.4，比1984年的奥运会冠军——德国的韦尔斯弗洛格(Jens Weissflog)多出10分。在第二轮，韦尔斯弗洛格跳出了133米，这比布雷德森的第二次试跳多出了11米。在最后一轮比赛中，热爱运动的挪威观众为29岁的德国人欢呼不已。韦尔斯弗洛格的滑板呈V字型张开，浅橘色的滑雪服在碧空中闪耀，像一只鸟在空中飞翔。他象征着一个时代。当分数出现在记分牌上，他像孩子一样转圈跳起舞来。他是奥运史上保持冠军称号时间最长的选手。

在团体跳台滑雪赛中，日本队本来稳居榜首。他们最后出场的选手是原田雅彦，第一跳中成绩为122米，在第二跳只需跳出105米，日本队就可以得到冠军。但是，他只跳出97.5米，是当天最差的，拱手把胜利送给了德国人。他的失误以及由此造成的阴影，在其后的4年都挥之不去。

第64章 百年奥运

瑞典的阿恩·扬奎斯特(*Arne Ljungqvist*)教授

跳高运动员，国际奥委会成员，药物委员会成员

有些流行的说法，“所有的一流运动员都服用兴奋剂”，还有“不服用兴奋剂，就拿不了奖牌”，这些说法会对体育运动中药物的非法使用产生误导。实践证明，我们很难从公众意识中消除这种看法，尽管这些言论都未经统计和分析证实。更有甚者说，有一种神奇的药物可以隐藏用药痕迹，根本查不出来。这也不是真的。专门有科学家在世界各地的高端实验室和研究中心研究防止在体育运动中通过药物提高成绩的问题，要说用药者及其同谋比他们所有人都先进，这是不可能的。

实际上，存在可行的分析方法去发现所有可能的掩盖剂和非法使用的药品。问题是如何解释分析这些数据，特别有关那些体内自然具有的物质，能否区别是外服还是体内过量产生？这才是问题的所在。因为我们不能随便公布不精确的阳性报告。但这样就会助长对神奇之药和无法探测物质的幻想。我们也会因此无法曝光那些服用安非他明、可卡因、类固醇和其他通用兴奋剂的运动员。

依我之见，最普遍的偏见是，认为违规用药一定比管理这个问题的努力早一步。这并不奇怪，因为在药检早期的确如此。当国际奥委会在20世纪60年代末期开展反对滥用药物的运动时，非法用药已经存在好几十年了，需要缩小的差距很大。要达到目标，需要以下多方面的努力：一是强制药检，还有一个关键要素被忽略了，那就是对科研的必要资助。随着新物质和新方法的使用，我们需要开发足够的检验方法，这需要资金和人力。在反禁药运动开展起来后，这种差距就越来越小了。

随着1999年世界反兴奋剂协会(WADA)的成立，支持兴奋剂研究的国际基金终于兑现。因此，体育管理机构的地位也更有利，它们开始由反馈转为预防。从理论上说，新的转基因技术可用于提高机体的力量和耐力，因此，在基因疗法和其他转基因技术可能成为体育运动中主要新的违法手段的情况下，这一点尤为重要。旨在识别人类基因的人类基因组织计划，完成得比预想的要快。下一步就是搞清基因的功能及其相互作用。实际上，促红细胞生长素(EPO)基因已被识别，将来EPO的服用将会绝迹，取而代之的可能

是控制EPO基因。体育界应该尽早拥有检测转基因的方法，因为转基因作为治疗方法已经开始用于人类。在体育上的违规使用不能说已经开始，但也即将来临。因此，如何检测是否违规使用了转基因技术对世界反兴奋剂协会来说，是一项紧迫的任务。

1996年，亚特兰大百年奥运即将召开之际，国际奥委会的地位异常动荡：一方面，由于所有冬奥会的成功，国际奥委会声势正旺；另一方面，由于运动员滥用药物，国际奥委会也隐含着倾覆之祸（这是丰厚的收益的副产品），而两年一度的仲裁期也不过延长至两周，这些都严重威胁着国际奥委会本身的统一。更可悲的是，针对国际奥委会少数委员腐败行为的内部立法的努力也未见成效。

鉴于利勒哈默尔冬奥会创5.25亿美元收入（其中包括美国哥伦比亚广播公司3亿美元的电视转播权收入）的事实，国际奥委会财政部部长理查德•庞德说：“很明显，并不是只有大国才能主办一届财政上成功的奥运会。”极高的收视率使国际奥委会和萨马兰奇欢欣鼓舞，但奥运会还没结束，萨马兰奇就宣称他对奥运会及国际奥委会的未来发展方向感到担忧：前者有太多的赛事和项目，后者的会员结构极不平衡。举例而言，国际奥委会成员中，有28个是国家奥委会主席，只有7个来自国际单项体育联合会，萨马兰奇说：

> 国际奥委会不是一个国家奥委会的组织，我们必须找到一种方式，使它最少吸纳10—15个国际单项体育联合会的主席。我知道问题所在，但找不到解决的办法。如果与国际单项体育联合会产生冲突，那将是一场灾难。我认为，如果我们还想维持在体育界和社会上的重要地位，就必须改革。

当时的热点是奥委会百年代表大会，大会的目的为了纪念皮埃尔•德•顾拜旦1894年在索邦创立国际奥林匹克委员会。但大会的开销如此巨大，几近奢靡，国际奥委会因此招致了更多的公开批评。大会最初准备在东京召开，但后来转到奥运的故乡——巴黎举行。与会的是来自3个分支机构的1 000多名代表。在招致公众批评的1 600万美元的开销中，有600万美元来自奥委会的预算，剩下的部分来自巴黎市、法国政府和赞助商。

虽然经验老到的罗尔•莫勒特、罗马尼亚人亚历山大•西佩尔科和篮联秘书长比利斯•斯坦柯维奇精心安排了4天内演讲的主题和要讨论的问题，准备不可谓不充分，虽然在许多重要问题上的主要发言者们都德高望重，但大会本身，与战后前两届（即1973年在瓦尔纳和1981年在巴登-巴登）一样，太学术化了，与实际问题相距甚远。结果，大会是雷声大雨点儿小。而公众认为主要责任在萨马兰奇，当他意识到必须筹备大会时，却没有授予大会以管理权，有意使它归于沉寂。

比利时人罗尔•莫勒特，奥林匹克运动的精英人物，1994年巴黎奥委会百年大会的协调员。

专题I的项目三中，有一个论题是这样的：目前部分公众已经失去了对奥运会的兴趣，能否引入能吸引公众兴趣的新型运动，降低技术要求，减少比赛，以避免使奥运会成为世界锦标赛的简单重复，或者利用洲际比赛的“筛选”作用来选择参赛者？像大多数大会一样，本次大会没有什么有价值的新的解决方案获得普遍认同并被通过。很多人的想法不得要领，但多数情况下中立看法居多。最有成效的一步是促使运动员进入管理层。原欧洲400米跨栏纪录保持者施米德(Harald Schmid)和雅克•罗格博士还提出，所有的运动组织需要在商业利益冲突不大的情况下，与运动员代理机构达成协议。这一提案引起了大家的关注。

在社会高层人物的欢呼声中，我们是多么容易就相信了天下太平、艳阳当空的美丽景象啊！1994年，联合国秘书长加利说："国际奥林匹克委员会与联合国有约在先，共同采取行动，促进人类和平与团结。"的确，作为一个非政府组织，国际奥委会受到了空前的尊重。在百年大会后3个月，第49届联合国大会通过了一个决议，名为"用体育和奥林匹克精神来建造一个和平、美好的世界"。95个成员国对此表示支持。次年，联合国第50届会议重申，支持奥林匹克停战协议。就是在这一届会议上，萨马兰奇受到邀请，作为第一位在联合国没有席位的非政府组织的代表出席会议，并在会议上对185个成员国发言。其他发言的人还包括前奥运会冠军居伊•德吕(Guy Drut，法国)、玛诺柳(Lia Manoliu，罗马尼亚)和康纳尔(Bart Connor，美国)。

但同年，国际奥委会在布达佩斯召开的例

组委会主席弗兰克•乔克里克（Frank Joklik，左起）、汤姆•威尔奇(Tom Welch)和戴夫•约翰逊(Dave Johnson)等人成功申办了2002年盐湖城冬季奥运会——后来却铸成大错

会上，出现了严重错误。萨马兰奇在他的一些高级同僚的支持下，同意了两件事：一是参加1997年的主席竞选，这是他的第3次竞选。如果竞选成功，这将是他的第4个任期。不言而喻，这正是他所期望的，而达到这一点的关键是将退休年龄从75岁延长至80岁。国际奥委会已经因为所谓的老人政治招致了严厉的批评，这一计划正好撞在枪口上。奇怪的是，萨马兰奇犯了决策性的错误。他认为只要规定允许，他的超龄竞选就可以被大家接受，当时规定的年龄为75岁，他1995年就已经达到这个限制了。因此，必须修改宪章。

事实可能正相反：大家愿意接受的情形是，让他作为一个特例，根据委员的特别要求参加竞选，但保留原来的年龄限制。更糟的是，执行委员会在会上提供了一系列备选方案，竞选年龄限制最终定在80岁。"这是一个错误。"事后，萨马兰奇说，"而且这是我的错误。很多成员都非常希望我再次连任，但是我不想使自己成为特例。"话虽如此，条例已经通过，阴云开始笼罩在他的身边。

就是在这一届年会上，盐湖城被选为2002年冬奥会的主办城市。盐湖城以绝对优势在第一轮就胜出了，它得票54张，厄斯特松德为14张，锡安14张，魁北克7张。一点儿不错，这是多数人的理想选择。尽管在这次会议上，根据评估委员会的评估结果，原有的9个竞选城市减少为4个，从而使国际奥委会豪华旅行的费用有所减少，但是对申办官员所谓的不正当行为，以及对国际奥委会少数成员的放肆行为的指责很快就颠覆了德•顾拜旦的体育丰碑。

萨马兰奇时代处在上升阶段，国际奥委会的收入也不差。1995年在歌德堡市的世界田径锦标赛期间，国际奥委会与NBC公司就转播2000年悉尼奥运会和2002年盐湖城冬奥会，签订了一份高达12.5亿美元的合同。这个天价的一揽子合同之所以能顺利成交，主要原因在于NBC公司和它的合伙人通用电器公司想封杀其他所有可能的竞标，即由于近期的公司合并而出现的巨型公司（比如ABC与迪斯尼，CCB与西屋电气公司）的竞争。NBC体育部部长迪克•艾伯索尔（Dick Ebersol）乘坐私人飞机出现在歌德堡市，向萨马兰奇提出交易。萨马兰奇当即要他回到蒙特利尔，和理查德•庞德达成交易。交易的分成是，悉尼7.5亿美元，盐湖城5.45亿美元，这远远超过NBC 为1996年的亚特兰大奥运会支付的4.56亿美元。在成功签署了这份合同之后，NBC一鼓作气，在1995年12月进一步签署了共23亿美元的合同，购买了2004年夏季奥运会、2006年冬季奥运会和2008年夏季奥运会的转播权——而此时甚至连举办城市都还没有确定。这样，国际奥委会未来12年的收入有了保证。一个月后，1996年1月，国际奥委会又与欧洲广播联盟签订了另一份14.41亿美元的合同，也是签到2008年。这很符合萨马兰奇的想法，除价格之外，观众的覆盖率要求达到最大。虽然默多克的新闻公司标价高出50%左右，但欧洲广播联盟却保证覆盖相对冷落的东欧。一份12年的合同足以使TOP赞助商建立足够的信心。协议标价包括2008年夏季奥运会（主办城市尚未知晓）的4.43亿美元，高于美国电视系统在亚特兰大（4.56亿美元）之前的任何一届奥运会的出价。由于财源滚滚而来，执行委员会1996年3月同意向夏季奥运会项目联合会（ASOIF）资助3 200万美元，作为对非TOP计划资助的国际单项体育联合会的补偿，其中主要部分给了国际田联，不言而喻，它作为国际奥委会最大的分支，会得到更多的关照。

在财源广进之时，亚特兰大这个被认为是由于其良好的商业运作而赢得奥运会主办权的城市，该如何在它特殊的历史背景下，营造出百年盛会的氛围呢？虽然主办者乔治亚州已经建设了许多一流的体育设施，但仍有很多不尽人意之处，结果使百年奥运变成了一个五味杂陈的节日。驱散南北战争时期谢尔曼将军的硝烟，将这座南部城市列入奥运版图，这是组委会主席比利•佩恩的良好愿望。亚特兰大是一个拥有300万人口的繁荣的国际化大都会，但像美国其他大城市一样，亚特兰大有很多地区也存在着严重的种族歧视，尽管如此，它仍是一个迅速发展的工业中心。亚特兰大的成功申办部分得力于安德鲁•杨(Andrew Young)的出席，以及他的声誉对非洲选票的影响。虽然组织者持有政治上的正确态度，少数民族公民和妇女所在的公司获得了40%以上的合同，这一政策无疑有助于帮助社会下层人士的发展，这其中就包括旨在为克拉克黑人大学的1 200名学生提供在广播网的工作所需要的技术培训计划。但理论上的东西一旦付诸实践，总会遇到困难，而其他的政策也并不足够成功。

考虑到亚特兰大奥运工作的规模（奥运村有将近11 000名运动员，加上来自197个国家的7 000名运动队管理人员，还有来自214个国家电视新闻网工作人员），肯定会有很多问题。下面两个例子不在少数：前国际奥委会技术总监阿图尔•塔卡奇（Artur Takac）被请来给新的主会场提建议，这个会场马上要用于棒球比赛，但塔卡奇却发现了许多建筑上的缺陷，包括错误地将一个会场的出口封闭，这些都需要立即整改；更引人注目的是庞大的IBM通讯和信息系统出现故障。在奥运会开幕前2个月，在亚特兰大组委会(ACOG)和国际奥委会的协调委员会的最后一次会议上，国际奥委会总指挥卡拉尔(Francois Carrard)要求对IBM系统进行检测，“毫无必要”，亚特兰大组委会回答得极其自信，这难道不是世界上科技最发达的国家吗？但在奥运会开幕后的24小时之内，亚特兰大组委会就被通讯混乱搞得焦头烂额；更大的乱子是在运动员和媒体工作人员的交通方面，很多志愿者不能按时到达，或不熟悉道路，因为他们中的很多人来自乔治亚的其他城市，有些人甚至迷了路，把车开回到出发地；最糟糕的是，在市中心的便道两旁挤满了卖廉价纪念品的小商贩，使得很多观光客不得不走上公路，从而造成不必要的交通堵塞。

媒体一直追逐着萨马兰奇。纽约《时代》杂志假装不懂“奥林匹克运动”一词，并且看起来对作为奥林匹克精神基点的社会传统也毫无所知。一线评论员迪富德见萨马兰奇不太会讲英语，便借机在说英语的时候耍弄他。萨马兰奇由于声称奥林匹克比宗教更重要，受到了更多的批评，而实际上他的本意是说，奥运会在世界上的追随者比基督教徒还要多。

尽管有这些不和谐，百年奥运仍然声威不减。在圣火传递的最后两天，成千上万的观众站在亚特兰大的大街小巷（事实上3个月来全美国其他城市都是如此）。为了一睹圣火通过，人们举家在公路边野餐。虽然在组织中还有愚蠢的决策，但佩恩和杨用他们的基督教信念和社会信念将奥运会带到亚特兰大，用他们的理想潜移默化地改变着这座城市。在等待开幕式开始的时候，我遇见了1948年奥运会的400米亚军牙买加选手赫伯•麦肯利。谈及他心目中的英雄埃米尔•扎托佩克时，他说："他的信念的力量是我们生活中所有考验的结果。"

开幕式反映了两个人的一生，他们的事业遍布世界，他们在用不同的方式传递着同样的信息。这两个人是马丁•路德•金和默罕默德•阿里，一个是宗教领袖，一个是拳击家。两人在解放美国黑人的运动中都是如此的旗帜鲜明和勇气十足，他们感动了所有人。我们听到了金博士的声音，他1939年出生在亚特兰大，是一个浸信会牧师的儿子，非暴力人权运动领袖，诺贝尔和平奖获得者。他的遗孀柯瑞塔身穿淡黄色的裙子，出现在体育场。"我有一个梦想"响彻体育馆的上空，在重温他1963年3月在华盛顿那场激动人心的演讲时，很多人都流下了眼泪。在主席台就座的是昔日的英雄们：道恩•弗雷泽、鲍勃•比蒙、马克•施皮茨、娜蒂亚•科马内奇、卡尔•刘易斯等，当然也包括什图克利，这位1924年的南斯拉夫体操运动员，生气勃勃的97岁老人，当时最老的奥运会冠军。

为了与随后16天的比赛相伴，圣火被点燃了。此前的3个月里，奥运圣火已周游了全美国。现在，最后的火炬手、4届铁饼冠军艾尔弗雷德•奥特（Alfred Oerter）就要完成他的旅程了。他将圣火传给亚特兰大的儿子——1984年重量级拳击的铜牌得主霍利菲尔德(Evander Holyfield)。霍利菲尔德把圣火传给巴塞罗那的跨栏冠军帕图利杜，然后是美国游泳队的宠儿埃文斯，她跑上体育馆通往火炬台的斜坡。在那儿，在淡蓝色天空映衬的穹顶之下，站着的是阿里，1960年的轻量级拳击冠军，本世纪最著名的、最受尊敬的运动员，尽管他目前饱受心脏病的折磨，但依然风姿飒爽、光彩照人。拳王阿里点燃了引线，火星顺线飞窜，点燃圣火。人类坚强不

广受爱戴的拳王默罕默德•阿里将要点燃百年奥运会的圣火。

屈的精神，阿里精神，将照耀着这座以南北战争和公民权利而留著青史的城市。

在闭幕辞中，萨马兰奇说，这是一届"杰出的奥运会"，的确如此。虽然雄心勃勃的佩恩和他的同事们想造就一届最伟大的奥运会，但奥运会也经历了恐怖分子的突然袭击：他们在百年公园制造事端——这个公园是佩恩给予这座城市的礼物之一——残忍地杀害了来自乔治亚奥尔巴尼的霍桑（Alice Hawthorne）。这是24年后——继慕尼黑奥运会以来又一起悲剧。奥林匹克选手因为运动的需要而被自己的文化所排斥的情况并没有改变。同情吗？当然。害怕吗？决不！我们不能抱怨，公众要求我们的运动员临危不惧。因为当他失败时，我们也会责备他。我们要求他们忍耐、奋斗，直面自己的困难、长期的孤独和社会职业的淘汰。对在亚特兰大的参赛选手来说，这是另一个慕尼黑：胜利或是失败，在于我们自己。公众对恐怖主义已深恶痛绝，这也成为我

们一部分力量的源泉。如果我们害怕了，恐怖分子就赢了。在《亚特兰大杂志》的热点专栏中，坎贝尔（Colin Campbell）写道："如果阳光明媚的亚特兰大出人意料地表现出一个超级大国的脆弱，将是一件可悲的事情。"

正如坎贝尔所写，亚特兰大有许多著名之处：它的富人和穷人，它的二流公立学校，它软弱而短视的政治家们，它的公信私用，健康福利的缺乏，犯罪和恐惧，陷于贫困的阶级，它的夸夸其谈，巨型公司的财势，被挤兑的政府，它的宗教和文化……但亚特兰大成功了。它创造了850万现场观众的纪录，比以往最多的时候多出300万，比以前的洛杉矶和巴塞罗那加在一起还要多。有一些新兴的国家，如哈萨克斯坦赢得的金牌甚至比英国还多。将各国的奖牌数与其人均GDP相比较，投入最小收获最大的前5名是：中国、古巴、埃塞俄比亚、俄罗斯和乌克兰，它们全是社会主义或前社会主义国家，生活水平普遍不高。这再一次证明：奥林匹克精神的胜利没有统一的、可计算成本的定式。

十项全能世界冠军奥布赖恩(Dan O'Brien)在1992年没有获得参赛资格，但他在1996年的奥运会上勇夺冠军，证明自己当之无愧。

第65章 亚特兰大

第二十四届夏季奥运会 1996

南非的约书亚·图格瓦内(Josiah Thugwane)

奥运会马拉松冠军

在1988年的一个下午，当一队运动员经过一栋房子的时候，我正在那里做园丁，我就跟着他们跑，穿着我平时的衣服和工作鞋，而且很快赶上了他们。他们是当地煤矿的运动队，他们邀请我加入训练。不久，我参加了一些当地的公路比赛，赢了一两次，并由于这些成绩入选省代表队参加全国锦标赛。5年后我在开普敦赢得全国马拉松冠军，但后来却不得不停止跑步，加入部族的启蒙学校，来完成成人仪式，这是婚姻的必要条件。1995年，我重新开始跑步，在全国半程马拉松赛中成绩不错，并进入世界锦标赛，获得第5名。我首先在潮湿的火奴鲁鲁的一次比赛中获胜，此后在1996年获得全国冠军，这意味着我得以入选亚特兰大奥运会。

两星期之后，在一次事故中，我被射伤下颚（现在还有疤痕），但我及时恢复了，最终得以参加奥运会。当我在亚特兰大取胜后，家乡很多人妒嫉我，我受到了死亡的威胁。所以我当初工作过的煤矿公司拿出15万兰特（南非货币单位），帮我在弥德堡买了一栋有4卧的房子，这解决了大问题，我再也不用担水吃和晚上点蜡烛照明了。

1997年初，我在车上又一次遭劫，有些地方

严重受伤，但又及时恢复过来，并参加了伦敦马拉松赛。我仍以最好成绩获得第3名，这使那些认为我在亚特兰大的胜利是昙花一现的说法归于沉寂。从伦敦回国后，我的教练和经纪人雅克为我安排了一位教师。他教我用祖鲁文读写，还有一些英语会话，现在我可以读祖鲁杂志而不是只看图片了。

获得奥林匹克冠军使我摆脱了一生的贫困，更重要的是它给了我一个机会去读和写，现在我可以把自己错过的教育机会提供给我的孩子了。1997年11月，我获得曼德拉先生为体育颁发的国家总统金牌。我知道，如果我在回家的路上遭劫，小偷会偷走我的奖牌，但是小偷偷不走的是我所受到的教育和我的老师教给我的一切。

约书亚•图格瓦内的荣誉之路是奥运历史上的动人故事。他于1971年4月15日出生，6岁时父母就离婚了，因此被扔给了一无所有的祖母。他不能上学，就在农场放牧。跟很多孩子一样，他早年的运动就是光着脚踢球。但当图格瓦内的跑步天才展现之后，他加入了一家煤矿的运动队，

不久他第一次在半程马拉松赛中取胜，获得50兰特（南非货币单位）。他可以在约翰内斯堡东边的一个小镇上为家里建一座小房子。图格瓦内虽然取得了很多胜利，但他入选亚特兰大时，世界排名仅为第41名。在决赛中，身高只有1.58米的图格瓦内是最矮的运动员。因为天气湿热，领先的选手们跑完半程时还没有拉开距离。但是在随后的10公里中，巴西的杜斯•桑托斯（Luis dos Santos）开始加快步伐，但他没能保持住优势，不久就被图格瓦内超过了，然后南韩的李奉柱也超过了他。肯尼亚的瓦奈纳(Eric Wainaina)则一直追随着他们。在接近体育馆的时候，图格瓦内开始加速，领先2到3秒，他后面的两位也各不相让，三人几乎同时进入体育馆的赛道。图格瓦内领先李奉柱2 秒，领先瓦奈纳3秒。预赛中的夺标热门，澳大利亚的莫内盖帝（Steve Moneghetti），落后2分钟，排在第7位。来自阿富汗喀布尔的瓦西吉（Abdul Baser Wasigi），以

约书亚•图格瓦内，以前的厨房清洁工，他战胜韩国的李奉柱，在马拉松赛中夺冠，给统一的南非赢得第一枚奥运会金牌。并同时将贫困和无知甩到了身后。

前的个人最好成绩达到了两个半小时，但在赛前他受伤了，虽然坚持参赛，跑过终点时已是最后一名，第111名，比其他选手慢了将近1个小时，其成绩是4小时24分14秒，是奥运会最慢的马拉松赛成绩。排在第107名的是波斯尼亚的伊斯拉姆（Islam Djugum），他是波黑战争的幸存者，即使在战争中，他也没有停止过训练。

能登上奥运会领奖台，并与图格瓦内相提并论的是厄瓜多尔的杰斐逊•佩雷斯(Jefferson Pérez)，一个本来没什么胜算的选手：在前一年的世界锦标赛上，仅为第33名，但他却在20公里竞走中出人意料地夺冠。这是他的国家有史以来的第一枚奖牌，使他功成名就。佩雷斯的胜利在他的祖国造成了交通拥堵。总统发来贺电，他的家乡还计划以他的名字命名一个体育馆。所有的一切，都是给予这个在困顿中成长起来的运动员的。赛后他非常虚弱，以至于需要被人扶下赛道。佩雷斯说“当我领先的时候，我感到非常累，昏昏欲睡，就像梦游，但我想，我就是死，也要坚持下去。”这就是奥林匹克精神的激励作用。

而另一个出人意料的长跑冠军是罗巴(Fatuma Roba)，埃塞俄比亚一个农民的女儿。女子马拉松赛高手如云——来自俄罗斯的卫冕冠军叶戈罗娃、1992年的亚军有森裕子、还有葡萄牙的世界锦标赛冠军马扎多（Manuela Machado）。罗巴以领先2分钟的成绩夺冠。在比赛当天早上下起雨来，在开赛前刚停，因此女子比赛比男子比赛要凉爽得多。在很长一段时间里，领跑的是乌塔•碧琵希（Uta Pippig），她多次在波士顿马拉松赛中获胜。但是，罗巴和其他强手紧随其后，这给她造成了巨大压力，她在37公里后就落后了。在这个时候，罗巴开始超过其他选手，最后她将个人成绩提高了3分多钟，成为第一个在该项赛事上夺冠的非洲妇女。

尽管在2003年以后，卡尔•刘易斯被指出曾在1988年的国家检验结果中呈弱阳性，遭到了广泛的毫不留情的谴责。但在笔者看来，卡尔•刘易斯连续4次获得跳远冠军，应该得到最持久的赞誉。这不仅因为他打破了纪录，也因为其运动寿命之长，实属罕见。

田径专家们认为，迈克尔•约翰逊能获得200米和400米双料冠军真是奇迹，这奇迹还包括他在更短程比赛中的世界纪录。他是男子比赛中取得如此成绩的第一人，一直被人们认为是独一无二的。的确，他是一个优秀的运动员。只可惜他的400米夺魁没有与刘易斯在8.2万名目瞪口呆的观众前创造的奇迹同时出现。虽然没能入选美国4×100米接力赛国家队，但约翰逊在预选赛中以1英寸的优势战胜队友康利(Mike Conley)，从而获得了本届奥运会跳远项目的参赛权。跳远选手鲍威尔(Mike Powell)已经连胜34场，并在1991年和1993年获得世界锦标赛冠军，他在美国国家选拔赛中领先，因此成为亚特兰大的夺冠热门。他在头3次试跳中位居第二，排在法国人埃曼纽埃尔（Emmanuel Bangue）之后。在两次试跳后，刘易斯已排到了第3位。在第3次试跳中，他跳出了8.50米的成绩，这是他在巴塞罗那击败鲍威尔以来最好的成绩。在以后的试跳中，气氛越来越紧张，但只有牙买加选手詹姆斯•贝克福德（James Beckford）的成绩有所提高。在第6次试跳中，他上升到第2名，而鲍威尔在第5次试跳中受了伤。这样，刘易斯再次夺得金牌，成为精英俱乐部的一员。英国的赛艇选手雷德格雷夫(Steve Redgrave)连续4届奥运会获金牌，于两天前也加入了这一群体。还有一个是铁饼选手艾尔•奥特（Alfred Oerter）。在赛后的新闻发布会上，奥特

美国400米霸主迈克尔•约翰逊，银牌得主英国的布莱克(Roger Black)和第4名阿尔文•哈里森(Alvin Harrison，美国）。

出席并和刘易斯互相拥抱。和长跑运动员帕亚沃•努尔米、游泳运动员马克•施皮茨和体操运动员拉丽萨一样，刘易斯共获得了9枚金牌。而匈牙利的盖雷维奇(Aladar Gerevich)则连续获得了6枚击剑金牌。

当然，没有人比约翰逊更配得到奥运会的嘉奖了，他自1989年以来的54场连胜纪录，包括两届世界锦标赛的胜利，这一成就无人可比。除了1992年因食物中毒未参赛外，约翰逊一直占有绝对优势。他的400米冠军更是无可挑剔，甚至连他的对手也这样认为。对他来说，失利才是新闻。比赛这天，他的成绩是本世纪以来该项赛事中令人印象最深刻的：他以领先英国的布莱克10米的奥运纪录轻松取胜。30岁的布莱克的运动寿命和卡尔•刘易斯一样长，他获得过10枚重要的锦标赛的奖牌，其中包括4枚个人金牌，6枚接力赛金牌。但他从未得过一枚奥运会金牌。他接二连三的受伤，影响了他在奥运会上夺取金牌。这一次在领先乌干达的卡莫加(Davis Kamoga)冲过终点后的24小时内，甚至在睡梦中，他都在笑，“在约翰逊之后的银牌，”他不停地说，“就是领先所有人的金牌。我为自己而跑。这是一场完美的比赛。”他这样诠释奥运精神。

约翰逊一直活在刘易斯的盛名之下。约翰逊的父亲是一个完美主义者，但儿子的目标比父亲的更高。在此前的一年，他获得了世界锦标赛的冠军。但就在奥运会之前，虽然约翰逊以19.66秒的成绩打破了17岁的彼得罗•门内亚（Pietro Mennea）创造的世界纪录，但纳米比亚的弗雷德里克斯(Frankie Fredericks)也打破了约翰逊200米不败的神话。亚特兰大奥运会原定将200米的半决赛和400米的决赛安排在同一天。但是国际田联在200米比赛之前安排了一天其他比赛，事不凑巧，刘易斯抢了400米的决赛的风头。而在200米决赛前不久，佩雷克(Marie-José Pérec)获得该项目女子双料冠军。约翰逊受到激励，为了荣誉，他将自己创造的纪录提高了0.34秒。这个德克萨斯人以他特有的姿态，用10.12秒跑完了第一个100米，在第二个100米开始加速，他只用了9.20秒就跑完了。这样，其100米的平均时

间是9.66秒——比几天前加拿大的贝利(Donovan Bailey)创造的100米的世界纪录的9.84秒还要快，这是自从1932年洛杉矶奥运会埃迪•托兰（Eddie Tolan）所创200米21.12秒世界纪录（这一纪录保持了20年）以来，成绩提高幅度最大的一次。弗雷德里克斯和特立尼达岛的博尔顿(Ato Boldon)分别获得了亚军和季军。

贝利是继本•约翰逊和克里斯蒂之后第3位获得冠军的牙买加裔移民。他在1995年获世界锦标赛冠军，但表现一直不突出。在第4次预赛中他排在第7名，但恰巧本•约翰逊未能进入决赛。在前60米，弗雷德里克斯领先博尔顿，但贝利在最后阶段发力，跑出了27千米/时（12.1米/秒）的速度，超过他们创造了9.84秒的纪录，比布雷尔(Leroy Burrell)快了1/100秒。虽然美国的丹尼斯•米歇尔（Dennis Mitchell）跑出了10秒的成绩，但还是没有获得奖牌。克里斯蒂仍旧面临着重重阴云：在1988年药检中，结果对他不利，由于得到了照顾，他被做为阳性嫌疑处理。但在随后的德国运动会中，他又被查出睾酮测验呈阳性。

努尔米、洛夫洛克、埃利奥特、斯内尔、凯洛、沃克、科……这些人都是杰出的奥运会1 500米冠军，但如果没有历史上最好的运动员——阿尔及利亚的莫塞利的加盟，这支杰出者组成的队伍就是不完整的。莫塞利获得了3次世界冠军，是4个长跑项目的世界纪录保持者。在1 500米比赛中，他4次跑出最快成绩。对其他人而言，胜利似乎都是达到高潮并由此走向衰落的标志，但对于莫塞利而言，情况绝非如此。他1984年的夺冠依然充满争议：在最后一圈，迅速崛起的年轻的摩洛哥选手希查姆•埃尔•盖鲁伊(Hicham El Guerrouj)想要一步步赶上莫塞利，在接近终点时，由于离得很近，盖鲁伊踩到了莫塞利的后脚跟，摔倒了，并几乎将紧跟在后面的3个人（卫冕冠军卡乔、肯尼亚的基普科里尔和索马里的老将阿布迪•比勒）都带倒了。莫塞利也差点摔倒，但他迅速恢复了平衡，瞟了一眼身后，然后迅速加速，以领先5码的优势取胜。其他选手躲开或跳过了摔倒在地的盖鲁伊，但比赛的正常节奏被打乱了，精彩场面已不复存在。莫塞利虽然以3分35秒78轻松取胜，但这可能只是侥幸而已。而盖鲁伊当年的速度仅次于他，完全有能力取胜，现在却成了最后一名。银牌和铜牌分别为卡乔和基普科里尔获得。

在1500米比赛中，挑战者摩洛哥人希查姆•埃尔•盖鲁伊在碰撞中摔倒，阿尔及利亚的莫塞利获得冠军。

据说埃塞俄比亚的格布雷塞拉西(Haile Gebrselassie)跑步时，左臂总是奇怪地弯曲着，这是他小时侯每天挟着书本往返跑10公里上学留下来的习惯性动作。但他的腿和肺却因此得到了锻炼。格布雷塞拉西曾两次获得10 000米世界锦标赛冠军，并保持着世界纪录。现在，他以27分7秒34成绩险胜世界越野赛冠军鲍尔•特加特(Paul Tergat)，刷新了10 000米的奥运会纪录。格布雷塞拉西还是个初级运动员时，就已经是肯尼亚人特加特的对手了，但这并没影响他们的友谊。特加特和马库卡（Josphat Machuka）半程后开始领跑，还剩下两公里时，特加特冲到了前面，他甩开了所有人，但除了格布雷塞拉西之外。在终点，特加特即将触线时，格布雷塞拉西突然冲到了前面，并抵挡住了特加特的最后进攻。他在后半程比赛中的用时为13分11.4秒，这是他第二次用这个成绩跑完5000米。即使在5000米赛事中，

埃塞俄比亚的王牌格布雷塞拉西领先强大的肯尼亚对手特加特3步，夺得10 000米金牌，创造了27分7.34秒的奥运会纪录。他在比赛中的第二个5000米仅用时13分11.4秒，除1984年之外，比此前任何一届奥运会的5 000米比赛成绩都快。

除了1984年奥运会5 000米冠军奥伊塔和本届奥运会中的布隆迪人维纽斯德•尼永嘉宝（Venuste Niyongabo，13分7.96秒，）外，该成绩也是无人能敌的。

800米决赛中，上届世界锦标赛铜牌得主——挪威的罗达尔(Vebjoern Rodal)在最后300米开始冲刺，后面是南非的塞潘(Hezekiél Sepeng，光着脚跑的选手)，还有肯尼亚的翁扬查（Fred Onyancha）和古巴的特雷兹（Norberto Tellez），但他们3个都追赶不上罗达尔。罗达尔因此成为第一个获得径赛金牌的挪威人。塞潘成为图格瓦内之前，第一位获得奖牌的南非黑人。如果曾经两度击败罗达尔的世界冠军基普凯特（Wilson Kipketer）参赛，结果可能会有不同。但他移民丹麦后，由于没有达到7年的规定居住期限，没有获得丹麦国籍。而肯尼亚也不放他走，他因此拒绝为他们跑步。基普凯特后来又有3次战胜了罗达尔，并在此后一年，将科保持了16年的世界纪录刷新为1分41秒11。

在上一届奥运会上，作为世界冠军的奥布赖恩(Dan O'Brien)，在美国国家选拔赛中，由于十项全能的撑竿跳失利，未能入选国家队。这对他和他的赞助商锐步公司来说，都是很尴尬的。但在巴塞罗那奥运会后一个月，他就打破了由戴利•汤普森保持了8年的世界纪录，接着蝉联随后两届的世界冠军，成为亚特兰大的夺标大热门。虽然他这次撑杆跳成绩为5.00米，但他在1500米决赛中毫无压力。他的总分超出德国的布斯曼(Frank Busemann)100点，但仍然比他的世界纪录少67点。这是一个穷汉变富翁的故事的高潮。像汤普森一样，奥布赖恩出生在一个离异重组的家庭，被人收养后带大。直到Visa公司赞助十项全能发展项目，他才从早年的酗酒中被拯救出来。

“马家军”是著名教练马俊仁执教的中国女子运动队，王军霞作为其中的叛逆者，没能获得双料冠军。她首先在女子5 000米比赛中，以14分59.88秒的成绩领先肯尼亚的孔加(Pauline Konga)获胜，随后在10 000米的比赛中被同为夺标热门的葡萄牙人里贝罗(Fernanda Ribeiro)击败，获得银牌。王军霞是长跑世界纪录保持者之一，并曾在13场比赛中保持不败。在还有一圈半的时候，她超过里贝罗，领先6步。里贝罗却在最后50米冲刺中超过了王军霞，并创造了31分1秒63奥运会纪录，卫冕冠军——埃塞俄比亚的图卢排在她的同胞瓦米(Gete Wami)之后，排名第四。

美国女子100米卫冕冠军德弗斯(Gail Devers)，受到了来自她的同胞托伦斯(Gwen Torrence)和牙买加人奥蒂(Merlene Ottey)的威胁。后者是一位拥有4枚奥运会铜牌和5枚世界杯铜牌的36岁老将，具有问鼎金牌的最强实力。她与德弗斯同样拥有10.94秒的成绩。托伦斯在美国国家选拔赛中击败了德弗斯，成绩为10.96秒。她们几乎同时过线，所以只能等待裁判的最终裁决。乍一看，奥蒂好像是领先的。但照片却显示，德弗斯的头和脖子率先过线，脖子是算数的。虽然牙买加队上诉，但德弗斯还是继泰厄斯（Tyus）之后，蝉联冠军。81000名观众为本国的这个女孩儿起立欢呼。

体操比赛中，有两位运动员重返赛场。其中的一位是什图克利。他38岁时，最后一次在柏林奥运会代表南斯拉夫王国参赛，并获得吊环银牌，为他在巴黎和阿姆斯特丹的金牌锦上添花。他还是第一位双臂平举、撑住吊环完成身体倒立动作的人。但至今为止，他已经60年没有参加奥运会了，是所有运动赛事中仍然健在的最老的冠军。本次奥运会上，什图克利应邀来到亚特兰大，作为百年奥运的嘉宾，在体操比赛的第一个晚上，为冠军颁发金牌。另一位是谢尔博，历史上最伟大的体操运动员。在比赛前，他也中止了几个月的训练。谢尔博来自白俄罗斯，在1992年代表独联体队参赛，赢得了6块金牌。1993年2月，他和妻子伊林娜（Irina）移民到宾西法尼亚，希望他们未来的孩子拥有美国国籍，以获得前苏联所没有的安全和自由。1995年12月，伊林娜差点死掉：她的车撞到了灯柱上，脾脏严重受损，骨盆破裂，断了七根肋骨。对谢尔博来说，突然间，体操变得不那么重要了。他昼夜看护着妻子，在这个过程中，他用伏特加酒麻醉自己。

个人体操的卫冕冠军，白俄罗斯人谢尔博由于妻子的车祸受到影响，位列李小双（中国）和涅莫夫之后，仅获得铜牌。

他体重增加了，也停止了训练。当伊林娜恢复过来的时候，她请求谢尔博回到体操比赛中，在下一届奥运会上继续前进，实现他的梦想。这样他就可以代表美国在悉尼参赛，与白俄罗斯昔日的同事对垒，争夺团体冠军。谢尔博虽然拥有仅次于俄国的涅莫夫(Aleksey Nemov)的个人总分，但他们与乌克兰队争夺铜牌时未能取胜。而俄国领先中国获得金牌。在自由体操项目中，尽管谢尔博在3年间，肩部、手臂和膝盖都做过手术，但他的表现仍然突出。当他在空中跳跃的时候，就好像是巴雷什尼科夫在芭蕾舞台上表演一样。

为冠军队颁奖的时候，1.57米高的什图克利在获奖的俄国人面前，显得非常矮小，但他在乔治亚穹顶下受到31 000名观众热烈的欢迎，其程度绝不亚于获奖者。毕竟，这位长者曾是努尔米、魏斯穆勒和欧文斯的朋友啊！

在个人项目中，谢尔博再次受挫。在巴塞罗那，他得了6块金牌。而现在他只能怨气冲天：首先是他自己的低分，然后是他认为在涅莫夫和冠军李小双的决赛中，存在不公。拿了铜牌的谢尔博看起来简直要杀人。当有人问他，他的妻子对他的铜牌有何看法时，他尖刻地回答："她想要金牌，我们不知道奖牌的其他颜色。"

在个人自由体操项目中，不出人们所料，梅利桑尼迪斯(Ioannis Melissanidis)获得金牌。这是自从一百年前，史匹登•路易斯（Spyridon Louis）之后的所有比赛中，希腊男子项目的第一个胜利。这位萨洛尼卡公车司机的儿子还在1994年的世界锦标赛中获银牌。

对众多的美国女性电视观众而言，女子体操是每届夏季奥运会的热点。所以，美国姑娘夺得本国第一块金牌的时刻非常激动人心。在美国女子项目中有很多英雄——迪德里克森、威尔斯（Helen Wills）、康诺利（Maureen Connolly）、威尔玛•鲁道夫（Wilma Rudolph）、玛丽•德克（Mary Decker）、玛丽•卢•雷顿（Mary Lou Retton）。夺冠的希望似乎落在了斯特鲁格（Kerri Strug）身上，遗憾的是她在第一跳落地时扭伤了脚踝。由于同时进行自由体操比赛的俄国人出现了一些失误，给了美国队一线希望。轮

年轻的体操运动员斯特鲁格在受伤后，首先考虑的仍然是集体利益。

到斯特鲁格第二次试跳了，虽然脚踝依然疼痛，但她又一次起跑，曲体空翻一周半，落地时奇迹般地干净利落，随后，剧烈的疼痛使她瘫倒在地。这一跳提高了她的分数，金牌拿到了。美国在欢呼，教练贝拉•卡罗利(Bela Karolyi)拥抱了斯特鲁格。但可笑的是，事后的情况表明，她的这一贡献有些多余，因为即使没有她的第二次试跳，美国队的积分也足够拿金牌了。

在现代五项中，不走运的俄罗斯运动员泽诺夫卡所获得的知名度，是有钱也难买到的。在他差8步就能获得金牌的时候，突然被绊了一下，摔倒了。NBC现场直播了这个价值百万的一跤。泽诺夫卡前4个项目的综合成绩名列第六。四圈的越野赛时，起初并不怎么样，落后位居第一的意大利选手托纳尔多（Cesare Toraldo）45秒，落后哈萨克斯坦选手帕里金(Alex Parygin) 15秒，匈牙利选手马尔蒂内克(János Martinek)也在他的前面。但在最后一圈，泽诺夫卡超过了所有的人。进入体育馆时，他还领先帕里金两步。在巴塞罗那，泽诺夫卡曾3次从马上摔下来，最终只获得铜牌。而现在，金牌似乎是垂手可得了。在接近终点时，他向后瞟了一眼，刹那间，帕里金从另一边超过了他。他竭力加速，结果被绊倒了，摇摇晃晃地站稳后，他只能获得亚军了。马尔蒂内克获得铜牌。

17岁的伏明霞，依旧保持着跳台跳水冠军。德国的瓦尔特和美国的克拉克获银牌和铜牌。伏明霞还战胜了俄罗斯的拉什科(Irina Lashko)，获得跳板跳水冠军，成为36年来第一位赢得两项跳水冠军的女运动员。

俄罗斯的波波夫在100米自由泳中成功卫冕。但他与美国的加里•霍尔（Gary Hall）的争夺异常激烈，他们几乎同时到达终点，以至于必须得看记分牌才知道谁赢了。波波夫的优势仅为0.07秒，但这足以使他成为继魏斯穆勒之后，又一个蝉联该项目冠军的人。波波夫在近5年的主要赛事中保持着不败纪录。他还成为蝉联100米和50米泳赛冠军的第一人。

埃文斯是美国有史以来最优秀的游泳运动员之一，由于史密斯的参赛，她在预赛中就惨遭淘汰，这震惊了美国，也震惊了其他国家。两天以

在现代五项中，俄罗斯的泽诺夫卡(Eduard Zenovka)第二次在奥运会上遭遇灾难，他在越野赛中，在离终点一码处，绊了一跤，名列第二。

后，史密斯在获得200米蝶泳铜牌之后，又在200米混合泳中赢得了她的第3块金牌。在其家乡她是英雄，但在其他任何地方，她都是新闻界嘲笑的对象。在若干次逃避之后，1998年1月的一次随机抽检发现她的尿样中含有危险的过量酒精。国际泳联的结论是：尿样是做过手脚的，酒精是遮盖剂而已。她因此被禁赛4年，其申诉也被国际体育仲裁法庭驳回。这场风波影响了亚特兰大奥运会，但这不能否认其他人的优秀表现，如南非的海因斯，她为自己的国家赢得了44年来的第一块200米蝶泳金牌。作为白人（南非队中只有五分之一的队员是黑人），她肩头刺着的跳羚纹身被一些人认为是一种挑衅，因为跳羚是前种族隔离时期该国的国徽。但这一点也不影响副总统塔博姆贝基（Thabo Mbeki）的情绪，当奥运会上第一次奏响《上帝保佑南非》时，他激动得流下了眼泪。

美国的阿加西(Andre Agassi）直落三盘，击败西班牙的布鲁格拉(Sergi Bruguera)，获得网球冠军，他在1/4决赛中，对南非的费雷拉（Wayne Ferreira）做出了一些下流动作，侥幸没被逐出场外。

在男子网球单打比赛中，帕埃斯击败巴西的梅利坚尼（Fernando Meligeni），获得铜牌。这是在印度男子曲棍球于16年前在莫斯科夺冠之后，帕埃斯为印度取得的第一块奖牌，也是自1953年摔跤铜牌以来的第一块个人奖牌。

隆戈(Jeannie Longo-Ciprelli)是一位来自法国格勒诺布尔的菜农，她每天需要骑车去市场购物。她在比赛时骑得很凶猛，曾5次获得世界冠军，其中两次是争先赛的冠军。这次是她问鼎奥运金牌的最后机会，在灼热的阳光中，她领先对手25秒。

美国的阿加西侧身面对着亚军布鲁格拉(西)和第三名帕埃斯(Leander Paes，印度)。

西班牙的男子冰上运动队击败德国、巴基斯坦和澳大利亚进入决赛，却以1：3输给了荷兰，出乎国人的意料。美国女队在奥运会的第一次女子足球赛中战胜了中国队。76 000名观众在这个名叫雅典的小镇上观看了比赛，这是当时女子项目中观众人数最多的一次。英国的雷德格雷夫(Steve Redgrave) 和平森特(Matthew Pinsent)赢得了双人单桨无舵赛，并创造了历史纪录。雷德格雷夫由此与丹麦的埃弗斯特隆和美国铁饼运动员艾尔•奥特一样，连续4次获得金牌。卡尔•刘易斯在本届奥运会结束之前加入了他们的行列。虽然雷德格雷夫说，他将在16年稳居榜首后退役，但事实证明并非如此。

第66章 雅典的迟归

希腊的尼科斯·费拉列托斯（*Nikos Filaretos*）

国际奥委会成员，国际奥林匹克学院院长

时间可真长啊！阔别108年之后，奥运会终于回到了它的家乡，回到它在1896年复兴的城市，它已经滞留在外一个多世纪了。希腊和她的人民1996年在雅典热烈庆祝，纪念奥运复兴100周年。但当我们提出我们有权主办奥运会时，有人指责我们傲慢。当然，我们的国家太小，不能让2004年奥运会主办权自动落在我们头上，但我们在1996年主办绝对是对的。简单回顾过去的一百年，希腊对奥林匹克运动的贡献，我们会发现：由于第一届国际奥委会主席——希腊的德米特里厄斯•维凯拉斯的不懈努力，终于使皮埃尔•德•顾拜旦的梦想成为可能。由于希腊的乔治•阿维罗夫提供的920 000镑资金，才使得泛雅典人体育馆得以兴建，第一届现代奥运会才有可能在此举行，这使他成为国际奥委会的第一位赞助人。由于希腊人民坚持不懈的努力，在欢庆奥运复兴10周年的大背景下，1906年组织了临时奥运会，在总结1900年和1904年巴黎和圣路易斯这两届奥运会经验教训的基础上，奥运精神重返正确轨道。迄今为止，希腊的国旗和国歌会出现在每届奥运会上。我们的国家为奥林匹克运动提供了国际奥林匹克教学教育学院，40年来有60 000多名学生、教师、国家奥委会官员、体育记者和其他方面的人才在这里学习。希腊政府每年为了学院的运作和维护，要花费200万美元。

但国际奥委会没有给予希腊主办百年奥运的荣耀。我认为，国际奥委会出于荣誉也应该委托雅典主办，不应该经过投票程序。对2004年奥运会，我们充分意识到了自己的责任。我们不想举办一届奢华的奥运会，虽然我希望为运动员铺上红地毯，因为只有他们才是奥运会的主角。决定雅典奥运会成功与否的因素是——回归简单和真正的奥运精神，因为这种精神现在已经受到了损害。

一方面，4年一度的现代奥运会对五大洲青年的影响是积极的。另一方面，即使全面商业化的进程是不可避免的，奥运会的发展趋势也是有错误的地方的，其结果是兴奋剂的泛滥。在冷战期间，体育也被用来作为强大的宣传工具。东方国家力图通过兴奋剂钻空子，而西方国家则另辟蹊径，使用金钱刺激。优秀运动员需要钱，你不能想象他们一天训练6个小时，但不给他们生活费和将来退役后的养老金。优秀的运动项目会保持，但保持的时间却掌控在赞助商的手中，这是不正常的。

希望通过申办程序公开申办奥运会的城市有11个，它们是雅典、布宜诺斯艾利斯、开普敦、伊斯坦布尔、里尔、里约热内卢、罗马、圣彼得堡、圣胡安、塞维利亚和斯德哥尔摩。马克•霍德勒（Marc Hodler）领导下的14人的遴选委员会于1997年3月将这个名单缩减为5个，提交给同年9月在洛桑召开的国际奥委会会议讨论。雅典和罗马很可能中选，因为他们都拥有悠久的历史，是重点考虑的对象；开普敦如果当选，只能是出于政治的考虑；布宜诺斯艾利斯代表着拉丁美洲；斯德哥尔摩代表着瑞典体育的优秀传统。从理性上讲，肯定要有筛选。但对很多人来说，落选是一种耻辱，对伊斯坦布尔和圣彼得堡尤其如此。圣彼得堡有数以千计的纪念碑，250个博物馆，但它落选了。1994年的友好运动会已经说明，在这个坐落在波罗的海海岸、有众多的教堂及礼拜仪式的城市举办奥运会是多么有吸引力。伊斯坦布尔和圣彼得堡的落选对艾尔丹(Sinan Erdem)和柯兹洛夫斯基（Alex Kozlovsky）来说，意味着严重的个人打击。艾尔丹是受人尊敬的土耳其籍的国际奥委会成员、奥申委主席（已于2003年去世）。柯兹洛夫斯基是俄国国家奥委会副主席，为了圣彼得堡的荣誉，他全力以赴，却不幸败北。在111名投票者中，欧洲代表46名，非洲和美洲的代表各21名，亚洲代表18名，大西洋代表5名。

笔者做新闻记者时，曾为斯德哥尔摩作过3个月的咨询顾问，我个人倾向斯德哥尔摩。这不仅是因为长期以来，对瑞典管理能力的信任，还因为斯堪的纳维亚的夏季气候：那里迷人的海滨景色，会为奥运会提供最优美的比赛环境。

但是不容忽视的是，雅典的攻势强劲。对一部分国际奥委会成员来说，由于上一次否决雅典，总有些负疚感，而选择雅典也会改善世界对国际奥委会的批评态度。1990年的申办者在态度上与投票者相对立，而这次的申办者尽管也有许多不足之处，但在扬娜•安耶洛波洛斯•扎斯卡拉基（Gianna Angelopoulos-Daskalaki）的领导下却显得生气勃勃。扬娜•安耶洛波洛斯•扎斯卡拉基曾是一位政治家，她与丈夫安吉尔洛波勒斯（Theodore Angelopoulos）家财万贯，因此能毫不费力地扩展国际奥委会在娱乐方面的一些规定。国际奥委会成员应邀去种植以他们的名字命名的树，随后便对雅典的申办充满了溢美之词。他们也忽视了一个问题，即在炎热的夏季，希腊的气温足以令人窒息。另外，交通问题似乎也难以在7年中得到解决。

2004年奥运会回归故乡，雅典迎接到了这迟来的胜利，安耶洛波洛斯•扎斯卡拉基起身庆祝。

申办过程中争论纷纷。意大利的国家奥委会主席、奥申委主席裴斯康特（Mario Pescante）指责南非的奥申委主席巴尔（Chris Ball）有意误导民众：据说巴尔在接受路透社采访时，指责罗马提到他们的犯罪率，意在破坏开普敦申办，这是不正当的。巴尔却在回信中说，他被误解了。但访谈的报道中却未能表现出这一点。

罗马自身也由于内比奥洛（Nebiolo）的因素纠缠不清：他的参与发挥了积极作用还是消极作用呢？围绕着他的争论对申办一点好处都没有。但国际奥委会成员被邀请到这座神圣的城市做两星期的参观，其作用也不能低估。罗马与古代文化的紧密联系不亚于希腊，而且罗马已经拥有必要的体育设施这一事实，更使之成为一个主要的候选城市。

但大多数运动员和举办运动会的专业人士，即国际单项体育联合会和国家奥委会人员，都喜欢斯德哥尔摩的体育氛围。在这一点上，其他候选城市无法与之比肩。英国的一次调查显示，超过70%的国际单项体育联合会认为，斯德哥尔摩具有气候、环境优势，奥运村和比赛场馆相邻近，交通系统之优势无可比拟。在国家奥委会中，34%明确表示喜欢斯德哥尔摩，相比之下，罗马是14%，希腊是7%。瑞典申办委员会主席史登汉玛（Olof Stenhammer）承诺，斯德哥尔摩将把夏季奥运会办得像利勒哈默尔冬奥会那样好。但可惜的是，就在投票前一个星期，斯德哥尔摩发生了少见的恐怖主义事件，这对于申办，以及曾达到60%公众支持率来说，糟糕透顶，斯德哥尔摩的信用因此破坏了。

在投票日，雅典的优势明显，罗马在第四轮被击败，相差25票之多。在希腊举行第一届现代奥运会之后的101年，国际奥委会给了他们第二次举办的机会。不管投票者们是否下定决心，他们都遭遇了安耶洛波洛斯•扎斯卡拉基的强烈攻势。她的基调就是对雅典申办1996年奥运会工作的批评，承认错误，同时不失时机地强调任何一个主办城市的历史“权力”。斯德哥尔摩在第二轮被淘汰，令人出乎意料，看来国际奥委会成员们对运动员的利益并未考虑太多。布宜诺斯艾利斯的选票在第二轮投票时平均分给了雅典、开普敦和罗马，而原属斯德哥尔摩的选票以2比1在雅典和罗马之间分配，最终产生了雅典的胜利。

淘汰开普敦的选票大多都倾向于雅典。在下列投票结果面前，裴斯康特，内比奥洛和其他人只好承认失败。

	第一轮	第二轮	第三轮	第四轮
雅典	32	38	52	66
布宜诺斯艾利斯	16 (44)	-	-	-
开普敦	16 (62)	22	20	-
罗马	23	28	35	41
斯德哥尔摩	20	19	-	-

现在主要的猜测是：谁将是雅典组委会的主席呢？很明显，总理科斯塔斯•西米蒂斯（Kostas Simitis）并不属意于这位刚刚赢得申办权的能干女士。斯特拉迪季斯（Stratis Stratigis）被任命为组委会的主席，柯斯塔斯•巴柯尤利斯（Kostas Bakouris）被任命为总监，在他的领导下，希腊请求推迟向执委会递交他们的第一份官方报告。西米蒂斯本人任主席的“国家委员会”是一个对奥运会半监督性质的委员会，而安耶洛波洛斯•扎斯卡拉基却被排除在15个委员之外。但不久新闻媒体就报道说，巴柯尤利斯认为所有的奥运项目都问题丛生，同时，组委会刚刚开始运作，就陷入了危机。协调委员会主席雅克•罗格做出种种外交姿态，尽力表明虽有问题，但无关大局。情势逼人，不久，安耶洛波洛斯•扎斯卡拉基又受到邀请，重新加入到奥运会的筹备工作中来。

扪心自问，国际奥委会，尤其是它的主席，必须确保雅典的成功。萨马兰奇第3次参加竞选，希望在洛桑会议上再延续4年任期。但他一定会在2001年退休。尽管如此，他也有责任保证他的继任者接替的不是一个烂摊子。在洛桑会议上的被选举上来的还有安妮塔•L•德弗朗兹(Anita DeFrantz)，她成为执行委员会的第一位女性副主席，将与德•梅罗德、穆巴耶和萨马兰奇共事。

安妮塔•L.德弗朗兹，1976年美国女子划船队铜牌获得者，成为执行委员会第一位女性副主席。

如果说萨马兰奇早就把罗格作为他所属意的接替者的话，他当然要确保这个比利时人受到良好的训练，所以任命他为悉尼和雅典两届协调委员会的主席。如果说雅典危机四伏，那么悉尼虽然还没走到死胡同，但情况也很让人担忧。此时，悉尼组委会的第3位执行总裁莫尔•赫默林（Mal Hemmerling）博士，约翰•艾利夫（John Iliffe）和格雷•彭伯顿（Gary Pemberton）的继任者，被迫辞职。所谓的“奥运部长”，即组委会主席迈克尔•奈特(Michael Knight)解雇赫默林后，任命前总理霍克的办公室主任——公务员桑迪•赫尔韦（Sandy Holway）接任。尽管面临着在赞助商、通讯和新威尔士劳工党的领导下的组委会政治化传言等方面的内部问题，国际奥委会总干事卡拉尔还是在一定程度上掩饰了因赫默林的离职而带来的影响。

尽管执行委员会已尽了最大努力，但直到20世纪90年代后期，有些计划依然束之高阁，这是令人难受的。最紧迫的问题是对兴奋剂的控制。药品委员会是由一些正直的人组成的，但由于一些国家缺乏警惕性，或者是彻底逃避责任，他们的声誉遭到了破坏。在一次《南德意志报》的采访中，阿恩•扬奎斯特(Arne Ljungqvist) 教授表明了他对来自亚特兰大奥运会的报告中所谓未申明的药检阳性的关注。扬奎斯特承认，到1997年，药品委员会仍然没有作出关于亚特兰大的最终报告，但已经知道，亚特兰大实验室的丹•卡特林（Don Catlin）又发现了一些新的药检阳性报告。在国际奥委会百年代表大会3年之后，19个国际单项体育联合会，包括国际业余田径联合会仍然没有全面接受在大会上通过的规定，国际奥委会成员巴赫(Thomas Bach)在提到这个问题时，称之为“被误解的自治权”。

1998年，格里菲斯•乔伊纳（Florence Griffith-Joyner）的英年早逝，说明了使用药物会引发悲剧性后果。她曾在10年前的汉城奥运会上获得3枚金牌，大获成功。但她在1987到1988年间运动成绩的大幅度提高不可避免地招致了怀疑。加拿大短跑运动员本•约翰逊在同一届奥运会上药检呈阳性，大家认为她也可能使用了与约翰逊一样的药物。虽然人们从未证明这一点，但在28岁时，运动成绩的这种大幅提高是不太可能的。《芝加哥论坛报》报道说，格里菲斯•乔伊纳的姐夫和前教练鲍勃•克西(Bob Kersee)曾经声称：“没有一个人能证明格里菲斯服用过非法药物来提高成绩。”但是，她从奥运会回来不到5个月，就突然具有赢得短跑比赛的能力，只能让人加深了这种怀疑。她的丈夫乔伊纳（Al Joyner，1984年三级跳冠军）发现她死于心脏病发作。但我们并不能从医学上证明，她的死与滥用兴奋剂有关。

1998年初，在长野冬奥会之前的例会上，雅克•罗格被选入执委会。他明显比国际射击协会主席马里奥•巴斯克斯•拉涅亚更受委员们的欢迎。如果雅克•罗格想要在3年半后接替萨马兰奇的话，这一次得以入选执委会将成为其个人前程中的关键事件。同时，又有两位女性被选入国际奥委会，摩洛哥的穆塔瓦基尔(Nawal El Moutawakil)和波兰的伊蕾娜•基尔森斯坦（Irena SzewInska-Kirszenstein），分别接替已故的默罕默德•宾热龙（Mohamed Benjelloun）和退休的沃罗吉米尔兹•列奇泽克（Wlodzimeirz Reczek），成为国际奥委会委员。穆塔瓦基尔是1984年奥运会400米跨栏冠军，而基尔森斯坦则曾经是多个项目的奖牌的获得者。

近100万人口的长野，是距东京西北约150公里的冬季旅游胜地。它在与札幌争夺1972年冬奥会的主办权时失利，却在1991年大胜盐湖城。这既出乎意料之外，也合情合理。国际奥委会不大可能连续两年投票给两个美国城市。长野冬奥会的预算接近60亿美元，包括始发于东京的磁悬浮列车车轨的成本。由于在分包合同中的腐败现象，以及与奥运会有关的其他物质刺激被揭露，准备工作蒙上了阴影。值得注意的是：申办过程中的娱乐与其他支出的纪录还被销毁了。但是，在申办过程中，长野的物质刺激之一，是在东亚建立第一个高质量的冬季运动中心，这也是令人振奋的。与4年前利勒哈默尔的67个参赛国相比，这次的参赛国将达到72个。

长野对环境问题作出了许多让步。为了保护高斯鹰的栖息地，变更了冬季两项赛事的赛道设置。并就速降赛提高起始点的问题做出了妥协，以避开草地保护区，满足国际滑雪联盟的要求。奥运会最终度过了日本经济的低迷时期。在本届奥运会上，有大量的科技产品得以应用，尤其是与安全相关的产品，在滑雪射击运动中，使用了红外扫描设备。在跳台滑雪的山坡上，安装了100张/秒的照相机，以此来测量距离，而此前都是目测的。

并不是所有的开幕式都能传递出某种信息。而长野的信息非常明晰：对全球和平和年青一代精神净化的呼唤。萨马兰奇主席，面对武装袭击伊拉克生化武器目标的紧迫威胁，重申了奥林匹克停战的呼吁。开幕式既是国际化的，又完全是日本化的。善光寺里的300年古钟，带来了远古的清音；每7年举行一次的当地传统节日“御柱祭”，就在体育场内上演。此时，长野的孩子们唱起了安德鲁•洛伊韦伯的动听旋律——“当孩子们统治世界”。虽然，对几乎每一个成年人来说，生命中最珍贵的礼物就是另外一个生命——孩子的生命。但他们多么经常地遭到背叛啊！于是，天真纯朴消散不见，玩世不恭取而代之。

日本的伊藤绿，6年前的花样滑冰银牌获得者，在长野开幕式上点燃火炬坛上的圣火。

由另一群孩子簇拥着，克里斯•穆恩（Chris Moon）带着圣火首先进入体育场。穆恩是一名前英国陆军士兵，在莫桑比克培训探雷人员时失去了一只胳膊和一条腿。他为反地雷慈善组织HALO工作，日本曾给该慈善组织大量捐款。圣火坛最后由伊藤绿点燃，他是唯一获得过奖牌（花样滑冰的银牌）的东道国滑冰运动员。不仅世界最著名的年轻歌唱家荟萃于此，借助先进的电子技术，来自五大洲（分别来自柏林、北京、开普敦、纽约和悉尼等地）的合唱团也能融为一体，由小泽征尔指挥，在对贝多芬第九交响曲第四乐章的非凡演绎中，开幕式徐徐落下帷幕。面对持续不断的恶劣天气，奥运会的管理如此高效，令人叹为观止。这也为悉尼敲响了警钟：在下一届奥运盛会中，要保持同样卓越的水平，绝非易事。

尽管在管理上获得了成功，对奥林匹克运动的怀疑仍在蔓延，大部分是关于反兴奋剂工作的低效率问题。一个丹麦调查组织在欧洲六国进行的调查表明，50%的人相信，职业运动员使用了有助于提高成绩的药物。虽然，很多奥运项目中情况是否如此，还要另当别论。但在大多数观赏性比赛中，却常常不太深究药物使用的问题。无论在哪里，国际奥委会成员都会遭遇媒体的兴师问罪，其中大部分都是道听途说，捕风捉影。即使是比较负责任的报社也同样如此。人们想知道，谁是那些有罪的少数人。有鉴于此，作者在长野奥运会上，对30多位国际奥委会成员进行了访谈。凑巧的是，其中有3人虽然牵涉到相关的争论，但并没有严重滥用职权的行为，也没有人因此受到惩罚。无论是悲观的还是乐观的观点，作者都从中感受到，对奥林匹克运动强烈的无私的关注是相同的。下面是一些访谈的摘要：

- 让•克劳德•基利：“奥林匹克必须保留，只有这样，数以千计的人将来才能够借此实现梦想，千百万的人才能够以它为目标，并超越这一目标。奥林匹克可以改变一些人的生活，帮助他们走出困境，这就是我们的目标。”
- 雷蒙德•加夫纳：“顾拜旦构想的奥运会可以回答人类在这个可怕的世界上遇到的一些问题。下一个十年是决定性的十年，未来充满了危险。我们需要的是领导者，他理解和热爱运动，愿意将三分之一的时间用于奥林匹克运动会。他们可以是富人，但不能将奥运会变成中饱私囊的工具。”
- 贝托尔德•贝茨(Berthold Beitz，德国,克虏伯公司总裁)：“在萨马兰奇领导下，国际奥委会成为世界体育运动的保护伞。我们要继续保持它的独特性，不能停止专业化的进程，但问题是国际奥委会有很多聪明人，但没多少人懂得如何真正地组织起来。”

● 凯巴•穆巴耶（Keba M'Baye，塞内加尔，国际法庭法官）：“一开始，我很难想象，奥运五环居然会商业化，但我知道这个观点现在已经过时了。我们必须明白，我们不能脱离自己生活的时代，商业化是不可避免的。难道我们一抓钱，就丧失了精神内涵、公众利益、青年参赛者的热情了吗？在闭幕式上，表达的主题就是奥运精神：哪怕在世界末日依然存在于人间的友谊。”

● 理查德•庞德：“随着奥运会规模变得越来越大，越来越重要，它已成为世界的缩影。所以奥运会存在问题是很糟糕的，因为这意味着世界的幻灭。如果将奥运会与其他体育运动赛事相比较，区别就在于公众对奥运给予了更多的关注。”

● 安妮公主殿下(HRH Princess Anne，英国，奥运会骑手)：“也许我们应该回归本质，更注意精彩的个人项目（而不是集体项目）。现在国际奥委会没有像肯尼亚的雷金纳德•亚历山大（Reginald Alexander）那样的人，没有那种敢于在会上讲话的人。机会就在那里，但人们没有抓住。国际奥委会应该有更加明晰的规则，而不仅是采用权宜之计。在确定申办城市时，洲际轮换是很关键的。至于庆典，对于职业选手而言，是浪费时间；对业余选手而言，浪费了太多的精力。”

亚历山大•西佩尔科，在1998年2月那场灾难性的丑闻之前，他对国际奥委会的未来发表了精辟的观点，是奥委会中的“清醒者”之一。

● 卡拉尔(Francois Carrad，瑞士,国际奥委会秘书长，律师)：“萨马兰奇将国际奥委会提高到一个空前的高度。随着最近20年中社会资金的发展，国际奥委会幸运地跟上了时代的发展。否则，我们可能会被淘汰掉。但是，我们仍然被20世纪的观念束缚着，大型体育馆成了累赘或类似的东西。未来取决于新任主席。”

● 亚历山大•德•梅罗德王子（Alexandre De Merode，比利时，药品委员会主席）：“生活有一种倾向，就是忽略个人的利益。如果一个公司领导或者一个小提琴手用药物来提高业绩，没有人会对此感兴趣。药品委员会是满足社会呼吁的唯一机构，没有它，我们就输得精光了。我们依赖于领导者们。政府需要衡量一下忽视药品工作的成本，并且更加积极地参与到反兴奋剂的运动中来。”

● 托马斯•巴赫(Thomas Bach，德国,奥运会击剑冠军，执委会副主席)：“奥运会源于神话，与文化、历史有关，简言之，是一种思想。这种传说会在代代相传中丢失。但关键是，奥运会有超越体育的内涵。我们将神话保留得越多，就越容易在运动员身上保持传统。”

● 康斯坦丁国王陛下(HM King Constantine，希腊，奥林匹克帆船运动冠军，国际奥委会荣誉会员)：“1960年的罗马奥运会是最后一届舒适的奥运会，尽管它像今天一样争夺激烈。在基拉宁任主席期间，贝丽乌夫人是负责人。我们经历了一个衰落期。我们现在的发展没有了亲和力。谁也不能说目前对奥运的崇敬会持续下去。最大的威胁是满足现状，我们必须很谨慎地选择萨马兰奇的接班人。对国际奥委会来说，未来几年是关键，对我国来说，2004年是关键。”

● 罗尔•莫勒特（Raoul Mollet，比利时，奥林匹克现代五项运动员，比利时前国家奥委会及国际军事体育委员会主席）："普及化的战役胜利了——人人都为钱而来。国际奥委会成员超过了100名，这太多了，最多不应超过60名。在印尼和前苏联企图分裂国际奥委会之后，萨马兰奇实现了国际奥委会的团结。但妇女的参与程度还不够。如果你看看斯堪的纳维亚，那里的妇女才是楷模。代理行为的增长扼杀了自愿参加的愿望，自愿才是体育的生存之道。"

● 菲利普•冯•斯格勒（Philipp von Scholler，澳大利亚，国际奥委会荣誉会员）："国际奥委会需要有一个休整时期，现在它的展示性的事务变得越来越多了。"

● 弗朗西斯科•埃里萨尔德（Francisco Elizalde，菲律宾，商人/金融家）："改革和调整必须透明。我们不同于其他团体。有些委员甚至自诩不读申办报告和评估报告。国际奥委会应该将重点放在体育上，而不是其他诸如和平、环境、儿童等问题上。我们不要成为诺贝尔和平奖的候选人。该来的自然会来。我们的精力应放在体育上，我们不是联合国。"

● 何振梁(中国，执行委员会委员)："国际奥委会必须调整它的地位，成为全世界的代表。目前，仍有一半以上的成员来自欧洲。我们不能让商业化损害了体育本身的精神。在发展过程中存在着商业化，而商业化导致腐败。我们不能自掘坟墓。社会发展是有规律的。最终的主流还是道德目标。

● 金云龙博士（韩国，执行委员会副主席）："奥运会是至高无上的，是特别的，即使是孩子也知道这一点。这就是为什么我们必须尽一切努力来为它的未来着想。但是，理想和商业化，谁占据主导地位？我们是否走得太快了？奥运会仅仅是一种娱乐吗?我们是不是正在变成商人和掮客呢？体育不会解决我们生活中的问题，但奥林匹克理想是鼓舞人心的。"

图中金云龙博士(右)与巴赫(Thomas Bach，德国)讨论说："我们必须尽一切努力为它的未来着想。"

● 雅克•罗格（比利时，奥林匹克游艇运动员）："我们是否应该降低奥运会成本，来获得更大的盈利呢？奥林匹克运动的压力主要来自于财政方面。我们需要重新审查比赛场地的容量、项目、比赛项目数量、管理成本，尤其是技术管理成本。我们应该全面精简。综合性的奥运会的附加值是不可替代的。在下一任主席的领导下，应加强综合管理，执行委员会的代表性应更强，他应该有一个团队。国际奥委会应该更注重核心活动。兴奋剂问题非常重要，运动员对奥运会的信任取决于奥运会公平竞争的程度。"

第67章 长野

第十八届冬季奥会 1998

日本的原田雅彦

冬奥会跳台滑雪团体冠军

1994年，我在利勒哈默尔奥运会跳台滑雪上失利，到如今，4年过去了。长野奥运会是我将功补过的机会。开始有大风，但现在风停了，我站在跳台上，准备我的第2跳。在第1跳中，我的速度不够。这是成功的最后机会了。我不断鼓励自己，心想：这是在家门口，这是日本。这次再也不能失败了。我必须跳出好成绩，粉身碎骨也在所不惜。那么多观众的欢呼声鼓励着我，激励我继续，我成功地跳出了137米的好成绩。我们获得了团体金牌。那一刻，我兴奋得泪流满面。

回顾从利勒哈默尔到长野之间艰难的4年，现在，我觉得1994年时，我并没有完全了解自己，缺乏自信。我只是一次接一次地跳，但没有连贯性，没有学会成功所需的技巧。在失败的基础上思考问题是错误的。事实上，我认为自己不具备拿金牌的能力。我仍然思念我在利勒哈默尔的队友，葛西纪明和西川近野，他们在1998年已经离开运动队了。当我想到他们的感受时，我觉得很残忍。我最终获得了金牌，但是4年前的经历我仍然不能忘怀，由于我的原因，使他们无缘获得奖牌。

在利勒哈默尔之后的岁月里，我非常急于恢复我的名誉。我迷失了方向，状态一直不好。使我摆脱消沉的是我妻子、朋友和国家奥委会职员们的鼓励。这么多鼓励使我精神大振，恢复了参赛的能力。1997年，我获得了世界冠军，后来又在长野奥运会之前的4次世界杯比赛中夺魁。而这次，我在奥运会上也取得了成功。这些也教会我，只要有取得最后胜利的愿望，就有可能战胜巨大的挫折，弥补曾经的失败。奥运会还告诉我，在我们漫长的人生旅途中，伴随着挫折的痛苦不是毫无作用的。没有失败就没有成功。我认为我还有许多有待改进之处，使我的技术更加完美，能更经常地做出成功的跳跃。我还不能将长野视为我最后的胜利之日。

跳台滑雪赛的第一天，聚集在白马体育馆的观众超过了33000名。毫无疑问，该项赛事的夺标热门是原田雅彦，在这个赛季，他已经4次在世界杯赛中胜出了。在拥有3位跳台滑雪好手的情况下，日本甚至有希望囊括所有奖牌，重现1972年札幌的辉煌。可惜东道国没有实现这个愿望，在随之而来的第二个项目的比赛中，原田雅彦没有承受住压力，聊以自慰的是船木和喜获得了银牌。冠军则来自跳台滑雪之乡——芬兰。

索伊尼宁(Jani Soininen)与4块金牌获得者马蒂•尼凯宁（Matti Nykanen）是同乡。他与原田雅彦同是夺冠热门，但他的发挥要更稳定些。在第一跳中，原田雅彦领先，索伊尼宁第二；但在第二跳中，成绩颠倒了过来。原来排在奥地利的安德雷亚斯•维德霍尔茨（Andreas Wiidholz）后面的船木和喜，在比赛中第5个起跳，以90米的成绩领先，这样，排在他前面的就只剩下索伊尼宁和原田雅彦了。由于起了一阵风，比赛暂停了一会。在最后一轮，索伊尼宁跳出了89米的好成绩，这使他的总成绩得以领先于船木和喜。84.5米的糟糕成绩使原田雅彦跌至第5名。在接下来的比赛（120米级个人赛）中观众更多，高潮部分令他们窒息。在第一轮比赛中，船木和喜只排在第4位，屈居维德霍尔茨、冈边高（日本）和索伊尼宁之后，第二轮他跳出了最好成绩——132.5米，他的姿势非常好，5名裁判都给了他20分的满分。原田雅彦第二跳有如神助，他着地时无数崇拜者发出了欢呼，足足有136米，遗憾的是他双脚落地时，一只脚在另一只脚的前面，而不是并在一起，结果只拿到铜牌。如果他落地时符合要求，金牌就是他的了。

比赛那天天气很坏，冷风往脖子里呼呼直灌，冰冷刺骨，他们为日本赢得了团体赛的冠军，受到国人的盛赞，几乎被奉若神明。胜利来之不易，因为在第一轮过后，日本队位居第四。由于风暴，浓雾弥漫，看不见着地点，原田雅彦跳出了48名运动员中倒数第五的成绩。在第二轮的第一跳中，冈边高跳出了137米的奥运会纪录，使日本队回到第二名。和喜紧接着跳出124米，然后是原田雅彦，他不负众望，在大风中纵身跃起，跳出了另一个令人目瞪口呆的137米。在无数麦克风的包围中，他抽泣着说：“我做到了，我做到了。”观众雷鸣般的欢呼声淹没了记者们所有的问题。看台上喇叭声响成一片，旗子

冠军船木和喜与第3名原田雅彦，在跳台滑雪赛中反败为胜后，在众多观众面前挥动手臂。

挥成了海洋，日本获得了长野奥运会的第4块金牌——比以前所有冬奥会的总和还多——还使船木和喜成为迄今为止最成功的男子运动员，他获得两枚金牌，一枚银牌。德国获得团体银牌，奥地利获铜牌。

奥地利对赫尔曼•迈耶(Hermann Maier)的期待就像日本对原田雅彦的期待一样，他曾在欧洲杯和世界杯上获得冠军，并作为5项高山运动中3个项目（包括速降）的夺标热门来到长野。但他的队友中，安德列亚斯•西费勒(Andreas Schifferer)排名在他之前。比赛因为天气不好几经推迟，冰道最关键的一段在7号旗门，那儿有一个向左的急转弯，迈耶却全速地撞了上去，以100公里/时的速度向旁边飞出去，滑雪板打着旋儿飞向天空，他上下翻滚着跌向安全网，头部着地，又弹起来两次，最后落在松软的雪地上，竟然奇迹般地没有受伤。这个旗门还淘汰了一些人。

迈耶准备向命运挑战。在超大回转比赛中，他看起来并没有受什么影响，比屈什(Didier Cuche，瑞士)和克瑙斯(Hans Knauss，奥地利)快了将近半秒，他获得了金牌，屈什和克瑙斯同获

奥地利的赫尔曼•迈耶在速降赛中。虽然摔得很厉害，却奇迹般地没有受伤，后来赢得了超大回转比赛冠军。

银牌。3天后，他获得了该项赛事的金牌，可谓意外之喜。奥地利从90年代开始就投资300万美元，来寻求国际上的成功，但他们早早就把迈耶拒之门外了。当他站在领奖台上时，眼泪可以为他在家乡的那些日子尽情地流淌。那是在萨尔兹堡南部的一个地方，当年他在那里一直想做一名陪练员，为正式的运动员在赛前试验赛道。在大回转比赛中，他在两轮比赛中都是滑得最快的。在第二轮，“我像往常那样精力充沛，我必须滑到极限，没有期望赢……我不是个伟大的英雄。我只是很快乐。”

胜利的眼泪在奥运会上是太常见了，但上天对清水宏保的眷顾是再公平不过了。他的父亲兼教练植松仁（Hitoshi）7年前死于胃癌。清水宏保身高1.62米(5英尺3 1/2英寸)，是所有男子

矮小的清水宏保(日本)在奥运会500米速滑比赛上击败加拿大的沃瑟斯庞（左)和奥弗兰夺魁。其母亲做铺路工养活全家。

速滑运动员中最矮的一个。当他在500米比赛中为日本赢得第一块金牌时，在领奖台上，他与分别获得银牌和铜牌的加拿大人沃瑟斯庞(Jeremy Wotherspoon)和奥弗兰(Kevin Overland)相比，就像个侏儒。但这位冠军和世界纪录保持者，不但被狂热的观众所尊重，同时也赢得了对手的尊重。“他的技术最出色。”奥弗兰说：“他每一步都尽了最大努力，这就是他为什么获得金牌，还创下纪录的原因。”在这次比赛中，他在第一轮和第二轮比赛中都创造了纪录，这是第一次两场连胜的比赛。

事实上，在开赛第一天，男子5 000米赛场上，3位奖牌获得者都打破了世界纪录。冠军是荷兰的罗默(Gianni Romme)，成绩是6分22.2秒，比4年前科斯创下的纪录快了12秒。罗默在胜出之前，看到费尔德坎普(Bart Veldkamp) 首先打破纪录——费尔德坎普将国籍从荷兰换成比利时，以获得参赛资格——然后是里茨马(Rintje Ritsma)，他的同胞，而他自己滑得比他们快了6秒多。罗默在10 000米中也创下世界纪录，他与同伴一道，大获全胜。费尔德坎普是6年前阿尔贝维尔的冠军，他战胜过前奥运冠军科斯，但这次没有拿到奖牌。在波斯特马（Ids Postma）和博斯（Jan Bos） 分别获得1 000米比赛冠、亚军之后，荷兰人的优势得到了巩固。波斯特马刷新了詹森在利勒哈默尔的世界纪录。

在公平竞争的名义下，当夺标热门失利的时候，大家一般都不会有不满的情绪。美国冰球队有6名NHL（美国全国曲棍球联合会）运动员，每人账上都有50分的成绩，还有17名未来的NHL球星，被誉为另一个梦之队，在世界杯决赛对加拿大取胜后，他们更是不可一世。但在本届奥运会中，他们以2：4首先输给了卫冕冠军瑞典队，在1/4决赛中又被捷克共和国以4：1打败，只好收拾包裹回家去了。这是美国队连续第5次在奥运会上没有拿到奖牌。捷克的英雄是守门员哈塞克(Dominic Hasek)，在与美国队的比赛中，仅由哈塞克救下的球就有38个。在决赛中，捷克人取得了他们的第3个主要胜利，以1：0击败俄罗斯。哈塞克仍有出色表现，他抵挡住了俄罗斯人的20次进攻。

利平斯基，比70年前的海妮还年轻，在花样滑冰比赛中位列才华横溢的队友关颖珊之前。

关颖珊(美国)首次受到更广泛的关注是1994年在圣彼得堡举行的友好运动会上，那时她还只是一个早熟的孩子。在长野，她成为决赛中最有希望夺魁的6位运动员之一：两名美国人、一名中国人、两名俄罗斯人和一名法国人，这几个人都是艺术家。在她们中间将要诞生最年轻的个人冠军。利平斯基(Tara Lipinski)现年15岁零255天，比1928年的海妮还要年轻60天。无论输赢，利平斯基决意享受自己的奥运会，她到得很早，以确保自己能参加开幕式方阵。

关颖珊是利平斯基的队友，也是最接近的竞争对手，她17岁，相对大一些。在短节目中，她领先于利平斯基。自由舞比赛中，关颖珊在阿尔文的《竖琴协奏曲》的背景音乐中，像一颗雨滴在玻璃上跳跃。裁判们一致给她的表演打了5.9分，但是她的技术分还是落后于利平斯基。带着灿烂微笑的莫斯科的斯卢茨卡娅(Irina Slutskaya)第一个完成了3周沙考跳接3周套跳，但是俄罗斯三弦琴奏出的民族音乐也不能使她高于第5名。中国的陈露第3次参加奥运会，表现出花瓣一般的优雅，一度从第4名攀升到第2名。塞亚•波娜莉(Surya Bonaly)的出色表演非常受观众欢迎，但是她那娴熟的后空翻却不合规定，无法获得高分。接下来是利平斯基，她晶莹剔透，在裁判桌前不远处完成的3周套跳令人叫绝，她在冰面上腾跃，就像香槟溢出酒瓶。

男子花样滑冰，你可以想象得出，技术更多于艺术。加拿大人斯托伊科(Elvis Stojko)的胃痛是否影响了他与20岁的俄罗斯运动员库利克(Ilya Kulik)的比赛，这一点一直有争论。斯托伊科是一位非常优秀的进攻型滑冰运动员，但他一个月前在加拿大锦标赛中受伤了，因此无法与完美无瑕的库利克对垒。当斯托伊科完成了3周跳，表演即将结束的时候，他明显是在忍着疼痛。后来他在教练的搀扶下，才能出席颁奖仪式。斯托伊科好几天没有训练了，他的银牌是勇气的奖牌。而库利克的表演很欢快。在短项目中，他在戈什温的《蓝色狂想曲》中起舞，带着他这个年龄少见的自信，领先于所有人。

女子高山项目与男子比赛一样，也有推迟。塞钦格(Katja Seizinger)已经获得了本赛季的大部分速降赛冠军，现在，在比赛推迟两天之后，成为第一位成功卫冕的女子奥林匹克运动员。松软的积雪和寒冷的冰层对她来说是家常便饭。但是在艰苦的、凹凸不平的赛道上她也只能领先瑞典的维贝里(Pernilla Wiberg) 0.29秒。维贝里在本赛

康德洛罗(Philippe Candeloro，法)演绎的步兵神韵，在花样滑冰比赛中吸引了观众，但裁判不太认可，他只能获得铜牌。

季中两次忍受伤病之苦，所以银牌对她来说可能是奢望。两小时后她又跟在塞钦格后面，沿同一条赛道滑了回来，在混合赛中得以领先；但在第二天，比赛的第二阶段，维贝里，这位小回转赛专家，在接近终点时落下一个旗门，银牌和铜牌分别为德国人马蒂娜•埃尔特尔(Martina Ertl)和格尔格(Hilde Gerg)获得。这样，塞钦格继瑞士的施奈德(Vreni Schneider)之后，成为第二位赢得奥林匹克高山项目3块金牌的女性。

在女子速滑比赛中，日本的冈崎朋美像清水宏保一样出色，在500米的第一轮比赛中以38.55秒暂时领先，但很快就被卡特里奥娜•勒梅•多恩(Catriona LeMay Doan)用第一轮的奥林匹克纪录38.39秒和第二轮的38.21秒超过了。勒梅•多恩在1997年末，创造了一系列世界纪录，成为夺标热门。加拿大的奥赫(Susan Auch)被看作她的主要对手——事实的确如此。奥赫领先冈崎朋美，与她在利勒哈默尔一样，最终获得了银牌。荷兰的蒂默(Marianne Timmer) 在自己最好成绩的基础上提高了3秒，以1分57秒58赢得1 500米冠军，对此，她自己和观众一样，甚至比观众还吃惊。而勒梅•多恩却奇怪地落到了第13名，这距她获得金牌仅两天。

随着获得男子30公里两项接力和四人雪橇赛的胜利，德国队在还剩一天时以12块金牌稳居榜首，总数29块奖牌更是无人能比。这是德国国家奥委会体育资助项目的丰硕成果，这个项目耗资1 800万美元，广泛资助3 500名运动员，而不仅限于精英队员。

塞钦格成为第一位成功卫冕的速降赛冠军。

第68章 法律和道德

塞内加尔的凯巴·穆巴耶，国际法院法官
已故国际奥委会副主席

创建一个体育法庭的想法，在萨马兰奇当选主席不久后就产生了。在1981年巴登-巴登会议上，萨马兰奇提出，以国际法庭为底本，“建立一个体育的海牙国际法庭”。他请我做参谋，刚开始我认为他是一时兴起，后来看他是认真的，我就开始工作了。国际体育仲裁法庭（CAS）成立于1983年，这是一次真正的革命。它避免了法庭，有时甚至是国家法庭出于嫉妒和对本身的权威的维护，而做出的干涉。在短短几年内，国际体育仲裁法庭就为人们所接受，并赢得了国际性的尊重。不仅是体育组织，连国家法庭也同样如此——它们出于自己利益的考虑，愿意在自己管辖的体育的相关方面，降低自己的权威。国际体育仲裁法庭是第一个制定规则，尤其是法律规范，来管理国际奥委会运作的机构。事实上，它的第一个决定就包含在国际奥委会执行委员会所批准实施的反制裁条例中。国际体育仲裁法庭的工作不仅是法律裁判，它还担负着教育作用。该机构后来由国际体育仲裁协调委员会（ICAS）独立管理。

对像国际奥委会这样的法人的管理，与自然人一样，仅由法律去规范是远远不够的。我们生活在巨变的时代，道德好像是陈年旧物，但越来越多的人认识到，任何人都不应只受法律的约束，也就是说，在法律之上，还应该有道德的约束，甚至法律允许的事情，也应受到道德的规范。

盐湖城丑闻突然爆发后，国际奥委会充分认识到了这一点。在这个美国城市申办2002年奥运会过程中，很明显，有人违背了国际奥委会先前对自己及其成员制定的条例。但是，人们不断重复的言词和不信任并不足以构成腐败。实际上，腐败的法律含义所指的行为，不能与盐湖城丑闻相提并论。被控腐败严格要求证据，证明有约在先，并付诸实施。现有的一些不成文的规定，就像在索福克勒斯悲剧中令伊迪帕斯王自杀的条文一样，它们虽然无凭无据，但也是规范自然人和法人的规范。因此，国际奥委会建立了道德委员会，作为对国际体育仲裁协调委员会工作的补充。

这个委员会由8个人组成，其中的5个人与奥林匹克运动并不相关。该委员会严格监督每一个“奥林匹克相关方”的行为，如国际奥委会本身、它的成员、申办城市、它们的组委会、有关国家奥林匹克委员会，甚至是候选城市委员会。道德委员会的监督功能是广泛的，它的权力仍在加强。当然，它所面临的困难与国际奥委会为自己绘制的宏图是相关联的，但是这两个世界体育运

动的新机构，国际体育仲裁协调委员会和道德委员会，在制定条例和规范奥林匹克运动成员行为方面，正在逐步发挥作用。毫无疑问，在两个机构的配合下，必将确保奥林匹克运动的宪章。从道德和法律两方面去规范，这意味着真正的公平竞争。”

1991年，长野以微弱优势战胜盐湖城，取得1998年冬奥会的主办权。半小时后，在英国伯明翰举行会议的旅馆里，长野代表来到盐湖城代表下榻的充满火药味的套房中，做安慰性的致意。当时笔者正好在场，盐湖城奥申委主席威尔奇(Tom Welch)的妻子埃尔玛•威尔奇用锐利的眼光盯着对方，说：“我们只是钱不够。”这寥寥数语也许就是奥运历史上最大的丑闻的开始。当威尔奇和他的助手戴维•约翰逊用自己的钱支付会议费用时，他们意识到，长野贿选的传言是真的。鉴于这种认识，威尔奇决定在申办2002年冬奥会时要大幅度调整其申办计划。该计划包括与国际奥委会成员建立长期的、能影响投票的关系，还有与其他有影响力的人物，所谓奥运一族建立关系，这也包括与美国国家奥委会的关系。这个计划耗费了上百万美元。虽然盐湖城曝光后反响巨大，但它与很多其他申办活动根本没有什么大的区别。

在接下来的7年半时间里，针对申办城市提供的奢靡的“娱乐节目”，外界出现了大量的批评。在1993年、1995年和1997年的申办活动中，这些娱乐节目被视为与少数国际奥委会成员的特权相关。3次申办活动中，当选城市分别为悉尼、盐湖城和雅典。萨马兰奇的日子还算相对平静，执行委员会作了一些努力以制止铺张，但收效甚微。这些“规定”被双方的一些人轻易地忽视了。不法行为没有收敛，而是继续蔓延开来。

1993年，当萨马兰奇主持有西班牙国王和王后以及瑞士体协主席出席的奥林匹克博物馆开馆仪式时；还有1994年，当他主持在巴黎召开的国际奥委会世纪会议和亚特兰大的世纪奥运时，他一定以为自己可以和这个世界上最重要的国际组织的创建人皮埃尔•德•顾拜旦相媲美。是的，国际奥委会现在囊括了29个它以前的对手，难道这还不能说明萨马兰奇时代的民主吗？后来，在盐湖城丑闻中，萨马兰奇本人也被控接受了一支贵重的猎枪，虽然这类正式的礼物都被直接送到了国际奥委会的陈列室。对大多数国际奥委会成员而言，虽然他们在执行任务时乘坐的都是头等舱，但毫无疑问，他们并没有受贿。萨马兰奇错误地认为，如果存在少数害群之马，这在一个组织中是正常的，而且，这种潜在现象也是可控的。以事后诸葛亮的聪明来看，至少在1990年，就应该就此事召开独立的听证会了。

1998年11月24日，第一枪打响了：犹他州一家电视台当天报道说，盐湖城奥组委为前国际奥委会委员、喀麦隆人埃松巴的女儿索尼亚•埃松巴（Sonia Essomba）支付了大学学费和住宿费。像水门事件一样，最初曝光出来的东西不过是个引子。很快，人们就发现，这还只是盐湖城全部贿选计划中的一个枝节而已。几个星期以来，丑闻都是全球报纸和电视连篇累牍报道的对象，涉及到国际奥委会成员的亲属所接受的奖金数量，据称将近50万美元，这还不包括其他的行贿手段。萨马兰奇立即要求国际奥委会司法委员会进行调查。在12月的洛桑第二次会议上，理查德•庞德被任命为特别委员会主席，来调查国际奥委会成员玩忽职守的行为，以及其他申办城市的贿选问题。

如果说国际奥委会面临风暴之前，已经延误了暴露内部腐败问题的控制时机，那么任何最终控制丑闻蔓延的希望在执委会午餐时则彻底破灭了。做了35年国际奥委会成员的80多岁的瑞士律师马克•霍德勒（Marc Hodler），单方面决定来捅这个马蜂窝。这位国际滑雪协会主席出人意料地举行了新闻发布会，大量的新闻机构和国际记者云集而来。霍德勒声称，有5%—7%的委员存在不正当投票行为，涉及的申办城市有亚特兰大、悉尼和长野。引人注目的是，当庞德的新委员会要求他提供证据时，他的全部回答就是：一切都是道听途说。对于一个律师来说，说出这样不专业、不确定的话是不明智的。但他为媒体提供了足够的佐料。年初，新闻界揭露了更多的事实。阿尔弗雷德•拉门特——美国国家奥委会的官员，承认他曾为盐湖城提供拉美籍国际奥委会成员的资料。有报道说，刚果的让克洛德•甘加(Jean-Claude Ganga) 已经从盐湖城为他安排的地产生意中获利6万美元。1月9日，盐湖城组委会（SLOC）主席弗兰克•乔克里克（Frank Joklik）和第一副主席戴夫•约翰逊双双辞职。

80多岁的瑞士律师、国际奥委会成员、前国际滑雪协会主席马克•霍德勒的即兴自由发言，加速了国际奥委会丑闻的扩散。

1月19日，1981年入选国际奥委会，也是最早的女性委员之一，芬兰的皮尔约•海格曼成为国际奥委会第一位辞职的委员，因为她的位置已无法维持。紧接着的是利比亚的贝希尔•阿塔拉纳布勒西的辞职，原因是他的儿子接受了数千美元的资助，前往盐湖城的杨百翰大学读书。同时，一个调查委员会成立了，盐湖城组委会也组成了自己的道德委员会听证会，美国国家奥委会成立了一个特别小组来监督国际奥委会的管理——注意——名称是奥申办特别监察委员会，由来自缅因州的前参议员乔治•米切尔领导。联邦调查局也对盐湖城组委会进行了问讯，因为他们有可能触犯了《反海外腐败法》。这期间，萨马兰奇于3月17、18日在洛桑召开特别会议，同时声明他无意辞职，尽管外界媒体都要求他这样做。在会议之前，米切尔委员会发布了一份50页的调查报告，其中包括7页的建议。这个委员会因在美国奥委会的听证中态度激进而声名大噪。

在澳大利亚，在前总审计师谢里丹主持下的谢里丹报告总结了悉尼申办的情况。悉尼奥申委专门雇佣两名职业说客，他们的主要职责就是为悉尼游说，报告对此做出了负面的结论。在审查中，澳大利亚国家奥委会主席约翰•科茨 (John Coates)的行为也遭到质疑，他在1993年的申办中，因为面临来自北京的竞争，在投票前48小时，给肯尼亚和乌干达籍的国际奥委会委员以丰厚的礼品，名义是“培训教练”。这两个委员分别是查尔斯•穆科拉（Charles Mukora）和弗朗西斯•尼扬圭索（Francis Nyangweso）少将。

1月23日，执行委员会对庞德的特别委员会所收集的证据进行审查，这是对6位被怀疑的委员的调查结果。还有两位在调查之前就已经辞职了，另外还有3位继续接受调查。萨马兰奇给所有申办城市发函询问，扩大了调查范围，但违规已成事实。

在接下来的一个月，盐湖城组委会的道德委员会发表了他们的报告，报告列举了大量事实，证实了执行委员会的怀疑。像米切尔委员会一样，报告提出了很多建议，来调整国际奥委会的活动和修改申办程序，加强财政透明度。同时，新闻界谣言盛行。以至于《国际先驱论坛报》以“一个不想调查事实的新闻界”为题，发表评论说：“现在的新闻界没有耐心，他们没有一个探讨事实是否存在的氛围，漠视证据，热衷于讨论道听途说。”各国情况大抵如此，至少在英国是这样，很多文章都是谣言和猜测的综合。《每日镜报》曾经说，瑞士政府应该“关闭”国际奥委会。那么谁来代替它呢？在众说纷纭中，庞德和比利时的雅克•罗格清醒的声音显得势单力薄。庞德认为，不应该由执行委员会进行反向调查。因此有意将早期的听证结果泄露给《华尔街日报》。

舆论广泛认为，将要进行的除名是国际奥委会历史上的第一次，这并不准确。事实上，此前已有11个委员被迫离职，其中只有1991年赫尔米克的离职是因为财务原因，有5人是因为技术原因，即由于没参加会议而离职。

1999年开除的国际奥委会委员（顺时针）：阿古斯丁·阿罗约（厄瓜多尔）、扎因·阿卜丁·艾哈迈德·阿卜杜勒·卡迪尔（苏丹）、让·克洛德·甘加（刚果）、拉明·凯塔（马里）、塞尔希奥·桑坦德·凡蒂尼（智利）、保罗·沃尔沃克（西萨摩亚）、雷内·埃松巴(喀麦隆，已去世)。

半个世纪以前的新闻界与今天不同，他们对前3届国际奥委会主席在柏林奥运会上的获利情况没有太多评论。德·顾拜旦支持柏林奥运会，希特勒政府因此提名他为诺贝尔和平奖候选人。而就在奥运会期间，德国反法西斯人士卡尔·冯·奥西埃茨基(Karl von Ossietzky)却惨死于集中营；德·顾拜旦的后继者德巴耶·拉图尔从比利时兴业银行的合并中获利颇多，因为他的家族是德意志银行的创始人和主要股东；1952年当选的埃弗里·布伦戴奇则持有合同，负责建造德国在华盛顿的大使馆，这是一个得益于第二次世界大战的项目。

在盐湖城丑闻中，涉案人员全部名单如下：

开除：阿古斯丁·阿罗约（75岁，厄瓜多尔，1968年入选）；塞尔希奥·桑坦德·凡蒂尼（72岁，智利，1992）；扎因·阿卜丁·艾哈迈德·阿卜杜勒·卡迪尔（58岁，苏丹，1990，1983-1987年间就是国际奥委会委员，曾由于政治监禁，不能出席奥委会会议而被除名）；让·克洛德·甘加（64岁，刚果，1986，非洲国家奥委会〔ANOCA〕主席）；拉明·凯塔（65岁，马里，1977）；保罗·沃尔沃克（57岁，西萨摩亚，1987），第7个违规者是雷内·埃松巴（喀麦隆，1978），因为已经过世不再追究。

退休：贝希尔·阿塔拉纳布勒西（61岁，利比亚，1977）；海格曼（47岁，芬兰，1981，奥林匹克400米运动员）；穆科拉（64岁，肯尼亚，1990）；西班泽（76岁，斯威士兰，1984）。

严重警告：维塔利·斯米尔诺夫（63岁，俄国，1971、1980年莫斯科组委会主席）；金云龙（67岁，韩国，1986，国际体育运动联合会主席）。

警告：菲利普•瓦尔特•科尔斯（68岁，澳大利亚，1982）；安东•J•基辛克（64岁，荷兰，1987、1964年奥林匹克柔道冠军）；吉兰杜•恩迪亚耶（75岁，象牙海岸，1969，前奥林匹克协议主席）。

这16个人中有几个要相对清白一些。皮尔约•海格曼退休了，她说："虽然我既没有违背奥林匹克誓言，也没有违反国际奥委会的规定，但作为国际奥委会成员，我已经失去了有效行使职责的能力。"对她的指控主要是其前夫在1990年多伦多申办百年奥运期间，在安大略国土资源部谋取了一个森林管理员的职位，而这份工作是通过广告招聘的，他也符合了应征的条件；而多伦多奥申委主席保尔•亨德森(Paul Henderson，后来的国际奥委会委员）在海格曼找房子时，为她提供了暂时住处。亨德森说："这是朋友应做的。"安东•J•基辛克则由于从盐湖城委员会的"安东•J•基辛克友联"基金会接受了5000美元的技术咨询费而受到了警告，这笔咨询费曾在荷兰引起过指责。

关于汉城奥运会的策划人，涉案的高级政府官员金云龙博士的案子很离奇。美国商人西蒙斯（David Simmons）在为自己的税案辩护时说，他曾雇佣金云龙的儿子凯姆（John Kim），并帮助他获得了永久绿卡和工作身份。据说凯姆的工资是由盐湖城组委会支付的。在这件诽谤案中，汉城国民法院否决了西蒙斯的指控，并缺席判处他18000美元的罚金。2003年6月，该案出现新的转折，凯姆在保加利亚被捕。在本书写作之际，他正处于美国的监管之下，美国因为这件绿卡案，要求引渡他。这因而成了一件离奇的三角案。

不巧的是，1988年夏天，在环法自行车赛中滥用兴奋剂的情况被揭露出来后，国际奥委会原计划在第二年的2月份召开会议，成立一个新机构——世界反兴奋剂协会（WADA），现在却被这次危机蒙上了阴影。在2月份的会议上，应邀参加会议的政府代表对这个极具意义的新机构普遍缺乏热情，他们的精力大多花费在告诉国际奥委会怎样改组管理。关于世界反兴奋剂协会的最初设想是，成立一个像国际体育仲裁法庭与国际体育仲裁协调委员会那样的独立的监督机构。其中对奥委会批评最猛烈的是巴利•麦克弗雷，他是克林顿政府的白宫禁毒局的主任。由于麦克弗雷来自美国，而美国的反毒品行动明显失败，所以他的批评并没有被接受。前面提到过，麦克弗雷说，世界反兴奋剂协会既不独立，也不负责任。世界反兴奋剂协会的主席，理查德•庞德就他对世界反兴奋剂协会的批评，以他鲜明的锐利风格，致信说："虽然我对你很尊敬，但你的观点很明显是错的。"

在一份给国际奥委会成员的文件中，萨马兰奇总结了世界反兴奋剂协会项目的6个主要任务：

1. 负责与国际单项运动联合会协议比赛之外的检测
2. 统一检测实验室的标准和技术水平
3. 统一纪律措施
4. 促进、支持和资助研究工作
5. 教育项目
6. 促进道德建设

正如庞德给麦克弗雷的信中所写的那样：

> 一个国际性行动的成功，有赖于体育先进国家国内强有力的政策。很明显美国就是这样的国家。如果它自身的政策是清晰无误的，而且在国内能不折不扣地执行，那样，将对整个行动贡献很大……你对奥林匹克运动的观点与你自己国家中的职业体育运动的现状相差甚远。

随后，麦克弗雷的态度180度大转弯，声称庞德是这个项目的最合适人选，认为他是"奥林匹克运动的巨大财富"。

世界反兴奋剂协会在洛桑成立之初，一些热衷于流言蜚语的记者，十分想看萨马兰奇出丑，密切注意雅克•罗格或国际划船联合会主席丹尼斯•奥斯瓦德（Denis Oswald）的说法。而他们却详细描述了对不同运动项目中阳性检验的处罚尺度。在奥斯瓦德主管的项目中，可能要被终身禁赛，其他项目则根据运动员的年龄、根据是否是本国国家奥委会鼓励用药的牺牲品、还是自愿用药，承担不同大小的责任。世界反兴奋剂协会雄心勃勃。

让我们回到盐湖城丑闻，如果霍德勒没有在去年12月单方面举行记者招待会，执行委员会是否会做出决定，采取严厉的惩罚措施——开除，以及进行随之而来的内部重组呢？后来的秘书长——头脑开放的佛朗哥政府的卡拉尔说，“我想可能会的，但可能不会进行分级处罚。”另一方面，理查德•庞德在作为特别委员会主席向3月份的特别会议作报告时强调：

> 我们收到了所有涉案人员的解释，会见了那些要求面谈的人，审阅了所有记录和文件。今天，我将我们的调查结果提交执行委员会，并得到了对我们的建议的一致支持。我要强烈重申，今天采取的措施代表一个过程的开始，而不是结束。我可以向你们保证，国际奥委会将把这个特殊时期看做是机遇，在一个动态的基础上进行更新和改造……由委员会考察的、关系到建议除名的人员的所有案例，都不是偶然或随意的行为。在每一个个案中，都是有意而为的，而且行为严重，他们不可挽回地破坏了国际奥委会成员的誓言，导致了对国际奥委会的损害……我还要说，这不是一个区域、文化和种族的问题，这是一个个人在组织中的行为问题，这个组织把成员的个人品质看得极其重要。

前面提到的6名成员被多数票决定除名。

庞德报告也对一些批评做出了回应——比如，伦敦《泰晤士报》和美国《新闻周刊》的社论谈到，国际奥委会形成了腐败的风气——报告说，首先，国际奥委会在1986年第一次出现贿选问题后，马上于1988年对申办城市制定了有关礼物赠与的规定；第二，针对行为不当现象的听证会是国际奥委会首先发起的，比其他所有的调查都要早；第三，国际奥委会准备采取决定性的行动来避免此类事件再次发生。庞德报告的建议包括对主办城市申办过程的重大改革，国际奥委会成员对申办城市考察的限制，以及组建道德委员会等。

道德委员会在3月18日迅速成立，包括8位成员，其中有5位是独立于国际奥委会的。这5个人加上3位国际奥委会成员——主席凯巴•穆巴耶（Keba M’Baye）法官、凯文•高斯帕（澳大利亚）和猪谷千春（日本），组成了该委员会。他们迅速制定了道德法案，该法案由7章组成：尊严、正直、资源、成员资格、与国家的关系、保密和执行。该委员会的另一个首要任务是对受到警告的各位成员继续进行调查，但这一步伐明显慢了下来。

1999年5月，新的国际奥委会道德委员会召开首次会议，后排（从左至右）：霍华德•贝克、哈维尔•佩雷斯•德奎利亚尔（秘鲁）、库尔特•富格勒、罗伯•本丹特。前排（由左至右）凯文•高斯帕（国际奥委会/澳大利亚）、查梅尼•克鲁克斯(国际奥委会/加拿大)、凯巴•穆巴耶（国际奥委会/塞内加尔）、猪谷千春（国际奥委会/日本）。

虽然庞德委员会出具了调查结果，道德委员会也迅速出台，但媒体还是要求萨马兰奇下台，认为他必须对这个组织中的少数成员的腐败负责。在特别会议上对萨马兰奇进行了信任投票。但媒体批评认为，很多投票者如果在国际奥委会拥有席位，就会受到他的约束。与这种激烈的指责相反，事实上，他是能在最短时间内实施根本改革的唯一人选。在这种时候，领导层的任何变化都是灾难性的，因为新的领导对他的职责和他所获得的支持没有把握。另外，体育、娱乐业的兀鹫们虎视眈眈，一有可乘之机，他们立即就会诱使灵活的国际单项运动联合会创办新的综合性体育商业公司。而这种公司是很有可能出现的。

稳定力量仍在起作用。法国国家奥委会主席塞朗度(Henri Serandour)声称："我不是那种遇险就逃的船长，而他的工作就是将船导航到安全水域。"萨马兰奇聪明地坚持秘密投票，可以想见投票结果是一边倒的，他获得了90票中的86票。

除了除名和组建道德委员会之外，108届特别会议所作的根本改革是：组建"国际奥委会2000委员会"，委托它准备在12月举行的下一届特别会议上，重新调整国际奥委会的结构、规则和程序，提出预算计划。委员会将由80名成员组成，36名来自于国际奥委会外部，包括基辛格、乔瓦尼•阿涅利(Giovanni Agnelli)、尤伯罗斯(Peter Ueberroth)、加利和奥林匹克历史学家麦克阿龙(John MacAloon)等。"2000委员会"的26名成员是参加过奥运会的成员，44名是国际奥委会成员，12名是目前或以前的国际单项运动联合会主席，24名是目前或以前的国家奥委会主席。他们将组成3个工作组研究以下不同领域：

萨马兰奇主席采纳了"国际奥委会2000委员会"成员基辛格的建议，准备调整国际奥委会的结构和程序。

在整个危机中，国际奥委会担心的是TOP计划的主要赞助商的态度。市场部主席迈克尔•佩恩在美国和日本之间穿梭飞行，力图平息那些跨国公司的不满，他们是国际奥委会商业利益的支柱。庞德也同样忙于说服和保证。佩恩承认：

国际奥委会市场部主席迈克尔•佩恩："我不知道这个组织是否能生存下来。"

有一个时期，我们不知道这个组织是否能够生存下来。在洛桑，集中在我们身上的压力很大。我相信，萨马兰奇留任主席是我们度过难关的基础。没有他来主持，我们不可能推进改革。没有人能做这件事，我们可能会获得短期的平静，却无法作彻底的改革。

首先发难者之一是美国恒康人寿保险公司的总裁大卫•达历山德罗(David D'Alessandro)，他要求萨马兰奇下台。达历山德罗希望问题能迅速解决，包括国际奥委会主席换人。人们对他解释说，国际奥委会不是一个法人，可以用高额退职金解雇它的主席，而只能在现存机构内运作。"到1999年末，哪怕是大卫•达历山德罗(David D'Alessandro)也认识到，萨马兰奇的凝聚力和使主要问题得到解决的能力是未来的关键，一个新的主席是无法做到这一点的。"佩恩回忆说：

幸运的是，TOP的结构没有受影响，所有赞助商都保留下来了，除了IBM(国际奥委会在与他们的悉尼合同到期之后，转与斯伦贝谢神码[Sema]签订了合同)。当时，危机对赞助商有严重影响，例如曾有公司出卖自己的营销合同。庞德和我花了大量时间说服他们，向他们保证，国际奥委会下决心以危机为契机进行改革。

6月，在汉城举行的例会上，新的问题出现了。澳大利亚的菲利普•瓦尔特•科尔斯，前奥林匹克划艇运动员，后来的澳大利亚国家奥委会秘书长，以盐湖城组委会的名义，多次去旅行，他前妻也收受了价值约6000美元的珠宝首饰，这一行为对备受指责的奥委会来讲，更是火上浇油。当悉尼为下一年财政预算筹款时，在科尔斯当前的合伙人帕特里西亚•罗森布鲁克（Patricia Rosenbrock）的文件中，发现了一些令人尴尬的文字，这些文字描述了国际奥委会某些成员的所谓个人弱点及可资利用之处，为申办城市作参考。悉尼组委会的领导迈克尔•奈特(Michael Knight)想撤换科尔斯——组委会委员，澳大利亚籍的国际奥委会成员——因为他的存在损害了该机构的信誉。国际奥委会高层官员主张：将科尔斯除名是应该的。但是他在悉尼组委会内部很有威望，因此勉强保留了他国际奥委会成员的资格，他在悉尼的声望因此得以保全。

在评估委员会的初审中，锡安排第一位，赫尔辛基紧随其后，然后是都灵，奥地利的克拉根福落后较多，排在第四，位于斯洛伐克的波普拉德—塔特拉斯和波兰的扎科潘尼之前。可以想见，锡安和都灵是"投票团"的首选。但委员们的投票结果却令瑞士落选了：都灵53票，锡安36票，毫无疑问，这是对随便讲话的霍德勒的反击。多数国际奥委会委员都为目前包围了每一位与国际奥委会有关人员的流言感到尴尬和愤怒。

都灵获选一个月后，威尔奇和戴夫•约翰逊，原盐湖城奥申委的领导，被联邦指控犯有欺诈和其他罪名。根据美国法律，中心问题是：信息和不正当支出是否只有他们知情，或者说，申办委员会的其他人是否同样知晓这些事件。威尔奇和戴夫•约翰逊的律师坚持说，其他人也参与了贿选行动。2001年7月，4名责任人被美国犹他州地区法院的萨姆法官开释，其他人则于12月被开释。政府检察机关对开释进行了上诉，2003年4月，联邦上诉法院第十巡回法庭的3名法官恢复了两人被控的15项罪名。其他盐湖城委员会的成员中，还有一位也很尴尬，他也可以算作局中人——就是格登•霍尔（Gordon Hall）。他是前犹他州高等法院法官，盐湖城组委会道德委员会成员。"很显然，"霍尔说，"这不是秘密，豪华轿车在那里，直升飞机在那里，需要有人为此支付一切。让威尔奇和戴夫•约翰逊承担一切罪名是不公正的。"

1999年秋季，普里莫•内比奥罗意外去世了。他是体育运动的重要先驱之一，也许他并不总是那么敏锐，但他为了改变国际业余田径联合会的形象。做了很多工作。内比奥罗对体育的热爱是毫无疑问的，他的继任者是塞内加尔籍的第一副主席拉米•迪亚克。

这一年的第二次特别会议，是一次历史性的会议，会议于12月11日至12日在洛桑召开。在《奥林匹克回顾》中，萨马兰奇写道，"世界范围内空前严厉的批评，间接证明了国际奥委会在当代社会中的重要性。对我们正要解决的问题的尖锐批评，并没有破坏国际奥委会成员的团结。"萨马兰奇宣称："我相信这是我们第一次，也是最后一次处理这样的问题……它们不会再次给建立了一个世纪之久的宏伟大厦蒙上阴影。"会议通过了"2000委员会"提出的所有50项建议。

第110届会议首次对媒体开放。会议要求对

1999年12月，国际奥委会在成立后的第105年，于洛桑召开了国际奥委会最重要的一次会议：（由左至右）前奥林匹克冠军和国际奥委会成员居伊•德吕（Guy Drut，法）、查梅尼•克鲁克斯（Charmaine Crooks，加）、谢尔盖•布勒卡（Sergei Bubka，乌克兰）和瓦雷里•伯左夫（Valery Borzov，乌克兰）。

宪章进行大量修订。在危机爆发的12个月内，这些措施就得以迅速引进，令人印象深刻。

在第二次特别会议后不久，萨马兰奇在形势重新稳定的情况下，认为可以面对华盛顿的国会审查小组了。尽管他保证50项改革措施将迅速实施，他还是遭遇了敌意。共和党人乔•巴顿（Joe Barton，德州）重申了他要求萨马兰奇下台的态度，主席以保证所有的改革措施将在明年的悉尼奥运会前到位作答。国会审查小组主席——共和党人弗莱德•厄普顿（密歇根）对于所谓的国际奥委会的“腐败环境”能否通过几条简单的书面规则就能解决表示疑虑。他认为，国际奥委会目前的管理需要一种监督。毕竟，国际奥委会和全世界要看到这些改革的成效尚需时日。

在“2000委员会”领导下，国际奥委会采取的措施非常积极。很明显，奥林匹克运动并非像先前的批评所说的那样是个大染缸：“体育被蒙上温情、虚假的面纱……一个感染的、没有及时治疗的脚趾发展成了败血症（《泰晤士报》）。”

另一位国际单项运动联合会主席说：“盐湖城的全部涉案金额，不过百万美元，与跨国公司的幕后交易相比，只是小菜一碟。”

2000年初，令国际奥委会副主席凯文•高斯帕遗憾的是，他不得不从道德委员会退出了，虽然他曾是这个委员会有力的倡导者。高斯帕及其家人曾在为执行委员会工作的间隙，前往盐湖城观光旅行，而这些费用却是由盐湖城组委会报销的，这正是新闻界（尤其是澳大利亚和美国的新闻界）以及其他一些人抓住不放的话题，高斯帕因此被迫离开。在悉尼奥运会之前，由于他允许自己的女儿应邀参加了奥林匹克火炬接力，受到了媒体更多的指责。事实上，一旦高斯帕接受了希腊籍国际奥委会委员兰维斯•尼科劳（Lambis N'ikolaou）的邀请，而尼科劳也将姓名报给奥林匹亚当地的委员会后，长跑的顺序就完全不在他们的掌握中了。高斯帕的女儿而不是另一个澳大利亚裔的希腊女孩，被安排在第二段火炬接力中。澳大利亚媒体因此强烈谴责高斯帕，认为其中有裙带关系。而希腊的任何人在读到相关的新闻时，都会觉得媒体的反应是太过分了。

庆祝未来。新当选的国际奥委会成员在悉尼闭幕式上齐聚一堂。

澳大利亚，这个人烟稀少的国度，在20世纪大多数时间里都是不落窠臼和特立独行的，他们特别在乎为国际社会所承认，因此，对于所谓的不正当的行为高度敏感。1993年，在蒙特卡洛，罗德•麦克吉奥（Rod McGeoch）领导的申办委员会一举战胜北京后，随着世纪末之约的临近，这个闻名遐迩的城市，越来越多的面临着沉重的压力。其中最主要的负担来自于为运动员、教练员和官员们提供的免费旅行，仅此一项就耗资2400万美元，在体育设施的运输方面还要花费800万美元。悉尼的倒票活动可能比其他主办城市都多。但悉尼数百万志愿者所表现出的无以伦比的热情好客，成了恢复国际奥委会和奥林匹克运动声誉的独特良方。悉尼，几乎在所有方面，都可以用“好”来评价，从运动员、游客、到比赛的进行，再到制造出的那种氛围。这是一种欢乐的、共同经历的、乐观的、参与到真正有价值的事情中的氛围。我们将此归功于每一个澳大利亚人，是他们的努力使这一切成为可能。当然，从政治的和战略的角度看，这也使澳大利亚成为世界上最安全的国家之一。最重要的是，他们的人民知道如何生活。悉尼的贡献，作为奥林匹克历史上的转折点，从社会意义出发，可以看作是自1912年斯德哥尔摩以来最重要的一次奥运会。

内外交困的萨马兰奇有如神助。在他遭到世界范围的谴责的一年以后，他以其天性中固有的执著，使他负责的组织起死回生，而他本人，也重新回到受人尊敬的前台。即使最激烈的反对者，在他从悉尼到巴塞罗那作巡回访问，然后在奥运会开幕式过后，再回去参加他的妻子玛莉亚•特雷茜（Maria Therese）——那位人人称羡的理想伴侣的葬礼时，也都会为他的奉献精神所感动。如果他曾经是先驱的话，尽管现在他意志如铁，但也只能是一个有缺陷的创新者了。在闭幕式上，他唱起了澳大利亚人最喜欢的歌：“澳洲人，澳洲人，澳洲人”，台下疯狂回应道：“Oi,Oi,Oi”。澳洲公众开始欣赏他，因为他为了奥运会，毫无保留地帮助他们去做他所号召的事。“这是我作为国际奥委会主席的最后一届奥运会了，”他说，“无与伦比。我可以骄傲地说，你们给了这个世界一届最好的奥运会。”

国际奥委会第7任主席萨马兰奇端庄而忠实的妻子玛莉亚•特雷茜。

第69章 悉尼

第二十七届夏季奥运会 2000

英国的斯蒂夫·雷德格雷夫(Steve Redgrave)爵士

1984年—2000年期间连续5届奥运会划艇冠军

奥运会是终极挑战。1984年，我第一次夺得冠军时，伯内尔（1948年的奥运会金牌得主）对我说："你是一年的世界冠军，但你是一生的奥林匹克冠军。"这句话说明了一切。奥运会是超越一切的比赛，四年一度，与世界锦标赛完全不同。有些划船运动员甚至不参加世界锦标赛，为奥林匹克运动会养精蓄锐。只有很少人能成为奥运会冠军，所以他们是卓越不凡的。

我参加的前三届奥运会（洛杉矶、汉城和巴塞罗那），组织得都很好，它们充分反映了不同的文化传统。1996年，尽管亚特兰大自称要做到让人觉得"宾至如归"，但他们却没有创造出这种氛围，让人感到有些缺憾。奥运会的压力也很大，训练异常艰苦，尤其是作为夺标热门，我们肩负着公众太多的期望。赢得比赛后，我原来还以为自己会很轻松。但后来的几个小时里，我发现情况并非如此，周围的气氛很紧张。而悉尼就不一样，它拥有很好的体育文化。在几个月内，即使面对我的家人，我都保持着平静。我要通过比赛，成为奥运会的一部分。在澳大利亚，我面临着特殊的挑战，那将是一个独特的高潮时刻。悉尼是个梦幻之地，我喜欢澳大利亚人。我知道我说过，在亚特兰大奥运会之后，如果我再次踏入船中，每个人都有权开枪打死我。但是灵活一点，你就可以避免媒体的压力。在亚特兰大我所表现的激进态度并不代表我真正的想法。

在悉尼奥运会的训练中，我起初不太适应。我希望能有好运气，我也逐渐感到确实如此——如果保持日常训练，保持自己的状态，我就会有信心，就可以取胜。尽管我患有糖尿病，为悉尼所作的体能训练也没有给我太大压力。比赛结束，我回到家乡，公众的反映真是让人惊讶。

要问哪块金牌最好，哪块最独特？那当然应该是在洛杉矶得到的第一块。从孩提时代，甚至还不懂什么是划艇时，我就梦想着能站在冠军的领奖台上。10岁时，看到了慕尼黑奥运会，我明白了奥林匹亚的非凡。我从14岁开始划船，一年以后有人对我说："你能成为冠军。"我对自己说："我要成为奥林匹克冠军。"

在巴塞罗那和亚特兰大，我两次任英国队的旗手，这使我异常激动，那是别人没有的殊荣啊。但除此之外，我还通过奥运会，与马特•平森特(Matthew Pinsent)建立了友谊，我想，这在某种程度上比划船更重要。经历了11年的合作，我们之间具有了某种特殊的关系。

1991年，前东德划艇教练尤尔根•格罗布勒（Jurgen Grobler）加入到Leander俱乐部。他经验丰富，执教过的每一个队都获得过金牌。但他加盟俱乐部后的第一个决定却令当时很多划艇专家吃惊：他让平森特——两次牛津-剑桥划艇赛冠军，做雷德格雷夫的搭档——前艇手，让雷德格雷夫置于船的“后位”。

事实证明，这个决定是正确的。这对新组合如猛虎下山，无人能敌。他们先是在1992年双人单桨无舵赛中大获全胜，1996年又再次夺魁。雷德格雷夫面临退休，但他不放弃对奥运冠军的追求。备战悉尼奥运会前，这对组合与福斯特(Tim Foster)和克拉克内尔(James Cracknell)组成四人单桨有舵赛小组，两支人马迅速磨合，成为不败的神话。对雷德格雷夫这个38岁的人来说，这个项目是一个巨大的挑战。

参加悉尼决赛时，他们回到了巅峰状态，凭借着平森特每分钟45桨冲刺到达终点。意大利队在后面穷追猛打，雷德格雷夫和他的队友以0.4秒的微弱优势领先。由于雷德格雷夫一共取得了13枚世界杯和奥运会奖牌，因而成为有史以来最伟大的奥林匹克运动员之一。“他成了划艇运动的标志。”澳大利亚队的詹姆士•斯图尔特（James Stewart）说。“得一块金牌就已经是梦想成真了，更何况是5块，简直不可思议。”

雷德格雷夫(右二)在拿到具有历史意义的第5块金牌后，筋疲力尽地瘫在座位上。他的队友是平森特(前艇手，图中双手平举者)，福斯特和克拉克内尔。

凯西•弗里曼在400米比赛中轻松取胜，而后在观众声震屋宇的欢呼中，坐下来稳定心神。

在颁奖仪式上，雷德格雷夫还获得了一枚由国际奥委会主席亲自颁发的纪念奖章：“我到这里祝贺他，是因为他是奥运会历史上一部辉煌的纪录。”萨马兰奇这样说。

凯西•弗里曼(Cathy Freeman)夺得女子400米金牌的一分钟，甚至还不到一分钟，是澳大利亚200年历史上最长的一分钟。共有102 254名（付费）观众在现场观看了此次比赛——这是有史以来现场观众最多的一次——同时观看的还有世界数以百万计的观众。该国的第100块金牌被一位澳大利亚土著居民获得，不论是东道国观众，还是运动员本人，都不能完全说清楚这胜利的时刻对他们来说到底意味着什么。前文曾经讨论过该事件的一些社会政治意义，但是在弗里曼成为冠军的时刻，她仍然不失冷静，就像拿到冠军之前的日子一样。她没有欢呼雀跃和得意忘形，而是仍旧穿着那件带帽兜的连体式运动服，在跑道上坐了一分钟。也许一分多钟一动不动，她在独自沉思：自己是谁，刚刚做了什么。在她的手臂上有一个纹身，刺着"因为我是自由的"。现在的确如此。"体育是个伟大的舞台，是生活的缩影。"她后来说，"有时夺标热门反而赢不了。当我越过终点线，梦想成真。我觉得如释重负，我被弄晕了。因为我觉得所有的观众都围着我，都向我涌过来，我感到了他们的欢乐，所以我必须坐下来，让自己恢复正常，舒服一些。"这是在这个特殊时刻的特殊反应。

澳洲土著人等待了十几年，终于找到了机会，她以如此光荣的方式，表达了受压迫部族的存在。1994年，弗里曼首次在英联邦运动会上同时挥动澳大利亚和土著旗帜，但当时的领队不同意她这样做。1997年和1999年，她先后两次获得世界冠军。但在亚特兰大奥运会上，由于法国的佩雷克(Marie-José Pérec)成功卫冕，她最终名列第二。但是，任何一次胜利也不能和悉尼的这次胜利相比。

100米是马里昂•琼斯(Marion Jones)的"五金赛"计划的第一块金牌，这一胜利说明了这个超级短跑选手的实力。

当弗里曼坐下来沉思时，澳大利亚被欢乐和轻松的情绪淹没了。当她稳定心神，举起两面旗帜——她部族的和国家的——绕场致意，就像是跑在魔毯上。在颁奖仪式上，她与满场观众合唱着澳大利亚的国歌，然后献给她妈妈塞西莉娅一束鲜花。这个场面是如此动人，以至于接下来迈克尔•约翰逊在男子400米的胜利显得不过如此而已。此时此刻，澳大利亚的灵魂好像都凝聚在这个土著人身上了。

在悉尼，另外一名引起广泛注意的女子短跑运动员是美国的马里昂•琼斯，她本来希望在奥运会上赢得5块金牌，但由于丈夫亨特被查出药检呈阳性，她受到影响，因此未能成功。

虽然没有达到预定目标（最终获得3块金牌2块铜牌），琼斯还是证实了自己具有能够获得5块个人金牌的实力。而且面对变故，坚决而自尊，不断地说明她自己是"清白的"。琼斯在100米比赛中轻松获胜，优势之大在所有奥运会中创该项比赛之最。在那个略有逆风的早上，她以10.75秒的成绩夺冠，领先希腊选手埃卡特里尼•塔努(Ekaterini Thanou) 0.37秒。牙买加的坦尼娅•劳伦斯(Tanya Lawrence)击败她的同胞，老将奥蒂(Merlene Ottey)，以0.01秒的优势获得铜牌。虽然琼斯的成绩与格里菲斯•乔伊纳在12年前创造的可疑的纪录相差很多，但当她带着星条旗和伯利兹旗（她母亲出生在那里）绕场致意时，脸上仍然带着骄傲的泪水。

34岁的戴维斯•汤普森在她第5次参加奥运会时得到她的第一块个人金牌，然后她召开记者招待会，向美国女运动员琼斯发出400米接力赛的挑战。"我们（巴拿马）是个小国家，只有25万人，小得你在地图上很难找到……我们国家有3个人进入100米的决赛，我告诉你，我们将赢得这场比赛。"

美国队在两项接力赛中，都取得了决赛资格，这点燃了人们的希望，这两项比赛是琼斯

"五金赛计划"中的第4步和第5步。但是，在接力赛中，巴拿马位居第一，领先于牙买加，把美国甩到了第3名。美国因为米勒（Inger Miller）和德弗斯(Gail Devers)受伤缺席，实力不足，这样，琼斯的最后一棒变成了她的第2块铜牌。奥蒂在牙买加队的最后一棒为她赢得了第8块奥林匹克银牌，因此成为获得奖牌数最多的女运动员，虽然她没有获得过金牌。

在田径比赛中，有一些精彩片断，被注意力集中在弗里曼身上的公众忽视了。在男子10 000米比赛中，有一场漂亮的遭遇战。来自埃塞俄比亚的卫冕冠军格布雷塞拉西已经7年不败，其间他更是11次打破世界纪录。格布雷塞拉西遭遇的是他的老对手——肯尼亚的特加特(Paul Tergat)，他是亚特兰大的亚军。由于特加特的队友帕特里克•伊武蒂（Patrick Ivuti）和格布雷塞拉西的队友梅兹格布（Assefa Mezegebu）的参赛，比赛将变得更加激烈。

还没出7圈, 特加特便开始领先，卫冕冠军紧紧跟在他的后面。接下来是伊武蒂然后又是科里尔（Korir）一度领先，原来13人的领先集团变成了6个人：特加特、伊武蒂、科里尔、格布雷塞拉西、梅兹格布和摩纳哥的赛义德•贝罗埃（Said Berioui）。等到摇铃时，梅兹格布插到格布雷塞拉西前面，横向拉开了很大的距离，使肯尼亚的竞争者只能跑上第3道。在直道上，特加特保持领先，但格布雷塞拉西在众人的欢呼中正一步一步赶上他，直到发起最后冲刺，并最终以 27分18.20秒 的成绩领先0.09秒获胜。由此，他成为可以和努尔米、扎托佩克、库茨和维伦相提并论的奥林匹克名将。

两项中长跑赛的结果出人意料。1996年，由于多人冲撞，最终名落孙山的希查姆•埃尔•盖鲁伊(Hicham El Guerrouj)，在其后的4年中一直保持不败。他的地位就像30年前的吉姆•赖恩（Jim Ryun）一样坚固，但他也面临着威胁。4年来的大部分时间里，赖恩一直受到来自肯尼亚大峡谷年轻的诺阿•恩盖尼(Noah Ngeny)的挑战。恩盖尼在19岁时就达到了埃尔•盖鲁伊创造的世界纪录 3分26秒。两年后，他刷新了塞巴斯蒂安•科长期以来无人打破的1 000米纪录。1999年世界锦标赛上，他紧随冠军埃尔•盖鲁伊之后名列第二。埃尔•盖鲁伊低估了恩盖尼不断增强的实力。第一圈时，盖鲁伊的同胞尤瑟夫•巴巴（Youssef Baba）一度领先，然后盖鲁伊超过了他。在还剩80米时，恩盖尼加速超过盖鲁伊18 米，将科的奥林匹克纪录 3分32.53秒提高到了将近半秒(3分32.07秒)。埃尔•盖鲁差点儿因此崩溃倒地，银牌不能给他任何满足感。肯尼亚的拉加特(Bernard Lagat)获得铜牌。

诺阿•恩盖尼,最终击败强劲的对手希查姆•埃尔•盖鲁伊。

另一个错误判断是在800米比赛中由基普凯特 (Wilson Kipketer)犯下的，基普凯特是世界纪录保持者，曾因为从肯尼亚移民丹麦，失去了亚特兰大奥运会的参赛资格。在比赛中，他也犯了犹豫不决的毛病。尽管此前一年，在世界锦标赛上，他险胜南非的瑟彭(Hezekiel Sepeng) 时就已经有教训了。在亚特兰大之后，基普凯特得了疟疾，而且如今已经29岁了，这可能是他问鼎奥林匹克冠军的最后机会了。但他与1980年的科在莫斯科一样，功败垂成，冠军被德国的尼尔斯•舒曼(Nils Schumann)获得，成绩是1分45秒8，这是自科输给奥维特以来最慢的夺冠速度了。

可怜的迈克尔•约翰逊！虽然他在400米比赛中的卫冕很精彩，但面对这位杰出运动员的超凡表现无人欢呼，他的成绩达到 43.84秒，虽然远远超过他的同胞阿尔文•哈里森(Alvin Harrison)，却没有达到他所期望的43秒，只能安于过去的43.18秒世界纪录了。这是他10场比赛（5次世界锦标赛和5次奥运会）的第9次胜利。

康斯坦丁诺斯•肯特里斯(Konstantinos Kenteris)在200米中的胜利出乎他的意料。他是自1896年史匹登•路易斯以来，第一位在径赛中夺冠的希腊人，也是自1980年意大利的彼得罗•门内亚以来，第一位白人短跑冠军（当年美国没有参赛）。直到27岁，他的履历还很普通。1999年世界锦标赛1/4决赛中，肯特里斯被淘汰出局，本赛季，他只有一次在希腊之外参加比赛，而且从未击败过任何重要人物。直到此前一年，他转移重点，从此成为400米比赛中等水平的运动员，在200米比赛中仅排在第55名。当然，有人对他在这个年龄还能如此突飞猛进表示怀疑。

女子田径比赛通常会有一些非常感人的故事，这次的悲剧发生在尼日利亚运动员葛洛莉•阿洛齐(Glory Alozie)身上。她的未婚夫同样是田径运动员的海金纳斯•阿努格（Hyginus Anugo）没参加4×110米选拔赛，而是先到悉尼安排个人食宿。在阿洛齐的110米高栏决赛前3周，他不幸遭遇了车祸。意志坚强的阿洛奇为纪念爱人勇敢地参加了比赛，直到第10栏，阿洛齐都一直领先，但最终与金牌相差了0.03秒。冠军是哈萨克斯坦的奥尔加•希希金娜(Olga Shishigina)，成绩是12.65秒。

对伊琳娜•普里瓦洛娃(Irina Privalova)来说，悉尼是结束她15年的亚军史、成为大赛冠军的地方。她18岁结婚，19岁做母亲，20岁离婚。现在，32岁的她在400米跨栏比赛中夺魁，成为奥林匹克冠军。

因为弗里曼的比赛正在进行，撑杆跳赛事无人关心，俄罗斯移民塔吉亚娜•格里戈里耶娃(Tatiana Grigorieva)在撑杆跳中的表现依然出众。她在第一次试跳中就跳出了4.55米，但世界冠军——美国的德拉吉拉(Stacy Dragila)很快使这个成绩变成了第二名：她的第一跳成绩是4.60米。在这个高度，格里戈里耶娃试跳失败了。

塔吉亚娜•格里戈里耶娃，俄裔澳大利亚人，在女子撑杆跳高比赛中展现出力量之美，并获得银牌。

莫桑比克的玛利亚•穆托拉(Maria Mutola)还是孩子时，就已经开始进军奥运会了。她曾是个足球运动员，4次参加奥运会：15岁时在汉城失利，在巴塞罗那名列第五，在亚特兰大名列第三。而在本届奥运会上，穆托拉终于如愿以偿，在800米比赛中轻松战胜30岁的奥地利选手斯蒂法妮•格拉夫(Stephanie Graf)，获得冠军。

埃塞俄比亚的德拉尔图•图卢再次获得10 000米冠军。8年前，她以30分17秒49的成绩领先她的同胞吉特•瓦米(Gete Wami)5秒获得冠军，后者在5 000米比赛中获第3名，10 000米比赛的铜牌落到了葡萄牙的费尔南达•里贝罗(Fernanda Ribeiro)手中。

在田径方面，有一个显著的变化，就是美国的衰落。他们只得到了10块金牌，其中6块是从男子比赛中得来的。俄罗斯队也成绩平平，和去年的6位世界冠军相比，今年只有3块个人金牌。

小拉杜坎在自由体操比赛时向观众致意，在她受伤退出比赛前，庆祝获得个人全能冠军。

意大利只获得一块金牌，而法国64年来第一次没有获得冠军。

在任何一届奥运会的大多数项目中，都会有不幸的故事发生。悉尼的女子体操比赛中，有两个人是最不幸的。俄罗斯的斯维特兰纳•霍尔金娜(Svetlana Khorkina)是自由体操项目中最出色的运动员，独具王者风范，战果累累，她的字典里没有“失败”这个词。但在这次比赛中她有两次严重的失误，丧失了团体冠军和个人全能冠军。第一次，她从高低杠上摔了下来，使俄罗斯以0.205分的微弱差距将金牌拱手让给了罗马尼亚。而后，霍尔金娜的霉运雪上加霜。前一天晚上举行了男子跳马比赛后，技术人员没有及时调整跳板以适应女子比赛的要求，结果，一贯追求完美的霍尔金娜在着地时竟然跪在了垫子上。后来的抗辩是无用的，受此干扰，她在高低杠项目上再次出现失误。

南斯拉夫16岁小将安德列娅•拉杜坎(Andreea Raducan)，身高只有1.47米，奇迹般地利用了对手的失误，在自由体操项目中表现完美，她的队友阿玛纳尔(Simona Amanar) 和玛利亚•奥拉鲁(Maria Olaru)分获银牌和铜牌。但是领队娜蒂亚•科马内奇（Nadia Comaneci）和家乡父老却没能高兴多久，因为拉杜坎被查出服用兴奋剂。

罗马尼亚队医在赛前两个小时给拉杜坎服了努乐芬药丸，用来缓解她的呼吸困难，虽然里面含有的被禁物质伪麻黄素，但无论如何也不可能提高她的成绩。拉杜坎的金牌被收回后，在罗马尼亚国家奥委会主席扬•齐里亚克（Ion Tiriac）的支持下，他们为女英雄提出了强烈的抗辩，但国际体育仲裁法庭却维持了国际奥委会裁判的原判。

阿玛纳尔和奥拉鲁不情愿地分获金、银牌，原为第4名的中国运动员刘璇获得铜牌。而罗马尼亚队医欧安娜医生则被禁4年。“我不会停步，”在记者招待会上，拉杜坎含着眼泪，庄严而充满尊严地说，“我要证明我能做得更好，我还是我，我没有欺骗。我没有做见不得人的事。”由于吃药的时间是在团体比赛之后，所以此前的团体成绩没受影响。

从1984年重回体坛开始，中国男队已经3次获得银牌，尽管队内主力卢裕富颈部受伤没有参赛，他们还是在体操比赛中拿到了金牌。两届世界冠军、个人成绩排名第一的阿列克谢•涅莫夫(Alexei Nemov)以他在双杠上的至尊表现为俄罗斯队拿到铜牌。银牌由乌克兰获得。涅莫夫随后获得个人全能冠军以及1金2铜，分别是单杠、鞍马和双杠项目。

男子游泳比赛受到极大关注，原因是东道国十几岁的运动员索普(Ian Thorpe)的不凡表现。他的年少成名可与高尔夫运动中的泰格•伍兹(Tiger Woods)媲美。荷兰的霍根邦德(Pieter van den Hoogenband) 不仅在200米自由泳中击败了索普，还在100米自由泳中击败了俄罗斯的优秀运动员波波夫，并在50米自由泳中取得铜牌。

荷兰选手霍根邦德获得200米自由泳冠军。

霍根邦德出乎意料地获得200米自由泳的胜利后和索普留影。

索普的光荣始于一个特别的晚上，这一天，他首次，也是意料之中地在400米自由泳中夺冠，并创世界纪录，将意大利的罗索里诺(Massimiliano Rosolino) 远远地甩在身后。而后，他又在4×100米接力中游最后一棒，使澳大利亚队获胜。在这项比赛中，美国队从1964年以来从来就没有输过。澳大利亚队的胜利激起的欢呼声差点儿把奥运会泳池的屋顶给掀起来。100米不是索普的强项，在最后一棒，他面对的是强大的美国短距离游泳名将加里•霍尔。索普的最后一搏——17英尺，加上果断出击，终于起了作用，他以0.19秒首先触边。决赛中，索普和霍尔在出发时几乎不相上下，在转向处，霍尔领先将近半秒。这是一场棋逢对手的硬仗，最终年轻的澳大利亚人追上了他。卫冕的美国队比先前的世界纪录快了1秒，但仍被澳大利亚以3分13.67秒击败。“那最后的20米简直就是一场混战。”英勇的索普说。

霍根邦德在200米自由泳中取胜，这是一个明显的转折。因为他的胜利显然出乎澳大利亚的意料。这个荷兰人让东道国感到头痛，他在半决赛中首先刷新了索普的200米的世界纪录，然后又在决赛中领先了将近半秒。索普的失误在于他在前3项比赛中体力透支。这是他两年中在200米和400米中的第一次失败。“我知道我已经尽力了。”索普说。“这是奥运会，我有幸来这里游泳，这是很少人能有的机会。而且是一个优秀运动员击败了我。”霍根邦德的取胜并不奇怪，他在去年的欧洲锦标赛中曾获得6块金牌。他还在100米比赛中击败波波夫，使得俄罗斯无法连续第3次获得奥运会50米和100米的双料冠军。

伦尼•克雷泽伯格(Lenny Krayzelburg)在1984年赢得奥林匹克仰泳冠军，并3次打破200米仰泳世界纪录之前，就已经被《人物》杂志选为世界上50位最英俊的男士之一。看来，好莱坞可以找到新的韦斯穆勒(Weissmuller)了。

女子比赛中的明星是荷兰的德布鲁因(Inge de Bruijn)，她在50米、100米自由泳和100米蝶泳中获得3块金牌。在100米自由泳中，她创造了从1988年东德的克莉丝汀•奥托(Kristin Otto)以来，与第2名的最大差距。德布鲁因因此受到了怀疑。对此，她回答说：“我感到有点儿受伤害，但是现在我是世界冠军，这是不可更改的事实。”

奥尼尔(Susie O'Neill)是东道国的夺标热门，200米自由泳冠军，曾连续6年在200米蝶泳中保持不败。但她无法从其杰出的职业生涯中光荣隐退了，因为美国的米斯蒂•海曼(Misty Hyman)从头到尾一直领先，最后以2分5秒88的奥运纪录领先0.7秒取胜。

泳池中人气很旺的比赛是跳水和水球。中国女运动员伏明霞18岁时退休了。在亚特兰大，她曾经在跳台跳水项目中成功卫冕，并获得跳板跳水的金牌。在获得3块金牌后她退役了，进入北京清华大学学经济。后来她又复出，“只是为了好玩”，卫冕跳板冠军，并获得第4块金牌。她完全可以与洛加尼斯(Greg Louganis)和麦考密克(Pat McCormick)相媲美。在首次出现的双人跳水中，她与队友合作获得了银牌。

在巴塞罗那，迈克尔•乔丹、“魔术师”约翰逊所在的美国的“梦之队”迷倒了公众。这是第一支全明星阵容的职业球队，为奥运锦上添花。但在悉尼却表现平平。他们在半决赛中险胜立陶宛，在决赛中对法国的胜利也并不轻松，比分是85:75。NBA的“大鲨鱼”奥尼尔(Shaquille O’Neal)和其他球星都没有参赛，在悉尼的不过是二流球队进行的二流比赛，文森•卡特(Vince Carter)和凯文•加内特（Kevin Garnett）的躬身自省并无用处。

对悉尼的观众来说，最喜爱的运动莫过于在奥运会上首次出现的铁人三项赛了。没有哪个运动员比英国的西蒙•莱辛(Simon Lessing) 更令人瞩目，他4次获得男子世界冠军。但夺冠热门的更新换代是残酷的自然规律，他以一分钟之差输给了冠军、加拿大的西蒙•维特菲尔德(Simon Whitfield)。维特菲尔德优秀的运动素质使他在两项令人精疲力竭的比赛后，在第3个项目——越野赛最后的直道上超过了德国的斯蒂凡•伍科维奇(Stephan Vuckovic)，最后夺冠。捷克的扬•莱胡拉(Jan Rehula)获得铜牌。不幸的莱辛仅名列第九。

斯蒂法妮•库克完成越野赛，取得第一枚女子现代五项全能冠军。

起跑和撞线。维特菲尔德在男子铁人三项赛中，举起双臂撞线。

首次女子现代五项比赛的情况也是如此。英国的斯蒂法妮•库克(Stephanie Cook)取得了胜利。库克暂时放下了她的医生的职业，成为全职运动员，在第3项比赛完成时，她排在第14名，第4项比赛完成后，她名列第八。然后就是她的最强项，3公里越野赛。起跑时她落后美国的埃米莉•德里尔(Emily de Riel) 49秒，在轮换制的规定下，第一个到达终点的就是全部比赛的冠军。在剩下最后400米时，她开始领先。俄罗斯的迪米特里•斯瓦特科夫斯基(Dimitry Svatkovsky)在越野赛开始时排名第五，最后成为男子现代五项的冠军。阿历克谢•卡列林(Alex Karelin)在最重量级古典摔跤中的失利与莱辛的失败一样，让人出乎意料。这位俄罗斯运动员13年来未曾失利过，本次比赛则有望问鼎奥林匹克四连冠。卡列林是一位异常强壮的人，有一次，他在西伯利亚的家中，电梯坏了，没有任何人帮忙，他一个人就把一台大冰箱扛上了8楼。但在与鲁伦•加德纳(Rulon Gardner)的交锋中，这样一位壮汉却最终以失败告终。加德纳出生于一个摩门教家庭，是

来自俄罗斯的古典摔交运动员卡列林被鲁伦•加德纳击败，这是他13年来的首度失利。

9个孩子中最小的一个。他的曾曾祖父曾经娶了11个妻子，生了49个孩子。加德纳几乎与卡列林一样是个大块头，小时候，他总是被人嘲笑，在学校被叫做“大胖子”。而他的训练方式更是独具一格：寒冷的冬天里，在犹他州农场，将新生的小牛扛上肩运走，这使他具有了托举的力量，现在正好用来击败卡列林。铁钳一样的手臂和一次对卡列林的罚分，使加德纳取得了胜利，连普京总统都备感惊讶。

34岁的俄罗斯人维亚切斯拉夫•耶基莫夫(Vyacheslav Yekimov)，曾参加汉城自行车团体赛的角逐，并获得他的第一块金牌。12年以后，他令人吃惊地赢得了计时赛的冠军。在这个项目中，比他更有名的阿姆斯特朗(Lance Armstrong，美)，已经两次获得环法自行车赛冠军。还有一位是曾获得过一次冠军的乌尔里希(Jan Ullrich，德国)。他们俩才是夺标的大热门。但在本届奥运会中，阿姆斯特朗只能在乌尔里希之后，名列计时赛的第3名。女子公路赛冠军被荷兰的莱昂蒂安•吉拉尔德(Leontien Zijlaard)夺得，她在本届奥运会上表现出色，获得3块金牌。

不明就里的人们会说，沙滩排球不过给了女人一个在电视观众面前少穿衣服的理由。但他们不知道，在松软的沙地上无休止地跳跃需要很好的体能，即使在比赛的战术方面不超过网球双打，至少也可以等量齐观。当波特哈斯特(Kerri Pottharst)和库克(Nathalie Cook)在第一局3:7落后的情况下，以12:11和12:10打败世界头号组合、巴西的阿德里亚娜•比哈尔(Adriana Behar)和谢尔达•贝德(Shelda BedeKerri Pottharst)时，举世闻名的Bondi海滩变成了狂欢的海洋。在传统项目排球赛中，古巴女队以3:2击败俄罗斯，赢得了她们的三连冠。南斯拉夫男队在小组赛中以1:3输给俄罗斯后，最终以3: 0击败俄罗斯，获得冠军。

棒球决赛被附加了较多的政治色彩。虽然美国队引入了职业球员，但他们仍在预赛中以1:6输给了古巴。但在决赛中，美国队却以4:0击败古巴，获得冠军。亚洲对手的角逐以韩国的胜利收场，他们以3:1击败日本队，获得该项比赛的铜牌。

来自沙漠的新一代土著居民在觉醒。开幕式上，伴随着沙漠妇女的圣歌“Inma Kungkarankalpa”，Emu七姐妹翩翩起舞。

第70章 到中国去

中国的何振梁

国际奥委会执行委员会委员

2001年7月，在莫斯科举行的国际奥委会第112届年会上，北京以34票的优势战胜多伦多，成为2008年第26届夏季奥运会的主办城市。尽管在北京的申办过程中，有一些反对的声音，但国际奥委会的大多数成员都通过他们的投票，强烈赞成让北京成为主办城市。为什么？

我想，原因很简单。大部分委员都认为，现在是在世界上人口最多的国家举行奥运会的时候了。在北京举办奥运会不仅是一个将奥运精神和奥运会场直接带给13亿中国人的绝好机会，而且还是展示奥运会在促进主办国，甚至是整个世界经济、文化和社会等方面的发展中所扮演的重要角色的宝贵机会。

事实上，2008年奥运会将是中国改革和民主进程的催化剂。中国加入世贸组织有深远影响，中国的经济将更进一步与国际接轨。很明显，这个作用将超越地区的局限性，将成为世界历史的里程碑。1964年在东京举办的奥运会标志着日本经济的起飞，并改变了世界经济格局。1988年在汉城举办的奥运会标志着韩国经济进入世界经济舞台。2008年北京奥运会必将有助于社会进步，并为中国的社会开放提供更好的环境。

奥运会对体育的促进作用是多方面的。在悉尼，中国运动员取得了优异成绩，共获得59块奖牌，其中有28块金牌。北京奥运会无疑将会促进体育运动的继续发展。而更重要的是，它将加深中国人对体育运动的认识，促进全国大众体育运动的进步，让健康的体育运动走进普通人的生活。相应的，在此基础上，中国的体育产业也将得到提升。正如国际奥委会评估委员会的报告中提到的，北京奥运会将成为中国和体育界独特的财富。

在第112届莫斯科年会上，国际奥委会要通过投票决定两个关键问题：第一，在存在政治对立的情况下，是否让世界上人口最多的国家举办奥运会；第二，3天后，由谁来接替萨马兰奇成为主席。这两项安排在同一届会议上的决定，其异常复杂之处在于——第一项决定有可能影响到第二项。5个申办城市是：北京、伊斯坦布尔、巴黎、大阪和多伦多。5位主席候选人，按字母顺序排列分别是：安妮塔•L.德弗朗兹、金云龙博士、理查德•庞德、雅克•罗格和施密特。在第二项议题中，罗格、庞德和金云龙比较热门。而人的天性使然，委员们可能不会在同一天两次投票支持同一个洲，根据这个选举规律，多伦多中选则可能会影响庞德，巴黎会影响罗格，北京则影响到金云龙。

北京的资质与8年前以微小差距输给的悉尼相比，毫不逊色：在体育和经济方面强大的竞争力让人无法忽视，且拥有萨马兰奇、庞德和其他人非官方的支持。再者，奥运会也不是"自由世界"的奥运会，而是世界的奥运会。如果说中国人有资格参加奥运会，从理论上讲就有资格主办奥运会。当布什政府决定低调处理时，美国的右翼团体的抵制声音很快就销声匿迹了。国务卿鲍威尔解释说，如果当选"北京将有7年时间处于国际社会的监督之下。"

巴黎不大可能在距香榭丽舍大街10分钟车程的新法兰西足球场旁边举办浪漫的市中心奥运会，所以被称为当选可能性最小的城市。如果对北京不明智地打人权牌，对他们的申办活动没什么好处。多伦多的申办实力比当年申办百年奥运时要强一些，但由于市长梅尔•拉斯特曼种族主义性质的失当行为，激怒了非洲和大部分亚洲的委员，因而伤害到自己。在盐湖城事件后，在大行整顿之风的情况下，虽然只是一点儿违反了规定的行为，也已经迫使奥林匹克冠军——道德委员会委员、加拿大的查梅尼•克鲁克斯(Charmaine Crooks)提前退休了，原因是她对多伦多的自然的支持。在新的行为法案下，所有来自申办城市所在国的委员，在该城市还在竞选时都没有投票权。

因此，结果很快倾向于北京。在第一轮投票中，巴黎被伊斯坦布尔挤到了第4名。下面是每轮的投票情况：

	第一轮	第二轮
北京	44	56
伊斯坦布尔	17	9
大阪	6	-
巴黎	15	18
多伦多	20	22

早有迹象表明投票的结果。当国际奥委会

最后投票在第二轮选出北京作为2008年奥运会的主办城市。何振梁正在接受萨马兰奇的祝贺。

从电视转播权和赞助中给北京奥组委拨出10亿美元时，TOP的赞助商——像可口可乐、柯达、斯伦贝谢神码和斯沃琪等都迅速更新了合同。北京承诺实现绿色、人文和科技奥运的理念，在通讯技术上投入巨资，将3.4亿彩票收入中的1.21亿投入奥运项目。如果包括城市结构性调整，总投资将达到220亿之巨。马上要退休的萨马兰奇评论说："国际奥委会是从世界的利益出发，这将改变中国。"

在主席选举中，有一些不满的声音，原因是在选举前3个半月时，道德委员会出台了高度敏感的"行为"准则，使得要求廉洁的呼声甚高。从一开始，由于5位竞选人的职位不同，这些条款很难实施，因为在履行一些法定职权时，都要绕过道德委员会的一些明确规定。最荒谬的一条是引言I第6款，禁止成员以任何方式表达他们支持谁。按照这条规定，举例而言，在凯文•高斯帕接到道德委员会主席凯巴•穆巴耶的私人信件中，他发现自己受到了警告，因为他对有关媒体谈到，他支持庞德。长期来看，如果道德委员会要是不想表现得像克格勃的分支机构，或者是1950年的麦卡锡的话，它的准则都是有待修正的。

理查德•庞德的宣言在规定允许的情况下，不恰当地出现在国际奥委会的网站上，犯了个大错误。如果这个宣言是合法的，当然每个人都可以知道他讲了什么。还有一种谣传，说庞德的竞选受加拿大皇家银行的资助——这是围绕选举所表现出的不信任态度。庞德很快否认了这种说法。退休主席的态度引起人们无数的猜测。他支持金云龙吗？他是辉煌的汉城奥运会成功举办的关键人物；他支持庞德吗？他是获得数十亿美元赞助的关键人物；要不，他支持罗格？他同时被任命为2000年悉尼奥运会和2004年雅典奥运会两届协调委员会的主席。有迹象表明，萨马兰奇暗中在为罗格游说。

对庞德——这位来自蒙特利尔市、奥林匹克运动中最犀利的精英而言，最主要的障碍，就是他对少数国际奥委会委员的那种直率的、有时甚至是不留情面的态度，让人觉得他那敏捷的思维和由萨马兰奇任命的将近20年的管理工作，多少显得有些咄咄逼人。他的权力，包括在盐湖城事件中作为特别委员会主席进行调查，是有争议的。那是否是饮鸩止渴呢？对北美来说，获得足够的票数总是一个艰难的过程，而伦敦的《星期日镜报》的记者则说，在第一轮，很难看出谁更有优势。庞德获得20票，罗格有45票：精确的说，罗格已经得了46票了。

竞选中，争论最激烈的问题是：金云龙博士在48小时前，在记者招待会上表明了自己的观点，认为国际奥委会委员应该接受财政资助，用于在自己的国家为推广奥运会而进行的日常运作，因为那才是他们真正的职责所在。在这个原则下，他每年将投入50 000美元。虽然对国际奥委会来说这是个小数目，金云龙却因此被认为有贿赂投票人的嫌疑。很明显，他的讲话是不合时宜的，其结果是在投票之前引起了对他的谴责。有人认为，这种谴责源自荷兰的王位继承人威廉

来自蒙特利尔市的理查德•庞德，被很多人认为是国际奥委会的精英，但对他敬畏的同时也会带有某些不快。

王子，这位新委员给道德委员会去了一封信。后来，威廉王子说，他从没有特指哪位候选人的名字，但当他看到道德委员会很快就认定金云龙博士有问题时，他很吃惊。而威廉王子实际上批准了一笔对委员的补偿金，"来限制其他非法的和不道德资助的可能性"。这时，有消息说，对金云龙暗中的竞选资助超出人们的想象，足以使他胜过罗格。但是，此前的谴责，加上盐湖城事件中，金云龙的儿子约翰等相关事件，都足以使他失败了。罗格后来说，"委员是否可以接受财政资助，是执行委员会正在解决的一个问题，只是金云龙选错了时机。但我认为这没有影响投票结果。"不只是罗格，所有的入选者都知道结果可能是60：20：20，而最后的投票结果是：

	德弗朗兹	金云龙	庞德	罗格	施密特
I	9	21	20	46	11
II	-	23	22	59	6

庞德和金云龙觉得受到了冒犯，不是因为落选，而是因为得票的差距。金云龙退出了旅馆的会议大厅，在回国之前再也没有露面。两人都希望即将退休的主席施以援手，令他们免遭灭顶之灾。而且，愤怒的庞德马上写给罗格一封辞职信，要求辞去国际奥委会的所有职务，包括市场委员会主席的职务。他后来说："新主席必须建立自己的新团队，所以，在这种情况下，我想辞

职是很正常的。我不想让他感到不便。这种辞职是商业社会里的游戏规则和很好的合作态度。”金云龙说：

> 我不在乎输赢，但我感到其中有些不公正的因素。我的观点是，国际奥委会委员应该维护奥委会的权威，需要财政资助去很好地完成这个任务。不论我做什么（比如在悉尼组成朝鲜联队），我总是让萨马兰奇接受鲜花和掌声。我们一度是最亲密的朋友。

具有讽刺意味的是，与金云龙有关的任何争议都谈到，他曾是奥林匹克运动首屈一指的私人赞助人。在2001年和2002年，他向国际Olympafrica基金会捐款达100 000美元。安妮塔•L.德弗朗兹对她少得可怜的得票的解释很简单。她说：“我输了，因为我是美国人，因为我是女人。”

安妮塔•L.德弗朗兹，国际奥委会最早的女成员，主席候选人：“我输了，因为我是美国人，因为我是女人。”

这届会议也包括选举一些新的委员。荷兰的埃尔斯•范•布雷达•维里斯曼（Els van Breda Vriesman，曲棍球协会主席）、印度的兰迪尔•辛格（Randhir Singh，国家奥委会委员）、中国香港的霍震霆（国家奥委会委员）、澳大利亚的约翰•科茨（John Coates，国家奥委会委员）和喀麦隆的伊萨•哈亚图（Issa Hayatou，个人委员）等人的入选都是自然而然的，虽然科茨也遭遇了一些反对票。而退休的主席则努力使他的儿子小朱

雅克•罗格成功当选第8届国际奥委会主席后被祝贺的人群包围。

安•安东尼奥•萨马兰奇作为西班牙的个人委员入选。虽然他的儿子为现代五项联盟做了很多有价值的工作，但他父亲的密友还是告诉他，他不可能避开裙带关系的质疑。尽管如此，他父亲还是坚持要他参选，而且他还被选上了，虽然碰到了很多反对票和限制。

只有时间才可以证明，新任主席所面临的任务是多么艰巨。在丑闻刚刚平息的情况下，他是理想的缓和剂：一个整形外科医生——前奥林匹克划艇运动员，由于从事比利时国家奥委会的资助工作而具有一些商业背景，同时又没有任何政治或社会色彩，以及可能成为沉重包袱的个人履历。虽然他在就职演说上讲“从萨马兰奇那里，我学会了体育政治学”，但他对于利己的地域势力如何不断地瓦解着奥林匹克运动的核心这种政治问题懂得多少，我们还要拭目以待。在2008年北京奥运会之后一年，他的8年任期就将结束。

当然，如果他愿意，他还可以继续参加竞选。先不说2004年雅典奥运会，使这些奥运会顺利召开，是他的职责所在，也是对他的外交和应变能力的考验。他任欧洲国家奥委会主席（EOC）的经历表明，他可以担当重任。当然，实施，甚至有可能是调整国际奥委会的结构和道德改革，保持甚至是降低奥运会的规模和成本，以及保证奥林匹克运动中所有职能行为的民主和透明（因为奥运会在当代独特的地位，它的一举一动会吸引媒体无休止的关注），这些都将是非常艰难的任务。

与他的前任一样，罗格也需要得到他妻子的支持，安妮•罗格（Anne Rogge）也是个医生。像已故的玛莉亚•特雷茜•萨马兰奇一样，她是一位平和安静的女人，虽然她曾在1968年索邦神学院参加过学生游行。像萨马兰奇一样，作为一名没有报酬的国际奥委会主席，罗格以洛桑为基地。在他的新任主席目标中，罗格谈道：要支持女子运动的参与和管理，继续坚持环保，支持国际奥林匹克学院和博物馆的建设；继续进行基于体育的人道主义活动；在各国政府支持下建立国际奥林匹克停战基金；降低奥运会的成本；减少年会和委员会会议开支；使各大洲之间委员结构更加合理；增加执行委员会和委员之间的互动；并让委员继续起到各自国家大使的作用。

各大洲之间的委员结构的平衡是很困难的。使罗格成功入选的潜在因素是：以意大利的马里奥•贝斯康迪（Mario Pescante）为首的欧洲多数

4届奥运会的参与者，现任主席雅克•罗格，在水上运动中展现他的风采。

票的支持。罗格作为一个奥林匹克人，很明显，他希望将所有力量都团结在一个开放的管理机构中，改革萨马兰奇原有的集权机构势在必行。但正如《国际先驱导报》的评论所说："在兼收并蓄的同时，又做到没有明显缺陷，这对罗格来说是一个挑战。"

包容性的决策始于这样的一个决定：尽管庞德突然辞职，但仍然保留这个加拿大人世界反兴奋剂协会主席的职务。庞德曾给所有国际奥委会的赞助商写了一封关于选举的措辞激烈的信。在信中，庞德直言不讳地指出——实际上，是赞助商们自己泄露出来的：国际奥委会没有进行他所期望的改革；新主席的人选只是反映了萨马兰奇个人的意见（虽然他个人对新的人选并没有敌意）；得票数第二的人（金云龙）在盐湖城事件中由于不正当行为受到了严厉的警告；另一位竞选副主席的人（维塔利•斯米尔诺夫），虽然没有遭到反对，但也受到了警告；而解决盐湖城丑闻的功臣，反兴奋剂运动的领导者（即庞德），服务于奥林匹克运动长达20年之久的人，却在选举中遭到了最恶劣的对待。最后，在竞选中处于第一、二位的候选人都称奥运会太商业化了，这正是他（庞德）被指称背离了奥运宗旨的原因。而实际上，奥运会比任何其他主要赛事的商业味要稀薄得多。

这封信确实很具有煽动性，该信的基调也令庞德的国际奥委会同事们感到震惊。而到了9月份，人们又开始对庞德议论纷纷。因为人们发现，在庞德做市场和财务委员会主席的整个时期，由于他本人为国际奥委会成年累月地工作，他接受了据传超过20万美元的年收入。当然，由于为国际奥委会忘我地工作，庞德在其他的经济方面损失颇多（因为缺席，庞德被事务所扣除了工资）。这20万美元也未计入事务所的年终决算（事务所以此计发奖金）。与此形成鲜明对比的是：一个国际单项体育联合会主席一次就可以从其所辖项目的电视转播合同中赚得数百万美元。除了萨马兰奇，财务委员会也知悉这笔款项的支出，而且其数额也是完全合适的，这是对庞德所付出的时间和专业知识的承认和补偿。但是，这

笔支出本应该更加公开地加以申报的，尤其是对经常向他的同事强调义务工作的重要性的庞德而言。

2000年初，萨马兰奇被当时的协调委员会主席的一份报告所震动，报告对雅典奥组委发出严重警告，称他们进展缓慢，尤其缺乏作出重要决策的能力，即使雅典奥组委在重新任命扬娜•安耶洛波洛斯•扎斯卡拉基之后，情况也是如此。一年之后，情况仍然没有多大好转，基础设施的建设仍然在不断地拖延。瑞士的丹尼斯•奥斯瓦德接替罗格，出任协调委员会主席，他给了雅典奥组委一个最后通牒，要求在11月21日之前，制定出基建的时间表。同时令他吃惊的是，有些建设计划被取消了，其中包括连接奥林匹克村和主要体育场馆的道路。接到最后通牒后，安耶洛波洛斯•扎斯卡拉基与希腊总理科斯塔斯•西米蒂斯举行了紧急会晤，随后提交了辞职报告。西米蒂斯虽然在接到国际奥委会的警告后，开始任用她，但她与西米蒂斯政府之间的关系并不融洽。

奥斯瓦德担心的另一个主要问题是旅馆房间的不足：大部分房间都已被运动员的家人预定一空。更紧迫的问题是：马拉松市的市政官员和雅典组委会之间的隔阂颇深，他们在将皮划艇运动中心从马拉松海滩移至该城以南的旧国际机场这个决策上存在分歧。由于奥斯瓦德的督促，他总算可以向在盐湖城召开的国际奥委会例会通报雅典准备工作的最新进展了。虽然熟悉这座城市的人都知道，在奥运会成功召开之前，什么都不算是万事大吉。

在2002年盐湖城会议之前，罗格与足联主席塞普•布拉特（Sepp Blatter）在2001年召开的第一个工作会议上，呼吁在冬季奥运会期间（进行奥林匹克休战）。罗格和布拉特都强调，次年的两个重要赛事，冬奥会和韩日世界杯都不会受9・11事件所导致的安全和政治因素的影响。

但是，在次年2月主持的第一次例会上，罗格首次遭遇不满。开幕式上，针对1999年第110届例会上通过的改革措施的实施情况，他作了会议发言。但当由道德委员会起草的新的利益冲突条例出台时，他遭到了一致的反对。原因是：即使不考虑该条例执行时的复杂性，它也已经禁止了很多委员的合法行为。理查德•庞德首先表示，这个条例是个很好的开端，然后强调：该条例对那些同时身兼国际单项体育联合会和国家奥委会委员的人来说是不合适的。对申办城市的考察方式也招致了许多不满，这个问题是使国际奥委会陷入焦头烂额的丑闻的原因。罗格看到例会上的气氛不对，就将进一步的辩论推迟到2002年在墨西哥举行的特别会议上。会议还讨论了将一些夏季项目，比如拳击、体操、柔道和举重等，挪到冬季的可能性，这样可以为游泳等受欢迎的赛事腾出时间。

有8个城市宣布申办2010年冬运会：它们是安道尔共和国、瑞士的伯尔尼、中国的哈尔滨、西班牙的哈卡、韩国的平昌、奥地利的萨尔兹堡、波黑的萨拉热窝和加拿大的温哥华。这8个候选城市将由执行委员会首先进行筛选，最后由委员们于2003年7月在布拉格选定。

国际自行车联合会主席，北京奥运会的协调员维尔布鲁根。

盐湖城冬奥会耗资19亿美元，如果加上改善交通系统的费用，总额达30亿美元。电视转播、商业赞助和门票收入足以支付营运成本。用NBC广播公司运动委员会主席迪克•艾伯索尔（Dick Ebersol）的话说，“相当于对7次橄榄球超级杯比赛的投资”。9・11事件之后增加的安全费用更高达5 500万美元，成本也因此上升了很多。15 000条新法律开始实施，军队在900平方英里范围内布防，包括来自巴克利空军基地大规模杀伤性武器国民救援队的22位武器和医疗专家，接受了应对生物、化学和原子战争的培训。在自信心屡受打击之后，罗姆尼终于可以以5 600万美元的奥运会利润扬眉吐气了，这中间有1 000万美元被捐赠给了美国国家奥委会。面对潜在的恐怖主义威胁，赞助商的热情依然不减。

美国公司获利颇丰，1999年的丑闻和2001年的灾难，只是增加了继续投资奥运会的决心。一个月之内，金宝汤就像沙漠里的水一样受欢迎。TOP计划主席约翰•汉考克（John Hancock），在丑闻开始之初曾把奥运五环标志从公司的文具上清除。现在，他和大卫•达列山卓（David D'Allessandro）都在奥运会实施改革的背景下，以5 000万美元的代价，与国际奥委会续签了合同一直到2008年北京奥运会。

俄罗斯队在前苏联解体后很长时间一直依赖西方的赞助，现在则主要仰仗国内的资金，尤其是来自世界第二大铝业制造商RusAl的赞助。在罗格主席任期内的第一届奥运会的闭幕式上，他赞扬这届运动会是“我见过的最杰出的奥运会。”NBC在开幕式转播上的花销超过了他们对悉尼奥运会的转播费用，以及哥伦比亚广播公司对长野冬奥会的转播费用。

但阴暗面也不容忽视，每一个外国人都受到了美国沙文主义媒体放肆的伤害。乔治•布什在发言中宣称，奥运会的召开代表着“一个自信的、果断的和高雅的国度的利益”，这一声明违反了规定。看来，美国人已完全忘掉了他们在9・11事件中暂时得到的认识，那就是：两个世纪以来，美国虽然取得了令人羡慕和妒嫉的巨大成就，但很多人并不认同美国中心主义。

第71章　盐湖城

第十九届冬奥会 2002

克罗地亚的加尼卡·科斯泰里奇(*Janica Kostelic*)

唯一一位在一届冬奥会上获4枚高山滑雪奖牌的运动员

16岁时，我就在长野参加了所有高山项目的比赛，最好成绩是在北欧两项赛中名列第八。在接下来的那个赛季，我在世界杯赛中首次获得胜利，那时我刚满17岁。

我是滑着雪长大的，这全是家庭的影响。我与哥哥伊维卡•科斯特里奇（Ivica）一起训练，教练则是我爸爸。妈妈总是在边线那里观看我们。我喜欢爸爸当我的教练，因为他是我父亲，他比别人更了解我。我爸爸从来不与我争论，但他总是对的。

在盐湖城，最令我高兴的是北欧两项赛，因为这一赛事是我胜利的开端。如果我没有赢得那场比赛，我可能不会取得其他的胜利，它给了我信心。在最近的世界杯赛中我滑得不好，而且还受了伤。我后来在超大回转比赛中获第2名，这出乎我的意料，我曾经认为自己得不到任何奖牌了。所以，我在小回转赛中没有压力，因为我已经获得两枚奖牌，而且觉得比赛是一件很快乐的事。4块奖牌中的最后一块是在大回转赛中得来的，这充满了乐趣。我没有对第4块奖牌期望过大，而且肯定会有人在另一届奥运会上冲击这个纪录，因为那并不难。

当我回到家乡萨格勒布的时候，数千人在机场欢迎我，这是我做梦都没有想到的。我希望参加更多的比赛，也许还可以参加两届奥运会。奥运会是最大的挑战，我还是孩子时就有这感觉，世界锦标赛却不然，它只是世界杯系列的一次比赛而已。

加尼卡•科斯泰里奇的故事非比寻常。她出色的成绩背后是家庭的苦难，曾经两次受伤，到现在还带着伤病。回国时，她所受到的欢迎，甚至超过了该国足球队在1998年获得世界杯第3名后的场面。在大回转比赛中，也是她在盐湖城4次比赛中的最后一场比赛，她像一个芭蕾舞演员，一路带着灿烂的微笑滑下山坡时，真是好看极了。我们在终点的广告板上，看到过器材推销员的微笑，但加尼卡•科斯泰里奇的微笑是发自内心的。这很容易理解：在她成长的岁月中，在四分五裂的前南斯拉夫，她与哥哥和父亲，往返于赛场之间，经常不得不睡在帐篷里，天气太冷的时候，只好挤在车里。“我们的确有钱了，”她说，“但是在我小时候，我们很穷，但现在好多了。”

在滑雪时，她在自己左手指甲上写上了大写字母I-V-I-C-A（她哥哥的名字）。她在小回转比赛中取得胜利，这是克罗地亚在冬奥会上的第一块奖牌，同时，也使她的哥哥伊维卡（Ivica）成为男子小回转比赛夺标热门之一。奥地利的雷纳特•戈茨尔(Renate Goetschl)和德国的马蒂娜•埃尔特尔(Martina Ertl)分获该项赛事的第二、三名。

罕有的技术，超凡的成绩，超级明星加尼卡•科斯泰里奇在大回转赛中获得第3块、第4块奖牌时，大喜过望，与第2名安尼娅•佩尔森和索尼娅•内夫相互祝贺。

科斯泰里奇在本届奥运会上的第4项比赛是大回转，她获得了第3块金牌，这场比赛尤其令人难忘。比赛中，她以1.32秒的优势取胜，从来没有人像她这样取得如此辉煌的成绩。在上午的比赛中，科斯泰里奇仅领先0.5秒，在第二轮比赛中滑得也很保守。最后的比赛中，尽管有些失误，科斯泰里奇还是将自己与其他人的差距提高了3倍。加速滑行时，她几乎向右冲出了赛道，但她还是刚好通过了下一个旗门。她的节奏臻于完美，滑雪板好像从没有离开过地面，大腿和脚之间的配合异常协调，而且还一直带着灿烂的微笑。“我怀疑她是不是超人，”银牌获得者佩尔森说，“她的意志坚强，没有什么能干扰她。”瑞士的索尼娅•内夫(Sonja Nef)是小回转赛中排名靠前的运动员之一，这次只获得了铜牌。比赛结束，科斯泰里奇再也不用像4年前，在盐湖城世界杯赛上那样，在汽车的后备箱里翻箱倒柜，寻找克罗地亚国旗了。

超级大回转比赛的赛道极其恶劣，这一点不会被任何一位运动员所宽宥，奥莫特的队友许斯(Lasse Kjus)就是它的牺牲品，从74度的陡坡上滑下，运动员在100公里/时的速度下，根本看不清东西，所以几乎不可能在全速前进的同时加以调控和拐弯。其中一位从困难中成功滑出的运动员是奥地利的埃伯哈特(Stephan Eberharter)，他战胜了难以控制的滑行状况，获得第2名。他的队友安德列亚斯•西费勒(Andreas Schifferer)获得铜牌。对冠军奥莫特来说，看着运动员们一个接一个摇摇晃晃地冲向终点，那种等待着实令人心焦。

“我们的体育运动正在败坏。”新近退役的法国花样滑冰运动员索菲•莫里奥特（Sophie Moniotte）对《新闻周刊》杂志说，“在大多数项目中，兴奋剂一直是一个问题。在花样滑冰中，这是一项交易，而且是被操纵的。”这种情况在花样滑冰的第一场比赛中表现得再清楚不过了。双人滑项目中，俄罗斯的别列日纳娅(Yelena Berezhnaya)和西哈鲁利泽(Anton Sikharulidze)被判定战胜了加拿大的加米•萨列(Jamie Sale)和大卫•佩雷蒂埃(David Pelletier)。当裁判宣布这一结果时，加拿大运动员赢得了将近11 000名观众的强烈同情，赛场嘘声四起，萨列泪流满面。对此问题的争论持续了好几天，涉及到国际冰联(ISU)和国际奥委会，甚至是俄罗斯总统普京，最终却不了了之。NBC广播公司的评论员司格特•汉密尔顿（Scott Hamilton，1984年男子花样滑冰冠军）愤怒地批评比赛结果不光彩。而其他专家则称，俄罗斯选手的胜利是合法的。比赛后第二天，法国裁判勒古涅（Marie-Reine Le

花样滑冰的裁判问题一直以来都是争论的焦点，而现在由于法国的勒古涅指称她被要求投俄罗斯双人滑选手的票，更使得这种情况变得雪上加霜。

Gougne）在赛后裁判会议上冲动地打破了沉默，使事态变得更加严重。她说赛前本国冰联主席要求她投票给俄罗斯，作为交换，俄罗斯裁判也会投票给法国的双人组合。但勒古涅坚持说，她实际上是凭着良心投票的，因为她认为俄罗斯运动员确实不错。

接到针对裁判的诉状，国际冰联认为必须进行调查，而国际奥委会则认为，必须立即出台一个解决方案。在这个对丑闻异常敏感的城市里，他们不希望赛场中有裁判作弊，因此导致“不公正”的裁决，从而再次玷污奥运会的声誉。他们要求迅速的和最方便的解决方案，而能为各方所接受的方案就是第1名和第2名共同分享金牌。国际冰联主席奥塔维奥•钦宽塔（Ottavio Cinquanta）同时指出，他已经收到了指证俄罗斯和法国私下结盟的信件。在随后的官方表态中，主席罗格说：“我认为这（双人项目并列金牌）没有产生对奥林匹克运动的损害，因为问题很快就被解决了……”同时，勒古涅在《法国体育日报》L'Equiped对她的访谈中，坚持反对“交易”的立场，并声称她没有答应交易。相反，旧金山律师——国际冰联裁判杰克逊则声称，勒古涅曾当着他和国际冰联技术委员会主席斯泰普福德（Sally Stapleford，英国）的面，承认她与本国冰联作了交易。而可以为这则丑闻添油加醋的则是有关冷战时期就存在的暗中交易的传闻。5个判给俄罗斯选手金牌的裁判分别来自中国、波兰、乌克兰、俄罗斯和法国。

在国际体育仲裁法庭颁布禁令之后，加拿大国家奥委会也提出了一个与国际奥委会体育仲裁委员会相应的对策，要求进行调查，而目的则是向国际冰联施加压力。

弗拉基米尔•普京总统正与白宫进行政治结盟，在本国颇受攻击，此时他也看到了机会，于是声称，盐湖城冬奥会是由于国际奥委会的不当管理和商业化而导致的失败。俄罗斯自由民主党号召将运动队召回。而俄罗斯铝业公司RusAl此时正陷入官司，不再受到欢迎。在国际奥委会副主席——俄罗斯人维塔利•斯米尔诺夫的干涉下，各方面都平静下来，争论最终平息了。罗格写信安慰普京，说加拿大人已经拿到了金牌，而拉祖蒂娜将被允许保留药检呈阳性前的两块银牌。

一年以后，罗格接受《纽约时报》的访谈时，在最后的分析中，他承认，匆忙地搞两个金牌是错的，他想对运动员公平些，他说：“我应该事先做更多的工作，应该咨询一下俄罗斯人。我承认我犯了错误。”

加拿大组合加米•萨列和大卫•佩雷蒂埃在表演自由项目。在国际奥委会的干涉下，他们最终与俄罗斯选手共享金牌。

在众说纷纭中，由速滑起家的国际冰联主席钦宽塔，表现出其超前行动的魄力，宣布了一个对裁判程序的激进的改革方案。长期以来，裁判就一直是充满偏见的、国家主义的和令人怀疑的。理查德•庞德所领导的一个新的委员会，其主要任务就是改革奥运会所有的项目。他承诺说，在雅典和都灵，即下一届夏季奥运会和冬奥会上，将会对所有依靠主观裁判的项目进行仔细的核查。钦宽塔的建议在次年7月被提交给国际冰联委员会进行深入研究，以便及时地用于2006年都灵冬奥会的核查。

有些人生来就很伟大，而其他人永远只能眼睁睁地看着，而达不到那种高度。对关颖珊来说，她不幸被归为后者。在长野她被15岁的队友利平斯基击败。盐湖城对她来说，是一个在家门口参加比赛的机会，冠军应该是在这个精灵般的亚裔美国人和俄罗斯豪放的斯卢茨卡娅(Irina Slutskaya)之间产生。虽然，斯卢茨卡娅在3届世界锦标赛上都排在关颖珊之后，但在过去几个赛季中却显露出自己的优势：关颖珊以艺术见长，而斯卢茨卡娅以技术见长。在短节目和规定项目中关颖珊领先之后，一切看来有利于关颖珊，她的比分远高于斯卢茨卡娅，只是技术分略低于她。关颖珊的父亲丹尼自从她与她的教练弗兰克•卡诺尔在奥运会前4个月分道扬镳后，就一直陪伴着她。父亲告诉她要欣赏自己，而后就能表现出自己所要表现的。现在，关颖珊还需要在自由项目中取胜。而对她来说还有一重保证，就是她十几岁的队友科恩（Sasha Cohen）和萨拉•休斯(Sarah Hughes)要想取胜，尚需时日，不管17岁的科恩怎样腾挪跳跃，结果都一样。如果关颖珊有什么缺陷，公众是可能接受的，而斯卢茨卡娅则不然。27名选手中最年轻的运动员，16岁的休斯以其独创性，和很久以前海妮式的不羁风格，战胜了前3名对手，由第四跃居第一。她同时还为花样滑冰争得了一席之地，改变了以前冬奥会上高山项目唱主旋律的局面。休斯自己都没想到会赢，但她完美无瑕地完成了比赛中最困难的项目，包括7个3周跳，其中有两个组合3周跳。由于关颖珊、斯卢茨卡娅和科恩都有失误，幸运之门向她敞开了。她真是不简单，一个16岁的孩子，技术高超而充满激情，兼顾这两者如探囊取物，她是如何做到的呢？在美国预选赛中，她仅名列第三，在前一年的世锦赛也是如此。仅仅在一个月以前，关颖珊还是她的偶像呢。她那迷人的桃乐丝•黛式的简洁估计为她赚取了1000万美元。

16岁的萨拉•休斯战胜了她的美国队友兼偶像——夺标热门关颖珊。图中是她在自由项目中欢快的滑行。

长期以来，人们一直在争论，关颖珊解雇了自11岁以来就是她教练的卡诺尔，是否加速了她的失败。但是，自由项目的关键，是芬兰裁判打的两个分数。其他8个教练给的分数中，休斯和斯卢茨卡娅各有4个最高分。芬兰裁判给休斯打了5.7的技术分和5.8的表演分，而斯卢茨卡娅的得分正好相反。5.8的表演分使休斯成为芬兰裁判的最后选择，而斯卢茨卡娅总分第二，关颖珊则名列第三。在比赛中，关颖珊的脸上带着焦灼，而不是自信的表情；而休斯的表情则如科斯泰里奇一样是不可抑制的欢乐。

另一场战胜病魔而后获取的胜利属于威斯康星州的威蒂(Christine Witty)。她不仅赢得了1 000

米的速滑冠军，而且还创造了1分13.83秒的世界纪录。她自己都没有想到会获胜。在比赛中，她的对手是两度获得奥林匹克500米冠军的卡特里奥娜•勒梅•多恩(Catriona LeMay Doan)。此前一个月，威蒂在挪威被诊断出患有病毒性单细胞核增多症。从那时起，她就被迫暂停训练。她对奥运会的期望是：最好的结果就是拿个铜牌。由于在整个赛季病毒感染，威蒂在任何世界杯赛中都无建树。“在最后一圈，我一点儿都不疼，”威蒂说，“当我在终点看到1分13秒的成绩时，我真是震惊。我几乎不能相信。赛程毫不费力，在整个比赛中，我觉得像飘起来一样。”

小吉姆•谢亚（Jim Shea Jr）在重新恢复的低架雪橇赛中打破纪录，赢得冠军，引起了公众的极大兴趣。迄今为止，这项比赛仅在圣莫里茨举办过两次。比赛中，小吉姆头盔上镶着他新近去世的祖父杰克•谢亚（Jack Shea）的照片。杰克•谢亚1932年在普莱西德湖的速滑赛上赢得了两枚金牌；他的儿子吉姆也是奥林匹克滑冰运动员，因此小吉姆已经是第3代奥林匹克运动员了。在奥运会开赛前一个月，91岁的杰克死于一场车祸。在一种不可遏止的激情的作用下，谢亚完成了15个曲折的弯道，以0.05秒的优势战胜了奥地利冠军马丁•雷特尔（Martin Retti）。宣布胜利的声音被淹没在了观众“U-S-A”的齐声合唱中，谢

奥林匹克父子兵吉姆和小吉姆•谢亚，在小吉姆赢得54年来第一个低架雪橇赛前，高举圣火。

亚一家成为第二个拥有两位金牌得主的家庭；另一个家庭是比尔•克里斯蒂安（Bill Christian）和他的儿子戴夫（Dave），他们俩是1960年和1980年曲棍球队的队员。

来自西雅图的阿波罗•安顿•奥赫诺(Apolo Anton Ohno)参加两项短道速滑比赛时，沙文主义式的热情急剧升温。在一周多以前，美国的媒体还用他的名字对读者开了好多笑掉大牙的玩笑，但现在，好像奥赫诺就是奥运会的全部。在极具争议的1 000米决赛中，离终点还有50米时，4个运动员摔成一团。唯一一个站着的运动员是滑在最后的澳大利亚的斯蒂文•布拉德贝里(Steven Bradbury)。在难以置信的好运的眷顾下，他滑过那些狼狈不堪的对手们，取得了金牌。奥赫诺挣扎着过线，获得第2名，加拿大的马蒂厄•图尔科(Mathieu Turcotte)获第3名。另两个摔倒的运动员分别是韩国的安贤洙和中国的李佳军。奥赫诺大腿受伤，被缝了6针。比赛结果令观众嘘声四起，而澳大利亚裁判对此也无能为力。布拉德贝里目瞪口呆。“没想到我会以1.5分钟的成绩获得奖牌，”他说，“这是我为这个运动付出了10年艰辛的回报。”他1994年在5000米接力团体赛中获铜牌；同年，在一次冰上事故中，他被缝了111针；而两年前他还摔断了脖子，带了6周的支架。

奥赫诺坐着轮椅参加了颁奖式，但他的比赛还没有完。在进入1 500米的最后一个弯道时，奥赫诺与韩国的金东圣同时领先，但他被挡了一下。在终点，金东圣领先，他拿起了朝鲜国旗并绕场致意，观众又是嘘声四起。过了一会儿，金东圣被宣布取消资格，他愤怒地将国旗扔在地上。奥赫诺成为第一名，中国的李佳军第二，加拿大的马克•加尼翁(Marc Gagnon)第三。“他挡在我的前面，这就是事实。”奥赫诺说。人们看法各异。布拉德贝里认为金东圣是无辜的，其他人包括裁判都认为奥赫诺被挡了。韩国冰联向国际冰联和国际奥委会提出抗议，并威胁说不参加闭幕式。奥赫诺称，在最后的弯道上，他试图从内侧超出，此时，金东圣“挤”到了他，并因此受到了严厉惩罚。因此，争论再度蔓延。在同一届奥运会上，这么多争议实在是太多了些。

在首次女子雪橇赛上，28岁的非裔美国人赢得了引人注目的胜利。来自阿拉巴马的沃内塔•弗劳尔斯(Vonetta Flowers)在2000年悉尼奥运会的跳远中失利，现在她变成了由吉尔•巴肯(Jill Bakken)驾驶的美国II队雪橇的司闸手获得金牌。在跳远失利之后，弗劳尔斯的丈夫看到了美国雪橇队预赛的广告。她只是在电视上看到过这项运动，一点也不了解这令人脊背发凉的极速运动，但她还是决意尝试一番。

非裔美国人沃内塔•弗劳尔斯原本是一个不成功的奥运会跳远运动员，后来转做雪橇运动员，与吉尔•巴肯搭档，赢得第一个女子雪橇冠军。

在雪橇运动中，是驾驶员而不是教练在选择司闸手。在进行了推拉测验之后，巴肯以弗劳尔斯取代了她的朋友诺博科（Shauna Rohbock）。美国I队的简•拉辛（Jean Racine）也用约翰逊（Gea Johnson）替换了她的朋友司闸手戴维森（Jen Davidson）。在盐湖城比赛前夕，拉辛曾经诱惑弗劳尔斯离开巴肯，但弗劳尔斯拒绝了她的建议。巴肯/弗劳尔斯在内讧中脱颖而出，战胜德国I队和德国II队成为冠军。拉辛/约翰逊组合则由于后者的腿筋受伤而失利。弗劳尔斯跨越冬夏奥运的转型，使她一夜之间成为国家英雄。

第72章 回归

比利时的雅克·罗格医生

国际奥委会第8届主席

我对奥运会的未来充满信心。年轻的一代愿意参加和观看奥运会，奥林匹克的梦想将会延续下去。只要国际奥林匹克委员会保持两周的瞩目焦点，继续保持由城市主办的政策，以及奥林匹克村的特色，保持颁奖仪式及开幕式、闭幕式，奥林匹克梦想就会经久不衰。各种仪式是关键因素，那是运动员们所尊崇的东西。通过与他们的接触，我深切感受到这一点。他们向往奥运村的氛围，即使是一流运动员也不会仅仅为了金钱来参赛，因为在职业领域中金钱唾手可得。目标、成就和仪式仍然吸引着人们。虽然国际奥委会正在寻找减少成本的办法，但我们不会减少各种仪式，或让运动员失去出席开闭幕式的机会。各种仪式是体验奥林匹克的基础。

奥运会与众不同之处在于，我们在运动场中没有广告，奥运会的电视转播遍及世界220个国家，其中区域转播是免费的。运动员的利益是我们的重中之重，我们会为他们着想，但我们不会提供奖金。国际奥委会和国际单项体育联合会、国家奥委会、组委会与所有的媒体赞助商一道，被寄予了莫大的期望。我们需要保持我们的梦想。

我认为现在的奥运会比30年前在组织上更加专业化了。在墨西哥和蒙特利尔奥运会上，需要6个人住一间房。现在的奥运村舒服多了，交通、安全、媒体覆盖率，以及比赛场所的质量都在进步。奥运会召开的时间跨度（4年一度）、在同一时间、同一地点进行很多项目的比赛，这些都是运动员所需要的。

但我们仍然有责任使比赛项目变得更有吸引力。现代的年轻人，尤其是在发达国家，不再喜欢体育，有那么多的文化产品，尤其是电子游戏吸引他们的注意力，再加上往返学校都是车接车送，年轻人变得更加慵懒。未来并不是坦途。而且，不仅在文化领域存在这一问题。在政治、经济和道德领域都存在着危机。世界和平受到威胁，在世界大战期间，我们不得不取消奥运会。这种情况在1916年、1940年和1944年都发生过。当然，奥运会还是生存下来了。如果我们不降低成本，增加收入，就会出现资金困难，很有可能垮掉。如果不解决兴奋剂问题，我们将面临深重的道德危机。

我们不可能完全消灭兴奋剂，但是可以不断地减少它。你不可能从正常社会中消灭犯罪，这是人类的天性，但是我们有责任尽我们所能。我认为我们的管理正在加强，并在尽一切可能支持世界反兴奋剂组织的工作。在由夏慕尼到长野的共18届冬奥会上，只发现了5例药检阳性，而在盐湖城一届冬奥会就发现了7例，这说明监督机制在发挥作用。但服用兴奋剂本身也变得更专业化：运动员们在科学家和医生组成的地下网络的指导下服药。世界反兴奋剂组织的任务依然任重道远。

体育运动中的透明度与国际奥委会中的透明与民主同样重要。萨马兰奇主席在盐湖城危机之后开始改革，1999年所进行的多项改革现在已见成效：道德问题已被正规化，行动法案为2002年12月在墨西哥城召开的特别委员会所接受。改革为我们的组织带来了变化，为国际奥委会带来新的活力。世界的领导人、经济学家、企业家、媒体和公众，都开始重新看待国际奥委会，重新评价我们。但我们仍需时刻努力，保持我们的诚信和威望，使之适应社会，为社会所接受。有些人抱怨说道德委员会太书生气，但你不能对一个新生事物过于苛求。你可能是对的，当然也可能是错的。

我们的财政状况已经步入正轨，在国际奥委会的管理和奥运会的运作上同样如此。在过去的两年中，我们通过很多合理化措施，比如重新整合国际奥委会和奥林匹克博物馆，每年都节约了不少成本。我的目标是在8年的任期内巩固萨马兰奇主席21年来所建立的一切。我们需要建立财政储备来应对一切危机。2001年我当选的时候，有1.1亿美元的储备，而现在我们拥有1.45亿美元，我们可能需要2亿美元。至于奥运会，我们希望缩减运动场所和成本规模，以及减少奢华技术的应用。比如，为什么田径主赛场的大屏幕要比击剑和帆船赛场的好呢，这需要花费很多钱。我们必须裁减运动员，在比赛项目数量不变的情况下，我们的运动员数目已经从1992年巴塞罗那的13万人上升到1996年亚特兰大的19.5万人。

长期以来，尽管国际奥委会委员们推迟了墨西哥城特别会议提出的取消棒球、现代五项和垒球这3个项目的提案，但我很高兴，他们接受了由执行委员会提出的在重新修订的准则下，定期对比赛项目进行重新评估的提议。对这一变革存在抵制情绪，这一点我并不吃惊。因为这是自1936年以来，第一次有人提议减少比赛项目。当然，这也是自1948年以来第一次没有增加比赛项目，因为我们必须阻止比赛项目的自然膨胀。同时，也不能保证“已入选的项目都将继续保持下来”。我们将在2004年雅典奥运会后重新审查比赛项目。很明显，有些项目已经在表演和财政状况方面实现了重要变革：例如马术比赛，3日赛的比赛场地减少到了75%，棒球和垒球则同意共用同一赛场。我们必须继续在传统项目，如击剑、拳击和现代五项等，和现代年轻人所从事的运动，如帆板、单板滑雪等之间寻找契合点。任何入选项目的关键在于它的训练的难度，同时还要引起公众兴趣。

对于主办城市是否应该在几大洲之间轮换，一直存在争议。我希望这是一种自发的，而不是强制的。如果是强制的，仅仅两个候选城市就会显得单薄，你可能被迫接受其中之一。我的建议是，劝说国际奥委会的投票者，如果有两个条件相当的候选城市时，我们将选择那个近期没有入选的洲。这是在选择2008年主办城市时，在巴黎、多伦多和北京之间进行选择时获得的成功经验。但这只局限于个人决策的范围。

人们问我，在与前任强势主席的对比中，我是否有压力。这是我从来没有考虑过的问题，尽管我高度评价他的成就。他上任时，国际奥委会没有钱，也没有国际影响。外部世界的变化通过电视媒介和商业赞助，以及职业运动的变化，给他提供了高速发展的机遇。我在任的时间将不如他长。他在很多问题上几乎可以自己说了算，但现在委员们则要在新的透明的环境中民主参与。我们目前还存在财政紧缩和安全防范的问题。尽管国际奥委会主席不好当，但我也不会畏缩。生活中有的是比国际奥委会的运作更难办的问题，关键是保护萨马兰奇主席所创立的基业，确保使奥运会成功的财务独立，在整个奥运会中重新分配我们93%的收入，在所有的项目中引入更多的女子比赛，环境保护和加强博物馆的建设。我将竭尽全力。

第8届国际奥委会主席罗格能讲佛兰德语、法语、英语、德语和西班牙语，他在运动员中很有人缘。1968年，罗格作为比利时的划艇运动员，第一次在墨西哥参加奥运会（他一共参加了3届奥运会），他当时下榻在豪华的海滨饭店。但当比赛结束后，他就搬到了墨西哥城的奥运村，与其他5个运动员同住。他曾经10次作为比利时橄榄球队的侧翼征战，5次出任队长。罗格能很快判断运动员及他们的问题所在，比如，在任何奥运村中，那些已完成比赛、希望举行庆祝仪式的，和那些仍在准备比赛的运动员之间的利益冲突。他能同样意识到，奥运会的形象有多么重要，因为这是吸引潜在的赞助商的因素。他也可以意识到像索兹曼（Marian Salzman）这样的批评家的重要性。这位批评家曾经对《华盛顿邮报》说，由于奥运会的大部分参赛运动员几乎都是外国人，美国观众将对奥运会失去兴趣，“奥运会快完蛋了。”和萨马兰奇一样，罗格对每一项赛事的形象吸引力都很敏感。

乌克兰的谢尔盖•布勃卡，1988年撑杆跳的冠军，被他的伙伴们选举为第一届运动员委员会主席。

在这个永远与政治有关的世界里，国际奥委会主席有太多的事情需要保持敏感。其中首要的是，要有意识地使运动员在管理中居于显著地位。1999年改革之后，运动员委员会的作用越来越多地在国际奥委会中体现出来。但在某种程度上，这种要求也是不现实的。因为不论运动员多么有天赋，他们面对奥运会运作的复杂性，也都是没有经验的，在选举时，对于规则和候选人的第一手信息也很有限。但是，罗格仍然让运动员自己去选举运动员委员会的主席，而不是由奥委会主席来指定。第一届当选的主席是乌克兰的谢尔盖•布勃卡(Sergei Bubka)，他是撑杆跳世界纪录的保持者，以12:5的选票击败了美国的排球运动员罗伯特•斯特维力克(Robert Ctvrtlik)。布勃卡的前任是芬兰的赛艇运动员塔尔伯格(Peter Tallberg)。在19名运动员委员会的成员中，有12名由奥运会运动员选举产生，另外的7名则由主席指定。该委员会中的12名成员将成为国际奥委会成员。一个与时俱进的国际奥委会主席必须考虑每一个人的所有事情。而萨马兰奇在谨慎地听取了各方意见之后，会首先考虑坚持某一目标，有时会无情地触及某些人的既得利益。但罗格表示，他将致力于建立一个开放的管理机构。

1994年，在巴黎召开的百年大会上，罗格的发言引人注目。他说，一方面，我们要求国家奥委会给运动员更多高效的支持，但另一方面，我们也质疑国家奥委会是否丧失了对运动员的权威。因为运动员被经理人、赞助商、会计师和器材提供商所包围。所以，国家奥委会和运动员双方的相互信任正在消失。对这方面问题的关心使他坚持要求，道德委员会的责任必须保证规范任何可能忽略的利益冲突。例如，加拿大运动员查梅尼•克鲁克斯(Charmaine Crooks)既是国际奥委会成员，也是道德委员会成员，如果她想代表多伦多在2001年申请奥运会主办权，她就必须辞职：两者只能选一。他认为这样要求是完全正确的。同时，罗格仍然保持了执委会成员在强制退休后两年即可重新竞选的规定，并没有将其修改为4年。另外还有一项调整，即一个普通执委会委员如果竞选副主席失利，可以重新参加未来4年普通委员任期的竞选。

但罗格主席与执行委员会在2002年遭遇了

很大打击。在盐湖城冬奥会之前召开的例会上，反对改革的声音甚嚣尘上。改革内容主要是禁止委员们访问申办城市，以及将一些观众较少的项目从奥运会中裁掉。在同年的11月，为此又召开了特别会议，但成果依然有限。在此之前，执委会已经明白，项目委员会（该委员会主席是意大利的卡拉罗[Franco Carraro]）提出将棒球、现代五项和垒球裁掉的方式有些不妥。这一提议引起了很大的争议，而且争论也不仅局限于被提到的这几个项目。国际奥委会体育部主任、奥运会与国际单项体育联合会关系协调部主任吉尔伯特•费利(Gilbert Felli)——一位为规范运动员不断增多、比赛项目日渐臃肿的奥运会而不知疲倦地工作的专家——表达了不少顾虑。当然，也有不少顾虑是没来由的。总之，这年秋天，罗格的权威在墨西哥城经受了考验。

罗格老练地驾驭着台上的辩论——用萨马兰奇的方式——在来自下层支持者的一致支持下，罗格对禁止访问申办城市问题最后拍板。但是，如果这算是一个重要胜利的话，第二天就将遇到挫折。在工作午餐和下午继续进行的辩论中，30多个发言者中除了一个人，全部反对裁减这3个项目。有些人提到原则问题，有些人要求明确纳入和裁减的准则。在短暂休会和经执行委员会讨论后，罗格很快意识到局势的复杂性，于是将进一步的讨论推迟到2004年雅典奥运会之后。

会议通过了定期对项目进行审查的原则，罗格对此感到满意。在追求一种开放式管理的过程中，他很乐意有人提出议案来讨论，并在遇到争论时暂避风头。如果是萨马兰奇，他会预知结果，并避免从争论中退却和改变方向。罗格早就说过："如果我们的支持不够，那就等一等吧。"如果没有奥运舞台，现代五项就无法生存。所以该项目的主席克劳斯•舒尔曼(Klaus Schormann)态度鲜明地主张保留这个由顾拜旦确定的、浓缩了很多奥运精华的传统项目。在这些辩论中，最大的输家是项目委员会主席卡拉罗，人们认为他脱离实际。罗格试探性地提出了个人意见——在奥运会中纳入高尔夫和棒球赛，但由于时间原因，对此提案没有认真地讨论。同时，马术协会迫于

摩纳哥王子阿尔伯特，奥林匹克雪橇运动的积极分子，现代五项的倡导者。

后勤工作花费太大，终于同意将它的3日赛所要求的户外乡村场地缩减到75%。

罗格对国际奥委会管理方面的部分调整已经超过了萨马兰奇 20年来所允许的范围，这一点已经变得明显起来。在作调整之前，对政策的分析主要集中在3个方面。除了在项目方面的改革暂时搁置了以外，在新的财政管理主席蒂埃里•斯普隆格和理查德•庞德的奥运综合研究委员会的严格监督下，还主要进行了管理审计。斯普隆格是在洛桑的办事人员中突然出现的生力军，在秘书长弗朗索瓦•兹韦费尔（Francoise Zweifel）退休后，他的部门被分为好几个单位，因而空出了一些位子，罗格就让斯普隆格填补了其中的一个空缺。斯普隆格的任务主要有4个方面：对国际奥委会的日常管理进行审计、奥运会管理、市场促销以及国际奥委会和奥林匹克博物馆之间的协作。在内部管理的所有事务中，最重要的是提取信息和知识资源，作为与主办城市条约中的制衡因素，以避免每隔4年都因袭前例。在奥运会管理方面，主张协调委员会与主办城市组委会之间重新整合，加大协调力度。在市场运作方面，国际奥委会施行总体掌控。在海伯格为主席的市场委员会的领导下，对已成为市场伙伴的大公司，放宽它们在2004年获得的权限。

奥运会研究委员会在理查德•庞德的领导下，进一步加深影响，逐渐成为国际奥委会的重要组成部分。2002年，他们的初步建议就是:削

减奥运会服务设施的已被批准的费用增长，使它保持在“合理”的水平上，并在可接受的范围内承担经济变动的风险；最大限度地利用比赛和非比赛场馆以及训练场馆，以小时/空间/服务为单位减少和优化使用基础设施，以达到成本最小化；限制并减少在编工作人员；明确国际奥委会和主办城市组委会之间的关系，使工作尽可能凝练务实。所有这一切工作都与司法委员会重新审视的宪章相关。

庞德的精简工作对奥运会长期的发展很关键。正如罗格所指出的，在1988年汉城奥运会上，技术方面的成本占预算的8%，到2000年悉尼奥运会，这一比例上升到28%。“我们必须降低预算，”他说，“必须削减和紧缩开支，不能让它毫无节制地增长。我们不再需要有125,000个座位的奥林匹克运动场，因为实在没必要。”罗格经常念叨的是，以后的奥运会的规模不能超过悉尼奥运会：28个项目、272项比赛和10 651个运动员。而罗格和庞德等人关于降低财政支出的政策，遇到了他以前的帆船赛对手，现在

国际业余田径联合会主席，奥运会研究委员会的重要成员拉米•迪亚克。

自从1960年在罗马获得100米自由泳第6名以来，理查德•庞德一直都是国际奥委会的先行者。

的国际帆船协会主席加拿大人保尔•亨德森(Paul Henderson)的反对。“根据庞德的计算，组委会需要为每名参赛运动员支付3万美元，”保尔•亨德森说，“所以说，增加500名运动员的开销是1 500万美元，这只占预算的0.05%。每一届奥运会都会有应急的办法，实际上基建费用通常会缩减：如果在适当的奖惩手段下，新场馆最后完工日期安排在头3年，而不是后3年，就可以节省费用。”但亨德森却忽略了新增的运动员将会影响整个管理工作，引发住宿、安全等问题。以前，奥运会后勤的费用曾达到每天1000万美元。因此，增加500名运动员的成本应该是7000万美元。

鉴于近年的商业赞助不会永远如此，罗格和庞德联手精简费用，并取得了相当成绩。在奥运会继续处于顶峰、声誉日隆的时期，节约是最好的策略。根据国际赞助研究会的研究，只要奥运五环存在，奥运会的顶尖地位就不会改变，它是世界上认可度最强的机构（78%），排在壳牌(72%)、麦当劳 (66%)和奔驰汽车(61 %)之前。“剥除现代体育的赞助和商业化，我们还剩下什么？”庞德追问道。“一个100年来形成的庞大的、复杂的、精心调试的机器——却没有燃料。”燃料的供应是充足的，就看你去不去拿。2002年，耐克公司的创始人和老总奈特(Phil Knight)梦寐以求的目标实现了：在全球范围内，公司的税前收入超过100亿美元。海伯格(Gerhard Heiberg)接替庞德，成为市场委员会主席，但实际上，他所处的地位非常特殊：一个风光的、控制着世界上所有组织中最高收入的职位，但这个组织却是非盈利性的。

利勒哈默尔冬奥会组织者、主管国际奥委会市场营销资金的关键人物海伯格(Gerhard Heiberg，挪威，萨马兰奇的右边)。

安井义薄，日本兄弟集团总裁、前赞助商，在发言中说："国际奥委会对奥林匹克运动的所有贡献中，最突出的是，在保留奥运会的悠久传统和声誉的同时，在商业上也取得了如此巨大的成功。"在传媒和市场收入方面的增长使国际奥委会有能力给国家奥委会、国际单项体育联合会和组委会提供强有力的财政支持。超过93%的收入分配给奥运会的各分支机构。长期合同使得国际奥委会能够提前支付组委会预算的大部分支出：自1980年以来的24年内，该项支出在夏季奥运会上增长了10倍，在冬奥会上更是增长了30倍。同时，建立于1971年，由奥林匹克传播收入资助的奥林匹克团结基金，也增长了15倍。而对大多数国际单项体育联合会来说，国际奥委会的资助是他们收入的最大来源。

在过去的20年中，国际奥委会签订的转播和国际赞助的合同总价值超过120亿美元。国际奥委会向200多个国家奥委会提供资助，并向所有参赛运动员提供旅费和住宿费用。

20年来，传媒覆盖率增长惊人：220个国家的37亿观众得以观看奥运会，夏季奥运会的观看时间总计达到3 600万小时，冬奥会为2 000万小时，而且这些全部是对所有人开放的免费收视频道。国际奥委会是通过直接谈判获得这一增长的，它没有使用代理商和第三方签订合同。从1984年到2008年，转播总收入超过99.25亿美元，从1980年莫斯科奥运会的1.01亿美元到2008年北京奥运会的17.15亿美元，增加了15倍；冬季奥运会的转播收入在1980至2006年间，从2 100万美元增长到8.32亿美元，增长了40倍。

1980至2008年间，非美国本土的奥运会转播权的价格也在飙升，这使得奥运会降低了对美国传媒的依赖。

笔者在 61章中提到过，1985年的奥林匹克计划(TOP)不仅为所有的国家奥委会提供资助，对组委会相应的关键技术资源进行援助，还要为奥林匹克吉祥物在220个国家的推广提供资助。最主要的是，TOP使国际奥委会开辟了一个新的市场空间，使它不必过于依赖转播权收入。比较而言，TOP计划二期不仅继承了一期的理念，还为其他赞助商提供了机会。国际奥委会严格遵守与客户的合同，并在可能的情况下及时更新这些赞助合同。当然，它与TOP最大的赞助商之一IBM的合作没能继续下去，其原因是因为合同太过复杂，而且1996年亚特兰大奥运会出现了严重的通讯故障。但现在，赞助商们都已经知道如何在客户中启动广告项目，而不仅仅是使用奥运的五环标志。

奥运会收入用于国际单项体育联合会的那一部分，是根据夏季奥运会和国际单项体育联合会之间的内部公式分配的，这通常要经过激烈的辩论。而最激烈的一次当数2002年12月在科罗拉多召开的会议了。急于介入这一分配过程的是新加入的三项全能和跆拳道两个项目。夏季奥运会项目联合会主席丹尼斯•奥斯瓦德（Denis Oswald）力图使分配比例达到适当规模。他对同事们说："如果我们不想被外界强制，而接受某一解决办法的话，就只能开出一个比较折中的数字。"要价大幅增加的是国际业余田径联合会，因为，它现在开始有了独立的锦标赛。两者最终达成了一个新的分配模式，将国际单项体育联合会分为如下5个大类：A组：田径，2 630万美元；B组：篮球、自行车、足球、体操、游泳、网球、排球，1 210万美元；C组：手球、曲棍球、马术、划船，760万美元；D组：包括16个项目，每个项目620万美元；E组：跆拳道、三项全能，每项540万美元。

对奥林匹克团结基金及其旨在帮助国家奥委会的多个项目资助，其资金来自转播权收入。国际奥委会的资助是团结基金的唯一来源，目前，其2001年-2004年计划的预算总额高达2.095亿美元，比1985年-1988年的计划增长了7倍，这样，它在世界范围内就可以组织1万项赛事。包括从盐湖城到雅典的4年中TOP的9 500万美元的资金在内，国际奥委会对国家奥委会的赠款总额达3.045亿美元。这是很公平的，按罗格的估算，国家奥委会参加奥运会的费用应在1.5亿美元左右，主要是派遣自己的运动队参赛，以及在预赛中作一些准备。自从布伦戴奇主席拒绝任何国家奥委会的联合组织后，其组织方式发生了多大的变化啊！

从庞德开始，到后来的海伯格在管理上的突出表现，也许不能和萨马兰奇近20年的成就相比，但可以与尤伯罗斯(Peter Ueberroth) 作为国际奥委会委员的成就相比。他是1984年洛杉矶奥运会的管理和商业的关键人物，这位当时最有商业头脑的"增补"官员，未来前程无量，甚至可能是主席的继承人。但基层委员们却不喜欢尤伯罗斯，正如他们不喜欢霍斯特•戴斯勒（Horst Dassler）一样，因为他们在自己的利益上太精明。只有洞悉并关照别人的利益，才有可能成为国际奥委会的领袖。虽然如此，国际单项体育联合会和国家奥委会对源自尤伯罗斯和戴斯勒的钱却是来者不拒，这为现在使奥运会大受裨益的财务状况奠定了基础。

对尤伯罗斯的否决被看做是萨马兰奇的失误之一。这种失误并不多，也有人怀疑是他惧怕尤伯罗斯的潜力。萨马兰奇的魅力和声誉都是无可比拟的，这位体育官员兼具总统、国王和独裁者的气质（虽然很少有人看到这一点），他的大门向所有人敞开。不高兴的运动员、无名的秘书和最不起眼的国家奥委会主席，他都一视同仁。有些批评家嘲笑他把自己当做国际发言人了，但他准外交官的角色却赢得了广泛的尊重，他将来自中国、南非、朝鲜和其他地区的政治家们团结到一起。他经历了外界对他21年主席生涯的批评浪潮之后——主要指责他在洛桑创建了一个路易十四式的专断的"法院"，以施行铁腕统治。萨马兰奇在洛桑的食堂中与员工们共进简朴的午餐——他无愧于他的责任。1993年，当他被问到1976年的非洲抵制事件时，他说："非洲各代表队在离奥运会开始仅两天时发难……我相信，如果有机会（沟通），问题是有可能解决的。我可以向你保证，我那时的确不能为非洲各队的离去负责。"

虽然他疏忽了，也很难发现少数委员的不法行为——申办城市的官员们是知道的。萨马兰奇依然使国际奥委会平安度过了1999年的危机，并通过改革，使国际奥委会恢复了生机。这些工作是危机管理的典范，他也因此使这个组织成为全球瞩目的组织，这是他追求的目标。自1981年汉城成为主办城市以来，为了它的正常运作，萨马兰奇去了15次韩国。正如庞德指出的那样："他围绕着这条龙转。"有些委员，包括庞德和德国的巴赫，认为萨马兰奇对某些国际奥委会委员的判断是错误的，尤其是在为了追求广泛性而走向世界的时候。庞德认为他应该免去马克•霍德勒主管访问主办城市的职责，转而委托给更年轻和精力旺盛的人去办。但1999年，当萨马兰奇的声誉降至最低点时，他躲在洛桑的城堡中，电视公司和赞助商依然坚决支持他，佩恩和庞德每天都要不断地许诺马上进行根本的改革——这才为度过危机奠定了基础。

与原来猜测的相反，因为病重，萨马兰奇提前6个月，于2001年宣布退休。他获得了终身荣誉主席的殊荣，并在洛桑保留了办公室以及秘书。退休时他仅作了礼节性的问候和拜访。回顾过去，有很多东西与他的意愿并不一致，他承认：

> 我们的公共关系很差，总是在保护自己，却不知道如何去正面推销自己。我们在体育政治方面有所作为的只有中国大陆、中国台湾、韩国、朝鲜、南斯拉夫独立以及重新承认南非等问题。我最大的遗憾是没能说服一些委员尊重宪章。尽管我在执行委员会作过努力，但我没在会议上通过禁止访问的议案。但是，我还要感谢危机，

它为改革铺平了道路，否则改革是永远无法获得通过的。

开始我受到一些媒体的批评，说我生活在王宫中，每天坐直升飞机旅行，对我过去在西班牙的生活大加渲染。但是人们应该看一看国际奥委会在1980年和2001年的情况。虽然女运动员在管理中的比例仍然是少数，但在悉尼奥运会上，女运动员达到42%。开始时，我的梦想是让国际奥委会囊括一切运动。现在，我们除了拥有13名女委员，4个分支机构，以及国际单项体育联合会和国家奥委会外，还拥有活跃的运动员——可笑的是，如果不是1999年的一场危机，几乎不可能说服委员们迈出这一步。我曾呼吁，执行委员会中必须有国际单项体育联合会和运动员的位置。最后，我们也做到了这一点。

2002年，尽管两位活跃在兴奋剂战线的对手，曼富莱德•艾瓦德（Manfred Ewald）和德•梅罗德王子去世了，但在这项运动中，要做的仍然是行动。艾瓦德曾经是东德体操协会主席，体育协会和国家奥委会主席，他有效控制着这个前苏联卫星国的全部体育机器，虽然他最大的野心曾是在洛杉矶奥运会的金牌战中打败他的前苏联老大哥，可惜这届奥运会被抵制了。是艾瓦德在引导官方的政策，利用体育上的成功，为“被占领的”德国的政治服务，并为此开发提高成绩的药物。很多不知情的运动员都采用了“科学食谱规划”，后来证实，这对身体有严重危害。2000年，艾瓦德曾和他的生物学助手曼富莱德•霍普纳（Manfred Hoeppner）博士进行了142例身体损害试验。他自己的健康也于74岁开始恶化。在体育管理生涯中，艾瓦德曾在1964年率领德国联队参加东京奥运会，1973年成为东德国家奥委会的新任主席，领导着他的不到1200万人口的国家，在1976年、1980年和1988年的金牌榜上位居第二，在1984年萨拉热窝奥运会上位居第一。

为了阻止这种不正之风，作为国际奥委会药物委员会的主席，梅罗德王子做了种种努力，虽

拉德克里夫（Paula Radcliffe，东德）在悉尼的10 000米比赛中暂时领先，最后获得第4名。次年，她勇敢地站出来反对兴奋剂欺诈。

然该委员会不能杜绝日趋严重的违法行为，并经常因此招致批评，虽然这种行为的主角是那些没有医德的医生、教练和运动员。从1967年直到去世，他一直担任药物委员会的主席，并两度担任国际奥委会副主席。梅罗德王子是一位世袭的贵族，他温文有礼，经常被与他的委员会作对的复杂的科学技术搞得晕头转向，其解决问题的方式更是非常智慧而温和。他认为，就像在其他工作中有工作时间的限制一样，运动员也应该有限制过度训练的条例，以保护他们的利益。

在这一领域，没有人像梅罗德王子一样，具有如此专业的和有道德深度的观点。在世界反兴奋剂组织(WADA)开始全面运作时，药品委员会的事务自然减少了许多。随着世界反兴奋剂组织第一届国际会议于2003年3月在哥本哈根召开，这种趋势日见明显。4年前（1999年2月），该组织召开的第一次会议受盐湖城事件的影响，并未受到太多的关注。媒体当时正在如饥似渴地探寻贿选事件，反而忽略了来自世界反兴奋剂组织的新闻事件。而现在，众人的注意力都聚焦在这个统一的行动上。世界反兴奋剂组织主席庞德把这叫做“思想的高度一致”。国际奥委会主席雅克•罗格说，威胁着奥运会的生存的兴奋剂问题，现在进入了一个新时期。世界反兴奋剂组织对所有奥林匹克主要部门作了前所未有的咨询，在所有的国际单项体育联合会中都进行了充分讨论（其中

德•梅罗德王子，他以智慧而温和的方式处理兴奋剂问题。

某些讨论仍在继续），然后认可并签字，之后谨慎地出台了《世界反兴奋剂法案》。而特别值得一提的是，有63个政府签字，此后，另有27个政府允诺将随后签字。如果没有法律和行政层面的通力合作，法案的影响力将会大打折扣。

药检和罚则的标准化是世界反兴奋剂组织的主要胜利，虽然在诸如自行车联和足联还有争议，在对于服用旨在提高成绩的药物致使药检呈阳性者，需处以2年禁赛这一基准的适用性问题上，大会仍然取得了40年来最大的突破。违禁药品不仅玷污了所有体育运动的形象，而且使公众丧失了信心，从而威胁到了体育项目的前途。

2003年4月，美国国家奥委会复查1988年的药检结果，以证实长期以来对滥用兴奋剂行为的怀疑，并准备对刘易斯和其他药检阳性的运动员施加压力。庞德的讲话在这个时候更具重要意义。世界反兴奋剂组织在行动上必须决断。在会议召开后的几周，有消息称，英国2000年七项全能冠军丹尼斯•刘易斯(Denise Lewis)选择了名声不好的前东德教练阿尔贝特(Ekkart Arbeit)博士进行训练，后者在澳大利亚和南非都曾由于涉嫌使用兴奋剂被禁赛。庞德以他惯有的直率说：“我的想法是，如果有谁以任何方式采用或允许使用兴奋剂，我们将把他逐出体育界。我们从没有对与教练有关的领域给予应有的密切关注。新出台的将在雅典奥运会之前实施的反兴奋剂政策将重新矫正这个问题。”

关于2003年将在布拉格举行的2010年冬奥会主办城市的选举——平昌（韩国）、萨尔兹堡、温哥华——和2012年夏季奥运会的主办城市名单，各种猜测越来越多。巴黎在2008年申办中失利之后，还会再尝试吗？很多人喜欢的伦敦，是否会获得政府的财政支持呢？纽约有机会入选吗？

最后一个问题有可能，但可能性不大。美国国家奥委会事件所引起的喧闹加重了这种怀疑。桑德拉•鲍德温的主席生涯很短，接替他的是带有足球运动背景的马蒂•曼卡姆耶尔（Marty Mankamyer）。由于奥委会秘书长沃德(Lloyd Ward) 在泛美运动会中，在多米尼加共和国曝出财务问题，从而给鲍德温主席带来了麻烦。沃德受到了很多批评，结果，美国国家奥委会被召到华盛顿参议院进行申辩。在美国国家奥委会不断施压下，虽然没有被起诉，沃德还是引退了。接着，共和党商业委员会主席、参议员约翰•麦凯恩（John McCaine）称：“我们需要一个新的组织来为未来的奥运会作准备。”为此，美国需要修改1978通过的《业余体育法案》，因为该法案赋予美国国家奥委会特许权。

不仅是美国国家奥委会使国际奥委会头痛，盐湖城丑闻也余波未尽。虽然美国申办城市对于贿选行为同样应该负责，但美国政客们却对国际奥委会横加指责。更有甚者，来自东海岸的罗姆尼(Mitt Romney)作为风雨飘摇的组委会的临时主席，对于奥运会的创建者和国际奥委会的成员放肆地表现出美国式的轻蔑。他一副屈尊施舍的派头，无礼地贬低国际奥委会的住宿和安全设施。“我们删繁就简，”罗姆尼自鸣得意地说，“而奥运会的超支达到5 600万美元。”美国对国际奥委会的批评得到了报应。萨马兰奇主席在1999年现身美国国会时，美国的声誉降至最低点，后来他的继任者说：“癞蛤蟆的唾沫不会玷污星星”——

这是17世纪法国作家拉封丹的名言，国际奥委会委员们将不会投票给美国，尽管它是世界最富的国家，财政收入很多——布什总统在盐湖城奥运会后不久，减少了对国际奥委会委员的邀请，此后的情况更是如此。另外，北美在过去12年中，已经举办了1988年卡尔加里、2002年盐湖城两届冬奥会和1996年亚特兰大夏季奥运会，美国也不可能再度获得支持。

为2010年奥运会进行的投票结果出乎意料：这并不是因为温哥华的入选，而是因为在第二轮投票中，不为人知的韩国旅游胜地平昌虽被击败，但其票数却非常接近：56∶53。很多人喜欢的萨尔兹堡在第一轮投票中就以16票被淘汰，平昌仅以6票之差没能在第一轮投票中直接中选。投票结果是：平昌51票、温哥华40票、萨尔兹堡16票。

对国际奥委会来说，这是常事，总有一些内在的因素会起作用。很多欧洲委员希望欧洲城市如巴黎、马德里或伦敦当选2012年夏季奥运会的主办城市，因此，他们会避免在这一次投票中选定某一欧洲城市。萨尔兹堡有些先天不足，它在陈述那天不恰当地大谈奥地利的音乐，而不是其体育传统。选择温哥华无疑有助于2012年随便哪个欧洲城市的当选，这同时也使纽约的希望更加渺茫。但是，平昌的微弱劣势还是引出了很多问题。

最严重的是有关来自韩国的TOP赞助商三星集团在布拉格会议之前和之间的行为。他们重拳出击，迅速与国家奥委会接洽，国际奥委会中的个人委员也向执行委员会提出，应该重新考虑有关竞选的条件和规定。在布拉格，甚至有人私下认为，如果平昌当选可能会就他们的申办程序举行一次听证会了。而实际上，在亚洲的这个城市，其冬季比赛的设施和潜力都非常优秀。但就感觉而言，三星在布拉格所起的作用似乎比韩国总统为平昌所作的陈述和讲话的作用还要大一些。

很多与会者并不满意，至少是不喜欢被禁止访问申办城市，以及由此导致的不可避免地对评估委员会报告的依赖。以海伯格为首的委员会对这几个城市都给出了好几页纸的报告，但委员们倾向于以申办城市的陈述为依据进行投票，对这些报告却置之不理。韩国的申办代表们回国后，将他们的失败（尽管他们得到的票数比预想的要多）归咎于金云龙，因为他决定参加国际奥委会副主席的竞选，他们认为他的这一决定造成了选票的分流。在他们的想象中，支持者们不会在同一天两次投票给这个亚州半岛国家，所以金云龙的胜利与申办活动的失败正相一致。虽然所得到的53张选票已经证明这个假设不合理，但仍然使金云龙在国内经历了一段艰难时日。他的竞选清楚地表明，人们对这位在两年前参选主席落败的人物的支持态度。在犹豫一阵之后，海伯格也决定，利用市场委员会主席的牢固基础，去竞选副主席一职。结果是44∶55，他以11票之差输给了金云龙。但海伯格与来自几内亚的阿尔法•伊拉希姆•迪亚洛（Alpha Ibrahim Diallo）一道，获得了执行委员会的两个席位。

在布莱尔的支持下，伦敦宣布竞选2012年奥运会。但英国奥林匹克协会不久就发现，在关于奥申委主席芭芭拉•卡萨尼（Barbara Cassani）的问题上，他们与政府发生了分歧。芭芭拉•卡萨尼的履历很诱人，曾在航空公司担任过重要职务，但不幸的是，她被认为有美国背景和美国口音。英国在伊拉克战争中是美国的盟友，世界对此的看法可能成为影响2012年投票的负面因素。这种趋势已经在国际单项体育联合会官员的选举中表现出来了。选择一个具有美式口音的人来领导，这并不是很聪明的做法。而其早期的建议，由英国足球队队长贝克汉姆作申奥形象大使，也不是明智的选择，罗格很快就拒绝了这个提议。与布莱尔在唐宁街10号会晤后，罗格说：“坚持基本点，申办应涉及实质问题而不是仅看表面。我们不会被盛名所迷惑……他（贝克汉姆）不会增加一张选票。”伦敦的对手除了巴黎和纽约，还包括哈瓦那、伊斯坦布尔、莱比锡、马德里、莫斯科和里约。

在会议上有一种担心，即各国政府可能会拖延对世界反兴奋剂组织的预付款。由于国际奥委会与政府的付款是相匹配的，因此，如果不能兑现，双重的资金短缺将威胁世界反兴奋剂组织对软件和研究的投资。世界反兴奋剂组织主席庞德说：“我认为，人们都希望如此，但各国不愿交钱。不是组织不够，而是人们缺乏自觉性。我们仍然期望资金到位。”国际奥委会本身资金倒不会不足。在2002年盐湖城冬奥会后，国际奥委会已经积累了1.5亿美元，在与NBC广播公司就美国电视转播权签订了2010年（8.2亿美元）和2012年(11.8亿美元)的合同后，应该另有5 000万美元的进项。

2004年的雅典，奥运会将重返故里，但到目前，它能否成功举办仍然是个问题，负面因素绝不仅仅是温度。其组委会的管理部主任一年前说：“幸亏我们1996年没有入选，否则我们根本举办不了。”但后来他又补充说：“我们现在有一个团队，可以按时交付工程，这是很棒的。”但乐观并不总是充分的理由。扬娜•安耶洛波洛斯•扎斯卡拉基，1997年，这位在竞选中用动人的言词打动国际奥委会成员的精力充沛的女人，在典型的希腊式管理模式下，只能选择从组委会隐退，后来在总理科斯塔斯•西米蒂斯的恳求下，她才回来并使筹备工作最终走上正轨。鉴于雅典入选3年以来，准备工作毫无建树，国际奥委会威胁要在其他地方召开奥运会。2001年末，虽然在协调委员会考察后，耶洛波洛斯•扎斯卡拉基得以复出工作，但国际奥委会还是忧心忡忡。这个女人用玛格丽特•撒切尔的格言——这一格言来自丘吉尔，也是默罕默德•阿里的口头禅——“永不放弃”来激励自己。她体现出了一种对国家和社会的良知。她迫使政府、建筑管理部门、交通部、旅馆协会以及希腊文化遗产主任进入到诺曼底登陆状态，使这座历史名城发生了前所未有的改变。她不仅是在为奥运会短暂的几天，还是为居民们的长远利益着想。当然我们还需要看他们的实际行动，但奥运会给了希腊一个决战令，他们的政治家在一百多年中所缺乏的就是这个。国家将为即将到来的盛会耗资约50亿美元。但是，在奥运会第二次在希腊召开之际，希腊要努力保证提供可靠的、及时的和高效的交通，这仍然是一个艰巨的任务。

扬娜50岁时，如期而来的雅典奥运会将向她的同胞表明：她是一个充满矛盾的综合体：既是一个意志坚强的个人主义者，又是一个激进的民族主义者。安耶洛波洛斯•扎斯卡拉基过去曾经

扬娜•耶洛波洛斯•扎斯卡拉基，雅典奥运会的保护神：“振兴这个作为文明发源地的伟大国家。”

在哈佛大学组织过一个论坛，名为：“希腊的矛盾——承诺和实际行动”。她的远大目标，也许对许多希腊人来说是不可能的，那就是让希腊人团结起来，像一个团队一样工作。

新的市政建设包括新的机场——它将把日常运输能力提高50%——200多公里环形公路的建设、高速公路和轻轨铁路的建设、生态公园，海洋娱乐中心、露天剧场和水族馆的开放，步行街的设计将雅典卫城、会场、古罗马广场和新的卫城博物馆连为一体。比雷埃夫斯港的游轮将可以容纳上千人。

但奥运会能否成功，以及相关的改善能否实现，这些应该由人民来评判。虽然奥运会组织的领导人对未来都很乐观，但在一次由私人电视台举办的调查中，民众所关心的问题首先是失业问题、健康保险和教育问题，奥运会的组织问题排名靠后。所有的奥运会所作的改善似乎都倾向于对富有者的生活的改善，而不是对贫困者的生活的改善。

毫无疑问，奥运会给我们大多数人带来了好处。世界体育产品工业协会主席 斯蒂芬•鲁宾曾说：“国际奥委会在萨马兰奇主席的领导下，将体育作为创造和谐世界的工具。现在，体育和相应的媒体，对世界的青年一代具有非凡的影响力，而国际奥委会为它的成员们带来了希望和归

属感。"实际上，现在的情况离纯粹的体育王国距离还很远，它并不是由清一色的业余运动员组成，像19世纪后期英国绅士们的俱乐部那样。当时出于管理上复杂的原因，顾拜旦规定了业余运动员原则和排除专业人员的原则，而他的自由精神是不喜欢任何歧视的。"对我来说，只根据运动员是否接受了五法郎硬币来决定他的一切（这种与运动及其精神相关的准宗教式的行为）是很孩子气的，这就好像根据教堂管理员拿了管理教堂的工资，就断定他不再是信徒一样。"他指的是国际奥委会的规定，这些规定作为社会保护和等级制度的遗迹，在下一个世纪会逐渐消失。来自德国的理想主义者维利•道默在1987年接受职业运动员时说："对等级观念的破除，使奥林匹克和平运动获得了比任何其他运动会更伟大的成功。"

我们必须从奥林匹克运动中继承的，是荷马所歌颂的精神，虽然他的作品主要描写的是高贵的勇士们，那些在希腊语中被称为"善者"的特权人物，包括有高贵血统的"卓越者"，他们训练有素，作战勇敢。"善者"和"卓越者"的特质被称为"德性"，这是勇士的内在品质：力量、技巧、勇敢和英雄主义，简言之，优秀，就像阿喀琉斯和奥德赛一样。对"德性"的追求比对胜利的追求起点要高多了。管理者和运动员同样要具备这种精神，这就是我不但要写奥运会的历史，也要同样记录国际奥委会历史的原因。虽然笔者在20世纪中期的学校和大学中所受的体育教育完全秉持着业余理念，但我从来没有对职业运动员有什么偏见，只是把这看做是力求完美的标志。虽然我曾经见过很多有职业操守的职业运动员，也见过一些相当差劲的不道德的业余运动员。奥运会最重要的是它所倡导的精神：积极参与和公平竞争。

第73章 雅典

第二十八届夏季奥运会 2004

摩洛哥人希查姆·埃尔·盖鲁伊(Hicham El Guerrouj)

奥运会1 500米、5 000米双料冠军

13岁的时候，我就梦想能成为奥运会冠军。16岁成为摩洛哥全国冠军时，我发现也许会有梦想成真的那一天。这种感觉一直伴随着我，并推动我不断地向着梦想迈进，而我的梦想之端、动力之源就是摩洛哥田径传奇人物、中长跑之王奥伊塔（Saïd Aouita）。尽管在亚特兰大和悉尼奥运会上，我连续两次在1 500米比赛中遭遇失败，但直到29岁仍然没有放弃梦想。

亚特兰大奥运会上，在比赛的最后一圈时我跌倒在地，那时我崩溃了。后来，我慢慢意识到这并不是失败。随后，我的生活每天都发生改变，无论是比赛战略、训练方式还是我的人生观。当一个人处在事业巅峰时，类似的事情就会发生，我们一定要坚强地面对一切，同时，我们必须知道，做什么事都不会总是一帆风顺的。就是这种心态让我更加努力地训练，不断地把自己推向极限。我有了进一步的提高，但是，在悉尼奥运会失利之后，更多的挫折接踵而来。

亚特兰大奥运会之后的4年里，我一直把跌倒的照片挂在床后的墙上，每当我看到它都会感到沮丧。悉尼奥运会后，我把照片摘下来。因为我明白，如果一个人的潜意识向一幅照片屈服，那么，相同的事情或许就会再次发生。

悉尼奥运会之前，肯尼亚人诺阿•恩盖尼（Ngeny）在各次比赛中，一直排在我后面。可在悉尼奥运会上，他战胜了我，赢得了冠军。我为他的胜利感到高兴，同时意识到自己需要在很多方面作出调整。一直在我身边支持我的人们——我的教练组，他们是不可替代的，在我的体育生涯中他们一直给予我帮助。尤其在外界不断给我施压、要求更换教练时，他们更需要留在这个团队中。但有一个事实必须认清：在悉尼奥运会跑1 500米总决赛前，我本来是体力充沛的，然而，经过准备活动之后站到起跑线上的我已经

是身心疲惫了。

从那以后，我不再将评论家的意见照单全收，我仍然希望成为奥运会冠军，这个来自心底的渴望越来越强烈。2003年，当我在巴黎赢得第四个世界锦标赛冠军时，我知道不能就此结束自己的体育生涯，否则我一定会后悔莫及。

我是什么时候决定参加雅典奥运会1 500米和5 000米比赛的呢？其实，在巴黎世锦赛夺冠的前一个星期，我就作出了这个决定。这是我夺取奥运会1 500米冠军的最后一次机会，也是我获得双冠王千载难逢的机会。在巴黎世锦赛上，我夺得1 500米冠军，而在5 000米的比赛中，我仅获得亚军。主要因为我的战术出现错误，过早地在最后两圈发力冲刺。

经过以往失败的历练，当我来到雅典时已经变得非常强大。我的竞技状态处于绝对巅峰，我的内心对比赛充满了渴望，希望明天马上到来，甚至希望立即比赛。这和我在悉尼奥运会上的感觉完全相反，那时，我失去了比赛的欲望，离开房间之前竟哭了整整两个小时。

在雅典夺得1 500米冠军后，我欣喜若狂；我甚至想也许能获得5 000米和10 000米的冠军。我走进比赛场，那感觉就像是在一步一步登上舞台。虽然赢得5 000米冠军与赢得1 500米冠军的心情是迥然不同的，但我仍然对比赛充满信心。

我想我颠覆了1 500米的赛跑方式，以前，冠军都属于那些在最后300米跑得最快的人。但1996年以后，1 500米赛跑的方式发生了革命性变化，成为一项对节奏要求极高的比赛。这正是我能37次跑出3分30秒以下好成绩的原因。我的体育生涯告诉摩洛哥的年轻人，只要努力就可以做到别人能做到的事。20年前，摩洛哥人没有梦想的权利，我们的社会存在很多问题，如果我跟别人谈起“梦想”，他们会嘲笑我。但现在，摩洛哥人的思想已经发生了改变。

用“最伟大的奥运会选手”来形容参赛者，会过于主观，也会造成误导，但希查姆•埃尔•盖鲁伊无疑是奥运会传奇之一。80年前，努尔米同时获得1 500米和5 000米冠军，现在，埃尔则成为第二个拥有此项殊荣的人。在他还没有连续4次卫冕1 500米世锦赛冠军之前，同是双冠王的塞巴斯蒂安•科就形容埃尔是他“所见过的最好的中距离赛跑选手”。在雅典取得了非凡的成绩之后，很多人开始猜测，埃尔会在10 000米上取得怎样的成就。但是，受伤病困扰，埃尔不得不于2006年5月退役。或许，急流勇退是个正确的选择，而埃尔也说：“10年来，我第一次和家人共度时光。我思索过自己将何去何从，但我以后不会只关注体育。”

埃尔已经创造了一个令人难以置信的纪录：在1996年至2004年的8年间，参加89场比赛，获得84场胜利，统治了中长跑项目，时至今天仍然是室内外1 500米和5 000米世界纪录保持者。退役之时，他道出了每个伟大的中长跑运动员所必备的自律，这也是那些只有三分钟热情的野心家所不感兴趣的东西。他说：“我训练很刻苦。每天训练两次，一天跑25千米到30千米。训练的时候，我就喜欢受折磨。如果训练不受折磨，我会觉得自己没有好好训练。”尽管并非天生的政治家，但他仍然打算投身政治，帮助摩洛哥的人民。

在雅典奥运会上，当埃尔冲向1 500米终点线的时候，他的神经已经紧绷到极点。埃尔承载着全球的期盼，更不用说摩洛哥人民了，他们一直视埃尔为手足，并日夜为他祈祷。尽管8年来，他只输了5场比赛，且70%的胜利都刷新了以前的成绩，但有一个问题总是萦绕在他的心头，那就是在悉尼失利之后，赢得28个连续胜利之前，一个摩洛哥记者提出的问题：“你怎样解释你给3 000万摩洛哥人民带来的耻辱？”在他30岁的时候，雅典奥运会是他唯一解答这个问题的机会。

鸣枪后的第一圈，他尾随在可怕的对手拉加特（Bernard Lagat）的后面。这个肯尼亚人，是悉尼奥运会的铜牌得主，两周前在苏黎世刚刚打败了埃尔。埃尔在第二圈取得了领先的位置，肯尼亚人紧随其后。到了最后一个弯道的时候，拉加特加速，离终点还有54.9米的时候，拉加特超越了埃尔。噩梦似乎要再次降临到这个优秀的选手身上，值得称赞的是，他没有像一些人那样放弃比赛。现在能让他洗掉那三次耻辱的就是这最后的0.3米，他所拥有的就是勇气。这对选手并肩冲向终点，埃尔坚持住了自己的步伐，拒绝向命运低头，拒绝向拉加特示弱，最后以0.12秒的微弱优势率先冲过终点，成绩是3分34秒18。

几十年来，0.12秒始终是奥运会上最微弱的差距。当埃尔跪下致谢，并亲吻跑道的时候，拉加特向他表示祝贺。拉加特稍后表示："我心满意足了。我实力很强，但今天他比我更加强大。"埃尔绕场致敬，在听到扩音器传来左巴之舞的音乐时，他停下脚步跟着节奏跳起愉悦的舞蹈。此外，他接听了来自摩洛哥国王穆罕默德六世的贺电。之后，他说，他的力量来自于刚出生两个月的女儿西巴（Hiba）。但这两个月来，他仅仅看过女儿三次。

埃尔•盖鲁伊（Hicham El Guerrouj）做出"2"的手势：他重写了努尔米于1924年创造的同时夺取1 500米和5 000米冠军的传奇。

1924年，努尔米成为1 500米和5 000米的双冠王，而这两项比赛的决赛仅仅相隔2个小时。两项决赛本来只相隔一个半小时，但在芬兰官员的争取下，东道主把一个半小时的休息时间延长到两个小时。而埃尔在获得1 500米胜利之后，却得以休息了24小时，才去参加5 000米半决赛。尽管埃尔立志要夺得冠军，但外界考虑到体力因素，大多看好21岁的埃塞俄比亚选手凯内尼萨•贝克勒（Kenenisa Bekele）。10 000米决赛中，贝克勒在最后一圈高速冲刺赢得了冠军，现在他要向另外一个历史性的双冠王迈进。埃尔要加入这个夺冠行列，还要面临世界冠军肯尼亚选手基普乔吉（Eliud Kipchoge）的压力，他在上一届奥运会中击败了埃尔和贝克勒。

比赛中，这个摩洛哥人一直保持完美的步速，这让他可以在最后100米尽情地发挥。贝克勒在比赛开始阶段一马当先，之后其他选手交替领先，埃尔一直保持在第七名的位置。在最后半圈的时候，贝克勒未能保持绝对优势，基普乔吉挤入前三的行列。他和贝克勒同时跑完最后一个弯道时，埃尔从后面赶上来。最后100米，埃尔用充沛的体力超越了领先的二人，以相对较慢的成绩13分14秒39结束了5 000米的比赛，比贝克勒快了0.2秒。

埃塞俄比亚人在中长跑项目上的优势也体现在女子比赛中。德法尔（Meseret Defar）击败了肯尼亚的伊萨贝拉•奥齐齐及同胞T.迪巴巴（Tirunesh Dibaba）、E.迪巴巴（Ejegayehu Dibaba）和图鲁（Derartu Tulu）。E.迪巴巴和图鲁是悉尼奥运会10 000米的银牌与铜牌得主，冠军是中国运动员邢慧娜。

希腊能成为第二十八届奥运会的东道主，是国际奥委会对其体育历史的肯定，奥运会应该在百年之后再次回到古老的发祥地。在第5天晨曦，朝向古奥林匹亚的遗址之门打开了，迎接从世界各地前来观看男女射击比赛的观众。在经历1611年漫长的岁月之后，奥运会的观众再次来到了希腊。因为占地少（不超过30米的空地）并且需时短，射击比赛在管理上比较容易。同时，它对古老的氛围与所有考古学家的尊严的破坏也是最少的。射击场馆建在一片橄榄树林之前，橄榄树林旁有一条大理石延伸带和平行沟槽，这个沟槽是古代短跑选手的起跑线。现代奥运会巧妙地借用了2780年前的台阶，决赛场地里聚集了2万名观众，而以前这里可是要聚集4万名观众的。

希腊人重现过去辉煌的时候正是希腊两个最著名的短跑运动员肯特里斯（Kostas Kenteris）和塔努（Ekaterini Thanou）因药检不合格而丧失

参赛资格的日子。让人感到遗憾的是，女子铁饼冠军科尔扎年科（Irina Korzhanenko）在药检呈阳性后，被剥夺了冠军头衔。科尔扎年科曾经替俄罗斯赢得了第一枚铁饼奖牌，但这一次，她的药检呈阳性，这两者之间差异悬殊。国际奥委会兴奋剂委员会主席阿恩•扬奎斯特（Arne Ljungqvist）叹道："这玷污了原来的光荣。"科尔扎年科带来的羞辱几乎是空前的。在药检呈阳性之后，她被禁赛2 000场，并被剥夺了1999年世锦赛的银牌。

该项目男子比赛也非常具有戏剧性。乌克兰人比洛诺格（Yuriy Bilonog）和美国人尼尔森（Adam Nelson）都创造了21.16米的佳绩。尼尔森在第一轮就创造了这个成绩，而比洛诺格在第六轮和最后一轮都投出了该成绩。如果不是尼尔森第六投被判犯规，他就是本届奥运会的冠军了。这个项目的季军是丹麦选手奥尔森（Joachim Olsen）。

田径赛事乃至整个奥运会的声誉都因短跑选手及重量级投掷选手的药物丑闻而受到玷污，体育的荣誉和信誉就更多地落在长距离赛跑上，特别是那些参加挑战耐力极限的马拉松选手。在雅典的高温下，男女马拉松赛事在帕那辛纳克体育场开始，并在那里结束。比赛过程中也都上演了戏剧性的一幕。巴西选手德利马（Vanderlei de Lima）以将近半分钟的优势领先，到36千米的时候，有肇事者冲入跑道，把他推入沿路的人群之中。肇事者是57岁的爱尔兰人科尼利奥斯•霍兰（Cornelius Horan），他立即遭到逮捕。德利马虽然很快投入比赛，但已经失去了30米的领先优势。袭击发生后7分钟，他被意大利的巴尔迪尼（Stefano Baldini）超越，最后巴尔迪尼以2小时10分55秒完成了这场饱受批评的比赛。美国选手梅•凯夫莱齐吉（Mebrahtom Keflizeghi）意外地赢得银牌。

宽宏大量的德利马没有对大会安全工作进行指责，他说："我想这只是一次意外，我当时不知道他拿着什么。我失去了比赛节奏。一旦在马拉松比赛中途失去节奏，就很难再找回来。"最后他被授予体现杰出的体育精神的皮埃尔奖。

马拉松比赛颁奖典礼上的德利马。

女子马拉松比赛跑出了不止一匹黑马。英国的拉德克里夫（Paula Radcliffe）认识到无论自己以往的战绩如何，无论祖国或一些对手对自己的表现寄予什么样的期望，奥运会赛场上从来不乏高手。马拉松的冠军最后由日本选手野口瑞希夺得。1997年，日本国民就疯狂地爱上了马拉松这项运动。当年，铃木裕文获得了在雅典举办的世界锦标赛的马拉松长跑冠军，随后的悉尼奥运会，高桥尚子夺得桂冠。

炎热的天气给参赛者带来了巨大的挑战，树荫下温度高达38℃。当赛程过去三分之一后，领先军团已经从93个人减少为10个人：3个日本人，2个罗马尼亚人，2个肯尼亚人。当时间到了1小时14分2秒的时候，这个领先军团已经缩减为7人。中途突然出现的美国选手卡斯托尔（Deena Kastor），明智地选择了后发制人的战术，并以16分半的成绩结束了最后5千米赛程，成为乔恩•贝努瓦（Joan Benoit）之后，20年来第一个在马拉松比赛上取得奖牌的美国运动员。身材单薄的野口瑞希吹响了日本胜利的号角，她的同胞土佐铃子和坂本奈绪子也取得了佳绩，分别获得第5名和第7名。

野口瑞希是雅典奥运会上女运动员的杰出代表，此外，还有很多女选手在奥运会上表现突出，尽管奥运会的创始人会觉得无法接受。弗朗索瓦•姆邦戈•埃托内（Françoise Mbango Etone）这个来自喀麦隆的姑娘，在三级跳决赛的第四跳时，创下了15.3米的世界纪录，并两次创出这个佳绩，以5厘米的优势打败了希腊著名运动员德韦齐（Hrysopiyi Devetzi）。对于姆邦戈•埃托内来说，这是她人生中最重要的时刻，她为她的祖国赢得了第一块奥运会田径比赛的金牌。

女子撑杆跳自从在悉尼登上奥运会舞台后，一直都是万众瞩目的项目。第一个冠军由美国人德拉吉拉（Stacy Dragila）夺得，此次比赛却在总决赛前被淘汰，撑杆跳冠军之争在两个俄罗斯人中进行。来自伏尔加格勒的伊辛巴耶娃（Yelena Isinbayeva）和来自莫斯科的斯维特兰娜•菲奥法诺娃（Svetlana Feofanova）是好朋友，伊辛巴耶娃22岁，比菲奥法诺娃年轻两岁，自幼家境较好。而菲奥法诺娃生长于一个单亲家庭，一直以来都需要努力维持家计。两人原来都是体操选手，她们之间的激烈竞争从体操一直持续到撑杆跳。菲奥法诺娃拥有令人瞩目的运动天分，曾经赢得多个室内外世界冠军，而伊辛巴耶娃在雅典奥运会前屡次改写菲奥法诺娃创下的纪录，在奥运会前她们交替成为冠军，这一切都为这场比赛增加了看点。这是一场扣人心弦的比赛，超过2万名观众为了观看这场比赛一直守候到晚上。当菲奥法诺娃无法越过4.75米的高度时，胜利的光环落在了伊辛巴耶娃身上，她创下了新的世界纪录——4.91米。男子赛场上，在同胞史蒂文森（Toby Stevenson）挑战5.95米失败后，美国的提姆•麦克（Tim Mack）对这个高度发起了冲击，并第三次越杆成功，创下了新的奥运会纪录，同时打破由意大利人吉比利斯柯（Giuseppe Gibilisco）一直统治的撑杆跳世界。

或许有人会说，来自瑞典的天才金发美女克鲁弗特是所有女性的女王。很多愤世嫉俗的人曾经宣称“奥运会选手将在21世纪发生彻底的改变”，而克鲁弗特却让这种说法不攻自破。克鲁弗特就像来自烈火战车时代的人，她参加比赛完全是为了寻求友谊和快乐。她拥有奥运会七项全能冠军及世界、欧洲的冠军头衔，赛场内7万名观众为她欢呼，每个一线运动员都为她鼓掌。她的总分是6952分，而7 000分的大关正在等着被她打破。在她的运动生涯中，她始终充满勇气，即使是面临危机也不会感到焦躁不安，而是愉快地面对。在雅典奥运会比赛的最后一圈，她受到了经验相对不足的英国选手凯丽•索瑟顿（Kelly Sotherton）的挑战，凯丽•索瑟顿为了得到银牌，一开始就全力出击。克鲁弗特也用完美的演出完成了这项赛事。在标枪比赛中，她受到了立陶宛选手奥斯特拉•斯库吉特（Austra Skujyte）的冲击，这位25岁的选手曾经为她的国家赢得第一块奖牌。而克鲁弗特用48.89米的季度最佳成绩保住了冠军头衔。

瑞典女杰克鲁弗特（Carolina Kluft），她的进取意识让观众痴狂。

如果说克鲁弗特的胜利是预料中的事，那么英国的中长跑老将凯丽•霍尔姆斯（Kelly Holmes）赢得两枚金牌，则几乎出乎所有人的意料。34岁的她在遭受伤病困扰的时候曾多次表示要退役，可是在6天之内，和少数伟大的运动员一样，霍尔姆斯同时获得了800米和1 500米

英国的凯丽•霍尔姆斯（Kelly Holmes），良好的心理素质和战术安排的结合使她战胜了俄罗斯的马斯特科娃（Svetlana Masterkova），获得800米和1500米双料冠军。此时，她自己和所有人一样惊讶。

的冠军，取得了无上的荣誉。7年前，在同一个赛场，霍尔姆斯正处于体育生涯的谷底。那时候，她刚刚在英国创下国内1 500米的纪录，是那届世锦赛夺冠的大热门，却因为跟腱带受伤而失败。说霍尔姆斯的运动生涯曾经遭受严重的打击并不夸张，塞巴斯蒂安•科多年前曾经形容她是“命运坎坷的劳斯莱斯级运动员”。当霍尔姆斯超越800米卫冕冠军莫桑比克的穆托拉（Maria Mutola），并以3米的优势到达终点时，她的信心重新燃了起来。霍尔姆斯自己也没有想到，她竟然会是这个项目的冠军，但她创下了自己赛季的最佳成绩1分53秒38。而不幸的穆托拉，在近38场比赛中第一次败北，但她也创下了自己赛季的最佳成绩1分56秒51。而在决赛中，她又被摩洛哥的哈斯纳•本哈西（Hasna Benhassi）和斯洛文尼亚的约兰达•塞普拉克（Jolanda Ceplak）超越，她们两个的成绩都是1分56秒43，塞普拉克稍稍落后一点儿。

紧接着的1 500米比赛，简直令人难以置信。霍尔姆斯在最后120米以惊人的速度冲向终点，最后以3分57秒9——比自己国家的纪录高0.17秒的成绩结束比赛。前8名选手中有7名都创下了个人最佳成绩，前6名的成绩都在4分钟以内。在最后一个弯道的时候，俄罗斯的托马索娃（Tomashova）和罗马尼亚的肖恩甘（Maria Cioncan）发生了碰撞，霍尔姆斯跑到第三条跑道躲开她们。她们两个稳住身子之后，重新出发，分别获得银牌和铜牌。

中国，作为2008年奥运会的东道主，决心提高自己的形象。刘翔，这个来自上海的21岁青年成为第一个获得径赛金牌和短跑（110米栏）金牌的中国人之后，中国的奖牌总数又有了新的突破。这并不是意料之外的事，因为他已经是世界纪录12.91秒的保持者，这次他继续保持了这个纪录，并以0.27秒的优势战胜了美国的特拉梅尔（Terrence Trammell）和古巴的卫冕冠军安尼尔•加西亚（Anier Garcia）。后两者分别是银牌和铜牌得主。中国体育总局秘书长肖天说：“这真是让人欢欣鼓舞，而且，这对未来体育事业的发展将会产生深远的影响。田径比赛是其他项目之源，是最基本的体育技能。”刘翔自己认为：“我希望这个成绩可以改变人们的想法，不会再认为‘亚洲国家的田径选手比不上欧美选手’”。刘翔完美的技巧让他可以在比赛过程中逐渐拉大他的领先优势，这个身高1.88米的选手开始从事跳高，而现在在更适合他的比赛项目上表现得几近完美，这让他对2008年奥运会充满信心。他说：“那时我25岁，正是田径选手的黄金年龄，我不会错失这个机会。”

中国第一块男子径赛金牌获得者、世界纪录保持者刘翔，领先牙买加的威格纳尔和法国的杜库雷。

至今仍然不清楚，为什么很多运动员在二十四五岁时成绩十分突出，让人们惊喜连连。

传统的训练方式是通过什么来达到这个效果的呢？当哈尔吉娜（Fani Halkia）在仅仅一个季度之间成绩提高了整整4秒，夺得雅典奥运会400米栏冠军的时候，7万颗希腊人民的心随之兴奋跳动，更不要提那千百万坐在电视机前守候成绩的人们了。她的创举必将引起一番舆论狂潮。哈尔吉娜或许是她可耻的同胞肯特利斯（Kenteris）夺得悉尼奥运会200米冠军之后，最让人意想不到的奥运冠军。从跳高转到径赛之后，哈尔吉娜的最好成绩是56秒4。在半决赛中，哈尔吉娜以52秒77的成绩打破了由牙买加人德昂•亨明斯在1996年创下的奥运会纪录52秒82。在决赛中，哈尔吉娜以52秒82的成绩战胜了罗马尼亚选手约奥内拉•蒂尔雷亚-马诺拉克（Ionela Tirlea-Manolache）和乌克兰选手安季波娃。7名选手中有5个刷新了自己国家的纪录。

男子400米栏比赛中，27岁的多米尼加人桑切兹（Felix Sanchez）夺得桂冠。这并不出人意料，他曾夺得两个世界冠军及2002年黄金联赛冠军、2003年国际田联总决赛的冠军，并保持世界第一的位置长达158个星期。如果把连续42场胜利都计算在内，他的统治时间几乎和埃德温•摩西（Edwin Moses）一样。直到最后，他都保持了相当好的状态，并且以季度最佳成绩47秒63，战胜了牙买加的麦克法兰（Danny McFarlane）和法国的凯塔（Naman Keita）。

在连续两届夺得奥运会400米冠军以后，迈克尔•约翰逊（Michael Johnson）选择了在事业的顶峰光荣退役，人们很是怀念这位短跑名将。在他退役后，来自德克萨斯州韦科城的瓦里纳（Jeremy Wariner）顶替了冠军的位置。值得一提的是，当年约翰逊就是在韦科城夺得他的第一个400米冠军的。26岁的瓦里纳曾两次跑出低于44秒的成绩（这在1984年后一直没有人办到），一个赛季8次跑出低于45秒的成绩，并把美国在这个项目上的金牌数提升至19枚。自1964年拉拉贝（Mike Larrabee）后，瓦里纳是第一个在未受抵制的奥运会400米赛事中取得冠军的白人。这种说法不带有任何种族偏见，银牌和铜牌的得主美国黑人奥蒂斯•哈里斯（Otis Harris）和德里克•布鲁（Derrick Brew）对此也持有相同的看法。哈里斯说："种族与比赛无关。体育赛事本来就是要人们打破自己的固执偏见。"哈里斯44秒16的成绩也是他个人的最佳成绩，自从1988年奥运会以来，美国就包揽了这个项目的所有奖牌。而在8个成绩低于45秒的运动员中，有7个是黑人。

但800米的比赛成绩却有所下降，冠军头衔落在了23岁的俄罗斯人博尔扎科夫斯基（Yuriy Borzakovskiy）头上，他的成绩是1分44秒45。最后的冲刺阶段，他超越了世界室内锦标赛冠军南美的穆劳德兹（Mbulaeni Mulaudzi）。他的前同胞、肯尼亚的埃兹齐尔•肯姆博伊（Ezekiel Kemboi）、布里明•基普鲁托（Brimin Kipruto）和保罗•科奇（Paul Koech）在3 000米障碍赛上包揽了所有奖牌，1992年肯尼亚在这个项目上的壮举再次重现。肯姆博伊8分5秒81的成绩差点儿打破奥运会纪录。

捷克的塞波尔（Roman Sebrle）在男子十项全能比赛中以优异的表现赢得了冠军，他以总分8 893分的佳绩，超越了由20岁的戴利•汤普森（Daley Thompson）创下的奥运会纪录8 847分。而8893分也是继他3年前第一次打破9 000分大关之后，世界第五的成绩。在100米比赛的时候他表现平平，但是随着比赛推进，他越战越勇，到倒数第二个项目——标枪的时候，他终于取得了领先。美国的克雷（Bryan Clay）以8 820分夺得银牌，这也是他的最好成绩。

现在有谁还会信任短跑选手呢？曾因欧文斯（Jesse Owens）和后来的鲁道夫（Wilma Rudolp）而显得无上荣耀的田径赛事，却因1988年后反复出现的药物丑闻而被本•约翰逊（Ben Johnson）和其他人所玷污，以致于现在，没有人再敢对"纯洁比赛"抱有太大的希望。这种情绪也因赛前两位希腊短跑选手卷入药物丑闻而更加强烈。总体来说，男子100米的速度比以前都要快，世界前5名的成绩都低于10秒，其中有4个成绩是在1996年创下的，而这一届的冠军得主是加特林（Justin Gatlin）。加特林是美国短跑运动员中并不那么光芒四射的一个，1996年奥运会的时候，他的成绩是9秒85，仅落后于那届冠军加拿大的贝利（Donovan Bailey）0.01秒。在雅典奥运会上，葡萄牙的奥比克维鲁（Francis Obikwelu）以同样的差距输给了加特林，而世界纪录保持者，同样也是2000年奥运会冠军的格林•莫里斯，也以0.01秒的差距位列第三。奥比克维鲁的这块银牌打破了美国对短跑奖牌的垄断，创造了欧洲的奇迹。另外一名美国人克劳福德（Shawn Crawford）以9秒89的成绩位列第四，这个成绩足以赢得前两届奥运会的奖牌。他领先了至少60米，但是，在最后的冲刺阶段，他被前三名以微弱的优势超越了。

值得欣慰的是，克劳福德获得了200米的金牌。当时，体育场内座无虚席，大家屏息以待，希望肯特利斯（Kenteris）可以卫冕成功。但是，当人们确认运动员名单中没有肯特利斯的名字的时候，开始聒噪起来，使赛事推迟了5分钟才开始。决赛中，克劳福德轻松地战胜了伯纳德•威廉斯（Bernard Williams），而加特林则夺得了季军，上一届奥运会银牌得主——纳米比亚的弗雷德里克斯仅名列第四。比赛再次因兴奋剂丑闻而蒙羞。加特林在赛后药检中不过关，尽管他声称自己是无辜的，但还是为他一度光辉的体育事业蒙上了阴影。

美国的加特林领先葡萄牙的奥比克维鲁、美国的克劳福德及圣基茨和尼维斯联邦的柯林斯，夺得金牌，但在后来的药物测试中被查出阳性反应。

女子100米冠军是白俄罗斯的尤里娅•尼斯特连科（Yuliya Nesterenko），她以0.03秒的优势战胜了美国的劳琳•威廉姆斯（Lauryn Williams），而牙买加的坎贝尔（Veronica Campbell）落后第二名0.01秒，获得铜牌。尼斯特连科在稍后的新闻发布会上就被问到当下经常出现的药物问题，记者们追问她如何能够在过去一年如此迅速地提高成绩。曾获得青年锦标赛冠军的坎贝尔在200米决赛中以22秒05的最佳成绩获得冠军，紧随其后的是18岁的美国小将埃里森•菲利克斯（Allyson Felix），她曾经以21秒18的成绩刷新了青年锦标赛纪录。坎贝尔还和辛普森（Sherone Simpson）、劳伦斯（Tayna Lawrence）与贝利（Aleen Bailey）一起参加了短跑接力，而比赛落幕后，坎贝尔便结束了她硕果累累的奥运会征程。

药物丑闻一直笼罩着琼斯（Marion Jones），使她的运动生涯呈现虎头蛇尾的状态。在悉尼夺得两项短跑冠军后，她没有在任何赛事中夺冠，尽管她跳出了近6年的最佳成绩，但仍然只能名列第五，排在3名俄罗斯人和澳大利亚人后面。当她在2007年10月承认7年前曾服用兴奋剂时，人们对她、对田径比赛乃至对奥运会的可信度都产生了怀疑。

不管琼斯的兴奋剂丑闻有没有发生，她带给奥林匹克的冲击远远比不上体操运动员所带来的影响。在雅典奥运会上，美国公众前所未有地高度关注体操场上的赛事，来自得克萨斯州布兰诺市的16岁小姑娘卡里•帕特森（Carly Patterson）成为1984年来第一个获得女子个人全能冠军的美国人。这20年间，只有雷顿（Mary Lou Retton）和夏伦•米勒（Shannon Miller）分别在1984年和1992年获得铜牌和银牌。帕特森在保罗•哈姆（Paul Hamm）赢得男子全能冠军的24小时内，为美国队再下一城。虽然保罗•哈姆本身的表现很好，也没有失误，但他的金牌却没有得到公众的认可。而帕特森穿着红色的比赛服，在体操场上舒展美妙的姿态，展现出了体操的韵律感与美丽。她的对手，25岁的俄罗斯老将霍尔金娜（Svetlana Khorkina）也拼尽全力争取她辉煌的运动生涯中缺少的这块奖牌。霍尔金娜的名气已经超越了任何体操选手，在无数的比赛场上，人们都高挂着“霍尔金娜女王”的旗帜，这个欧洲女子体操全能冠军，奥运会高低杠的两次金牌得主，绝对有资格感到高高在上。在雅典奥运会开始之后，她以微弱的优势领先年轻的美国对手，她取得了当晚高低杠的最高分。但是，到平衡木项目，霍尔金娜由于缺少技术难度，让帕特森后来者居上，金牌终于被这位美国小将夺去。霍尔金娜表现出完美的艺术性，但帕特森的惊人表现超越了体操女王。在团体比赛中，帕特森和她的队友表现不佳，导致美国队把冠军拱手让给了罗马尼亚，以微弱的优势险胜由霍尔金娜等人组成的俄罗斯队。在那之后，帕特森的表现有了彻底的改变。而在个人全能项目上的失利也并非霍尔金娜在奥运会上的最后一个失败。比赛前，她誓取高低杠三连冠，但比赛中，却因未能完成一个翻转在杠上逗留了一会儿，最后跌落在垫子上。她得了低分后迅速地离开了运动场，冠军落在了法国的埃米莉•勒潘内（Emilie Lepennec）头上，霍尔金娜仅获得第8名。

俄罗斯的“霍尔金娜女王（Queen Khorkina）”，自由体操的超级明星，但在平衡木上功亏一篑，未臻完美。

可怜的哈姆在赛后面临一个残酷的现实：国际奥委会内部对他成绩的裁判存在分歧。由于在鞍马项目中落地不稳，他的成绩从第一名一下子降落到了第12名，而他最后凭借着单杠9.837的高分再次回到冠军的位置。不可否认，他的成功部分得益于中国运动员杨威的失误。杨威是悉尼奥运会的亚军和2003年世锦赛的冠军，但在这次比赛中，他因失误而从单杠上摔了下来，仅名列第七。最后一轮比赛从韩国选手梁泰荣开始（参赛选手每轮比赛中均需轮换比赛场地），他领先自己的同胞金大恩0.138分，而哈姆与自己的同胞布莱特•麦克克莱尔（Brett McClure）也都在这段差距之内。金大恩在自由体操中得到9.650分，而梁泰荣的单杠成绩是9.457分，冠军似乎已经是金大恩的囊中之物了。但哈姆，这个世界锦标赛冠军以单杠上的完美表现后来者居上，摘取桂冠。

然而事情还没有告一段落。次日，体操联合会发表声明，指有一位裁判误把9.9分当做梁泰荣双杠的起评分，而梁泰荣的起评分实为10分。如果按那样计算，梁泰荣应该是第一名，哈姆是第二名，金大恩是第三名。体操联盟虽然处理了这名裁判，但他们表示不能改变比赛结果。体操联合会主席布鲁诺•格兰迪（Bruno Grandi）说道：“这是不可能的事，规则不允许我们这样做。”面对韩国及美国奥委会激烈的反对意见，格兰迪做出了一个空前的举动，他这样要求美国奥委会：哈姆应该主动放弃自己的金牌，把金牌归还给梁泰荣。格兰迪表示，体操联合会和"国际奥委会将对此举(归还金牌)给予高度评价"。但国际奥委会立刻否认了这个说法，美国奥委会反应激烈。可怜的哈姆不知所措，他说："我为此感到非常沮丧，不管是美国体操协会，还是整件事的引发者——体操联合会都没有帮我辩护。他拒绝交出金牌。美国奥委会的官员与韩国的对手讨论，尝试仿效当年盐湖城滑雪赛争论的处理方式，给梁泰荣颁发另外一块金牌。而国际奥委会主席罗格的说法是：不能出现两个冠军。哈姆继续拥有金牌是不公平的，而梁泰荣可能会觉得更加委屈。但这就是体育赛事的原则，在足球比赛中即使裁判误判，这个判决依旧不会被改变。

从悉尼奥运会开始，男子体操团体赛则发生了改变。代表队的6人中只有3人能够参加各个项目的赛事。日本队崭露头角，得分超过夺冠热门中国队和美国队，28年来第一次摘得桂冠。日本代表队的成员是：鹿岛丈博、水鸟寿思、中野大辅、富田洋之、冢原直野、米田功。美国取得亚军，而罗马尼亚在单杠上的失误导致其最后仅成为季军。而卫冕冠军中国队，因为在自由体操中的失误，最后只得到第5名。

体操上的争论事件不仅哈姆这一桩。在单杠的单项比赛中，俄罗斯奥委会提出抗议，认为裁判给涅莫夫（Alexei Nemov）的分数过低，而保加利亚人因感觉约夫切夫（Jordan Jovtchev）在吊环比赛中受到不平等对待表示愤怒。吊环的比赛结果是迪莫塞尼斯•坦帕科斯（Dimosthenis Tampakos）获得冠军，约夫切夫获得亚军，意大利的尤里•切齐（Yuri Chechi）获得季军。而在当地人对冠军得主表示支持的时候，保加利亚人的敏感情绪再次被激起来了。罗马尼亚名将纳迪娅•科马内奇（Nadia Comaneci）则表示，评判过程需要重新审议，但裁判的失误不应该影响奖牌结果。

游泳比赛中，泳坛两大名将的竞争进入白热化。澳大利亚名将索普（Ian Thorpe）已经证明了自己是自由泳之王，年轻的美国运动员菲尔普斯（Michael Phelps）尽管在200米自由泳上输给了索普，但也向全世界证明，他是有史以来最灵活的奖牌获得者。要选出他们两个谁更优秀是不妥当的，因为他们为人们提供了独特的竞争乐趣，并且吸引了成群的观众观看游泳比赛，同时，他们也提高了自己的声誉：无论是作为一个游泳运动员的声誉，还是作为一个名人的声誉。菲尔普斯参加了7个游泳项目，仅有两个项目没有获得冠军，他刷新了一个世界纪录和3个奥运纪录。但是他追平马克•施皮兹（Mark Spitz）7块奥运会金牌的计划成为泡影，也失去了赞助商提供的100万奖金。菲尔普斯的成就非凡，在教练鲍伯•鲍曼（Bob Bowman）的指导下，他跟随索普和施皮兹踏上了光辉之旅。而鲍伯仔细研究了澳大利亚游泳的发展过程，最终使菲尔普斯在年仅15岁的时候，就打破了400米的世界纪录。

澳大利亚的索普战胜美国的菲尔普斯，夺得200米自由泳冠军。

除了这对竞争对手之外，游泳比赛还因其他人变得异彩纷呈。日本在近7年来一直取得很好的成绩，以3块金牌、8块奖牌的总数排在美国队和澳大利亚队之后。这3块金牌之中，北岛康介一人就贡献了2块仰泳金牌；津巴布韦的考文垂（Kirsty Coventry），这个从未获得游泳比赛奖牌的选手，在这届奥运会上获得金、银、铜牌各一枚；南美运动员刷新了4×100米的世界纪录；奥蒂里娅•杰热伊扎克（Otylia Jedrzejczak）在蝶泳比赛中为波兰赢得历史上第一枚游泳金牌；年仅17岁的法国小将马纳多（Laure Manaudou）赢得了女子400米比赛冠军。自1952年布瓦特（Jean Boiteux）赢得一块男子自由泳金牌之后，法国再一次获得了金牌。金牌由11个国家分得，共19个国家获得奖牌。从阿根廷、克罗地亚、特立尼达和多巴哥等国家意外的成功上，可以清晰地看到游泳赛事的发展。

女子100米仰泳冠、亚、季军：津巴布韦的考文垂、美国的娜塔莉•考夫林和法国的罗尔•马纳多。这枚金牌是考文垂的三枚奖牌之一，也是津巴布韦的第一枚奥运奖牌。

200米自由泳比赛前，外界对冠军得主的猜测一直争论不休，索普要向荷兰的霍根本德（Pieter van den Hoogenband）报悉尼奥运会上的一箭之仇，同时又要抵挡19岁的菲尔普斯的冲击。这个来自巴尔的摩的小将，身高2.01米，惊人的臂展让他看起来仿佛一只腾空的蝴蝶。当晚的比赛，老将霍根本德第一个完成转身，索普落后霍根本德大约3臂距离，而菲尔普斯也开始不断给领先选手制造压力。当比赛进行到最后一个转身的时候，索普加速进入冲刺阶段，并且带来了1分44秒71的新世界纪录，以接近半秒的优势战胜霍根本德，菲尔普斯仅获铜牌。值得称赞的是，菲尔普斯并没有为此灰心丧气。一年前，他才开始参加这个项目的比赛，他说："我怎么可以感到失望呢？我和世界上最好的游泳选手同台竞技，跟他们登上同一个领奖台。以前还有更多让我身心疲累的东西，接连的比赛，尤其是晚上的比赛，让我身心疲累。如果对手们游得很快，那这样的比赛会很激动人心，但同时也是很困难的比赛。"菲尔普斯本来可以不参加200米比赛，本来可以不接受这个挑战，但他却选择了这个赛场。他说："我很想做的一件事就是，在我和索普没有退役之前，一起参加自由泳比赛。"这就是体育精神。

菲尔普斯的长征还没有结束，他在蝶泳和混合泳的比赛中获得了多枚奖牌，展现了出色的恢复能力。他在200米蝶泳比赛中以绝对的优势获得冠军，战胜了日本选手山本贵司和英国选手帕里（Stephen Parry），以1分54秒04的成绩刷新了奥运会纪录。一小时之后，他带领美国队终结了澳大利亚在200米自由泳接力上长达6年的统治。在100米蝶泳比赛中，他以0.04秒的优势，战胜了美国选手克罗克（Ian Crocker），7天之内一共获得7枚奖牌，其中有5块金牌。

菲尔普斯的第4块金牌，是在200米混合泳比赛中取得的。在这场比赛中，他和同胞费尔普斯•罗希特（Ryan Lochte）与乔治•鲍威尔（George Bovell）包揽了前三名，同时，他还创下了新的奥运会纪录。在200米蛙泳比赛中，北岛康介以2分9秒44的成绩刷新了奥运会纪录。但美国队对他的冠军地位提出质疑，100米仰泳冠军——佩尔索尔（Aaron Peirsol）指控他在该比赛和先前的100米蛙泳比赛初段违规使用了海豚式打腿动作，但公告发表后被取消比赛成绩的却是第8泳道的澳大利亚选手派普（Jim Piper）。北岛康介是历史上第一个在一届奥运会上夺得两枚金牌的日本人。世界纪录保持者、美国选手布兰登•汉森（Brendan Hansen）获得了铜牌，匈牙利选手丹尼尔•吉尤尔塔（Daniel Gyurta）获得银

美国的菲尔普斯在100米蝶泳中夺冠，这是他七枚奖牌中的第五枚金牌。

牌。而提出指控的佩尔索尔也身陷200米仰泳比赛结果的争执之中，有3个裁判向组委会提交了取消其成绩的申请，但这份申请模糊不清，佩尔索尔究竟是违规使用了海豚式打腿动作还是做出了其他犯规行为并不清楚。最后，这份申请没有被通过，而这3个裁判也被开除。

在自由泳短距离比赛中，美国选手豪尔（Gary Hall）成功卫冕50米冠军，而这个项目的铜牌得主——霍根本德，也成功卫冕了100米自由泳冠军。他以微弱的优势战胜了南非的舒曼（Roland Schoeman）。索普虽然创下了100米自由泳的最佳成绩，也只能在这个项目中位居第三。索普的奖牌总数增加到9枚，多于另外两名澳大利亚著名选手——苏希•奥尼尔（Susie O' Neill）和道恩•弗雷泽（Dawn Fraser）。

乌克兰选手科洛奇科娃（Yana Klochkova）成功卫冕了200米和400米混合泳冠军，这和波波夫（Alexander Popov）在1992年到1996年创造的成绩一样，而科洛奇科娃也因此跻身游泳名将的行列。前途无限的17岁法国小将马纳多在获得400米自由泳冠军之后，又取得100米仰泳的季军。

尽管人们会把很多焦点放在奥运会的胜利者身上，但也有无数的人创下了新的纪录，布莱恩•尼克森（Bryan Nickson）就是其中一个典范。这个14岁的马来西亚人，因为4分之差在男子10米跳台的半决赛中止步。在奥运会开幕式上，他是马来西亚的旗手。初赛中的前18名选手可以直接进入决赛，而他却在33名选手中排在第19名。身高仅1.37米的他虽然承认失落，但仍然坚持说："我很快乐。我的梦想就是来参加奥运会。"他已经有参加中国公开赛的资格了，而中国公开赛是他所参与的第三个国际性比赛。

比尼克森年长9岁的中国选手郭晶晶，在女子3米跳板上，以完美的表现战胜了19岁的同胞吴敏霞，摘得桂冠。4年后，在她们自己的国家，她们之间势必有一场龙争虎斗。那时候，吴敏霞会变得更成熟。吴敏霞很老实地向记者坦诚："比赛初期，我有时会感到害怕，我的脑海里不断地想象自己的比赛动作，于是感到信心十足，之后就继续比赛。"彭勃和胡佳分别为中国队赢得了男子3米跳板和10米跳台的冠军，中国选手包揽了跳水比赛中3块重要的金牌。

人们常说，足球并不需要奥林匹克，但如果奥林匹克失去足球，那么奥运会将变得乏味，即使国际足联把年龄限制强加给奥运会，限制每只球队不得多于3名超龄（大于23岁）球员，奥运会也不可以失去足球。伊拉克和意大利的铜牌争夺战很有新闻价值，最后，伊拉克输给了众志成城的意大利队。奥运冠军争夺战吸引了41 000名观众入场观看，20岁的阿根廷小将卡洛斯•阿尔贝托•特维斯（Carlos Tevez）因出色的表现崭露锋芒，很快就名声大振。在开场第18分钟的时候，特维斯接队友罗萨雷斯的传中，再用速度骗过了包括守门员迭戈•巴雷托（Diego Barreto）在内的所有防守队员，球进了！阿根廷不断把重心放到进攻上，整场赛事充满了各种足球技巧的展示，这使得整场比赛十分具有观赏性。其中，阿根廷极具影响力的左后卫海因策（Heinze），从巴黎圣日耳曼转会到曼联之后，一直没有得到教练弗格森的宠爱，缺席了整整一个夏季的比赛。此外，意大利的阿尔伯托•吉拉迪诺（Alberto Gilardino）以一记进球终结了伊拉克队前进的脚步。可整个足球界已经为伊拉克队能够一直奋战至今而惊讶不已：他们连续击败了哥斯达黎加队和拥有曼联球员罗纳尔多（Cristiano Ronaldo）的葡萄牙队。在季军争夺战上，为了向在伊拉克遭绑架撕票的记者恩佐•巴尔多尼（Enzo Baldoni）致敬，全体意大利球员都戴上了黑色的臂章。

男子足球决赛，阿根廷队1：0战胜了巴拉圭队。图为阿根廷球星特维斯带球突破。

美国的5个前锋米娅•哈姆（Mia Hamm）、福迪（Julie Foudy）、福西特（Joy Fawcett）、克里斯汀•莉莉（Kristine Lilly）和布兰蒂•查斯丹（Brandi Chastain）帮助美国夺得了1991年第一届女足世界杯与1996年奥运会的冠军。艾比•瓦姆巴奇（Abby Wambach）在第112分钟射入一球，帮助美国队摘得桂冠。在两个小时的比赛中，美国队一直处于下风，但是，巴西人却没能好好利用自己的优势。巴西女足因表现欠佳而备受指责，她们的技术已经成熟，而比赛的失利并非因为她们没有天分，而是因为她们没有利用好自己的技术。

铁人三项迅速成为奥运会最受期待的比赛项目之一，女子比赛的高潮更是前所未有地富有戏剧性。澳大利亚选手哈洛普（Loretta Harrop）在水上项目取得领先位置，在自行车比赛阶段，也仍然处于领先，当她跑向沃里亚戈米尼（Vouliagmeni）的终点线的时候，冠军似乎已经是她的囊中之物了。但是，在最后200米的时候，阿伦（Kate Allen），这个代表奥地利参加比赛的澳大利亚人超越了哈洛普。阿伦与奥地利铁人三项选手马塞尔（Marcel）邂逅不久，便与他结了婚。这个全能的选手，从那时才开始投身铁人三项的训练之中。尽管哈洛普在自行车比赛结束后，有18秒的领先优势，而阿伦此时仅仅排在队伍的第28名。在后来10公里的赛跑中，阿伦慢慢地超越了许多对手，并赶上了哈洛普。哈洛普只能眼睁睁地看着对手将自己抛下。最后，她以6秒之差败给了阿伦，成为银牌得主。而铜牌得主是美国的威廉姆斯（Susan Williams），她从自行车相撞的意外中恢复过来，并夺得铜牌。此外，在50名选手中，有6名选手耐不住雅典的高温，在中途退出了比赛。

在男子铁人三项比赛中，新西兰的选手卡特（Hamish Carter）和多切蒂（Bevan Docherty）领先瑞士选手里埃德勒（Sven Riederer）。在自行车比赛的倒数第二圈，英国选手詹金斯（Marc Jenkins）的车轮爆裂，他推着自行车上山，跑了接近2公里。当他在下一个休息站更换车轮时，几乎被刷下。在最后的赛跑阶段，尽管他是最后一名，观众仍然给了他接近2分钟的掌声。他诙谐地说道："最后一名？我可不想成为最后一名英雄。"

所有人都想在比赛场上而不是在奥委会的办公室里争得胜利，但马术三日赛个人赛的冠军莱斯利（Leslie Law）并不这样认为。当运动仲裁法庭最后裁定，冠军属于他而不是不幸的德国选手霍伊（Bettina Hoy）时，他已经返回家乡，在沃里克郡的索利赫尔悠然地骑着马。运动仲裁法庭无视马术核心组织——国际马术联合会的上诉，而国际马术联合会也推翻了对三人评审委员会停职处理的决定。三人评审委员会以德国人赫斯（Christoph Hess）为首，他因霍伊过早起跑而扣除了她的分数，而这一扣分在霍伊第二轮比赛开始时却错误地归零。因此，在米德（Richard Meade）为英国夺得这个项目的金牌32年后，莱斯利再次为英国夺得了该项目的金牌。美国选手基米勃莉•西弗森（Kimberly Severson）和英国选手芬奈尔（Pippa Funnell）分别上升为亚、季军。德国队在该项目获得的团体赛金牌也因此被夺去了，法国、英国、美国分别名列冠、亚、季军，而德国最后沦为第4名。可以说，霍伊的不幸让这次比赛的所有人都感到沮丧，但不可否认，这位世界锦标赛冠军的确犯下了刚入门时就该避免的错误——还在热身阶段就起跑。因为没有得到及时纠正，她还自以为有足够的时间来兼顾技术的准确性。马术比赛可能是所有奥运会比赛中最讲求服从性的项目，尽管莱斯利可以用"实至名归"来安慰自己，但她也会意识到自己是多么幸运。荷兰名将安齐•范•格伦斯文（Anky van Grunsven）和她的坐骑萨林纳诺（Salinero）卫冕了盛装舞步个人赛冠军。

自行车比赛和田径、举重比赛一样，因为兴奋剂丑闻而蒙羞。澳大利亚代表队背负了部分队员遭受药物滥用指控和停赛的压力，来到雅典参加比赛，取得了6枚金牌，赢得了空前的胜利。澳大利亚队也因此超过美国和意大利，排在巴西和法国之后，成为在自行车项目上第三个得牌最多的国家。雅典奥运会自行车项目反响最大的比赛发生在莱恩•拜利（Ryan Bayley）

和英国选手杰米•斯塔夫（Jamie Staff）之间。来自珀斯的拜利是凯琳赛冠军得主，在这个项目上从无败绩，在早前的竞速赛上，这个澳大利亚人第一次战胜了荷兰人波斯（Theo Bos）和德国选手雷内•沃尔夫（Rene Wolff）。而杰米也是世锦赛冠军得主。在奥运会比赛上，拜利始终保持领先位置，而杰米最后只能获得第二。从来都是信心十足的拜利声称，所有的丑闻都是捏造的。他说："我们每天训练，就是为了来到这里比赛，我们也问心无愧。"在公路赛上，意大利选手贝蒂尼（Paolo Bettini）在冲刺的时候，以惊人的速度冲过终点，以1秒的优势战胜了葡萄牙选手塞尔吉奥•保利尼奥（Sergio Paulinho）。比利时传奇名将埃迪（Eddy）的儿子阿克塞尔•梅尔克斯（Axel Merckx）夺得铜牌。在40℃高温无情的炙烤下，有接近一半的参赛者中途退出比赛。新西兰选手乌尔默（Sarah Ulmer）把3公里个人追逐赛的世界纪录缩短了2秒，她的成绩是3分24秒537，澳大利亚的凯蒂•麦克蒂尔（Katie Mactier）获得亚军。而这个项目的铜牌得主荷兰选手范莫瑟尔（Leontien Zijlaard van Moorsel）成为稍后个人公路赛的冠军得主。她以4金1银1铜的成绩，成为奥运会历史上最伟大的自行车赛手，从此光荣退役。加拿大38岁的老将闵采尔（Münzer）在室内赛车场上称霸群雄，她在第二圈比赛中超越了俄罗斯选手阿芭索娃（Abassova），为加拿大赢得了第一枚自行车项目的金牌。

现代五项的前景堪忧。考虑到经济因素和观赏性等问题，这个比赛的5个项目全部压缩到一天进行。有两名优秀选手从中获利。俄罗斯选手安德烈•莫伊谢耶夫（Andrei Moiseev）在马术比赛中将立陶宛选手安德柳斯•扎得内普罗夫斯基（Andrejus Zadneprovskis）远远抛下，他从观众席上拿了一面国旗，一面挥动着国旗，一面冲越终点，以11秒的绝对优势获得冠军。名列第三的是捷克选手里波尔•卡帕里（Libor Capalini）。当时，在现代五项的赛场内，座无虚席，聚集了5000名观众。莫伊谢耶夫的同胞苏珊娜•沃洛斯（Zsuzsanna Vörös）战胜了拉脱维亚选手卢布列夫斯卡（Jelena Rublevska）和德国选手哈兰德（Georgina Harland），取得了这个项目的女子冠军。

在女子举重比赛开始后的几天，就发现了7例服用兴奋剂的事件，这在女子举重比赛中是前所未有的，也让雅典举重比赛蒙羞。国际举重联合会主席阿让（Tamás Aján）沉重地表示："我很高兴有79个国家参加了举重比赛，但听到兴奋剂丑闻之后，我真的悲痛欲绝。在过去30年，举重联盟一直是抗兴奋剂运动中的领导者。"每年举重联合会都会拨出30%的经费用于药检，所有参赛者都要在赛前接受药物检查。雅典奥运会举重比赛的5例兴奋剂测试呈阳性案例来自于赛前测试，归本溯源，这项力量竞技比赛在力量增加剂的引诱下显得不堪一击也不足为奇。尽管举重比赛因药物丑闻蒙羞，但当伊朗选手拉扎扎德（Hossein Reza Zadeh）在第二次试举中，成功举起了472.5公斤时，全场掌声雷动。472.5公斤，相当于4个成年男人的重量。伊朗总统穆罕默德•哈塔米（Mohammad Khatami）将一栋位于德黑兰的住宅赠送给拉扎扎德以示赞赏，同时一家银行以他的名字命名。

顾拜旦或许会非常震惊，在他创立现代奥运会108年之后，奥运会上竟然出现4个女子自由式摔跤项目。在雅典奥运会上，这4个项目的冠军得主分别是乌克兰选手伊琳妮•梅兰妮（Irini Merlini）、日本选手吉田沙保里、伊调馨和中国选手王旭。不久前，女性之间格斗还会被捕，现在，即使是男性看到女性格斗、相互扭打，都会觉得难堪，更不用说女性了。但是，这些选手却毫不在意。伊调馨的姐姐伊调千春也参加了女子自由式摔跤，并在48公斤级组获得了亚军。而该组铜牌得主，美国选手米兰达（Patricia Miranda）的双亲是巴西的政治流亡者，她现在计划到耶鲁大学修读法律。

球类赛事不会像摔跤那样出现扭打的现象，它通常是奥运会比赛中最富有观赏性的比赛，而亚洲一度统治了这类项目。中国选手张怡宁替中国保住了乒乓球女单、女双的冠军。而男单比赛出现了有史以来竞争最为激烈的场面，双方对阵

乒乓球男子单打冠军韩国选手柳承敏。

人员为韩国球员柳承敏和中国球员王皓。韩国选手整场比赛都处于极度兴奋的状态，并且越战越勇，最终战胜了对手，获得冠军。1992年奥运会冠军、瑞典老将瓦尔德内尔（Jan-Ove Waldner）已经39岁，这是他第5次参加奥运会，在这个被认为是“年轻人的竞技”比赛上，获得了第4名的惊人成绩。

提到老将不能不提中国选手张宁。张宁在12岁时离开家乡，成为全职选手，直到29岁的高龄时第一次参加奥运会比赛，并且战胜了荷兰的张海丽，成为羽毛球女单冠军。14年前，在1994年的尤伯杯上，张宁输给了张海丽，她的体育生涯也因此受到沉重的打击。张海丽说：“事隔10年之后，在奥运会决赛重逢的感觉真的很奇妙。这次比赛，状态好的一方会取得胜利，而今天她的状态比我好。”男子单打方面，印尼的陶菲克战胜韩国选手孙升模获得冠军。

很多人争论，网球和奥运会是否不相干。而在这次奥运会中，多位世界顶尖选手的缺席，也让人们看到一些端倪。缺席的选手包括：克里斯特尔斯（Kim Clijsters）、小威廉姆斯（Serena Williams）、达文波特（indsay Davenport）和温网冠军莎拉波娃（Maria Sharapova）。莎拉波娃没有获得持外卡参赛的机会，因为在她温网夺冠之前，网球选手参赛名额已经确定（奥运会外卡参赛资格是由截止日期前的世界排名决定的）。在女子决赛中，法网冠军比利时选手海宁（Henin-Hardenne）战胜了法国选手毛瑞斯莫（Amelie Mauresmo）；男子比赛中，智利选手马苏（Nicolás Massú）战胜了美国选手费什（Mardy Fish），成为冠军。

网球女子单打冠军比利时选手海宁。

在1997年奥运城市选举后，经历了7年的翘首等待，2004年雅典奥运会给人们带来了非凡的视觉享受，雅典在公路、铁路、航空等方面的投资将为希腊首都带来长期的效益。除此，雅典还为了一些小规模赛事，拆除了一些无用的历史遗产。财政分析透露，与财政预算有所不同，奥运会带来的公民收益有所好转。而最值得让人注意的运动数字是中国队的得奖情况。在这届奥运会上，中国队一共夺得了63枚奖牌，其中有32枚金牌。美国奥委会（USOC）主席谢尔（Jim Scherr）说："中国队拥有最好的运动员，他们会把我们打败。这支队伍将在北京奥运会上大放异彩。"美国已经在夏季奥运会中连续3年蝉联奖牌榜首位。在这届奥运会中，美国一共获得了102枚奖牌，其中36枚金牌，而俄罗斯则以92枚奖牌名列第二。特别引人注目的是：有五分之四的中国运动员是初次露面，而4年之后，他们将进入体育生涯的顶峰。俄罗斯在金牌榜上已经排在中国之后。前苏联的很多训练系统仍然在被使用，其中包括沿用哈萨克斯坦、亚美尼亚等前卫星国的训练器械。俄罗斯奥运代表团团长科尔索夫（Anatoly Kolesov）承认，俄罗斯的体育机制在下滑，他形容那些机制是"属于过去的东西"。俄罗斯的金牌得主会获得5万镑免税奖金，银牌和铜牌得主分别会得到2万镑和1万镑。这个数字低于前苏联政府给的高额奖金，而这些奖金不足以维持俄罗斯体育事业的发展。尽管俄罗斯的采矿业有了上升的势头，加上在2007年的选举中，俄罗斯的索契获得2014年冬季奥运会的主办权，这都会促使政府在2008年前，加大体育方面的投入。而中国也会在体育事业上投入大量经费。在2004年，中国政府投入了1亿美元，而在未来4年中，这个数字将会继续增加。

第74章 伦敦后来居上

新加坡人黄思绵
国际奥委会执委会委员

拥有全世界60%人口的亚洲代表了奥林匹克运动发展的新方向，奥林匹克运动精神和价值观将因此得到更广泛的传播。亚洲各国快速、持续的经济增长不仅成为提高体育参与度的动力，同时也提升了成功举办奥林匹克运动会的热情。奥林匹克的成功不仅能够提高民族自豪感，同时也是对人文精神的颂扬。

亚洲绚烂和独特的文化势必增加奥林匹克运动的深度和强度。在21世纪，亚洲将会在奥林匹克家庭中扮演举足轻重的角色，并为推广奥林匹克运动作出贡献。

亚洲国家已经向全球展示：他们具有这样的能力，也非常乐意在奥林匹克运动中扮演主角。东京和首尔分别是1964年和1988年夏季奥运会的主办方，札幌和长野分别是1972年和1998年冬季奥运会的主办城市。万众期待的2008年北京奥运会无疑会成为历史上最引人注目的奥运会，并将使中国、亚洲乃至全世界长期受益。奥运会的举办会给东道主带来体育竞技方面的冲击，也将提高东道主的国际声誉。这些因素再加上往届亚洲国家举办奥运会的成功例子，将会吸引更多的亚洲城市争夺举办奥运会的特权和荣耀。

一些较小的亚洲国家也希望加入奥林匹克运动。科威特斥资数百万兴建的综合大楼，将在2007年落成，可以容纳亚洲奥林匹克理事会和亚洲奥林匹克学院的所有成员。卡塔尔为了实现对奥林匹克运动的承诺，斥资建立世界级体育设施。在2006年亚运会上，这些场馆接待了10 000多名运动员。国际奥委会主席罗格用“完美的6项工作”来称赞新加坡2005年为第117届国际奥委会成员大会所做的主办工作。此外，新加坡投资几百万兴建体育中心，以表达成为体育强国的渴望。

印度在1900年的巴黎奥运会上为亚洲赢得了第一枚奖牌，此后，亚洲运动员在奥运会上的成绩突飞猛进。在1984年洛杉矶奥运会上，亚洲国家共获得71枚奖牌，占奖牌总数的11%；在2004年雅典奥运会上，亚洲国家共夺得285枚奖牌，占奖牌总数的31%。1988年在卡尔加里冬季奥运会夺得唯一一枚铜牌之后，亚洲国家在1998年长野冬奥会上，共获44枚奖牌，在最近的都灵冬奥会上，亚洲国家又获得67枚奖牌。随着越来越多的亚洲运动员跻身世界一流选手行列，21世纪将成为亚洲运动员的黄金时代。很多人期待，在2008年北京奥运会上，中国能够跻身奖牌榜首位，并且在未来继续挑战美国的统治地位。其他的亚洲国家也必定不甘人后，它们必定努力增进自己在奥运会上的成功。而亚运会的高度成功将继续有效促进亚洲各国的团结，并为奥运会提供进身之阶。

越来越多的亚洲人成为奥林匹克运动的领导者，例如国际奥委会的副主席、执行委员会委员，国际奥委会考察团的主席，其他国际运动联盟的主席、副主席和奥委会执委会成员。亚洲体育界的这些领导人为国际运动联盟提供了更广阔的视野，并使这些国际组织真正地国际化。越来越多的有资格、有能力的亚洲人加入进来，提供服务。我可以预见到，在今后100年内，国际奥委会的亚洲成员将会越来越多，将有更多活跃的亚洲运动员成为国际奥委会的成员。在2008年北京奥运会上，很可能会有第一名亚洲运动员被选举成为国际奥委会的成员。这是亚洲在奥林匹克运动中的作用越来越重要的体现，也是亚洲体育领导人的能力及其得到认可的表现。谁敢保证，将来不会出现一名亚洲人成为国际奥委会的舵手呢？21世纪，亚洲奥林匹克运动的发展的确做到了更快、更高、更强。

黄思绵很乐观，但是，一些原有的压力在奥林匹克运动内部尚未得到解决，这些压力虽然还未让人恐慌，但仍让人担忧。这些问题已经引起了广泛关注，它们并非只存在于国际奥委会内部，它还与国际反兴奋剂组织（WADA）、道德委员会（Ethics Commission）以及各比赛项目息息相关。这些问题关系到奥运会的存亡，更不要说他们和奥运会诚信之间的关系了。国际反兴奋剂主席首次把兴奋剂事件定义为“零容忍”事件，这个定义的清晰度就和有无怀孕之间的分界一样。反兴奋剂联盟内部都接受了这个提法，因为他们都意识到公众的批判可能祸及奥运会。此外，人们批评奥委会在处理道德问题的时候，没有做到一视同仁。

在过去的一个世纪里，举世闻名的奥运盛事比任何政治、经济和道德上的纷争都更引人注目。如果没有奥林匹克的历史遗产，这10年赛事的管理可能变得更加低下。2004年秋天，药物丑闻如风暴般前所未有地席卷了国际奥委会，同时震惊了整个体育界。国际田联（IAAF）在和国际反兴奋剂联盟展开讨论之后，决定收回肯特利斯（Kenteris）和塔努（Thanou）的金牌。国际单项体育联合会（IF）的一些相关决议比起国际奥委会在奥运会期间采取的行动对运动员的震慑力更为长久。12月，旧金山拜戈（BALCO）公司的创始人康特（Victor Conte）因为销售兴奋剂而被起诉，与之有关联的体育项目都引发了爆炸式的轰动。在接受ABC电视台采访的时候，康特不仅把矛头指向了多位享誉世界的田径名将，其中包括琼斯（Marion Jones）、蒙哥马利（Tim Montgomery），还指控多位家喻户晓的美国国内热门运动项目（橄榄球、足球）球星。康特的举动很异常，他本应在审讯时宣称自己是无辜的，但他却表现得和陪审团相当合作，在供词中曝出多名注射了类固醇的美国体育明星。在过去15年里，大联盟从来没有对任何一名运动员进行过禁赛处理。在ESPN杂志刊出康特曝光的部分供词里，康特宣称：

琼斯、塔努和铜牌获得者牙买加的劳伦斯在领奖台上。因为禁药事件，琼斯和塔努使奥运会蒙上了一层阴云。

整个系统都是腐败不堪的。我还守住了很多秘密。他们不是想曝光体育运动的阴暗面吗？那我就顺从他们的意思吧。人们经常问我，是否为自己所做的感到内疚惭愧。我的答案是“没有”。我认为，所

谓的精英运动，就是要不择手段地取得胜利。我看过太多的运动员被迫决定是否使用兴奋剂。对于他们来说，放弃梦想比使用兴奋剂更为痛苦。

国际奥委会主席罗格在克罗地亚与欧洲奥委会成员开会的时候对此作出回应："我希望真相能够大白于天下。我们想知道究竟发生了什么事，相关信息越多越好。"

先不说这些事实真相，国际反兴奋剂联盟及其主席庞德（Dick Pound）在提出"无论哪个项目的运动员，一旦药检呈阳性，就将全面禁赛两年"的提议之后，不断遭遇反对的声音。反对声音首先来自丹尼斯•奥斯瓦尔德（Denis Oswald）和维尔布鲁根（Hein Verbruggen）。前者是国际艇联及夏季奥运会单项联合会总会的主席、雅典奥运会协调委员会主席以及国际奥委会执委会委员，后者是自行车联合会的主席。他们认为统一禁赛的可操作性很低，并认为国际反兴奋剂组织的立场很可笑，用维尔布鲁根的话说，"它好像把自己当成警察的看门犬，而不是一个辅助组织"。此外，罗格的故乡比利时也传来了反对意见。11位闻名的体育官员提出抗议，他们包括比利时奥运会代表团主席范德瓦勒（Robert van der Walle）和径赛推广人威尔夫（Wilf Meert）。庞德没有因这些反对意见而妥协，他继续向国际足联（FIFA）施加压力，要求他们延长原本6个月的禁赛时间，并且要求国际反兴奋剂联盟修改章程，掌控好2008年的奥运会足球赛事。在外人看来，反对者的意见与蒂格尔（Helmut Diegel）所提出的铁证相比，无足轻重。这位国际田联（IAAF）副主席声称："我们应该起诉那些服药的运动员。奥运赛场上这四五例兴奋剂事件，让整个赛事遭受了不可估量的经济损失。"国际单项体育运动联合会也在尽他们最大的努力与兴奋剂作斗争。世界重要的游泳赛事——世界游泳锦标赛（FINA）对外宣布：在世界游泳锦标赛上对来自42个国家的237位运动员进行的437例药检中，无一呈阳性。

与此同时，国际举重联盟主席兼国际奥委会委员阿让（Tamás Aján）深陷苦恼之中。这位匈牙利人因被怀疑在雅典奥运会上，在驱逐3名匈牙利举重选手时，提供不利证供而被剥夺了国家奥委会（NOC）秘书长的头衔。阿让声称，考虑到自己肩负多种职责，因此才辞去了秘书长及抗兴奋剂组委会代表的职务。

备受争议的国际举重联合会主席、匈牙利人塔马斯•阿贾恩在2001年国际奥委会会议上与普京总统会面，旁边是国际排联主席阿科斯塔(Ruben Acosta)。

道德委员会（Ethics Commission）的纪律整顿行动引起了很大的波动。体育运动的"旗手"——国际奥委会首当其冲，成为被清理、整顿的对象。随后，纪律整顿行动要求把道德评价标准引入第29届奥运会中。此时，这项行动最需要的似乎是按照道德委员会主席卡巴•穆巴依（Keba M'Baye）的指示，遵循本身的规章来展开活动。在这样一个庞大的机构中，偶尔出现失误并不稀奇，也不可避免，但是，各方对这些失误有很多指责，这也是难以安抚的。马克•霍德勒（Marc Hodler）是资深的国际奥委会委员，曾担任滑雪联合会主席达47年之久。20年前，国际奥委会主席萨马兰奇曾经分给他一项不讨好的任务——清除国际奥委会中追求私利的成员。这个任务势必不会取得太大的成功。而这位委员表示，"在道德委员会中有太多道德形式主义者，而国际奥委会主席的纵容让那些人获益匪浅。"马克•霍德勒认为，委员会的功能应该更精简并有延续性，委员会应该着重处理实际问题，而不是埋头研究一些很难操作的理论观念。很早以前，马克•霍德勒在各国奥申委的信息提交问题上，曾建议基拉宁跟贪污分子作斗争。可那时国际奥委会资金短缺，因此当局选择避免出现太多的诽谤诉讼，以减少支出。现在，很多过去的问题都开始浮出水面。堤义明曾因为捐款兴建奥林匹克博物馆，而被评选为国际奥委会荣誉成员。在他担任西武铁道总裁时，却同时参与了酒店和娱乐产业的市场活动，当时，他一度位列世界顶级富豪。在长野获得1998年冬奥会主办权之后，一直有流言，说他在选举背后推波助澜，随后，因为财务舞弊，他被迫退出了国际奥委会。

委员会成员在国际奥委会选举过程中，经常会出现公开个人意见的事情，道德委员会对这些事件的处理经常会自相矛盾。2001年，在国际奥委会主席选举前，高斯帕（Kevan Gosper）公开表示支持庞德（Dick Pound）成为下一届主席，他因此受到了责难。与此同时，负责国际奥委会对2012年奥运会主办城市进行评估的评估小组组长，摩洛哥的纳瓦尔•埃尔•穆塔瓦基尔（Nawal El Moutawakel）缺席葡萄牙劳伦斯体育奖的颁奖典礼，可是，她却很不明智地被人发现，她那时正和伦敦奥申委主席塞巴斯蒂安•科一起。他们两个都是1984年田径锦标赛的冠军。法国人杜尔特（Guy Drut）和其几内亚同事迪亚罗（Ibrahim Diallo）与国际合作社的负责人西索尔（Tommy Sithole）联袂出席了在2005年秋天举行的联合国大会，在会议上通过了《奥林匹克停战协议》。而国际奥委会和道德委员会对此竟然无动于衷。杜尔特当时因为财政舞弊被罚款50 000欧元，并停职观察超过一年。在他参与联合国会议之后不久，道德委员会虽然暂时解除了他的权力，但也推迟了对他的审讯。另外一个让人心生疑惑的是，尽管道德委员会建议对韩国成员朴荣晟进行处罚，但国际奥委会执委会对这个建议没有作出回应。朴荣晟是世界柔道联合会主席，也是斗山集团的前主席，他被指控联合他的三个兄弟挪用公司3 200万资金，而韩国对此仍没有作出司法判决。朴荣晟已经从斗山集团以及韩国商会离职，但没有辞去奥林匹克的职务。3个月之后，国际奥委会执委会的确暂时将朴荣晟停职，但这样也让他得以避免在都灵奥运会赛前的会议上遇见他的同僚。

法国律师、道德委员会特派代表吉拉德•扎贝利（Paquerette Girard Zappelli）。各种各样的责难使国际奥委会的部分委员们不知所措。

受萨马兰奇之命解决过财务问题的瑞士人马克•霍德勒（Marc Hodler）指责道德委员会徒有“道德形式主义”虚名。

2003年在布拉格举行2010年冬季奥运会举办城市选举前，三星公司卖力地赞助平昌市参选，但它的偏颇的支持却引起了多方争论。市场营销委员会主席格尔哈德•海伯格（Gerhard Heiberg）

给2014年冬季奥运会的7个候选城市的主要赞助商发了一封信。这封信是关于赞助商在2007年危地马拉城的选举大会前应该遵循的规则的。尽管国际奥委会准备帮助赞助伙伴寻求"如何通过他们的专业知识和技能对参选城市的推广起作用"的方法，但这些主要赞助商却被规定不能通过任何形式对2014年冬季奥运会候选城市进行支持或推广。缺席都灵奥运会相关会议的第三个韩国人是李健熙，他在美国销声匿迹了5个月，理由是脚断了。其实在这5个月里，他进行了肺癌手术。李健熙也涉入了国际奥委会的主要赞助商——三星集团内部的金钱交易事件中。这些事件都不利于平昌市申办2014年冬奥会。而杜尔特事件对巴黎参选毫无作用，但他也被停职处分。此外，法国奥申委主席亨利•塞兰多尔（Henri Serandour）也因和通讯公司的"不当"交易而被开出5位数字的罚单。

保加利亚城市索非亚曾两度申请举办冬季奥运会，而这次申请却在伊万•萨拉夫科夫（Ivan Slavkov）于2005年在新加坡会议任满之前，就已经宣告失败了。在BBC富有争议性的纪录片《全景》中发现，萨拉夫科夫在雅典奥运会之前，似乎在利用职权向同僚拉票。在2005年的大会上，当时已经是保加利亚奥申委兼国际足联主席的萨拉夫科夫在维护自己清白的同时，没有采取博取同情的方式，他的12位同事都对驱逐令投反对票。这个保加利亚的电视业大鳄，就这样默默地结束了自己的奥林匹克事业。自从20世纪80年代开始，他一直致力于把索非亚推上冬奥会候选城市之列，驱逐令使他丧失了国家奥申委主席的职务。和萨拉夫科夫有关联的还有一些人和组织，他们都与《全景》有关。而国际奥委会立刻发表申明，说这些人都是不受国际奥委会欢迎的人物，他们将被免去所有的奥林匹克职务。这些人中包括了高兰（Goran Takac）。高兰是国际奥委会多年来的出版负责人，帮助出版国际奥委会的官方文件，同时也是多个申请城市的推广代理人，他是受人敬仰的前奥组委技术总监阿图尔（Artur Takac）的儿子。

保加利亚籍委员伊万•萨拉夫科夫因涉及贿选事件被驱逐出国际奥委会。

今年73岁的金云龙在监狱里身体状况越来越差。他于2004年6月在高等法庭上表示对判决不服，要求上诉。而在9月的审判中，他的上诉在5分钟之内就被驳回，但他的刑期却从两年半缩短到了两年。也就是说，如果两年后他仍健在，就能在都灵奥运会举办前夕出狱。金云龙假释出狱后却递交了辞呈，他的辞职是被迫的还是自愿的呢？辞职行为发生在罗格对青瓦台（韩国政府所在地）的官方访问之后，外界猜测是政治杠杆的作用。但罗格多次重申，他和韩国政府之间没有就这件事进行任何谈判。还有，奇怪的是，金云龙辞呈的落款日期是5月9日，这封辞呈却在11天后才从首尔来到洛桑。在这11天中，探访金云龙的亲友都不知道他已经向奥组委递交了辞呈。

根据金云龙的说法，政府官员曾三次到监狱探访他，而他签署了三份同意辞职的文件作为假释的条件。2007年末，金云龙表示："这份辞呈是在狱中拖着病体签署的，我不认为在体力不支的情况下签署的文件会有任何法律效力。"终于放下心头大石的罗格，在参加由英国奥组委于2005年在伦敦举办的百年庆典的时候，发表了对金云龙言论的评论："不需要动用投票来驱赶任何一位同僚，永远都是最理想的状态。但我相信，大会会作出进行投票的正确决定。"颇具讽刺意味的是，2005年深秋，国际奥委会执委会通过了缩减国际奥委会成员费用的提议，把每个国际奥委会成员的每年花费降低至5000美元。可笑的是，金云龙在2001年准备主席竞选的时候，就提出了这个议案，当时却遭到非议。冰冻三尺，非一日之寒。他与一些前同僚之间的嫌隙，在2006年春天的年度体育报告会议上，也有迹可寻。在这次会议期间的两个正式集会上，金云龙都中途离场，并没有和那些同情他的人共进晚餐。这并非因为他与罗格发生了正面冲突，而是他在集会中收到了秘密的消息。这位亚洲体育运动领导者的辞职将会成为国际奥委会的一个不解之谜。

在新加坡大会开幕前，夏季奥运会单项联合会总会（ASOIF）的子组织国际单项体育联合会(IF)要求确认雅典奥运会收入中他们应得的收益，而为了一个即将到来的项目的修订，他们中的一些成员正跳着政治的狐步舞。有人认为，他们将像金云龙一样被驱逐。在奥运会之前，罗格就已经向夏季奥运会单项联合会总会主席丹尼斯•奥斯瓦尔德确认，国际单项体育联合会的收入会达到2.5亿美元左右。这些收入来自各项赛事，其中表现最为突出的田径运动获得了2520万美元，而表现平平的跆拳道和三项全能比赛，各有607万美元的收入。国际奥委会要求他们对雅典奥运会保险赔偿费用负责，各联盟都为此感到不满。他们的收入分配将与2000年悉尼奥运会一致：

A组：	田径	2520万美金
B组：	篮球、自行车、足球、体操、游泳、网球、排球	1220万美金
C组：	马术、手球、曲棍球、划船	810万美金
D组：	箭术、羽毛球、棒球、拳击、独木舟赛、击剑、柔道、现代五项、射击、垒球、乒乓球、举重、摔跤、赛艇	670万美金
E组：	跆拳道、三项全能	607万美金

在经历了2002年盐湖城事件之后，国际滑雪联合会在国际奥委会的施压下，将在冬奥会引进一套重新修改过的评分系统，用来取代过时、专制而且主观的6分制评分方法。2006年的都灵奥运会刚好赶上了这个改革，申请主办2010年冬奥会的各方对此也表示欢迎。这套新的评分系统在里昂的欧洲锦标赛的试评中获得成功，广受好评。滑联主席奥塔维奥•钦宽塔（Ottavio Cinquanta）表示，这套积分制系统仍然有很多需要改进的地方，日后，这套系统将会被引进到跳台滑雪、花样滑冰等赛事中。

国际单项体育联合会担心，"在新加坡大会上把项目评估列入日程"的说法会确有其事。尽管国际单项体育联合会一直尝试终止对项目评估的讨论，但在过去的10年里，对项目评估标准的讨论一直没有停止。丹尼斯•奥斯瓦尔德写信给罗格，承认需要对每个单项运动的保留与否进行投票，但是，为了避免造成不良后果，他要求进行无记名投票。国际奥委会向国际单项体育联合会提交了一份目录，里面含有国际奥委会委员在雅典奥运会上观察得来的需要保存的29个项目的资料。从这份目录看，项目委员会将会整理出一份最终目录，并在新加坡大会进行评估之前，把目录提交给国际奥委会执委会。但这并不能对项目进行严格的评估，它的可靠性不高。惊觉到项目评估日渐临近，国际现代五项联合会给他们的比赛安排了一个更为紧凑的日程——一天之内在

现代五项联合会主席、德国人克劳斯•舒曼成功地使现代五项赛事保留了下来。

同一个赛场完成5个单项比赛。这一安排会增加这项赛事的客观性，也使得电视转播的操作流程更简单了。

罗格感觉到了来自28个将要接受评估的体育项目的紧张气息，而高尔夫球、空手道、滚地球、七人橄榄球和壁球，这5个受认可的体育项目联合会在得到准许后，他发表申明："评估并不代表我们会被迫修改项目。相反，通过投票选择自己认为最适合国际奥委会和奥林匹克运动的体育项目，可以让各个成员对奥林匹克的未来发展充分发表意见。"但是，如果怀疑田径运动是否有必要保留在奥运会中的话，那可真是非常愚蠢的想法。

奥林匹克比赛项目需要进行投票决定的事并非首例。1961年，在决定1964年东京奥运会比赛项目的时候，国际奥委会主席布伦戴奇要求体育项目的总数保持在15到22个之间。芬兰籍委员佛兰凯尔（Baron Frenckell）建议项目总数应该在20个以下。当年仅有6个体育项目无须投票就可以保留在奥运会内部，它们分别是田径、体操、划船、游泳、举重和摔跤。而箭术和手球都被排除出奥运会。非常有趣的是，另外两个最不受国际奥委会成员喜爱的运动项目是足球和现代五项。4年后，在墨西哥城奥运会的项目投票中，仅有3个项目没有得到任何反对票，它们分别是田径、拳击和游泳，在东京首次亮相的柔道惨遭排除。由于水球被排除，排球因此得以幸免。到了21世纪，奥林匹克体育项目被排除的最主要原因竟然是财政因素，因而导致了人们对项目排除的反感。

这种退化式的结果使国际奥委会一度陷入僵局，人们对国际奥委会主席感到失望，幸存的现代五项松了一口气，而被投票排除的棒球和垒球则遭受了一时之灾。没有新的体育项目得到奥运会的入场券，国际奥委会基层人员一度表现得异常粗暴，他们高声质问主席，有些人认为奥委会并不是在寻求历史性的发展，而是在慢慢倒退。壁球和空手道经过复杂的审核程序之后，终于得到了2012年奥运会的入场券，可它们都没有达到三分之二支持率的安全线，投票结果是：壁球得到63票赞成、39票反对；空手道得到63票赞成、38票反对。壁球在它最受欢迎的时候，曾经是铁定过关的项目；尽管空手道为奥运会带来了更多的武术项目，但很多人更喜欢跆拳道。棒球和垒球被排除在外，影响最大的是美国，因为它是这两个项目金牌的最有力争夺者。

项目委员会向国际奥委会提出警告："毫无疑问，最专业的选手都会参加奥运会的高尔夫球赛。"国际奥委会因此在高尔夫球问题的处理上显得犹豫不定。尽管国际奥委会主席支持橄榄球加入奥运会比赛项目之中，但它仍然未能进入伦敦奥运会。橄榄球最后一次在奥运会上出现，是在1924年的奥运会上，以15人橄榄球球赛的形式出现。多年来，竟然没有人认真考虑或提出重振拔河比赛或者引进滑水比赛。作者对此感到很吃惊，因为，曾经在6届奥运会中作为比赛项目的拔河比赛非常适合进行电视转播，它对于技术的要求很低，比赛的资金投入也少，但却具有视觉的戏剧效果，同时作为一项团体运动，它能引起民族的热情。而滑水是一个流行的、年轻的、具有视觉震撼的运动。这两个项目都非常符合国际奥委会的要求。

2004年，彼得•尤伯罗斯（Peter Ueberroth）竞选成为美国奥委会主席，他的上任对于这个长期处于混乱状态的最强大的国家奥委会来说太晚了。尽管尤伯罗斯在海外广受欢迎，但他却没有足够的时间来保护棒球和垒球的地位，此外，他也没能在纽约申请2012年奥运会主办权时，很好地发挥自己的影响力。在过去很长一段时间里，美国奥委会经历了一连串的内部丑闻，并三番五次地更换主席及执行官员的人选。美国奥委会在国际单项体育联合会中没有一位领导人，而詹姆斯•埃斯顿（James Easton），这个前国际奥委会副主席和稍后的箭术联合会主席也被挡在了项目委员会门外。尤伯罗斯的当选是美国政府一直坚持对奥委会改革的结果，在改革过程中，原来125人的委员会最后缩减成11人的董事会。

如果说美国奥委会的改革来得太迟，那么国际奥委会利用各种行政手段来增加妇女参与奥运会的工作就更加难以让人满意，尽管国际

彼得•尤伯罗斯终于当选为美国国家奥委会主席，但他的到来太迟了，未能帮助年老的垒球联合会主席唐•波特保留住垒球在奥运会上的席位。

奥委会经常为此修订政策。保加利亚的萨拉夫科夫被国际奥委会驱逐后，科斯塔迪诺娃（Stefka Kostadinova）在选举中战胜了1976年奥运会划船冠军——奥泽托娃（Svetla Otsetova），接管了萨拉夫科夫在保加利亚奥委会的工作。科斯塔迪诺娃是1996年奥运会冠军得主，并曾多次获得世界锦标赛跳远的金牌，也是第一个担任国家奥委会主席的女性。此外，赞比亚奥委会成为第二个由女性担任国家奥委会主席和秘书长的国家奥委会。迄今为止，全球范围内共有9名国家奥委会主席与14名秘书长是女性。前非洲曲棍球联合会秘书长莫悠（Miriam Moyo）接替帕特里克•钱姆达（Patrick Chamunda）成为赞比亚奥委会的新主席，而最近成为非洲曲棍球联合会执行长的肯尼迪（Hazel Kennedy）将担任其秘书长。目前，在任命女性成为国家奥委会官员这一点上，非洲大陆处于排头兵的位置。人们事后发现，比利时没有派出任何一名女性运动员参加盐湖城冬奥会的举措激怒了女权国际联盟，但比利时不过是22个参赛队伍中全部为男性的国家之一。如果对女性运动员来说，自由化的发展不够快的话，那么在作者看来，就其参与率而言，目前奥运会的撑杆跳与摔跤这两个项目的发展十分惊人。到目前为止，国际奥委会执委会拒绝了国际业余拳击联合会(AIBA)的申请，女性拳击仍被挡在奥运会门外。国际奥林匹克委员会运动项目负责人凯丽•费尔韦瑟（Kelly Fairweather）说："我们基于对技术的考虑作出这个决定，但我们仍然期待未来几年女性拳击有新的发展。"

各国际单项体育联合会太善于自我保护，但却并不愿意去关注自己能为奥运会做些什么。同时，它们也为自己在执行委员会和国际奥委会内部没有影响力而感到局促不安。在新加坡的选举中，这种情绪变得更为激烈。希腊委员尼科拉奥（Lambis Nikolaou）和日本委员猪谷千春被选为副主席。尽管猪谷千春是多年前的高山滑雪冠军，并对铁人三项运动充满兴趣，他们两个却都没有在任何一场单项体育联合会组织的斗争中发挥很强的影响力。尼科拉奥原先是国家奥委会成员，而越来越多的国家奥委会倾向则会影响到其日常工作中的体育运动的全球化特征。尼科拉奥和瑞典奥委会的副主席林德伯格（Gunilla Lindberg）还进入了执行委员会。在国际奥委会成员里面，至少有22个人曾是国家奥委会主席。从前，国际奥委会、国际单项体育联合会与国家奥委会呈三国鼎立的状态，而现在，国际奥委会主席将面临前所未有的挑战。

2004年夏天，国际奥委会和欧洲广播联盟（EBU）洽谈2010年冬季奥运会和2012年夏季奥运会的电视转播权问题，欧洲广播联盟要求更多的体育项目转播权，以使自己能够与美国全国广播公司（NBC）抗衡。美国全国广播公司的地区覆盖率超过30%，而在欧洲广播联盟的计划里，它要实现对意大利之外的51个国家的电视覆盖，即要提高40%的覆盖率，需要增加6.14亿欧元的投入，约为7.46亿美元。意大利不在欧洲广播联盟的广播范围内，因为意大利总理西尔维奥•贝卢斯科尼（Silvio Berlusconi）控制了国家电视台RAI，还有其他商业频道。这件事与都灵奥组委的奥运会筹备状况（尤其是雪山场地的准备）一样，得到了极大的关注。

雅典奥运会和都灵冬奥会之间的这段时间里，所有的目光都聚焦在2012年夏季奥运会主办城市的争夺上，而这场争夺会在2005年新加坡大会上得出最后结果。在2001年输给了北京之后，巴黎再次参选，并且不可避免地成为夺标热门，但是，它仍然处在劲敌环绕之下。伦敦、马德里、莫斯科和纽约都参加了竞选，另外还有一些不可小觑的候选者，例如莱比锡。巴黎得益于2003年国际田径锦标赛的举办，在众多候选城市中处于优势，尽管有证据表明，国际田联对法国政府在该项赛事上的管理并不满意。此外，杜尔特的财政丑闻也成为法国的弱点。

杜尔特曾是1976年法国的奥林匹克冠军，他的财政丑闻使巴黎在申奥活动中失色不少。

伦敦的竞选阵营由43岁的芭芭拉•卡萨尼（Barbara Cassani）领导，她曾是普林斯顿大学的研究生，同时也是一位杰出的商业女强人。尽管芭芭拉•卡萨尼对廉价航空公司GO的管理有杰出的成绩，使她在卖出GO的时候大赚了一笔，但是，她仍然受困于日渐喧嚣的批评之中。2004年早春，塞巴斯蒂安•科接替了她的职位，毫无疑问，塞巴斯蒂安•科任重道远。每次，人们都会用前任领导人在场馆建设，特别是温布里场馆建设项目上表现出的无能来提醒他。当时芭芭拉•卡萨尼不能在东伦敦建成一座全新的体育馆，因而把田径锦标赛的主办权拱手“让”给了法国。另外一方面，一些统计数据深深鼓舞了塞巴斯蒂安•科，而其他候选城市对此也非常重视。这组数据来自过去6年对在英国举办的16场世界及欧洲赛事的统计，数据表明：英国每投资1欧元，就会在经济上创造7欧元。

国家奥委会联合会（ANOC）秘书长马约拉尔（Feliciano Mayoral）意识到道德委员会对自己的密切关注，立刻向秘书处递交了辞呈，借以表明他作为马德里的竞选负责者的强硬态度。丹尼斯•奥斯瓦尔德对外表示：“一个只有50万人口的城市太小，不足以支撑奥运会的到来，赫尔辛基怎么可能再次举办奥运会呢？”2006年世界杯足球比赛的主要场馆所在地莱比锡的候选机会因此番言论而被削弱。候选城市之间剑拔弩张，罗格给位于杜布罗夫尼克的欧洲奥林匹克委员会写信，表示：“候选城市不应该再留意对方的活动，不要再争论、指责。现在这个局面，我感到非常不满。”

在这个纯洁、透明、面貌一新的组织内部，国际奥委会成员被禁止对候选城市进行访问，评估委员会的作用越来越重要。但是，当纳瓦尔•埃尔•穆塔瓦基尔（Nawal El Moutawakel）成为评估委员会主席的时候，却引起了一阵不安。1984年，这个优雅的摩洛哥人成为第一名获得田径锦标赛的非洲女性。她的道德水准毋庸置疑，但仍然有人怀疑她的能力，质疑她的评估报告是否能对那些不能亲自前往勘查的人提供帮助。

埃尔•穆塔瓦基尔在候选城市进行考察的时候，礼貌性地对5个领先城市及已经被执行委员会剔除的哈瓦那、伊斯坦布尔、莱比锡和里约热内卢表示赞扬。在她的评估报告里，巴黎和马德里得分较高，而伦敦的交通系统受到严厉批评。报告还明确指出：纽约兴建新体育馆的计划存在漏洞，而莫斯科的场馆兴建计划也存在同样的问题。尽管纽约市长麦克尔•布鲁博格（Michael Bloomberg）在体育场馆的兴建方面表现得信心十足，只是没有从两个选择中决定出场馆的选址所在而已，但和纽约市民对于申奥的态度却大相径庭。很多人都认为，这份报告偏向巴黎，但该报告的确没有考虑到日常消费这个因素。如果对这个因素进行分析，马德里就可能排名首位，唯有在马德里旅客可以适应当地的生活水平。在美世人力资源顾问公司的一份调查报告中，伦敦是欧洲消费水平最高的城市，莫斯科紧随其后。纽约和巴黎在城市消费水平的世界排名里面，分别排在第11名和第12名，马德里仅排在第45名。

新加坡大会上，各种猜想以前所未有的速度流传，巴黎毫无疑问地成为夺标热门。但在过去一个星期，甚至过去几天的争夺中，伦敦和马德里都缩小了与巴黎之间的差距，另外，人们也难以估计代表西班牙出席大会的国际奥委会终身荣誉主席萨马兰奇会对投票造成什么样的影响。

纽约市长麦克尔•布鲁博格(Michael Bloomberg)、法国人让-克劳德•基利（Jean-Claude Killy）及巴黎市长狄拉诺（Betrand Delanoe）在新加坡会议上的陈述最终并未奏效。

其实，大家对投票前候选城市陈述的性质都有共识，尽管陈述很难获得新的支持票，但它很可能造成原来票数的流失。在1997年洛桑大会上，雅典的女代表在陈述时孤身奋战，保住了雅典的支持票，而现在外界纷纷猜测巴黎会不会适得其反。在会议上，很多细节都会影响大局，例如塞巴斯蒂安•科引人入胜的演讲即是如此。他提出，如果伦敦举办奥运会，将会给伦敦及国际奥委会带来益处。英国首相布莱尔（Tony Blair）也到场表示支持。会前，布莱尔也接触了无数的国际奥委会成员，向他们展示英国政府对申奥的高度支持。而巴黎的陈述则非常乏味，法国总统雅克•希拉克（Jacques Chirac）没有很好地发挥自己的作用。伦敦拥有一个天生的胜利者——塞巴斯蒂安•科，他两次展现了自己的才能，在这次演讲中，他更加注重鼓舞人心，而非着重展现伦敦在技术上的卓越。

首先进行第一轮投票。除了国际奥委会主席外，以下委员在自己的国家遭淘汰之前，不具有投票权：法国人基利（Killy）和赛朗杜尔(Serandour)，美国人德•弗朗兹、埃斯顿（Easton）和斯特维力克(Robert Ctvrtlik)，俄罗斯的斯米尔诺夫、塔尔皮斯切夫（Tarpischev）和波波夫，英国公主、里迪和克雷文(Philip Craven)，西班牙的德博尔冯(l'Infante de Borbon Dona Pilar)和萨马兰奇。莫斯科在第一轮中被淘汰，纽约在第二轮被淘汰。在关键的第三轮投票中，伦敦以39票领先，马德里则以2票之差落后巴黎而惨遭淘汰。最后一轮中，伦敦以54票比50票战胜巴黎，让世界为之震惊。

	第一轮	第二轮	第三轮	第四轮
伦敦	22	27	39	54
巴黎	21	25	33	50
马德里	20	32	31	
纽约	19	16		
莫斯科	15			

为什么会发生这种情况呢？还是让我们先看看塞巴斯蒂安•科那个打动了很多平常冷静、带有偏见且支持地缘政治的听众的演讲吧：

> 让我们向世界展现，你能为我们做的一切；我们向世界展现，我们能为你做的一切……今天就选择伦敦吧，你们将传达出清晰的声音给全世界的年轻人。有人说你们今天的选择是选择不同的5个城市，但这样就低估了我们面前的这个机会的价值，在过去你们作出过重大的决策，你们的这种决策使奥林匹克运动继续前进。你们今天的决策也是至关重要的，这个决策关系到哪个城市可以向年轻的一代展示：在这纷纷扰扰的21世纪，奥林匹克运动是多么重要。

塞巴斯蒂安•科在发表演讲之前，亲手写了40封信给国际奥委会委员。信件大概讲述了他的梦想。这些信件，再加上布莱尔的魅力，让一些散漫的委员非常感动，决心好好履行自己的义务。在投票前的最后一个小时内，我们可以很明显地看到，塞巴斯蒂安•科和他的团队来到新加坡并非为了向国际奥委会展示一个平平无奇的40

罗格向英国奥委会主席里迪和伦敦竞选领导人塞巴斯蒂安•科对伦敦的胜利表示祝贺。

分钟旅游纪录片。尽管陈述并非至关重要的一环，但它却非常好地装饰了候选城市的门面。在伦敦的陈述中，胸怀大志的篮球运动员查尔斯（Amber Charles）带领一支超过30个国家的学龄儿童队伍加入陈述。老套地说一句，最终结果真的难以预测，因为，各国夺标的可能性都有所提高。前些日子，作者和一些国际奥委会委员交谈。从谈话中，作者虽然意识到马德里很可能后来居上，给巴黎申奥成功带来很严重的威胁，但仍然感觉到伦敦或许会胜出：就当时的形势而言，在那难以忍耐的一个小时里，每个人都屏息以待，希望主席口中说出的是“伦敦以6票的优势获胜”。

法国本可以逃过这一劫吗？每个失败者都可以通过找借口而获得慰藉，不管这些借口是真实的，还是捏造的。法国当然可以找到很多托词，但他们的支持者却更客观地对塞巴斯蒂安•科演讲的力量与创意作出了评价。但是，如果这个总以现代奥林匹克发源地为荣的国度，在20年内遭受三次申奥失败，这简直是莫大的羞辱。巴黎的奥申委也刻意保持低调，避免给人不可一世的感觉。但是，这种不可一世依旧存在：巴黎的陈述小组都是男性，他们全部穿上了白色的西装，在这个团队里面，没有一名女性，或者穿其他颜色的制服的人存在。还有，法国总统希拉克的短暂出场，使巴黎的陈述变得像乏味的政治演讲，他的出现没有起到太大的作用。法国体育部长弗朗索瓦•拉穆尔（Jean-François Lamour）也坦承："我们和奥林匹克世界之间的确有一些问题存在。现在我不能告诉大家那个问题是什么，但我们必须知道，我们缺少什么。而我们需要更多的时间。"法国体育部老臣，同时也是国际奥委会荣誉委员的阿莱因•达内特（Alain Danet）在几个月前逝世了，他生前曾说："法国投票反对欧盟宪法的行为，得罪了很多东欧人。"而法国奥委会主席亨利•塞兰多尔（Henri Serandour）也承认："伦敦在政治的框架下发展体育，而巴黎用'体育'来掩饰自己的政治活动。"

只有纽约代表团对自己的失败感到压抑，因为美国奥申委每次都对最后结果充满信心。

国际奥委会另外一个美国成员埃斯顿强调说："如果有更多联邦、美洲联盟和国际奥委会的高官加入我们的申奥小组，我们将会有更好的表现。"菲尔指出一个问题：美国政府对奥林匹克的财政拨款变得越来越少了。国际奥委会最大的赞助商来自7个不同的国家，这使得国际奥委会对美国捐款的依赖大大减小，另外全球对布什总统的国际政策感到非常不满。

让人百思不得其解的是，在第三轮的投票中，马德里以31票的总数略逊巴黎而失去了进入最后一轮比赛的机会。人们一度猜测，这是不是与萨马兰奇的影响力有关呢？数月之后，奥委会的以色列成员、前国家广播公司副主席亚历克斯•吉拉迪（Alex Gilady）在接受BBC新闻采访时宣称，在投票过程中，有一个支持马德里的选票错误地投给了巴黎。如果当时情况没出差错，那么双方将会打成平手，并在这两者间进行决定性的投票。这一言论使问题更加尖锐化。因为，伦敦的支持者会考虑巴黎是他们的主要威胁，就会投马德里一票，使马德里进入最后一轮投票。而最后进行到马德里与伦敦之争的时候，巴黎的支持票将会转到马德里处，那么马德里很可能成为最后的赢家。而希腊的尼科拉奥成为了所有问题的核心，因为人们最初以为就是他误投了票。但事情的真相是，原本放置好的104个电子投票器仅有103个处于运行状态之中，尼科拉奥的投票没有被记录。即使他把票投给了马德里，马德里也会因一票之差败给巴黎。

希腊籍委员尼科拉奥受到指责，他被认为是导致马德里失利的罪魁祸首，但事实并非如此。

英国人对自己国家的安全感在一夜之间烟消云散，因为投票的第二天，伦敦发生了自杀性炸弹的恐怖袭击，地铁和公交车上的很多生灵惨遭涂炭。执政党工党的国家安全部部长查尔斯•克拉克（Charles Clarke）随后成为2012年奥林匹克安全委员会会长，他拥有3.5亿美元预算的支持，虽然这个数字比雅典的多国安全检查支出要少，但主要侧重于在英国警方内部培养一支长期存在的专业反恐队伍，以应对类似的威胁。

与此同时，丹尼斯•奥斯瓦尔德成为2012年奥委会协调委员会主席，他立刻对成为地区奥组委领导人表示欢迎，除此之外，米尔斯继续成为他的左右手。伦敦成立了奥运交付管理局（Olympic Delivery Authority），并任命戴顿（Paul Deighton）为执行官，统筹场馆的基础建设。但在2006年初的时候，伦敦不得不对自己的计划作出调整，因为它遇到了每个奥运会主办城市都会遇到的问题——政府的财政总预算不断地大幅提高。一如往常，政府并没有考虑到为了16天奥运会需要投入的管理费用与政府、城市的超负荷运转的情况，一味地通过不断开发新的公路、铁路、住房等基础建设来激励人心。国际奥委会应该把这个多年的弊病公之于众。

8个月后，国际奥委会成员再次相聚于新加坡，为了在都灵冬奥会之前再举行一次会议。经过投票，决定2009年第13届国际奥委会全会将在哥本哈根举行，届时所有奥林匹克运动的代表都将云集于此。然而这个决定是在一片反对浪潮声中作出的。丹麦一部关于先知穆罕默德的卡通片引起了国内的骚动，并在全球范围内引起很大的反响。站在政治中立的立场，国际奥委会成员完成了投票，哥本哈根以59比40获得胜利。而很多人对这个结果痛心疾首。其他候选城市还有雅典、台北、釜山、里加和新加坡城。丹麦的国际奥委会成员凯•霍尔莫（Kai Holm）向大会致词：

> 这些卡通片被认为是对其他文化的亵渎，对此，我们深表遗憾。就我个人而言，我永远不会这样展示宗教标志。丹麦的全体运动界同仁对目前的形势都深表遗憾，这也让我们意识到政治和体育分离的重要性。

超过78%的都灵冬奥会参赛选手投票选举出斯科特（Beckie Scott）和萨库（Saku Koivu）为运动委员会代表，加入国际奥委会。斯科特是加拿大滑雪全国冠军，而来自芬兰的萨库则是曲棍球专家。

都灵冬奥会开幕式上，8名杰出女性执旗入场，她们分别是（从右边开始顺时针方向开始）：美国人苏珊•萨兰登、摩洛哥人纳瓦尔•埃尔•穆塔瓦基尔、智利人伊莎贝尔•阿连德、意大利人索菲娅•罗兰、肯尼亚人旺加利•马塔伊、意大利人迪琴塔、莫桑比克玛丽亚•穆托拉及柬埔寨人索玛姆。

北欧滑雪名将斯蒂芬尼•贝尔蒙多执奥运火炬入场。

1999年，都灵战胜瑞士的锡永（Sion），成为冬奥会的主办城市。从那以后，都灵开始了自己的奥运征程。瑞士之所以失败是因为受到马克•霍德勒（Marc Hodler）在盐湖城丑闻中告密事件的牵连，再加上外界对场地建设竣工进度充满了怀疑。和其他主办城市一样，对于都灵来说，举办奥运会并不只是举行体育赛事那么简单。这是衰落的工业城市再度振兴的机会，多年来，都灵一直都依赖着菲亚特（Fiat）公司，而在过去几年里，都灵已经有30万居民，也就是四分之一的城市人口移居他处。这里曾经是萨沃伊公爵（Dukes of Savoy）的领地，也曾经是撒丁王国的首都，拥有矗立了三个世纪的巴洛克建筑。现在，人们盼望这个城市能够重振，至少在那条投资了5亿美元的首条地铁的带动下重生。当地的政客想在都灵兴建一些全新的现代工业和旅游观光点，让旅游人士不会只记得时髦的米兰。冬奥会将会用去350亿美元，政府会补贴一大部分。都灵会兴建2000个永久的全新住宅区，升级其飞机场；当不再需要使用速度滑雪场的时候，在原址将兴建一座展览中心。此外，一座新的会议中心将会落成，届时，可以为15 000名冰上曲棍球的运动员提供住宿。这些项目很多都将完成，但当焦点回到赛事管理上，特别是山地赛场馆的管理上时，人们就不再抱有太多的期望了。组织不当的一个后果是，因为交通不便，旅游支持者的人数减少，平常有10 000名挪威人会去观看欧洲大陆各国的比赛，但在都灵奥运会仅有以上数字的三分之二。因为筹备工作没有进展，都灵多次受到国际奥委会的提醒。

都灵冬奥会是意大利有史以来最隆重的一届冬奥会，意大利全国滑雪冠军贝尔蒙多（Stefania Belmondo）点燃了奥运圣火。白色的烟花爬升到60米高的奥林匹克火炬台，光荣的火焰在那里熊熊燃起。奥林匹克旗首次由8个来自各行各业的女性精英护送入场。她们分别是诺贝尔奖得主肯尼亚的加利•马塔伊（Wangari Muta Maathai）、智利作家伊莎贝尔•阿连德（Isabel Allende）、柬埔寨人权卫士玛姆（Somaly Mam）、意大利电影明星索菲亚•罗兰（Sophia Loren）、美国演员苏珊•萨兰登（Susan Sarandon），另外还有三位奥运会冠军：摩洛哥的纳瓦尔•埃尔•穆塔瓦基尔（Nawal El Moutawakel）、意大利名将迪琴塔（Manuela Di Centa）和莫桑比克人穆托拉（Maria Mutola）。

都灵冬奥会开幕式上的假面舞会：公元前336年，亚历山大大帝之马其顿大征服。

第75章 都灵

第二十届冬季奥运会 2006

叶夫根尼·普鲁申科

俄罗斯选手、冬奥会单人滑冠军

都灵奥运会冠军宝座是我期待已久的目标。多年来，我一直鞭策自己，朝着这个目标奋进。我曾寄希望于盐湖城冬奥会，但由于没有很好地控制情绪只得了亚军。即使如此，19岁能夺取亚军也相当不简单了，所以，我认为这是让我自豪的佳绩；同时，我也像其他运动员一样，继续做着冠军梦。

在盐湖城冬奥会结束后的四年时间里，我积极备战都灵冬奥会。我曾受重伤，手术后经历了漫长的康复期。那段时间，我努力让自己进入状态，学习新动作。男子单人滑是一项发展迅速的体育赛事，强手如林，但多年的经验告诉我不要太关注对手，应该只和自己进行比较。每一次在冰面上滑行时，我都要激励自己，努力表现得比上一次更好。凭这种信念，在都灵冬奥会，即使面临劲敌我仍然取得了令人瞩目的成绩。裁判们给予我258.33分的高分，比亚军多出27分。那是一个真正的胜利！我战胜了对手，战胜了自己，为俄罗斯队增添了一枚金牌。

在都灵看到许多支持俄罗斯队的人，俄罗斯国旗在每一个角落挥舞，人们欢呼“我们永远支持你，申科”、“我们赢了，申科”、“俄罗斯加油”。在以往的国际比赛中，我从没有得到如此疯狂的支持，尤其在奥运会上，这对我很重要。人们信任我、祝福我，给予了我巨大的力量。我十分感谢这些支持者，没有他们花样滑冰肯定不能达到目前的水准。

我也十分感谢我的教练——阿列克谢•尼古拉耶维奇•米申（Alexei Nikolaevich Mishin），孩童时代，我搬到圣彼得堡后他就开始训练我。他教会我今天能做的所有事情，并对我寄予厚望。教练是一个不确定的职业，且肩负重任，我能有阿列克谢•尼古拉耶维奇这样英明、有才华的人做我的教练是我的荣幸。我相信他会培养出更多杰出的青年运动员，他们不仅会达到我的水平，更会超越我。花样滑冰的水平不会止步不前：每一年都会出现更复杂的跳跃、旋转等新动作。对我来说，阿列克谢•尼古拉耶维奇是我的再生父亲。当然，我的父亲——维克多（Viktor）也是我一生中重要的支持者，我爱他。他是我的第二教练，多年以来，他指导着我的一切：训练、比赛、学习以及旅行。

我不会为专业演示而放弃比赛，胜利的陶醉感对每个运动员都十分重要，我还会继续努力为俄罗斯赢得更多奖牌，我已经为即将在温哥华举行的冬奥会拟定了计划。由于赛事一些手术一再推迟，所以2006年－2007年里我不再参赛，但我的目标是奥运会两连冠。我将带着新的活力和新的动作还有观众的欢呼声再次出现在赛场上，即使只有部分梦想成真我也会兴奋不已。

美国人能突破俄罗斯人称霸的局面并在2010年温哥华冬奥会中夺冠吗？也许吧，但俄罗斯运动员能连续称霸是因为我们有好的传统，更有优秀的教练，我们能够称霸的原因是难以解释的。或许，我们在本质上就与别人不同，好像我们都拥有一团火，它能消耗我们，也能帮助我们。我们喜欢工作，我们必须取得胜利。

叶夫根尼•普鲁申科有着过人的天赋，都灵奥运会让他光彩照人。来自美国的运动员约翰尼•威尔（Johnny Weir）赛前就预言道：“其他运动员只能为银牌而战。”在这次比赛中，威尔只得了第五名，让自己和众多的支持者失望，但他的预言却是千真万确的：普鲁申科的表现独树一帜，在技术上无人能及。他自编的四周跳成了下个赛季的热门动作，其他运动员需要靠这一动作来缩小与申科的差距。申科4岁时开始训练，11岁被送往圣彼得堡接受米申的训练。15岁那年，他赢得了世界青年锦标赛冠军，同一年获得成人组比赛季军。米申同时也是另一位新星——亚力克谢•亚古丁（Alexei Yagudin）的教练，日后亚古丁成了申科的头号劲敌。在盐湖城冬奥会中，亚古丁在旧评分制度（最高为6分）下以最高分获得了自由滑冠军，普鲁申科只得到亚军。亚古丁退休后普鲁申科便成了霸主，他是连续“点冰四周跳——三周跳——两周跳”第一人，也是获得满分的最年轻的男运动员。

在都灵冬奥会短节目比赛中，他以完美的表现得到最高分90.66分，高出威尔 10分之多，而上一年的世界冠军、来自瑞士的斯蒂凡•兰比尔（Stéphane Lambiel）紧随其后。威尔完全被对手的成绩震撼了，“太疯狂了！我觉得80分已是不可思议了，而90分绝对令人难以置信。”虽然在2005年受了一些令人担忧的伤，普鲁申科还是成

技压群雄，其他选手只有去争夺银牌的份了。

功地完成了点冰四周跳和三周跳，突破了自己的极限。自由滑比赛中，他的表现再次轰动全场，让人赏心悦目，因为他把芭蕾舞带进了溜冰场。由于威尔的失误，兰比尔（Lambiel）稳夺银牌，来自加拿大的杰夫里•巴特（Jeffrey Buttle）赢得铜牌。普鲁申科赛后去机场的路上遭遇了车祸，但所幸没有受到重伤，手术期间他暂时不能参赛。但这位翡翠般耀眼的明星将在2007年后半年复出，并准备在温哥华冬奥会中巩固其霸主地位。

新的评分制度引起了多方的争论。国际滑冰联合会对新配置的电脑记分牌十分满意，它让裁判们无记名打分，并从12位裁判中随机选出9位的分数，同时让每一个技术动作的评分独立开

来，然后再把分值按照动作难度的等级以及参赛者动作完成的质量分配好。有些人，例如在1980年普莱西德湖奥运会中夺冠的英国人罗宾•卡曾斯（Robin Cousins）认为，运动员的创造力因对专业技巧的过分强调而受到束缚，但大多数人都觉得这个评分机制降低了花样滑冰长期以来评分的难度。在法国裁判玛丽•蕾娜•勒•古涅（Marie-Reine Le Gougne）被控受贿的四年前，对评分制度问题的讨论就已经达到了顶峰。在某种程度上说，裁判们暗中勾结的状况日益严重，而勒•古涅的做法无疑是自掘坟墓，自然成了替罪羊。在这次滑冰界大革命中，另外一名牺牲者就是国际滑冰联合会技术委员会前主席莎莉•斯特普尔福德，盐湖城冬奥会上她在裁判席上与勒•古涅拥抱，后来被撤职并永远地被逐出了滑冰界。

普鲁申科的胜利实至名归，振奋人心，但女子滑冰比赛的结果却让人惊讶和失望。普鲁申科的同胞伊琳娜•斯鲁茨卡娅（Irina Slutskaya）曾7次获得欧洲冠军和两次世界冠军，俄罗斯似乎要横扫花样滑冰的所有金牌——双人滑和冰上舞蹈金牌已被收入囊中。然而，这位27岁的冰上女皇却未能如愿，只得到铜牌。在短节目结束后位列第二的她，被美国的萨莎•科恩（Sasha Cohen）超过，而冠军则由优雅的荒川静香（Shizuka Arakawa）夺得。这是她首次为日本赢得花样滑冰冠军，她的独特或许在于她拥有大学文凭，又或许是她的年龄：24岁的她是近年来世界冠军中年纪最大的一位，夺冠两年后就要退役了。荒川静香认为帕瓦罗蒂在歌剧《图兰朵》开幕典礼上的歌唱是对她命运的呼唤，她自由滑的伴奏曲即选自《图兰朵》中普契尼的小提琴幻想曲。即使没有把连续两次三周跳的高难动作编入舞步中，她的表演依然惊世骇俗。她的教练是俄罗斯的尼克莱•莫罗佐夫，他们共同研究过评分制度，认为旋转和盘旋这两个动作是获胜的关键，以致科恩和斯鲁茨卡娅均不能与她匹敌。而被美国人认为是关颖珊接班人的17岁选手艾米莉•休斯，不负众望获得第七名。

新评分体系的不足之处再次受到抨击，导火线是中国双人滑选手张丹和张昊，他们在最后

日本选手荒川静香“她发自内心地表演，独立在冰面之上”。

一个项目比赛中摔了一跤，让比赛中断了4分钟却仍然获得银牌。他们的表演刚开始了半分钟多一点儿，张昊把同伴抛到空中，但张丹没有把握好旋转时间，重重地摔在冰面上导致膝盖扭伤。一片慌乱后，他们被允许暂停两分钟，用以疗伤并重新开始。当他们完成比赛后，很多人认为，他们已经没有机会排在塔季扬娜•托特米扬尼娜（Tatiana Totmianina）和马克西姆•马里宁（Maxim Marinin）之后获得银牌了。然而，他们不仅稳得亚军，而且成绩是个人历史上最高的。裁判解释道，那个抛转的动作只占所有动作的十九分之一，而他们另外18个动作的完成质量除俄罗斯运动员外，能与其他所有对手匹敌，甚至超越其他对手。至于那一跤，他们仅因此失去了一分，所以他们仍然是亚军得主。反对的声音主要针对比赛中断4分钟的事实，但对张丹来说，重新站起来继续比赛需要惊人的勇气，就

像1996年奥运会中美国体操选手克里•斯特鲁格（Kerri Strug）那样。虽然对4分钟的比赛中断有争议，但国际滑冰联合会强调，裁判的裁决是正确的。

张丹、张昊在领奖台上。

另一争议关乎排名第六的两个德国人阿莉安娜•萨维琴科（Aliona Savchenko）和罗宾•斯佐尔科维（Robin Szolkowy）以及他们的教练尹戈•施托伊尔（Ingo Steuer）。据传，前东德人施托伊尔是秘密警察组织的情报人员。德国奥林匹克委员会曾对162名教练和官员进行调查，施托伊尔是3名嫌疑人之一，提审后他便去了都灵。由于政治舆论压力太大，这对双人滑组合的发挥完全失去了水准。普鲁申科夺冠后，塔季扬娜•纳夫卡（Tatiana Navka）和罗曼•克斯托马洛夫（Roman Kostomarov）在冰上舞蹈项目中为俄罗斯的花样滑冰比赛增添了第三枚金牌。即使他们的表现没有达到其巅峰状态，但其成绩足以证明他们比银牌得主美国的塔尼斯•贝尔宾（Tanith Belbin）和本杰明•阿戈斯托（Benjamin Agosto）更胜一筹。来自乌克兰的叶莲娜•格鲁希娜（Elena Grushina）和鲁斯兰•冈察洛夫（Ruslan Goncharov）获得了铜牌。

高山男子滑雪速降项目的结果往往出人意料，都灵冬奥会再次证明了这一点。法国选手安托瓦内•德内里亚兹（Antoine Deneriaz）在该领域的排名为第三十名，然而，从塞斯特雷高山滑下来时，却以0.7秒的优势击败了夺冠热门奥地利选手迈克尔•沃尔霍夫（Michael Walchhofer）。一年前，德内里亚兹曾因十字韧带受伤，躺在担架上，他发誓要在未来的冬奥会上有所作为，现在他做到了。德内里亚兹意外夺冠，足以与8年前其同胞克雷捷（Jean-Luc Cretier）摘金所带来的震惊程度相匹敌。他在最后的速滑赛中速度最快，而沃尔霍夫的速滑比较平稳，被德内里亚兹成功地超越。来自瑞士的布鲁诺•科宁（Bruno Kernen）获得铜牌，而那位出色的、夺冠呼声很高的美国选手伯德•米勒（Bode Miller）由于比赛前一晚外出酗酒，只得到第五名。在此之前，米勒就已被国家体育协会警告，禁止赛前酗酒。

这件事影响了伯德•米勒下一个比赛项目——男子两项全能赛。在速降比赛阶段，他似乎已经确立了领先地位，但在回转比赛阶段，却

取得世界杯冠军不到三年之后，法国选手安托瓦内·德内里亚兹再次称霸。

挪威名将克雷蒂尔·安德雷·奥莫特,高山滑雪比赛选手中年龄最大，得奖最多的选手。他获得了超级大回转的冠军,而自负的美国选手伯德·米勒却输掉了比赛。

因为在头两轮比赛中漏掉了两个门柱而告失败。然而，泰德•里格蒂（Ted Ligety）弥补了美国队的遗憾，他凭借回转赛上的成绩优势击败伊维卡•科斯特里奇（Ivica Kostelic）夺得金牌。奥地利滑雪好手本•莱希（Ben Raich）冲出了赛道，这为第一赛段结束后排在第三十二名的里格蒂扫清了夺冠的障碍。奥地利选手雷纳•肖恩菲尔德（Rainer Schoenfelder）获得铜牌。在4年前的盐湖城冬奥会上，时年17岁的里格蒂便已经参加了该项目的比赛。

奥莫特（Aamodt）在速降赛段因膝盖受伤退出，以保证参加后来的其他比赛项目，这确实是一个明智的决定。在超级大回转比赛中，34岁的奥莫特卫冕桂冠，夺下了在该项目上的第四枚奖牌、第三枚奥运金牌和第八枚奥运会奖牌，成为高山滑雪项目中年纪最大、得奖牌最多的选手。银牌获得者是赫尔曼•梅尔（Hermann Maier），在长野冬奥会上成为双料冠军的8年之后，他再次登上了领奖台。瑞士的安布罗西•霍夫曼（Ambrosi Hoffmann）获得了铜牌。

和所有体育运动一样，男子小回转比赛充满了灾难和欢欣：意大利名将乔治奥•罗卡（Giorgio Rocca）是上届奥运会冠军，也是本赛季表现最出色的选手，曾在世界杯赛上5次蝉联冠军。但在第一轮比赛时，将两支滑雪橇交叉重叠在一起的低级错误，导致他退出奖牌争夺行列。三位奥地利选手莱希、莱茵菲尔德•赫布斯特（Reinfried Herbst）和雷纳•肖恩菲尔德包揽了这个项目的金、银、铜牌。这是冬奥会高山滑雪赛中，第五次出现同一国家运动员包揽该项目所有奖牌的现象，这一胜利刚好弥补了意大利警察对奥地利北欧两项选手的私人住所进行药物调查的影响。在这次比赛中，莱希的胜利让他走上了事业的巅峰。正是冷静、沉着的性格造就了他的成功，夺得小回转桂冠之前他已经获得大回转项目冠军，这位27岁的选手成为自卡尔加里冬奥会上阿尔伯托•通巴（Alberto Tomba）夺得这两项赛事的双料冠军以来的第一人。谦虚有礼的莱希因为受到相关药物丑闻的影响，差一点儿就不能像通巴那样功成名就。为了捍卫自己的清白，他强调说："他们可以在任何时候对我进行检查，但要通知他们自己晚上要吃什么真是一件非常烦人的事，我不想像身处非洲那样彻夜挨饿。"

米卡埃拉•多夫梅斯特（Michaela Dorfmeister）在速降赛和超级大回转比赛中获得冠军，和同胞莱希一样成为双料冠军，32岁的她是这届高山滑雪女子比赛选手中年龄最大的一位。比赛中，她击败了瑞士的马蒂娜•希尔德（Martina Schild）和瑞典的安尼娅•帕尔森（Anja Paerson）。安尼娅•帕尔森在冬奥会上第三次登台亮相就获得了银牌，获得第三名的帕尔森如果不失误，可能会有更好的成绩。多夫梅斯特成为双料冠军，过于兴奋的她在颁奖典礼上几乎唱错国歌歌词。24岁的帕尔森是位相对年轻的运动员，她瞄准都灵冬奥会的5个比赛项目认真备战，在超级大回转比赛中获得铜牌，在两项全能比赛中输给克罗地亚全能选手加尼卡•科斯泰里奇和奥地利的玛里斯•希尔德（Marlies Schild），获得另一枚铜牌；但在小回转比赛上摘得了桂冠，为瑞典赢得12年来第一枚高山滑雪金牌。在超级大回转比赛中，美国人朱丽娅•曼库索（Julia Mancuso）在风雪中赢得了冠军，帕尔森仅获第6名。

为什么说速滑运动员应该比其他运动员更无私呢？这并没有什么特别的原因。乔伊•齐克（Joey Cheek）决定学习挪威选手约翰•奥拉夫•考斯（Johann Olav Koss），把500米速滑比赛夺冠所得2.5万美元奖金，捐给国际非营利体育组织运动基金会（Right to Play），这是非洲的一个慈善机构，是考斯用1994年以来获得的三次冠军奖金成立的。考斯曾说服齐克从单线滚轴溜冰转型到短道速滑上来，为此16岁的考斯从没有冰雪的家乡北卡罗莱纳州移居到加拿大。齐克还受到母亲的影响，他母亲在闲暇时帮助那些无家可归和受虐的儿童。而且，齐克获得冠军顺理成章，他当时已经是世界锦标赛冠军。其两次比赛的成绩总分，为他创造了0.65秒的优势，而0.65秒是过去三届奥运会中500米速滑赛事上出现过的最大差距。齐克以此优势战胜了俄罗斯名将多米奇伊•多诺菲耶夫（Dmitriy Dorofeyev）和韩国的李康石（Kang Seok Lee）。

齐克还获得了1 000米银牌，冠军为美国人沙尼•戴维斯（Shani Davis），他是第一个在冬奥会上取得个人金牌的美国黑人。这个来自芝加哥南部的男孩儿的冬奥会冠军之路异常艰辛，他曾因穿滑雪衣训练遭到嘲笑，他对这项运动的热忱就像冰雪一般洁白。但是，冠军并没有帮助他重塑好的形象：几天前他为了更专注于个人比赛而退出了接力赛。戴维斯的成就也许是被他母亲切瑞逼出来的，自少年时代开始，母亲对他就像对20岁男子一样严厉："你要不断地战胜困难"。经历过重重艰难的戴维斯说，"只有你足够努力才有机会出人头地。"28岁的得克萨斯人赫德里克像齐克一样，三年前曾是单线滚轴溜冰运动员。他在5 000米速滑比赛中滑出了6分14.68秒的成绩，虽然未能打破奥运纪录，但仍然战胜了荷兰选手斯文•克拉默（Sven Kramer）。这位荷兰选手曾经在2个月前打破了世界纪录。即使对赫德里克的成绩不甚满意，众多的热情的荷兰支持者还是夹道欢迎赫德里克。意大利选手恩里科•法布里斯（Enrico Fabris）只获得铜牌，但当他在1 500米速滑比赛中摘得桂冠后，举国人民都为之欢腾。在1 500米比赛中，他以0.17秒的优势战胜了前世界纪录保持者戴维斯，赫德里克获得第三名。赫德里克的胜利还包括一枚1万米速滑的银牌。在1 500米的颁奖台上，他和戴维斯并没有按照惯例握手致敬。法布里斯的胜利在一个只有不到100名滑雪好手的意大利是史无前例的，与之相比，拥有17万会员的荷兰滑雪俱乐部有14 000名滑雪好手。法布里斯还带领意大利队赢得了接力赛冠军，他的奖金（包括5 000米铜牌的奖金）使他的年薪从原来当警察的15 000镑猛增到30万镑。

都灵冬奥会最出色的女选手无疑是加拿大名将辛迪•克拉森（Cindy Klassen），她是夺奖牌数最多的女选手，共赢得了5枚奖牌，包括2枚铜牌（3 000米和5 000米）、2枚银牌（1 000米与接力赛）和1枚1 500米的金牌。她成功的背后是一个勇敢者的故事。两年前，在训练时她摔倒并撞上其他运动员的冰刀，手上12条韧带以及手臂动脉受重伤，一度陷入昏迷。康复期间她并没有

加拿大选手辛迪·克拉森在遭受危及生命的重创之后，仍然在比赛中获得5枚速滑奖牌，且因此获颁奥运女性徽章。

自怨自艾，反而在墨西哥一个慈善机构工作。荷兰的体育运动支持者非常狂热，在辛迪•克拉森住院期间，不断寄慰问信给她。辛迪•克拉森和队友克里斯蒂娜•格罗夫斯（Kristina Groves）、伊林•伍斯特（Ireen Wust）返回家乡时表示："他们（支持者）都是很有见识的人，我们为拥有这样的支持者感到荣幸。"3 000米的冠军是伊林•伍斯特，俄罗斯的斯韦特兰娜•茹洛娃（Svetlana Zhurova）在500米比赛中夺冠，而加拿大的克拉拉•休斯（Clara Hughes）夺得5 000米冠军。

在短道速滑比赛上，韩国运动员击败了这个项目上的传统强国中国、加拿大和美国，称霸群雄。安贤洙和陈善有在男子与女子比赛中各夺三金，使韩国的奖牌总数上升为10枚。2002年盐湖城冬奥会上，美国选手阿波罗•安东•奥诺（Apolo Anton Ohno）投诉金东圣阻挡犯规，使其被取消了比赛资格，他本人获得了1 500米速滑冠军，韩国人对他可谓深恶痛绝。都灵冬奥会上，人们都期待4次世界锦标赛冠军安贤洙与这个美国人一决雌雄，遗憾的是阿波罗•安东•奥诺在半决赛中摔倒出局。决赛中，安贤洙击败队友李浩石和中国选手李佳军，获得金牌。李浩石和李佳军分获银牌和铜牌。安贤洙随后在1 000米比赛中技压群雄，以新的奥运会纪录——1分26.739秒摘得桂冠，阿波罗•安东•奥诺名列第三。这个排名却在男子500米比赛中颠倒过来，阿波罗•安东•奥诺和加拿大选手弗朗索瓦－路易•特兰布雷（François-Louis Tremblay）打破了韩国人的垄断，获得

韩国选手安贤洙和队友李浩石包揽了1 000米和1 500米速滑的冠、亚军。

冠、亚军。中国选手无疑是阻碍韩国人称霸该项目的重要力量，王濛分别在女子500米、1 000米和1 500米获得金、银、铜牌。

吉奥尔吉奥•迪森塔（Giorgio Di Centa）在最后一天比赛中的表现，让意大利首次产生作为东道主的自豪感。在完成最后一次令人印象深刻

冬奥会的最后一天比赛中，吉奥尔吉奥·迪森塔在男子50公里自由式集体出发赛上为意大利赢得一枚金牌。

的加速后，他赢得了男子5万米越野赛冠军，成绩为2小时6分11.8秒，几乎可与马拉松运动员相媲美。在比赛过程中，他超越了俄罗斯选手叶夫根尼•杰缅季耶夫（Eugeni Dementiev）和奥地利的米哈伊尔•鲍特维诺夫（Mikhail Botwinov）。叶夫根尼•杰缅季耶夫是3万米越野追逐赛的冠军得主，而夺得季军的米哈伊尔•鲍特维诺夫却因当地警察与国际奥委会对奥地利滑雪队进行检查的事件而黯然失色。俄罗斯人米哈伊尔•鲍特维诺夫曾在4年前的盐湖城冬奥会上夺得3万米亚军，此次却被牵涉进奥地利教练迈尔的丑闻中。

米哈伊尔•鲍特维诺夫曾在1992年和1994年代表俄罗斯参赛，当时没有牵涉到任何药物丑闻，现在，他那枚失去光彩的奖牌成了奥地利在都灵越野赛事上的首枚奖牌。

迪森塔以冬奥会历史上最小的优势——0.4秒夺得了冠军。他的兄长是前奥运冠军玛努拉（Manuela），他曾在1994年获得5枚奖牌。迪森塔是首位来自斯堪的那亚半岛或前苏联以外地区的该项赛事的冠军。早前，他也曾帮助意大利赢得接力赛的奖牌。“以前，总会有人中途超越我，”他说，“但今天，我却听不到后面对手们滑板的声音，离终点越来越近的时候，我仍然觉得我的双脚充满力量。”

在北欧两项比赛中，奥地利人首次获得该项目的金牌，而德国选手金斯•盖塞尔（Jens Gaiser）却在最后一圈错失夺金的机会。德国队在跳台滑雪比赛中遥遥领先，并在4×5 000米越野滑雪接力赛中段，把差距拉到47秒。奥地利选手菲利克斯•戈特瓦尔德（Felix Gottwald）在接到第三棒后，把与德国队的差距缩小了一半。最后，马里奥•史特彻尔（Mario Stecher）超越蹒跚行进的盖塞尔，以17秒的领先优势为奥地利摘得桂冠。芬兰队获得季军。戈特瓦尔德决定性的贡献，在个人短道冲刺赛中再次呈现，他击败了挪威选手玛格努斯•默恩（Magnus Moan）和德国选手约尔格•海蒂希（Georg Hettich），获得冠军。这3个人，在北欧两项个人赛中再次登上领奖台，站在最高领奖台上的却是约尔格•海蒂希。在跳台滑雪中，他第二次起跳就跳出了104米的佳绩，比赛中途就取得领先。戈特瓦尔德和默恩分获亚军和季军。来自爱沙尼亚的克里斯蒂娜•什米贡（Kristina Smigun）在女子15 000米追逐赛和10 000米经典越野赛两个项目中成为双料冠军。为了专心准备冬奥会，她限制了自己在这个赛季的参赛量。10 000米越野赛的银牌得主挪威选手马里特•比约尔根（Marit Bjorgen）曾是世界杯的冠军，也是这次比赛的夺标热门。15 000米比赛中，她因为胃痛不得不退出比赛。来自阿尔伯特坎莫尔的22岁运动员坎德拉•克劳福德（Chandra Crawford）将是加拿大在2010年温哥华冬奥会上夺冠的希望之星。

托马斯•摩根斯坦（Thomas Morgenstern）和安德烈亚斯•科夫勒（Andreas Kofler）在跳台滑雪项目中分别获得金牌和银牌，他们还和马丁•戈彻（Martin Koch）以及安德亚斯•维德霍尔茨（Andreas Widhölzl）一起，共同获得团体比赛胜利，再次使奥地利人为之振奋。这次比赛却让芬兰选手简尼•阿霍宁（Janne Ahonen）无比失望，人们一直认为他是该项目的夺标热门，可最终他再次与奥林匹克奖牌无缘。19岁的摩根斯坦虽然还是学徒，但已经具有巨大潜力，并承载着人们无数的期望，他在16岁时便获得了世界杯的冠军，这次比赛的表现更让人刮目相看。他在普拉吉拉托的高台上完成第二次跳跃后便稳操胜券了，而且他总能保持这样的高水平，青春的气息使摩根斯坦神采奕奕。由于风向的缘故，阿霍宁的跳跃不但没能借助风向上升，反而被大风拉了下来，使他的表现大失水准，这使得摩根斯坦的名次得以上升。而摩根斯坦的第二次跳跃达到140米，仅比世界纪录低了50厘米，这让他险胜领先的科夫勒。

19岁的奥地利小将托马斯·摩根斯坦为跳台滑雪带来了年轻的力量。

奥林匹克造就的体育明星十分风光，但是随着新星的不断出现，老一代明星将渐渐陨落，如同挪威名将比约恩达伦（Ole Einar Björndalen）和德国名将米夏埃尔•格雷斯（Michael Greis）那样。比约恩达伦曾在盐湖城和长野冬奥会上分别夺得4枚金牌和1枚金牌，他本来视冬季两项赛事的金牌为囊中之物，然而最后只能屈居格雷斯之后，在20 000米和15 000米比赛中分别获得第二、第三名。如果在20 000米比赛中，比约恩达伦没有射失两个目标，那么他有可能卫冕成功。由于他未能获得这两个项目的冠军，使他的同胞比约•戴利（Björn Daehlie）8枚金牌的冬奥会纪录得以保住。32岁的比约恩达伦射击技术高于戴利，他在冬季两项赛事中的超凡技术提高了该项目的比赛水平。在15 000米比赛开始后，他和波兰选手托马斯•斯克拉（Thomas Sikora）在第四局和最后一局领先，但由于双方各有失误，让5发子弹连中红心的格雷斯超越并夺得冠军。比约恩达伦还参加了10 000米冲刺赛，却被德国老将斯文•费舍尔（Sven Fischer）所击败。这位34岁的老将表现完美，比赛结束后，因完全沉浸在胜利的喜悦中，竟然趴在地上。他说："如果在年轻的时候获得世界冠军，你还不懂得欣赏自己所创下的成就。"意料之中的是，德国队在接力赛中击败了俄罗斯队和法国队，至于赛前的热门——挪威队，虽然比约恩达伦在最后一棒中表现出色，仍然难挽颓势，最后仅名列第五。在定点射击的时候，运动员需要控制好自己沸腾的情绪、屏气凝神、专注射击，这并非易事。由于对手打偏目标，俄罗斯选手斯韦特兰娜•伊什穆拉托娃（Svetlana Ishmouratova）在女子15 000米比赛中获胜。她的队友奥尔佳•佩列娃（Olga Pyleva）获得第二，但是由于她的药物检验结果呈阳性，银牌被吊销，德国选手马蒂娜•格拉高

挪威国宝级选手奥勒·埃纳尔·比约恩达伦一度瞄准冬季两项赛事的金牌，但在射偏了一个目标之后，拱手把冠军让给了德国选手米夏埃尔·格雷斯。

（Martina Glagow）取而代之获得银牌，俄罗斯的阿尔比娜•阿哈托娃（Albina Akhatova）成为第三名。自1994年以来，俄罗斯代表队一直稳坐团体冠军的宝座。

德国运动员包揽了长橇比赛的3个冠军，这让德国第二次成了奖牌榜的第一名。但是，有人对双人赛的金牌得主安德雷•兰格（André Lange）和凯文•库斯克（Kevin Kuske）提出疑义。来自美国、加拿大和法国等6个国家的教练，表示在考虑是否在决赛后提出抗议。争议主要针对由国际有舵雪橇和平底雪橇联合会对雪橇运动员的技术限制及钢制滑板的改革问题。比赛刚开始时，德国队比对手慢，他们后来明显在螺旋滑梯阶段中采取不当加速，但最后的比赛结果仍然维持原判。国际雪橇联合会称所有的滑板都经过了测试，这让他们保住了同胞兰根（Langen）和齐默尔曼（Zimmermann）4年前夺下的冠军，成功卫冕。另外两个队友是雷恩•赫普（Rene Hoppe）和马丁•普茨（Martin Putze）。加拿大队和俄罗斯队并列第二，瑞士队获铜牌。女子双人雪橇冠军，由德国选手桑德拉•普罗科夫-齐里亚希斯（Sandra Kiriasis）和安尼娅•施奈德海因策（Anja Schneiderheinze）获得。齐里亚希斯是一名勇敢的红发驾驶员，她最快的驾驶速度为130千米/小时，她还有成为F1赛车手的雄心。

德国在女子小型雪橇比赛中仍然一马领先，3位出色的女运动员塞尔克•奥托（Sylke Otto）、西尔克•克劳斯哈尔（Sylke Kraushaar）和塔迪阿娜•霍夫纳（Tatjana Hüfner）均获得奖牌。男子单人雪橇金牌由卫冕冠军意大利选手阿明•佐杰勒（Armin Zöggeler）夺得。他是母语为德语的提洛尔邦居民，其胜利是因为德国选手乔治•哈克尔（Georg Hackl）的失误，哈克尔在过去五项奥运赛事中不是第一就是第二，但他这次仅夺得第七名。至于银牌与铜牌，则由俄罗斯选手阿尔伯特•杰姆申科（Albert Demtschenko）和拉脱维亚的马丁斯•鲁贝尼斯（Martins Rubenis）夺得。下嫁给挪威人的瑞士女选手玛雅•彼得森（Maya Pedersen）在2002年奥运会上仅获第五名，在都

灵冬奥会上，以两次完美的表现获得冰橇冠军，以1.23秒的巨大优势战胜了英国的谢莉•鲁德曼（Shelley Rudman）。加拿大的梅丽萨•霍林斯沃斯（Mellisa Hollingsworth-Richards）获得铜牌，而来自德国的黛安娜•萨托尔（Diana Sartor）在第二轮比赛中获得第四名。加拿大队在男子赛事中包揽了前4名的3个名次，达夫•吉布森（Duff Gibson）和杰夫•佩因（Jeff Pain）分别获得冠军和亚军，瑞士的格雷戈尔•斯泰里（Gregor Staehli）击败了保罗•波姆（Paul Boehm），打破了加拿大在这个项目上的垄断。

芬兰的冰球队，曾在利勒哈默尔和长野两届奥运会上获得铜牌，在都灵冬奥会上，他们取得了七连胜的战绩，达到了罕见的巅峰状态，人们认为本届奥运会冠军非他们莫属。没想到决赛时，他们却败给了劲敌瑞典队。瑞典队自1994年夺得冠军后，一直在奥运会上保持着佳绩，在之后的6次奥运会都能登上领奖台。而在本届冬奥会决赛的第三轮比赛中，双方处于2：2的僵局，最后瑞典队的尼克拉斯•李兹托姆（Niklas Lidstrom）拿下制胜的一分。李兹托姆与瑞典另外两名得分球员尼克拉斯•科禾沃尔（Niklas Kronwall）和亨利克•薛特堡一样，在底特律红翼队成为球星。而在季军争夺战中，捷克队击败了俄罗斯队夺得铜牌。格雷茨基带领的卫冕冠军队加拿大队，在本届冬奥会中只得了一个差强人意的第七名，幸亏女子队击败了瑞典队，取得了金牌。

瑞典冰球名将塞汀和美国的斯科特·戈麦茨与加拿大裁判丹·马洛维利在四分之一决赛上。

冰壶继续作为奥运会项目，加拿大队以10比4的比分轻松击败芬兰队，50岁的罗斯•霍华德（Russ Howard）成了奥运史上年纪最大的世界冠军。芬兰一直努力从10万名冰上曲棍球运动员中抽离部分球员，成立一支冰壶球队，而到了总决赛的时候，全国500万人中就有100万人关心这场赛事。在铜牌争夺上，美国和英国的比分一直交替上升，最后美国以8比6战胜了英国，取得了铜牌。女子比赛中，欧洲和世界冠军瑞典队，在加时赛中由阿纳特•罗巴格（Anette Norberg）取得制胜的一分，以7比6击败瑞士队。铜牌则由加拿大队获得。

瑞士的肖赫（Schoch）兄弟——菲利普（Philipp）和西蒙（Simon）在平行滑道大回转赛中获得冠军和亚军。菲利普击败了小他一岁的西蒙，卫冕了盐湖城冬奥会的冠军，他同时也是当时的世界杯冠军，他们是冬奥会历史上第三对同时获得冠军和亚军的兄弟。美国的肖恩•怀特（Shaun White），现今仍未满20岁，他在童年时曾患心脏病，差点失去冬奥会参赛资格，但他在本届男子U型槽比赛中获得冠军，并获得“飞行番

人称“飞行西红柿”的18岁小将肖恩·怀特获得单板滑雪男子U型槽冠军。

茄”的美誉，遥遥领先同胞丹尼尔•凯斯（Daniel Kass）和芬兰选手马尔库•科斯基（Markku Koski）。美国选手汉娜•泰特（Hannah Teter）和格雷琛•布莱勒（Gretchen Bleiler）在女子U型槽比赛中击败挪威的克杰尔斯蒂•布阿斯（Kjersti Buaas），为美国赢得了金牌和银牌。在这项美国传统强项的比赛中，前6名中就有4名是美国选手。祸从天降，使唾手可得的冠军旁落他家，这样的情形是最让人伤心的，这种情形就发生在了琳塞•雅科贝里斯（Lindsey Jacobellis）身上。她在雪板比赛中曾一度以50米的距离领先，然而最后一跳时，她却突然毫无原因地也可以说是愚蠢地把一只手放在雪板上，这使她失去了平衡，背部着地摔倒。在她重新出发前，瑞士的塔尼娅•弗里登（Tanja Frieden）已经超越过去。如果说雪板是一项有趣的运动，它却让雅科贝里斯心碎。

中国选手韩晓鹏像一个技艺高超的高空特技演员，在教练达斯廷•韦什（Dustin Wilson）的指导下，以一系列高超的雪板花式战胜了劲敌怀特，成为第一个取得自由式滑雪冠军的中国人。韩晓鹏的队友李妮娜在自由式滑雪女子高空技巧赛中获得银牌，仅次于瑞士的艾芙琳•洛伊（Evelyne Leu），而加拿大选手珍妮弗•海尔（Jennifer Heil）在女子雪坡自由式滑雪中夺冠。

加拿大选手珍妮弗·海尔。

在都灵冬奥会闭幕式上，罗格坚持自己的原则，没有说出“这是有史以来最好的奥运会”之类的话，这是因为本届冬奥会在山地场地的管理上多次出现漏洞，而这个城市对于一部分比赛项目缺乏激情。人们仅仅可以说，都灵人民已经尽了最大的努力表现出衷心的热忱。罗格表示“这届奥运会非常盛大”，这或许是一句带有夸张的客套话。另一方面，奖牌榜的形势发生了变化：德国获得29枚奖牌（11金、12银、6铜）位居榜首；紧跟着的是美国，获得25枚奖牌（9金、9银、7铜）；奥地利竟超越俄罗斯，获得23枚奖牌（9金、7银、7铜）；俄罗斯则获得22枚奖牌（8金、6银、8铜），这表明，以前的传统冬奥强国正在以缓慢的速度退步。虽然奥地利在这届奥运会上取得了佳绩，但因警察夜袭调查事件给14天的赛程以及萨尔茨堡申办2014年冬奥会举办权蒙上了阴影。事实上，16天的比赛、1 162次尿检和血液测试中，只有一个运动员不过关。另有12名检测到高浓度血蛋白的越野滑雪射击选手和越野滑雪选手需要停赛5天，由于没有发现测试液阳性反应，最终没有被禁赛。

虽然奥地利对突袭非常不满，但体育赛事中的药品丑闻仍然遭到了严厉的打击。都灵冬奥会比两年前在雅典举行的夏季奥运会进步许多，在雅典奥运会上，有26名运动员被发现使用违禁药品。都灵冬奥会的观众的确不多，但是，作为东道主，意大利并不太在意观众人数，她为举办了一届高尚的运动会而感到满足。人们不是很清楚电视转播的覆盖率，特别是在美国的覆盖率是否已经达到了NBC的预期，但可以肯定的是，与盐湖城冬奥会相比，都灵冬奥会的收看人数一定比较少。有数据显示，美国的观众看到美国队第一周表现平平之后，就转台看《美国偶像》去了，主持人塞门•科威尔（Simon Cowell）说：“今年，美国和英国坐在了同一条船上——我们根本不会在意瑞士人的那些胜利。”NBC将要并且必须更加小心地为将来作好准备。

第76章 北京起跑

迪克·埃伯索尔
美国NBC全球体育及奥林匹克主席

随着奥林匹克运动迈入21世纪和2008年北京奥运会标志着以环太平洋地区为中心的世界格局逐步形成，修订奥运项目成了NBC电视台目前的关注点。先来谈谈冬季奥运会。在过去15年间，国际奥委会对冬奥会的革新取得巨大成功，诸如雪地滑板、短道速滑、自由式滑雪等新增项目已广受年轻人欢迎，而革新也是冬奥会常保活力的秘诀。国际奥委会在其中扮演着领导者的角色，而在一定程度上，其成功也得益于各国际单项体育联合会的灵活态度。总的来说，冬奥会正在健康发展。

然而，夏季奥运会却引来了一些忧思。花式自行车比赛已经被列为奥运项目，而我本来还期盼着能在2012年伦敦奥运会上看到滑板比赛。滑板是一项极具娱乐性的运动，在全球广受欢迎，包括南美和日本。但像增加比赛项目这样的问题，到了夏季奥运会就变得复杂多了。比起冬季奥运会，夏季奥运会的赛事要多得多，项目设计也更为完善，大量新兴体育运动项目又抢着入选，而新增项目也会让各奥运项目的联合会产生忧虑。他们担心新项目的加入会让他们席位不保。现在，棒球和垒球已经被排除，但还没有决定新增的项目，这也许是因为国际奥委会三分之一的成员都有体育联合会的背景，他们顾虑自己的未来。因此，夏季奥运会的改革进程比较缓慢，这也将越来越引起NBC的重视。我相信，在洛桑总部的国际奥委会主席罗格和执行主席费利必定明白这个问题的重要性。当前，各奥运项目有着截然不同的待遇：有的有“免死金牌”，不担心被排除。但我相信在一定情况下，其他一些项目也需要同样的待遇。例如，全球少有人关注的现代五项全能通过有力的游说，才最终保住了席位。

与此同时，国际奥委会不但要革新比赛项目，保证新项目与奥运精神相符，还有责任保证所选项目并非一时的热潮，例如呼啦圈。如果一项体育运动能够传遍各大洲，有自己合法的世界锦标赛，并受到四五十个国家的年轻人欢迎，相信它就有望入选了。但我担心的是，一些体育联合会向委员们施加的压力，会阻碍他们通过任何新项目，这就降低了国际奥委会调整比赛项目的可能性。国际奥委会的领导层是愿意革新的，但投票结果却难以让人信服。2004年雅典奥运会前，有提议让滑水成为奥运项目的，这是希腊人所期待的。我想起当时和萨马兰奇主席的一段对话，他认为任何需要电动机的运动都不应成为奥运项目。此外，还有关于交际舞是否该入选的争论。无论在英国、美国还是亚洲，交际舞都受到人们的喜爱，但我还不清楚体育运动和娱乐爱好之间的界线该如何划分。我不认为舞蹈是一项体育运动。有些人也以此为由反对双人跳水和艺术体操被选入奥运会，但我认为它们的入选是合情合理的。在雅典奥运会上，当两个希腊小伙取得双人跳水冠军时，我台的收视率也达到了高峰。

在NBC电视台，我们一直尽可能转播更多赛事，而且努力维持免费卫星传播的模式。假如奥运转播不再免费，我不会再参与，为此我要向我公司的同事致歉。奥运会是属于全世界的，假如对它的报道采用按次收费的模式，那它就不再是奥运会了。也许某一天，我的老板会为我的这些话而恼火，但这些都是真心话。采取收费形式，就等于放弃年轻观众群。每届奥运会的遗产就是一直关注冬、夏季奥运会的年轻人的梦想，在竞选2012年奥运举办城市时，塞巴斯蒂安•科竞选陈述中用他小时候的经历证实了这一点。每届奥运会结束后，我都收到数以百计的家长来信，他们说看奥运比赛让孩子开了眼界。这使得NBC的赛事播报变得很重要，我希望它能延续下去。收费电视除了会让收视率大跌九成以外，不见得有什么贡献，一旦向观众收费，那些大众不“买”的比赛项目就会迅速销声匿迹。

从2004年雅典奥运会开始，NBC采取了这样的理念：对奥运进行更全方位、多渠道的报道。随着有线电视的普及，NBC的赛事转播大增，17天内6个频道共计报道1 200个小时，比前5届奥运会（洛杉矶奥运会、汉城奥运会、巴塞罗那奥运会、亚特兰大奥运会和悉尼奥运会）的总报道时间还要长。我们希望北京奥运会的转播能达到2 000个小时，为实现此目标，其中一个做法是对9或10个比赛项目进行共800个小时的视频流式播放，这样，那些经常错过这些运动赛事直播的人，能通过网上点播看完整个比赛。与此同时，我们仍会在网上重点播报如游泳、体操、田径等重大项目。

自NBC对夏、冬季奥运会进行转播开始，NBC和奥林匹克的同一性越发加强了。我们与国际奥委会做成了3笔交易，其中两个于1995年达成，内容是NBC享有2000年到2008年奥运会的电视转播权，而另外一个交易在2003年达成，NBC获得2010年冬奥会以及2012年夏季奥运会的电视转播权。在2000年到2012年间的每一届奥运会，NBC都建立了奥运频道。在非奥运年份，奥运频道并不是NBC可以依赖的东西，但它却让人们知道为什么NBC这么重要。不可否认，在转播的过程中，我们曾经有一些小失误。美国人对悉尼奥运会的兴趣不高，而在那届奥运会上，因为比赛长时间延迟，收视率因而受到损害。另一个造成收视率不高的原因是，美国观众收看最多的比赛项目是游泳、体操和田径，而美国体操队仅在体操比赛的最后一天获得一枚奖牌，这也导致观众流失。但是在4年之后的雅典奥运会上，却出现令人吃惊的高收视率。其中一个原因是，美国体操代表队共获9枚奖牌，其中包括男女单项比赛冠军以及男女团体赛亚军。都灵冬奥会上，美国队获得了不俗的成绩，但观众人数却不多，主要原因是奥运会进行到一半时，美国队仍然没有呈现很好的表现，未能吸引观众收看比赛。对收视率有整体冲击的不是团体项目，对冬季奥运会转播来说是花样滑冰，对于夏季奥运会来说则是体操和田径。我们和国际奥委会的合作以及对奥运会的赞助都会一直保持不变。

NBC的合作关系及赞助在这个年代非常重要，现在青少年不仅慢慢地远离了奥林匹克的概念，而且越来越少地参与体育锻炼。自罗格于2001年成为国际奥委会主席后，他就意识到了这个问题，他曾想举办青少年奥林匹克运动会。但遭到前辈萨马兰奇的反对。他的想法部分被实现了——国际奥委会举办了欧洲奥林匹克青年节。罗格并没有放弃原来的想法，并在继续推行这个构想，2007年4月，他和国际奥委会执行委员会就此问题进行了磋商，执委会答应在7月的危地马拉大会之前提交一份提议。然而，关于这份提议的反对声一直不绝于耳。德国国际奥委会委员瓦尔特•特罗格（Walther Troger）质疑罗格是否在不经意间鼓励巨大症，而庞德则质疑青年奥运能否真的把整天坐在电视机前的青少年从沙发上拉起来。在危地马拉大会的辩论上，反对声音却不多。庞德坚信，青少年体育运动的扩张应该首先引导那些肥胖儿童进行户外运动，而不是首先向那些经费已经出现短缺的国际单项体育组织以及各国奥委会开刀。国际奥委会主席的意图是，青少年奥运会应该旨在让更多的青少年接触并体验奥林匹克，而并不是鼓励青少年为了名次你争我夺，青少年奥运会将会保护14到18岁间的竞赛者的身心健康发展。青少年夏季奥运会和冬季奥运会将会每隔4年举行一次，次序刚好跟目前的奥运会相反，第一届青少年奥运会将在2010年开幕，同年将会举行温哥华冬奥会。冬奥会和青少年夏季奥运会的参赛人数大约是1 000到3 000人。青少年奥运会将是一段教育时间，慢慢地向青少年灌输奥运价值，并向他们不断强调健康生活、健康社会、健康体魄以及纯洁比赛的重要性。罗格打算在比赛期间不举行升国旗和奏国歌的仪式，借此宣扬顾拜旦的基本观念——手足情谊。国际奥委会将在2007年秋天对首届青少年奥运会候选城市进行考察，2008年2月之前通过邮寄投票的方式选举出主办城市。有11个城市提交了申请，随后数量缩减为5个：雅典、曼谷、莫斯科、新加坡城和都灵。

罗格可以总是面带笑容地面对所有人，但每个国际奥委会主席在风光背后，其实都是在浩瀚的海洋上涉水。撒手不管并不能解决问题，而对于罗格以及奥林匹克运动来说，兴奋剂问题是挥之不去的梦魇。都灵冬奥会前情况异常混乱，人们担心意大利严厉的反兴奋剂法会导致警察经常现身奥运村，带走服药的嫌疑人。比赛过程中，警察并没有进入奥运村，而是在奥运村外逮捕了奥地利滑雪代表队。他们重蹈两年前希腊短跑选手的覆辙，损害了奥林匹克的信誉。都灵冬奥会上的药物丑闻在此后的5个月内一直不断引起反响。

在都灵冬奥会开幕前，部分运动员的红细胞数量异常高，组委会为此发动了第一次突击检查，并扣留一些运动员。因为血红蛋白的数量是变化的，被扣留的运动员在5天后再次接受检查。所有随后的测试结果都呈阴性，没有任何一名运动员遭受禁赛处分。而撼动奥运会的药物丑闻其实还没有浮出水面。

在接到国际反兴奋剂联盟（WADA）的秘密通知，了解到迈尔（Walter Mayer）出现在奥地利代表队之后，国际奥委会立即通知了意大利警方，警方迅速对奥地利代表队的住宿地进行搜查。迈尔在2002年盐湖城冬奥会上，因为运动员注射兴奋剂而被撤销教练职务。警方在突击中，发现了一些疑为用剩的药物仪器和血液样本。奥地利的主管一开始投诉警方扰乱了其运动员的赛事准备，让他们的总部看起来像是遭受了龙卷风袭击一样。而最初的药检结果也呈阴性反应。另外，迈尔的照片还出现在奥地利的官方队伍名片上。国际反兴奋剂联盟主席庞德表示，我们欢迎迈尔的到来，但如果有药物使用的违规情况出现，警方可以立即行动。迈尔逃回奥地利，被捕

医学委员会的瑞士籍主席阿恩•扬奎斯特和新闻主管吉塞尔•戴维斯高举证据，控告奥地利代表队名册里面包括了遭停职的教练迈尔。

后他承认使用了精神药物，继而被奥地利滑雪联合会开除。

具有讽刺意味的是，菲利克斯•戈特瓦尔德（Felix Gottwald）在北欧混合滑雪争先赛上摘得了奥地利的第8块金牌，使奥地利跻身奖牌榜的第二位。在突击检查的当天，他很聪明地留在了奥运村，没有因为每天喝少量松子酒而卷入药物丑闻。药物突袭的5天后，当局公布了突袭检查的结果呈阴性。都灵奥组委以及警方，碍于意大利法律的复杂性以及自身与国际奥委会的关系，表示在普拉格拉托的滑雪场地，发现了100个注射器和一些没有标签的药瓶、药盒，还有用以输液的仪器。有些人提出：有人可能利用这些东西，在赛前为血液增氧以提高耐力。这种行径一旦被发现，按照当地严厉的法律，当事人很可能会面临6个月的牢狱之灾。稍后，奥地利承认他们掌握了一些与迈尔相关的情报，但这并不会消除药物丑闻带来的影响。16个月后，萨尔茨堡将参加2014年冬奥运会主办城市竞选，这些言论并不会对竞选起到积极作用。

国际奥委会组织了一个调查委员会，成员包括德国委员巴赫（Thomas Bach）、瑞士委员丹尼斯•奥斯瓦尔德和乌克兰委员谢尔盖•布勃卡（Sergei Bubka）。4月，他们向执委会提交了一份6人名单，建议执委会永远禁止他们参加奥运会，这6个人分别是罗兰德（Roland Diethart），埃德尔（Johannes Eder），越野项目的宾达（Jürgen Pinter）和马丁•陶伯（Martin Tauber），以及越野滑雪射击竞赛项目的沃尔夫冈•佩纳尔（Wolfgang Perner）和罗特曼（Wolfgang Rottmann）。同时，执委会禁止奥地利奥委会向国际奥委会申请共计达100万美元的补助金。而国际奥委会和国际单项运动组织的另外一个噩梦是，他们反兴奋剂的努力经常化为乌有，被告采用法律手段成为反兴奋剂运动的一个威胁。迈尔的律师表示，很可能会在聆讯中传讯罗格和庞德。迈尔最后打消了这个想法，但他声称罗格和庞德中伤他。

一些不良运动员对财富毫无止境的追逐，体现了人类的弱点，这种情况因为一些国家延迟签署联合国教科文组织的《国际公约》而变得更为严重。一些奥林匹克的代表人物，例如，1976年和1984年奥运会跨栏冠军——摩西(Edwin Moses)提出，服药并非是取得冠军的万能药。在2007年第11届大阪国际田径锦标赛前，执委会和国际田联为了和兴奋剂长期抗战，讨论采用新的反兴奋剂方案。这个方案旨在加强目前的“零容忍”政策，此外，在北京奥运会上将增加90%的药检，而当年悉尼奥运会的药检次数为4500。新方案包括：

- 在过去4年因为滥用药物而被逐出奥林匹克的人将面临超过6个月的禁赛制裁；
- 在药检呈阳性后立即进行禁锢，无须事先获得警方的执行令；
- 带罪的运动员如果提供关于兴奋剂提供者以及其他兴奋剂服用者的资料，可以减刑；
- 征收罚款。

单项运动的龙头——田径竟然和自行车、棒球及举重一样，成了兴奋剂丑闻最多的项目，这对于奥林匹克来说简直是一场灾难。多年来一直被怀疑服用了禁药的琼斯最后终于承认了这一点，这是对奥运会极为沉重的打击。曾经带领琼斯、蒙哥马利和贾斯廷•加特林成为世界顶级选手的格拉汉姆教练，正随团参加大阪的国际锦标赛，需要在旧金山的聆讯中出庭，他被指控辅助政府官员在美国境内进行兴奋剂检查时，向联邦调查官员提供假证。因格拉汉姆揭发巴科（BALCO）公司滥用药物的罪行，致使一部分运动员被定罪，并有多位运动员遭受禁赛的制裁。雅典奥运会100米冠军贾斯廷•加特林，这个曾经高举“反兴奋剂”旗帜的运动员，受巴科事件影响被判罚禁赛8年。经过上诉，8年处罚被减成了4年。2008年1月他又提出上诉，希望能够洗刷罪名，参加北京奥运会。

田径场上对兴奋剂犯罪的处理越来越像假释制度，也就是虽然有罪但仍然宽容以待。英国政府的运动员行为总监科林斯（Dave Collins）找克利斯蒂(Linford Christie)谈话，希望邀请他成为新一代英国短跑选手的指导者。这件事引起了一阵反对的浪潮。克利斯蒂曾经是1992年的奥运会冠军，但在后来的药检中，发现他对类固醇禁药诺龙呈阳性反应。而稍后，科林斯改口说，会继续让克利斯蒂留守在教练的职位上。这是一个多么不好的例子啊！欧洲运动员协会的前委员巴拉(Luciano Barra)在2006年欧洲锦标赛前起草了一份文件，在文件里，她呼吁：

> 只要运动员还是兴奋剂处罚的唯一主体，我们就不能解决这个问题。你认为一个20到25岁的运动员可以独立操作一切吗？在那些服药的运动员身边，还有一大群教练、医生，他们直接对服药事件负责，但是，他们却没有受到惩罚。他们反而得到了官方授权，参与国际田联的赛事。

自行车比赛中的兴奋剂问题不比田径少，甚至还要严重。国际奥委会对自行车比赛场上的兴奋剂事件非常重视，2007年5月成立了纪律委员会。该委员会由丹尼斯•奥斯瓦尔德领导，成员还有杜比卡（Sergei Bubka）和林德伯格，专职检查与已经曝光的德国电信车队（Telekom）丑闻相关的事件，将对德国弗莱堡大学的相关医生进行调查。国际反兴奋剂组织与国际自行车联合会（UCI）之间的嫌隙由来已久，而庞德与前国际自行车联合会主席维尔布鲁根（Verbruggen）在任期间尤甚。维尔布鲁根说："庞德让人以为，每个自行车选手都服用了药物。"事实是，自行车比赛的负面消息一直不断。在环法比赛中，曾经有超过50位选手遭受调查的牵连。国际反兴奋剂联盟在2005年曝光了480名自行车选手药检呈阳性，比棒球几乎多100人，比足球和田径多150人。尽管罪恶在这个圈子蔓延，但环法自行车比赛7届冠军得主兰斯•阿姆斯特朗（Lance Armstrong）对英国《周日泰晤士报》的诽谤诉讼却胜诉了。在曲棍球联合会的支持下，兰斯•阿姆斯特朗公开抨击庞德，要求他辞职。因为迪科曾经批评这项运动，指责有将近三分之一的美国冰球联合会选手使用违禁药物，而美国冰球联合会的药检系统让人质疑。

后来，麦奎德(Pat McQuaid)成为国际自行车联合会主席。2006年环法冠军兰迪斯（Floyd Landis）被发现药检呈阳性后，麦奎德发布了一份关于体育运动专业结构的调查报告，该报告旨在"找出问题的症结所在"。麦奎德承诺在2008赛季将修正比赛规则。他说："很容易就得到原谅和宽容的年代已经过去了，现在我们要全力与兴奋剂作斗争。"（摘自路透社）兰迪斯不但否认了那些罪证确凿的指控，而且还抨击法国在沙特奈马拉布里的反兴奋剂实验室。那个实验室是反兴奋剂联盟在全球范围内授权成立的33个实验室中的一个。根据国际反兴奋剂联盟的规章，任何尿液样本的睾丸激素和表睾(甾)酮的荷尔蒙比例超过4∶1，就被怀疑服用了禁药。正常水平应该是1∶1，而兰迪斯在环法第17站时的药检结果是11∶1。

体育的可靠性经常会受到威胁。在赫尔辛基机场，监管人员查出的药物的数量让人震惊。非法运输药物在芬兰是犯罪的行为。有一些运输药物的人是体育部的官员，他们被怀疑通过销售兴奋剂来获利。

虽然庞德决心通过反兴奋剂联盟的监督，提高"反兴奋剂"的光荣成果，但他却经常遭遇复杂的托词，而人们也看到一幕幕人为操控道德案例的事件。例如：国际奥委会的成员朴荣晟因在韩国工业巨人斗山集团担任主席期间，挪用数百万公款，被判处劳役3年和停职5年。但在2007年，韩国总统卢武铉发布特赦令，让他提前出狱，毫无疑问，这是因为他对平昌再次申奥将起到重要作用。事后证明，韩国政府的这个策略根本不起任何作用，不过它让朴荣晟重新回到了国际奥委会，并担任国际柔道联合会主席，尽管他已经被勒令在5年内禁止行使国际奥委会委员的任何权力。在国际奥委会的评估委员会到访平昌进行评估之前，朴荣晟就已经获得特赦了，他也因此能够为平昌助选。即使韩国体育界纷纷对政府施加压力，金云龙也没有获得特赦。非常讽刺的是，平昌在7月参选失败之后，朴荣晟就退出了国际奥委会和柔道协会。

因挪用公款遭受徒刑惩罚之后，信誉尽毁的韩国人金云龙在2007年年初辞职。

国际著名裁判卡巴•穆巴依于1月逝世，其道德委员会主席之位传给了他的同胞优素法•恩迪亚耶（Youssoupha Ndiaye）。优素法•恩迪亚耶是塞内加尔前体育部部长及最高法院秘书长。日本的猪谷千春因为道德委员会的成员身份与东京2016年奥申委成员身份之间存在利益冲突，因此向道德委员会递交了辞呈，英国奥委会的前主席里迪接替了他的位置。

与此同时，赞助商、电视网络的交易为奥运会提供了源源不断的资金补充。尽管麦当劳受到质疑，认为它的饮食导致了青少年肥胖，但它还是将自己奥运会全球顶级合作伙伴的地位一直延续到了2013年，并且和可口可乐、源讯（原斯伦贝谢公司）、通用电气、恒康、柯达、斯沃琪（SWATCH）、威士卡（VISA）一起成了国际奥委会的主要赞助商。而三星公司甩掉了它的主席、国际奥委会委员李健熙的影响，将奥运会全球顶级合作伙伴的地位一直延续到2016年。日本的松下也是如此。三星和松下还保住了它们在4届奥运会（包括两届夏季奥运会和两届冬季奥运会）上的全球营销权。2014年冬奥会的举办城市索契支持俄罗斯能源巨人——俄罗斯天然气工业股份公司(Gazprom)成为奥运会的全球顶级合作伙伴，但这和原来的政策相冲突。国际奥委会规定，全球顶级合作伙伴必须是跨国公司，不能只是一家国内公司。所有的赞助项目，包括全球顶级合作伙伴的合作项目，已经在2005年到2008年之间带来了2.44亿美元的收入。当运动员表现和伦理管理都呈下降趋势时，商业活动却在逐步上升。巴西电视台签署了一个增强版的卫星电视交易，内容包括，在2010年冬季奥运会和2012年夏季奥运会期间为温哥华和伦敦提供比北京奥运会更高的赛事覆盖率。奥运会单项联合会总会正摩拳擦掌，努力在北京取得物质性的增长。这些交易，特别是和美国电视台的交易，都有各自的价值。从1988年汉城奥运会开始，NBC电视台一直牵制住了国际奥委会，并且让北京调整了赛程，使游泳和体操总决赛在早上举行。这引起了国际单项运动还有来自欧洲广播联盟成员的反对，而在亚太地区，很难对奥运会转播时间作出选择。国际奥委会为了摆脱这种尴尬的处境，发表了以下咨文：

> 国际奥委会组委会在长时间的讨论之后，对比赛的时间作出了最终的安排，赛事会紧密相连……世界上没有万全之策，永远不可能满足所有人的愿望，但是，国际奥委会已经尝试为奥林匹克运动寻找一个最佳的整体平衡。这个决定可以保证所有运动员的生理机能都不受影响，国际奥委会也和国际奥委会运动员委员会充分讨论了运动员的需要。这样的决定并不是没有先例的。

根据睡眠、餐饮、训练、时区等的调试情况，国际奥委会的咨文是正确的，运动员可以随时参加比赛。

如果金钱，至少是现在，仍然不断地流入国际奥委会的保险箱，那么关于怎么使用这一大笔钱的讨论将会一直继续，换言之就是这笔钱应该怎样用在奥林匹克运动上。在2002年墨西哥城的临时会议上，这个问题没有得到解决，因而相关的讨论一直闹得沸沸扬扬。2006年在危地马拉城召开的大会，尽管没有对奥林匹克运动作出调整，但这个问题的解决至少有了一些进展。那就是，投票的程序简化了，这让一些新的运动项目更容易进入奥运会。国际奥委会对宪章的调整，将会说明一切：

> 在2016年奥运会上，将根据2012年伦敦奥运会各项目的情况提出26个核心体育项目进行筛选，而核心运动的总量将会控制在28个以下。在成员大会上，成员将对组委会提出的25个夏季奥运会核心项目进行统一投票。这要求各奥林匹克运动项目需要得到绝大多数的支持票，如果没有达到绝大多数的支持票，主席将安排另外一轮投票。主席称，该新系统“通过引进3个新的项目，让奥林匹克运动项目的变化更为灵活”。至于冬季奥运会，将设置7个核心运动（程序将和夏季奥运会一致）项目。在索契获得2014年冬季奥运会主办权两天后，大会举行了第一次投票，以决定本次奥运会的7个核心项目。

根据这个系统，核心运动项目为了捍卫自己的地位，将不断地对自己的比赛规划进行调整。冰球尽管不太可能会消失，但它也改变了2010年温哥华男子锦标赛的赛制，每队变成了12人。像都灵冬奥会那样，比赛由原来的6人一组共两组变成4人一组共3组的形式。在2005年的投票中惨遭排除的棒球，仍然希望借助自己在北京锦标赛上的突出表现，再次被纳入奥运会比赛项目之中。但在如何使棒球被重新接纳的问题上，国际棒球联合会内部有争论——新主席、美国人哈•席勒（Harvey Schiller）和来自中美洲的领导人意见不一。即使已经解雇了巴基斯坦的乔杜里(Anwar Chowdhry)——国际拳击联合会的前主席，该联合会的管理仍然一片混乱。多年来，乔杜里一直顶住了此起彼伏的争议。但最后，他还是在投票中以79比83输给了中国台北的吴经国。

吴经国一方面需要处理和乔杜里之间的矛盾，一方面又要在2007年11月消除更换2016年世界拳击锦标赛承办方所引起的质疑。国际拳击联合会计划用芝加哥取代原主办方莫斯科，有人对芝加哥作为2016年候选城市提出了毫无根据的道德质疑。吴经国指导国际拳击联合会向各个方向全面发展，他说，要写一本书来记录他在这个混乱时局中的经历。

增加女性参与奥林匹克的机会只是非正式的工作，却是奥林匹克运动的核心所在。虽然在妇女参与管理方面的进展不大，但是它的确取得了进步。在慕尼黑奥运会上，女性运动员有1059人，占总参赛人数的15%；而到北京奥运会时，女性运动员将达到4 700多人，占总参赛人数的45%。在管理层，当局的短期目标是要有20%的成员是女性。到2007年，各国奥委会和国际单项运动联合会已经提前达到了这个指标，它们的女性成员各占总数的30%和32%。庞德作为女性体育运动的拥戴者，建议减少对那些进度缓慢的组织进行拨款，从而可以对那些进度不错的组织加以财政上的激励。如果是这样的话，那该如何处置国际奥委会本身呢？在危地马拉大会上，约旦的哈雅•宾特•阿尔-侯赛因公主(Haya Bint Al-

国际奥委会2007女性与体育奖颁奖典礼现场：巴基斯坦的耐拉•莎塔拉-卡罗布（Naila Shatara-Kharroub）、肯尼亚的弗里达•辟拉•希洛亚（Fridah Bilha Shiroya）、美国的乔伊娜-杰西(Jackie Joyner-Kersee)、牙买加的波西娅•辛普森-米勒（Portia Simpson-Miller）、罗格、德弗朗兹和德国的伊尔斯•贝希托德（Ilse Bechthold）。

Hussein)和首位印尼奥委会女主席丽塔•苏宝沃(Rita Subowo)分别成了国际奥委会成员。至此，国际奥委会的女性成员共115人，其比例上升到16%，但仍比预期的20%低。女性委员马上开始行使自己手中的权力。在温哥华奥运会上，跳高滑雪比赛被排除，加拿大的女性比赛选手联合加拿大人权委员会提出了抗议。她们指出，国家资源部已经在温哥华的基建方面拨款数百万，其中包括兴建跳高滑雪设施。与此同时，波西娅•辛普森-米勒（Portia Simpson-Miller）当选2007国际奥委会女子体育人物。她本是牙买加的第一位女总理，对女性及女孩体育运动的推广作出了很大的贡献。在另外一场颁奖典礼上，残奥会冠军莉吉嘉娜（Ljiljana Ljubisic）获得残疾人士萨马兰奇奖。

对于2014年冬奥会的两个参选城市——韩国平昌及俄罗斯的索契来说，奥运会能提高当地的国际体育水平，因而是一种动力，但也可能是一种掩饰工具。在上一次以微弱的差距输给温哥华之后，韩国国内引发了政治争论。平昌在准备2007年危地马拉冬奥会主办城市选举时，错误地沿用了2003年的申奥要点。金云龙作为替罪羊惨遭监禁之苦，给人留下了不好的印象，而围绕韩国申奥团队的朴荣晟和李健熙被国际奥委会惩罚的事件，也使韩国得不到支持。韩国总统卢武铉“奥林匹克的到来会‘给这个分裂的半岛带来和平’”的说法也没有为韩国赢得优势。然而，平昌代表团大队人马带着错误的自信，奔向了中美洲，他们仍然相信，平昌已经是万事俱备，只欠东风了。韩国大使曾经三次拜访一个邻国的国际奥委会成员，希望他把手中的票投给韩国。此外，大邱、仁川分别获得2011年世界锦标赛和2014年亚运会的主办权，韩国可能也因此受到了影响。国际官员认为，韩国已经获得太多的举办权了。还有一个说法是，中国对2018年冬奥会的举办权虎视眈眈，它的支持者当然不希望2014年的冬奥会在亚洲举行。

三星集团总裁李健熙在财政问题上虽然没有受到国际奥委会的处罚，却严重地损害了平昌的竞选。

索契，黑海边这个闪闪发光的旅游城市，俄罗斯人最喜爱的夏日度假胜地，也面临着一个困难：他们可以在黑海边建立室内溜冰设施，但那些雪山比赛场地到目前为止仍然是处女峰，对其开发要从零开始。但普京挺身而出，让人们觉得这个尚未举办过冬奥会的国家获得该次冬奥会的举办权是理所当然的。因为在过去50年里，他们的光辉业绩向人们证明：他们所承诺的都可以做到。俄罗斯政府向国际奥委会夸下了海口：索契完全没有管理上的经验，就像完全没有任何雪山比赛场地一样。过去，很多候选人都因为在选举过程中出现的政治或财政问题而变得惊慌失措，但财政问题却丝毫没有影响到索契的自我推广。

费利指导下的评估委员会在日本委员猪谷千春的带领下，前往3个候选城市——萨尔茨堡、索契以及平昌——进行考察。猪谷千春得到了普京和卢武铉的接见，就像每次考察都会遇到的情况一样，这两位总统都对自己的城市大肆称赞，意图拉拢评估人员。当猪谷千春向有关当局询问在7年之内，密集的建设工程的相关事务时，俄罗斯的奥申委主席切尔内先科（Dmitry Chernyshenko）吹嘘克拉斯拿雅浦利安那（Krasnaya Polyana）山就像“一幅等待画家在上面完成旷世之作的白画布”一样。评估委员会或许是由于疏忽，竟然没有提及索契可能受到恐怖袭击的威胁。

奥地利总理阿尔弗雷德•古森鲍尔（Alfred Gusenhauer）和普京总统在危地马拉大选前互致问候。很多人对由国际奥委会成员列奥•瓦尔内领导的萨尔茨堡市的陈述漠不关心。

在访问萨尔茨堡的时候，猪谷千春一如既往地对其表示赞赏。这个奥地利城市仍被很多问题所困扰，包括政府及城市人民对申奥的支持，还有奥地利国家奥委会内部的不可协调的潜在矛盾。萨尔茨堡有让人惊叹的体育比赛设施，能够在50英里范围内的著名度假胜地提供10万间房屋，便捷的国际交通，富丽堂皇的剧院、博物馆以及酒店。这些都让人们不禁对这个历史文化胜地产生偏爱。

委员会的评估报告虽然没有明显地支持平昌，但字里行间却有所流露。有小道消息说，在大会的前几个星期，国际奥委会保守派成员的焦虑情绪与日俱增，他们觉得索契和平昌的商业成分太多，很多国际单项联合会都在与厂商进行交易。例如，国际田联的赞助商——三星成功地说服国际田联在大邱和布里斯班之间，选择前者作为2011年田径锦标赛主办城市。三星同时是多个组织及活动（例如欧洲奥委会反肥胖阵营、非洲的运动志愿计划等）的赞助者。它将帮助韩国争取14张支持票。与此相应的是俄罗斯乳制品集团——OJSC已经和国际足联、划船联合会签订了契约。

中国的体育官员也表示支持索契，这将对12张选票产生影响。意大利国会发言人贝尔蒂诺蒂（Fausto Bertinotti）表示“意大利支持索契”，尽管他的影响力有限，但如果发挥作用将有5张来自意大利的选票受到影响。所有的这些政治以及赞助商干预都导致新上任的道德委员会委员里迪发表声明：“国际奥委会必须对这些行为标准再次作出评估。在选举2016年夏季奥运会的主办城市时，因为届时会有更多热门的候选城市如芝加哥、东京、马德里等，情况将变得尤其复杂。”

危地马拉城的治安有时很差，大会期间当局投入了大量警力以确保安全，但这并不会影响其迷人风光及玛雅文化的魅力。城市的大街小巷，铺天盖地都是赞助商的广告，这些广告继而蔓延到全球其他国家。而俄罗斯人在这个亚热带气候的城市、国际奥委会委员下榻酒店旁，斥巨资修建了一个滑雪场……根据规则，国际奥委会成员是不能进出该场所的。普京为了个人安全购买了一栋别墅，仅仅使用了两天。金钱在这次竞选中的杀伤力可以与美国总统选举一较高下。

会上，各国奥申委的陈述并没有太大的区别。平昌以和平、和谐为主题；普京出人意料地用一口流利的英语向委员们讲述了千千万万俄罗

普鲁申科庆祝索契申奥成功。

斯人的梦想；一封来自萨尔茨堡市长夏登(Heinz Schaden)的信件，他在信中表示："奥林匹克将震撼全世界，而你也将受到前所未有的热情欢迎。"

无论是否受到药物丑闻的影响，人们心目中的热门候选城市萨尔茨堡，在第一轮投票中只得到25票，落后平昌的36票和索契的34票而被淘汰。一些官员声称，终身荣誉主席萨马兰奇暗中影响了投票，使得萨尔茨堡提前出局。在第二轮投票中，索契后来居上，以51比47战胜平昌，这让韩国人心如刀割。作者认为，在这件事中有很多不为人知的协议，因为在最终结果揭晓前一小时，巴西的老臣胡奥•阿维兰热（Havelange）还一再强调索契会取得胜利。

原以为身体欠佳的萨马兰奇不会出席会议，可在投票的下午他却出人意料地现身了。人们认为，他这样做是为了报答1980年国际奥委会主席选举上，前苏联政府对他的支持。当时，他是西班牙驻莫斯科的大使，而所有的国际奥委会前苏联成员都给他投了支持票。有一个未经核实的说法是，萨马兰奇使6张萨尔茨堡的支持票转移到了索契，以保证索契在第一轮顺利过关。如果那6票没有投给索契，索契就会输给萨尔茨堡。当罗格宣布索契胜利时，索契申奥团团长迪米特里•切尔努申科(Dmitry Chernyshenko)和斯米尔诺夫冲向前台，拥抱萨马兰奇。

俄罗斯的财富与萨尔茨堡的大量艺术节日相比，大部分国际奥委会委员都偏好俄罗斯的财富。在第二轮投票中，奥地利的支持者碍于自己的立场，把支持票投给了索契，平昌因此遭受了和2003年相同的命运：刚开始时票数领先，但在决定性的回合中却让人后来居上。虽然索契申奥项目中50%的具体项目能否落成还是个问号，但普京用15亿美元的奥林匹克预算以及120亿美元的地区发展计划说服了委员们。而索契申奥的真正意图就是为了那120亿的地区发展计划基金，届时这个黑海旅游胜地、奥林匹克比赛中心，将会因比赛的到来而得到政府的大力开发。自前苏联解体后，俄罗斯的冬季运动已经在中亚丧失了中心地位，很多国际奥委会委员在投票前都疑虑，是否应该选择政治力量和财富。国际滑雪联合会的主席吉安-弗朗科•卡斯帕 (Gian-Franco Kasper)预言："在此趋势的带动下，那些靠纳税人资金来参与申奥的斯堪的纳维亚城市以及规模较小的高山城市将很难和富有国家竞争。"罗格为索契的当选辩护："俄罗斯联盟的倾力支持，造就了索契的成功。"

俄罗斯奥申委领导迪米特里•切尔努申科的说法让人消除了疑虑，他说："这个决定，将帮助俄罗斯发展成为一个民主国家。"路透社报道，莫斯科的民众认为，申办成功证明了"在前苏联衰落之后，这个国家将再次回到世界强国之列"。英国和俄罗斯都是在申办成功后才开始兴建比赛场馆的，在这一点上，普京比布莱尔做得更为出色。电视评论家报道说，有一半的俄罗斯成年人观看了危地马拉的申办城市竞选投票，索契的克拉斯诺达尔地区的房价因此迅速攀升，欧洲投资者立即抓住了这个投资机会。在地区发展上，俄罗斯政府需要从30亿美元的财政预算中拨出很大一部分用来提高这个地区的供电能力。投票两周之后，在索契举办的国际商务会议上，一个价值220亿美元的共同开发合同得以签署。和这个数字相比，东伦敦地区为2012年伦敦奥运而规划的地区再发展项目数字立刻显得不值一提了。据说基于同情，普京邀请了韩国的企业家加入到索契的奥林匹克建设中去。没有人会妒忌基利(Jean-Claude Killy)成为国际奥委会专职负责2014年冬奥会的协调委员会主席，而他也意识到要完成俄罗斯先前的宏愿会遇到什么问题。例如，俄罗斯承诺修建一条通往山区的双轨铁路和4条高速公路。这个计划在投票进行前并未公开，俄罗斯当局还在考虑中，但德国的建筑公司却曝光了这个计划，使这个计划不得不执行。而隧道工程公司斯特贝认为，要在7年之内完成这项工程，几乎是不可能的。

投票结果出来时，平昌代表团以及支持者被寂静所吞噬，但他们的失败主要归咎于自身。代表团进行了数月的自我检讨，而评论家也纷纷揣测谁会成为下一个替罪羊。江原道的民主劳动党首先发难，指责申奥委员会在8年的两次申奥中用去5.1亿美元资金。而江原道省的省长金镇仙（Jin-Sun Kim）却表示，他们很可能继续申办2018年冬奥会主办权。这应该只是为了掩人耳目吧？中国城市将要参加2018年冬奥会的申请，平昌市想第三次遭到失败吗？在2007年的报告中，一位官员客观地表示："4年前，我们失败是因为金云龙在我们的竞选队伍中，而这次失败却是因为少了他。"

建设项目花费和奥运会管理不会使奥运会组委会内部犹豫不定，相反，即将到来的奥运会标准却会让组委会难以下最后的决定，这个情况在温哥华出现了。在2003年的竞选中，组委会主席约翰•福隆（John Furlong）一直对两个问题很头痛——劳动力以及不断增加的开销。这个带领温哥华取得申办胜利的主席，稍后就发现4.7亿美元的预算不足以建成奥运会的必需设施。经济发展部部长韩仕新(Colin Hansen)向所有人承诺，一切问题都会得到完美解决，而英联邦的哥伦比亚政府也可以达到国际奥委会的要求。庞德说："所有的场地设施都已经动工。"（摘自《温哥华阳光》）速度滑冰、长橇、高山滑雪的比赛场地耗费都增加了20%，组委会不得不动用预留资金，开发位于惠斯勒高山中心的运动员住宿中心。另外一个让所有奥林匹克组织，包括赞助商都头痛的问题就是门票销售。门票销售能产生巨额利润，而在门票没有公开发售之前，一些非官方组织就开始以接近2000美元的票价公开销售开幕式及闭幕式门票。这个夸张的价格反映出奥林匹克作为体育运动之王，当之无愧。

伦敦也出现了相似的状况。申办成功后的两年，对东伦敦斯特拉特福德19世纪的维多利亚地区进行开发以及再发展的计划遭到了反对。人们发现政府建设和组织奥林匹克的媒体系统都是原始系统，奥申委管理层根本不熟悉那个系统的操作。据目前的观察得知，该系统不能辨别奥运会的操作成本以及政府、城市对于提高当地交通及住房所进行的城市基建的开发资金。《华盛顿观察周刊》惊呼，伦敦奥运会及残奥会组委会的具体项目开支已经上升到90亿美元，而组委会公布的费用显示，开支仍然不到30亿美元。

国际奥委会也因反对的浪潮而陷入尴尬处境中。国际奥委会协调委员会主席丹尼斯•奥斯瓦尔德及奥运执行长费利，2007年初访问伦敦表示，国际奥委会对伦敦的筹备情况表示满意，并且信心十足，但他们没有关心上议院公布的数据。在这组数据中，奥组委浪费公众资源的程度可以与那个注定成为失败的千禧穹顶相比。随后，监督奥运会场馆设施建设的奥运交付管理局不得不表示，自从2004年的预算出炉后，不断增加的建筑成本使奥运会的操作预算上升到50亿美元以上。文化及体育部部长泰萨•乔维尔女士（Tessa Jowell）继续追查政府的不明支出。2012年伦敦奥运会会徽的问世又引发了更大的反对浪潮。从内阁到伦敦市最低等的酒吧，所有人都认为这个会徽"幼稚"。不可否认，第一眼看到这个图案时，的确让人感到它不知所云。这个图案虽然在开始的几周引起了这么多的公众关注，但它在公众反对声平息之前基本上实现了自己的大众传播功能。正如某公司所说的："我们要用40年的时间才能取得如此多的关注，而这个会徽却在1个星期内完成了我们40年的工作。"为了表示支持，国际奥委会主席说道："人们要动一些脑筋才能辨认出这组数字（2012），我认为这是一件好事。我不明白，为什么这么多人不喜欢这个会徽……人们会慢慢地习惯，而我也相信，它不会成为2012年开幕式的热门话题。"他继而补充道："我所收到的工作进展报告显示，伦敦头两

伦敦的申奥陈述尽管在国内遭受嘲笑，但在危地马拉的大会上却获得了一致认可。

年的工作比此前任何一个主办城市，包括北京，都要优秀。”作为运动员、管理者或者政客，塞巴斯蒂安•科深谙公众批评之道，他埋头工作，不理会所有的争论。

无论在都灵冬奥会以及雅典奥运会上遭遇什么困难，不管在温哥华和伦敦的积极筹备中出现什么难题，都会出现抱负不凡的继承者，他们将得到主要来自亚洲和中东的源源不断的资金支持。伦敦会发现，他们将史无前例地第三次踏上奥林匹克舞台，虽然财政的竞争不断升温，但他们的当选来得正是时候。从伦敦身上，我们可以知道，在和平昌进行激烈的经济竞赛之后，索契会取得竞选的胜利。而卡塔尔多哈在2006年末第15届亚运会上的表现，也同样夺目。在这次亚运会上，极度奢华的开幕式以及高质量的场地设施，都很好地证明了海湾地区的石油财富，多哈也向国际奥委会传达了最清晰的信息：看清21世纪亚洲的真实面貌，调节自身以适应海湾石油的力量，适应中国、印度人口的力量，适应亚洲体育文化，并放弃整整一个世纪以来以欧洲为基础的机构立场。亚奥会主席谢赫•艾哈迈德倾尽全力地对多哈亚运会予以支持，这场耗资40亿美元的亚运会是那些有意主办奥运会的候选国家的奢华演习，而这场巨资打造的亚运会必将加大那些有能力申办奥运会的国家与政府力量不足的传统体育小国之间的差距。鉴于多哈亚运会的开幕式如此壮观，北京开幕式筹备组高级成员陈维亚坦陈：“我们可以从中学到很多东西，我们将全面审视他们的技术设施。这届亚运会比雅典奥运会出色，多哈向全世界展现了最好的一面。”北京奥组委主席刘淇预测：“开幕式的质量将是中国能否举办高层次体育竞赛的决定性标志。”虽然卡塔尔人口不足100万，其中大部分是移民工人，但无论它需要的是人还是观众都可以进口。卡塔尔真的那么出色，可以成为奥运会的东道主吗？在这个让人困惑、以金钱为尚的世界，没有什么事是不可能的。亚奥会主席谢赫•艾哈迈德在科威特的成员大会上表示，卡塔尔完全有能力举办一场奥运会。

因此，多哈在2007年进入2016年奥运会候选

2006年多哈亚运会开幕式奢华的一幕：酋长儿子、卡塔尔马术联合会主席阿勒萨尼王子手持圣火到达会场。

城市名单，并不出人意料。其他候选城市还有巴库（阿塞拜疆）、芝加哥、马德里、布拉格、里约热内卢和东京，到2008年，7个候选城市会缩减为4个。人们很感兴趣，多哈能否使4个夺标热门——芝加哥、马德里、里约热内卢和东京——中的某一个被淘汰，或者成为第5个候选城市。2009年在哥本哈根第121届奥林匹克全会上将得出最后的结果。印度恰好被挡在7个候选名额之外，这使印度的国家奥委会官员很沮丧。他们的经济增长速度和中国一样快，而他们的人口总数将在2020年超过中国。在2014年亚运会的主办权竞争中，韩国仁川许下了财政承诺，致使印度在这场竞争中败北。在那之后，印度国内陷入了混乱之中。当时，新德里一度是夺标热门。而很具讽刺意味的是，仁川的实力因为平昌提出申奥而受到了间接伤害。

在2007年上一届国际奥委会组委会会议上，

除了对琼斯进行纪律处分外，反贪污安全委员会主席孔当（Lord Condon）在国际板球会议上的致辞中还提醒所有人警惕非法赌博的威胁。罗格也认为，国际奥委会应该充分了解这个威胁，并且有必要做好预防措施。

罗格的声誉及国际奥委会主席的任职期限很大程度上将取决于北京奥运会的成功，尤其是如果他有意参加2009年竞选，争夺下一个4年的任期。2009年的选举将遵循新的宪章条款。罗格任职期间，没有一日安宁，始终被无数问题所困扰。但这份工作就是如此。尽管对雅典奥运会以及后来的都灵冬奥会表示满意似乎是他必要的职责，也是作为国际奥委会主席保持乐观态度的责任，仍然有一些国际奥委会成员感受到，这两次奥运会缺少一些东西。美国前橄榄球球星斯特维力克直率地表示："我感到，这两届奥运会缺少某种特别的东西，而我们必须尝试把这个东西重建起来。"如果罗格想继续任职，那么他必须在哥本哈根大会上获得委员的支持，尽管在过去的历史中，从来没有在职的主席遭到委员反对的情况。到2009年或2013年，谁可能成为他的接班人呢？当然，有很多的候选人可供选择。庞德可能再次参与竞争，而另外两个最有可能出现的竞争者是托马斯•巴赫（Thomas Bach）和理查德•卡里翁(Richard Carrión)。托马斯•巴赫是1976年奥运会击剑冠军，德国的律师；而理查德•卡里翁则是波多黎哥的银行家。他们都不会反对罗格，但巴赫要参加2013年竞选会遇到一个问题，届时他已经是60岁高龄，虽然萨马兰奇在1980年当选时也60岁，但60岁还是稍稍显得晚了些。对于理查德•卡里翁来说，中美洲的委员可能会仔细考虑是否投他一票，而他也需要获得其他阵容，比如亚洲的支持。虽然没有公开表示，但从罗格派遣巴赫领导多个重要委员会这一点上，可以察觉支持他的大有人在。

德国的托马斯•巴赫——人们认为他得到了罗格的支持——正在和乌克兰的谢尔盖•布比卡(Sergei Bubka)讨论问题。托马斯•巴赫的竞争对手卡里翁 深情回忆残疾运动员奖得主——铁饼运动员Ljiljana Ljubisic。

尽管由古老、充满智慧以及神秘的亚洲民族举办的2008年奥运会正在筹备中，还是有人不断挑剔中国的人权问题，但是抵制行为是极不明智的。1976年、1980年及1984年的奥运会之后的状态足以证明，抵制根本不起任何作用。对蒙特利尔、莫斯科以及洛杉矶奥运会的抵制丝毫没有撼动政治世界，相反却毁坏了一场体育盛宴，牵连了一些无辜的运动员，而预定的商业和文化合约根本没有受到影响。体育运动是一些政界人士不费一兵一卒就可以简单利用的工具，一些名人会向中国在某些国际事务中的政治立场提出抗议，但罗格一再重申："不管什么事件，无论是达富尔的灾难还是人权事件，会因为抵制而得到解决吗？相反，奥林匹克会使中国向全世界打开国门，接受25 000名新闻代表的细察。我们会目睹中国社会发生的变化。”

外国评论认为，成千上万的外国游客能够打开中国人民的眼睛，使他们关注世界。不可否认的是，引起人们同样关注的是警力及安检、对外国游客以及正常活动自由的监管。这些安全工作都是北京防止可能的恐怖袭击的必要工作。另外一件事情是，中国的药物控制在中国运动员（他们不可避免地成为奥运会最大的参赛队伍）身上是否有效。药检委员会的负责人赵建宣布在奥运会进行前一年，将进行多达1万例检查。与此同时，因陪同中国代表团参与20世纪90年代初的申奥工作而闻名世界的中国奥委会官员屠铭德承诺：“这次奥运会将是一次纯洁的奥运会，至少对于中国运动员是如此。”

不管最后的结果如何，北京奥运会都会在对运动员杰出表现的歌颂中进行，都会在中外交往更加紧密的礼赞中上演。中国是一个逐渐强大的国家，而北京奥运会将发现并减少各个国家的违规事件，且能使世界人民明白：体育让所有人互相理解，互相包容，这两种情操都是人性的基础，也是解决暴力的基础。2008年北京奥运会将会成为我们这个时代的一个里程碑。

北京奥运火炬接力路线公布：协调委员会主席荷兰人海因•维尔布鲁根与组委会副主席陈至立在一起。

编后语：

《从雅典到北京》历经三年的准备，终于同读者见面了。本书原名为《从雅典到雅典》，于2003年在英国出版，当时雅典夏季奥运会和都灵冬季奥运会尚未举办，因此缺少了部分重要内容。需要特别强调的是，作者戴维·米勒先生得知中文版尚未付梓的时候，特意补写了雅典奥运会、都灵冬奥会的筹备和比赛过程，以及这五年中奥组委的重要工作内容，尤其是2008年北京奥运会的筹备工作，使得这本书得以完整出版，在此向戴维·米勒先生致以谢意。

本书的面世凝聚了作者、译者、编校人员的心血，也得到了大苹果版权代理以及北京奥组委行政秘书处的大力支持，在此一并表示感谢。

2008年3月

《从雅典到北京》译校者：

虞　佳　蒋志坤　邓婉希　胥丹丹
顾　严　隆　毅　吴彩霞　吴志文
陈　慧　尤佳丽　王承教　吴丽丽